고등 수학 문제 해결의 **길잡이**

풍산자

유형기본서

수학(하)

쉽고 정확한 문제 분석은 **자신감**으로
유형 집중 학습은 **실력**으로 보답하는 **풍산자**입니다.

언제나 현재에 집중할 수 있다면 반드시 행복해진다.
- 파올로 코엘료 -

문제의 핵심을 알려주는 **유형 학습 비법서**

풍산자
유형기본서

간결하고 개념 학습에
효과적인
개념 설명

유사/변형/실력 3단계로
유형을 정복하는
핵심 문제

**교재 활용
로드맵**

풍산자식 해결 전략과
방법을 제시하는
대표유형

문제 해결을 위한
응용력을 길러주는
상위권 도약 문제

배운 유형을
스스로 점검하는
실전 연습 문제

모든 유형을 학습할 수 있는 필수유형	필수유형별 대표 예제와 자세한 풀이, 풍산자식 해결 전략
유형을 정복하기 위한 풍부한 문제	수준별 3단계로 문제를 제시한 체계적인 학습
유형 학습 점검을 통한 실전 문제 연습	시험별 잘 나오는 유형과 중요 문제로 구성된 실전 연습 문제

풍산자

유형기본서

수학(하)

구성과 특징

1. 개념과 유형이 일목요연하게 정리
2. 유형별 문항 학습으로 실전에 강함
3. 친절하고 명쾌한 설명으로 혼자서도 학습 가능

개념

1. 수학의 기본 개념을 구조적으로 정리
2. 개념 확립에 도움이 되는 확인 문제
3. 학습할 개념의 바탕이 되는 이전 개념
4. 실전 적용에 활용 가능한 내용
5. 원리, 심화 개념, 공식 등 연구

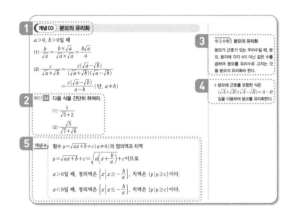

대표 유형

1. 반드시 알아야 할 유형을 필수유형과 발전유형으로 제시
2. 문제 해결을 위한 핵심 전략
3. 단계별 해결 방법 확인
4. 풀이 과정에 적용된 개념, 원리, 방법 등을 바로 확인
5. 연관 개념, 문제 풀이 비법, 보충 설명 등 제공

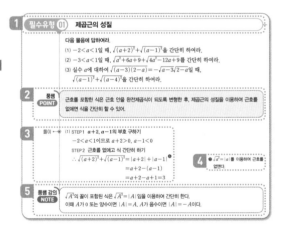

유사/변형/실력

1. 대표유형보다 낮은 난이도, 동일 출제 원리를 담은 문제
2. 대표유형과 동일 난이도, 동일 출제 원리를 담은 문제
3. 대표유형과 동일 난이도이지만 표현 방법을 바꾼 문제
4. 대표유형과 동일 출제 원리이지만 응용개념을 담은 문제

기출   수능/평가원/교육청 기출문제

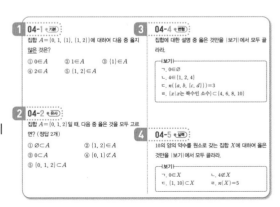

실전 연습

1 각 중단원별로 반드시 풀어야 할 문제를 수록하여 시험에 대비

서술형 🖋 서술형으로 출제 가능성이 높은 문항

기출 수능/평가원/교육청 기출문제

실전 연습 문제 ◉

01

두 함수 $f(x)=x-1$, $g(x)=x^2+4$에 대하여 $(f \circ (g \circ f))(x)=18$을 만족시키는 모든 실수 x의 값의 합은?

① -3　　② 0　　③ 2

④ 5　　⑤ 8

03

일차함수 $g(x)$가 모[...]
이고 $g(0)=1$일 때,

① -4　　②

④ 2　　⑤

상위권 도약

1 각 중단원별로 상위권 실력을 완성할 수 있도록 난이도가 높은 문제를 구성

기출 수능/평가원/교육청 기출문제

상위권 도약 문제 ◉

01

음이 아닌 정수 x에 대하여 함수 $f(x)$를 다음과 같이 정의할 때, $f(51)$의 값을 구하여라.

㉮ $f(5x+k)=f(x)+k$ (단, k는 상수이다.)
㉯ $f(0)=0$

03

집합 $X=\{1, 2, 3, 4$ [...]
$f : X \longrightarrow X$가 다음 [...]

㉮ 함수 f의 치역의[...]
㉯ $f(1)+f(2)+f$[...]

㉰ 함수 f의 치역의[...]
차는 6이다.

집합 X의 어떤 두 원[...]
을 만족시키는 자연수[...]

정답과 풀이

1 문제를 해결하는 데 필요한 핵심 아이디어
2 답을 구하는 데 필요한 단계적 사고 과정
3 문제를 해결하는 데 필요한 확장 원리, 개념, 공식
4 실전에 도움이 되는 다양한 풀이

∴ $x+y=64+32=96$

08-3 답 28

1 해결전략 | 전체 부분집합의 개수에서 홀수인 부분집합의 개수를 뺀다.

STEP1 홀수가 한 개 이상 속해 있는 집합 이해하기
집합 $A=\{1, 2, 3, 4, 5\}$의 부분집합 중 홀수가 한 개 이상 속해 있는 집합의 개수는 전체 부분집합의 개수에서 짝수로만 이루어진 집합 $\{2, 4\}$의 부분집합의 개수를 뺀 것과 같다.

2 STEP2 홀수가 한 개 이상 속해 있는 부분집합의 개수 구하기
따라서 구하는 부분집합의 개수는
$2^5-2^2=32-4=28$

3 💡 동형의 비법
원소의 개수가 n인 집합 A에 대하여 집합 A의 특정한 원소 a개 중 1개 이상을 원소로 갖는 부분집합의 개수는 다음과 같다.
2^n-2^{n-a}

집합 $A=\{2, 4, 6, 8, 10\}$의 부분집합 중에서 2 또는 10을 원소로 갖는 부분집합의 개수는 전체 부분집합의 개수에서 2, 10을 제외한 $\{4, 6, 8\}$의 부분집합의 개수를 뺀 것과 같다.

STEP2 2 또는 10을 원소로 갖는 부분집합의 개수 구하기
따라서 구하는 부분집합의 개수는
$2^5-2^3=32-8=24$

4 ◆ 다른 풀이 ┃
집합 A의 부분집합 중 2를 원소로 갖는 부분집합의 개수는 $2^{5-1}=2^4=16$
10을 원소로 갖는 부분집합의 개수는 $2^{5-1}=2^4=16$
2와 10을 모두 원소로 갖는 부분집합의 개수는 $2^{5-2}=2^3=8$
따라서 2 또는 10을 원소로 갖는 부분집합의 개수는 $16+16-8=24$

08-6 답 138

해결전략 | 주어진 부분집합의 개수를 이용하여 집합 A의 원소의 개수를 구한다.
STEP1 n의 값 구하기

V

함수와 그래프

VI

경우의 수

01

집합

01 집합

개념 01 집합과 원소

(1) **집합**: 어떤 기준에 의하여 그 대상을 분명히 정할 수 있는 것들의 모임
(2) **원소**: 집합을 이루고 있는 대상 하나하나
　① a가 집합 A의 원소일 때, a는 집합 A에 속한다고 하며, 기호로 $a \in A$와 같이 나타낸다.
　② b가 집합 A의 원소가 아닐 때, b는 집합 A에 속하지 않는다고 하며, 기호로 $b \notin A$와 같이 나타낸다.

> 일반적으로 집합은 알파벳 대문자 A, B, C, $\cdots$ 로 나타내고, 원소는 알파벳 소문자 a, b, c, $\cdots$로 나타낸다.

확인 01 다음 중 집합인 것에 ◯표, 집합이 아닌 것에 ×표 하여라.
　(1) 자전거를 좋아하는 사람들의 모임 　　　　　　(　　)
　(2) 0과 8 사이에 있는 자연수의 모임 　　　　　　(　　)
　(3) 5에 가까운 수의 모임 　　　　　　　　　　　(　　)

확인 02 12의 양의 약수의 집합을 A라 할 때, 다음 □ 안에 기호 $\in$ 또는 $\notin$ 중 알맞은 것을 써넣어라.
　(1) $1 \square A$　　　(2) $2 \square A$　　　(3) $5 \square A$　　　(4) $6 \square A$

개념 02 집합의 표현 방법

(1) **원소나열법**: 모든 원소를 기호 { } 안에 나열하여 집합을 나타내는 방법
(2) **조건제시법**: 원소들의 공통된 성질을 조건으로 제시하여 집합을 나타내는 방법
(3) **벤다이어그램**: 집합을 그림으로 나타내는 방법

> 원소나열법으로 나타낼 때
> ① 같은 원소는 중복하여 쓰지 않는다.
> ② 원소를 나열하는 순서는 관계없다.
> ③ 원소의 개수가 많고 일정한 규칙이 있을 때는 '$\cdots$'를 사용하여 원소의 일부를 생략할 수 있다.

확인 03 오른쪽 벤다이어그램으로 나타내어진 집합을 원소나열법과 조건제시법으로 나타내어라.

개념 03 원소의 개수에 따른 집합의 분류

(1) **유한집합**: 원소가 유한개인 집합
(2) **무한집합**: 원소가 무수히 많은 집합
(3) **공집합**: 원소가 하나도 없는 집합, 기호로 $\varnothing$과 같이 나타낸다.
(4) **유한집합의 원소의 개수**
　집합 A가 유한집합일 때, 집합 A의 원소의 개수를 기호로 $n(A)$와 같이 나타낸다.
> **주의** $n(\varnothing)=0 \Rightarrow$ 공집합의 원소의 개수는 0이다.
> 　　　$n(\{\varnothing\})=1 \Rightarrow$ 집합 $\{\varnothing\}$은 원소가 $\varnothing$으로 한 개이다.

> 공집합은 원소의 개수가 0이므로 유한집합이다.

> $n(A)$에서 n은 number(수)의 첫 글자이다.

확인 04 다음 값을 구하여라.
　(1) $n(\{1, 3, 5, 7\})$　　　　　　(2) $n(\{0\})$

개념 04 부분집합

(1) **부분집합**: 집합 A의 모든 원소가 집합 B에 속할 때, 집합 A를 집합 B의 부분집합이라 한다.

   ① 집합 A가 집합 B의 부분집합일 때, 집합 A는 집합 B에 포함된다 또는 집합 B는 집합 A를 포함한다고 하며, 기호로 $A \subset B$와 같이 나타낸다.

   ② 집합 A가 집합 B의 부분집합이 아닐 때, 기호로 $A \not\subset B$와 같이 나타낸다.

(2) **부분집합의 성질**: 세 집합 A, B, C에 대하여

   ① $A \subset A$: 모든 집합은 자기 자신의 부분집합이다.

   ② $\varnothing \subset A$: 공집합은 모든 집합의 부분집합이다.

   ③ $A \subset B$이고 $B \subset C$이면 $A \subset C$이다.

확인 05 두 집합 A, B 사이의 포함 관계를 기호 $\subset$ 또는 $\not\subset$를 사용하여 나타내어라.

   (1) $A = \{a, b, c\}$, $B = \{a, b, c, d, e\}$

   (2) $A = \{x \mid x$는 홀수$\}$, $B = \{x \mid x$는 짝수$\}$

확인 06 집합 $\{1, 2\}$의 부분집합을 모두 구하여라.

> 기호 $\in$는 원소와 집합 사이에 사용하고, 기호 $\subset$는 집합과 집합 사이에 사용한다.

> 두 집합 A, B에 대하여 $A \subset B$일 때, 벤다이어그램으로 나타내면 다음과 같다.

개념 05 서로 같은 집합

(1) **서로 같은 집합**: 두 집합 A, B에 대하여 $A \subset B$이고 $B \subset A$일 때, 두 집합 A와 B는 서로 같다고 한다.

   ① 두 집합 A, B가 서로 같을 때, 기호로 $A = B$와 같이 나타낸다.

   ② 두 집합 A, B가 서로 같지 않을 때, 기호로 $A \neq B$와 같이 나타낸다.

(2) **진부분집합**: 두 집합 A, B에 대하여 $A \subset B$이고 $A \neq B$일 때, 집합 A를 집합 B의 진부분집합이라 한다.

확인 07 다음 두 집합 A, B 사이의 관계를 기호 $=$ 또는 $\neq$를 사용하여 나타내어라.

   (1) $A = \{4, 8\}$, $B = \{x \mid x$는 10보다 작은 4의 양의 배수$\}$

   (2) $A = \{1, 2, 3, 5, 7\}$, $B = \{x \mid x$는 한 자리 자연수$\}$

> 두 집합 A, B의 원소가 모두 같을 때, 두 집합 A, B는 서로 같다.

개념 06 부분집합의 개수

원소의 개수가 n인 집합 A에 대하여

(1) 집합 A의 부분집합의 개수: 2^n

(2) 집합 A의 진부분집합의 개수: $2^n - 1$

(3) 집합 A에서 특정한 원소 m개를 포함하는(포함하지 않는) 부분집합의 개수: 2^{n-m} $(m < n)$

확인 08 집합 $A = \{2, 4, 6\}$에 대하여 다음을 구하여라.

   (1) 집합 A의 부분집합의 개수

   (2) 집합 A의 부분집합 중 원소 6을 포함하는 부분집합의 개수

   (3) 집합 A의 부분집합 중 원소 4를 포함하지 않는 부분집합의 개수

> 특정한 원소 m개를 포함하고 l개를 포함하지 않는 부분집합의 개수는 2^{n-m-l} $(m+l < n)$

두 집합 $A=\{0, 1, 2\}$, $B=\{1, 2, 3\}$에 대하여 다음 집합을 원소나열법으로 나타내어라.

(1) $\{x+y\,|\,x\in A,\ y\in B\}$

(2) $\{xy\,|\,x\in A,\ y\in B\}$

(3) $\{(x, y)\,|\,x\in A,\ y\in B\}$

풍쌤 POINT

두 문자를 이용하여 나타낸 여러 가지 조건제시법을 알아보고 다양한 문제에서 활용할 수 있도록 해야 해.

- $\{x+y\,|\,p(x, y)\}$: 조건 $p(x, y)$를 만족시키는 $x+y$의 값의 모임
- $\{xy\,|\,p(x, y)\}$: 조건 $p(x, y)$를 만족시키는 xy의 값의 모임
- $\{(x, y)\,|\,p(x, y)\}$: 조건 $p(x, y)$를 만족시키는 순서쌍 (x, y)의 모임

풀이

(1) STEP1 x, y가 될 수 있는 값 확인하기

$x\in A$이므로 x가 될 수 있는 값은 0, 1, 2이고
$y\in B$이므로 y가 될 수 있는 값은 1, 2, 3이다.

STEP2 표를 이용하여 $x+y$의 값 구하기

이때 $x+y$의 값은 오른쪽 표와 같다.

STEP3 구하는 집합을 원소나열법으로 나타내기

따라서 구하는 집합은
$\{1, 2, 3, 4, 5\}$❶

y＼x	0	1	2
1	1	2	3
2	2	3	4
3	3	4	5

❶ 중복되는 $x+y$의 값은 한 번만 쓴다.

(2) $x\in A$, $y\in B$에 대하여 xy의 값은 오른쪽 표와 같으므로 구하는 집합은
$\{0, 1, 2, 3, 4, 6\}$

y＼x	0	1	2
1	0	1	2
2	0	2	4
3	0	3	6

(3) $x\in A$, $y\in B$에 대하여 (x, y)는 오른쪽 표와 같으므로 구하는 집합은
$\{(0, 1), (0, 2), (0, 3)$,❷
$(1, 1), (1, 2), (1, 3)$,
$(2, 1), (2, 2), (2, 3)\}$

y＼x	0	1	2
1	$(0, 1)$	$(1, 1)$	$(2, 1)$
2	$(0, 2)$	$(1, 2)$	$(2, 2)$
3	$(0, 3)$	$(1, 3)$	$(2, 3)$

❷ 순서쌍은 순서가 있으므로 집합 A, B의 원소를 짝 지을 때 순서에 주의한다.

답 (1) $\{1, 2, 3, 4, 5\}$ (2) $\{0, 1, 2, 3, 4, 6\}$

(3) $\{(0, 1), (0, 2), (0, 3), (1, 1), (1, 2), (1, 3), (2, 1), (2, 2), (2, 3)\}$

풍쌤 강의 NOTE

조건제시법으로 나타내어진 집합 문제는 그 조건의 의미를 정확히 파악하여 원소나열법으로 나타낼 수 있어야 한다. 이때 두 문자의 합, 곱, 순서쌍으로 표현되었을 때는 표를 이용하면 원소를 빠짐없이 찾아서 나열할 수 있다.

01-1 〔기본〕

다음 집합에서 원소나열법으로 나타낸 것은 조건제시법으로, 조건제시법으로 나타낸 것은 원소나열법으로 나타내어라.

(1) $\{1,\ 3,\ 9,\ 27\}$

(2) $\{13,\ 26,\ 39,\ \cdots\}$

(3) $\{x\,|\,x^2-16=0\}$

(4) $\{x\,|\,x$는 1 이상 20 이하의 소수$\}$

01-2 〔기본〕

다음 중 원소나열법으로 나타낸 것은 조건제시법으로, 조건제시법으로 나타낸 것은 원소나열법으로 나타낸 것으로 옳지 <u>않은</u> 것을 모두 고르면? (정답 2개)

① $\{1,\ 2,\ 3,\ 4\}=\{x\,|\,x$는 5보다 작은 자연수$\}$

② $\{4,\ 8,\ 12,\ \cdots\}=\{x\,|\,x$는 4의 양의 배수$\}$

③ $\{x\,|\,(x+1)(x-1)(x-3)=0\}=\{-1,\ 1,\ 3\}$

④ $\{x\,|\,x=4n-3,\ n$은 5 이하의 정수$\}$
$=\{1,\ 5,\ 9,\ 13,\ 17\}$

⑤ $\{2^x\,|\,x$는 10 이하의 짝수$\}=\{2,\ 4,\ 6,\ 8,\ 10\}$

01-3 〔유사〕

두 집합 $A=\{2,\ 3,\ 5,\ 7\}$, $B=\{0,\ 1\}$에 대하여 집합 $C=\{x+y\,|\,x\in A,\ y\in B\}$일 때, 집합 C를 원소나열법으로 나타내어라.

01-4 〔변형〕

두 집합 $A=\{1,\ 2,\ 3,\ 4,\ 5\}$, $B=\{1,\ 3\}$에 대하여 집합 $C=\{2x-1\,|\,x\in A,\ x\notin B\}$일 때, 집합 C의 모든 원소의 합을 구하여라.

01-5 〔변형〕

두 집합
$$A=\{x\,|\,|x|\leq 1,\ x$는 정수$\},$$
$$B=\{x\,|\,|x|=2,\ x$는 정수$\}$$
에 대하여 집합 $C=\{2x+y\,|\,x\in A,\ y\in B\}$일 때, 집합 C를 원소나열법으로 나타내어라.

01-6 〔실력〕 〔기출〕

집합 $A=\{z\,|\,z=i^n,\ n$은 자연수$\}$에 대하여 집합 $B=\{z_1^{\ 2}+z_2^{\ 2}\,|\,z_1\in A,\ z_2\in A\}$일 때, 집합 B의 원소의 개수를 구하여라. (단, $i=\sqrt{-1}$)

자연수를 원소로 갖는 집합 S가 다음 조건을 만족시킬 때, 집합 S의 개수를 구하여라.

$$x \in S$$이면 $7 - x \in S$

풍쌤 POINT

$a \in S$이면 $p(a) \in S$라는 조건을 만족시키는 집합 S에 대하여 a가 집합 S의 원소이면 $p(a)$도 집합 S의 원소이어야 하므로 집합 S는 반드시 a와 $p(a)$를 동시에 원소로 가져야 해.

풀이

STEP1 집합 S의 원소가 될 수 있는 x의 값 구하기

x와 $7-x$가 모두 자연수이므로

$x \geq 1$, $7-x \geq 1$에서 $x = 1, 2, 3, 4, 5, 6$

이때

$1 \in S$이면 $7 - 1 = 6 \in S$

$2 \in S$이면 $7 - 2 = 5 \in S$

$3 \in S$이면 $7 - 3 = 4 \in S$

이므로 1과 6, 2와 5, 3과 4는 각각 동시에 집합 S의 원소이거나 원소가 아니다.❶

따라서 집합 S는 집합 $\{1, 6\}$, $\{2, 5\}$, $\{3, 4\}$ 중에서 일부 또는 전부를 부분집합으로 갖는 집합이다.

STEP2 원소의 개수에 따른 집합 S 구하기

(i) 원소가 2개인 집합 S는

　　$\{1, 6\}$, $\{2, 5\}$, $\{3, 4\}$

(ii) 원소가 4개인 집합 S는

　　$\{1, 2, 5, 6\}$, $\{1, 3, 4, 6\}$, $\{2, 3, 4, 5\}$❷

(iii) 원소가 6개인 집합 S는

　　$\{1, 2, 3, 4, 5, 6\}$

STEP3 집합 S의 개수 구하기

(i)~(iii)에 의하여 조건을 만족시키는 집합 S의 개수는 7이다.

답 7

❶ 1과 6, 2와 5, 3과 4는 조건에 의하여 짝 지어진 수이므로 동시에 집합 S의 원소이거나 원소가 아니다.

❷ 1과 6, 2와 5, 3과 4를 둘씩 묶어서 집합을 만든다.

풍쌤 강의 NOTE

집합 S의 원소가 될 수 있는 x의 값을 모두 구한 후, 주어진 조건을 만족시키는 집합 S를 원소의 개수가 적은 것부터 차례로 구해 본다.

02-1 ◉ 유사

자연수를 원소로 갖는 집합 S가 다음 조건을 만족시킬 때, 집합 S의 개수를 구하여라.

$$x \in S \text{이면 } 6 - x \in S$$

02-2 ◉ 유사

자연수를 원소로 갖는 집합 S가 다음 조건을 만족시킬 때, 집합 S의 개수를 구하여라.

$$x \in S \text{이면 } \frac{6}{x} \in S$$

02-3 ◉ 변형

유리수를 원소로 갖는 집합 S가 아래 조건을 만족시킬 때, 다음 중 옳은 것은? (단, $0 \notin S$)

$$x \in S \text{이면 } \frac{1}{3}x \in S \text{이다.}$$

① $5 \in S$이면 $\frac{5}{6} \in S$이다.

② $4 \in S$이면 $9 \in S$이다.

③ $3 \in S$이면 $\frac{1}{6} \in S$이다.

④ $2 \in S$이면 $\frac{2}{27} \in S$이다.

⑤ 집합 S의 원소는 5개이다.

02-4 ◉ 변형

자연수를 원소로 갖는 집합 S가 다음 조건을 만족시킬 때, 집합 S의 모든 원소의 합을 $X(S)$라 하자.

$$x \in S \text{이면 } \frac{24}{x} \in S$$

$X(S)$의 최댓값을 m, 최솟값을 n이라 할 때, $m+n$의 값을 구하여라.

02-5 ◉ 변형

자연수를 원소로 갖는 집합 S는 다음 두 조건을 만족시킨다.

㉮ $3 \in S$, $5 \in S$
㉯ $a \in S$, $b \in S$이면 $a + b \in S$

다음 중 집합 S의 원소가 <u>아닌</u> 것은?

① 6   ② 7   ③ 8

④ 10   ⑤ 14

02-6 ◉ 실력

다음 두 조건을 만족시키는 집합 S 중에서 원소의 개수가 최소인 것의 모든 원소의 곱을 구하여라.

㉮ $1 \notin S$, $2 \in S$
㉯ $x \in S$이면 $\frac{1}{1-x} \in S$

옳은 것만을 |보기|에서 모두 골라라.

---|보기|---

ㄱ. $A=\{0\}$이면 $n(A)=0$

ㄴ. $n(\{2, 3, 5\})=n(\{6, 7, 8\})$

ㄷ. $n(\{\varnothing\})+n(\varnothing)=1$

ㄹ. $n(\{x|x<1$인 자연수$\})=0$

ㅁ. $n(\{1, 3, 5, 7\})+n(\{0\})-n(\varnothing)=4$

ㅂ. $B=\{x|x^2=16, x$는 유리수$\}$이면 $n(B)=2$

풍쌤 POINT

$\varnothing$, $\{\varnothing\}$, $\{0\}$의 원소의 개수는 다음과 같아.

• $\varnothing$은 원소가 하나도 없는 공집합이므로 $n(\varnothing)=0$

• $\{\varnothing\}$은 $\varnothing$를 원소로 갖는 집합이므로 $n(\{\varnothing\})=1$

• $\{0\}$은 0을 원소로 갖는 집합이므로 $n(\{0\})=1$

풀이

ㄱ. 집합 A의 원소는 0이므로

　　$n(A)=1$ (거짓)

ㄴ. $n(\{2, 3, 5\})=3$, $n(\{6, 7, 8\})=3$이므로

　　$n(\{2, 3, 5\})=n(\{6, 7, 8\})$ (참)

ㄷ. $n(\{\varnothing\})=1$❶, $n(\varnothing)=0$❷이므로

　　$n(\{\varnothing\})+n(\varnothing)=1+0=1$ (참)

ㄹ. $x<1$을 만족시키는 자연수 x는 존재하지 않으므로

　　$n(\{x|x<1$인 자연수$\})=n(\varnothing)=0$ (참)

ㅁ. $n(\{1, 3, 5, 7\})=4$, $n(\{0\})=1$, $n(\varnothing)=0$이므로

　　$n(\{1, 3, 5, 7\})+n(\{0\})-n(\varnothing)=4+1-0=5$ (거짓)

ㅂ. $x^2=16$에서 $x=-4$ 또는 $x=4$❸

　　즉, $B=\{-4, 4\}$이므로 $n(B)=2$ (참)

따라서 옳은 것은 ㄴ, ㄷ, ㄹ, ㅂ이다.

❶ $\varnothing$ 하나를 원소로 갖는다.

❷ 공집합의 원소의 개수는 0이다.

❸ $x^2=16$에서 $x=\pm\sqrt{16}=\pm4$

답 ㄴ, ㄷ, ㄹ, ㅂ

풍쌤 강의 NOTE

$n(A)$는 유한집합 A의 원소의 개수를 나타낸다. 주어진 각각의 집합을 원소나열법으로 나타내어 원소의 개수를 구한다.

03-1 · 기본

|보기|에서 유한집합의 개수를 a, 무한집합의 개수를 b라 할 때, a, b의 값을 각각 구하여라.

┌─|보기|────────────────────────────┐
│ ㄱ. $\{x\,|\,x$는 1과 2 사이의 유리수$\}$
│ ㄴ. $\{x\,|\,x$는 18을 나누어떨어지게 하는 자연수$\}$
│ ㄷ. $\{x\,|\,x$는 $5<x<7$인 홀수$\}$
│ ㄹ. $\{x\,|\,x$는 8로 나누어 3이 남는 자연수$\}$
│ ㅁ. $\{x\,|\,x$는 10보다 큰 5의 배수$\}$
└──────────────────────────────────┘

03-2 · 기본

다음 중 옳은 것은?

① $\varnothing$은 무한집합이다.

② $\{\varnothing\}$은 공집합이다.

③ $\{x\,|\,x$는 3으로 나누어 1이 남는 자연수$\}$는 유한집합이다.

④ $\{x\,|\,x$는 $5\times x=12$를 만족시키는 자연수$\}$는 공집합이다.

⑤ $\{x\,|\,x$는 $0\times x=0$을 만족시키는 자연수$\}$는 유한집합이다.

03-3 · 유사

다음 값을 구하여라.

(1) $n(\{\varnothing,\ 1,\ \{0,\ 1\}\})+n(\varnothing)-n(\{0\})$

(2) $n(\{x\,|\,|x|<2$인 정수$\})$
$\qquad\qquad -n(\{\varnothing\})+n(\{-1,\ 1\})$

03-4 · 변형

세 집합

$$A=\{x\,|\,x \text{는 } 12\text{의 양의 약수}\},$$
$$B=\{x\,|\,x \text{는 } 10\text{보다 작은 소수}\},$$
$$C=\{x\,|\,x \text{는 } x^2-6x+8<0 \text{인 짝수}\}$$

에 대하여 $n(A)-n(B)+n(C)$의 값을 구하여라.

03-5 · 변형

두 집합

$$A=\{2,\ 2^2,\ 2^3,\ 2^4,\ 2^5,\ 2^6\},$$
$$B=\{2,\ 2^2,\ 2^3\}$$

에 대하여 집합 $C=\{xy\,|\,x\in A,\ y\in B\}$일 때, $n(C)$의 값을 구하여라.

03-6 · 실력   기출

집합 $A=\{x\,|\,(k-1)x^2-8x+k=0,\ x$는 실수$\}$에 대하여 $n(A)=1$이 되게 하는 모든 상수 k의 값의 합을 구하여라.

집합과 원소 사이의 관계

집합 $S=\{\varnothing, 0, 1, \{0, 1\}\}$일 때, 옳은 것만을 |보기|에서 모두 골라라.

┌─|보기|────────────────────────────────
ㄱ. $\varnothing \subset S$ ㄴ. $\{0, 1\} \in S$
ㄷ. $\{0, 1\} \subset S$ ㄹ. $\{\{0, 1\}\} \subset S$
ㅁ. $\{\varnothing\} \subset S$ ㅂ. $\{1\} \in S$
└────────────────────────────────

풍쌤 POINT

집합 기호 안에 들어 있는 집합은 원소로 생각하여 집합과 원소, 집합과 집합 사이의 관계를 파악할 때 주의해야 해.

- x가 집합 A의 원소이면 ➡ $x \in A$, $\{x\} \subset A$
- $\{x\}$가 집합 A의 원소이면 ➡ $\{x\} \in A$, $\{\{x\}\} \subset A$
- 공집합은 모든 집합의 부분집합이다. ➡ $\varnothing \subset A$

풀이

STEP1 **집합 S의 원소 파악하기**

집합 S의 원소는 $\varnothing,$ ❶ $0, 1, \{0, 1\}$ ❷이다.

STEP2 **보기에서 옳은 것 고르기**

ㄱ. 공집합은 모든 집합의 부분집합이므로
  $\varnothing \subset S$ (참)

ㄴ. $\{0, 1\}$은 집합 S의 원소이므로
  $\{0, 1\} \in S$ (참)

ㄷ. $0, 1$은 집합 S의 원소이므로
  $\{0, 1\} \subset S$ (참)

ㄹ. $\{0, 1\}$은 집합 S의 원소이므로
  $\{\{0, 1\}\} \subset S$ ❸ (참)

ㅁ. $\varnothing$은 집합 S의 원소이므로
  $\{\varnothing\} \subset S$ (참)

ㅂ. 1은 집합 S의 원소이므로
  $\{1\} \subset S$ (거짓)

따라서 옳은 것은 ㄱ, ㄴ, ㄷ, ㄹ, ㅁ이다.

답 ㄱ, ㄴ, ㄷ, ㄹ, ㅁ

❶ $\varnothing$이 공집합인지 집합 S의 원소인지 구별한다.
❷ 집합 기호 안에 들어 있는 집합은 원소로 생각한다.

❸ $\{0, 1\}$은 집합 S의 원소이기도 하고 부분집합이기도 하다.

풍쌤 강의 NOTE

집합과 원소 사이의 관계는 기호 $\in$를 사용하여 (원소)$\in$(집합), 집합과 집합 사이의 관계는 기호 $\subset$를 사용하여 (집합)$\subset$(집합)으로 나타냄을 기억하자.

04-1 ◎ 기본

집합 $A=\{0, 1, \{1\}, \{1, 2\}\}$에 대하여 다음 중 옳지 않은 것은?

① $0 \in A$ ② $1 \in A$ ③ $\{1\} \in A$

④ $2 \in A$ ⑤ $\{1, 2\} \in A$

04-2 ◎ 유사

집합 $A=\{0, 1, 2\}$일 때, 다음 중 옳은 것을 모두 고르면? (정답 2개)

① $\varnothing \subset A$ ② $\{1, 2\} \in A$

③ $0 \subset A$ ④ $\{0, 1\} \not\subset A$

⑤ $\{0, 1, 2\} \subset A$

04-3 ◎ 유사

집합 $A=\{\varnothing, a, b, \{a, b\}\}$에 대하여 |보기|에서 옳은 것의 개수를 구하여라.

┌─|보기|──────────────────────┐
ㄱ. $\varnothing \in A$ ㄴ. $\varnothing \subset A$
ㄷ. $\{a, b\} \in A$ ㄹ. $\{a, b\} \subset A$
ㅁ. $\{\varnothing, a, b, c, \{a, b\}\} \subset A$
└────────────────────────────┘

04-4 ◎ 변형

집합에 대한 설명 중 옳은 것만을 |보기|에서 모두 골라라.

┌─|보기|──────────────────────┐
ㄱ. $0 \in \varnothing$
ㄴ. $4 \in \{1, 2, 4\}$
ㄷ. $n(\{a, b, \{c, d\}\})=3$
ㄹ. $\{x \,|\, x$는 짝수인 소수$\} \subset \{4, 6, 8, 10\}$
└────────────────────────────┘

04-5 ◎ 변형

10의 양의 약수를 원소로 갖는 집합 X에 대하여 옳은 것만을 |보기|에서 모두 골라라.

┌─|보기|──────────────────────┐
ㄱ. $0 \in X$ ㄴ. $4 \notin X$
ㄷ. $\{1, 10\} \subset X$ ㄹ. $n(X)=5$
└────────────────────────────┘

04-6 ◎ 실력

집합 $A=\{1, 3, 5\}$에 대하여 집합 $B=\{x \,|\, x=ab, a \in A, b \in A\}$일 때, 다음 중 옳은 것은?

① $5 \notin B$ ② $10 \in B$ ③ $15 \notin B$

④ $B \subset A$ ⑤ $A \subset B$

집합 $A=\{1, 2, 3, 4, 5\}$에 대하여 다음을 구하여라.

(1) 집합 A의 부분집합 중 원소의 개수가 2인 부분집합

(2) 집합 A의 부분집합 중 원소 1, 2, 3을 포함하는 부분집합

(3) 집합 A의 부분집합 중 원소 3을 포함하고 원소의 합이 홀수인 부분집합

풍쌤 POINT

부분집합을 구할 때는 부분집합의 원소가 0개, 1개, 2개, …로 경우를 나누어 생각해. 또, 특정한 원소를 포함하거나 포함하지 않는 경우는 그 특정한 원소를 제외한 나머지 원소로 이루어진 집합의 부분집합을 생각해.

풀이

(1) 원소의 개수가 2인 집합 A의 부분집합❶은

$\{1, 2\}, \{1, 3\}, \{1, 4\}, \{1, 5\}, \{2, 3\}, \{2, 4\}, \{2, 5\},$
$\{3, 4\}, \{3, 5\}, \{4, 5\}$

❶ 1, 2, 3, 4, 5 중에서 서로 다른 두 수를 택하여 집합을 만든다.

(2) STEP1 **1, 2, 3을 제외한 집합 $\{4, 5\}$의 부분집합 구하기**

집합 A의 부분집합 중 1, 2, 3을 포함하는 부분집합은
1, 2, 3을 제외한 집합 $\{4, 5\}$의 부분집합 $\varnothing$❷, $\{4\}, \{5\},$
$\{4, 5\}$에 1, 2, 3을 포함시키면 된다.

❷ $\varnothing$을 빠뜨리지 않도록 주의한다.

STEP2 **부분집합 구하기**

따라서 구하는 부분집합은

$\{1, 2, 3\}, \{1, 2, 3, 4\}, \{1, 2, 3, 5\}, \{1, 2, 3, 4, 5\}$

(3) 집합 A의 부분집합 중 3을 포함하고 원소의 합이 홀수인 집합을 원소의 개수에 따라 구하면

(i) 원소의 개수가 1일 때, $\{3\}$

(ii) 원소의 개수가 2일 때, $\{2, 3\}, \{3, 4\}$

(iii) 원소의 개수가 3일 때, $\{1, 3, 5\}, \{2, 3, 4\}$

(iv) 원소의 개수가 4일 때, $\{1, 2, 3, 5\}, \{1, 3, 4, 5\}$

(v) 원소의 개수가 5일 때, $\{1, 2, 3, 4, 5\}$

(i)~(v)에 의하여 구하는 부분집합은

$\{3\}, \{2, 3\}, \{3, 4\}, \{1, 3, 5\}, \{2, 3, 4\}, \{1, 2, 3, 5\},$
$\{1, 3, 4, 5\}, \{1, 2, 3, 4, 5\}$

📖 (1) 풀이 참조 (2) 풀이 참조 (3) 풀이 참조

풍쌤 강의 NOTE

원소의 개수가 2인 부분집합은 전체 원소에서 서로 다른 두 원소를 택하여 만든다. 또, 특정한 원소를 포함하거나 포함하지 않으면 우선 그 원소는 제외하고 생각한다.

05-1 (기본)

다음 두 집합 A, B 또는 세 집합 A, B, C 사이의 포함 관계를 $\subset$를 사용하여 나타내어라.

(1) $A=\{x\,|\,x^2-x-20\leq 0\}$,
   $B=\{x\,|\,2x^2-5x-12\leq 0\}$

(2) $A=\{x\,|\,-1\leq x\leq 5,\ x$는 정수$\}$,
   $B=\{x\,|\,x$는 5 이하의 홀수$\}$,
   $C=\{x\,|\,-1\leq x\leq 5\}$

05-2 (기본)

집합 $A=\{x\,|\,x$는 10 이하의 소수$\}$에 대하여 $X\subset A$ 이고 $X\neq A$인 집합 X를 모두 구하여라.

05-3 (유사)

집합 $A=\{x\,|\,x$는 16의 양의 약수$\}$에 대하여 $X\subset A$ 이고 $n(X)=3$인 집합 X의 개수를 구하여라.

05-4 (변형)

실수 전체의 부분집합 $S=\{a,\,b,\,c,\,d\}$의 부분집합 중에서 원소의 개수가 3인 부분집합들의 모든 원소의 총합이 48일 때, $a+b+c+d$의 값을 구하여라.
(단, $a,\,b,\,c,\,d$는 서로 다른 실수이다.)

05-5 (변형)

집합 $A=\{x\,|\,x$는 10 이하의 자연수$\}$의 부분집합 B의 원소 중 가장 작은 수가 5이고 $n(B)=4$일 때, 집합 B의 개수를 구하여라.

05-6 (실력)   (기출)

집합 $U=\{1,\,2,\,3,\,\cdots,\,9,\,10\}$의 부분집합 중 두 개의 원소를 가지는 집합을 $A=\{a,\,b\}$로 나타낼 때, 두 원소의 곱 ab가 어떤 자연수의 제곱이 되는 집합 A의 개수를 구하여라.

다음 물음에 답하여라.

(1) 두 집합 $A=\{2, 2a+3\}$, $B=\{4a-6, -a+9, 5\}$에 대하여 $A \subset B$일 때, 상수 a의 값을 구하여라.

(2) 두 집합 $A=\{x \mid -1<x<1\}$, $B=\{x \mid a<x \le 3a+7\}$에 대하여 $A \subset B$일 때, 상수 a의 값의 범위를 구하여라.

풍쌤 POINT

두 집합 A, B에 대하여 $A \subset B$일 경우

• 집합의 원소가 주어지면
　➡ 집합 A의 원소는 모두 집합 B의 원소이어야 해.

• 집합의 조건이 부등식으로 주어지면
　➡ 두 집합을 수직선 위에 나타내고, 포함 관계가 성립할 조건을 찾아.

풀이

(1) STEP1 $A \subset B$임을 이용하여 a의 조건 파악하기

$A \subset B$❶가 성립하려면 $2 \in A$에서 $2 \in B$이어야 하므로

$4a-6=2$ 또는 $-a+9=2$❷

∴ $a=2$ 또는 $a=7$

STEP2 a의 값 구하기

(ⅰ) $a=2$일 때, $A=\{2, 7\}$, $B=\{2, 5, 7\}$이므로 $A \subset B$

(ⅱ) $a=7$일 때, $A=\{2, 17\}$, $B=\{2, 5, 22\}$이므로 $A \not\subset B$❸

따라서 구하는 a의 값은 2이다.

(2) STEP1 $A \subset B$가 성립하도록 두 집합 A, B를 수직선 위에 나타내기

$A \subset B$가 성립하도록 두 집합 A, B를 수직선 위에 나타내면 다음 그림과 같다.

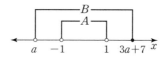

STEP2 a의 값의 범위 구하기

위의 그림에서 $a \le -1$, $3a+7 \ge 1$이므로

$a \le -1$, $a \ge -2$

따라서 구하는 a의 값의 범위는 $-2 \le a \le -1$이다.

❶ 집합 A의 모든 원소가 집합 B에 속한다.

❷ 집합 B의 원소에 2가 있어야 하므로 $4a-6=2$ 또는 $-a+9=2$이다.

❸ 집합 A의 원소 17이 집합 B의 원소가 아니므로 집합 A가 집합 B에 포함되지 않는다.

답 (1) 2 　(2) $-2 \le a \le -1$

풍쌤 강의 NOTE

집합 A의 원소 중 집합 B의 원소가 아닌 것이 하나라도 있으면 집합 A가 집합 B의 부분집합이 아니므로 $A \subset B$이려면 집합 A의 모든 원소는 집합 B의 원소이어야 한다. 또, 집합이 부등식으로 표현된 경우에는 수직선을 이용하여 나타낸 후 포함 관계가 성립할 조건을 찾는데, 이때 등호가 포함되는지 안되는지 주의한다.

06-1 유사

두 집합

$$A=\{1,\,a+2\},$$
$$B=\{2,\,a+3,\,2a+1\}$$

에 대하여 $A\subset B$일 때, 상수 a의 값을 구하여라.

06-2 유사

두 집합

$$A=\{x\,|\,1\le x\le 5-a\},$$
$$B=\{x\,|\,3a\le x\le 8\}$$

에 대하여 $A\subset B$가 성립하도록 하는 실수 a의 값의 범위가 $m\le a\le n$일 때, mn의 값을 구하여라.

06-3 변형 기출

두 집합

$$A=\{x\,|\,(x-5)(x-a)\}=0,$$
$$B=\{-3,\,5\}$$

에 대하여 $A\subset B$를 만족시키는 양수 a의 값을 구하여라.

06-4 변형

두 집합

$$A=\{a+2,\,3\},$$
$$B=\{a-2,\,a^2-1,\,7\}$$

에 대하여 $A\subset B$일 때, 상수 a의 값을 구하여라.

06-5 변형

두 집합

$$A=\{x\,|\,x\ge a\},$$
$$B=\{x\,|\,|2x-1|\le 7\}$$

에 대하여 $B\subset A$일 때, 정수 a의 최댓값을 구하여라.

06-6 실력

세 집합

$$A=\{x\,|\,x-1\le 3\},$$
$$B=\{x\,|\,|x|\le k\},$$
$$C=\{x\,|\,x^2-x-6<0\}$$

에 대하여 $C\subset B\subset A$를 만족시키는 모든 자연수 k의 값의 합을 구하여라.

두 집합 $A=\{2, a^2+3\}$, $B=\{a^2-a, 4\}$에 대하여 $A=B$가 되도록 하는 상수 a의 값을 구하여라.

풍쌤 POINT

두 집합 A, B에 대하여 $A=B$이면
➡ $A \subset B$이고 $B \subset A$야.
➡ 집합 A의 모든 원소는 집합 B의 모든 원소와 같아.

풀이

STEP1 a의 값 구하기
집합 A의 원소 2가 집합 B의 원소이어야 하므로
$a^2-a=2$, $a^2-a-2=0$
$(a+1)(a-2)=0$
$\therefore a=-1$ 또는 $a=2$

STEP2 구한 a의 값이 $A=B$를 만족시키는지 확인하기
(i) $a=-1$일 때 ❶
$A=\{2, 4\}$, $B=\{2, 4\}$이므로 $A=B$
(ii) $a=2$일 때 ❷
$A=\{2, 7\}$, $B=\{2, 4\}$이므로 $A \neq B$
따라서 $A=B$를 만족시키는 a의 값은 -1이다.

다른 풀이
집합 B의 원소 4가 집합 A의 원소이어야 하므로
$a^2+3=4$, $a^2=1$
$\therefore a=-1$ 또는 $a=1$
(i) $a=-1$일 때
$A=\{2, 4\}$, $B=\{2, 4\}$이므로 $A=B$
(ii) $a=1$일 때
$A=\{2, 4\}$, $B=\{0, 4\}$이므로 $A \neq B$
따라서 $A=B$를 만족시키는 a의 값은 -1이다.

❶ $a=-1$을 두 집합 A, B에 대입하여 $A=B$인지 확인한다.

❷ $a=2$를 두 집합 A, B에 대입하여 $A=B$인지 확인한다.

답 -1

풍쌤 강의 NOTE

두 집합 A, B에 대하여 $A=B$이면 집합 A의 모든 원소가 집합 B에도 똑같이 있어야 한다.

07-1 기본

|보기|에서 두 집합 A, B가 서로 같은 집합인 것을 모두 골라라.

┌─|보기|──────────────────────┐
ㄱ. $A=\{1, 2, 3, 4\}$,
　　$B=\{x\,|\,x$는 5 이하의 자연수$\}$
ㄴ. $A=\{-2, 0\}$,
　　$B=\{x\,|\,x^2+2x=0\}$
ㄷ. $A=\{x\,|\,x^2-6x+5=0\}$,
　　$B=\{x\,|\,x$는 5의 약수$\}$
ㄹ. $A=\{x\,|\,2x-6\leq0\}$,
　　$B=\{x\,|\,x^2-2x-3\leq0\}$
└────────────────────────┘

07-2 유사

두 집합 $A=\{1, a+2\}$, $B=\{b-1, 5\}$에 대하여 $A=B$일 때, ab의 값을 구하여라.

(단, a, b는 상수이다.)

07-3 유사

두 집합 $A=\{1, 10, a+b\}$, $B=\{1, 8, 2a-b\}$에 대하여 $A=B$일 때, $a-b$의 값을 구하여라.

(단, a, b는 상수이다.)

07-4 변형

두 집합 $A=\{2, 3, a^2+3\}$, $B=\{a^2+2, a+3, 4\}$에 대하여 $A\subset B$이고 $B\subset A$일 때, 상수 a의 값을 구하여라.

07-5 변형　　　　　　　　　　　기출

두 집합 $A=\{a+2, a^2-2\}$, $B=\{2, 6-a\}$에 대하여 $A=B$일 때, 상수 a의 값을 구하여라.

07-6 실력

두 집합
$$A=\{x\,|\,x^2+ax-16\leq0\},$$
$$B=\{x\,|\,-8\leq x\leq b\}$$
에 대하여 $A=B$일 때, ab의 값을 구하여라.

(단, a, b는 상수이다.)

집합 $A=\{a, b, c, d, e\}$에 대하여 다음을 구하여라.

(1) 집합 A의 부분집합의 개수를 m, 진부분집합의 개수를 n이라 할 때, $m+n$의 값

(2) 집합 A의 부분집합 중 원소 a, b를 모두 포함하는 부분집합의 개수

(3) 집합 A의 부분집합 중 원소 d를 포함하지 않는 부분집합의 개수

(4) 집합 A의 부분집합 중 원소 a는 포함하고 b, c는 포함하지 않는 부분집합의 개수

(5) 집합 A의 부분집합 중 적어도 한 개의 모음을 포함하는 부분집합의 개수

풍쌤 POINT

집합 $A=\{a_1, a_2, a_3, \cdots, a_n\}$에 대하여

• 집합 A의 부분집합의 개수: 2^n　　　　　• 집합 A의 진부분집합의 개수: 2^n-1

• 특정한 원소 m개를 반드시 포함하는 부분집합의 개수: 2^{n-m}

• 특정한 원소 l개를 포함하지 않는 부분집합의 개수: 2^{n-l}

• 특정한 원소 m개를 반드시 포함하고 특정한 원소 l개를 포함하지 않는 부분집합의 개수: 2^{n-m-l}

풀이

(1) 원소의 개수가 5이므로 부분집합의 개수는 $m=2^5=32$

진부분집합의 개수는 $n=2^5-1=31$

∴ $m+n=32+31=63$

(2) 집합 A의 부분집합 중 원소 a, b를 모두 포함하는 부분집합의 개수는 원소 a, b를 제외한 집합 $\{c, d, e\}$의 부분집합의 개수와 같으므로^❶ $2^{5-2}=2^3=8$

❶ 원소 a, b를 제외한 집합 $\{c, d, e\}$의 부분집합에 a, b를 원소로 추가하면 된다.

(3) 집합 A의 부분집합 중 원소 d를 포함하지 않는 부분집합의 개수는 원소 d를 제외한 집합 $\{a, b, c, e\}$의 부분집합의 개수와 같으므로 $2^{5-1}=2^4=16$

(4) 집합 A의 부분집합 중 a는 포함하고 b, c는 포함하지 않는 부분집합의 개수는 원소 a, b, c를 제외한 집합 $\{d, e\}$의 부분집합의 개수와 같으므로 $2^{5-1-2}=2^2=4$

(5) 집합 A의 부분집합 중 적어도 한 개의^❷ 모음을 포함하는 부분집합의 개수는 전체 부분집합의 개수에서 모음 a, e를 포함하지 않는^❸ 부분집합의 개수를 뺀 것과 같다.

집합 A의 부분집합 중에서 모음 a, e를 포함하지 않는 부분집합의 개수는 $2^{5-2}=2^3=8$이므로 적어도 한 개의 모음을 포함하는 부분집합의 개수는 $32-8=24$

❷ '적어도 한 개'는 한 개 이상이라는 것이다.

❸ 모음을 포함하지 않는다는 것은 자음만 포함한다는 것이다. 이때 자음은 b, c, d의 3개이다.

🔑 (1) 63　(2) 8　(3) 16　(4) 4　(5) 24

풍쌤 강의 NOTE

적어도 한 개의 모음을 원소로 갖는다는 것은 전체 부분집합에서 모음을 원소로 갖지 않는 부분집합을 제외하여 구한다는 것을 알 수 있다.

➡ (적어도 한 개가 ~인 경우)=(전체의 경우)-(모두 ~가 아닌 경우)

08-1 ◉ 유사

집합 $A=\{x\,|\,x$는 24의 양의 약수$\}$의 부분집합의 개수를 m, 진부분집합의 개수를 n이라 할 때, $m+n$의 값을 구하여라.

08-2 ◉ 유사

집합 $A=\{x\,|\,x$는 10 이하의 자연수$\}$의 부분집합 중 원소 2, 4, 6, 8을 포함하는 집합의 개수를 x, 원소 1, 3, 5를 포함하고 원소 7, 9를 포함하지 않는 집합의 개수를 y라 할 때, $x+y$의 값을 구하여라.

08-3 ◉ 유사 　　　　　　　　 기출

집합 $A=\{1,\,2,\,3,\,4,\,5\}$의 부분집합 중 홀수가 한 개 이상 속해 있는 집합의 개수를 구하여라.

08-4 ◉ 변형

집합 $S=\{x\,|\,x$는 20 이하의 3의 양의 배수$\}$에 대하여 $3\in S$, $9\not\in S$, $15\not\in S$를 만족시키는 집합 S의 부분집합의 개수를 구하여라.

08-5 ◉ 변형

집합 $A=\{2,\,4,\,6,\,8,\,10\}$의 부분집합 중 2 또는 10을 원소로 갖는 부분집합의 개수를 구하여라.

08-6 ◉ 실력

원소의 개수가 n인 집합 A의 어떤 특정한 두 원소를 반드시 포함하는 부분집합의 개수는 256이고, 어떤 특정한 세 원소를 반드시 포함하지 않는 부분집합의 개수는 a이다. 이때 $n+a$의 값을 구하여라.

두 집합 $A=\{1, 2, 3\}$, $B=\{x \,|\, x$는 18의 양의 약수$\}$에 대하여 $A \subset X \subset B$를 만족시키는 집합 X의 개수를 구하여라.

풍쌤 POINT

$A \subset X \subset B$를 만족시키는 집합 X는 집합 B의 부분집합 중에서 집합 A의 원소를 반드시 포함하는 집합이야.

$$A \subset X \subset B \left\{ \begin{array}{l} A \subset X \Rightarrow A는 X의 부분집합이야. \\ + \\ X \subset B \Rightarrow X는 B의 부분집합이야. \end{array} \right.$$

풀이

STEP1 집합 B를 원소나열법으로 나타내기

18의 양의 약수는 1, 2, 3, 6, 9, 18이므로

$B=\{1, 2, 3, 6, 9, 18\}$

STEP2 $A \subset X \subset B$에서 집합 A, X, B 사이의 관계 파악하기

즉, $\{1, 2, 3\} \subset X \subset \{1, 2, 3, 6, 9, 18\}$에서 집합 X는 집합 A의 세 원소 1, 2, 3을 반드시 포함하는 집합 B의 부분집합이다.

STEP3 집합 X의 개수 구하기

집합 B에서 세 원소 1, 2, 3을 제외한 집합 $\{6, 9, 18\}$의 부분집합은

$\varnothing$, $\{6\}$, $\{9\}$, $\{18\}$, $\{6, 9\}$, $\{6, 18\}$, $\{9, 18\}$, $\{6, 9, 18\}$

이므로 구하는 집합 X는

$\{1, 2, 3\}$, $\{1, 2, 3, 6\}$, $\{1, 2, 3, 9\}$, $\{1, 2, 3, 18\}$,

$\{1, 2, 3, 6, 9\}$, $\{1, 2, 3, 6, 18\}$, $\{1, 2, 3, 9, 18\}$,

$\{1, 2, 3, 6, 9, 18\}$❶

의 8개이다.❷

다른 풀이

집합 X는 집합 $\{1, 2, 3, 6, 9, 18\}$의 부분집합 중에서 1, 2, 3을 반드시 원소로 갖는 집합이므로 그 개수는

$2^{6-3}=2^3=8$

❶ $\{6, 9, 18\}$의 각 부분집합에 1, 2, 3을 원소로 추가한다.

❷ 집합 $\{6, 9, 18\}$의 부분집합의 개수와 같다.

답 8

풍쌤 강의 NOTE

$A \subset X \subset B$를 만족시키는 집합 X의 개수는 집합 B의 원소에서 집합 A의 원소를 제외한 나머지 원소들로 이루어진 집합의 부분집합의 개수와 같다. 따라서 원소의 개수가 n인 집합 B의 부분집합으로 k개의 특정한 원소를 포함하는 부분집합의 개수는 2^{n-k}임을 이용하면 더 쉽게 구할 수 있다.

09-1 ◉유사

두 집합

$$A = \{1, 3, 5\},$$
$$B = \{x \mid x는 10 이하의 홀수\}$$

에 대하여 $A \subset X \subset B$를 만족시키는 집합 X의 개수를 구하여라.

09-2 ◉유사 　　　　　　　　　　기출

집합 $U = \{x \mid x는 자연수\}$의 두 부분집합 A, B에 대하여

$$A = \{x \mid x는 4의 약수\},$$
$$B = \{x \mid x는 12의 약수\}$$

일 때, $A \subset X \subset B$를 만족시키는 집합 X의 개수를 구하여라.

09-3 ◉유사

집합 $A = \{1, 2, 3\}$에 대하여

$$B = \{2x \mid x \in A\},$$
$$C = \{x+y \mid x \in A,\ y \in A\}$$

라 할 때, $B \subset X \subset C$를 만족시키는 집합 X의 개수를 구하여라.

09-4 ◉변형

두 집합

$$A = \{2, 4, 6, 8\},$$
$$B = \{1, 2, 3, 4, 5, 6, 7, 8\}$$

에 대하여 $A \subset X \subset B$를 만족시키는 집합 X가 집합 B의 진부분집합일 때, 집합 X의 개수를 구하여라.

09-5 ◉변형

두 집합

$$A = \{2, 5\},$$
$$B = \{x \mid x는 20의 양의 약수\}$$

에 대하여 $A \subset X \subset B$, $n(X) = 3$을 만족시키는 집합 X의 개수를 구하여라.

09-6 ◉변형

두 집합

$$A = \{1, 3, 5\},$$
$$B = \{x \mid x는 k 이하의 자연수\}$$

에 대하여 $A \subset X \subset B$를 만족시키는 집합 X의 개수가 32일 때, 상수 k의 값을 구하여라.

01

다음 중 집합이 아닌 것은?

① 3보다 크고 4보다 크지 않은 자연수의 모임

② 3의 배수인 홀수의 모임

③ 100보다 크고 100에 가까운 자연수의 모임

④ 사각형의 모임

⑤ 10000보다 큰 자연수의 모임

02 서술형 ✎

서로 다른 세 정수를 원소로 갖는 집합

$$A = \{a+3,\ a^2+3a,\ 2a\}$$

에 대하여 $4 \in A$가 되도록 하는 모든 상수 a의 값의 합을 구하여라.

03

집합 $X = \{(x, y) \mid ax+2by=9\}$에 대하여 $(5, -3) \in X$, $(-1, 6) \in X$일 때, 두 상수 a, b에 대하여 $a+b$의 값은?

① -1 ② 0 ③ 1

④ 2 ⑤ 4

04

다음 중 집합

$$A = \{x \mid x = 2^m \times 3^n,\ m,\ n$은 자연수$\}$$

의 원소가 아닌 것은?

① 12 ② 24 ③ 72

④ 108 ⑤ 126

05

집합 $U = \{1, 2, 3, \cdots, 50\}$에 대하여 집합 A가 다음 두 조건을 만족시킬 때, 원소의 개수가 가장 적은 집합 A를 구하여라.

> (가) $5 \in A$
> (나) $x \in A$, $y \in A$, $x+y \in U$이면 $x+y \in A$

06

다음 중 옳지 않은 것을 모두 고르면? (정답 2개)

① $\varnothing$은 $\varnothing$의 부분집합이다.

② $\{x \mid x$는 2의 양의 배수$\} \subset \{y \mid y$는 4의 양의 배수$\}$

③ $\{x \mid x$는 4의 양의 약수$\} \subset \{y \mid y$는 12의 양의 약수$\}$

④ $\{x \mid 1 < x < 3,\ x$는 자연수$\}$는 유한집합이다.

⑤ $\{x \mid x^2 < 0,\ x$는 실수$\}$는 무한집합이다.

07

다음 중 옳은 것은?

① $n(\{0\})=0$

② $n(\{a,\,b,\,c\})-n(\{b,\,a,\,c\})=\varnothing$

③ $n(\varnothing)+n(\{\varnothing\})+n(\{0\})=2$

④ $A{\subset}B$이면 $n(A)<n(B)$이다.

⑤ $n(A)=n(B)$이면 $A=B$이다.

08 서술형 ✎

자연수 k에 대하여 집합

$$P_k=\{x\,|\,x^2-6x+k=0,\,x는\ 실수\}$$

라 할 때, $n(P_3)+n(P_9)+n(P_{12})$의 값을 구하여라.

09

집합 $A=\{\varnothing,\,0,\,1,\,\{0\},\,\{1\}\}$일 때, 다음 중 옳지 <u>않은</u> 것은?

① $\varnothing{\in}A$ ② $\varnothing{\subset}A$ ③ $\{\varnothing\}{\subset}A$

④ $\{0,\,1\}{\in}A$ ⑤ $\{\{0\},0\}{\subset}A$

10

세 집합

$$A=\{x\,|\,x^2-9<0,\,x는\ 자연수\},$$

$$B=\{x\,|\,x(x-1)(x-2)=0,\,x는\ 실수\},$$

$$C=\{x\,|\,|x|{\leq}2,\,x는\ 정수\}$$

에 대하여 세 집합 A, B, C 사이의 포함 관계를 바르게 나타낸 것은?

① $A{\subset}B{\subset}C$ ② $A{\subset}C{\subset}B$

③ $B{\subset}A{\subset}C$ ④ $B{\subset}C{\subset}A$

⑤ $C{\subset}B{\subset}A$

11

집합 A에 대하여 $P(A)=\{X\,|\,X{\subset}A\}$라 하자. 집합 $A=\{2,\,3,\,\{4,\,5\}\}$일 때, 옳은 것만을 |보기|에서 모두 골라라.

┤보기├

ㄱ. $\varnothing{\in}P(A)$ ㄴ. $\{2\}{\subset}P(A)$

ㄷ. $\{2,\,3\}{\in}P(A)$ ㄹ. $\{2,\,3,\,4\}{\subset}P(A)$

ㅁ. $\{4,\,5\}{\subset}P(A)$ ㅂ. $\{3,\,\{4,\,5\}\}{\in}P(A)$

12 기출

자연수 n에 대하여 자연수 전체 집합의 부분집합 A_n을 다음과 같이 정의하자.

$$A_n=\{x\,|\,x는\ \sqrt{n}\ 이하의\ 홀수\}$$

$A_n{\subset}A_{25}$를 만족시키는 n의 최댓값을 구하여라.

13

두 집합

$$A=\{x\,|\,x^2-2ax+a^2-9<0\},$$
$$B=\{x\,|\,1\le x<3\}$$

에 대하여 $B\subset A$가 성립하도록 하는 모든 정수 a의 값의 합을 구하여라.

14 기출

두 집합 $A=\{1,\ 20,\ a\}$, $B=\{1,\ 5,\ a+b\}$에 대하여 $A\subset B$이고 $B\subset A$일 때, b의 값은?

① 5   ② 10   ③ 15
④ 20   ⑤ 25

15 서술형 ✎

두 집합 A, B에 대하여 새로운 집합

$$A\odot B=\{ab\,|\,a\in A,\ b\in B\}$$

로 정의하기로 한다. 두 집합 $A=\{1,\ 2\}$, $B=\{1,\ 3\}$에 대하여 $A\odot B$의 부분집합의 개수를 m, 진부분집합의 개수를 n이라 할 때, mn의 값을 구하여라.

16

집합 $A=\{x\,|\,|x|\le 4,\ x$는 정수$\}$에 대하여 다음 세 조건을 만족시키는 집합 S의 개수를 구하여라.

> (가) $1\in S$
> (나) $S\subset A$
> (다) $x\in S$이면 $-x\in S$이다.

17

집합 $A=\{x\,|\,x$는 10 이하의 자연수$\}$에 대하여 다음 두 조건을 만족시키는 집합 B의 개수는?

> (가) $B\subset A$, $B\ne\varnothing$
> (나) 집합 B의 어떤 원소 x에 대하여 $\dfrac{x+3}{4}$은 정수 이다.

① 896   ② 768   ③ 512
④ 384   ⑤ 128

18 기출

두 집합

$$A=\{1,\ 2,\ 3,\ 4,\ 5\},\ B=\{1,\ 2\}$$

에 대하여 $B\subset X\subset A$를 만족시키는 모든 집합 X의 개수를 구하여라.

상위권 도약 문제

01

집합 A가 다음 두 조건을 만족시킨다고 한다.

> (가) $1 \in A$
> (나) $x \in A$이면 $\dfrac{1}{x+1} \in A$

옳은 것만을 |보기|에서 모두 고른 것은?

> ┤보기├
> ㄱ. $\dfrac{2}{3} \in A$
> ㄴ. $\dfrac{q}{p} \in A$이면 $\dfrac{q}{p+q} \in A$이다.
>   (단, p, q는 자연수이다.)
> ㄷ. 집합 A의 원소 중에서 정수인 것은 1뿐이다.

① ㄱ   ② ㄱ, ㄴ   ③ ㄱ, ㄷ
④ ㄴ, ㄷ   ⑤ ㄱ, ㄴ, ㄷ

02

두 집합 $A = \{1, 2, 3, 4, a\}$, $B = \{1, 3, 5\}$에 대하여 집합 $X = \{x+y \mid x \in A, y \in B\}$라 할 때, $n(X) = 10$이 되도록 하는 자연수 a의 최댓값을 구하여라.

03

두 집합 A, B에 대하여

$$A \triangledown B = \{z \mid z = x + y,\ x \in A,\ y \in B\},$$
$$A \bigstar B = \{z \mid z = xy,\ x \in A,\ y \in B\}$$

라 하자. $A = \{0, 1\}$, $B = \{-1, 1\}$일 때, 옳은 것만을 |보기|에서 모두 고른 것은?

> ┤보기├
> ㄱ. $A \triangledown A = \{0, 1, 2\}$
> ㄴ. $A \triangledown A \subset A \bigstar B$
> ㄷ. $A \bigstar B = B \bigstar A$

① ㄱ   ② ㄷ   ③ ㄱ, ㄷ
④ ㄴ, ㄷ   ⑤ ㄱ, ㄴ, ㄷ

04

집합 $U = \{1, 2, 3, 4, 5, 6\}$의 부분집합 중 원소가 3개 이상인 부분집합을 차례로 $S_1, S_2, \cdots, S_n$이라 하고, 집합 S_k의 모든 원소의 합을 t_k라 할 때, $t_1 + t_2 + \cdots + t_n$의 값을 구하여라.

05

집합 $U=\{x\,|\,x$는 9 이하의 자연수$\}$의 부분집합 A가 다음 세 조건을 만족시킬 때, 집합 A의 개수는?

> (가) $5\in A$
> (나) $n(A)\geq 2$
> (다) 집합 A의 모든 원소의 곱과 합은 모두 홀수이다.

① 4   ② 5   ③ 7
④ 10   ⑤ 12

06   기출

집합 $A=\{3,\ 4,\ 5,\ 6,\ 7\}$에 대하여 다음 두 조건을 만족시키는 집합 A의 모든 부분집합 X의 개수는?

> (가) $n(X)\geq 2$
> (나) 집합 X의 모든 원소의 곱은 6의 배수이다.

① 18   ② 19   ③ 20
④ 21   ⑤ 22

07

집합 $S=\{0,\ 1,\ 2,\ 3,\ 4,\ 5\}$의 부분집합 중 원소의 개수가 2 이상인 모든 집합에 대하여 각 집합의 가장 작은 원소를 모두 더한 값을 구하여라.

08   기출

집합 $X=\{x\,|\,x$는 10 이하의 자연수$\}$의 원소 n에 대하여 X의 부분집합 중 n을 최소의 원소로 갖는 모든 집합의 개수를 $f(n)$이라 하자. |보기|에서 옳은 것만을 모두 고른 것은?

> |보기|
>
> ㄱ. $f(8)=4$
> ㄴ. $a\in X,\ b\in X$일 때, $a<b$이면 $f(a)<f(b)$
> ㄷ. $f(1)+f(3)+f(5)+f(7)+f(9)=682$

① ㄱ   ② ㄱ, ㄴ   ③ ㄱ, ㄷ
④ ㄴ, ㄷ   ⑤ ㄱ, ㄴ, ㄷ

02

집합의 연산

02 집합의 연산

개념 01 합집합과 교집합

(1) 합집합

두 집합 A, B에 대하여 A에 속하거나 B에 속하는 모든 원소로 이루어진 집합을 A와 B의 합집합이라 하고, 기호로 $A \cup B$와 같이 나타낸다.

$$A \cup B = \{x \mid x \in A \text{ 또는 } x \in B\}$$

▶ $A \subset (A \cup B)$, $B \subset (A \cup B)$

(2) 교집합

두 집합 A, B에 대하여 A에도 속하고 B에도 속하는 모든 원소로 이루어진 집합을 A와 B의 교집합이라 하고, 기호로 $A \cap B$와 같이 나타낸다.

$$A \cap B = \{x \mid x \in A \text{ 그리고 } x \in B\}$$

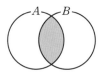

▶ $(A \cap B) \subset A$, $(A \cap B) \subset B$

(3) 서로소

두 집합 A, B에서 공통인 원소가 하나도 없을 때, 즉 $A \cap B = \varnothing$일 때, A와 B는 서로소라 한다.

[예] 두 집합 $A = \{2, 4\}$, $B = \{1, 5\}$에 대하여 $A \cap B = \varnothing$이므로 A와 B는 서로소이다.

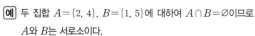

▶ 공집합은 모든 집합과 서로소이다.

▶ 두 집합 A와 B가 서로소이면 $n(A \cap B) = 0$

확인 **01** 두 집합 $A = \{1, 2, 3, 4\}$, $B = \{3, 4, 5\}$에 대하여 다음을 구하여라.

(1) $A \cup B$　　　　　　　　(2) $A \cap B$

개념 02 여집합과 차집합

(1) 전체집합

어떤 집합에 대하여 그 부분집합을 생각할 때, 처음의 집합을 전체집합이라 하고, 보통 U로 나타낸다.

(2) 여집합

전체집합 U의 부분집합 A에 대하여 U의 원소 중 A에 속하지 않는 모든 원소로 이루어진 집합을 U에 대한 A의 여집합이라 하고, 기호로 A^C와 같이 나타낸다.

$$A^C = \{x \mid x \in U \text{ 그리고 } x \notin A\}$$

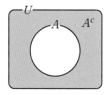

▶ 여집합을 생각할 때는 반드시 전체집합을 생각한다.

(3) 차집합

두 집합 A, B에 대하여 A에 속하지만 B에는 속하지 않는 모든 원소로 이루어진 집합을 A에 대한 B의 차집합이라 하고, 기호로 $A - B$와 같이 나타낸다.

$$A - B = \{x \mid x \in A \text{ 그리고 } x \notin B\}$$

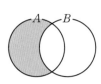

▶ 집합 A의 여집합 A^C는 전체집합 U에 대한 A의 차집합으로 생각할 수 있다.
　⇨ $A^C = U - A$

▶ $A - B \neq B - A$

확인 **02** 전체집합 $U = \{1, 2, 3, \cdots, 10\}$의 두 부분집합 $A = \{1, 3, 5, 7, 9\}$, $B = \{1, 2, 7, 8\}$에 대하여 다음을 구하여라.

(1) A^C　　　　　　　　(2) $A - B$

개념 03 집합의 연산 법칙

(1) 집합의 연산 법칙

세 집합 A, B, C에 대하여

① 교환법칙: $A \cup B = B \cup A$, $A \cap B = B \cap A$

② 결합법칙: $(A \cup B) \cup C = A \cup (B \cup C)$, $(A \cap B) \cap C = A \cap (B \cap C)$

③ 분배법칙: $A \cap (B \cup C) = (A \cap B) \cup (A \cap C)$
$A \cup (B \cap C) = (A \cup B) \cap (A \cup C)$

> 세 집합의 연산에서 결합법칙이 성립하므로 괄호를 사용하지 않고 $A \cup B \cup C$, $A \cap B \cap C$와 같이 나타내기도 한다.

(2) 집합의 연산의 성질

전체집합 U의 두 부분집합 A, B에 대하여

① $A \cup A = A$, $A \cap A = A$　　② $A \cup \varnothing = A$, $A \cap \varnothing = \varnothing$

③ $A \cup U = U$, $A \cap U = A$　　④ $A \cup A^C = U$, $A \cap A^C = \varnothing$

⑤ $U^C = \varnothing$, $\varnothing^C = U$　　⑥ $(A^C)^C = A$

⑦ $A - B = A \cap B^C$

> $A - B = A \cap B^C$
> $= A - (A \cap B)$
> $= (A \cup B) - B$

(3) 드모르간의 법칙

전체집합 U의 두 부분집합 A, B에 대하여

① $(A \cup B)^C = A^C \cap B^C$　　② $(A \cap B)^C = A^C \cup B^C$

> $A \subset B$와 같은 표현
> ① $A \cap B = A$
> ② $A \cup B = B$
> ③ $A - B = \varnothing$
> ④ $A \cap B^C = \varnothing$
> ⑤ $B^C \subset A^C$
> ⑥ $B^C - A^C = \varnothing$

확인 03 다음 □ 안에 알맞은 것을 써넣어라.

(1) $A \cap (A^C \cup B) = (A \square A^C) \square (A \square B) = \square \cup (A \square B) = A \square B$

(2) $A \cup (A \cap B)^C = A \square (A^C \square B^C) = (A \square A^C) \square B^C = \square \cup B^C = \square$

확인 04 전체집합 $U = \{1, 2, 3, 4, 5, 6, 7\}$의 두 부분집합 $A = \{2, 3, 6, 7\}$, $B = \{1, 3, 6\}$에 대하여 다음을 구하여라.

(1) $(A \cup B)^C$　　　　　　　　(2) $A^C \cap B^C$

(3) $(A \cap B)^C$　　　　　　　　(4) $A^C \cup B^C$

개념 04 유한집합의 원소의 개수

(1) 유한집합의 원소의 개수

전체집합 U의 세 부분집합 A, B, C에 대하여

① $n(A \cup B) = n(A) + n(B) - n(A \cap B)$

② $n(A \cup B \cup C) = n(A) + n(B) + n(C) - n(A \cap B) - n(B \cap C) - n(C \cap A) + n(A \cap B \cap C)$

③ $n(A^C) = n(U) - n(A)$

④ $n(A - B) = n(A) - n(A \cap B) = n(A \cup B) - n(B)$

> 두 집합 A와 B가 서로소이면 $A \cap B = \varnothing$이므로 $n(A \cup B) = n(A) + n(B)$

> 일반적으로 $n(A - B) \neq n(A) - n(B)$ 임에 주의한다.

확인 05 전체집합 U의 두 부분집합 A, B에 대하여 $n(U) = 30$, $n(A) = 22$, $n(B) = 15$, $n(A \cap B) = 10$일 때, 다음 값을 구하여라.

(1) $n(A \cup B)$　　　　　　　　(2) $n(A^C)$

(3) $n(A - B)$　　　　　　　　(4) $n(B \cap A^C)$

세 집합

$$A=\{2,\ 3,\ 5,\ 7\},\ B=\{x\,|\,x\text{는 10보다 작은 2의 양의 배수}\},$$

$$C=\{x\,|\,x\text{는 6의 양의 약수}\}$$

에 대하여 다음을 구하여라.

(1) $A\cup B$ (2) $B\cap C$

(3) $(A\cap B)\cup C$ (4) $(A\cup C)\cap B$

(5) $A\cup B\cup C$ (6) $A\cap B\cap C$

풍쌤 POINT

- $A\cup B=\{x\,|\,x\in A$ 또는 $x\in B\}$
  ➡ 두 집합 A, B의 모든 원소로 이루어진 집합을 뜻해.
- $A\cap B=\{x\,|\,x\in A$ 그리고 $x\in B\}$
  ➡ 두 집합 A, B에 공통으로 속하는 모든 원소로 이루어진 집합을 뜻해.

풀이

$A=\{2,\ 3,\ 5,\ 7\},\ B=\{2,\ 4,\ 6,\ 8\},\ C=\{1,\ 2,\ 3,\ 6\}$

(1) $A\cup B=\{2,\ 3,\ 4,\ 5,\ 6,\ 7,\ 8\}$

(2) $B\cap C=\{2,\ 6\}$

(3) $(A\cap B)\cup C=\{2\}\cup\{1,\ 2,\ 3,\ 6\}$
$\qquad\qquad\quad =\{1,\ 2,\ 3,\ 6\}$

(4) $(A\cup C)\cap B=\{1,\ 2,\ 3,\ 5,\ 6,\ 7\}\cap\{2,\ 4,\ 6,\ 8\}$
$\qquad\qquad\quad =\{2,\ 6\}$

(5) $A\cup B\cup C=\{2,\ 3,\ 5,\ 7\}\cup\{2,\ 4,\ 6,\ 8\}\cup\{1,\ 2,\ 3,\ 6\}$
$\qquad\qquad\quad =\{1,\ 2,\ 3,\ 4,\ 5,\ 6,\ 7,\ 8\}$❶

(6) $A\cap B\cap C=\{2,\ 3,\ 5,\ 7\}\cap\{2,\ 4,\ 6,\ 8\}\cap\{1,\ 2,\ 3,\ 6\}$
$\qquad\qquad\quad =\{2\}$❷

❶ 세 집합 A, B, C의 모든 원소를 택한다.

❷ 세 집합 A, B, C에 공통으로 속하는 원소를 택한다.

▶**참고** 위의 집합을 벤다이어그램으로 나타내면 오른쪽 그림과 같다.

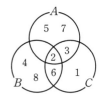

답 (1) $\{2,\ 3,\ 4,\ 5,\ 6,\ 7,\ 8\}$ (2) $\{2,\ 6\}$
(3) $\{1,\ 2,\ 3,\ 6\}$ (4) $\{2,\ 6\}$
(5) $\{1,\ 2,\ 3,\ 4,\ 5,\ 6,\ 7,\ 8\}$ (6) $\{2\}$

풍쌤 강의 NOTE

세 집합 A, B, C를 벤다이어그램으로 나타내면 구하려고 하는 집합의 원소를 쉽게 찾을 수 있다.

01-1 ◉ 유사

세 집합

$A=\{1,\ 3,\ 5,\ 14\}$,

$B=\{x\,|\,x$는 10보다 작은 홀수$\}$,

$C=\{x\,|\,x$는 10 이하의 3의 양의 배수$\}$

에 대하여 다음을 구하여라.

(1) $A\cap B$

(2) $B\cup C$

(3) $(A\cup B)\cap C$

01-2 ◉ 유사

세 집합

$A=\{1,\ 2,\ 4,\ 7,\ 16\}$,

$B=\{x\,|\,x$는 10의 양의 약수$\}$,

$C=\{x\,|\,x$는 20보다 작은 8의 양의 배수$\}$

에 대하여 집합 $A\cap(B\cup C)$를 구하여라.

01-3 ◉ 변형

세 집합

$A=\{2,\ 3,\ 9,\ 12,\ 15\}$,

$B=\{x\,|\,x$는 18의 양의 약수$\}$,

$C=\{1,\ 3,\ 4,\ 5,\ 9,\ 10,\ 12\}$

에 대하여 집합 $A\cap B\cap C$의 모든 원소의 합을 구하여라.

01-4 ◉ 변형

세 집합

$A=\{2,\ 4,\ 9,\ 12,\ 18\}$,

$B=\{x\,|\,x$는 20 이하의 6의 양의 배수$\}$,

$C=\{x\,|\,x$는 12의 양의 약수$\}$

에 대하여 다음 중 옳지 <u>않은</u> 것은?

① $A\cup B=\{2,\ 4,\ 6,\ 9,\ 12,\ 18\}$

② $B\cap C=\{6,\ 12\}$

③ $A\cap C=\{2,\ 4,\ 12\}$

④ $(A\cap B)\cup C=\{1,\ 2,\ 3,\ 4,\ 6,\ 12\}$

⑤ $A\cup B\cup C=\{1,\ 2,\ 3,\ 4,\ 6,\ 9,\ 12,\ 18\}$

01-5 ◉ 변형

두 집합 A, B에 대하여

$B=\{3,\ 5,\ 6,\ 7,\ 9\}$, $A\cap B=\{6,\ 7\}$,

$A\cup B=\{2,\ 3,\ 4,\ 5,\ 6,\ 7,\ 8,\ 9\}$

일 때, 집합 A를 구하여라.

01-6 ◉ 실력

두 집합

$A=\{x\,|\,k-2<x<k+2\}$,

$B=\{x\,|\,x>3k-10\}$

에 대하여 A와 B가 서로소일 때, 상수 k의 최솟값을 구하여라.

전체집합 $U=\{x\,|\,x$는 12 이하의 자연수$\}$의 세 부분집합

$$A=\{x\,|\,x$는 소수$\},\ B=\{1,\,3,\,6,\,12\},\ C=\{x\,|\,x$는 9의 약수$\}$$

에 대하여 다음을 구하여라.

(1) A^C

(2) $A-C$

(3) $A-B^C$

(4) $(B\cup C)^C$

(5) $B-(A\cap C)$

(6) $(A\cup B)-C$

풍쌤 POINT

· $A^C=\{x\,|\,x\in U$ 그리고 $x\notin A\}$

➡ 전체집합 U의 원소 중에서 집합 A에 속하지 않는 모든 원소로 이루어진 집합을 뜻해.

· $A-B=\{x\,|\,x\in A$ 그리고 $x\notin B\}$

➡ 집합 A에는 속하지만 집합 B에는 속하지 않는 모든 원소로 이루어진 집합을 뜻해.

풀이

$U=\{1,\,2,\,3,\,\cdots,\,12\},\ A=\{2,\,3,\,5,\,7,\,11\},$

$B=\{1,\,3,\,6,\,12\},\ C=\{1,\,3,\,9\}$

(1) $A^C=\{1,\,4,\,6,\,8,\,9,\,10,\,12\}$

(2) $A-C=\{2,\,5,\,7,\,11\}$

(3) $A-B^C=\{2,\,3,\,5,\,7,\,11\}-\{2,\,4,\,5,\,7,\,8,\,9,\,10,\,11\}$

$\qquad\quad =\{3\}$

(4) $B\cup C=\{1,\,3,\,6,\,9,\,12\}$이므로

$\quad (B\cup C)^C=\{2,\,4,\,5,\,7,\,8,\,10,\,11\}$❶

(5) $B-(A\cap C)=\{1,\,3,\,6,\,12\}-\{3\}$

$\qquad\qquad\quad =\{1,\,6,\,12\}$❷

(6) $(A\cup B)-C=\{1,\,2,\,3,\,5,\,6,\,7,\,11,\,12\}-\{1,\,3,\,9\}$

$\qquad\qquad\quad =\{2,\,5,\,6,\,7,\,11,\,12\}$❸

❶ 전체집합 U의 원소에서 집합 $B\cup C$의 원소를 제외한 원소를 택한다.

❷ 집합 B의 원소에서 집합 $A\cap C$의 원소를 제외한 원소를 택한다.

❸ 집합 $A\cup B$의 원소에서 집합 C의 원소를 제외한 원소를 택한다.

▶**참고** 위의 집합을 벤다이어그램으로 나타내면 오른쪽 그림과 같다.

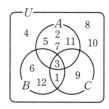

🔖 (1) $\{1,\,4,\,6,\,8,\,9,\,10,\,12\}$ (2) $\{2,\,5,\,7,\,11\}$

(3) $\{3\}$ (4) $\{2,\,4,\,5,\,7,\,8,\,10,\,11\}$

(5) $\{1,\,6,\,12\}$ (6) $\{2,\,5,\,6,\,7,\,11,\,12\}$

풍쌤 강의 NOTE

전체집합 U와 세 부분집합 A, B, C를 벤다이어그램으로 나타내면 구하려고 하는 집합의 원소를 쉽게 찾을 수 있다.

02-1 유사

전체집합 $U=\{x|x$는 9 이하의 자연수$\}$의 세 부분집합

$\quad A=\{x|x$는 짝수$\}$,
$\quad B=\{x|x$는 4의 배수$\}$,
$\quad C=\{1, 2, 3, 6, 8\}$

에 대하여 다음을 구하여라.

(1) $A-B$
(2) B^C-C
(3) $(A\cap B)^C$

02-2 유사

전체집합 $U=\{x|x$는 한 자리의 자연수$\}$의 세 부분집합

$\quad A=\{x|x$는 홀수$\}$,
$\quad B=\{1, 2, 4, 5, 7\}$,
$\quad C=\{x|x$는 8의 약수$\}$

에 대하여 집합 $(A\cup C)-B$를 구하여라.

02-3 변형 기출

전체집합 $U=\{x|x$는 10 이하의 자연수$\}$의 두 부분집합

$\quad A=\{4, 5, 6, 7, 8\}$, $B=\{1, 3, 4, 7, 8, 9\}$

에 대하여 집합 $A^C\cap B$의 모든 원소의 합을 구하여라.

02-4 변형

전체집합 U의 두 부분집합 A, B에 대하여 오른쪽 벤다이어그램에서 집합 $(A\cup B)\cap(A-B)^C$를 구하여라.

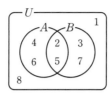

02-5 변형

전체집합 $U=\{x|x$는 10보다 작은 자연수$\}$의 두 부분집합 A, B에 대하여 $A-B=\{2, 5, 7\}$, $A\cap B=\{3, 6\}$, $(A\cup B)^C=\{1, 9\}$일 때, 집합 B를 구하여라.

02-6 실력

전체집합 $U=\{1, 2, 7, 8, 23\}$의 두 부분집합 A, B에 대하여 $A\cap B=\{1, 2\}$, $A\cup B=U$이다. 집합 X의 원소의 합을 $T(X)$라 할 때, $3T(A)=T(B)$를 만족시키는 두 집합 A, B에 대하여 집합 $B-A$를 구하여라.

다음 물음에 답하여라.

(1) 두 집합 $A=\{1, 3, a^2+2\}$, $B=\{6, a-2, 2a-3\}$에 대하여 $A \cap B=\{1, 6\}$일 때, 상수 a의 값을 구하여라.

(2) 두 집합 $A=\{1, 4, 7, a+2b\}$, $B=\{1, 6, 2a-b\}$에 대하여 $A-B=\{4\}$일 때, $a+b$의 값을 구하여라. (단, a, b는 상수이다.)

풍쌤 POINT

다음과 같은 순서로 집합의 연산을 이용하여 미지수를 구해.

(i) 주어진 집합의 연산을 이용하여 미지수의 값을 모두 구하고

➡ $a \in (A \cap B)$이면 $a \in A$이고 $a \in B$, $a \in (A-B)$이면 $a \in A$이고 $a \notin B$

(ii) 미지수의 값을 대입하여 각 집합의 원소를 구해.

(iii) 이때 구한 집합이 주어진 조건을 만족시키는지 확인해야 해.

풀이

(1) **STEP1** $(A \cap B) \subset A$임을 이용하여 a의 값 구하기

$A \cap B=\{1, 6\}$❶이므로

$a^2+2=6$, $a^2=4$ ∴ $a=\pm 2$

❶ $1 \in A$, $6 \in A$

STEP2 a의 값에 따른 $A \cap B$ 구하기

(i) $a=-2$일 때

$A=\{1, 3, 6\}$, $B=\{-7, -4, 6\}$❷이므로

$A \cap B=\{6\}$

❷ $a-2=-2-2=-4$,
$2a-3=2 \times (-2)-3=-7$

(ii) $a=2$일 때

$A=\{1, 3, 6\}$, $B=\{0, 1, 6\}$❸이므로

$A \cap B=\{1, 6\}$

❸ $a-2=2-2=0$,
$2a-3=2 \times 2-3=1$

STEP3 a의 값 구하기

(i), (ii)에 의하여 $a=2$

(2) **STEP1** $a+2b$, $2a-b$의 값 구하기

$A-B=\{4\}$이므로 1, 7, $a+2b$는 $A \cap B$의 원소이다.❹

∴ $a+2b=6$, $2a-b=7$

❹ $4 \in A$, $1 \in B$,
$7 \in B$, $a+2b \in B$

STEP2 $a+b$의 값 구하기

위의 두 식을 연립하여 풀면

$a=4$, $b=1$

∴ $a+b=4+1=5$

답 (1) 2 (2) 5

풍쌤 강의 NOTE

$A \cap B$의 원소를 먼저 확인하여 집합 A와 B의 원소를 모두 구한다.

03-1 ◉ 유사

두 집합

$$A=\{2, 4, a^2+2a\}, B=\{5, a+1, a^2+2\}$$

에 대하여 $A\cap B=\{2, 3\}$일 때, 상수 a의 값을 구하여라.

03-2 ◉ 유사

두 집합

$$A=\{4, 5, 8, a-b\}, B=\{4, 10, a+b\}$$

에 대하여 $A-B=\{5\}$일 때, ab의 값을 구하여라.

(단, a, b는 상수이다.)

03-3 ◉ 변형

두 집합

$$A=\{1, 2, a^2-6a\},$$
$$B=\{a-6, a+3, a^2-20\}$$

에 대하여 $A-B=\{2, 7\}$일 때, 집합 $A\cup B$를 구하여라. (단, a는 상수이다.)

03-4 ◉ 변형

두 집합

$$A=\{2, 7, 3a-b\}, B=\{2, 3, 6, 2a+b\}$$

에 대하여 $B-A=\{6\}$일 때, 다음 중 옳지 <u>않은</u> 것은? (단, a, b는 상수이다.)

① $A=\{2, 3, 7\}$ ② $B=\{2, 3, 6, 7\}$

③ $A\cap B=\{2, 3\}$ ④ $A\cup B=\{2, 3, 6, 7\}$

⑤ $A-B=\varnothing$

03-5 ◉ 변형

두 집합

$$A=\{1, 5, 2a-1\}, B=\{3, 4a-1\}$$

에 대하여 $A\cup B=\{1, 3, 5, 7\}$일 때, 집합 $B-A$를 구하여라. (단, a는 상수이다.)

03-6 ◉ 실력

두 집합

$$A=\{4, 6, 2a-1\}, B=\{a^2-4a-17, 2a+5\}$$

에 대하여 $(A-B)\cup(B-A)=\{4, 6, b\}$일 때, $a+b$의 값을 모두 구하여라. (단, a, b는 상수이다.)

전체집합 U의 두 부분집합 A, B에 대하여 옳은 것만을 |보기|에서 모두 골라라.

> |보기|
> ㄱ. $(A \cup B) \subset U$　　　　　　　　　　ㄴ. $U - A^c = U$
> ㄷ. $(A-B) \cap (B-A) = \varnothing$　　　　ㄹ. $A \cap (A \cup B) = A$
> ㅁ. $A \cap B = A$이면 $A-B = \varnothing$　　　ㅂ. $B \subset A$이면 $A \cup B = B$

풍쌤 POINT

전체집합 U의 두 부분집합 A, B에 대하여 다음이 성립해.

① $A \cup A = A$, $A \cap A = A$　　　　② $A \cup \varnothing = A$, $A \cap \varnothing = \varnothing$

③ $A \cup U = U$, $A \cap U = A$　　　　④ $A \cup A^c = U$, $A \cap A^c = \varnothing$

⑤ $U^c = \varnothing$, $\varnothing^c = U$　　　　　　⑥ $(A^c)^c = A$

⑦ $A - B = A \cap B^c$

풀이

ㄱ. 두 집합 A, B는 전체집합 U의 부분집합이므로
$(A \cup B) \subset U$ (참)

ㄴ. $U - A^c = U \cap (A^c)^c$❶ $= U \cap A = A$ (거짓)

ㄷ. 오른쪽 벤다이어그램에서
$(A-B) \cap (B-A) = \varnothing$ (참)

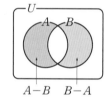

❶ 여집합과 차집합의 성질을 이용한다.
$A - B = A \cap B^c$

ㄹ. $A \cap (A \cup B) = (A \cap A) \cup (A \cap B)$❷
　　　　　　 $= A \cup (A \cap B)$❸
　　　　　　 $= A$ (참)

❷ 분배법칙을 이용한다.
$A \cap (B \cup C)$
$= (A \cap B) \cup (A \cap C)$

❸ $(A \cap B) \subset A$임을 이용한다.

ㅁ. $A \cap B = A$이면 $A \subset B$이므로
오른쪽 벤다이어그램에서
$A - B = \varnothing$ (참)

ㅂ. $B \subset A$이면 오른쪽 벤다이어그램에서
$A \cup B = A$ (거짓)

이상에서 옳은 것은 ㄱ, ㄷ, ㄹ, ㅁ이다.

답 ㄱ, ㄷ, ㄹ, ㅁ

풍쌤 강의 NOTE

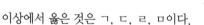

• 집합의 연산의 성질을 정확히 이해하고 필요한 성질을 적용하여 식을 변형할 수 있어야 한다.
• 집합의 연산의 성질을 적용하여 식을 변형하기 힘든 경우 벤다이어그램을 이용한다.
• 포함 관계가 있는 두 집합의 연산의 성질은 벤다이어그램을 이용하면 쉽게 이해할 수 있다.

04-1 ◉ 유사

전체집합 U의 두 부분집합 A, B에 대하여 옳은 것만을 |보기|에서 모두 골라라.

┤보기├
ㄱ. $(A \cap B) \subset U$
ㄴ. $A - B^C = A \cap B$
ㄷ. $(A \cap B) \cup (A \cap B^C) = \varnothing$
ㄹ. $A \cup (U \cap B) = A \cup B$

04-2 ◉ 유사

전체집합 U의 두 부분집합 A, B에 대하여 $A \cap B = A$일 때, 옳은 것만을 |보기|에서 모두 골라라.

┤보기├
ㄱ. $A \cup B = B$ ㄴ. $A \cap B^C = \varnothing$
ㄷ. $B^C - A^C = A$ ㄹ. $B^C \subset A^C$

04-3 ◉ 변형

전체집합 U의 두 부분집합 A, B에 대하여 다음 중 나머지 넷과 다른 하나는?

① $A \cap B$ ② $B - A^C$
③ $B \cap (U - A^C)$ ④ $(A \cup B) \cap (A \cap B)$
⑤ $(A \cup A^C) \cap B$

04-4 ◉ 변형

전체집합 $U = \{x \mid x$는 자연수$\}$의 두 부분집합 $A = \{x \mid x$는 7의 배수$\}$, $B = \{x \mid x$는 14의 배수$\}$에 대하여 다음 중 옳은 것은?

① $B^C \subset A^C$ ② $A \cap B = A$
③ $A - B = \varnothing$ ④ $(A \cup B) - A = \varnothing$
⑤ $U - (A \cap B) = A^C$

04-5 ◉ 변형

전체집합 U의 두 부분집합 A, B에 대하여 $B - A = B$일 때, 옳은 것만을 |보기|에서 모두 골라라.

┤보기├
ㄱ. $A \cap B = \varnothing$ ㄴ. $A \cup B = U$
ㄷ. $A - B = A$ ㄹ. $B^C \subset A$

04-6 ◉ 실력

전체집합 U의 두 부분집합 A, B에 대하여 $(A \cap B^C) \cup (B \cap A^C) = A \cup B$일 때, 다음 중 옳지 <u>않은</u> 것은?

① $A - B = A$
② $A \cup B^C = B^C$
③ $(A \cap B)^C = \varnothing$
④ A와 $B - A$는 서로소이다.
⑤ B와 $A - B$는 서로소이다.

다음 물음에 답하여라.

(1) 두 집합 $A=\{2, 5, 8, 9\}$, $B=\{3, 5, 6, 8\}$에 대하여

$(A \cap B) \subset X \subset (A \cup B)$를 만족시키는 집합 X의 개수를 구하여라.

(2) 두 집합 $A=\{1, 2, 3, 4\}$, $B=\{2, 4, 6, 8, 10\}$에 대하여

$A \cup X = X$, $(A \cup B) \cap X = X$를 만족시키는 집합 X의 개수를 구하여라.

풍쌤 POINT

- 두 집합 A, B에 대하여 $n(A)=a$, $n(B)=b$일 때, $A \subset X \subset B$를 만족시키는 집합 X의 개수는 2^{b-a}야. (단, $a \le b$)
- $P \cap X = X$, $Q \cup X = X$이면 $Q \subset X \subset P$야. 즉, 집합 X는 집합 P의 부분집합 중 집합 Q의 모든 원소를 반드시 원소로 갖는 집합이야.

풀이

(1) **STEP1** $A \cap B$, $A \cup B$ 구하기

$A \cap B = \{5, 8\}$, $A \cup B = \{2, 3, 5, 6, 8, 9\}$

STEP2 집합 X의 성질 파악하기

$(A \cap B) \subset X \subset (A \cup B)$에서

$\{5, 8\} \subset X \subset \{2, 3, 5, 6, 8, 9\}$

즉, 집합 X는 5, 8을 반드시 원소로 갖는 집합 $A \cup B$의 부분집합이다.❶

STEP3 집합 X의 개수 구하기

따라서 집합 X의 개수는

$2^{6-2} = 2^4 = 16$

❶ $A \cup B$에서 원소 5, 8을 제외한 $\{2, 3, 6, 9\}$의 부분집합에 각각 원소 5, 8를 추가하면 된다.

(2) **STEP1** 집합 사이의 포함 관계 파악하기

$A \cup X = X$에서 $A \subset X$❷

$(A \cup B) \cap X = X$에서 $X \subset (A \cup B)$❸

$\therefore A \subset X \subset (A \cup B)$

STEP2 집합 X의 성질 파악하기

$A \cup B = \{1, 2, 3, 4, 6, 8, 10\}$이므로

$\{1, 2, 3, 4\} \subset X \subset \{1, 2, 3, 4, 6, 8, 10\}$

즉, 집합 X는 1, 2, 3, 4를 반드시 원소로 갖는 집합 $A \cup B$의 부분집합이다.❹

STEP3 집합 X의 개수 구하기

따라서 집합 X의 개수는

$2^{7-4} = 2^3 = 8$

❷ 집합 A는 집합 X의 부분집합이다.

❸ 집합 X는 집합 $A \cup B$의 부분집합이다.

❹ $A \cup B$에서 원소 1, 2, 3, 4를 제외한 $\{6, 8, 10\}$의 부분집합에 각각 원소 1, 2, 3, 4를 추가하면 된다.

답 (1) 16 (2) 8

풍쌤 강의 NOTE

집합 X에 반드시 포함되는 원소와 포함되지 않는 원소를 찾는다.

(ⅰ) 집합 X에 반드시 포함되는 원소를 찾는다.

(ⅱ) A, X, $A \cup B$ 사이의 포함 관계를 파악하고 집합 X에 반드시 포함되는 원소를 찾는다.

05-1 ⓞ 유사

두 집합

$$A=\{1, 2, 3, 7\}, B=\{1, 3, 5, 6, 8\}$$

에 대하여 $(A \cap B) \subset X \subset (A \cup B)$를 만족시키는 집합 X의 개수를 구하여라.

05-4 ⓞ 변형   기출

전체집합 $U=\{1, 2, 3, 4, 5, 6, 7, 8\}$의 두 부분집합 $A=\{1, 2\}, B=\{3, 4, 5\}$에 대하여

$$X \cup A = X, X \cap B^c = X$$

를 만족시키는 U의 모든 부분집합 X의 개수를 구하여라.

05-2 ⓞ 유사

두 집합

$$A=\{2, 3, 4, 10\}, B=\{4, 7, 9\}$$

에 대하여 $B \cup X = X$, $(A \cup B) \cap X = X$를 만족시키는 집합 X의 개수를 구하여라.

05-5 ⓞ 변형

전체집합 $U=\{2, 3, 5, 6, 7, 8\}$의 두 부분집합 $A=\{3, 5\}, B$에 대하여 $A-B=A$를 만족시키는 집합 B의 개수를 구하여라.

05-6 ⓞ 실력

전체집합 $U=\{1, 2, 3, \cdots, 10\}$의 두 부분집합 A, B에 대하여 다음 두 조건을 만족시키는 집합 A의 개수를 a, 집합 B의 개수를 b라 할 때, $a+b$의 값을 구하여라.

05-3 ⓞ 변형

두 집합

$$A=\{1, 3, 6\}, B=\{x \,|\, x \text{는 18의 양의 약수}\}$$

에 대하여 $A-X=\varnothing$, $B \cap X = X$를 만족시키는 집합 X의 개수를 구하여라.

> (가) $\{2, 4, 6\} \cup A = \{2, 3, 4, 5, 6\}$
> (나) $\{1, 2, 3, 4, 7, 9\} \cap B = \{1, 3, 7, 9\}$

전체집합 $U=\{1, 2, 3, \cdots, 10\}$의 세 부분집합 $A=\{1, 2, 3\}$, $B=\{2, 3, 4, 5, 6\}$,

$C=\{2, 4, 6, 8\}$에 대하여 다음을 구하여라.

(1) $A-(A-B)$

(2) $(A\cup C^C)^C\cup(B-A)$

풍쌤 POINT

· 집합의 연산이 복잡하게 주어지면 집합의 연산 법칙, 집합의 연산의 성질, 드모르간의 법칙을 이용

하여 주어진 집합을 간단히 나타내야 해. 특히, 차집합의 꼴이 주어지면 $A-B=A\cap B^C$를 이용

해야 해.

· 드모르간의 법칙: 전체집합 U의 부분집합 A, B에 대하여

① $(A\cup B)^C=A^C\cap B^C$

② $(A\cap B)^C=A^C\cup B^C$

풀이

(1) $A-(A-B)=A-(A\cap B^C)$❶

$=A\cap(A\cap B^C)^C$❶

$=A\cap(A^C\cup B)$❷

$=(A\cap A^C)\cup(A\cap B)$❸

$=\varnothing\cup(A\cap B)$

$=A\cap B$

$=\{2, 3\}$

(2) $(A\cup C^C)^C\cup(B-A)$

$=(A\cup C^C)^C\cup(B\cap A^C)$❹

$=(A^C\cap C)\cup(B\cap A^C)$❺

$=(A^C\cap C)\cup(A^C\cap B)$❻

$=A^C\cap(C\cup B)$❼

$=A^C\cap(B\cup C)$

$=(B\cup C)\cap A^C$

$=(B\cup C)-A$

$=\{2, 3, 4, 5, 6, 8\}-\{1, 2, 3\}$

$=\{4, 5, 6, 8\}$

❶ 여집합과 차집합의 성질을 이용한다.

❷ 드모르간의 법칙을 이용한다.

❸ 분배법칙을 이용한다.

❹ 여집합과 차집합의 성질을 이용한다.

❺ 드모르간의 법칙을 이용한다.

❻ 교환법칙을 이용한다.

❼ 분배법칙을 이용한다.

답 (1) $\{2, 3\}$　(2) $\{4, 5, 6, 8\}$

풍쌤 강의 NOTE

집합의 연산을 이용한 문제에서는 분배법칙, 드모르간의 법칙, 여집합과 차집합의 성질이 많이 나오

므로 복잡한 집합을 간단히 할 수 있도록 연습해 두어야 한다.

06-1 ⦿ 유사

전체집합 $U=\{1,\ 2,\ 3,\ 4,\ 5,\ 6,\ 7,\ 8\}$의 두 부분집합 $A=\{1,\ 3,\ 5,\ 7\}$, $B=\{1,\ 2,\ 4,\ 8\}$에 대하여 집합 $A\cap(A\cap B)^{C}$를 구하여라.

06-2 ⦿ 유사

전체집합 $U=\{1,\ 2,\ 3,\ \cdots,\ 10\}$의 세 부분집합
$$A=\{1,\ 3,\ 6,\ 9\},\ B=\{2,\ 4,\ 6,\ 8,\ 10\},$$
$$C=\{1,\ 5,\ 7,\ 8,\ 10\}$$
에 대하여 집합 $\{A\cap(A-B)^{C}\}\cup(C\cap U)$를 구하여라.

06-3 ⦿ 변형

전체집합 U의 세 부분집합 A, B, C에 대하여 다음 중 집합 $(B-A)\cup(B-C)$와 항상 같은 집합은?

① $A-(B\cup C)$ 　　② $B-(A\cap C)$
③ $(A\cap C)-B$ 　　④ $(A\cup C)-B$
⑤ $(B\cup C)-A$

06-4 ⦿ 변형　　　　　　　　　　　　기출

전체집합 $U=\{x\,|\,x$는 자연수$\}$의 세 부분집합 P, Q, R가
$$P=\{x\,|\,x$는 10 이하의 자연수$\},$$
$$Q=\{x\,|\,x$는 소수$\},\ R=\{x\,|\,x$는 홀수$\}$$
일 때, 집합 $(P^{C}\cup Q)^{C}-R$의 모든 원소의 합을 구하여라.

06-5 ⦿ 실력

전체집합 $U=\{1,\ 2,\ 3,\ \cdots,\ 9\}$의 세 부분집합 A, B, C에 대하여 $A=\{2,\ 3,\ 4,\ 5,\ 6,\ 7\}$, $7\notin C$이고
$$\{(A\cap B)\cup A\}\cap\{(A\cup B)\cap B\}^{C}=\{2,\ 3,\ 4,\ 5\}$$
일 때, 다음 중 집합 $A\cap B\cap C$의 원소가 될 수 있는 것은?

① 2　　　　　　② 3　　　　　　③ 4
④ 5　　　　　　⑤ 6

06-6 ⦿ 실력

전체집합 $U=\{1,\ 2,\ 3,\ 4,\ 5,\ 6,\ 7\}$의 두 부분집합 A, B에 대하여 다음 두 조건을 만족시키는 집합 A의 원소의 개수를 구하여라.

> ㈎ $A^{C}\cup B^{C}=\{1,\ 3,\ 6,\ 7\}$
> ㈏ $\{A\cap(A\cap B)^{C}\}\cap(B-A)^{C}=\{3\}$

전체집합 U의 서로 다른 두 부분집합 A, B에 대하여 $A \cap \{(A \cap B) \cup (B-A)\} = B$가 성립할 때, 옳은 것만을 |보기|에서 모두 골라라.

|보기|

ㄱ. $A \cup B = A$　　　　　ㄴ. $A - B = \varnothing$　　　　　ㄷ. $A^c \cap B^c = A$

풍쌤 POINT

• 집합의 연산이 복잡하게 주어지면 집합의 연산 법칙, 집합의 연산의 성질, 드모르간의 법칙을 이용하여 주어진 집합을 간단히 나타내야 해.

• 두 집합 A, B 사이의 포함 관계를 다음 성질이나 벤다이어그램을 이용하여 파악해야 해.

➡ $A \cap B = A$이면 $A \subset B$,

　$A \cup B = A$이면 $B \subset A$,

　$A - B = \varnothing$이면 $A \subset B$

풀이

STEP1 $A \cap \{(A \cap B) \cup (B-A)\}$ 간단히 하기

$A \cap \{(A \cap B) \cup (B-A)\}$

$= A \cap \{(A \cap B) \cup (B \cap A^c)\}$ **❶**

$= A \cap \{(B \cap A) \cup (B \cap A^c)\}$ **❷**

$= A \cap \{(B \cap (A \cup A^c)\}$ **❸**

$= A \cap (B \cap U)$

$= A \cap B$

❶ 여집합과 차집합의 성질을 이용한다.

❷ 교환법칙을 이용한다.

❸ 분배법칙을 이용한다.

STEP2 두 집합 A, B 사이의 포함 관계 파악하기

즉, $A \cap B = B$이므로 $B \subset A$

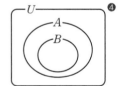

❹ 두 집합 A, B 사이의 포함 관계를 벤다이어그램으로 나타내면 더 쉽게 이해할 수 있다.

STEP3 보기의 참, 거짓 판별하기

ㄱ. $A \cup B = A$ (참)

ㄴ. $A - B \neq \varnothing$ (거짓)

ㄷ. $A^c \cap B^c = (A \cup B)^c$ **❺** $= A^c$ (거짓)

이상에서 옳은 것은 ㄱ이다.

❺ 드모르간의 법칙을 이용한다.

답 ㄱ

풍쌤 강의 NOTE

먼저 주어진 식의 좌변을 집합의 연산 법칙, 집합의 연산의 성질, 드모르간의 법칙을 이용하여 간단히 한 후, 두 집합 A, B 사이의 포함 관계를 파악한다.

07-1 (유사)

전체집합 U의 서로 다른 두 부분집합 A, B에 대하여 $(B^C \cup A) \cap B = A$가 성립할 때, 옳은 것만을 |보기| 에서 모두 골라라.

|보기|
ㄱ. $A \cup B = B$
ㄴ. $B - A = \varnothing$
ㄷ. $(A \cap B^C)^C = B$

07-2 (변형)

전체집합 U의 서로 다른 두 부분집합 A, B에 대하여 $B \cup \{(A \cup B^C) \cap (A \cup B)\} = A$가 성립할 때, 다음 중 옳지 <u>않은</u> 것은?

① $A \cap B = B$　　　② $A^C \subset B^C$
③ $A - B = \varnothing$　　④ $A^C \cap B = \varnothing$
⑤ $A \cup B^C = U$

07-3 (변형)

전체집합 U의 서로 다른 두 부분집합 A, B에 대하여 $\{(A^C \cap B^C) \cup (A \cap B)\}^C = \varnothing$이 성립할 때, 다음 중 옳지 <u>않은</u> 것은?

① $A \subset B$　　　② $B \subset A$
③ $A \cap B = A$　　④ $A = B$
⑤ $A^C \subset B$

07-4 (변형)

전체집합 U의 서로 다른 두 부분집합 A, B에 대하여
$$\{(B - A) \cup (A \cup B)^C\} \cup B^C = A^C$$
가 성립할 때, 다음 중 A, B 사이의 관계를 바르게 나타낸 것은?

① 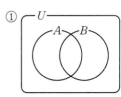 ②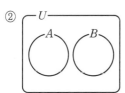

③ 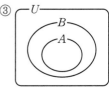 ④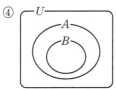

⑤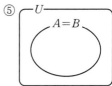

07-5 (실력)

전체집합 U의 서로 다른 세 부분집합 A, B, C에 대하여 $(A - C) \cup (C - B) = \varnothing$이 성립할 때, 다음 중 $(A \cap C) \cup (A - B)$와 같은 집합은?

① A　　　② B　　　③ C
④ $\varnothing$　　　⑤ U

다음 물음에 답하여라.

(1) 전체집합 $U=\{1, 2, 3, 4, 5, 6\}$의 두 부분집합 A, B에 대하여 연산 $\circ$을 $A \circ B = (A \cup B)^C \cup (A \cap B)$라 하자. $A=\{1, 3, 6\}$, $B=\{3, 5\}$일 때, $A \circ (A \circ B)$를 구하여라.

(2) 전체집합 $U=\{x \,|\, x$는 10 이하의 자연수$\}$의 두 부분집합 A, B에 대하여 연산 $\triangle$을 $A \triangle B = (A - B^C) \cap (B^C - A)^C$라 하자. $A=\{1, 4, 5, 6, 7\}$, $B=\{1, 2, 5, 6, 8\}$일 때, $(A \triangle B) \triangle A$를 구하여라.

풍쌤 POINT

새로운 집합의 연산이 복잡하게 주어진 경우에는 집합의 연산 법칙을 이용하여 간단히 정리하거나 벤다이어그램을 이용하여 문제를 해결해.

풀이

(1) STEP1 $A \circ B$ 구하기

$A \circ B = (A \cup B)^C \cup (A \cap B)$
$= \{1, 3, 5, 6\}^C \cup \{3\}$
$= \{2, 4\} \cup \{3\}$
$= \{2, 3, 4\}$

STEP2 $A \circ (A \circ B)$ 구하기

$\therefore A \circ (A \circ B)$
$= (A \cup \{2, 3, 4\})^C \cup (A \cap \{2, 3, 4\})$ **❶**
$= \{1, 2, 3, 4, 6\}^C \cup \{3\}$
$= \{5\} \cup \{3\} = \{3, 5\}$

(2) STEP1 $(A - B^C) \cap (B^C - A)^C$ 간단히 하기

$A \triangle B = (A - B^C) \cap (B^C - A)^C$
$= (A \cap B) \cap (B^C \cap A^C)^C$
$= (A \cap B) \cap (B \cup A)$
$= A \cap B$

STEP2 $(A \triangle B) \triangle A$ 구하기

$\therefore (A \triangle B) \triangle A = (A \cap B) \triangle A$
$= (A \cap B) \cap A$ **❷**
$= A \cap B$
$= \{1, 5, 6\}$

❶ $A \circ (A \circ B)$를 구할 때, STEP1에서 구한 $A \circ B$를 대입한다.
$A \circ (A \circ B)$
$= \{A \cup (A \circ B)\}^C$
$\cup \{A \cap (A \circ B)\}$

❷ $A \triangle B = A \cap B$이므로 $(A \triangle B) \triangle A$에서 $A \cap B$ 대신 X, A 대신 Y를 대입하면
$(A \triangle B) \triangle A$
$= (A \cap B) \triangle A$
$= X \triangle Y = X \cap Y$
$= (A \cap B) \cap A$이다.

답 (1) $\{3, 5\}$ (2) $\{1, 5, 6\}$

풍쌤 강의 NOTE

연산의 정의에 따라 문제를 풀고, 연산이 복잡하게 주어진 경우에는 집합의 연산 법칙을 이용하여 간단한 연산으로 변환한 후에 다시 정의에 따라 문제를 푼다.

08-1 유사

전체집합 $U=\{1,\ 2,\ 3,\ \cdots,\ 10\}$의 두 부분집합 $A,\ B$에 대하여 연산 ◎을

$$A◎B=B^C-(A-B)$$

라 하자. $A=\{2,\ 4,\ 6,\ 8\},\ B=\{1,\ 2,\ 4,\ 8,\ 10\}$일 때, $(A◎B)◎A$를 구하여라.

08-2 유사

전체집합 $U=\{x|x는\ 10\ 이하의\ 자연수\}$의 두 부분집합 $A,\ B$에 대하여 연산 ☆을

$$A☆B=(A-B^C)\cup(B^C-A)^C$$

라 하자. $A=\{2,\ 3,\ 5,\ 7,\ 9\},\ B=\{1,\ 2,\ 5,\ 10\}$일 때, $A☆(A☆B)$를 구하여라.

08-3 변형

두 집합 $A,\ B$에 대하여 연산 ▽을

$$A▽B=(A\cup B)-(A\cap B)$$

라 하자. $A=\{1,\ 4,\ 5,\ 6\},\ A▽B=\{2,\ 4,\ 6,\ 8,\ 9\}$일 때, 집합 B의 모든 원소의 합을 구하여라.

08-4 변형

전체집합 U의 두 부분집합 $A,\ B$에 대하여 연산 ⊕을

$$A⊕B=(A-B)\cup(B-A)$$

라 할 때, 다음 중 옳지 <u>않은</u> 것은?

① $B⊕A=A⊕B$ ② $A⊕\varnothing=A$

③ $A⊕U=A^C$ ④ $A⊕A^C=U$

⑤ $A⊕A=A$

08-5 실력

전체집합 U의 두 부분집합 $A,\ B$에 대하여 연산 ＊을

$$A＊B=(A^C\cap B^C)^C-(A\cap B)$$

라 할 때, 옳은 것만을 │보기│에서 모두 골라라.

(단, C는 전체집합 U의 부분집합이다.)

│보기│
ㄱ. $A^C＊B^C=A＊B$
ㄴ. $(A＊B)＊C=A＊(B＊C)$
ㄷ. $(A＊B)＊A=A$
ㄹ. $(A-B)＊(B-A)=A＊B$

08-6 실력

자연수 전체의 집합의 부분집합

$$A_k=\{x|x는\ k의\ 배수,\ k는\ 자연수\}$$

에 대하여 $A_m\subset(A_2\cap A_3),\ (A_6\cup A_9)\subset A_n$을 만족시키는 m의 최솟값과 n의 최댓값의 합을 구하여라.

(단, $m,\ n$은 자연수이다.)

다음 물음에 답하여라.

(1) 전체집합 U의 두 부분집합 A, B에 대하여 $n(U)=30$, $n(A)=22$, $n(B)=15$, $n(A \cup B)=27$일 때, $n(A-B)$의 값을 구하여라.

(2) 전체집합 U의 두 부분집합 A, B에 대하여 $n(U)=35$, $n(A)=25$, $n(B)=17$, $n(A \cap B)=9$일 때, $n(A^C \cap B^C)$의 값을 구하여라.

(3) 전체집합 U의 두 부분집합 A, B에 대하여 $n(U)=40$, $n(A \cap B)=14$, $n(A^C \cap B^C)=6$일 때, $n(A)+n(B)$의 값을 구하여라.

풍쌤 POINT

전체집합 U의 세 부분집합 A, B, C에 대하여

① $n(A \cup B)=n(A)+n(B)-n(A \cap B)$

② $n(A \cup B \cup C)$
$=n(A)+n(B)+n(C)-n(A \cap B)-n(B \cap C)-n(C \cap A)+n(A \cap B \cap C)$

③ $n(A^C)=n(U)-n(A)$

④ $n(A-B)=n(A)-n(A \cap B)=n(A \cup B)-n(B)$

풀이

(1) STEP1 **$n(A \cap B)$의 값 구하기**
$n(A \cap B)=n(A)+n(B)-n(A \cup B)$❶
$\qquad\qquad =22+15-27=10$

STEP2 **$n(A-B)$의 값 구하기**
$\therefore n(A-B)=n(A)-n(A \cap B)=22-10=12$

❶ $n(A \cup B)$
$\quad =n(A)+n(B)-n(A \cap B)$
에서
$n(A \cap B)$
$\quad =n(A)+n(B)-n(A \cup B)$

(2) STEP1 **$n(A \cup B)$의 값 구하기**
$n(A \cup B)=n(A)+n(B)-n(A \cap B)$
$\qquad\qquad =25+17-9=33$

STEP2 **$n(A^C \cap B^C)$의 값 구하기**
$\therefore n(A^C \cap B^C)=n((A \cup B)^C)$❷
$\qquad\qquad\qquad =n(U)-n(A \cup B)=35-33=2$

❷ 드모르간의 법칙을 이용한다.

(3) STEP1 **$n(A \cup B)$의 값 구하기**
$n(A^C \cap B^C)=n((A \cup B)^C)=n(U)-n(A \cup B)$이므로
$n(A \cup B)=n(U)-n(A^C \cap B^C)=40-6=34$

STEP2 **$n(A)+n(B)$의 값 구하기**
$\therefore n(A)+n(B)=n(A \cup B)+n(A \cap B)$❸
$\qquad\qquad\qquad =34+14=48$

❸ $n(A \cup B)$
$\quad =n(A)+n(B)-n(A \cap B)$
에서
$n(A)+n(B)$
$\quad =n(A \cup B)+n(A \cap B)$

目 (1) 12 (2) 2 (3) 48

풍쌤 강의 NOTE

전체집합 U의 두 부분집합 A, B에서 원소의 개수를 구하는 문제는 $n(A \cap B)$, $n(A \cup B)$의 값을 먼저 구해 놓으면 문제를 좀더 쉽게 해결할 수 있다.

09-1 ◉유사

전체집합 U의 두 부분집합 A, B에 대하여

$n(U)=28$, $n(A)=16$, $n(B)=10$,

$n(A-B)=7$

일 때, $n(A\cup B)$의 값을 구하여라.

09-2 ◉유사

전체집합 U의 두 부분집합 A, B에 대하여

$n(U)=45$, $n(A)=32$, $n(B)=24$,

$n(A^c\cap B^c)=8$

일 때, $n(A\cap B)$의 값을 구하여라.

09-3 ◉변형   기출

전체집합 U의 두 부분집합 A, B에 대하여

$n(U)=50$, $n(A\cap B)=12$, $n(A^c\cap B^c)=5$

일 때, $n((A-B)\cup(B-A))$의 값을 구하여라.

09-4 ◉변형

전체집합 U의 두 부분집합 A, B에 대하여

$n(U)=30$, $n(A)=12$,

$n(B)=14$,

$n(A\cap B^c)=8$

일 때, 위의 벤다이어그램에서 색칠한 부분이 나타내는 집합의 원소의 개수를 구하여라.

09-5 ◉변형

세 집합 A, B, C에 대하여 $A\cap B=\varnothing$이고

$n(A)=13$, $n(B)=12$, $n(C)=13$,

$n(A\cup C)=22$, $n(B\cup C)=18$

일 때, $n(A\cup B\cup C)$의 값을 구하여라.

09-6 ◉실력

전체집합 $U=\{x\,|\,x$는 20 이하의 자연수$\}$의 두 부분집합 A, B에 대하여 $n(A)=16$, $n(B)=9$일 때, $n(A\cap B)$의 최댓값을 M, 최솟값을 m이라 하자. 이때 $M+m$의 값을 구하여라.

학생 50명을 대상으로 국내 여행지 A, B에 대한 설문 조사를 하였더니 A를 여행한 학생은 28명, B를 여행한 학생은 35명, A나 B를 여행한 학생은 42명이었다. 다음을 구하여라.

(1) A와 B를 모두 여행한 학생 수

(2) A만 여행한 학생 수

풍쌤 POINT

주어진 조건을 전체집합 U와 그 부분집합 A, B로 나타낸 후, 다음을 이용하여 집합의 원소의 개수를 구해.

① ~ 또는 ~, 둘 중 적어도 하나 ➡ $A \cup B$

② ~이고, 그리고, 모두, 둘 다 ~하는 ➡ $A \cap B$

③ ~만, ~뿐 ➡ $A - B$(또는 $B - A$)

④ 둘 중 하나만 ➡ $(A - B) \cup (B - A)$

풀이

A를 여행한 학생의 집합을 A, B를 여행한 학생의 집합을 B라 하면

$n(A) = 28$, $n(B) = 35$, $n(A \cup B)$❶ $= 42$

(1) STEP1 **A와 B를 모두 여행한 학생 수를 집합의 원소의 개수로 나타내기**

A와 B를 모두 여행한 학생의 집합은 $A \cap B$❷이므로

$n(A \cap B) = n(A) + n(B) - n(A \cup B)$
$\qquad\qquad = 28 + 35 - 42 = 21$

STEP2 **A와 B를 모두 여행한 학생 수 구하기**

따라서 A와 B를 모두 여행한 학생 수는 21이다.

(2) STEP1 **A만 여행한 학생 수를 집합의 원소의 개수로 나타내기**

A만 여행한 학생의 집합은 $A - B$❸이므로

$n(A - B) = n(A) - n(A \cap B)$
$\qquad\qquad = 28 - 21 = 7$

STEP2 **A만 여행한 학생 수 구하기**

따라서 A만 여행한 학생 수는 7이다.

❶ '~나'라는 표현이 있으면 합집합으로 나타낸다.

❷ '모두'라는 표현이 있으면 교집합으로 나타낸다.

❸ '~만'이라는 표현이 있으면 차집합으로 나타낸다.

답 (1) 21 　(2) 7

풍쌤 강의 NOTE

원소의 개수의 활용 문제는 주어진 조건과 구하려는 값을 기호로 나타내어 생각한다.
그리고 벤다이어그램을 그려 보는 방법도 편리하다.

10-1 (유사)

어느 반 학생 중 여동생이 있는 학생은 28명, 남동생이 있는 학생은 22명이다. 여동생과 남동생이 모두 있는 학생이 12명일 때, 여동생이나 남동생이 있는 학생 수를 구하여라.

10-2 (유사)

어느 반 학생 25명 중 축구를 해 본 학생은 16명, 야구를 해 본 학생은 8명이었다. 축구도 야구도 해 보지 않은 학생이 7명일 때, 축구만 해 본 학생 수를 구하여라.

10-3 (변형)

어느 학원 수강생 50명 중에서 영어를 수강한 학생은 30명, 수학을 수강한 학생은 35명, 두 과목을 모두 수강한 학생은 25명이었다. 영어와 수학 두 과목 중 어느 하나도 수강하지 않은 학생 수를 구하여라.

10-4 (변형)

자원봉사 단체 회원 100명을 대상으로 도시락 배달, 청소 자원봉사 활동 신청 여부를 조사하였다. 도시락 배달 자원봉사 활동을 신청한 사람이 50명, 청소 자원봉사 활동을 신청한 사람이 43명, 두 자원봉사 활동 중 어느 것도 신청하지 않은 사람이 27명이었다. 두 자원봉사 활동 중에서 하나만 신청한 사람 수를 구하여라.

10-5 (실력)

세 권의 책 A, B, C 중 적어도 한 권을 읽은 학생 50명을 대상으로 조사하였더니 A를 읽은 학생이 28명, B를 읽은 학생이 17명, C를 읽은 학생이 32명, 세 권을 모두 읽은 학생이 8명이었다. 세 권의 책 중 한 권만 읽은 학생 수를 구하여라.

10-6 (실력)

어느 회사 직원 40명을 대상으로 사용하는 휴대폰 제조 회사를 조사하였더니 S회사 제품을 사용하는 직원이 22명, T회사 제품을 사용하는 직원이 15명이었다. 이때 S회사 제품도 T회사 제품도 사용하지 않는 직원 수의 최댓값과 최솟값의 합을 구하여라.

01

두 집합 A, B에 대하여

$$A=\{a, b, c, d, e\}, \ A\cap B=\{c, e\}$$

일 때, 다음 중 집합 B가 될 수 있는 것은?

① $\{a, c, e\}$ ② $\{b, c, d\}$ ③ $\{c, e, f\}$

④ $\{d, e\}$ ⑤ $\{e, f\}$

02

집합 $\{1, 3, 5\}$와 서로소인 집합인 것만을 |보기|에서 모두 골라라.

┌─|보기|─────────────────────┐

ㄱ. $\{x \,|\, x$는 짝수$\}$

ㄴ. $\{x \,|\, x$는 홀수$\}$

ㄷ. $\{x \,|\, x^2-2x-15=0\}$

ㄹ. $\{x \,|\, x$는 15의 양의 약수$\}$

ㅁ. $\{x \,|\, x=2n, \ n$은 자연수$\}$

└───────────────────────────┘

03

전체집합 $U=\{x \,|\, x$는 15 이하의 자연수$\}$의 세 부분집합 A, B, C에 대하여

$$A=\{1, 2, 5, 6, 9\},$$
$$B=\{x \,|\, x$는 3의 배수$\},$$
$$C=\{x \,|\, x$는 12의 약수$\}$$

일 때, 다음 중 옳지 <u>않은</u> 것은?

① $A\cup C=\{1, 2, 3, 4, 5, 6, 9, 12\}$

② $A\cap B=\{6, 9\}$

③ $B-C=\{9, 15\}$

④ $(A\cup B)\cap C=\{1, 2, 3, 6, 12\}$

⑤ $B-C^C=\{6, 12\}$

04

다음 중 오른쪽 벤다이어그램의 색칠한 부분을 나타내는 집합과 같은 집합은?

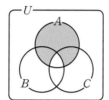

① $A\cap(B^C\cap C)$

② $B\cup(A^C\cap C)$

③ $A-(B\cap C)$

④ $A\cap(B-C)$

⑤ $A-(C-B)$

05 〔기출〕

집합 $A=\{1, 2, 3, 4\}$에 대하여 집합 B가 $B-A=\{5, 6\}$을 만족시킨다. 집합 B의 모든 원소의 합이 12일 때, 집합 $A-B$의 모든 원소의 합은?

① 5   ② 6   ③ 7

④ 8   ⑤ 9

06 〔기출〕

전체집합 $U=\{x \,|\, x$는 10 이하의 자연수$\}$의 두 부분집합 A, B에 대하여

$$A-B=\{2, 3\}, \ B-A=\{1, 4\},$$
$$(A\cup B)^C=\{6, 7, 8\}$$

을 만족시키는 집합 A의 모든 부분집합의 개수를 구하여라.

07 서술형 ✎

두 집합
$$A=\{2,\,a+2,\,6\},\ B=\{2,\,a,\,4,\,5,\,b\}$$
에 대하여 $B-A=\{3,\,b-2\}$, $n(B)=5$일 때, ab의 값을 구하여라. (단, $a,\,b$는 상수이다.)

08

전체집합 U의 두 부분집합 $A,\,B$에 대하여 다음 중 나머지 넷과 <u>다른</u> 하나는?

① $A\cap B^{C}$ ② $(A\cup B)-B$
③ $A-(A\cap B)$ ④ $A\cap(U-B)$
⑤ $(A\cup B)-(A\cap B)$

09 기출

전체집합 $U=\{1,\,2,\,3,\,4,\,5,\,6,\,7,\,8\}$의 두 부분집합 $A=\{1,\,2\}$, $B=\{3,\,5,\,8\}$에 대하여 $X\cup A=X-B$를 만족시키는 집합 U의 부분집합 X의 개수는?

① 2 ② 4 ③ 8
④ 16 ⑤ 32

10

전체집합 U의 세 부분집합 $A,\,B,\,C$에 대하여 옳은 것만을 |보기|에서 모두 고른 것은?

┌|보기|────────────────────────────┐
│ ㄱ. $A-B^{C}=A\cap B$ │
│ ㄴ. $(A-B)-C=A-(B\cup C)$ │
│ ㄷ. $\{A\cap(B-A)^{C}\}\cup\{(B-A)\cap A\}=A$ │
└────────────────────────────────┘

① ㄱ ② ㄷ ③ ㄱ, ㄴ
④ ㄴ, ㄷ ⑤ ㄱ, ㄴ, ㄷ

11 서술형 ✎

전체집합 $U=\{1,\,2,\,3,\,4,\,5,\,6,\,7,\,8\}$의 두 부분집합 $A,\,B$에 대하여
$$A=\{2,\,3,\,6\},$$
$$(A\cup B)\cap(A^{C}\cup B^{C})=\{1,\,2,\,7\}$$
일 때, 집합 $A^{C}\cap B^{C}$의 모든 원소의 곱을 구하여라.

12

전체집합 $U=\{x\,|\,x$는 10 이하의 자연수$\}$의 두 부분집합 $A,\,B$에 대하여
$$(A^{C}\cup B)^{C}=\{2,\,3,\,7\},$$
$$\{(A\cap B)\cup(A-B)\}\cap B=\{4\}$$
일 때, 집합 A의 원소의 개수는?

① 1 ② 2 ③ 3
④ 4 ⑤ 5

13

전체집합 U의 서로 다른 두 부분집합 A, B에 대하여

$$\{(A^c \cap B)^c \cap (A \cup B)\} \cap B^c = \varnothing$$

이 성립할 때, 다음 중 옳은 것은?

① $A \cap B = B$ ② $B - A = \varnothing$

③ $A^c \subset B^c$ ④ $A^c \cap B^c = B^c$

⑤ $A \cap B^c = U$

14

전체집합 U의 서로 다른 두 부분집합 A, B에 대하여 $A \cap B = B$일 때, 다음 중 집합 $\{(A \cup B) \cap (A \cup B^c)\} \cup B$와 같은 집합은?

① A ② B ③ $\varnothing$

④ $A - B^c$ ⑤ $B \cap A^c$

15 서술형 ✏️

전체집합 U의 두 부분집합 X, Y에 대하여 연산 △을

$$X \triangle Y = (X \cup Y) - Y$$

라 하자. 전체집합 U의 세 부분집합 $A = \{2, 4, 6, 8\}$, $B = \{1, 2, 3\}$, $C = \{3, 4, 5\}$에 대하여 집합 $(A \triangle B) \triangle C$의 모든 원소의 합을 구하여라.

16

전체집합 $U = \{1, 2, 3, \cdots, 50\}$의 부분집합 A_k를

$$A_k = \{x \mid x \text{는 } k \text{의 배수}, \ k \text{는 자연수}\}$$

라 할 때, 집합 $A_2 \cup (A_4 \cap A_8)$의 원소의 개수는?

① 10   ② 15   ③ 20

④ 25   ⑤ 30

17 기출

다음 조건을 만족시키는 전체집합 U의 두 부분집합 A, B에 대하여 $n(B - A)$의 최댓값을 구하여라.

> (가) $n(U) = 25$
> (나) $A \cap (A^c \cup B) \neq \varnothing$
> (다) $n(A - B) = 11$

18 기출

어느 야구팀에서 등 번호가 2의 배수 또는 3의 배수인 선수는 모두 25명이다. 이 야구팀에서 등 번호가 2의 배수인 선수의 수와 등 번호가 3의 배수인 선수의 수는 같고, 등 번호가 6의 배수인 선수는 3명이다. 이 야구팀에서 등 번호가 2의 배수인 선수의 수는?

(단, 모든 선수는 각각 한 개의 등 번호를 갖는다.)

① 6   ② 8   ③ 10

④ 12   ⑤ 14

상위권 도약 문제

01 기출

전체집합 $U=\{x|x$는 7 이하의 자연수$\}$의 세 부분집합 A, B, C에 대하여 $B{\subset}A$이고
$A{\cup}C=\{1, 2, 3, 4, 5, 6\}$이다. $A-B=\{5\}$,
$B-C=\{2\}$, $C-A=\{4, 6\}$일 때, 집합
$A{\cap}(B^C{\cup}C)$는?

① $\{5\}$ ② $\{1, 7\}$ ③ $\{3, 5\}$

④ $\{1, 3, 5\}$ ⑤ $\{1, 2, 3, 5, 7\}$

02

두 집합 $A=\{2, a+3, 3a\}$, $B=\{3, 6, -a+5\}$에 대하여 $A{\cup}B=\{2, 3, 6, 9\}$일 때, 집합 $A{\cap}B$의 모든 원소의 합을 구하여라. (단, a는 상수이다.)

03 기출

전체집합 $U=\{x|x$는 5 이하의 자연수$\}$의 두 부분집합 $A=\{1, 2\}$, $B=\{2, 3, 4\}$에 대하여
$$X{\cap}A{\neq}\varnothing,\ X{\cap}B{\neq}\varnothing$$
을 만족시키는 U의 부분집합 X의 개수를 구하여라.

04

전체집합 $U=\{x|x$는 실수$\}$의 세 부분집합
$$A=\{x|x^2-6x+9{\geq}0\},\ B=\{x|x^2-4x>0\},$$
$$C=\{x|x^2+ax+b{\leq}0\}$$
에 대하여 $B{\cup}C=A$, $B{\cap}C=\{x|-2{\leq}x<0\}$일 때, ab의 값을 구하여라. (단, a, b는 상수이다.)

05

전체집합 $U=\{x\,|\,x$는 20 이하의 자연수$\}$의 부분집합

$$A_k=\{x\,|\,x(y-k)=30,\ y\in U\},$$

$$B=\left\{x\,\middle|\,\frac{30-x}{5}\in U\right\}$$

에 대하여 $n(A_k\cap B^C)=1$이 되도록 하는 모든 자연수 k의 개수는?

① 3   ② 5   ③ 7

④ 9   ⑤ 11

06

집합 A_n을

$$A_n=\{x\,|\,x$$는 n의 배수$\}\ (n=1,\ 2,\ 3,\ \cdots)$

라고 하자. $A_n\cap A_2=A_{2n}$이고, 90이 집합 A_2-A_n의 원소가 되도록 하는 90 이하의 자연수 n의 개수를 구하여라.

07

전체집합 U의 두 부분집합 A, B에 대하여 연산 ◎을

$$A\,\circledcirc\,B=(A-B)\cup(B-A)$$

라 하자. $A=\{1,\ 2,\ 5,\ 8\}$, $B=\{2,\ 5,\ a\}$이고

$A\,\circledcirc\,X=B$를 만족시키는 전체집합 U의 부분집합

X의 모든 원소의 합이 18일 때, 집합

$(A\,\circledcirc\,B)\cap(B\,\circledcirc\,X)$의 원소의 개수를 구하여라.

08

창우네 반 학생 36명을 대상으로 3개의 수학 문제 A, B, C를 풀게 하였더니 A 문제를 맞힌 학생은 20명, B 문제를 맞힌 학생은 22명, C 문제를 맞힌 학생은 25명이었다. 두 문제만 맞힌 학생이 11명일 때, 세 문제를 모두 맞힌 학생 수를 구하여라.

     (단, 모든 학생이 한 문제 이상은 맞힌 것으로 한다.)

03

명제

03 명제

개념 01 명제와 그 부정

(1) 명제

참 또는 거짓을 명확하게 판별할 수 있는 문장이나 식을 명제라 한다.

[예] • '2는 짝수이다.'는 참인 명제이다.
• '1>2'는 거짓인 명제이다.
• '꽃은 아름답다.'는 아름답다의 기준이 명확하지 않아서 참인지 거짓인지 판별할 수 없으므로 명제가 아니다.

> 명제는 보통 알파벳 소문자 p, q, r, …로 나타낸다.

(2) 명제의 부정

명제 p에 대하여 'p가 아니다.'를 명제 p의 부정이라 하고, 기호로 $\sim p$와 같이 나타낸다.

① 명제 p가 참이면 $\sim p$는 거짓이고, p가 거짓이면 $\sim p$는 참이다.
② 명제 p에 대하여 $\sim p$의 부정 $\sim(\sim p)$는 p이다.

[예] 명제 '3은 6의 약수이다.'의 부정은 '3은 6의 약수가 아니다.'이다.

> $\sim p$는 'p가 아니다.' 또는 'not p'라 읽는다.

확인 **01** 명제인 것만을 |보기|에서 모두 골라라.

┤보기├
ㄱ. $2+3=5$　　　　　　　ㄴ. 한강은 맑다.
ㄷ. $\sqrt{2}$는 유리수이다.　　ㄹ. $x^2=0$

개념 02 조건과 진리집합

(1) 조건

변수를 포함하는 문장이나 식 중에서 변수의 값에 따라 참, 거짓을 판별할 수 있는 것을 조건이라 한다.

(2) 조건의 부정

조건 p에 대하여 'p가 아니다.'를 조건 p의 부정이라 하고, 기호로 $\sim p$와 같이 나타낸다.

(3) 진리집합

전체집합 U의 원소 중에서 조건 p를 참이 되게 하는 모든 원소의 집합을 조건 p의 진리집합이라 한다. 조건 p의 진리집합을 P라 할 때, $\sim p$의 진리집합은 P^C이다.

[예] 전체집합 $U=\{x\,|\,x$는 10 이하의 자연수$\}$에 대하여 조건 'p: x는 3의 배수이다.'의 진리집합을 P라 하면
• 조건 p의 부정 $\sim p$는 'x는 3의 배수가 아니다.'이다.
• $P=\{3,\,6,\,9\}$, $P^C=\{1,\,2,\,4,\,5,\,7,\,8,\,10\}$이다.

> 조건 p, q, r, …의 진리집합은 보통 알파벳 대문자 P, Q, R, …로 나타낸다.

> 특별한 언급이 없으면 전체집합을 실수 전체의 집합으로 본다.

확인 **02** 전체집합 U가 실수 전체의 집합일 때, 다음 조건의 진리집합을 구하여라.

(1) p: x는 한 자리의 자연수이다.
(2) p: $(x-1)(x+2)=0$

개념 03　명제 $p \longrightarrow q$의 참, 거짓

(1) **명제 $p \longrightarrow q$**

두 조건 p, q로 이루어진 명제 'p이면 q이다.'를 기호로

$$p \longrightarrow q$$

와 같이 나타낸다. 이때 p를 가정, q를 결론이라 한다.

(2) **명제 $p \longrightarrow q$의 참, 거짓**

명제 $p \longrightarrow q$에 대하여 두 조건 p, q의 진리집합을 각각 P, Q라 할 때

① 명제 $p \longrightarrow q$가 참이면 $P \subset Q$이다.

또, $P \subset Q$이면 명제 $p \longrightarrow q$는 참이다.

② 명제 $p \longrightarrow q$가 거짓이면 $P \not\subset Q$이다.

또, $P \not\subset Q$이면 명제 $p \longrightarrow q$는 거짓이다.

> 명제가 거짓임을 보이는 예를 반례라 한다. 두 조건 p, q의 진리집합을 각각 P, Q라 할 때, 명제 $p \longrightarrow q$가 거짓임을 보이는 반례 x는 $x \in P$이지만 $x \notin Q$이다.

[예] 두 조건 p: $x^2 = 4$, q: $x = 2$의 진리집합을 각각 P, Q라 하면

$$P = \{-2, 2\}, \ Q = \{2\}$$

- $P \not\subset Q$이므로 명제 $p \longrightarrow q$, 즉 '$x^2 = 4$이면 $x = 2$이다.'는 거짓이다.
- $Q \subset P$이므로 명제 $q \longrightarrow p$, 즉 '$x = 2$이면 $x^2 = 4$이다.'는 참이다.

확인 03 다음 명제의 참, 거짓을 판별하여라.

(1) $x = 1$이면 $2x < 4$이다.

(2) x가 홀수이면 x는 소수이다.

개념 04　'모든'이나 '어떤'을 포함한 명제

(1) **'모든'이나 '어떤'을 포함한 명제의 참, 거짓**

일반적으로 조건 p는 참, 거짓을 판별할 수 없지만, 조건 p 앞에 '모든'이나 '어떤'이 있으면 참, 거짓을 판별할 수 있으므로 명제이다.

즉, 전체집합 U에 대하여 조건 p의 진리집합을 P라 할 때

① 명제 '모든 x에 대하여 p이다.'의 참, 거짓

　(ⅰ) $P = U$이면 참이다.

　(ⅱ) $P \ne U$이면 거짓이다.

② 명제 '어떤 x에 대하여 p이다.'의 참, 거짓

　(ⅰ) $P \ne \varnothing$이면 참이다.

　(ⅱ) $P = \varnothing$이면 거짓이다.

> '모든'을 포함한 명제는 성립하지 않는 예가 하나만 있어도 거짓이다.

> '어떤'을 포함한 명제는 성립하는 예가 하나만 있어도 참이다.

(2) **'모든'이나 '어떤'을 포함한 명제의 부정**

조건 p에 대하여

① 명제 '모든 x에 대하여 p이다.'의 부정 ➡ '어떤 x에 대하여 $\sim p$이다.'

② 명제 '어떤 x에 대하여 p이다.'의 부정 ➡ '모든 x에 대하여 $\sim p$이다.'

다음 명제의 참, 거짓을 판별하여라.

   (1) 모든 자연수 x에 대하여 $x=3$이다.

   (2) 어떤 정수 x에 대하여 $x^2=0$이다.

   (3) 모든 실수 x에 대하여 $x^2 \geq 0$이다.

   (4) 어떤 실수 x에 대하여 $x^2 \leq 0$이다.

개념 05 명제의 역과 대우

(1) 명제의 역과 대우

  ① 역: 명제 $p \longrightarrow q$의 가정과 결론을 서로 바꾼 명제 $q \longrightarrow p$를 명제 $p \longrightarrow q$의 역이라 한다.

  ② 대우: 명제 $p \longrightarrow q$의 가정과 결론을 각각 부정하여 서로 바꾼 명제 $\sim q \longrightarrow \sim p$를 명제 $p \longrightarrow q$의 대우라 한다.

  ③ 명제 $p \longrightarrow q$와 그 역, 대우 사이의 관계는 다음 그림과 같다.

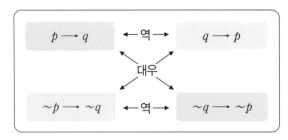

(2) 명제와 그 대우의 참, 거짓

  명제 $p \longrightarrow q$와 그 대우 $\sim q \longrightarrow \sim p$의 참, 거짓은 항상 일치한다. 즉, 다음이 성립한다.

  ① 명제 $p \longrightarrow q$가 참이면 그 대우 $\sim q \longrightarrow \sim p$도 참이다.

  ② 명제 $p \longrightarrow q$가 거짓이면 그 대우 $\sim q \longrightarrow \sim p$도 거짓이다.

  ▶**주의** 명제 $p \longrightarrow q$가 참이라고 해서 그 역 $q \longrightarrow p$가 반드시 참인 것은 아니다.

(3) 삼단논법

  세 조건 p, q, r에 대하여

    '명제 $p \longrightarrow q$가 참이고, 명제 $q \longrightarrow r$가 참이면 명제 $p \longrightarrow r$가 참이다.'

  라고 결론짓는 방법을 삼단논법이라 한다.

  ▶**참고** 세 조건 p, q, r의 진리집합을 각각 P, Q, R라 할 때

    $p \longrightarrow q$, $q \longrightarrow r$가 참이면 $P \subset Q$, $Q \subset R$

    $\therefore P \subset R$

    따라서 $p \longrightarrow r$가 참이다.

확인 05 다음 명제의 역과 대우를 말하여라.

   (1) x가 4의 배수이면 x는 8의 배수이다.

   (2) $xy=0$이면 $x=0$ 또는 $y=0$이다.

> 명제 $p \longrightarrow q$와 그 대우 $\sim q \longrightarrow \sim p$의 참, 거짓이 일치함은 진리집합 사이의 포함 관계를 이용하여 확인할 수 있다.

개념 06 충분조건과 필요조건

(1) 충분조건과 필요조건

명제 $p \longrightarrow q$가 참일 때, 기호로

$$p \Longrightarrow q$$

와 같이 나타낸다. 이때

p는 q이기 위한 **충분조건**,

q는 p이기 위한 **필요조건**

이라 한다.

(2) 필요충분조건

명제 $p \longrightarrow q$에 대하여 $p \Longrightarrow q$이고 $q \Longrightarrow p$일 때, p는 q이기 위한 **필요충분조건**이라 하고, 기호로

$$p \Longleftrightarrow q$$

와 같이 나타낸다. 이때 q도 p이기 위한 필요충분조건이다.

> ▶ 명제 $p \longrightarrow q$가 거짓일 때, 기호로 $p \nRightarrow q$와 같이 나타낸다.

> ▶ 주어진 명제에서 조건을 판단할 때 명제의 참, 거짓을 이용한다.

확인 06 두 조건 p, q가 다음과 같을 때, p는 q이기 위한 어떤 조건인지 말하여라.

(단, x는 실수이다.)

(1) p: x는 6의 양의 약수이다. q: x는 18의 양의 약수이다.

(2) p: $x > 1$ q: $x > 5$

(3) p: $x = -1$ q: $(x+1)^2 = 0$

개념 07 충분조건, 필요조건과 진리집합

(1) 충분조건, 필요조건과 진리집합

두 조건 p, q의 진리집합을 각각 P, Q라 할 때

① $P \subset Q$이면

p는 q이기 위한 **충분조건**,

q는 p이기 위한 **필요조건**

이다.

② $P = Q$이면

p는 q이기 위한 **필요충분조건**

이다.

> ▶ $P \not\subset Q$, $Q \not\subset P$이면 아무 조건도 아니다.

> ▶ 명제의 참, 거짓뿐만 아니라 조건을 판단할 때 진리집합을 이용하면 편리하다.

확인 07 전체집합 U에 대하여 두 조건 p, q의 진리집합을 각각 P, Q라 하자. p가 q이기 위한 **충분조건**일 때, 옳은 것만을 | 보기 |에서 모두 골라라.

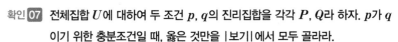

| 보기 |
ㄱ. $P \subset Q$ ㄴ. $Q \subset P$ ㄷ. $P = Q$

다음 명제 또는 조건의 부정을 말하여라.

(1) 4는 짝수이다.

(2) $2(x-3)=2x-6$

(3) 40의 양의 약수 중 적어도 하나는 5의 배수이다.

(4) $x \leq -2$

(5) $x=0$ 또는 $x=2$

(6) $2 \leq x \leq 9$

풍쌤 POINT

주어진 명제 또는 조건 p에 대하여 p의 부정은 'p가 아니다.'임을 이용해.

풀이

(1) 주어진 명제의 부정은

4는 짝수가 아니다. **❶**

(2) 주어진 명제의 부정은

$2(x-3) \neq 2x-6$

(3) '적어도 하나는 ~이다.'의 부정은 '모두 ~이 아니다.'이므로

주어진 명제의 부정은

40의 양의 약수는 모두 5의 배수가 아니다.

(4) 주어진 조건의 부정은

$x > -2$

(5) '또는'의 부정은 '그리고'이므로 주어진 조건의 부정은

$x \neq 0$ 그리고 $x \neq 2$ **❷**

(6) '$2 \leq x \leq 9$'는 '$x \geq 2$ 그리고 $x \leq 9$'이고, '그리고'의 부정은

'또는'이므로 주어진 조건의 부정은

$x < 2$ 또는 $x > 9$

❶ 자연수 또는 정수 범위라는 조건이 없으므로 '짝수가 아니다.'를 '홀수이다.'라고 할 수 없다.

❷ '$x=0$', '또는', '$x=2$'를 각각 부정하여 조건의 부정을 구한다.

🖹 풀이 참조

풍쌤 강의 NOTE

조건	부정
같다. ($=$)	같지 않다. ($\neq$)
p 또는 q	$\sim p$ 이고 $\sim q$
p이고 q	$\sim p$ 또는 $\sim q$
$x < a$ (미만)	$x \geq a$ (이상)
$x > a$ (초과)	$x \leq a$ (이하)
짝수이다.	짝수가 아니다.
음수이다.	음수가 아니다. (0 또는 양수이다.)
$x=y=z$	$x \neq y$ 또는 $y \neq z$ 또는 $z \neq x$
적어도 하나는 ~이다.	모두 ~가 아니다.

01-1 ⦿유사

다음 명제의 부정을 말하여라.

(1) $\sqrt{2}$는 유리수이다.

(2) 정삼각형은 이등변삼각형이다.

(3) 0은 -1보다 크다.

01-2 ⦿유사

다음 조건의 부정을 말하여라.

(1) $x+3=5$

(2) $x \neq -3$이고 $y=3$

(3) $x<-5$ 또는 $x>2$

01-3 ⦿변형

다음 중 두 실수 x, y에 대하여 조건 '$|x|+|y|=0$' 의 부정인 것은?

① $xy=0$ ② $xy \neq 0$

③ $x=0$이고 $y=0$ ④ $x \neq 0$이고 $y \neq 0$

⑤ $x \neq 0$ 또는 $y \neq 0$

01-4 ⦿변형

조건 p와 그 부정 $\sim p$가 바르게 연결된 것만을 |보기| 에서 모두 골라라. (단, a, b는 실수이다.)

┌─|보기|──────────────────────────────┐
│ ㄱ. p: $a=0$ 또는 $b=0$ $\sim p$: $ab \neq 0$ │
│ ㄴ. p: $a^2+b^2=0$ $\sim p$: $a \neq 0$이고 $b \neq 0$ │
│ ㄷ. p: $(a-b)^2=0$ $\sim p$: $a \neq b$ │
└─────────────────────────────────────┘

01-5 ⦿변형

실수 전체의 집합에서 두 조건 p, q가

$$p: -3 \leq x \leq 0, \quad q: 0 < x < 4$$

일 때, 조건 '$\sim p$ 그리고 $\sim q$'의 부정을 구하여라.

01-6 ⦿실력

세 실수 a, b, c에 대하여 다음 중 조건 '$(a-b)^2+(b-c)^2+(c-a)^2=0$'의 부정과 같은 것은?

① $a=b=c$

② a, b, c는 서로 다르다.

③ $a \neq b$이고 $b \neq c$이고 $c \neq a$

④ a, b, c 중 서로 다른 것이 적어도 하나 있다.

⑤ $(a-b)(b-c)(c-a)=0$

실수 전체의 집합에서 두 조건 p, q가

$p: -1<x\leq3$, $q: x<2$ 또는 $x>7$

일 때, 다음 조건의 진리집합을 구하여라.

(1) $\sim p$

(2) $\sim p$ 또는 q

(3) p 그리고 $\sim q$

풍쌤 POINT

전체집합 U에서 정의된 두 조건 p, q의 진리집합을 각각 P, Q라 할 때

(i) $\sim p$의 진리집합은 P^C야.

(ii) 'p 또는 q'의 진리집합은 $P\cup Q$야.

(iii) 'p 그리고 q'의 진리집합은 $P\cap Q$야.

풀이

두 조건 p, q의 진리집합을 각각 P, Q라 하면

$P=\{x|-1<x\leq3\}$,

$Q=\{x|x<2$ 또는 $x>7\}$

이고 이것을 수직선 위에 나타내면 오른쪽 그림과 같다.

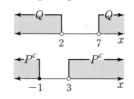

(1) 조건 $\sim p$의 진리집합은 P^C이므로

$P^C=\{x|x\leq-1$ 또는 $x>3\}$

(2) 조건 '$\sim p$ 또는 q'의 진리집합은 $P^C\cup Q$❶이므로

$P^C\cup Q=\{x|x<2$ 또는 $x>3\}$

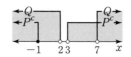

❶ 두 집합 A, B에 대하여

$A\cup B=\{x\in A$ 또는 $x\in B\}$

(3) 조건 $\sim q$의 진리집합은 Q^C이므로

$Q^C=\{x|2\leq x\leq7\}$

따라서 조건 'p 그리고 $\sim q$'의 진리집합은 $P\cap Q^C$❷이므로

$P\cap Q^C=\{x|2\leq x\leq3\}$

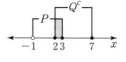

❷ 두 집합 A, B에 대하여

$A\cap B$

$=\{x\in A$ 그리고 $x\in B\}$

답 (1) $\{x|x\leq-1$ 또는 $x>3\}$

(2) $\{x|x<2$ 또는 $x>3\}$

(3) $\{x|2\leq x\leq3\}$

풍쌤 강의 NOTE

• 주어진 조건의 부정의 진리집합은 조건의 진리집합을 구하고 그것의 여집합을 구하면 된다.

• 부등식으로 주어진 조건의 진리집합을 구할 때는 수직선을 그려 놓고 생각한다.

02-1 ⦿유사

실수 전체의 집합에서 두 조건 p, q가

$$p: 1 \leq x < 4, \ q: -2 \leq x \leq 2$$

일 때, 조건 'p 그리고 q'의 진리집합을 구하여라.

02-2 ⦿유사

전체집합 $U = \{1, 2, 3, \cdots, 10\}$에 대하여 두 조건 p, q가

$$p: x는 3의 배수이다., \ q: x는 5의 배수이다.$$

일 때, 다음 조건의 진리집합을 구하여라.

(1) $\sim q$

(2) p 또는 $\sim q$

(3) $\sim p$ 그리고 q

02-3 ⦿변형

전체집합 $U = \{1, 2, 3, 4, 5, 6, 7, 8, 9\}$에 대하여 조건 p가

$$p: x는 홀수 또는 12의 약수이다.$$

일 때, 조건 p의 진리집합의 모든 원소의 합을 구하여라.

02-4 ⦿변형

실수 전체의 집합에서 두 조건

$$p: x \leq -1, \ q: x \leq 5$$

의 진리집합을 각각 P, Q라 할 때, 다음 중 조건 '$-1 < x \leq 5$'의 진리집합을 나타내는 것은?

① $P \cap Q$ ② $P \cup Q$ ③ $P \cap Q^C$

④ $P \cup Q^C$ ⑤ $Q - P$

02-5 ⦿변형   〔기출〕

정수 x에 대한 조건

$$p: x(x-11) \geq 0$$

에 대하여 조건 $\sim p$의 진리집합의 원소의 개수를 구하여라.

02-6 ⦿실력

두 조건

$$p: |x-a| \leq 2, \ q: |x-b| \leq 3$$

의 진리집합을 각각 P, Q라 할 때, $P \subset Q$가 성립한다. 이때 두 실수 a, b에 대하여 $a-b$의 최댓값과 최솟값의 곱을 구하여라.

다음 두 조건 p, q에 대하여 명제 $p \longrightarrow q$의 참, 거짓을 판별하여라. (단, x, y는 실수이다.)

(1) p : x는 6의 양의 약수이다. q : x는 12의 양의 약수이다.

(2) p : $x+y$는 유리수이다. q : x, y는 모두 유리수이다.

(3) p : $x^2+3x+2=0$ q : x는 정수이다.

(4) p : $xy=0$ q : $x^2+y^2=0$

풍쌤 POINT

전체집합 U에 대하여 두 조건 p, q의 진리집합을 각각 P, Q라 할 때

(ⅰ) $P \subset Q$이면 명제 $p \longrightarrow q$는 참이야.

(ⅱ) $P \not\subset Q$이면 명제 $p \longrightarrow q$는 거짓이야.

풀이

(1) 두 조건 p, q의 진리집합을 각각 P, Q라 하자.

6의 양의 약수는 1, 2, 3, 6이므로

$P = \{1, 2, 3, 6\}$

또, 12의 양의 약수는 1, 2, 3, 4, 6, 12이므로

$Q = \{1, 2, 3, 4, 6, 12\}$

따라서 $P \subset Q$이므로 주어진 명제는 참이다.

(2) [반례] $x = \sqrt{2}$, $y = -\sqrt{2}$이면 $x+y=0$이므로 유리수이지만 x, y는 모두 무리수이다.❶

따라서 주어진 명제는 거짓이다.

❶ p는 성립하지만 q는 성립하지 않는 x, y는 모두 반례가 된다.

(3) 두 조건 p, q의 진리집합을 각각 P, Q라 하자.

$x^2+3x+2=0$에서

$(x+2)(x+1)=0$

$\therefore x=-2$ 또는 $x=-1$

$\therefore P=\{-2, -1\}$

또, $Q=\{x | x$는 정수$\}$

따라서 $P \subset Q$❷이므로 주어진 명제는 참이다.

(4) [반례] $x=0$, $y=1$이면 $xy=0$이지만 $x^2+y^2=1 \neq 0$이다.

따라서 주어진 명제는 거짓이다.

❷ 집합 Q는 정수 전체의 집합이므로 두 수 -2, -1을 원소로 하는 집합 P는 집합 Q의 부분집합이 된다.

🔒 (1) 참 (2) 거짓 (3) 참 (4) 거짓

풍쌤 강의 NOTE

두 조건 p, q에 대하여 명제 $p \longrightarrow q$의 참, 거짓을 판별할 때는 두 조건의 진리집합을 구하여 진리집합 사이의 포함 관계를 조사하거나 반례가 있는지 찾아본다.

03-1 ◉유사

다음 두 조건 p, q에 대하여 명제 $p \longrightarrow q$의 참, 거짓을 판별하여라. (단, x, y는 실수이다.)

(1) $p: x^2-4x-5=0$ $q: -3 \leq x \leq 5$

(2) $p: x+y>2$ $q: x>1$이고 $y>1$

03-2 ◉유사

다음 두 조건 p, q에 대하여 명제 $p \longrightarrow q$의 참, 거짓을 판별하여라.

(1) p: 이등변삼각형이다. q: 정삼각형이다.

(2) p: 마름모이다. q: 평행사변형이다.

03-3 ◉변형

거짓인 명제만을 |보기|에서 모두 골라라.

(단, x는 실수이다.)

┤보기├
ㄱ. $|x|=0$이면 $x=0$이다.
ㄴ. x가 짝수이면 $3x$는 홀수이다.
ㄷ. 두 유리수의 합은 유리수이다.

03-4 ◉변형

다음 중 참인 명제는? (단, x, y는 실수이다.)

① 4의 배수는 8의 배수이다.
② $x^2=1$이면 $x=1$이다.
③ $x-1>0$이면 $2x+1>1$이다.
④ xy가 홀수이면 $x+y$도 홀수이다.
⑤ $xy<0$이면 $x<0$이고 $y>0$이다.

03-5 ◉실력   기출

실수 x에 대한 세 조건

$$p: |x|>4, \quad q: x^2-9 \leq 0, \quad r: x \leq 3$$

에 대하여 참인 명제만을 |보기|에서 모두 고른 것은?

┤보기├
ㄱ. $q \longrightarrow r$ ㄴ. $p \longrightarrow \sim q$ ㄷ. $r \longrightarrow \sim p$

① ㄱ ② ㄱ, ㄴ ③ ㄱ, ㄷ
④ ㄴ, ㄷ ⑤ ㄱ, ㄴ, ㄷ

전체집합 U에 대하여 두 조건 p, q의 진리집합을 각각 P, Q라 하자. 다음 물음에 답하여라.

(1) 두 집합 P, Q 사이의 포함 관계가 오른쪽 벤다이어그램과 같을 때, 명제 $p \longrightarrow q$가 거짓임을 보이는 반례가 될 수 있는 원소를 모두 구하여라.

(2) 명제 $p \longrightarrow \sim q$가 참일 때, 옳은 것만을 |보기|에서 모두 골라라.

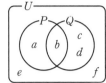

┤보기├

ㄱ. $P \cap Q = \varnothing$ ㄴ. $P \cup Q = U$ ㄷ. $P - Q = P$

풍쌤 POINT

전체집합 U에 대하여 두 조건 p, q의 진리집합을 각각 P, Q라 할 때

(i) 명제 $p \longrightarrow q$가 참이면 $P \subset Q$이고, $P \subset Q$이면 명제 $p \longrightarrow q$가 참이야.

(ii) 명제 $p \longrightarrow q$가 거짓임을 보이는 반례는 $P - Q = P \cap Q^c$의 원소야.

풀이 ◉ (1) STEP1 반례가 되는 조건 찾기

명제 $p \longrightarrow q$가 거짓임을 보이는 원소는 집합 P에는 속하지만 집합 Q에는 속하지 않는다.

STEP2 반례가 될 수 있는 원소 구하기

따라서 구하는 원소는 집합 $P - Q$❶의 원소인 a이다.

❶ 두 집합 A, B에 대하여
$A - B = \{x \,|\, x \in A$ 그리고 $x \notin B\}$

(2) STEP1 두 집합 P, Q 사이의 포함 관계 구하기

명제 $p \longrightarrow \sim q$가 참이므로 $P \subset Q^c$❷

따라서 두 집합 P, Q 사이의 포함 관계를 벤다이어그램으로 나타내면 오른쪽 그림과 같다.

❷ 두 집합 P와 Q는 서로소이다.

STEP2 보기의 참, 거짓 판별하기

ㄱ. $P \cap Q = \varnothing$ (참)

ㄴ. $P \cup Q \neq U$❸ (거짓)

ㄷ. $P - Q = P$ (참)

이상에서 옳은 것은 ㄱ, ㄷ이다.

❸ $x \in (P \cup Q)^c$인 x가 존재하면 $P \cup Q \neq U$이다.

답 (1) a (2) ㄱ, ㄷ

풍쌤 강의 NOTE

· 명제 $p \longrightarrow q$가 거짓이려면 p를 만족시키면서 q를 만족시키지 않아야 함을 이용한다.

· 명제가 참임을 이용해서 진리집합 사이의 포함 관계를 구한다.

04-1 ⓔ유사

전체집합 U에 대하여 두 조건 p, q의 진리집합을 각각 P, Q라 하자. 두 집합 P, Q의 포함 관계가 오른쪽 벤 다이어그램과 같을 때, 명제 $\sim p \longrightarrow q$가 거짓임을 보이는 반례가 될 수 있는 원소를 모두 구하여라.

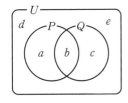

04-2 ⓔ유사

전체집합 U에 대하여 두 조건 p, q의 진리집합 P, Q가 오른쪽 그림과 같을 때, 명제 $p \longrightarrow \sim q$가 거짓임을 보이는 반례가 될 수 있는 모든 원소의 개수를 구하여라.

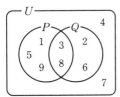

04-3 ⓔ유사

전체집합 U에 대하여 두 조건 p, q의 진리집합을 각각 P, Q라 하자. 명제 $p \longrightarrow q$가 참일 때, 옳은 것만을 |보기|에서 모두 골라라.

┤보기├
ㄱ. $P \cap Q = Q$ ㄴ. $P \cup Q^C = U$
ㄷ. $P - Q = \varnothing$

04-4 ⓔ변형

전체집합 U에 대하여 두 조건 p, q의 진리집합을 각각 P, Q라 하자. 명제 $\sim q \longrightarrow p$가 참일 때, 다음 중 옳은 것은?

① $P \cup Q = Q$　　　② $P \cup Q = U$
③ $P \cap Q = P$　　　④ $P^C \cap Q = Q$
⑤ $P^C \cup Q = U$

04-5 ⓔ변형

전체집합 U에 대하여 두 조건 p, q의 진리집합을 각각 P, Q라 할 때, 다음 중 명제 $q \longrightarrow \sim p$가 거짓임을 보이는 원소가 속하는 집합은?

① $P \cap Q$　　　② $P \cap Q^C$
③ $P^C \cap Q$　　　④ $(P \cup Q)^C$
⑤ $(P-Q) \cup (Q-P)$

04-6 ⓔ실력　　　ⓔ기출

전체집합 U의 공집합이 아닌 세 부분집합 P, Q, R가 각각 세 조건 p, q, r의 진리집합이라 하자.
$P \cap Q = P$, $R^C \cup Q = U$일 때, 참인 명제만을 |보기|에서 모두 골라라.

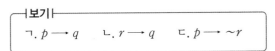

┤보기├
ㄱ. $p \longrightarrow q$　　ㄴ. $r \longrightarrow q$　　ㄷ. $p \longrightarrow \sim r$

필수유형 05 명제가 참이 되도록 하는 미지수 구하기

다음 물음에 답하여라.

(1) 두 조건 p: $-3<x<a-1$, q: $-3a\le x\le 5$에 대하여 명제 $p \longrightarrow q$가 참이 되도록 하는 실수 a의 값의 범위를 구하여라.

(2) 두 조건 p: $a+1<x\le 2a$, q: $x<2$ 또는 $x>8$에 대하여 명제 $q \longrightarrow \sim p$가 참이 되도록 하는 실수 a의 값의 범위를 구하여라. (단, $a+1<2a$)

풍쌤 POINT

두 조건 p, q의 진리집합을 각각 P, Q라 할 때, 명제 $p \longrightarrow q$가 참이 되려면 $P\subset Q$임을 이용하여 이를 만족시키도록 수직선 위에 나타낸 후, 미지수의 값의 범위를 구해야 해.

풀이

(1) **STEP1 두 조건 p, q의 진리집합 구하기**

두 조건 p, q의 진리집합을 각각 P, Q라 하면

$P=\{x\mid -3<x<a-1\}$, $Q=\{x\mid -3a\le x\le 5\}$

STEP2 a의 값의 범위 구하기

명제 $p \longrightarrow q$가 참이 되려면

$P\subset Q$이어야 하므로 오른쪽 그림에서

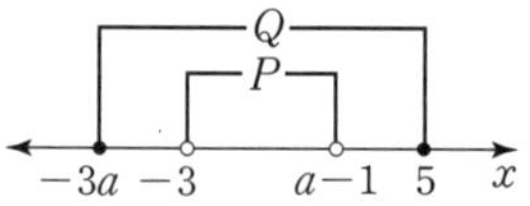

$-3a\le -3$이고 $a-1\le 5$

$a\ge 1$이고 $a\le 6$

$\therefore 1\le a\le 6$ ❶

❶ $a\ge 1$, $a\le 6$에서 a는 1보다 크거나 같고 6보다 작거나 같으므로 $1\le a\le 6$으로 나타낼 수 있다.

(2) **STEP1 두 조건 p, q의 진리집합 구하기**

두 조건 p, q의 진리집합을 각각 P, Q라 하면

$P=\{x\mid a+1<x\le 2a\}$, $Q=\{x\mid x<2$ 또는 $x>8\}$

STEP2 a의 값의 범위 구하기

명제 $q \longrightarrow \sim p$가 참이 되려면 $Q\subset P^C$이어야 한다.

이때

$P^C=\{x\mid x\le a+1$ 또는 $x>2a\}$ ❷

이므로 오른쪽 그림에서

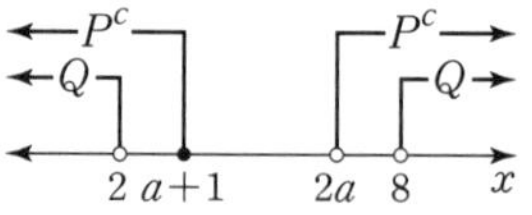

❷ '$a+1<x\le 2a$'는 '$x>a+1$이고 $x\le 2a$'이므로 그 부정은 '$x\le a+1$ 또는 $x>2a$'이다.

$2\le a+1$이고 $2a\le 8$

$a\ge 1$이고 $a\le 4$

$\therefore 1\le a\le 4$

또, $a+1<2a$이므로 $a>1$

$\therefore 1<a\le 4$

답 (1) $1\le a\le 6$ (2) $1<a\le 4$

풍쌤 강의 NOTE

두 조건 p, q가 x에 대한 부등식으로 주어진 경우, 수직선을 이용하여 두 조건의 진리집합 사이의 포함 관계를 생각한다.

05-1 ◉ 유사

두 조건 $p: x^2 - a^2 \leq 0$, $q: |x-1| \leq 3$에 대하여 명제 $p \longrightarrow q$가 참이 되도록 하는 양수 a의 값의 범위를 구하여라.

05-2 ◉ 유사

두 조건 $p: x \geq 1$, $q: 2x+a > 3x-2a$에 대하여 명제 $p \longrightarrow \sim q$가 참이 되도록 하는 실수 a의 값의 범위를 구하여라.

05-3 ◉ 변형

명제 '$|x-2| < 2$이면 $5-a < x < a$이다.'가 참이 되도록 하는 실수 a의 최솟값을 구하여라.

(단, $5-a < a$)

05-4 ◉ 변형

두 조건 $p: x=a$, $q: x^2 + 3x - 10 \leq 0$에 대하여 명제 $p \longrightarrow q$가 참이 되도록 하는 정수 a의 개수를 구하여라.

05-5 ◉ 변형   기출

실수 x에 대한 두 조건

$$p: |x-a| \leq 1, \quad q: x^2 - 2x - 8 > 0$$

에 대하여 $p \longrightarrow \sim q$가 참이 되도록 하는 실수 a의 최댓값을 구하여라.

05-6 ◉ 실력

세 조건 $p: 1 \leq x \leq 6$, $q: x \geq a$, $r: x \geq 4$에 대하여 명제 $r \longrightarrow (p$ 또는 $q)$가 참이 되도록 하는 실수 a의 최댓값을 M, 명제 $(p$이고 $q) \longrightarrow r$가 참이 되도록 하는 실수 a의 최솟값을 m이라 할 때, $M+m$의 값을 구하여라.

전체집합 $U=\{-3, -2, -1, 0, 1, 2, 3\}$에 대하여 $x \in U$일 때, 참인 명제만을 |보기|에서 모두 골라라.

┌─|보기|─────────────────────────────
ㄱ. 모든 x에 대하여 $|x|>0$이다.
ㄴ. 어떤 x에 대하여 $x^2=x$이다.
ㄷ. 모든 x에 대하여 $3x-1<11$이다.
ㄹ. 어떤 x에 대하여 $x^2-6x-7=0$이다.
└───────────────────────────────

풍쌤 POINT

전체집합 U에 대하여 조건 p의 진리집합을 P라 할 때
(i) 명제 '모든 x에 대하여 $p(x)$이다.'의 참, 거짓
➡ $P=U$이면 참이고, $P \neq U$이면 거짓이야.
(ii) 명제 '어떤 x에 대하여 $p(x)$이다.'의 참, 거짓
➡ $P \neq \varnothing$이면 참이고, $P=\varnothing$이면 거짓이야.

풀이

ㄱ. [반례] $x=0$이면 $|x|=0$이다.
　　따라서 주어진 명제는 거짓이다.❶

ㄴ. $x=1$이면 $x^2=1$, $x=1$이므로 $x^2=x$이다.
　　따라서 주어진 명제는 참이다.❷

ㄷ. $3x-1<11$에서 $3x<12$
　　$\therefore x<4$
　　따라서 집합 U의 모든 원소 x에 대하여 $x<4$, 즉
　　$3x-1<11$이므로 주어진 명제는 참이다.❸

ㄹ. $x^2-6x-7=0$에서 $(x+1)(x-7)=0$
　　$\therefore x=-1$ 또는 $x=7$
　　따라서 $x=-1$이면 $x^2-6x-7=0$이므로 주어진 명제는 참이다.❹

이상에서 참인 명제는 ㄴ, ㄷ, ㄹ이다.

❶ '$|x|>0$'을 만족시키지 않는 x가 하나라도 있으면 거짓이다.

❷ '$x^2=x$'를 만족시키는 x가 하나라도 있으면 참이다.

❸ 집합 U의 모든 원소를 부등식 $3x-1<11$에 대입하여 참임을 보일 수도 있다.

❹ 7은 집합 U의 원소가 아니므로 $x=-1$만 $x^2-6x-7=0$을 만족시킨다.

답 ㄴ, ㄷ, ㄹ

풍쌤 강의 NOTE

'모든'을 포함한 명제는 반례가 있는지 찾아보고, '어떤'을 포함한 명제는 성립하는 예가 하나라도 있는지 찾아본 후 참, 거짓을 판별한다.

06-1 ⦿유사

전체집합 $U = \{-2, -1, 0, 1\}$에 대하여 $x \in U$일 때, 다음 명제의 참, 거짓을 판별하여라.

(1) 모든 x에 대하여 $-x \in U$이다.

(2) 어떤 x에 대하여 $x^2 < 2x$이다.

06-2 ⦿유사

전체집합 $U = \{1, 2, 3, 4, 5\}$에 대하여 $x \in U$, $y \in U$일 때, 다음 중 참인 명제는?

① 어떤 x에 대하여 $x^2 + x < 0$이다.

② 모든 x에 대하여 $x - 2 < 3$이다.

③ 모든 x에 대하여 $x^2 - 5x + 6 = 0$이다.

④ 어떤 x, y에 대하여 $x^2 + y^2 > 40$이다.

⑤ 모든 x, y에 대하여 $|x| + |y| \le 9$이다.

06-3 ⦿변형

명제 '어떤 실수 x에 대하여 $x^2 > 8$이다.'의 부정을 말하고, 그것의 참, 거짓을 판별하여라.

06-4 ⦿변형 기출

자연수 a에 대한 조건

'모든 양의 실수 x에 대하여 $x - a + 4 > 0$이다.'

가 참인 명제가 되도록 하는 a의 개수를 구하여라.

06-5 ⦿변형

다음 중 거짓인 명제는?

① 모든 실수 x에 대하여 $x^2 \ge 0$이다.

② 어떤 실수 x에 대하여 $|x| = x$이다.

③ 모든 정수 x에 대하여 $x + 1$은 정수이다.

④ 어떤 자연수 x에 대하여 $x - 3 = 5$이다.

⑤ 어떤 유리수 x에 대하여 $x^2 = 2$이다.

06-6 ⦿실력

명제 '$k - 3 \le x \le k + 1$인 어떤 실수 x에 대하여 $-2 \le x \le 0$이다.'가 참이 되도록 하는 정수 k의 개수를 구하여라.

명제의 역과 대우가 모두 참인 것만을 |보기|에서 모두 골라라. (단, x, y, z는 실수이다.)

┌─| 보기 |──┐

ㄱ. $x-y$이면 $xz=yz$이다.　　　　ㄴ. $x^2=y^2$이면 $|x|=|y|$이다.

ㄷ. $x \geq 1$이고 $y \geq 1$이면 $xy \geq 1$이다.　　ㄹ. $(x+y)^2=0$이면 $x^2+y^2=0$이다.

└──┘

풍쌤 POINT

· 명제 $p \longrightarrow q$의 역은 $q \longrightarrow p$, 대우는 $\sim q \longrightarrow \sim p$야.

· 명제 $p \longrightarrow q$와 그 대우 $\sim q \longrightarrow \sim p$의 참, 거짓은 항상 일치해.
  즉, 명제가 참이면 그 대우도 참이고, 명제가 거짓이면 그 대우도 거짓이야.

풀이

ㄱ. 역: $xz=yz$이면 $x=y$이다. (거짓)

　　[반례] $x=1$, $y=-1$, $z=0$이면 $xz=yz=0$이지만 $x \neq y$이다.

　　대우: $xz \neq yz$이면 $x \neq y$이다. (참)

　　[증명] 주어진 명제가 참이므로 그 대우도 참이다.

ㄴ. 역: $|x|=|y|$이면 $x^2=y^2$이다. (참)

　　[증명] $|x|=|y|$의 양변을 제곱하면 $x^2=y^2$이다.

　　대우: $|x| \neq |y|$이면 $x^2 \neq y^2$이다. (참)

　　[증명] 주어진 명제가 참이므로 그 대우도 참이다.❶

ㄷ. 역: $xy \geq 1$이면 $x \geq 1$이고 $y \geq 1$이다. (거짓)

　　[반례] $x=-2$, $y=-1$이면 $xy \geq 1$이지만 $x<1$이고 $y<1$이다.

　　대우: $xy<1$이면 $x<1$ 또는 $y<1$이다. (참)

　　[증명] 주어진 명제가 참이므로 그 대우도 참이다.

ㄹ. 역: $x^2+y^2=0$이면 $(x+y)^2=0$이다. (참)

　　[증명] $x^2+y^2=0$이면 $x=0$이고 $y=0$이므로 $(x+y)^2=0$이다.

　　대우: $x^2+y^2 \neq 0$이면 $(x+y)^2 \neq 0$이다. (거짓)

　　[반례] $x=1$, $y=-1$이면 $x^2+y^2=2 \neq 0$이지만 $(x+y)^2=0$이다.

이상에서 명제의 역과 대우가 모두 참인 것은 ㄴ이다.

답 ㄴ

❶ $x^2=y^2$이면
$x=y$ 또는 $x=-y$이므로
$|x|=|y|$이다.

풍쌤 강의 NOTE

명제의 역과 대우의 참, 거짓을 판별할 때는 진리집합 사이의 포함 관계를 확인하거나 반례를 찾아 봐야 한다. 이때 주어진 명제와 그 대우의 참, 거짓이 항상 일치함을 이용하여 대우의 참, 거짓을 판별할 수도 있다.

07-1 ◉ 유사

다음 명제의 역과 대우를 말하고, 그것의 참, 거짓을 판별하여라.

(1) 두 삼각형이 합동이면 닮음이다.

(2) 두 직사각형의 넓이가 같으면 두 직사각형은 합동이다.

07-2 ◉ 유사

명제의 역이 참인 것만을 |보기|에서 모두 골라라.

(단, x, y는 실수이다.)

┤보기├
ㄱ. $x^2=1$이면 $x=1$이다.
ㄴ. $x\neq 0$ 또는 $y\neq 0$이면 $xy\neq 0$이다.
ㄷ. $\dfrac{x}{y}>1$이면 $x>y$이다. (단, $y\neq 0$)

07-3 ◉ 변형

두 조건 p, q에 대하여 명제 $\sim q \longrightarrow p$의 역이 참일 때, 다음 중 참인 명제는?

① $\sim p \longrightarrow q$ ② $\sim p \longrightarrow \sim q$
③ $q \longrightarrow \sim p$ ④ $\sim q \longrightarrow p$
⑤ $\sim q \longrightarrow \sim p$

07-4 ◉ 변형   기출

명제 '$x^2-6x+5\neq 0$이면 $x-a\neq 0$이다.'가 참이 되기 위한 모든 상수 a의 값의 합을 구하여라.

07-5 ◉ 변형

전체집합 $U=\{x \mid x$는 20 이하의 자연수$\}$에 대하여 두 조건 p, q의 진리집합이 각각

$$P=\{a,\ 3,\ a+5\},\quad Q=\{3,\ 7,\ 3a-4\}$$

이다. 명제 $p \longrightarrow q$의 역과 대우가 모두 참일 때, 상수 a의 값을 구하여라.

07-6 ◉ 실력

책상 위에 네 장의 카드가 다음과 같이 놓여 있다. 카드의 앞면에는 숫자가, 뒷면에는 그림이 그려져 있다. 이때 명제 '홀수가 적힌 카드의 뒷면에는 ♣가 그려져 있다.'가 참인지 확인하기 위하여 뒤집어 보아야 할 카드를 모두 구하여라.

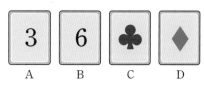

네 조건 p, q, r, s에 대하여 명제 $p \longrightarrow \sim q,\ r \longrightarrow q,\ \sim s \longrightarrow r$가 모두 참일 때, 항상 참인 명제만을 |보기|에서 모두 골라라.

┌─|보기|───┐
ㄱ. $p \longrightarrow \sim r$ ㄴ. $p \longrightarrow s$

ㄷ. $q \longrightarrow \sim s$ ㄹ. $\sim r \longrightarrow p$
└──┘

풍쌤 POINT

세 조건 p, q, r에 대하여 명제 $p \longrightarrow q$가 참이고, 명제 $q \longrightarrow r$가 참이면 명제 $p \longrightarrow r$가 참이야.

풀이

ㄱ. 명제 $r \longrightarrow q$가 참이므로 그 대우 $\sim q \longrightarrow \sim r$도 참이다. **❶**
따라서 명제 $p \longrightarrow \sim q,\ \sim q \longrightarrow \sim r$가 모두 참이므로 삼단 논법에 의하여 $p \longrightarrow \sim r$가 참이다.

ㄴ. 명제 $\sim s \longrightarrow r$가 참이므로 그 대우 $\sim r \longrightarrow s$도 참이다.
따라서 명제 $p \longrightarrow \sim r$ **❷**, $\sim r \longrightarrow s$가 모두 참이므로 삼단 논법에 의하여 $p \longrightarrow s$가 참이다.

ㄷ. 명제 $\sim q \longrightarrow \sim r,\ \sim r \longrightarrow s$가 모두 참 **❸**이므로 삼단논법에 의하여 $\sim q \longrightarrow s$가 참이고, 그 대우인 $\sim s \longrightarrow q$도 참이지만 $q \longrightarrow \sim s$가 참인지는 알 수 없다.

ㄹ. 명제 $p \longrightarrow \sim r$가 참이지만 그 역인 $\sim r \longrightarrow p$가 참인지는 알 수 없다.

이상에서 항상 참인 명제는 ㄱ, ㄴ이다.

❶ 명제와 그 대우의 참, 거짓은 항상 일치한다.

❷ ㄱ에서 명제 $p \longrightarrow \sim r$가 참임을 알 수 있다.

❸ ㄱ, ㄴ에서 확인하였다.

탑 ㄱ, ㄴ

풍쌤 강의 NOTE

주어진 명제가 참일 때 그 대우도 참임을 이용하면 참인 다른 명제를 찾을 수 있으므로 이를 이용하여 참인 새로운 명제를 찾는다.

08-1 유사

세 조건 p, q, r에 대하여 명제 $r \longrightarrow p$, $\sim r \longrightarrow \sim q$ 가 모두 참일 때, 항상 참인 명제만을 |보기|에서 모두 골라라.

┤보기├
ㄱ. $q \longrightarrow r$ ㄴ. $r \longrightarrow \sim q$
ㄷ. $q \longrightarrow p$ ㄹ. $p \longrightarrow q$

08-2 유사

두 명제 $p \longrightarrow q$, $\sim r \longrightarrow \sim q$가 모두 참일 때, 다음 중 반드시 참인 명제는?

① $r \longrightarrow q$ ② $\sim p \longrightarrow \sim r$
③ $\sim r \longrightarrow q$ ④ $\sim r \longrightarrow \sim p$
⑤ $\sim q \longrightarrow p$

08-3 변형

세 조건 p, q, r에 대하여 다음 중 옳지 <u>않은</u> 것은?

① $p \longrightarrow q$, $q \longrightarrow \sim r$가 참이면 $p \longrightarrow \sim r$가 참이다.
② $\sim q \longrightarrow \sim p$, $q \longrightarrow r$가 참이면 $p \longrightarrow r$가 참이다.
③ $p \longrightarrow \sim q$, $q \longrightarrow r$가 참이면 $p \longrightarrow r$가 참이다.
④ $p \longrightarrow \sim q$, $r \longrightarrow p$가 참이면 $q \longrightarrow \sim r$가 참이다.
⑤ $q \longrightarrow r$, $\sim p \longrightarrow \sim r$가 참이면 $q \longrightarrow p$가 참이다.

08-4 변형
기출

전체집합 U의 공집합이 아닌 세 부분집합 P, Q, R가 각각 세 조건 p, q, r의 진리집합이라 하자. 세 명제

$\sim p \longrightarrow r$, $r \longrightarrow \sim q$, $\sim r \longrightarrow q$

가 모두 참일 때, |보기|에서 옳은 것만을 모두 골라라.

┤보기├
ㄱ. $P^C \subset R$ ㄴ. $P \subset Q$ ㄷ. $P \cap Q = R^C$

08-5 실력

다음 두 명제가 항상 참일 때, 항상 참인 명제는?

(가) 운동을 좋아하는 사람은 축구를 좋아한다.
(나) 운동을 좋아하지 않는 사람은 야구를 좋아하지 않는다.

① 운동을 좋아하는 사람은 야구를 좋아한다.
② 축구를 좋아하는 사람은 야구를 좋아한다.
③ 야구를 좋아하는 사람은 축구를 좋아한다.
④ 야구를 좋아하지 않는 사람은 축구를 좋아하지 않는다.
⑤ 축구를 좋아하지 않는 사람은 야구를 좋아한다.

두 조건 p, q에 대하여 p가 q이기 위한 필요조건이지만 충분조건은 아닌 것만을 |보기|에서 모두 골라라. (단, x, y는 실수이다.)

|보기|

ㄱ. p: $|xy|=xy$ q: $x>0$, $y>0$

ㄴ. p: $x<0$ q: $x+|x|=0$

ㄷ. p: $x^2+y^2=0$ q: $|x|+|y|=0$

ㄹ. p: $x^2>y^2$ q: $x>y>0$

풍쌤 POINT

두 조건 p, q에 대하여

(i) $p \xrightarrow{\circ}{\underset{\times}{}} q$ ➡ p는 q이기 위한 충분조건이지만 필요조건은 아니야.

(ii) $p \xrightarrow{\times}{\underset{\circ}{}} q$ ➡ p는 q이기 위한 필요조건이지만 충분조건은 아니야.

(iii) $p \xrightarrow{\circ}{\underset{\circ}{}} q$ ➡ p는 q이기 위한 필요충분조건이야.

풀이

ㄱ. $x=0$, $y=0$이면 $|xy|=0$, $xy=0$이므로 $|xy|=xy$이지만

$x=0$, $y=0$이므로 $p \not\Rightarrow q$

또, $x>0$, $y>0$이면 $|xy|=xy$이므로 $q \Longrightarrow p$

따라서 p는 q이기 위한 필요조건이지만 충분조건은 아니다.❶

❶ $p \Longrightarrow q$이면 p는 q이기 위한 충분조건, $q \Longrightarrow p$이면 p는 q이기 위한 필요조건이다.

ㄴ. $x<0$이면 $|x|=-x$이므로 $x+|x|=x-x=0$

$\therefore$ $p \Longrightarrow q$

또, $x=0$이면 $x+|x|=0$이지만 $x=0$이므로 $q \not\Rightarrow p$

따라서 p는 q이기 위한 충분조건이지만 필요조건은 아니다.

ㄷ. $x^2+y^2=0$이면 $x=0$, $y=0$❷이므로 $|x|+|y|=0$

$\therefore$ $p \Longrightarrow q$

또, $|x|+|y|=0$이면 $x=0$, $y=0$❸이므로 $x^2+y^2=0$

$\therefore$ $q \Longrightarrow p$

따라서 p는 q이기 위한 필요충분조건이다.

❷ 임의의 실수 x에 대하여 $x^2 \geq 0$

❸ 임의의 실수 x에 대하여 $|x| \geq 0$

ㄹ. $x=-2$, $y=1$이면 $x^2=4$, $y^2=1$이므로 $x^2>y^2$이지만 $x<y$

$\therefore$ $p \not\Rightarrow q$

또, $x>y>0$이면 $x^2>y^2$이므로 $q \Longrightarrow p$

따라서 p는 q이기 위한 필요조건이지만 충분조건은 아니다.

이상에서 p가 q이기 위한 필요조건이지만 충분조건은 아닌 것은

ㄱ, ㄹ이다.

답 ㄱ, ㄹ

풍쌤 강의 NOTE

어떤 조건인지 조사할 때는 집합을 이용하거나 집합으로 판별되지 않는 경우 명제를 이용한다.

(i) 두 명제 $p \longrightarrow q$와 $q \longrightarrow p$의 참, 거짓을 판별한다.

(ii) 주어진 조건 p가 화살을 쏘면 충분조건, p가 화살에 맞으면 필요조건이다.

09-1 ◉ 유사

두 조건 p, q에 대하여 p가 q이기 위한 필요충분조건인 것만을 |보기|에서 모두 골라라.

(단, x, y는 실수이다.)

┤보기├

ㄱ. p: $x+y$는 짝수이다.
　　q: x, y는 모두 짝수이다.

ㄴ. p: $x=1$　　　q: $x^3=1$

ㄷ. p: $x>1$, $y>1$　q: $xy>1$

09-2 ◉ 유사

두 조건 p, q에 대하여 p는 q이기 위한 충분조건이지만 필요조건은 아닌 것은? (단, x, y, z는 실수이다.)

① p: $x+z=y+z$　　　q: $x=y$

② p: x는 8의 양의 약수　q: x는 4의 양의 약수

③ p: $x=0$ 또는 $x=1$　q: $x^2=x$

④ p: x, y는 모두 유리수　q: xy는 유리수

⑤ p: $|x| \leq 2$　　　　q: $0 \leq x \leq 1$

09-3 ◉ 변형

두 집합 A, B에 대하여 두 조건 p, q가

p: $(A \cap B) \subset (A \cup B)$, q: $A=B$

일 때, p는 q이기 위한 어떤 조건인지 구하여라.

09-4 ◉ 변형

세 조건 p, q, r에 대하여 p는 q이기 위한 충분조건, r는 q이기 위한 필요조건, p는 r이기 위한 필요조건이다. 이때 r는 p이기 위한 어떤 조건인지 구하여라.

09-5 ◉ 변형

전체집합 U의 서로 다른 두 부분집합 A, B에 대하여

$$(A \cup B) - (A \cap B) = B \cap A^C$$

가 성립하기 위한 필요충분조건인 것은?

① $A \subset B$　　　② $B \subset A$　　　③ $A=B$

④ $B=U$　　　⑤ $A \cup B = U$

09-6 ◉ 실력　기출

두 실수 a, b에 대하여 세 조건 p, q, r는

p: $|a|+|b|=0$,

q: $a^2-2ab+b^2=0$,

r: $|a+b|=|a-b|$

이다. 옳은 것만을 |보기|에서 모두 골라라.

┤보기├

ㄱ. p는 q이기 위한 충분조건이다.

ㄴ. $\sim p$는 $\sim r$이기 위한 필요조건이다.

ㄷ. (q이고 r)는 p이기 위한 필요충분조건이다.

전체집합 U에 대하여 세 조건 p, q, r의 진리집합을 각각 P, Q, R라 하자. $P \cap Q = \varnothing$,
$Q \cup R = Q$일 때, 다음 중 항상 옳은 것은?

① p는 $\sim q$이기 위한 필요조건이다.

② p는 $\sim r$이기 위한 충분조건이다.

③ q는 p이기 위한 필요충분조건이다.

④ q는 r이기 위한 충분조건이다.

⑤ $\sim r$는 $\sim p$이기 위한 필요충분조건이다.

풍쌤 POINT

두 조건 p, q의 진리집합을 각각 P, Q라 할 때

(ⅰ) p는 q이기 위한 충분조건 ➡ $p \Longrightarrow q$ ➡ $P \subset Q$

(ⅱ) p는 q이기 위한 필요조건 ➡ $q \Longrightarrow p$ ➡ $Q \subset P$

(ⅲ) p는 q이기 위한 필요충분조건 ➡ $p \Longleftrightarrow q$ ➡ $P = Q$

풀이

STEP1 세 집합 P, Q, R를 벤다이어그램으로 나타내기

$P \cap Q = \varnothing$에서 두 집합 P와 Q는 서로소이고,

$Q \cup R = Q$에서 $R \subset Q$

따라서 전체집합 U에 대하여 주어진 조건을 만족시키도록 세 집합 P, Q, R를 벤다이어그램으로 나타내면 다음 그림과 같다.❶

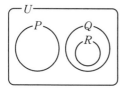

❶ 두 집합 P와 Q가 서로소이고 집합 R는 집합 Q의 부분집합이므로 두 집합 P와 R는 서로소이다.

STEP2 보기 중 옳은 것 고르기

① $Q^C \not\subset P$이므로 p는 $\sim q$이기 위한 필요조건이 아니다.❷

② $P \subset R^C$이므로 p는 $\sim r$이기 위한 충분조건이다.

③ $Q \neq P$이므로 q는 p이기 위한 필요충분조건이 아니다.

④ $Q \not\subset R$이므로 q는 r이기 위한 충분조건이 아니다.❸

⑤ $R^C \neq P^C$이므로 $\sim r$는 $\sim p$이기 위한 필요충분조건이 아니다.❹

따라서 항상 옳은 것은 ②이다.

❷ $P \subset Q^C$이므로 p는 $\sim q$이기 위한 충분조건이다.

❸ $R \subset Q$이므로 q는 r이기 위한 필요조건이다.

❹ 두 집합 P, R 사이의 포함 관계를 이용해도 된다.

답 ②

풍쌤 강의 NOTE

세 조건 p, q, r의 진리집합 사이의 관계를 벤다이어그램으로 나타내어 보면 쉽게 판별할 수 있다.

10-1 ⊙유사

전체집합 U에 대하여 세 조건 p, q, r의 진리집합을 각각 P, Q, R라 하자. $P \cap Q = Q$, $P \cup R = R$일 때, 다음 중 항상 옳은 것은?

① p는 q이기 위한 충분조건이다.
② p는 $\sim r$이기 위한 필요충분조건이다.
③ q는 $\sim p$이기 위한 필요조건이다.
④ q는 r이기 위한 충분조건이다.
⑤ r는 $\sim q$이기 위한 필요조건이다.

10-2 ⊙유사

전체집합 U에 대하여 세 조건 p, q, r의 진리집합을 각각 P, Q, R라 하자. 세 집합 P, Q, R의 포함 관계가 오른쪽 벤다이어그램과 같을 때, 항상 옳은 것만을 |보기|에서 모두 골라라.

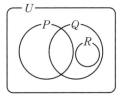

┌─|보기|─────────────────────┐
ㄱ. p는 q이기 위한 필요충분조건이다.
ㄴ. r는 $\sim p$이기 위한 충분조건이다.
ㄷ. q는 r이기 위한 필요조건이다.
└──────────────────────────┘

10-3 ⊙변형

전체집합 U에 대하여 두 조건 p, q의 진리집합을 각각 P, Q라 하자. q는 p이기 위한 필요조건일 때, 다음 중 항상 옳은 것은?

① $P \cap Q = \varnothing$ 　　② $P \cup Q^C = U$
③ $P = Q$ 　　　　　　　④ $Q^C \subset P^C$
⑤ $P - Q = P$

10-4 ⊙변형

전체집합 U에 대하여 두 조건 p, q의 진리집합을 각각 P, Q라 하자. $(P \cup Q) \cap (P^C \cup Q^C) = \varnothing$이 성립할 때, p는 q이기 위한 어떤 조건인지 구하여라.

10-5 ⊙실력

전체집합 $U = \{1, 2, 3, \cdots, 8\}$에 대하여 조건 p: $x^2 - 2x - 8 \leq 0$의 진리집합을 P, 두 조건 q, r의 진리집합을 각각 Q, R라 하자. p는 q이기 위한 충분조건이고, r는 $\sim p$이기 위한 필요조건일 때, 두 집합 Q, R의 순서쌍 (Q, R)의 개수를 구하여라.

다음 물음에 답하여라.

(1) $|x-3| \leq 9$는 $x \geq a$이기 위한 충분조건일 때, 실수 a의 값의 범위를 구하여라.

(2) 두 조건 $p: x+4 \neq 0$, $q: x^2+kx-k-1 \neq 0$에 대하여 p는 q이기 위한 필요조건일 때, 실수 k의 값을 구하여라.

풍쌤 POINT

· 부등식이 주어진 경우는 각각의 부등식의 해를 수직선 위에 나타내.

· 조건이 기호 '$\neq$'를 포함한 식으로 주어진 경우는 대우를 이용해.

풀이 (1) STEP1 **진리집합 구하기**

두 조건 p, q를 $p: |x-3| \leq 9$, $q: x \geq a$라 하고,

두 조건 p, q의 진리집합을 각각 P, Q라 하자.

$|x-3| \leq 9$에서 $-9 \leq x-3 \leq 9$**❶**

$\therefore -6 \leq x \leq 12$

$\therefore P=\{x|-6 \leq x \leq 12\}$, $Q=\{x|x \geq a\}$

STEP2 a**의 값의 범위 구하기**

p는 q이기 위한 충분조건이므로

$p \Longrightarrow q$

즉, $P \subset Q$이므로 오른쪽 그림에서

$a \leq -6$**❷**

❶ $|x| \leq a (a>0)$이면 $-a < x \leq a$

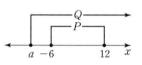

❷ 등호를 포함해야 함에 유의한다.

(2) STEP1 **참인 명제 구하기**

p는 q이기 위한 필요조건이므로 명제

'$x^2+kx-k-1 \neq 0$이면 $x+4 \neq 0$이다.'

가 참이다. 따라서 그 대우

'$x+4=0$이면 $x^2+kx-k-1=0$이다.'

도 참이다.**❸**

STEP2 k**의 값 구하기**

$x+4=0$, 즉 $x=-4$를 $x^2+kx-k-1=0$에 대입하면

$16-4k-k-1=0$, $5k=15$

$\therefore k=3$

❸ 명제와 그 대우는 참, 거짓이 일치한다.

冒 (1) $a \leq -6$ (2) 3

풍쌤 강의 NOTE

부등식이 주어진 경우에는 부등식을 수직선에 나타낸 후, 집합 사이의 포함 관계를 따져 본다.

11-1 (유사)

$x-a\neq0$은 $x^2+3x-40\neq0$이기 위한 필요조건일 때, 양수 a의 값을 구하여라.

11-2 (유사)

두 조건

$p: x^2-2x-8>0$,

$q: x^2-(a^2-3a+5)x+5(a^2-3a)<0$

에 대하여 $\sim p$가 q이기 위한 충분조건이 되도록 하는 실수 a의 값의 범위를 구하여라.

11-3 (변형)

$x\geq a$는 $2\leq x<4$이기 위한 필요조건이고, $2\leq x<4$는 $x<b$이기 위한 충분조건일 때, a의 최댓값과 b의 최솟값의 합을 구하여라. (단, a, b는 실수이다.)

11-4 (변형)

$x-2=0$은 $x^2+ax+b=0$이기 위한 필요충분조건일 때, 두 상수 a, b에 대하여 $a+b$의 값을 구하여라.

11-5 (변형)

두 조건

$p: |x-3|\leq n, q: x\geq1$

에 대하여 p가 q이기 위한 충분조건이 되도록 하는 모든 자연수 n의 개수를 구하여라.

11-6 (실력) (기출)

실수 x에 대한 두 조건 p, q가 다음과 같다.

$p: 2x-a\leq0, q: x^2-5x+4>0$

p가 $\sim q$이기 위한 필요조건이 되도록 하는 실수 a의 최솟값을 구하여라.

실전 연습 문제

01

실수 전체의 집합에서 두 조건 p, q가

$$p: x<5, \ q: x>-1$$

일 때, 조건 '$\sim p$ 또는 q'의 부정을 구하여라.

02

실수 전체의 집합에서 두 조건 p, q가

$$p: x \geq 2, \ q: x<-1$$

일 때, 두 조건 p, q의 진리집합을 각각 P, Q라 하자. 다음 중 조건 '$-1 \leq x<2$'의 진리집합을 나타내는 것은?

① $(P \cup Q)^C$ ② $P \cap Q^C$ ③ $P^C \cup Q$
④ $P^C \cup Q^C$ ⑤ $P^C \cap Q$

03 서술형 ✏️

정수 전체의 집합에서 정수 n에 대하여 조건 p가

$$p: 3n-2 \leq x \leq -n^2+9n+4$$

일 때, 조건 p의 진리집합의 원소의 개수의 최댓값을 구하여라.

04

다음 중 거짓인 명제는?

① $x=-2$이면 $x^2=4$이다.
② $x=\sqrt{3}$이면 $x^2=3$이다.
③ $x=5$이면 $x(x-5)=0$이다.
④ $x(x+1)=6$이면 x는 자연수이다.
⑤ $x^2-3x-1=0$이면 x는 실수이다.

05 기출

세 조건 p, q, r의 진리집합을 각각 P, Q, R라 하자. $(P \cup Q) \cap R=\varnothing$일 때, 다음 중 항상 참인 명제는?

① p이면 r이다. ② q이면 r이다.
③ p이면 $\sim r$이다. ④ $\sim r$이면 p이다.
⑤ $\sim r$이면 q이다.

06

전체집합 U에 대하여 두 조건 p, q의 진리집합을 각각 P, Q라 하자. 명제 $p \longrightarrow \sim q$가 참일 때, 다음 중 항상 옳은 것은?

① $P \cup Q=P$ ② $P-Q=\varnothing$
③ $Q-P=\varnothing$ ④ $P \cap Q=\varnothing$
⑤ $P \cup Q^C=P$

07 　기출

실수 x에 대한 두 조건 p, q가

　　$p: -4 \leq x \leq 6$, $q: |x-2| \leq a$

일 때, 명제 $p \longrightarrow q$가 참이 되도록 하는 자연수 a의 최솟값은?

① 5　　　　　② 6　　　　　③ 7

④ 8　　　　　⑤ 9

08 　서술형

두 조건

　　$p: a \leq x \leq -2a+3$, $q: x \leq -3$ 또는 $x \geq 5$

에 대하여 명제 $\sim q \longrightarrow p$가 참이 되도록 하는 정수 a의 최댓값을 구하여라.

09 　기출

실수 전체의 집합에 대하여 명제

　　'어떤 실수 x에 대하여 $x^2 - 18x + k < 0$이다.'

의 부정이 참이 되도록 하는 상수 k의 최솟값을 구하여라.

10

전체집합 U에서 조건 p의 진리집합을 P라 할 때, 옳은 것만을 |보기|에서 모두 고른 것은? (단, $U \neq \varnothing$)

┤보기├

ㄱ. '모든 x에 대하여 p이다.'가 참이면 $P=U$이다.

ㄴ. '어떤 x에 대하여 p이다.'가 거짓이면 $P \neq \varnothing$이다.

ㄷ. '모든 x에 대하여 $\sim p$이다.'의 부정이 참이면 $P=U$이다.

① ㄱ　　　　② ㄴ　　　　③ ㄷ

④ ㄱ, ㄷ　　⑤ ㄱ, ㄴ, ㄷ

11

명제 '$x^2 + ax + 2a + 1 = 0$이면 $x=3$이다.'의 역이 참일 때, 상수 a의 값을 구하여라.

12

세 조건 p, q, r에 대하여 두 명제 $p \longrightarrow \sim q$, $\sim r \longrightarrow q$가 모두 참일 때, 다음 중 항상 참이라고 할 수 <u>없는</u> 명제는?

① $p \longrightarrow r$　　② $q \longrightarrow \sim p$　　③ $q \longrightarrow \sim r$

④ $\sim q \longrightarrow r$　　⑤ $\sim r \longrightarrow \sim p$

13 기출

어느 휴대폰 제조 회사에서 휴대폰 판매량과 사용자 선호도에 대한 시장 조사를 하여 다음과 같은 결과를 얻었다.

> (개) 10대, 20대에게 선호도가 높은 제품은 판매량이 많다.
> (내) 가격이 싼 제품은 판매량이 많다.
> (대) 기능이 많은 제품은 10대, 20대에게 선호도가 높다.

위의 결과로부터 추론한 내용으로 항상 옳은 것은?

① 기능이 많은 제품은 가격이 싸지 않다.
② 가격이 싸지 않은 제품은 판매량이 많지 않다.
③ 판매량이 많지 않은 제품은 기능이 많지 않다.
④ 10대, 20대에게 선호도가 높은 제품은 기능이 많다.
⑤ 10대, 20대에게 선호도가 높은 제품은 가격이 싸지 않다.

14 기출

조건 p가 조건 q이기 위한 필요충분조건인 것만을 |보기|에서 모두 골라라.

(단, x, y, z 는 0이 아닌 실수)

> |보기|
> ㄱ. $p: x+y=xy$ $q: \dfrac{1}{x}+\dfrac{1}{y}=1$
> ㄴ. $p: 0<x<y$ $q: 0<\dfrac{1}{y}<\dfrac{1}{x}$
> ㄷ. $p: (x-y)(y-z)(z-x)=0$
> $q: x=y=z$

15 서술형 ✎

전체집합 U에 대하여 세 조건 p, q, r의 진리집합을 각각 P, Q, R라 할 때, 세 집합 P, Q, R의 포함 관계는 오른쪽 그림과 같다. ☐ 안에 필요, 충분 중에서 알맞은 것을 써넣어라.

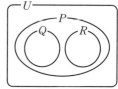

> p는 r이기 위한 ☐ 조건이고, $\sim p$는 $\sim q$이기 위한 ☐ 조건이다.

16 기출

실수 x에 대하여 세 조건 p, q, r가

$p: 0<x\le7,\ q: -1\le x\le a,\ r: x\ge b$

이다. p는 q이기 위한 충분조건이고, r는 q이기 위한 필요조건일 때, $a-b$의 최솟값을 구하여라.

17

세 조건 p, q, r에 대하여 p는 q이기 위한 충분조건이고, $\sim q$는 r이기 위한 필요조건이다. 다음 중 거짓인 명제는?

① $p \longrightarrow \sim r$ ② $q \longrightarrow \sim r$ ③ $\sim q \longrightarrow \sim p$
④ $r \longrightarrow \sim p$ ⑤ $\sim q \longrightarrow \sim r$

상위권 도약 문제

01

실수 x에 대하여 두 조건

$p: x \neq 1$, $q: x^2 - 2x + a > 0$

의 진리집합을 각각 P, Q라 할 때, $Q^C \subset P^C$, $Q^C \neq \varnothing$ 이다. 상수 a의 값은?

① -2 ② -1 ③ 0

④ 1 ⑤ 2

02

언어영역 3문항, 수리영역 4문항, 외국어영역 3문항, 사회탐구영역 2문항이 있다. A, B, C, D 네 사람에게 3문항씩 각각 다른 영역의 문항을 서로 중복되지 않게 나누어 풀게 하였다. 다음은 네 사람이 푼 문항을 조사한 결과의 일부이다.

> • A는 언어영역과 수리영역 1문항씩을 풀었다.
> • B는 외국어영역 1문항을 풀었다.
> • C는 사회탐구영역 1문항을 풀었다.
> • D는 수리영역과 외국어영역 1문항씩을 풀었다.

만일 C가 언어영역 문항을 풀었다고 할 때, 다음 중 항상 옳은 것은?

① A는 외국어영역 문항을 풀었다.

② A는 사회탐구영역 문항을 풀었다.

③ B는 사회탐구영역 문항을 풀었다.

④ D는 언어영역 문항을 풀었다.

⑤ D는 사회탐구영역 문항을 풀었다.

03

집합 $U = \{1, 2, 3, 6\}$의 공집합이 아닌 부분집합 P에 대하여 명제 '집합 P의 어떤 원소 x에 대하여 x는 3의 배수이다.'가 참이 되도록 하는 집합 P의 개수를 구하여라.

04

좌표평면 위의 두 점 $A(-2, -1)$, $B(4, 1)$과 직선 $l: 3x - y = t$에 대하여 명제 '직선 l 위의 어떤 점 P에 대하여 $\angle APB = 90°$이다.'가 참이 되도록 하는 실수 t의 최댓값은 M, 최솟값은 m이다. $M + m$의 값을 구하여라.

05

세 조건 p, q, r에 대하여

$$p: x^2+8x+15=0, \ q: x^2+6x+8<0,$$
$$r: x>a-3$$

일 때, 명제 $p \longrightarrow r$는 거짓이고, 명제 $q \longrightarrow r$의 대우는 참이다. a의 최댓값과 최솟값의 합을 구하여라.

06 　　　　　　　　　　　　기출

전체집합 U에 대하여 세 조건 p, q, r의 진리집합을 각각 P, Q, R라 하자. 명제 $p \longrightarrow q$, $\sim p \longrightarrow q$, $\sim p \longrightarrow r$가 참일 때, |보기|에서 옳은 것만을 모두 고른 것은?

┤보기├
ㄱ. $Q-R^C=R$
ㄴ. $P-R=\varnothing$
ㄷ. $Q-P\subset R$

① ㄱ 　　　　② ㄷ 　　　　③ ㄱ, ㄷ
④ ㄴ, ㄷ 　　　　⑤ ㄱ, ㄴ, ㄷ

07

두 집합 X, Y에 대하여

$$X \triangle Y=(X-Y)\cup(Y-X)$$

일 때, $X \triangle Y=Y$는 $X-Y=\varnothing$이기 위한 어떤 조건인지 구하여라.

08 　　　　　　　　　　　　기출

두 실수 a, b에 대하여 p는 q이기 위한 충분조건이지만 필요조건이 아닌 것만을 |보기|에서 모두 고른 것은?

┤보기├
ㄱ. $p: ab>0$ 　　　　　　$q: |a+b|=|a|+|b|$
ㄴ. $p: a+b\geq 2$ 　　　　$q: a\geq 1$ 또는 $b\geq 1$
ㄷ. $p: |a+b|=|a-b|$ 　$q: a^2+ab+b^2\leq 0$

① ㄱ 　　　　② ㄷ 　　　　③ ㄱ, ㄴ
④ ㄴ, ㄷ 　　　　⑤ ㄱ, ㄴ, ㄷ

04

절대부등식

절대부등식

개념 01 대우를 이용한 증명법과 귀류법

(1) **대우를 이용한 증명법**: 주어진 명제의 대우가 참임을 증명함으로써 그 명제가 참임을 보이는 방법

> **예** 명제 '실수 x, y에 대하여 $x+y<2$이면 $x<1$ 또는 $y<1$이다.'가 참임을 대우를 이용하여 증명해 보자.

> 주어진 명제의 대우는
> '실수 x, y에 대하여 $x \geq 1$이고 $y \geq 1$이면 $x+y \geq 2$이다.'
> 이때 $x \geq 1$이고 $y \geq 1$에서 $x-1 \geq 0$이고 $y-1 \geq 0$이므로
> $(x-1)+(y-1) \geq 0, x+y-2 \geq 0$ $\therefore x+y \geq 2$
> 따라서 주어진 명제의 대우가 참이므로 주어진 명제도 참이다.

(2) **귀류법**: 주어진 명제의 결론을 부정하여 명제에서 주어진 가정이나 이미 알려진 사실에 모순됨을 보임으로써 그 명제가 참임을 보이는 방법

> **예** $\sqrt{3}$이 무리수임을 이용하여 $2+\sqrt{3}$이 무리수임을 귀류법을 이용하여 증명해 보자.

> $2+\sqrt{3}$이 유리수라 가정하면
> $(2+\sqrt{3})-2=\sqrt{3}$
> 에서 $2+\sqrt{3}$과 2가 모두 유리수이므로 $\sqrt{3}$은 유리수이다.
> 그런데 이것은 $\sqrt{3}$이 무리수라는 사실에 모순이다.
> 따라서 $2+\sqrt{3}$은 무리수이다.

> **정의, 증명, 정리**
> ① 정의: 용어의 뜻을 명확하게 정한 문장
> ② 증명: 정의나 이미 옳다고 밝혀진 성질을 이용하여 어떤 명제가 참임을 보이는 것
> ③ 정리: 참임이 증명된 명제 중에서 기본이 되는 것이나 다른 명제를 증명할 때 이용할 수 있는 것

> **확인 01** 명제 '$xy \neq 6$이면 $x \neq 2$ 또는 $y \neq 3$이다.'를 다음 방법으로 각각 증명하여라.
> (1) 대우를 이용한 증명
> (2) 귀류법

개념 02 절대부등식

(1) **절대부등식**: 전체집합에 속한 모든 값에 대하여 성립하는 부등식을 절대부등식이라 한다.

(2) **부등식의 증명에 이용되는 실수의 성질**

a, b가 실수일 때

① $a>b \iff a-b>0$

② $a^2 \geq 0, a^2+b^2 \geq 0$

③ $a^2+b^2=0 \iff a=b=0$

④ $|a|^2=a^2, |ab|=|a||b|, |a| \geq a$

⑤ $a \geq 0, b \geq 0$일 때, $a \geq b \iff a^2 \geq b^2$

> 절대부등식을 증명할 때 자주 이용되는 실수의 성질이므로 알아두도록 하자.

> **확인 02** a, b가 실수일 때, 다음 절대부등식을 증명하여라.
> (1) $a^2-ab+b^2 \geq 0$
> (2) $a^2+b^2+c^2-ab-bc-ca \geq 0$

> 임의의 실수 x에 대하여 $x^2 \geq 0$임을 이용한다.

개념 03 **산술평균과 기하평균의 관계**

양수 a, b에 대하여 $\dfrac{a+b}{2}$를 a와 b의 산술평균, $\sqrt{ab}$를 a와 b의 기하평균이라 한다. 산술평균과 기하평균의 관계는 다음과 같다.

> $a>0$, $b>0$일 때, $\dfrac{a+b}{2} \geq \sqrt{ab}$ (단, 등호는 $a=b$일 때 성립)

▶산술평균과 기하평균의 관계는 양수 조건이 주어졌을 때만 성립한다.

[증명]

$a>0$, $b>0$일 때

$$\frac{a+b}{2} - \sqrt{ab} = \frac{a+b-2\sqrt{ab}}{2}$$

$$= \frac{(\sqrt{a})^2 + (\sqrt{b})^2 - 2\sqrt{a}\sqrt{b}}{2}$$

$$= \frac{(\sqrt{a} - \sqrt{b})^2}{2} \geq 0$$

$$\therefore \frac{a+b}{2} \geq \sqrt{ab}$$

여기서 등호는 $\sqrt{a} - \sqrt{b} = 0$, 즉 $a=b$일 때 성립한다.

확인 03 $a>0$일 때, $a + \dfrac{1}{a}$의 최솟값을 구하여라.

개념 04 **코시-슈바르츠 부등식**

다음과 같은 절대부등식을 코시-슈바르츠 부등식이라 한다.

> a, b, x, y가 실수일 때
> $(a^2+b^2)(x^2+y^2) \geq (ax+by)^2$ $\left(\text{단, 등호는 } \dfrac{x}{a} = \dfrac{y}{b}\text{일 때 성립}\right)$

▶a, b, c, x, y, z가 실수일 때
$(a^2+b^2+c^2)(x^2+y^2+z^2)$
$\geq (ax+by+cz)^2$
$\left(\text{단, 등호는 } \dfrac{x}{a} = \dfrac{y}{b} = \dfrac{z}{c}\text{일 때 성립}\right)$

[증명]

$(a^2+b^2)(x^2+y^2) - (ax+by)^2$

$= (a^2x^2 + a^2y^2 + b^2x^2 + b^2y^2) - (a^2x^2 + 2abxy + b^2y^2)$

$= a^2y^2 - 2abxy + b^2x^2$

$= (ay-bx)^2 \geq 0$

$\therefore (a^2+b^2)(x^2+y^2) \geq (ax+by)^2$

여기서 등호는 $ay-bx=0$, 즉 $\dfrac{x}{a} = \dfrac{y}{b}$일 때 성립한다.

확인 04 a, b, x, y가 실수이고 $a^2+b^2=1$, $x^2+y^2=4$일 때, $ax+by$의 값의 범위를 구하여라.

다음은 명제 '자연수 n에 대하여 n^2이 홀수이면 n도 홀수이다.'가 참임을 대우를 이용하여 증명한 것이다. ㈎, ㈏, ㈐에 알맞은 것을 구하여라.

┤증명├

주어진 명제의 대우 '자연수 n에 대하여 n이 짝수이면 n^2도 ☐㈎ 이다.'가 참임을 보이면 된다.

n이 짝수이면 $n=2k\,(k$는 자연수$)$로 나타낼 수 있으므로

$n^2=(2k)^2=2(\boxed{㈏})$

이때 $2(\boxed{㈏})$은 ☐㈐ 이므로 n^2은 ☐㈎ 이다.

따라서 주어진 명제의 대우가 참이므로 주어진 명제도 참이다.

풍쌤 POINT

어떤 명제가 참임을 직접 증명하기 어려운 경우에는 그 대우가 참임을 증명해도 돼. 이때 명제의 전제 조건은 그대로 유지됨에 유의해야 해.

풀이

주어진 명제의 대우 '자연수 n에 대하여 n이 짝수이면 n^2도 $\boxed{짝수}$ 이다.'가 참임을 보이면 된다. ❶

n이 짝수이면 $n=2k\,(k$는 자연수$)$로 나타낼 수 있으므로

$n^2=(2k)^2=2(\boxed{2k^2})$

이때 $2(\boxed{2k^2})$은 $\boxed{짝수}$ 이므로 n^2은 $\boxed{짝수}$ 이다. ❷

따라서 주어진 명제의 대우가 참이므로 주어진 명제도 참이다.

$\therefore$ ㈎ 짝수 ㈏ $2k^2$ ㈐ 짝수

❶ 자연수는 짝수와 홀수로 나눌 수 있으므로 홀수가 아니면 짝수이다.

❷ 2의 배수는 모두 짝수이다.

🔲 ㈎ 짝수 ㈏ $2k^2$ ㈐ 짝수

▶참고

이 명제는 귀류법으로도 증명할 수 있다.

주어진 명제의 결론을 부정하여

'자연수 n에 대하여 n^2이 홀수이면 n은 짝수이다.'

라 하자.

n이 짝수이면 $n=2k\,(k$는 자연수$)$로 놓을 수 있으므로

$n^2=(2k)^2=4k^2=2\times2k^2$

이때 n^2은 짝수이므로 n^2이 홀수라는 가정에 모순이다.

따라서 자연수 n에 대하여 n^2이 홀수이면 n도 홀수이다.

풍쌤 강의 NOTE

명제와 그 대우의 참, 거짓은 항상 일치하므로 명제가 참임을 직접 증명하기 어려울 때는 그 대우가 참임을 증명하면 된다.

01-1 유사

다음은 명제 '자연수 m, n에 대하여 m^2+n^2이 홀수이면 mn은 짝수이다.'가 참임을 대우를 이용하여 증명한 것이다.

┤증명├

주어진 명제의 대우 '자연수 m, n에 대하여 mn이 (가) 이면 m^2+n^2은 (나) 이다.'가 참임을 보이면 된다.
mn이 (가) 이면 m, n은 모두 (가) 이므로
$m=2k-1$, $n=2l-1$ (k, l은 자연수)
로 나타낼 수 있다. 이때
$m^2+n^2=2($ (다) $)$
이므로 m^2+n^2은 (나) 이다.
따라서 주어진 명제의 대우가 참이므로 주어진 명제도 참이다.

위의 과정에서 (가), (나), (다)에 알맞은 것을 구하여라.

01-2 유사

다음은 명제 '실수 x, y에 대하여 $x+y\geq2$이면 $x\geq1$ 또는 $y\geq1$이다.'가 참임을 대우를 이용하여 증명한 것이다.

┤증명├

주어진 명제의 대우 '실수 x, y에 대하여
x (가) 1이고 y (나) 1이면 $x+y$ (다) 2이다.'가 참임을 보이면 된다. x (가) 1이고 y (나) 1이면 $x+y$ (다) 2이므로 주어진 명제의 (라) 가 참이다.
따라서 주어진 명제도 (마) 이다.

위의 과정에서 (가)~(마)에 알맞은 것으로 옳지 <u>않은</u> 것은?

① (가) $<$ ② (나) $<$ ③ (다) $\leq$

④ (라) 대우   ⑤ (마) 참

01-3 변형

다음 명제가 참임을 대우를 이용하여 증명하여라.

> 자연수 a, b에 대하여 ab가 짝수이면 a 또는 b는 짝수이다.

01-4 실력

다음은 명제 '자연수 n에 대하여 n^2+3n이 3의 배수이면 n도 3의 배수이다.'를 대우를 이용하여 증명한 것이다.

┤증명├

주어진 명제의 대우는 '자연수 n에 대하여 n이 3의 배수가 아니면 n^2+3n도 3의 배수가 아니다.'이다.
n이 3의 배수가 아니면
$n=3k+1$ 또는 $n=3k+2$ ($k=0, 1, 2, \cdots$)
로 나타낼 수 있다.
(i) $n=3k+1$이면
$n^2+3n=3($ (가) $)+1$
이므로 n^2+3n은 3의 배수가 아니다.
(ii) $n=3k+2$이면
$n^2+3n=3($ (나) $)+1$
이므로 n^2+3n은 3의 배수가 아니다.
(i), (ii)에서 n^2+3n은 3의 배수가 아니다.
따라서 주어진 명제의 대우가 참이므로 주어진 명제도 참이다.

위의 과정에서 (가)에 알맞은 식을 $f(k)$, (나)에 알맞은 식을 $g(k)$라 할 때, $f(1)+g(1)$의 값을 구하여라.

다음은 $\sqrt{2}$가 무리수임을 귀류법을 이용하여 증명한 것이다. (가), (나), (다)에 알맞은 것을 구하여라.

증명

$\sqrt{2}$가 [(가)]라 가정하면 서로소인 두 자연수 m, n에 대하여 $\sqrt{2}=\dfrac{n}{m}$의 꼴로 나타낼 수 있다.

이때 양변을 제곱하면 $2=\dfrac{n^2}{m^2}$ $\therefore n^2=2m^2$ ...... ㉠

㉠에서 n^2이 2의 배수이므로 n도 2의 배수이다.

$n=2k$ (k는 자연수)로 놓고 ㉠에 대입하면

$(2k)^2=2m^2$ $\therefore m^2=$ [(나)]

이때 m^2이 2의 배수이므로 m도 2의 배수가 되어 m, n이 [(다)]라는 사실에 모순이다.

따라서 $\sqrt{2}$는 무리수이다.

풍쌤 POINT

결론을 부정하여 $\sqrt{2}$가 무리수가 아니라고 가정하고, 명제의 가정에 모순되는 점을 찾으면 돼.

풀이 •──◉

$\sqrt{2}$가 무리수가 아니라 가정하면 $\sqrt{2}$가 유리수이다.

$\sqrt{2}$가 [유리수]라 가정하면 서로소인 두 자연수 m, n에 대하여

$\sqrt{2}=\dfrac{n}{m}$의 꼴로 나타낼 수 있다.❶

이때 양변을 제곱하면

$2=\dfrac{n^2}{m^2}$ $\therefore n^2=2m^2$ ...... ㉠

㉠에서 n^2이 2의 배수이므로 n도 2의 배수이다.❷

$n=2k$ (k는 자연수)로 놓고 ㉠에 대입하면

$(2k)^2=2m^2$ $\therefore m^2=$ [$2k^2$]

이때 m^2이 2의 배수이므로 m도 2의 배수가 되어 m, n이

[서로소]라는 사실에 모순이다.

따라서 $\sqrt{2}$는 무리수이다.

$\therefore$ (가) 유리수   (나) $2k^2$ (다) 서로소

❶ 모든 유리수는 분수로 나타낼 수 있다.

❷ (짝수)²=(짝수), (홀수)²=(홀수)이므로 제곱이 짝수인 수는 짝수이다.

팁 (가) 유리수   (나) $2k^2$ (다) 서로소

풍쌤 강의 NOTE

주어진 명제 또는 그 대우가 참임을 직접 증명하기 어려울 때는 귀류법을 이용하여 증명한다.

02-1 ⦿ 유사

다음은 자연수 n에 대하여 n^2이 3의 배수이면 n도 3의 배수임을 귀류법을 이용하여 증명한 것이다.

┤증명├

n^2이 3의 배수일 때, n이 3의 배수가 아니라 가정하면

$n=3k-1$ 또는 $n=3k-2$ (k는 자연수)

로 나타낼 수 있다.

(i) $n=3k-1$일 때

$n^2=(3k-1)^2=3(\ \boxed{(가)}\ )+1$

(ii) $n=3k-2$일 때

$n^2=(3k-2)^2=3(\ \boxed{(나)}\ )+1$

(i), (ii)에서 n^2을 3으로 나눈 나머지가 1이므로 n^2이 $\boxed{(다)}$ 라는 가정에 모순이다.

따라서 자연수 n에 대하여 n^2이 3의 배수이면 n도 3의 배수이다.

위의 과정에서 (가), (나), (다)에 알맞은 것을 구하여라.

02-2 ⦿ 유사

다음은 $\sqrt{2}$가 무리수임을 이용하여 $1+\sqrt{2}$가 무리수임을 귀류법으로 증명한 것이다.

┤증명├

$1+\sqrt{2}$가 $\boxed{(가)}$ 라 가정하면

$(1+\sqrt{2})-1=\sqrt{2}$

에서 $1+\sqrt{2}$와 -1은 모두 $\boxed{(나)}$ 이므로 $\sqrt{2}$는 $\boxed{(다)}$ 이다.

그런데 이것은 $\sqrt{2}$가 $\boxed{(라)}$ 라는 사실에 모순이다.

따라서 $1+\sqrt{2}$는 무리수이다.

위의 과정에서 (가)~(라)에 알맞은 것을 구하여라.

02-3 ⦿ 변형

귀류법을 이용하여 실수 a, b에 대하여 $a^2+b^2=0$이면 $a=0$이고 $b=0$임을 증명하여라.

02-4 ⦿ 실력 〔기출〕

한 변의 길이가 p인 정사각형과 세 변의 길이가 각각 a, b, c인 직각삼각형이 있다. 직각삼각형의 빗변의 길이가 c이고 $c=a+2$를 만족한다. 다음은 '두 도형의 넓이가 같으면 a, b, p 중 적어도 하나는 정수가 아니다.'라는 것을 증명한 것이다.

┤증명├

두 도형의 넓이가 같으므로 $ab=\boxed{(가)}$ 이다.

$a^2+b^2=c^2$이므로 $b^2=\boxed{(나)}$ 이고

$8p^2=\boxed{(다)}$ 이다.

여기서 a, b, p를 모두 정수라 하면 $b^2=\boxed{(나)}$ 에서 b는 짝수이므로 $b=2b'$ (b'은 자연수)이라 할 때

$p^2=\dfrac{2b'}{2}\times\dfrac{2b'+2}{2}\times\dfrac{2b'-2}{2}=b'(b'+1)(b'-1)$

이 된다. 우변은 연속된 세 자연수의 곱이므로 제곱수가 될 수 없다.

따라서 모순이다. 그러므로 a, b, p 중 적어도 하나는 정수가 아니다.

위의 증명에서 (가), (나), (다)에 들어갈 식을 각각 $f(p)$, $g(a)$, $h(b)$라 할 때, $f(1)+g(2)+h(3)$의 값을 구하여라.

실수 a, b에 대하여 옳은 것만을 |보기|에서 모두 골라라.

┌─|보기|───┐
│ ㄱ. $|a+b| \geq |a-b|$ ㄴ. $|a|+|b| \geq |a-b|$ │
│ ㄷ. $|a|+|b| \geq |a+b|$ ㄹ. $|a|-|b| < |a-b|$ │
└──┘

풍쌤 POINT

두 수 또는 두 식 A, B의 대소를 비교할 때는 다음을 주로 이용해.

(i) 차 $A-B$의 부호를 조사해.

① $A-B>0 \iff A>B$ ② $A-B=0 \iff A=B$

(ii) 제곱의 차 A^2-B^2의 부호를 조사해. $A>0$, $B>0$일 때

① $A^2-B^2>0 \iff A>B$ ② $A^2-B^2=0 \iff A=B$

(iii) 비 $\dfrac{A}{B}$와 1의 대소를 비교해. $A>0$, $B>0$일 때

① $\dfrac{A}{B}>1 \iff A>B$ ② $\dfrac{A}{B}=1 \iff A=B$

풀이

ㄱ. [반례] $a=1$, $b=-1$이면 $|a+b|=0$, $|a-b|=2$이므로

$|a+b|<|a-b|$ (거짓)

ㄴ. $(|a|+|b|)^2-|a-b|^2$

$=(|a|^2+2|a||b|+|b|^2)-(a-b)^2$

$=(a^2+2|ab|+b^2)^❶-(a^2-2ab+b^2)$

$=2(|ab|+ab) \geq 0 \qquad \therefore (|a|+|b|)^2 \geq |a-b|^2$

그런데 $|a|+|b| \geq 0$, $|a-b| \geq 0$이므로

$|a|+|b| \geq |a-b|$ (참)

여기서 등호는 $|ab|+ab=0$, 즉 $ab \leq 0$일 때 성립한다.❷

ㄷ. $(|a|+|b|)^2-|a+b|^2$

$=(|a|^2+2|a||b|+|b|^2)-(a+b)^2$

$=(a^2+2|ab|+b^2)-(a^2+2ab+b^2)$

$=2(|ab|-ab) \geq 0 \ (\because |ab| \geq ab)$

$\therefore (|a|+|b|)^2 \geq |a+b|^2$

그런데 $|a|+|b| \geq 0$, $|a+b| \geq 0$이므로

$|a|+|b| \geq |a+b|$ (참)

여기서 등호는 $|ab|=ab$, 즉 $ab \geq 0$일 때 성립한다.

ㄹ. [반례] $a=2$, $b=1$이면 $|a|-|b|=1$, $|a-b|=1$이므로

$|a|-|b|=|a-b|$ (거짓)

따라서 옳은 것은 ㄴ, ㄷ이다.

답 ㄴ, ㄷ

❶ $|a|^2=a^2$, $|a||b|=|ab|$

❷ 등호가 포함된 부등식이 성립함을 보일 때는 특별한 말이 없더라도 등호가 성립하는 조건을 찾는다.

풍쌤 강의 NOTE

참이라고 생각되는 명제는 증명하고, 거짓이라고 생각되는 명제는 반례를 찾으면 된다.

03-1 ⊙유사

다음 물음에 답하여라.

(1) $a>0$, $b>0$일 때, $\sqrt{2(a+b)}$, $\sqrt{a}+\sqrt{b}$의 대소를 비교하여라.

(2) $a>b>0$일 때, $\dfrac{a}{1+a}$, $\dfrac{b}{1+b}$의 대소를 비교하여라.

03-2 ⊙유사 · 기출

$a>b>1$, $c>0$인 세 실수 a, b, c에 대하여 |보기|에서 옳은 식만을 모두 골라라.

┤보기├

ㄱ. $\dfrac{1}{a+c}<\dfrac{1}{b+c}$

ㄴ. $ab+1>a+b$

ㄷ. $\dfrac{a}{b}<\dfrac{a-1}{b-1}$

03-3 ⊙변형

x가 실수일 때, 절대부등식인 것만을 |보기|에서 모두 골라라.

┤보기├

ㄱ. $|x|\geq 0$ ㄴ. $x^2>0$

ㄷ. $x^2+1>2x$ ㄹ. $x^2+x+1>0$

03-4 ⊙변형

다음은 임의의 두 실수 a, b에 대하여

$$|a|-|b|\leq|a-b|$$

임을 증명한 것이다.

┤증명├

(i) $|a|\geq|b|$일 때

$(|a|-|b|)^2-|a-b|^2$

$=(|a|^2-2|a||b|+|b|^2)-(a-b)^2$

$=(a^2-2|ab|+b^2)-(a^2-2ab+b^2)$

$=2(\boxed{\text{(가)}})\leq 0\,(\because ab\leq|ab|)$

$\therefore (|a|-|b|)^2\leq|a-b|^2$

그런데 $|a|-|b|\geq 0$, $|a-b|\geq 0$이므로

$|a|-|b|\leq|a-b|$

(ii) $|a|<|b|$일 때

$|a|-|b|\boxed{\text{(나)}}0$, $|a-b|>0$이므로

$|a|-|b|\boxed{\text{(다)}}|a-b|$

(i), (ii)에서 $|a|-|b|\leq|a-b|$

여기서 등호는 $|ab|=ab$, $|a|\geq|b|$, 즉

$ab\boxed{\text{(라)}}0$, $|a|\geq|b|$일 때 성립한다.

위의 과정에서 (가)~(라)에 알맞은 것을 구하여라.

03-5 ⊙실력

$ab+bc+ca=27$을 만족시키는 세 양수 a, b, c에 대하여 $a+b+c$의 최솟값은 p, $a^2+b^2+c^2$의 최솟값은 q이다. $p+q$의 값을 구하여라.

$a>0$, $b>0$일 때, 다음 물음에 답하여라.

(1) $a+b=18$일 때, ab의 최댓값을 구하여라.

(2) $ab=8$일 때, $a+2b$의 최솟값을 구하여라.

풍쌤 POINT

산술평균과 기하평균의 관계를 이용하면

➡ 두 양수의 합이 일정할 때 곱의 최댓값을 구할 수 있고

➡ 두 양수의 곱이 일정할 때 합의 최솟값을 구할 수 있어.

풀이

(1) **STEP1 식 세우기**

$a>0$, $b>0$이므로 산술평균과 기하평균의 관계에 의하여

$a+b \geq 2\sqrt{ab}$ (단, 등호는 $a=b$일 때 성립)

STEP2 $\sqrt{ab}$의 값의 범위 구하기

그런데 $a+b=18$이므로

$18 \geq 2\sqrt{ab}$

$\therefore \sqrt{ab} \leq 9$

STEP3 ab의 최댓값 구하기

위의 식의 양변을 제곱하면

$ab \leq 81$

따라서 ab의 최댓값은 81이다. ❶

❶ ab가 최대일 때 $a=b$가 성립하므로 $a=9$, $b=9$이다.

(2) **STEP1 식 세우기**

$a>0$, $2b>0$❷이므로 산술평균과 기하평균의 관계에 의하여

$a+2b \geq 2\sqrt{2ab}$ (단, 등호는 $a=2b$일 때 성립)

❷ $b>0$이므로 $2b>0$이다.

STEP2 $a+2b$의 값의 범위 구하기

그런데 $ab=8$이므로

$a+2b \geq 2\sqrt{2 \times 8}$

$\therefore a+2b \geq 2 \times 4 = 8$

STEP3 $a+2b$의 최솟값 구하기

따라서 $a+2b$의 최솟값은 8이다. ❸

❸ $a+2b$가 최소일 때 $a=2b$가 성립하므로 $a=2b=4$, 즉 $a=4$, $b=2$이다.

🔒 (1) 81 (2) 8

풍쌤 강의 NOTE

양수 조건과 함께 합이나 곱의 꼴이 보이면 산술평균과 기하평균의 관계를 이용한다.

04-1 ⊙ 유사

$a > 0$, $b > 0$이고 $ab = 10$일 때, $2a + 5b$의 최솟값을 구하여라.

04-2 ⊙ 유사

$a > 0$, $b > 0$이고 $3a + b = 6$일 때, ab의 최댓값을 구하여라.

04-3 ⊙ 변형

$a > 1$일 때, $4a + \dfrac{1}{a-1}$의 최솟값을 구하여라.

04-4 ⊙ 변형   기출

$x > 0$인 실수 x에 대하여

$$4x + \dfrac{a}{x} \ (a > 0)$$

의 최솟값이 2일 때, 상수 a의 값을 구하여라.

04-5 ⊙ 변형

$a > 0$, $b > 0$일 때, $(3a + b)\left(\dfrac{3}{a} + \dfrac{4}{b}\right)$의 최솟값을 구하여라.

04-6 ⊙ 실력

$x > 2$일 때, $\dfrac{x-2}{x^2 - 2x + 1}$는 $x = a$에서 최댓값 b를 갖는다. 이때 ab의 값을 구하여라.

오른쪽 그림과 같이 수직인 두 벽면 사이에 길이가 **6 m**인 울타리로 막은 삼각형 모양의 꽃밭이 있다. 이 꽃밭의 넓이의 최댓값을 구하여라. (단, 울타리의 두께는 무시한다.)

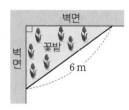

풍쌤 POINT

직각을 낀 두 변의 길이를 x m, y m로 놓고 x, y 사이의 관계식을 구한 후, 산술평균과 기하평균의 관계를 이용해 봐!

풀이

STEP1 x, y 사이의 관계식 구하기

꽃밭에서 직각을 낀 두 변의 길이를 각각 x m, y m라 하면

피타고라스 정리에 의하여

$x^2 + y^2 = 6^2 = 36$

STEP2 xy의 값의 범위 구하기

$x^2 > 0$, $y^2 > 0$❶이므로 산술평균과 기하평균의 관계에 의하여

$x^2 + y^2 \geq 2\sqrt{x^2 \times y^2}$

$\qquad = 2xy \ (\because \ x > 0, \ y > 0)$ (단, 등호는 $x = y$일 때 성립)

그런데 $x^2 + y^2 = 36$이므로 $36 \geq 2xy$

$\therefore \ xy \leq 18$

STEP3 꽃밭의 넓이의 최댓값 구하기

이때 꽃밭의 넓이는 $\frac{1}{2}xy$ m²이므로

$\frac{1}{2}xy \leq \frac{1}{2} \times 18 = 9$

따라서 꽃밭의 넓이의 최댓값은 9 m²이다.❷

❶ x, y는 변의 길이이므로 $x > 0$, $y > 0$이다.

❷ 실생활 문제를 풀 때는 반드시 단위를 써주어야 한다.

답 $9 \, \text{m}^2$

풍쌤 강의 NOTE

산술평균과 기하평균의 관계를 도형에서 활용할 때는 다음 순서대로 한다.

(i) 변하는 값을 각각 x, $y \, (x > 0, y > 0)$라 하고, 조건을 이용하여 x, y 사이의 관계식을 구한다.

(ii) 합 또는 곱이 일정하면 산술평균과 기하평균의 관계를 이용하여 최댓값 또는 최솟값을 구한다. 이때 등호가 성립할 조건에 주의한다.

05-1 ● 유사

오른쪽 그림과 같이 수직인 두 벽면 사이를 길이가 8 m인 철망으로 막은 삼각형 모양의 창고가 있다. 이 창고의 밑면의 넓이의 최댓값을 구하여라.

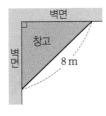

(단, 철망의 두께는 생각하지 않는다.)

05-2 ● 유사

오른쪽 그림과 같이 넓이가 900인 직사각형 모양의 잔디밭을 만들기 위하여 울타리를 설치하려고 한다. 잔디밭의 네 면 중 한 곳에 길이가 15인 출입문을 설치한다고 할 때, 울타리의 길이의 최솟값을 구하여라.

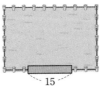

05-3 ● 변형

오른쪽 그림과 같이 반지름의 길이가 5인 원에 내접하는 직사각형의 넓이의 최댓값을 구하여라.

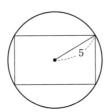

05-4 ● 변형

길이가 48 m인 줄을 겹치는 부분 없이 모두 사용하여 오른쪽 그림과 같이 6개의 작은 직사각형으로 이루어진 울타리를 만들려고 한다. 이때 울타리 내부의 전체 넓이의 최댓값을 구하여라.

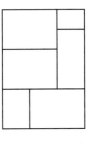

(단, 줄의 두께는 무시한다.)

05-5 ● 실력   기출

오른쪽 그림과 같이 곡선 $y=x^2$ 위의 점 $P(a, a^2)$에서의 접선의 기울기를 m_1이라 하고, 점 P와 점 A$(0, 1)$을 지나는 직선의 기울기를 m_2라 하자. 다음은 m_1-m_2의 최솟값을 구하는 과정이다.

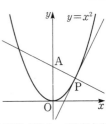

(단, $a>0$)

> 곡선 $y=x^2$ 위의 점 $P(a, a^2)$에서의 접선의 방정식은 $y=m_1(x-a)+a^2$이므로 이차방정식 $x^2=m_1(x-a)+a^2$이 중근을 갖는다.
> 이차방정식 $x^2-m_1x+am_1-a^2=0$의 판별식을 D라 하면 $D=0$이므로
> $m_1=$ ⬚(가)
> 직선 $y=m_2(x-a)+a^2$이 점 A$(0, 1)$을 지나므로
> $m_2=$ ⬚(나)
> 따라서 m_1-m_2의 최솟값은 ⬚(다) 이다.

위의 (가), (나)에 알맞은 식을 각각 $f(a)$, $g(a)$라 하고 (다)에 알맞은 값을 k라 할 때, $f(k)\times g(k)$의 값을 구하여라.

x, y가 실수일 때, 다음 물음에 답하여라.

(1) $x^2+y^2=9$일 때, $3x-2y$의 최댓값을 구하여라.

(2) $3x+4y=5$일 때, x^2+y^2의 최솟값을 구하여라.

풍쌤 POINT

• (1)은 코시-슈바르츠 부등식에서 $a=3$, $b=-2$를 대입해 봐!

• (2)는 코시-슈바르츠 부등식에서 $a=3$, $b=4$를 대입해 봐!

풀이

(1) **STEP1 식 세우기**

x, y가 실수이므로 코시-슈바르츠 부등식에 의하여

$\{3^2+(-2)^2\}(x^2+y^2) \geq (3x-2y)^2$

$\left(\text{단, 등호는 } \dfrac{x}{3}=\dfrac{y}{-2} \text{일 때 성립}\right)$

STEP2 $(3x-2y)^2$의 값의 범위 구하기

그런데 $x^2+y^2=9$이므로

$13 \times 9 \geq (3x-2y)^2$

$(3x-2y)^2 \leq 117$

STEP3 $3x-2y$의 최댓값 구하기

$\therefore -3\sqrt{13} \leq 3x-2y \leq 3\sqrt{13}$

따라서 $3x-2y$의 최댓값은 $3\sqrt{13}$이다. **❶**

❶ $3x-2y$의 최솟값은 $-3\sqrt{13}$ 이다.

(2) **STEP1 식 세우기**

x, y가 실수이므로 코시-슈바르츠 부등식에 의하여

$(3^2+4^2)(x^2+y^2) \geq (3x+4y)^2$

$\left(\text{단, 등호는 } \dfrac{x}{3}=\dfrac{y}{4} \text{일 때 성립}\right)$

STEP2 x^2+y^2의 최솟값 구하기

그런데 $3x+4y=5$이므로

$25(x^2+y^2) \geq 25$

$\therefore x^2+y^2 \geq 1$

따라서 x^2+y^2의 최솟값은 1이다. **❷**

❷ x^2+y^2이 최소일 때 $\dfrac{x}{3}=\dfrac{y}{4}$가

성립하므로 $x=\dfrac{3}{5}$, $y=\dfrac{4}{5}$이다.

답 (1) $3\sqrt{13}$　(2) 1

풍쌤 강의 NOTE

실수 조건이 주어지고 $ax+by$의 값의 범위 또는 x^2+y^2의 최솟값을 구하는 문제는 코시-슈바르츠 부등식을 이용한다.

06-1 ◉ 유사

두 실수 x, y에 대하여 $x^2+y^2=10$일 때, $2x+4y$의 최댓값을 구하여라.

06-4 ◉ 변형

두 양수 x, y에 대하여 $x+y=20$일 때, $2\sqrt{x}+\sqrt{y}$의 최댓값을 구하여라.

06-5 ◉ 변형

원점을 중심으로 하고 반지름의 길이가 4인 원 위를 움직이는 점 $P(a, b)$에 대하여 $\dfrac{a}{4}+\dfrac{b}{3}$의 최댓값과 최솟값의 곱을 구하여라.

06-2 ◉ 유사

두 실수 x, y에 대하여 $7x+y=50$일 때, x^2+y^2의 최솟값을 구하여라.

06-3 ◉ 변형

두 실수 x, y에 대하여 $x^2+y^2=k$일 때, $2x-y$의 최댓값과 최솟값의 차가 10이다. 이때 상수 k의 값을 구하여라.

06-6 ◉ 실력

오른쪽 그림과 같이 사각형 ABCD는 원에 내접하고 이 원의 중심이 선분 BD 위에 있다. $\overline{AB}=1$, $\overline{AD}=7$일 때, 사각형 ABCD의 둘레의 길이의 최댓값을 구하여라.

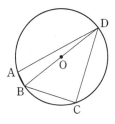

01

명제 '두 자연수 m, n에 대하여 $m+n$이 홀수이면 m 또는 n이 홀수이다.' 대신 참임을 증명할 수 있는 명제는?

① 두 자연수 m, n에 대하여 $m+n$이 짝수이면 m 또는 n이 짝수이다.

② 두 자연수 m, n에 대하여 $m+n$이 짝수이면 m, n이 모두 짝수이다.

③ 두 자연수 m, n에 대하여 m 또는 n이 홀수이면 $m+n$이 홀수이다.

④ 두 자연수 m, n에 대하여 m, n이 모두 짝수이면 $m+n$이 짝수이다.

⑤ 두 자연수 m, n에 대하여 m, n이 모두 홀수이면 $m+n$이 홀수이다.

02 서술형 ✎

명제 '두 실수 a, b에 대하여 $a+b>4$이면 a, b 중 적어도 하나는 2보다 크다.'에 대하여 다음 물음에 답하여라.

⑴ 주어진 명제의 대우를 구하여라.

⑵ ⑴을 이용하여 주어진 명제가 참임을 증명하여라.

03

다음은 명제 '세 자연수 a, b, c에 대하여 $a^2+b^2=c^2$이면 a, b, c 중 적어도 하나는 짝수이다.'가 참임을 증명한 것이다.

┤증명├

주어진 명제의 결론을 부정하여 a, b, c가 (가) 라 가정하면 a^2, b^2, c^2은 모두 홀수이다.
이때 a^2+b^2은 (나) 이고 c^2은 (다) 이므로 $a^2+b^2 \neq c^2$이 되어 가정에 모순이다.
따라서 세 자연수 a, b, c에 대하여 $a^2+b^2=c^2$이면 a, b, c 중 적어도 하나는 짝수이다.

위의 과정에서 (가), (나), (다)에 알맞은 것은?

	(가)	(나)	(다)
①	모두 홀수	홀수	짝수
②	모두 홀수	짝수	홀수
③	모두 짝수	짝수	홀수
④	적어도 하나는 홀수	홀수	짝수
⑤	적어도 하나는 홀수	짝수	홀수

04 기출

$x>3$일 때, $x^2+\dfrac{49}{x^2-9}$의 최솟값을 구하여라.

05

다음은 $n \geq 2$인 자연수 n에 대하여 $\sqrt{n^2-1}$이 무리수임을 증명한 것이다.

┤증명├

$\sqrt{n^2-1}$이 유리수라 가정하면

$\sqrt{n^2-1} = \dfrac{q}{p}$ (p, q는 서로소인 자연수)

로 놓을 수 있다.

이 식의 양변을 제곱하여 정리하면

$p^2(n^2-1) = q^2$ 이다.

p는 q^2의 약수이고 p, q는 서로소인 자연수이므로

$n^2 = \boxed{\text{(가)}}$ 이다.

자연수 k에 대하여

(i) $q = 2k$일 때

   $(2k)^2 < n^2 < \boxed{\text{(나)}}$ 인 자연수 n이 존재하지 않는다.

(ii) $q = 2k+1$일 때

   $\boxed{\text{(나)}} < n^2 < (2k+2)^2$인 자연수 n이 존재하지 않는다.

(i)과 (ii)에 의하여 $\sqrt{n^2-1} = \dfrac{q}{p}$

   (p, q는 서로소인 자연수)

를 만족시키는 자연수 n은 존재하지 않는다.

따라서 $\sqrt{n^2-1}$은 무리수이다.

위의 (가), (나)에 알맞은 식을 각각 $f(q)$, $g(k)$라 할 때, $f(2) + g(3)$의 값은?

① 50   ② 52   ③ 54

④ 56   ⑤ 58

06

a, b가 실수일 때, $A = a^2+b^2+1$, $B = ab+a+b$의 대소 관계는?

① $A > B$ ② $A \geq B$ ③ $A < B$

④ $A \leq B$ ⑤ $A = B$

07

$a < 0 < b < c$일 때, |보기|에서 항상 옳은 것만을 모두 고른 것은?

┤보기├

ㄱ. $\dfrac{a}{b} < \dfrac{a}{c}$

ㄴ. $a+c < b$

ㄷ. $\dfrac{c}{a-b} < \dfrac{b}{a-c}$

① ㄱ   ② ㄴ   ③ ㄱ, ㄷ

④ ㄴ, ㄷ   ⑤ ㄱ, ㄴ, ㄷ

08 서술형

두 양수 x, y에 대하여 $xy = 16$일 때, $x+4y$의 최솟값을 구하여라.

09

두 양수 x, y에 대하여 $x+y = 16$일 때, xy의 최댓값을 a, 그때의 x, y의 값을 각각 b, c라 하자. $a+b+c$의 값을 구하여라.

10 〔기출〕

$x>0$, $y>0$일 때, $\left(4x+\dfrac{1}{y}\right)\left(\dfrac{1}{x}+16y\right)$의 최솟값은?

① 36 ② 38 ③ 40
④ 42 ⑤ 44

11

a, b, c기 양수일 때, $\dfrac{b+c}{a}+\dfrac{c+a}{b}+\dfrac{a+b}{c}$의 최솟값은?

① 3 ② 6 ③ 9
④ 12 ⑤ 15

12 서술형 ✎

대각선의 길이가 12인 직사각형의 넓이의 최댓값을 구하여라.

13 〔기출〕

직선 $\dfrac{x}{a}+\dfrac{y}{b}=1$ $(a>0, b>0)$이 점 A$(2, 3)$을 지날 때, ab의 최솟값은?

① 18 ② 21 ③ 24
④ 27 ⑤ 30

14

실수 a, b, x, y에 대하여 $a^2+b^2=8$, $x^2+y^2=4$일 때, 다음 중 $ax+by$의 값이 될 수 <u>없는</u> 것은?

① -5 ② -3 ③ 4
④ 5 ⑤ 6

15 서술형 ✎

두 실수 x, y에 대하여 $3x+4y=5$일 때, $9x^2+4y^2$의 최솟값을 m이라 하고, 그때의 x, y의 값을 각각 a, b라 할 때, $\dfrac{m}{ab}$의 값을 구하여라.

상위권 도약 문제

01 기출

다음은 좌표평면 위의 점 $C\left(\sqrt{3}, \dfrac{1}{5}\right)$을 중심으로 하고, x좌표, y좌표가 모두 정수인 점 P를 지나는 원을 그리면 이 원 위의 점들 중에는 x좌표, y좌표가 모두 정수인 점이 P 외에 존재하지 않음을 증명한 것이다.

┤증명├

원 위에 점 $P(a, b)\,(a, b$는 정수)가 아닌 다른 점 $Q(c, d)\,(c, d$는 정수)가 존재한다고 가정하자.

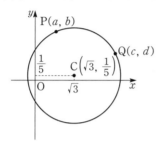

$\overline{CP}=\overline{CQ}$이므로

$$\sqrt{(a-\sqrt{3})^2+\left(b-\dfrac{1}{5}\right)^2}=\sqrt{(c-\sqrt{3})^2+\left(d-\dfrac{1}{5}\right)^2}$$

양변을 제곱하여 정리하면

$$a^2-c^2+b^2-d^2-\dfrac{2}{5}(b-d)=\boxed{\text{(가)}} \quad \cdots\cdots \ \unicode{x1D4A0}$$

$\unicode{x1D4A0}$에서 좌변은 $\boxed{\text{(나)}}$ 이므로 $a-c=0$

$\therefore b^2-d^2-\dfrac{2}{5}(b-d)=0 \quad \cdots\cdots \ \unicode{x1D4A1}$

$\unicode{x1D4A1}$에서 b, d는 정수이므로 $\boxed{\text{(다)}}$

따라서 이 원 위의 점들 중에는 x좌표, y좌표가 모두 정수인 점이 P 외에 존재하지 않는다.

위의 증명에서 (가), (나), (다)에 알맞은 것은?

	(가)	(나)	(다)
①	$\sqrt{3}(a-c)$	유리수	$b+d=5$
②	$\sqrt{3}(a-c)$	무리수	$b+d=5$
③	$2\sqrt{3}(a-c)$	유리수	$b+d=5$
④	$2\sqrt{3}(a-c)$	무리수	$b-d=0$
⑤	$2\sqrt{3}(a-c)$	유리수	$b-d=0$

02 기출

다음은 임의의 두 실수 a, b와 $p\geq0$, $q\geq0$, $p+q=1$을 만족하는 p, q에 대하여

$$|ap+bq|\leq\sqrt{a^2p+b^2q}$$

임을 증명한 것이다.

┤증명├

$|ap+bq|^2-(\sqrt{a^2p+b^2q})^2$

$=a^2p(p-1)+b^2q\,\boxed{\text{(가)}}+2abpq$

$=\boxed{\text{(나)}}\,p(p-1)$

$p\geq0$, $q\geq0$, $p+q=1$이므로 $p(p-1)\,\boxed{\text{(다)}}\,0$

이다.

따라서 $|ap+bq|^2-(\sqrt{a^2p+b^2q})^2\leq0$

그러므로 $|ap+bq|\leq\sqrt{a^2p+b^2q}$이다.

위의 증명 과정에서 (가), (나), (다)에 알맞은 것은?

	(가)	(나)	(다)
①	$(p-1)$	$(a+b)^2$	$\leq$
②	$(p-1)$	$-(a-b)^2$	$\geq$
③	$(q-1)$	$(a-b)^2$	$\geq$
④	$(q-1)$	$-(a+b)^2$	$\geq$
⑤	$(q-1)$	$(a-b)^2$	$\leq$

03

임의의 두 실수 x, y에 대하여 이차부등식

$$x^2+y^2-xy+ay+2>0$$

을 만족시키는 정수 a의 개수를 구하여라.

04

기출

[그림 1]과 같이 세 모서리의 길이가 각각 x, y, 3인 직육면체 모양의 나무토막이 있다.

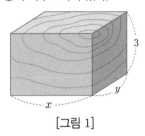

[그림 1]

[그림 1]의 나무토막의 한 모퉁이에서 모서리의 길이가 1인 정육면체 모양의 나무토막을 잘라내었더니 [그림 2]와 같이 나무토막 A와 나무토막 B로 나누어졌다.

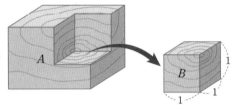

[그림 2]

A의 부피가 47일 때, A의 겉넓이의 최솟값을 구하여라. (단, $x > 1$, $y > 1$)

05

모든 실수 x에 대하여 부등식

$$x^2 - x + \frac{9}{x^2 - x + 1} \geq k$$

가 성립하기 위한 실수 k의 최댓값을 구하여라.

06

오른쪽 그림과 같이 $\overline{AB} = 6$, $\overline{BC} = 8$인 직각삼각형 ABC의 내부의 한 점 P에서 $\overline{AB}$에 내린 수선의 길이는 2이다. 점 P에서 $\overline{BC}$, $\overline{AC}$에 내린 수선의 길이가 각각 a, b일 때, $a^2 + b^2$의 최솟값은 $\dfrac{q}{p}$이다. $q - p$의 값을 구하여라.

(단, p와 q는 서로소인 자연수이다.)

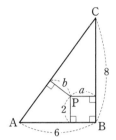

07

네 양수 a, b, c, d에 대하여 $a^2 + b^2 = 4$, $c^2 + d^2 = 9$일 때, $ab + cd$의 최댓값을 M_1, $ac + bd$의 최댓값을 M_2라 하자. $M_1 M_2$의 값을 구하여라.

05

함수와 그래프

함수와 그래프

개념01 함수

(1) 대응

공집합이 아닌 두 집합 X, Y에 대하여 집합 X의 원소에 집합 Y의 원소를 짝 지어 주는 것을 집합 X에서 집합 Y로의 대응이라 한다.

(2) 함수

공집합이 아닌 두 집합 X, Y에 대하여 집합 X의 각 원소에 집합 Y의 원소가 하나씩 대응할 때, 이 대응을 집합 X에서 집합 Y로의 함수라 하고, 기호로 $f: X \longrightarrow Y$와 같이 나타낸다.

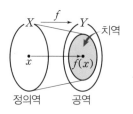

(3) 정의역, 공역, 치역

함수 $f: X \longrightarrow Y$에 대하여

① 정의역: 집합 X

② 공역: 집합 Y

③ 치역: 함숫값 전체의 집합 $\{f(x) | x \in X\}$

> **참고** 함수의 정의역이나 공역이 주어지지 않은 경우, 정의역은 함수가 정의되는 실수 전체의 집합으로, 공역은 실수 전체의 집합으로 생각한다.

> 함수가 아닌 경우
> ① 집합 X의 원소 중에서 대응하지 않고 남아 있는 원소가 있을 때
> ② 집합 X의 한 원소에 집합 Y의 원소가 두 개 이상 대응할 때

> 치역은 공역의 부분집합이다.

확인 01 오른쪽 그림과 같은 함수 $f: X \longrightarrow Y$에 대하여 정의역, 공역, 치역을 구하여라.

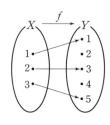

개념02 서로 같은 함수

(1) 서로 같은 함수

두 함수 f, g가 다음 조건을 만족시킬 때, 두 함수 f, g는 서로 같다고 하며, 기호로 $f = g$와 같이 나타낸다.

① 정의역과 공역이 각각 서로 같다.

② 정의역의 모든 원소 x에 대하여 $f(x) = g(x)$이다.

> **참고** 정의역과 공역이 각각 서로 같은 두 함수가 서로 같은지를 판단할 때에는 정의역의 원소 x와 공역의 원소 y 사이의 관계식이 아니라, 정의역의 각 원소에 대한 두 함수의 함숫값을 비교해야 한다.

> 두 함수 f와 g가 서로 같지 않을 때는 기호로 $f \neq g$와 같이 나타낸다.

확인 02 두 함수 $f(x) = x$, $g(x) = x^3$의 정의역이 다음과 같을 때, f와 g가 서로 같은 함수인지 알아보아라.

(1) $\{0, 1\}$ (2) $\{-1, 2\}$

개념 03 함수의 그래프

(1) 함수의 그래프

함수 $f:X \longrightarrow Y$에서 정의역 X의 각 원소 x와 이에 대응하는 함숫값 $f(x)$의 순서쌍 $(x, f(x))$를 원소로 갖는 집합 $\{(x, f(x))|x \in X\}$를 함수 f의 그래프라 한다.

▶집합 $\{(x, f(x))|x \in X\}$를 좌표평면 위에 나타내는 것을 '그래프를 그린다.'고 한다.

> **주의** 모든 그래프가 함수의 그래프인 것은 아니다. 함수의 그래프가 되려면 정의역의 각 원소 a에 대하여 y축에 평행한 직선 $x=a$를 그렸을 때, 그래프와 직선이 오직 하나의 점에서만 만나야 한다. 한 개의 x의 값에 대응하는 y의 값이 없거나 두 개 이상인 경우가 있으면 함수의 그래프가 아니다.

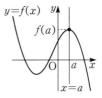

확인 **03** 다음 중 함수의 그래프인 것은 ○, 아닌 것은 ×표를 하여라.

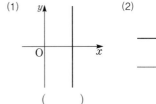
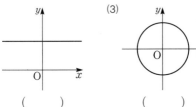

개념 04 여러 가지 함수

(1) 일대일함수: 함수 $f:X \longrightarrow Y$에서 집합 X의 임의의 두 원소 x_1, x_2에 대하여 $x_1 \neq x_2$이면 $f(x_1) \neq f(x_2)$인 함수

[예] 실수 전체의 집합에서 정의된 함수 $y=x+1$은 일대일함수이다.

(2) 일대일대응: 함수 $f:X \longrightarrow Y$가 일대일함수이고, 치역과 공역이 같은 함수

▶일대일대응이면 일대일함수이다.

(3) 항등함수: 함수 $f:X \longrightarrow Y$에서 집합 X의 임의의 원소 x에 대하여 $f(x)=x$인 함수

▶항등함수는 일대일대응이다.

(4) 상수함수: 함수 $f:X \longrightarrow Y$에서 집합 X의 임의의 원소 x에 대하여 $f(x)=c$ $(c \in Y,$ c는 상수)인 함수

▶상수함수는 치역의 원소가 하나뿐이다.

[예] 실수 전체의 집합에서 정의된 함수 $y=1$은 상수함수이다.

확인 **04** 정의역과 공역이 실수 전체의 집합인 |보기|의 함수 중에서 다음에 해당하는 것을 모두 골라라.

> |보기|
> ㄱ. $y=x$ ㄴ. $y=x+2$
> ㄷ. $y=10$ ㄹ. $y=|x|$

(1) 일대일함수 (2) 일대일대응
(3) 항등함수 (4) 상수함수

두 집합 $X=\{-1, 0, 1\}$, $Y=\{-1, 0, 1, 2\}$에 대하여 다음 대응 중 X에서 Y로의 함수인 것을 찾아라.

(1) $x \longrightarrow 2|x|$ (2) $x \longrightarrow 2x+1$ (3) $x \longrightarrow x^2+1$

풍쌤 POINT

X에서 Y로의 함수 ➡ X의 각 원소에 Y의 원소가 오직 하나씩 대응한다는 뜻이야.

풀이

(1) STEP1 대응을 그림으로 나타내기

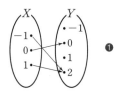 ❶

STEP2 대응이 함수인지 확인하기
집합 X의 각 원소에 집합 Y의 원소가 오직 하나씩 대응하므로 함수이다.

❶ $x=-1$일 때,
$2|x|=2 \times |-1|=2$
$x=0$일 때,
$2|x|=2 \times |0|=0$
$x=1$일 때,
$2|x|=2 \times |1|=2$

(2) STEP1 대응을 그림으로 나타내기

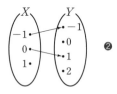 ❷

STEP2 대응이 함수인지 확인하기
집합 X의 원소 1에 대응하는 집합 Y의 원소가 없으므로 함수가 아니다.

❷ $x=-1$일 때,
$2x+1=2 \times (-1)+1=-1$
$x=0$일 때,
$2x+1=2 \times 0+1=1$
$x=1$일 때,
$2x+1=2 \times 1+1=3$

(3) STEP1 대응을 그림으로 나타내기

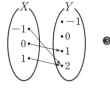 ❸

STEP2 대응이 함수인지 확인하기
집합 X의 각 원소에 집합 Y의 원소가 오직 하나씩 대응하므로 함수이다.

따라서 X에서 Y로의 함수인 것은 (1), (3)이다.

❸ $x=-1$일 때,
$x^2+1=(-1)^2+1=2$
$x=0$일 때,
$x^2+1=0^2+1=1$
$x=1$일 때,
$x^2+1=1^2+1=2$

답 (1), (3)

풍쌤 강의 NOTE

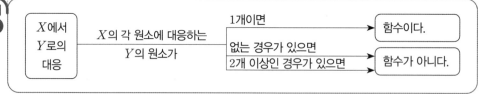

01-1 ⟨유사⟩

집합 $X=\{-1,\ 0,\ 1\}$에 대하여 다음 대응 중 X에서 X로의 함수인 것을 찾아라.

(1) $x \longrightarrow 2x$

(2) $x \longrightarrow x-1$

(3) $x \longrightarrow |x|-1$

01-2 ⟨유사⟩

두 집합 $X=\{-1,\ 0,\ 1\}$, $Y=\{1,\ 2,\ 3\}$에 대하여 다음 대응 중 X에서 Y로의 함수인 것을 모두 찾아라.

(1) $x \longrightarrow x^2$

(2) $x \longrightarrow |x|+2$

(3) $x \longrightarrow x^3+2$

01-3 ⟨변형⟩

집합 $X=\{-2,\ 0,\ 2\}$에 대하여 다음 중 X에서 X로의 함수가 <u>아닌</u> 것은?

① $f(x)=-x$　　　② $f(x)=|x|$

③ $f(x)=-|x|$　　④ $f(x)=x^2$

⑤ $f(x)=x^2-2$

01-4 ⟨변형⟩

다음 대응 중 X에서 Y로의 함수인 것은?

① 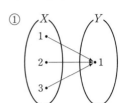　②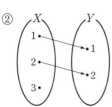

③ 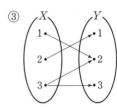　④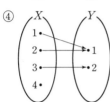

⑤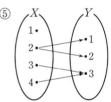

01-5 ⟨변형⟩

두 집합 $X=\{0,\ 1,\ 2\}$, $Y=\{-2,\ -1,\ 0,\ 1,\ 2\}$에 대하여 다음 |보기| 중 X에서 Y로의 함수인 것을 모두 골라라.

┤보기├

ㄱ. $f(x)=x$　　　　ㄴ. $f(x)=-x$

ㄷ. $f(x)=x^2-2$　　ㄹ. $f(x)=\dfrac{x^2-1}{x-1}$

함수 $f(x)=ax+b$에 대하여 다음 물음에 답하여라.

(1) 정의역이 $\{x \mid -4 \leq x \leq 4\}$, 치역이 $\{y \mid -7 \leq y \leq 17\}$이 되도록 실수 a, b의 값을 정할 때, $a+b$의 값을 구하여라. (단, $a>0$)

(2) 정의역이 $\{x \mid -6 \leq x \leq -2\}$, 치역이 $\{y \mid 2 \leq y \leq 10\}$이 되도록 실수 a, b의 값을 정할 때, $a+b$의 값을 구하여라. (단, $a<0$)

풍쌤 POINT

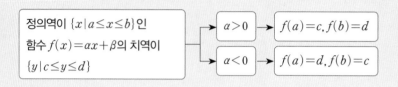

풀이

(1) STEP1 $f(-4)$, $f(4)$의 값 구하기

함수 $f(x)=ax+b$에서 $a>0$이므로 x의 값이 증가할 때, y의 값도 증가한다.❶

$\therefore f(-4)=-7$, $f(4)=17$❷

STEP2 a, b의 값 구하기

$f(-4)=-7$에서 $-4a+b=-7$ ……㉠

$f(4)=17$에서 $4a+b=17$ ……㉡

㉠+㉡을 하면 $2b=10$ $\therefore b=5$

$b=5$를 ㉠에 대입하면 $-4a+5=-7$ $\therefore a=3$

STEP3 $a+b$의 값 구하기

$\therefore a+b=3+5=8$

(2) STEP1 $f(-6)$, $f(-2)$의 값 구하기

함수 $f(x)=ax+b$에서 $a<0$이므로 x의 값이 증가할 때, y의 값은 감소한다.❸

$\therefore f(-6)=10$, $f(-2)=2$

STEP2 a, b의 값 구하기

$f(-6)=10$에서 $-6a+b=10$ ……㉠

$f(-2)=2$에서 $-2a+b=2$ ……㉡

㉡-㉠을 하면 $4a=-8$ $\therefore a=-2$

$a=-2$를 ㉡에 대입하면 $4+b=2$ $\therefore b=-2$

STEP3 $a+b$의 값 구하기

$\therefore a+b=-2+(-2)=-4$

❶ 함수 $y=ax+b$에서 $a>0$이면 x의 값이 증가할 때 y의 값도 증가한다.

❷ x의 값이 증가할 때 y의 값도 증가하므로 x의 값이 최소일 때 y의 값도 최소이고, x의 값이 최대일 때 y의 값도 최대이다.

❸ 함수 $y=ax+b$에서 $a<0$이면 x의 값이 증가할 때 y의 값은 감소한다.

답 (1) 8   (2) -4

풍쌤 강의 NOTE

일차함수나 이차함수에서 치역을 구하는 문제는 정의역에서 함수의 최댓값과 최솟값을 구하는 것과 같다.

02-1 〔유사〕

정의역이 $\{x \mid 0 \le x \le 3\}$인 함수 $y = ax + b$의 치역이 $\{y \mid -5 \le y \le 1\}$이 되도록 실수 a, b의 값을 정할 때, $a + b$의 값을 구하여라. (단, $a < 0$)

02-2 〔유사〕

정의역이 $\{x \mid -2 \le x \le 2\}$인 함수 $y = ax^2 + 2ax + b$의 치역이 $\{y \mid -3 \le y \le 6\}$이 되도록 실수 a, b의 값을 정할 때, $a - b$의 값을 구하여라. (단, $a > 0$)

02-3 〔변형〕　　　　　　　　　　　　　〔기출〕

두 집합 $X = \{1, 2, 3\}$, $Y = \{4, 5, 6\}$에 대하여 함수 $f : X \longrightarrow Y$가 다음 그림과 같을 때, 함수 f의 치역의 모든 원소의 합을 구하여라.

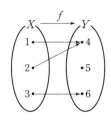

02-4 〔변형〕

두 집합 $X = \{1, 2, 3\}$, $Y = \{12, 22, 32\}$에 대하여 $f(x) = ax + 2$가 X에서 Y로의 함수가 되도록 하는 상수 a의 값을 구하여라. (단, $a > 0$)

02-5 〔변형〕

실수 전체의 집합에서 함수 f를
$$f(x) = \begin{cases} \sqrt{x} & (x \text{는 유리수}) \\ x^2 & (x \text{는 무리수}) \end{cases}$$
으로 정의할 때, $f\left(\dfrac{9}{4}\right) + f\left(\dfrac{1}{\sqrt{2}}\right)$의 값을 구하여라.

02-6 〔실력〕

자연수 전체의 집합에서 정의된 함수 f가
$$f(x) = (x \text{ 이하의 자연수 중 양의 약수의 개수가} \\ \text{홀수인 수의 개수})$$
일 때, $f(8) + f(20)$의 값을 구하여라.

다음 물음에 답하여라.

(1) 집합 $X=\{1, 2\}$를 정의역으로 하는 두 함수 $f(x)=ax+b$, $g(x)=2x^3-1$이 서로 같을 때, 상수 a, b에 대하여 $a-b$의 값을 구하여라.

(2) 집합 $X=\{-1, a\}$를 정의역으로 하는 두 함수 $f(x)=x^2+x+1$, $g(x)=x+b$가 서로 같을 때, 상수 a, b에 대하여 $a+b$의 값을 구하여라. (단, $n(X)=2$)

풍쌤 POINT

두 함수 f, g가 모두 집합 X를 정의역으로 하고 있으므로 두 함수가 서로 같으려면 정의역의 각 원소에 대한 함숫값이 서로 같은지만 확인하면 돼.

풀이

(1) **STEP1 서로 같은 함수임을 이용하여 관계식 찾기**

두 함수 $f(x)$, $g(x)$가 서로 같으므로❶ 정의역의 원소인 1, 2에 대하여

$$f(1)=g(1),\ f(2)=g(2)$$

STEP2 a, b에 대한 식 세우기

$f(1)=g(1)$에서 $a+b=2\times1^3-1$ $\therefore a+b=1$ ······ ㉠

$f(2)=g(2)$에서 $2a+b=2\times2^3-1$ $\therefore 2a+b=15$ ······ ㉡

STEP3 $a-b$의 값 구하기

㉡-㉠을 하면 $a=14$

$a=14$를 ㉠에 대입하여 정리하면 $b=-13$

$\therefore a-b=14-(-13)=27$

❶ 두 함수 f, g가 서로 같으면
(ⅰ) 정의역과 공역이 각각 같다.
(ⅱ) 정의역에 속하는 모든 원소 x에 대하여 $f(x)=g(x)$

(2) **STEP1 서로 같은 함수임을 이용하여 관계식 찾기**

두 함수 $f(x)$, $g(x)$가 서로 같으므로 정의역의 원소인 -1, a에 대하여

$$f(-1)=g(-1),\ f(a)=g(a)❷$$

STEP2 a, b의 값 구하기

$f(-1)=g(-1)$에서 $(-1)^2+(-1)+1=-1+b$

$\therefore b=2$ ······ ㉠

$f(a)=g(a)$에서 $a^2+a+1=a+b$ ······ ㉡

㉠을 ㉡에 대입하면 $a^2+a+1=a+2$

$a^2-1=0$, $(a+1)(a-1)=0$ $\therefore a=-1$ 또는 $a=1$

이때 집합 X의 원소가 2개❸이어야 하므로 $a=1$

STEP3 $a+b$의 값 구하기

$\therefore a+b=1+2=3$

❷ 정의역에 미지수가 있더라도 풀이 방법은 (1)과 마찬가지로 두 함숫값이 같음을 이용한다.

❸ $n(X)=2$에서 $a\ne-1$

답 (1) 27 (2) 3

풍쌤 강의 NOTE

정의역이 같은 두 함수가 서로 같다는 것은 두 함수의 함수식이 같다는 것이 아니라, 정의역에 속하는 모든 원소에 대하여 두 함수의 함숫값이 같다는 뜻이다.

03-1 ⓞ 유사

집합 $X=\{-1, 1\}$을 정의역으로 하는 두 함수
$$f(x)=x+a, \ g(x)=\frac{b}{x+2}$$
가 서로 같을 때, 상수 a, b에 대하여 $a+b$의 값을 구하여라.

03-2 ⓞ 유사

집합 $X=\{-2, a\}$를 정의역으로 하는 두 함수
$$f(x)=x^3+bx^2, \ g(x)=4x-8$$
로 정의하자. 두 함수 f와 g가 서로 같도록 하는 상수 a, b에 대하여 $a+b$의 값을 구하여라. (단, $a \neq -2$)

03-3 ⓞ 변형

정의역이 집합 $X=\{-1, 0, 1\}$인 함수 $f(x)=|x|$에 대하여 함수 f와 서로 같은 함수인 것만을 |보기|에서 모두 골라라.

(단, 세 함수 g, h, k의 정의역은 집합 X이다.)

┌─|보기|──────────────
│ ㄱ. $g(x)=x-1$
│ ㄴ. $h(x)=x^2$
│ ㄷ. $k(x)=\sqrt{x^2}$
└─────────────────────

03-4 ⓞ 변형

두 실수를 원소로 하는 집합 X에서 정의된 두 함수
$$f(x)=-x^2+8x, \ g(x)=x^2+6$$
이 서로 같을 때, 집합 X의 모든 원소의 합을 구하여라.

03-5 ⓞ 변형

공집합이 아닌 집합 X를 정의역으로 하는 두 함수
$$f(x)=x^2-1, \ g(x)=4x+20$$
에 대하여 $f=g$가 되도록 하는 집합 X를 |보기|에서 모두 골라라.

┌─|보기|──────────────
│ ㄱ. $\{-3\}$ ㄴ. $\{3\}$
│ ㄷ. $\{7\}$ ㄹ. $\{-3, 7\}$
└─────────────────────

03-6 ⓞ 실력

공집합이 아닌 집합 X를 정의역으로 하는 두 함수
$$f(x)=x^3+4, \ g(x)=4x^2+x$$
가 서로 같도록 하는 집합 X의 개수를 구하여라.

다음 |보기| 중 함수의 그래프인 것을 모두 골라라.

┌─ |보기| ───┐
ㄱ. 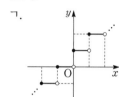   ㄴ.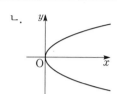

ㄷ. 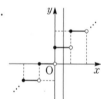   ㄹ.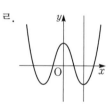
└───┘

풍쌤 POINT

함수의 그래프는 y축에 평행한 직선을 그었을 때, 그래프와 직선의 교점이 오직 하나뿐인 그래프야.

풀이

STEP1 그래프에 y축에 평행한 직선 그어 보기

주어진 그래프에 y축에 평행한 직선을 그어 보면 다음과 같다. ❶

❶ 임의의 직선을 긋되, 그래프와 직선의 교점이 두 개 이상인 경우를 찾아본다.

ㄱ. 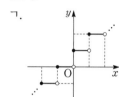   ㄴ.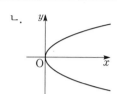

ㄷ. 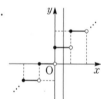   ㄹ.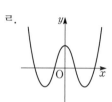

STEP2 함수의 그래프 찾기

함수의 그래프이면 y축에 평행한 직선과 그래프의 교점이 오직 하나뿐이어야 한다. ❷

따라서 이를 만족시키는 것은 ㄱ, ㄹ이다.

❷ 한 곳에서 교점이 하나인 것이 아니라, 모든 x에 대하여 y축에 평행한 직선과 교점이 하나뿐이어야 한다.

답 ㄱ, ㄹ

풍쌤 강의 NOTE

함수의 그래프인지 아닌지를 판단하려면 정의역의 각 원소 a에 대하여 y축에 평행한 직선 $x=a$를 그어 보면 된다. 이때 교점이 1개이면 함수의 그래프이고, 교점이 없거나 2개 이상이면 함수의 그래프가 아니다.

04-1 ⊙ 유사

다음 |보기| 중 함수의 그래프인 것을 모두 골라라.

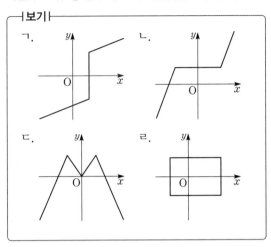

04-3 ⊙ 변형

다음 |보기| 중 실수 전체의 집합에서 정의된 함수의 그래프인 것을 모두 골라라.

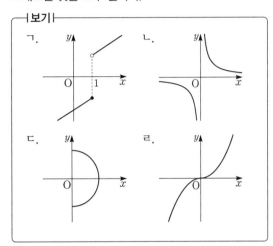

04-2 ⊙ 유사

다음 |보기| 중 함수의 그래프인 것을 모두 골라라.

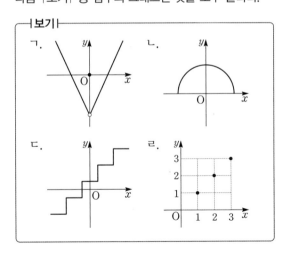

04-4 ⊙ 변형

두 집합 $X = \{-1, 0, 1\}$, $Y = \{1, 2, 3, 4, 5\}$에 대하여 |보기|에서 함수 $f : X \longrightarrow Y$의 그래프가 될 수 있는 것을 골라라.

┤보기├
ㄱ. $\{(-1, 2), (1, 5)\}$
ㄴ. $\{(-1, 1), (0, 3), (1, 3)\}$
ㄷ. $\{(-1, -1), (0, 2), (1, 1), (1, 4)\}$

다음 물음에 답하여라.

(1) 두 집합 $X=\{x|1\leq x\leq2\}$, $Y=\{y|4\leq y\leq7\}$에 대하여 집합 X에서 집합 Y로의 함수 $f(x)=ax+b$가 일대일대응이다. 이때 상수 a, b에 대하여 ab의 값을 구하여라.

(단, $a>0$)

(2) 실수 전체의 집합에서 정의된 함수 $f(x)=\begin{cases}ax & (x\geq0)\\(3-a)x & (x<0)\end{cases}$가 일대일대응이 되도록 하는 정수 a의 개수를 구하여라.

풍쌤 POINT

함수 f가 일대일대응이 되려면 f가 일대일함수이고 (치역)=(공역)이어야 해.

풀이

(1) **STEP1 일대일대응이 되는 조건 찾기**

함수 f가 일대일대응❶이고 $a>0$이므로 $y=f(x)$의 그래프는 오른쪽 그림과 같아야 한다. 이때 치역과 공역이 같아야 하므로 그래프가 두 점 $(1, 4)$, $(2, 7)$을 지나야 한다.

$\therefore f(1)=4$, $f(2)=7$

STEP2 a, b에 대한 식 세우기

$f(1)=4$에서 $a+b=4$ ······ ㉠

$f(2)=7$에서 $2a+b=7$ ······ ㉡

STEP3 ab의 값 구하기

㉠, ㉡을 연립하여 풀면 $a=3$, $b=1$ $\therefore ab=3\times1=3$

❶ 함수 f가 일대일대응이 되려면
(ⅰ) x의 값이 증가할 때 $f(x)$의 값은 증가하거나 감소해야 한다.
(ⅱ) 정의역의 양 끝 값에서의 함숫값이 공역에서의 양 끝 값과 같아야 한다.

(2) **STEP1 일대일대응이 되는 조건 찾기**

두 직선 $y=ax$, $y=(3-a)x$는 모두 원점을 지나므로 치역과 공역이 같다. 이때 함수 f가 일대일대응❷이 되려면 x의 값이 증가할 때, $f(x)$의 값은 증가하거나 감소해야 한다.

즉, 두 직선 $y=ax$, $y=(3-a)x$의 기울기가 모두 양수이거나 모두 음수이어야 한다.

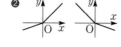

STEP2 a에 대한 부등식 세우기

두 직선의 기울기의 부호가 같아야 하므로 $a(3-a)>0$

STEP3 정수 a의 개수 구하기

$a(a-3)<0$ $\therefore 0<a<3$

따라서 정수 a는 1, 2의 2개이다.

답 (1) 3 (2) 2

풍쌤 강의 NOTE

일대일대응이면 일대일함수이지만 일대일함수라고 해서 반드시 일대일대응인 것은 아니다.
따라서 일대일대응인지 판별할 때에는 일대일함수의 그래프인지 알아본 후 치역과 공역이 같은지를 확인한다.

05-1 유사

두 집합 $X=\{x\,|\,-3\leq x\leq 3\}$, $Y=\{y\,|\,-2\leq y\leq 10\}$에 대하여 집합 X에서 집합 Y로의 함수 $f(x)=ax+b$가 일대일대응이다. 이때 상수 a, b에 대하여 $a+b$의 값을 구하여라. (단, $a<0$)

05-2 유사

실수 전체의 집합에서 정의된 함수

$$f(x)=\begin{cases}x+3 & (x\geq 0)\\(4-a)x+3 & (x<0)\end{cases}$$

가 일대일대응이 되도록 하는 자연수 a의 개수를 구하여라.

05-3 변형   기출

두 집합 $X=\{1,\ 2,\ 3,\ 4\}$, $Y=\{5,\ 6,\ 7,\ 8\}$에 대하여 함수 f는 집합 X에서 집합 Y로의 일대일대응이다. $f(1)=7$, $f(2)-f(3)=3$일 때, $f(3)+f(4)$의 값은?

① 11   ② 12   ③ 13

④ 14   ⑤ 15

05-4 변형

다음 실수 전체의 집합에서 정의된 |보기|의 함수의 그래프 중 일대일대응의 그래프인 것을 모두 골라라.

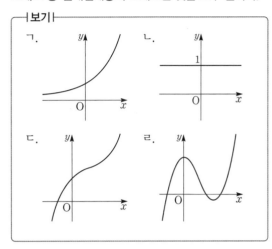

05-5 실력

실수 전체의 집합에서 정의된 함수 $f(x)=a|x-2|+2x-1$이 일대일대응이 되도록 하는 정수 a의 최댓값을 구하여라.

실수 전체의 집합에서 정의된 두 함수 f, g에 대하여 $f(x)$는 항등함수이고, $g(x)$는 상수함수이다. 다음을 구하여라.

(1) $f(1)=g(1)=1$일 때, $f(2)+g(3)$의 값

(2) $f(2)=g(2)$일 때, $f(4)+g(5)$의 값

(3) $f(8)=g(5)$일 때, $f(10)+g(10)$의 값

풍쌤 POINT

• 항등함수는 $f(x)=x$와 같아. ➡ $f(1)=1$, $f(2)=2$, $f(3)=3$, $\cdots$

• 상수함수는 $g(x)=c$ (c는 상수)와 같아. ➡ $g(1)=g(2)=g(3)=\cdots=c$

풀이

(1) **STEP1** $f(2)$의 값 구하기

$f(x)$가 항등함수이므로 $f(x)=x$❶   ∴ $f(2)=2$

STEP2 $g(3)$의 값 구하기

$g(x)$가 상수함수이고, $g(1)=1$이므로 $g(x)=1$

∴ $g(3)=1$

STEP3 $f(2)+g(3)$의 값 구하기

∴ $f(2)+g(3)=2+1=3$

❶ 항등함수이면 함수식은 반드시 $f(x)=x$로 나타난다.

(2) **STEP1** $f(4)$의 값 구하기

$f(x)$가 항등함수이므로 $f(x)=x$ ∴ $f(4)=4$

STEP2 $g(5)$의 값 구하기

$g(x)$가 상수함수이고, $f(2)=2=g(2)$이므로 $g(x)=2$❷

∴ $g(5)=2$

STEP3 $f(4)+g(5)$의 값 구하기

∴ $f(4)+g(5)=4+2=6$

❷ $g(x)$는 상수함수이므로 $g(2)=2$에서 $g(5)=5$로 착각하지 않도록 주의한다.

(3) **STEP1** $f(10)$의 값 구하기

$f(x)$가 항등함수이므로 $f(x)=x$ ∴ $f(10)=10$

STEP2 $g(10)$의 값 구하기

$g(x)$가 상수함수이고, $f(8)=8=g(5)$이므로 $g(x)=8$

∴ $g(10)=8$

STEP3 $f(10)+g(10)$의 값 구하기

∴ $f(10)+g(10)=10+8=18$

답 (1) 3   (2) 6   (3) 18

풍쌤 강의 NOTE

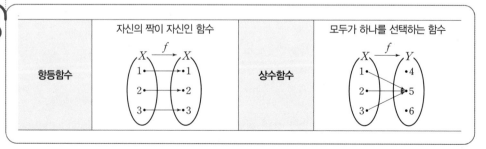

항등함수	자신의 짝이 자신인 함수	상수함수	모두가 하나를 선택하는 함수

06-1 ⦿유사

실수 전체의 집합에서 정의된 두 함수 f, g에 대하여 $f(x)$는 항등함수이고, $g(x)$는 상수함수이다. $f(6)=g(6)$일 때, $f(11)+g(7)$의 값을 구하여라.

06-2 ⦿변형 기출

집합 $X=\{-3,\ 1\}$에 대하여 집합 X에서 집합 X로의 함수

$$f(x)=\begin{cases} 2x+a & (x<0) \\ x^2-2x+b & (x\geq 0) \end{cases}$$

이 항등함수일 때, ab의 값은? (단, a, b는 상수이다.)

① 4   ② 6   ③ 8

④ 10   ⑤ 12

06-3 ⦿변형

실수 전체의 집합에서 정의된 |보기|의 함수 중에서 다음 함수를 모두 골라라.

┤보기├
ㄱ. $y=1$ ㄴ. $y=x$
ㄷ. $y=|x|$ ㄹ. $y=-3$

(1) 항등함수   (2) 상수함수

06-4 ⦿변형

|보기|에서 다음 함수를 모두 골라라.

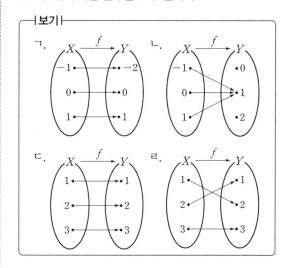

(1) 항등함수   (2) 상수함수

06-5 ⦿실력

집합 $X=\{1,\ 2,\ 4\}$에서 정의된 세 함수 f_1, f_2, f_3에 대하여 f_1은 항등함수, f_2는 일대일대응, f_3은 상수함수이다. $f_1(2)=f_2(4)=f_3(2)$, $f_2(4)=f_2(2)-2f_2(1)$일 때, $f_1(1)+f_2(1)+f_3(1)$의 값을 구하여라.

두 집합 $X = \{1, 2, 3\}$, $Y = \{a, b, c\}$에 대하여 집합 X에서 집합 Y로의 함수 중 다음을 구하여라.

(1) 함수의 개수
(2) 일대일대응의 개수
(3) 항등함수의 개수
(4) 상수함수의 개수

풍쌤 POINT

두 집합 X, Y에 대하여 함수 $f : X \longrightarrow Y$의 개수는 정의역 X의 각 원소의 함숫값을 정하는 방법의 수를 생각하면 돼.

풀이

(1) **STEP1 정의역의 각 원소의 함숫값이 될 수 있는 원소 구하기**
1의 함숫값이 될 수 있는 것은 a, b, c의 3개
2의 함숫값이 될 수 있는 것도 a, b, c의 3개
3의 함숫값이 될 수 있는 것도 a, b, c의 3개
STEP2 함수의 개수 구하기
따라서 함수의 개수는
$3 \times 3 \times 3 = 27$❶

❶ 각각의 함숫값이 될 수 있는 경우는 동시에 일어나므로 곱의 법칙을 이용한다.

(2) **STEP1 정의역의 각 원소의 함숫값이 될 수 있는 원소 구하기**
1의 함숫값이 될 수 있는 것은 a, b, c의 3개
2의 함숫값이 될 수 있는 것은 1의 함숫값을 제외한 2개
3의 함숫값이 될 수 있는 것은 1, 2의 함숫값을 제외한 1개
STEP2 일대일대응의 개수 구하기
따라서 일대일대응의 개수는
$3 \times 2 \times 1 = 6$

(3) 1, 2, 3 각각의 함숫값 1, 2, 3이 공역 Y의 원소가 아니므로 항등함수는 없다.❷
따라서 항등함수의 개수는 0이다.

❷ 항등함수는 $f(x) = x$이어야 하므로 집합 X의 원소가 집합 Y에도 있어야 한다.

(4) 1, 2, 3 모두의 함숫값이 될 수 있는 것은 a, b, c의 3개❸이다.
따라서 상수함수의 개수는 3이다.

❸ 상수함수의 개수는 공역의 원소의 개수와 같다.

目 (1) 27 (2) 6 (3) 0 (4) 3

풍쌤 강의 NOTE

함수 $f : X \longrightarrow Y$에서 두 집합 X, Y의 원소의 개수가 각각 m, n일 때,
① 함수의 개수: $\underbrace{n \times n \times n \times \cdots \times n}_{m\text{개}} = n^m$
② 일대일함수의 개수: $n \times (n-1) \times (n-2) \times \cdots \times \{n-(m-1)\}$ (단, $n \geq m$)
③ 일대일대응의 개수: $n \times (n-1) \times (n-2) \times \cdots \times 2 \times 1$(단, $n = m$)
④ 상수함수의 개수: n

07-1 ⦿ 유사

두 집합 $X=\{-1,\ 0,\ 1\}$, $Y=\{-2,\ -1,\ 0,\ 1,\ 2\}$에 대하여 집합 X에서 집합 Y로의 함수 중 다음을 구하여라.

(1) 함수의 개수

(2) 일대일함수의 개수

(3) 항등함수의 개수

(4) 상수함수의 개수

07-2 ⦿ 유사

집합 $X=\{a,\ b,\ c,\ d\}$에 대하여 집합 X에서 집합 X로의 함수 중 다음을 구하여라.

(1) 함수의 개수

(2) 일대일대응의 개수

(3) 항등함수의 개수

(4) 상수함수의 개수

07-3 ⦿ 변형

세 집합 $X=\{1,\ 2,\ 3\}$, $Y=\{1,\ 2\}$, $Z=\{4,\ 5,\ 6\}$에 대하여 집합 X에서 집합 Y로의 함수의 개수를 a, 집합 X에서 집합 Z로의 일대일대응의 개수를 b, 집합 Z에서 집합 Y로의 상수함수의 개수를 c라 할 때, $a+b+c$의 값을 구하여라.

07-4 ⦿ 변형

집합 $X=\{1,\ 2,\ 3\}$에 대하여 함수 $f:X\longrightarrow X$가

$$\{f(1)-1\}\{f(2)-2\}\neq0,$$
$$\{f(1)-1\}\{f(3)-3\}=0$$

을 만족시킬 때, 함수 f의 개수를 구하여라.

07-5 ⦿ 실력

두 집합 $X=\{1,\ 2,\ 3,\ 4\}$, $Y=\{a,\ b,\ c,\ d\}$에 대하여 함수 $f:X\longrightarrow Y$가 일대일대응이고 $f(2)\neq a$일 때, 함수 f의 개수를 구하여라.

07-6 ⦿ 실력 ⦿기출

집합 $A=\{-2,\ -1,\ 0,\ 1,\ 2\}$에 대하여 다음 두 조건을 모두 만족시키는 함수 f의 개수를 구하여라.

┌─────────────────────────────────┐
(개) 함수 f는 A에서 A로의 함수이다.

(내) A의 모든 원소 x에 대하여 $f(-x)=-f(x)$이다.
└─────────────────────────────────┘

절댓값 기호를 포함한 함수의 그래프
절댓값 기호를 포함한 함수의 그래프를 그리는 방법에 대해 배우고, 그 특징을
알아보자.

$y=|f(x)|$에서
(i) $f(x)\geq0$이면 $y=f(x)$
(ii) $f(x)<0$이면 $y=-f(x)$

▶ 함수 $y=|f(x)|$ 꼴의 그래프를 그리는 방법
❶ 함수 $y=f(x)$의 그래프를 그린다.
❷ $f(x)\geq0$인 구간에서는 그래프를 그대로 둔다.
❸ $f(x)<0$인 구간에서는 그래프를 x축에 대하여 대칭이동한다.

예시 1 함수 $y=|f(x)|$ 꼴의 그래프

함수 $y=|x^2-2x-3|$의 그래프를 그려라.

함수 $f(x)=x^2-2x-3$이라 하면
$f(x)=x^2-2x-3=(x-1)^2-4$
(i) $f(x)\geq0$인 구간의 그래프는 그대로 둔다.
(ii) $f(x)<0$인 구간의 그래프를 x축에 대하여 대칭이동
한다. ➡ $f(x)<0$인 구간에서는 $y=-x^2+2x+3=-(x-1)^2+4$의
그래프와 같다.

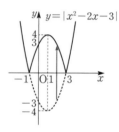

✔ 확인 1   정답과 풀이 81쪽

함수 $y=|x^2-4x|$의 그래프를 그려라.

▶ 함수 $y=f(|x|)$ 꼴의 그래프를 그리는 방법
❶ 함수 $y=f(x)$의 그래프를 그린다.
❷ $x\geq0$인 구간에서는 그래프를 그대로 둔다.
❸ $x<0$인 구간에서는 ❷의 그래프를 y축에 대하여 대칭이동한다.

$y=f(|x|)$에서
(i) $x\geq0$이면 $y=f(x)$
(ii) $x<0$이면 $y=f(-x)$

예시 2 함수 $y=f(|x|)$ 꼴의 그래프

함수 $y=|x|^2-2|x|-3$의 그래프를 그려라.

$y=|x|^2-2|x|-3$
$=|x^2|-2|x|-3$
$=x^2-2|x|-3$

함수 $f(x)=x^2-2x-3$이라 하면
$f(x)=x^2-2x-3=(x-1)^2-4$
(i) $x\geq0$인 구간의 그래프는 그대로 둔다.
(ii) $x<0$인 구간에서는 (i)의 그래프를 y축에 대하
여 대칭이동한다. ➡ $x<0$인 구간에서는
$y=x^2+2x-3=(x+1)^2-4$의 그래프와 같다.

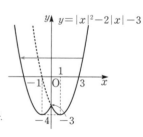

✔ 확인 2   정답과 풀이 81쪽

함수 $y=|x|^2-4|x|$의 그래프를 그려라.

▶ 함수 $|y|=f(x)$ 꼴의 그래프를 그리는 방법

❶ 함수 $y=f(x)$의 그래프를 그린다.

❷ $y \geq 0$인 구간에서는 그래프를 그대로 둔다.

❸ $y < 0$인 구간에서는 ❷의 그래프를 x축에 대하여 대칭이동한다.

$|y|=f(x)$에서
(i) $y \geq 0$이면 $y=f(x)$
(ii) $y < 0$이면 $-y=f(x)$
에서 $y=-f(x)$

예시 3 함수 $|y|=f(x)$ 꼴의 그래프

함수 $|y|=x^2-2x-3$의 그래프를 그려라.

함수 $f(x)=x^2-2x-3$이라 하면

$f(x)=x^2-2x-3=(x-1)^2-4$

(i) $y \geq 0$인 구간의 그래프는 그대로 둔다.

(ii) $y < 0$인 구간에서는 (i)의 그래프를 x축에 대하여 대칭이동시킨다. ➡ $y < 0$인 구간에서는 $y=-x^2+2x+3=-(x-1)^2+4$ 의 그래프와 같다.

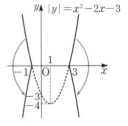

$|y|=\pm y$이므로 y의 부호에 따라 구간을 나누어 생각한다.

✔ 확인 3   정답과 풀이 81쪽

함수 $|y|=x^2-4x$의 그래프를 그려라.

▶ 함수 $|y|=f(|x|)$ 꼴의 그래프를 그리는 방법

❶ 함수 $y=f(x)$의 그래프를 그린다.

❷ $x \geq 0$, $y \geq 0$인 구간에서는 그래프를 그대로 둔다.

❸ $x < 0$, $y \geq 0$인 구간에서는 ❷의 그래프를 y축에 대하여 대칭이동한다.

❹ $x \geq 0$, $y < 0$인 구간에서는 ❷의 그래프를 x축에 대하여 대칭이동한다.

❺ $x < 0$, $y < 0$인 구간에서는 ❷의 그래프를 원점에 대하여 대칭이동한다.

$|y|=f(|x|)$에서
(i) $x \geq 0$, $y \geq 0$이면
$y=f(x)$
(ii) $x < 0$, $y \geq 0$이면
$y=f(-x)$
(iii) $x \geq 0$, $y < 0$이면
$-y=f(x)$에서
$y=-f(x)$
(iv) $x < 0$, $y < 0$이면
$-y=f(-x)$에서
$y=-f(-x)$

예시 4 함수 $|y|=f(|x|)$ 꼴의 그래프

함수 $|y|=|x|^2-2|x|-3$의 그래프를 그려라.

함수 $f(x)=x^2-2x-3$이라 하면

$f(x)=x^2-2x-3=(x-1)^2-4$

(i) $x \geq 0$, $y \geq 0$인 구간의 그래프는 그대로 둔다.

(ii) 그 외의 구간에서는 (i)의 그래프를 x축, y축, 원점에 대하여 각각 대칭이동한다.

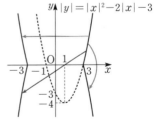

$|x|=\pm x$, $|y|=\pm y$이므로 구간을 나누어 생각한다.

✔ 확인 4   정답과 풀이 81쪽

함수 $|y|=|x|^2-4|x|$의 그래프를 그려라.

실전 연습 문제

01

두 집합 $X=\{-1, 0, 1\}$, $Y=\{0, 1, 2\}$에 대하여 |보기| 중 집합 X에서 집합 Y로의 함수인 것만을 모두 고른 것은?

┤보기├
ㄱ. $f(x)=x$ ㄴ. $f(x)=|x|+2$
ㄷ. $f(x)=x^2$ ㄹ. $f(x)=2x^2-1$

① ㄱ ② ㄷ ③ ㄱ, ㄷ
④ ㄴ, ㄹ ⑤ ㄷ, ㄹ

02

실수 전체의 집합에서 함수 f를

$$f(x)=\begin{cases} |x|+1 & (x<-2) \\ -2x+4 & (x\geq-2) \end{cases}$$

로 정의할 때, $f(-5)+f(3)$의 값은?

① 1 ② 2 ③ 3
④ 4 ⑤ 5

03

함수 $y=4x+1$의 치역이 $\{-7, 1, 5\}$일 때, 정의역은?

① $\{1\}$ ② $\{0, 1\}$
③ $\{-2, 1\}$ ④ $\{-2, 0, 1\}$
⑤ $\{-1, 0, 2\}$

04 서술형 ✎

두 집합 $X=\{-1, 0, 1, a\}$, $Y=\{1, 5, b\}$에 대하여 함수 $f: X \longrightarrow Y$의 치역과 공역이 같고 $f(x)=x^2+1$일 때, a^2+b^2의 값을 구하여라.

05

집합 $X=\{-1, 0, 1\}$을 정의역으로 하는 두 함수
$$f(x)=ax^3+x, \; g(x)=2x+b$$
에 대하여 $f=g$이다. 이때 상수 a, b에 대하여 a^2+b^2의 값은?

① -2 ② -1 ③ 0
④ 1 ⑤ 2

06

공집합이 아닌 집합 X를 정의역으로 하는 두 함수 f, g를 $f(x)=2x^2-6x+1$, $g(x)=-x^2+x-1$로 정의할 때, $f=g$를 만족시키는 집합 X의 개수는?

① 3 ② 4 ③ 5
④ 6 ⑤ 7

07

두 집합 $X=\{0, 1, 2\}$, $Y=\{1, 2, 3, 4\}$에 대하여 두
함수 $f: X \longrightarrow Y$, $g: X \longrightarrow Y$를

$$f(x)=2x^2-4x+3, \ g(x)=a|x-1|+b$$

라 하자. 두 함수 f와 g가 서로 같도록 하는 상수 a, b
에 대하여 $2a-b$의 값은?

① -3 ② -1 ③ 1

④ 3 ⑤ 5

08

두 집합 $X=\{1, 2, 3\}$, $y=\{1, 2, 3, 4\}$에 대하여 다음
중 함수 $f: X \longrightarrow Y$의 그래프가 될 수 있는 것은?

①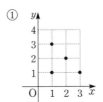
②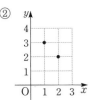

③
④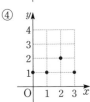

⑤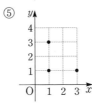

09

두 집합 $X=\{a, b, c\}$, $Y=\{-1, 0, 1, 2\}$에 대하여
집합 X에서 집합 Y로의 일대일함수를 $f(x)$라 하자.
$f(a)=0$일 때, $f(b)+f(c)$의 최솟값을 구하여라.

10

다음 중 실수 전체의 집합 R에서 R로의 일대일함수
인 것은?

① $f(x)=|x+1|$ ② $f(x)=-x^2$

③ $f(x)=x^3-x$ ④ $f(x)=x^3$

⑤ $f(x)=x^4+x^2$

11

실수 전체의 집합에서 정의된 함수

$$f(x)=\begin{cases} -x^2+a^2 & (x \geq 0) \\ ax+4 & (x < 0) \end{cases}$$

가 일대일대응이 되도록 하는 상수 a의 값은?

① -2 ② -1 ③ 1

④ 2 ⑤ 3

12 서술형 ✐

실수 전체의 집합에서 정의된 두 함수 f, g에 대하여 f는 항등함수이고, g는 상수함수이다.
$f(100)+g(200)=200$일 때,
$f(50)+f(150)+g(50)+g(150)$의 값을 구하여라.

13

정의역과 공역이 실수 전체의 집합인 |보기|의 함수의 그래프 중에서 다음 함수를 모두 골라라.

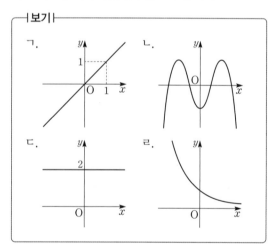

(1) 일대일함수   (2) 일대일대응
(3) 항등함수   (4) 상수함수

14

공집합이 아닌 집합 X를 정의역으로 하는 함수 $f(x)=x^3+2x^2+2x$가 항등함수가 되도록 하는 집합 X의 개수는?

① 1   ② 3   ③ 5
④ 7   ⑤ 9

15

집합 $X=\{1, 2, 3, 4, 5\}$에 대하여 집합 X에서 집합 X로의 일대일대응의 개수를 a, 항등함수의 개수를 b, 상수함수의 개수를 c라 할 때, $a+b+c$의 값을 구하여라.

16

집합 $X=\{1, 2, 3, 4\}$일 때, 함수 $f:X\longrightarrow X$ 중에서 집합 X의 모든 원소 x에 대하여 $x+f(x)\geq4$를 만족시키는 함수 f의 개수를 구하여라.

01

음이 아닌 정수 x에 대하여 함수 $f(x)$를 다음과 같이 정의할 때, $f(51)$의 값을 구하여라.

> ㈎ $f(5x+k)=f(x)+k$ (단, k는 상수이다.)
> ㈏ $f(0)=0$

02

집합 $X=\{x\,|\,x$는 정수$\}$에 대하여 함수 $f:X\longrightarrow X$를
$$f(x)=(x^2\text{을 4로 나누었을 때의 나머지})$$
로 정의할 때, 함수 f의 치역은?

① $\{0\}$ ② $\{0,\,1\}$
③ $\{0,\,1,\,2\}$ ④ $\{0,\,1,\,3\}$
⑤ $\{0,\,1,\,2,\,3\}$

03

기출

집합 $X=\{1,\,2,\,3,\,4,\,5,\,6,\,7,\,8\}$에 대하여 함수 $f:X\longrightarrow X$가 다음 조건을 만족시킨다.

> ㈎ 함수 f의 치역의 원소의 개수는 7이다.
> ㈏ $f(1)+f(2)+f(3)+f(4)+f(5)$
> $\qquad +f(6)+f(7)+f(8)=42$
> ㈐ 함수 f의 치역의 원소 중 최댓값과 최솟값의 차는 6이다.

집합 X의 어떤 두 원소 a, b에 대하여 $f(a)=f(b)=n$을 만족시키는 자연수 n의 값을 구하여라. (단, $a\neq b$)

04

임의의 양수 x에 대하여 함수 f가
$2f(x)-f\left(\dfrac{1}{x}\right)=10$을 만족시킬 때, $f(10)$의 값은?

① 1 ② 5 ③ 10
④ 15 ⑤ 20

05 기출

집합 $X = \{1, 2, 3, 4\}$에 대하여 두 함수

$$f : X \longrightarrow X, \, g : X \longrightarrow X$$

가 있다. 함수 $y = f(x)$는 $f(4) = 2$를 만족시키고 함수 $y = g(x)$의 그래프는 다음 그림과 같다.

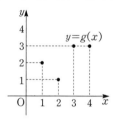

두 함수 $y = f(x)$, $y = g(x)$에 대하여 함수 $h : X \longrightarrow X$를

$$h(x) = \begin{cases} f(x) & (f(x) \geq g(x)) \\ g(x) & (g(x) > f(x)) \end{cases}$$

라 정의하자. 함수 $y = h(x)$가 일대일대응일 때, $f(2) + h(3)$의 값을 구하여라.

06

집합 $X = \{x \,|\, x \geq a\}$에 대하여 집합 X에서 집합 X로의 함수 $f(x) = x^2 - 2x - 10$이 일대일대응일 때, 상수 a의 값을 구하여라.

07

두 집합 $X = \{1, 2, 3\}$, $Y = \{10, 11, 12, 13\}$에 대하여 함수 $f : X \longrightarrow Y$를 정의하자. 집합 X의 임의의 두 원소 x_1, x_2에 대하여 $x_1 \neq x_2$이면 $f(x_1) \neq f(x_2)$인 함수 f의 집합을 A, $f(1) = 10$을 만족시키는 함수의 집합을 B라 할 때, $n(A \cup B)$의 값은?

① 29   ② 30   ③ 31

④ 32   ⑤ 34

06

합성함수와 역함수

06 합성함수와 역함수

개념 01 합성함수

(1) 합성함수

두 함수 $f: X \longrightarrow Y, g: Y \longrightarrow Z$가 주어
질 때, 집합 X의 각 원소 x에 집합 Z의 원
소 $g(f(x))$를 대응시키는 함수를 f와 g의
합성함수라 하고, 이것을 기호로 $g \circ f$와
같이 나타낸다.

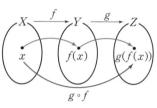

이때 두 함수 $f: X \longrightarrow Y, g: Y \longrightarrow Z$의 합성함수 $g \circ f$는

$$g \circ f : X \longrightarrow Z, \ (g \circ f)(x) = g(f(x))$$

함수 $g \circ f$의 정의역은 함수 f의 정의역과 같고, 함수 $g \circ f$의 공역은 함수 g
의 공역과 같다.

> 두 함수 f, g에 대하여 함수 f의
> 치역이 함수 g의 정의역의 부분집
> 합인 경우에 합성함수 $g \circ f$를 정
> 의할 수 있다.

[예] 오른쪽 그림과 같은 두 함수 f, g에서 화살표를 따라가면

(i) $1 \to 4 \to 8$이므로 $(g \circ f)(1) = g(f(1)) = g(4) = 8$

(ii) $2 \to 6 \to 9$이므로 $(g \circ f)(2) = g(f(2)) = g(6) = 9$

(iii) $3 \to 5 \to 7$이므로 $(g \circ f)(3) = g(f(3)) = g(5) = 7$

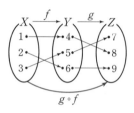

확인 01 실수 전체의 집합에서 정의된 두 함수 $f(x) = 2x+1, g(x) = 3x-1$에 대
하여 다음 값을 구하여라.

(1) $(f \circ g)(1)$ (2) $(g \circ f)(-1)$

(3) $(f \circ f)(2)$ (4) $(g \circ g)(3)$

개념 02 합성함수의 성질

(1) 합성함수의 성질

세 함수 f, g, h에 대하여

① 일반적으로 교환법칙은 성립하지 않는다. ➡ $f \circ g \neq g \circ f$

② 결합법칙은 항상 성립한다. ➡ $(f \circ g) \circ h = f \circ (g \circ h)$

③ $f: X \longrightarrow X$일 때 $f \circ I = I \circ f = f$ (단, I는 X에서의 항등함수이다.)

> 주의 항상 $f \circ g \neq g \circ f$인 것은 아니다. 함수 f와 함수 g가 서로 역함수이면 $f \circ g = g \circ f = I$
> (항등함수)가 성립한다.

> 합성함수 $(f \circ g) \circ h$는 결합법칙
> 이 성립하므로 괄호를 생략하여
> $f \circ g \circ h$로 나타내기도 한다.

확인 02 세 함수 $f(x) = x+1, g(x) = -2x+3, h(x) = -x^2+2$에 대하여 다음
값을 구하여라.

(1) $(f \circ g)(3)$ (2) $(g \circ f)(3)$

(3) $((h \circ g) \circ f)(1)$ (4) $(h \circ (g \circ f))(1)$

개념03 역함수

(1) 역함수

함수 $f:X \longrightarrow Y$가 일대일대응일 때, 집합 Y의 각
원소 y에 $f(x)=y$인 집합 X의 원소 x를 대응시키는
함수를 f의 역함수라 하고, 이것을 기호로 f^{-1}와 같이
나타낸다.

(2) 함수 $f:X \longrightarrow Y$가 일대일대응일 때, 그 역함수
$f^{-1}:Y \longrightarrow X$가 존재하고 $y=f(x) \Longleftrightarrow x=f^{-1}(y)$가 성립하므로 다음을
알 수 있다.

① $(f^{-1} \circ f)(x)=f^{-1}(f(x))=f^{-1}(y)=x \ (x \in X)$

② $(f \circ f^{-1})(y)=f(f^{-1}(y))=f(x)=y \ (y \in Y)$

(3) 역함수를 구하는 방법

❶ 함수 $y=f(x)$가 일대일대응인지 확인한다.

❷ 함수 $y=f(x)$에서 x와 y를 서로 바꾸어 $x=f(y)$의 꼴로 나타낸다.

❸ $x=f(y)$에서 y를 x에 대한 식으로 나타내어 $y=f^{-1}(x)$의 꼴로 나타낸
다. 이때 함수 f의 치역은 역함수 f^{-1}의 정의역이 되고, 함수 f의 정의역
은 역함수 f^{-1}의 치역이 된다.

> ▶ 합성함수 $f^{-1} \circ f$와 $f \circ f^{-1}$
> ① 합성함수 $f^{-1} \circ f$
> ➡ 집합 X에서의 항등함수
> ② 합성함수 $f \circ f^{-1}$
> ➡ 집합 Y에서의 항등함수

확인 03 집합 $X=\{1, 2, 3, 4\}$에서 X로의 함수 f에 대하여 $f(1)=3, f^{-1}(1)=2,$
$f(3)=2, f(4)=4$일 때, 다음 값을 구하여라.

(1) $f(2)$ (2) $f^{-1}(2)$

(3) $(f^{-1} \circ f)(1)$ (4) $(f \circ f^{-1})(3)$

개념04 역함수의 성질

(1) 함수 $f:X \longrightarrow Y$가 일대일대응이고 I가 항등함수일 때

① $(f^{-1})^{-1}=f$

② $f \circ f^{-1}=I, f^{-1} \circ f=I$

③ $f \circ I=f, I \circ f=f$

(2) 두 함수 f, g의 역함수 f^{-1}, g^{-1}가 각각 존재할 때

$$(f \circ g)^{-1}=g^{-1} \circ f^{-1}$$

(3) 역함수의 그래프

함수 $y=f(x)$의 그래프와 그 역함수 $y=f^{-1}(x)$의 그래프는 직선 $y=x$에
대하여 대칭이다.

> ▶ 함수 $y=f(x)$의 역함수가 존재하
> 기 위한 필요충분조건은 $y=f(x)$
> 가 일대일대응이어야 한다.

> ▶ $(f \circ g)^{-1} \neq f^{-1} \circ g^{-1}$

확인 04 두 함수 $f(x)=x-2, g(x)=3x-3$에 대하여 다음 값을 구하여라.

(1) $(f^{-1} \circ f)(3)$ (2) $(f \circ f^{-1})(3)$

(3) $(f \circ (f \circ g)^{-1} \circ f)(3)$ (4) $(g \circ (f \circ g)^{-1} \circ g)(3)$

세 함수 $f(x)=2x-1$, $g(x)=x^2$, $h(x)=-3x-1$에 대하여 다음 값을 구하여라.

(1) $(f \circ g)(-1)+(g \circ f)(2)$

(2) $(f \circ g \circ h)(-2)$

(3) $(f \circ f \circ f)(3)$

풍쌤
POINT

두 함수 f, g에 대하여 $(f \circ g)(a)$를 구하는 방법은 다음과 같아.

[방법 1] $(f \circ g)(x)=f(g(x))$이므로 $f(x)$의 x 대신에 $g(a)$의 값을 대입해.

[방법 2] 합성함수 $(f \circ g)(x)$를 구하여 x 대신에 a를 대입해.

풀이

(1) STEP1 $(f \circ g)(-1)$의 값 구하기

$g(-1)=(-1)^2=1$이므로

$(f \circ g)(-1)=f(g(-1))$❶$=f(1)=2 \times 1-1=1$ ❶ $(f \circ g)(x)=f(g(x))$

STEP2 $(g \circ f)(2)$의 값 구하기

$f(2)=2 \times 2-1=3$이므로

$(g \circ f)(2)=g(f(2))=g(3)=3^2=9$

STEP3 $(f \circ g)(-1)+(g \circ f)(2)$의 값 구하기

$\therefore (f \circ g)(-1)+(g \circ f)(2)=1+9=10$

(2) STEP1 $(g \circ h)(-2)$의 값 구하기

$h(-2)=-3 \times (-2)-1=5$이므로

$(g \circ h)(-2)=g(h(-2))=g(5)=5^2=25$

STEP2 $(f \circ g \circ h)(-2)$의 값 구하기

$\therefore (f \circ g \circ h)(-2)=f(g(h(-2)))$❷   ❷ $(f \circ g \circ h)(x)$
$\qquad\qquad\qquad\qquad =f(25)$ $=f(g(h(x)))$
$\qquad\qquad\qquad\qquad =2 \times 25-1=49$

(3) STEP1 $f(3)$, $f(5)$의 값 구하기

$f(3)=2 \times 3-1=5$

$f(5)=2 \times 5-1=9$

STEP2 $(f \circ f \circ f)(3)$의 값 구하기

$\therefore (f \circ f \circ f)(3)=f(f(f(3)))$
$\qquad\qquad\qquad\quad =f(f(5))$
$\qquad\qquad\qquad\quad =f(9)$
$\qquad\qquad\qquad\quad =2 \times 9-1=17$

답 (1) 10   (2) 49   (3) 17

풍쌤 강의
NOTE

$(f \circ g)(x)=f(g(x))$의 계산은 $f(x)$의 x 대신에 $g(x)$를 대입하여 구하면 된다.

01-1 ◉유사

두 함수 $f(x)=x+1$, $g(x)=2x-1$에 대하여 $(f \circ g)(1)+(g \circ f)(-1)$의 값을 구하여라.

01-2 ◉유사

세 함수 $f(x)=-2x$, $g(x)=x^2-5$, $h(x)=3x-2$에 대하여 $(f \circ g \circ h)(1)$의 값을 구하여라.

01-3 ◉유사

함수 $f(x)=-x^2+3$에 대하여 $(f \circ f \circ f)(-1)$의 값을 구하여라.

01-4 ◉변형

두 집합 $X=\{1, 2, 3, 4\}$, $Y=\{3, 4, 5, 6\}$에 대하여 두 함수 $f : X \longrightarrow Y$, $g : Y \longrightarrow X$가 아래 그림과 같을 때, 다음 값을 구하여라.

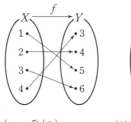 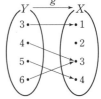

(1) $(g \circ f)(1)$ (2) $(f \circ g)(5)$

01-5 ◉변형

함수 $f(x)=\begin{cases} 0 & (x\text{는 유리수}) \\ 1 & (x\text{는 무리수}) \end{cases}$ 일 때, $(f \circ f)(\sqrt{3})$의 값을 구하여라.

01-6 ◉실력

함수 $f(x)=\begin{cases} x^2+1 & (x<0) \\ 1-x & (x \geq 0) \end{cases}$ 일 때, $(f \circ f \circ f \circ f)(2)$의 값을 구하여라.

다음 물음에 답하여라.

(1) 두 함수 $f(x)=x+1$, $g(x)=2x-5$에 대하여 $(g \circ f)(a)=1$일 때, 상수 a의 값을 구하여라.

(2) 두 함수 $f(x)=ax+1$, $g(x)=2x-3$일 때, $f \circ g=g \circ f$가 되도록 하는 상수 a의 값을 구하여라.

풍쌤 POINT

$(f \circ g)(x)=f(g(x))$를 이용하여 함수식을 세우고, 주어진 조건을 이용하여 a의 값을 구해.

풀이

(1) STEP1 $(g \circ f)(a)$ 구하기

$$(g \circ f)(a)=g(f(a))$$
$$=g(a+1)$$
$$=2(a+1)-5$$
$$=2a-3$$

STEP2 a의 값 구하기

$2a-3=1$이므로 $a=2$

(2) STEP1 $(f \circ g)(x)$ 구하기

$$(f \circ g)(x)=f(g(x))$$
$$=f(2x-3)$$
$$=a(2x-3)+1$$
$$=2ax-3a+1$$

STEP2 $(g \circ f)(x)$ 구하기

$$(g \circ f)(x)=g(f(x))$$
$$=g(ax+1)$$
$$=2(ax+1)-3$$
$$=2ax-1$$

STEP3 a의 값 구하기

$f \circ g=g \circ f$❶이므로

$2ax-3a+1=2ax-1$에서 $-3a+1=-1$

$\therefore a=\dfrac{2}{3}$

❶ $f \circ g=g \circ f$
➡ $f(g(x))=g(f(x))$

📋 (1) 2　(2) $\dfrac{2}{3}$

풍쌤 강의 NOTE

$f \circ g=g \circ f$가 성립하는 식은 $f(g(x))=g(f(x))$임을 이용한다.

02-1 ◉ 유사

두 함수 $f(x)=3x-1$, $g(x)=x^2+x-1$에 대하여 $(f \circ g)(a)=2$일 때, 양수 a의 값을 구하여라.

02-4 ◉ 변형

두 함수 $f(x)=2x+5$, $g(x)=3x-1$에 대하여 $(f \circ g)(a)=f(a)$일 때, 상수 a의 값을 구하여라.

02-2 ◉ 유사

두 함수 $f(x)=2x+a$, $g(x)=-x+1$에 대하여 $g \circ f=f \circ g$가 성립할 때, 상수 a의 값을 구하여라.

02-5 ◉ 변형

일차함수 $f(x)=ax+b$에서 $f \circ f=f$라 할 때, 상수 a, b에 대하여 $\dfrac{b}{a}$의 값을 구하여라.

02-3 ◉ 변형

함수 $f(x)=4x-3$에 대하여 $(f \circ f)(a)=17$일 때, 상수 a의 값을 구하여라.

02-6 ◉ 실력 　　　　　　　　　　　　　　　기출

함수 $f(x)=x^2-2x+a$가
$$(f \circ f)(2)=(f \circ f)(4)$$
를 만족시킬 때, $f(6)$의 값을 구하여라.
（단, a는 상수이다.）

두 함수 $f(x) = 2x - 3$, $g(x) = 6x + 3$에 대하여 다음을 구하여라.

(1) $(f \circ h)(x) = g(x)$를 만족시키는 함수 $h(x)$

(2) $(h \circ f)(x) = g(x)$를 만족시키는 함수 $h(x)$

풍쌤 POINT

$(f \circ g)(x) = h(x)$일 때

(i) $f(x)$와 $h(x)$가 주어진 경우 ➡ $f(g(x)) = h(x)$에서 $f(x)$의 x 대신에 $g(x)$를 대입해.

(ii) $g(x)$와 $h(x)$가 주어진 경우 ➡ $f(g(x)) = h(x)$에서 $g(x)$를 t로 치환하여 $f(t)$를 구해.

풀이

(1) STEP1 $(f \circ h)(x)$ 구하기

$(f \circ h)(x) = f(h(x))$
$= 2h(x) - 3$ ❶

STEP2 $h(x)$ 구하기

$(f \circ h)(x) = g(x)$이므로

$2h(x) - 3 = 6x + 3$

$\therefore h(x) = 3x + 3$

❶ $f(x)$의 x 대신에 $h(x)$를 대입한다.

(2) STEP1 $(h \circ f)(x)$ 구하기

$(h \circ f)(x) = h(f(x))$
$= h(2x - 3)$ ❷

STEP2 $h(x)$ 구하기

$(h \circ f)(x) = g(x)$이므로

$h(2x - 3) = 6x + 3$ ...... ㉠

$2x - 3 = t$로 놓으면

$2x = t + 3$ $\therefore x = \dfrac{t+3}{2}$

이를 ㉠에 대입하면

$h(t) = 6 \times \dfrac{t+3}{2} + 3$ $\therefore h(t) = 3t + 12$

t 대신 x를 대입하여 $h(x)$를 구하면

$h(x) = 3x + 12$

❷ $h(x)$의 x 대신에 $f(x)$를 대입한다.

답 (1) $h(x) = 3x + 3$ (2) $h(x) = 3x + 12$

풍쌤 강의 NOTE

두 함수 f, g에서 $f(x) = ax + b$ (a, b는 상수)이면

(i) $f(g(x)) = ag(x) + b$

(ii) $g(f(x)) = g(ax + b)$

03-1 유사

두 함수 $f(x)=x-1$, $g(x)=2x+4$에 대하여 $(g \circ h)(x)=f(x)$를 만족시키는 일차함수 $h(x)$를 구하여라.

03-4 변형

두 함수 $f(x)=\dfrac{x}{2}-1$, $g(x)$에 대하여 $(g \circ f)(x)=2x-1$이 성립할 때, $g(1)$의 값을 구하여라.

03-2 유사

세 함수 f, g, h에 대하여 $f(x)=4x-3$, $g(x)=-8x+2$일 때, $(h \circ f)(x)=g(x)$를 만족시키는 함수 $h(x)$를 구하여라.

03-5 변형 기출

0이 아닌 실수에서 정의되는 두 함수 $f(x)=1-\dfrac{1}{x}$, $g(x)=1-x$에 대하여 $h(x)=f(g(x))$라 할 때, $h(x)=\dfrac{99}{100}$를 만족시키는 실수 x의 값을 구하여라.

03-3 변형

두 함수 f, g에 대하여 $g(x)=x+8$이고 $(g \circ f)(x)=3x+2$를 만족시킬 때, $(f \circ f \circ f)(3)$의 값을 구하여라.

03-6 실력

두 함수 $f(x)=ax-b$, $g(x)=bx-a$가 $f \circ g=g \circ f$를 만족시킬 때, $f(3)+g(3)$의 값을 구하여라. (단, a, b는 서로 다른 상수이다.)

다음 물음에 답하여라.

(1) 함수 $f(x)=x+1$에 대하여 $f^1=f$, $f^{n+1}=f\circ f^n$ $(n=1,\ 2,\ 3,\ \cdots)$일 때, $f^{1000}(4)$의 값을 구하여라.

(2) 집합 $X=\{1,\ 2,\ 3\}$에 대하여 함수 $f\colon X\longrightarrow X$가 오른쪽 그림과 같다. $f^1=f$, $f^{n+1}=f\circ f^n$ $(n=1,\ 2,\ 3,\ \cdots)$일 때, $f^{200}(3)$의 값을 구하여라.

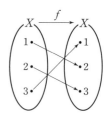

풍쌤 POINT

함수 f에 대하여 $f^1=f$, $f^{n+1}=f\circ f^n$ $(n=1,2,3,\cdots)$일 때, $f^1(x),f^2(x),f^3(x),\cdots$를 직접 구하여 $f^n(x)$를 추정한 후, $f^n(x)$에서 x 대신에 a를 대입하여 $f^n(a)$의 값을 구하면 돼.

풀이

(1) STEP1 $f^n(x)$ 구하기

$f^1(x)=x+1$

$f^2(x)=f(f(x))=(x+1)+1=x+2$

$f^3(x)=f(f^2(x))=(x+2)+1=x+3$

$f^4(x)=f(f^3(x))=(x+3)+1=x+4$

$\vdots$

$\therefore f^n(x)=x+n$ (단, n은 자연수이다.)

STEP2 $f^{1000}(4)$의 값 구하기

따라서 $f^{1000}(x)=x+1000$이므로

$f^{1000}(4)=4+1000=1004$

(2) STEP1 $f^3(x)$ 구하기

$f^3(1)=f(f(f(1)))$

$\qquad=f(f(2))$

$\qquad=f(3)=1$

같은 방법으로

$f^3(2)=2$, $f^3(3)=3$

$\therefore f^3(x)=x$

STEP2 $f^{200}(3)$의 값 구하기

따라서 $f^{200}(x)=(f^{3\times66}\circ f^2)(x)=f^2(x)$❶이므로

$f^{200}(3)=f^2(3)=f(f(3))=f(1)=2$

❶ $f^3(x)=f^6(x)=f^9(x)$
$\qquad=f^{3n}(x)=x$
$\qquad\qquad$ (n은 자연수)

이므로
$f^{200}(x)=f^{3\times66+2}(x)=f^2(x)$

답 (1) 1004 (2) 2

풍쌤 강의 NOTE

함수 f에 대하여 $f^1=f$, $f^{n+1}=f\circ f^n$ $(n=1,2,3,\cdots)$일 때, $f^1(a),f^2(a),f^3(a),\cdots$의 값에서 규칙을 찾아 $f^n(a)$의 값을 구할 수도 있다.

04-1 ⊙유사

함수 $f(x)=x-2$에 대하여
$$f^1=f, f^{n+1}=f\circ f^n\ (n=1, 2, 3, \cdots)$$
일 때, $f^{55}(100)$의 값을 구하여라.

04-2 ⊙유사

집합 $X=\{0, 1, 2\}$에 대하여
함수 $f:X \longrightarrow X$가 오른쪽
그림과 같다.

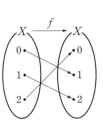

$f^1=f, f^{n+1}=f\circ f^n$
$(n=1, 2, 3, \cdots)$일 때,
$f^{99}(0)+2f^{100}(1)+3f^{101}(2)$의 값을 구하여라.

04-3 ⊙변형 　　　　　　　　　　　　　기출

일차함수 $f(x)=ax+b$ (a, b는 실수)가 다음 두 조건을 만족시킨다.

> ㈎ $f(-1)=-1$
> ㈏ $f^3(3)-f^3(2)=-1$

이때 $f(4)$의 값을 구하여라.
(단, $f^3(x)=(f\circ f\circ f)(x)$)

04-4 ⊙변형

집합 $A=\{1, 2, 3, 4\}$에 대하여 함수 $f:A \longrightarrow A$를
다음과 같이 정의한다.
$$f(x)=\begin{cases}x+1 & (x<4)\\ 1 & (x=4)\end{cases},\ f^1=f, f^{n+1}=f\circ f^n$$
$$(n=1, 2, 3, \cdots)$$
이라 할 때, $f^{2022}(1)$의 값을 구하여라.

04-5 ⊙변형

오른쪽 그림은 두 함수
$y=f(x)$와 $y=x$의
그래프이다. 합성함수
$f\circ f$를 f^2, $f^2\circ f$를 f^3,
$\cdots$, $f^n\circ f$를 f^{n+1} (n은
자연수)로 나타낼 때,
$f^4\left(\dfrac{1}{4}\right)$의 값을 구하여라.

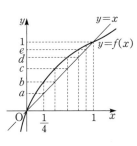

(단, 모든 점선은 x축 또는 y축에 평행하다.)

04-6 ⊙실력

함수 $f(x)=5x-[5x]$에 대하여
$$f^1(x)=f(x),$$
$$f^2(x)=(f\circ f)(x),$$
$$f^3(x)=(f\circ f^2)(x),$$
$$\vdots$$
$$f^n(x)=(f\circ f^{n-1})(x)\ (n=2, 3, 4, \cdots)$$
일 때, $f\left(\dfrac{3}{8}\right)+f^2\left(\dfrac{3}{8}\right)+\cdots+f^{80}\left(\dfrac{3}{8}\right)$의 값을 구하여라. (단, $[x]$는 x보다 크지 않은 최대의 정수이다.)

다음 물음에 답하여라.

(1) 함수 $f(x)=ax+b$에 대하여 $f(2)=1$, $f^{-1}(0)=3$일 때, $a+b$의 값을 구하여라.

(단, a, b는 상수이다.)

(2) 집합 $X=\{1, 2, 3, 4\}$에 대하여 함수 $f:X \longrightarrow X$가 오른쪽 그림과 같을 때, $f(1)+f^{-1}(3)$의 값을 구하여라.

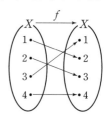

풍쌤 POINT

함수 f의 역함수가 f^{-1}일 때, $f^{-1}(a)=b \Longleftrightarrow f(b)=a$

풀이

(1) **STEP1** a, b의 값 구하기

$f(2)=1$이므로 $2a+b=1$ ...... ㉠

$f^{-1}(0)=3$에서 $f(3)=0$❶이므로

$3a+b=0$ ...... ㉡

❶ $f(p)=q \Longleftrightarrow f^{-1}(q)=p$

㉠, ㉡을 연립하여 풀면

$a=-1$, $b=3$

STEP2 $a+b$의 값 구하기

$\therefore a+b=-1+3=2$

(2) **STEP1** $f(1)$, $f^{-1}(3)$의 값 구하기

주어진 그림에서 $f(1)=2$

또, $f^{-1}(3)=k$ (k는 상수)로 놓으면 $f(k)=3$

이때 $k=2$일 때 함숫값이 3이므로

$f(2)=3$에서 $f^{-1}(3)=2$

STEP2 $f(1)+f^{-1}(3)$의 값 구하기

$\therefore f(1)+f^{-1}(3)=2+2=4$

답 (1) 2 (2) 4

풍쌤 강의 NOTE

역함수의 함숫값에 대한 문제는 역함수를 직접 구하지 않고도 역함수의 정의를 이용하여 함숫값을 구할 수 있다.

05-1 기본

함수 $f(x)=\dfrac{3}{4}x-k$에 대하여 $f(2)=\dfrac{1}{2}$일 때, $f^{-1}(5)$의 값을 구하여라. (단, k는 상수이다.)

05-4 변형

두 함수 $f(x)=2x+a$, $g(x)=x^2+bx+3$에 대하여 $f^{-1}(4)=2$, $g(1)=5$일 때, $a+b$의 값을 구하여라.

(단, a, b는 상수이다.)

05-2 유사

함수 $f(x)=ax+1$에 대하여 $f^{-1}(2)=3$, $f^{-1}(b)=4$일 때, $a+b$의 값을 구하여라. (단, a, b는 상수이다.)

05-5 변형 기출

일차함수 $f(x)$의 역함수를 $g(x)$라 할 때, 함수
$$y=f(2x+3)$$
의 역함수를 $g(x)$에 대한 식으로 나타내면 $y=ag(x)+b$이다. 상수 a, b에 대하여 $a+b$의 값을 구하여라.

05-3 유사

두 집합 $X=\{1, 2, 3, 4\}$, $Y=\{-1, -2, -3, -4\}$에 대하여 함수 $f: X \longrightarrow Y$가 오른쪽 그림과 같다. 이때 $f(2)+f^{-1}(-3)$의 값을 구하여라.

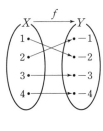

05-6 실력

함수 $f(x)=x^3-3x^2+4x-3$의 역함수를 $g(x)$라 할 때, 방정식 $g(x)=2x$의 모든 실근의 합을 구하여라.

다음 |보기|의 함수 중 역함수가 존재하는 것만을 모두 골라라.

> ┤보기├
>
> ㄱ. $y=3$
> ㄴ. $y=-3x+1$
> ㄷ. $y=x^2+4x+2$
> ㄹ. $y=x^2-6x$ (단, $-1 \leq x \leq 1$)

풍쌤 POINT

- 함수 f의 역함수 f^{-1}가 존재하려면 함수 f가 일대일대응이어야 해.
- 함수 f가 일대일대응이 되려면 정의역의 임의의 두 원소 x_1, x_2에 대하여
  $x_1 \neq x_2$이면 $f(x_1) \neq f(x_2)$이고 치역과 공역이 같아야 해.

풀이

STEP1 역함수가 존재하기 위한 조건 알아내기

역함수가 존재하기 위해서는 일대일대응이어야 하므로 x축에 평행한 직선을 그었을 때, 함수의 그래프와의 교점이 하나이어야 한다.

STEP2 |보기|에서 역함수가 존재하는 것 고르기

|보기|의 각 함수의 그래프를 그리면 다음 그림과 같다.

ㄱ.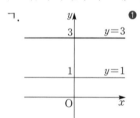

ㄴ.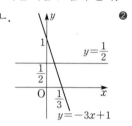

ㄷ.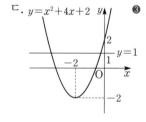

ㄹ.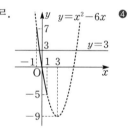

❶ 직선 $y=3$은 직선 $y=1$과 만나지 않는다.

❷ 직선 $y=-3x+1$은 x축에 평행한 모든 직선과의 교점이 하나이다.

❸ 함수 $y=x^2+4x+2$의 그래프와 직선 $y=1$은 두 점에서 만난다.

❹ $-1 \leq x \leq 1$의 범위에서 함수 $y=x^2-6x$의 그래프는 x축에 평행한 모든 직선과의 교점이 하나이다.

따라서 역함수가 존재하는 것은 ㄴ, ㄹ이다.

답 ㄴ, ㄹ

풍쌤 강의 NOTE

역함수가 존재하기 위해서는 일대일대응이어야 하므로 x축에 평행한 직선을 그었을 때 함수의 그래프와의 교점이 하나이어야 한다.

06-1 ⦿ 유사

다음 |보기|의 함수 중 역함수가 존재하는 것만을 모두 골라라.

┤보기├

ㄱ. $y=x^2-1$ ㄴ. $y=|x|+1$

ㄷ. $y=2x+2$ ㄹ. $y=-4$

06-2 ⦿ 유사

다음 |보기|의 함수가 실수 전체의 집합 R에서 R로의 함수일 때, 역함수가 존재하는 것만을 모두 골라라.

┤보기├

ㄱ. $f(x)=\begin{cases} x^2 & (x\geq 0) \\ x & (x<0) \end{cases}$

ㄴ. $g(x)=\begin{cases} x+1 & (x\geq 0) \\ -x+1 & (x<0) \end{cases}$

ㄷ. $h(x)=\begin{cases} x^2+1 & (x\geq 0) \\ -x^2-1 & (x<0) \end{cases}$

06-3 ⦿ 변형

집합 $X=\{x|x\geq a\}$를 정의역으로 하는 함수 $f(x)=2x^2-4x+4$의 역함수가 존재하기 위한 실수 a의 최솟값을 구하여라.

06-4 ⦿ 변형

실수 전체의 집합에서 정의된 함수

$$f(x)=\begin{cases} x^2 & (1\leq x\leq 3) \\ ax+b & (x<1 \text{ 또는 } x>3) \end{cases}$$

의 역함수가 존재하도록 하는 상수 a, b에 대하여 $a-b$의 값을 구하여라.

06-5 ⦿ 변형

두 집합 $X=\{x|x\geq 1\}$, $Y=\{y|y\geq 2\}$에 대하여 X에서 Y로의 함수 $f(x)=x^2+2ax+a^2-2$의 역함수가 존재할 때, 상수 a의 값을 구하여라.

06-6 ⦿ 실력

두 집합 $X=\{x|1\leq x\leq 5\}$, $Y=\{1\leq y\leq 3\}$에 대하여 X에서 Y로의 함수 $f(x)=ax+b$ $(a>0)$의 역함수가 존재할 때, a^2+b^2의 값을 구하여라.
(단, a, b는 상수이다.)

다음 물음에 답하여라.

(1) 일차함수 $f(x)=ax+1$의 역함수 $f^{-1}(x)$에 대하여 $f(x)=f^{-1}(x)$일 때, 상수 a의 값을 구하여라.

(2) 일차함수 $f(x)=ax+\dfrac{7}{2}$의 역함수가 $f^{-1}(x)=2x+b$일 때, 상수 a, b에 대하여 $4a+b$의 값을 구하여라.

풍쌤 POINT

일대일대응인 함수 $y=f(x)$의 역함수 $y=f^{-1}(x)$는 다음과 같은 순서로 구해.

❶ x와 y를 서로 바꾸어 $x=f(y)$의 꼴로 나타내.

❷ $x=f(y)$에서 y를 x에 대한 식으로 나타내어 $y=f^{-1}(x)$의 꼴로 만들어.

풀이

(1) **STEP 1 $f^{-1}(x)$ 구하기**

$y=ax+1$로 놓고 x와 y를 서로 바꾸면

$x=ay+1$

즉, $y=\dfrac{1}{a}x-\dfrac{1}{a}$이므로 $f^{-1}(x)=\dfrac{1}{a}x-\dfrac{1}{a}$

STEP 2 a의 값 구하기

$f(x)=f^{-1}(x)$이므로

$ax+1=\dfrac{1}{a}x-\dfrac{1}{a}$에서 $a=\dfrac{1}{a}$, $1=-\dfrac{1}{a}$ ❶

$\therefore a=-1$

> ❶ $ax+b=a'x+b'$이 x에 대한 항등식 $\Longleftrightarrow a=a'$, $b=b'$

(2) **STEP 1 $f^{-1}(x)$ 구하기**

$y=ax+\dfrac{7}{2}$로 놓고 x와 y를 서로 바꾸면

$x=ay+\dfrac{7}{2}$

즉, $y=\dfrac{1}{a}x-\dfrac{7}{2a}$이므로 $f^{-1}(x)=\dfrac{1}{a}x-\dfrac{7}{2a}$

STEP 2 $4a+b$의 값 구하기

$\dfrac{1}{a}x-\dfrac{7}{2a}=2x+b$이므로

$\dfrac{1}{a}=2$, $-\dfrac{7}{2a}=b$

위의 두 식을 연립하여 풀면 $a=\dfrac{1}{2}$, $b=-7$

$\therefore 4a+b=2-7=-5$

답 (1) -1 (2) -5

풍쌤 강의 NOTE

함수 f^{-1}의 정의역은 f의 치역이고, 함수 f^{-1}의 치역은 f의 정의역이다.

07-1 ◉기본

다음 함수의 역함수를 구하여라.

(1) $y = 2x + 3$

(2) $y = -5x - 10$

07-2 ◉기본

함수 $f(x) = x^2 + 2$ $(x \geq 0)$의 역함수를 구하여라.

07-3 ◉유사

함수 $f(x) = x + a$와 그 역함수 $f^{-1}(x)$가 서로 같을 때, 상수 a의 값을 구하여라.

07-4 ◉유사

일차함수 $f(x) = ax + b$의 역함수가 $f^{-1}(x) = 2x - 1$일 때, 상수 a, b에 대하여 ab의 값을 구하여라.

07-5 ◉변형 ⬤기출

일차함수 $f(x)$가 $f(2x+1) = 4x + 7$을 만족시킬 때, $f^{-1}(11)$의 값을 구하여라.

07-6 ◉실력

실수 전체의 집합에서 정의된 함수 $f(x)$가 임의의 실수 x에 대하여 $f(x^3 + x^2 + x) = \dfrac{x}{2} + 1$을 만족시킨다. $f(x)$의 역함수가 $f^{-1}(x) = ax^3 + bx^2 + cx + d$일 때, $\dfrac{bd}{ac}$의 값을 구하여라. (단, a, b, c, d는 상수이다.)

일차함수 $y=f(x)$와 그 역함수 $y=f^{-1}(x)$의 그래프가 오른쪽 그림과 같을 때, 두 직선의 교점 P의 좌표를 구하여라.

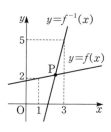

풍쌤 POINT

함수 f의 역함수를 f^{-1}라 할 때

(ⅰ) 함수 $y=f(x)$의 그래프와 $y=f^{-1}(x)$의 그래프는 직선 $y=x$에 대하여 대칭이야.

(ⅱ) 함수 $y=f(x)$의 그래프와 $y=f^{-1}(x)$의 그래프의 교점은 함수 $y=f(x)$의 그래프와 직선 $y=x$의 교점과 같아.

풀이

STEP1 $f(x)$ 구하기

$f(x)=ax+b$**❶**로 놓으면

$f(1)=2$이므로

$a+b=2$ ······ ㉠

$f^{-1}(3)=5$에서 $f(5)=3$**❷**이므로

$5a+b=3$ ······ ㉡

㉠, ㉡을 연립하여 풀면

$a=\dfrac{1}{4}$, $b=\dfrac{7}{4}$

$\therefore f(x)=\dfrac{1}{4}x+\dfrac{7}{4}$

STEP2 교점 P의 좌표 구하기

두 함수 $y=f(x)$와 $y=f^{-1}(x)$의 그래프는 직선 $y=x$에 대하여 대칭이고, 그 교점은 함수 $y=f(x)$의 그래프와 직선 $y=x$의 교점과 같다.

즉, $\dfrac{1}{4}x+\dfrac{7}{4}=x$에서 $\dfrac{3}{4}x=\dfrac{7}{4}$ $\therefore x=\dfrac{7}{3}$

따라서 교점 P의 좌표는 $\left(\dfrac{7}{3},\ \dfrac{7}{3}\right)$**❸**이다.

답 $\left(\dfrac{7}{3},\ \dfrac{7}{3}\right)$

❶ $y=f(x)$가 일차함수이므로 $f(x)$는 x에 대한 일차식이다.

❷ $f(p)=q \iff f^{-1}(q)=p$

❸ 점 P는 직선 $y=x$ 위의 점이므로 점 P의 y좌표는 x좌표와 같다.

풍쌤 강의 NOTE

함수 $y=f(x)$의 그래프와 $y=f^{-1}(x)$의 그래프는 직선 $y=x$에 대하여 대칭이므로 두 그래프의 교점은 직선 $y=x$ 위에 있다.

08-1 유사

함수 $f(x)=3x-3$의 역함수를 $g(x)$라 하고 두 직선 $y=f(x)$와 $y=g(x)$의 교점을 (a, b)라 할 때, $a+b$의 값을 구하여라.

08-2 유사

함수 $y=ax+b$ $(a\neq 0)$의 그래프가 점 $(2, -1)$을 지나고 그 역함수의 그래프가 점 $(3, 4)$를 지날 때, 상수 a, b에 대하여 $a+b$의 값을 구하여라.

08-3 변형

함수 $f(x)=ax+b$ $(a\neq 0)$가 모든 실수 x에 대하여 $(f\circ f)(x)=x$를 만족시킨다. $y=f(x)$의 그래프가 점 $(2, 5)$를 지날 때, $f(-1)$의 값을 구하여라.

(단, a, b는 상수이다.)

08-4 변형

일차함수 $f(x)=ax+b$의 그래프가 직선 $y=\dfrac{1}{2}x+3$에 수직이고, 그 역함수 $y=f^{-1}(x)$의 그래프가 점 $(-1, 2)$를 지날 때, 상수 a, b에 대하여 ab의 값을 구하여라.

08-5 변형

함수 $f(x)=2x-4$의 역함수를 $f^{-1}(x)$라 할 때, $y=f(x)$와 $y=f^{-1}(x)$의 그래프의 교점을 P라 하자. 이때 선분 OP의 길이를 구하여라.

(단, O는 원점이다.)

08-6 변형 기출

함수 $f(x)=x^2-6x$ $(x\geq 3)$의 그래프와 그 역함수 $y=f^{-1}(x)$의 그래프의 교점이 (a, b)일 때, $10ab$의 값을 구하여라.

다음 물음에 답하여라.

(1) 두 함수 $f(x)=\dfrac{1}{2}x$, $g(x)=2x+5$에 대하여 $(g \circ f^{-1})(2)$의 값을 구하여라.

(2) 집합 $X=\{1,\ 2,\ 3,\ 4\}$에 대하여 X에서 X로의 두 함수 f와 g가 오른쪽 그림과 같을 때, $(f \circ g^{-1})(1)+(g \circ f)^{-1}(4)$의 값을 구하여라.

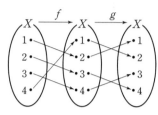

풍쌤 POINT

두 함수 f, g의 역함수가 각각 f^{-1}, g^{-1}일 때

(i) $f \circ f^{-1}=f^{-1} \circ f=I$ (단, I는 항등함수이다.)

(ii) $(f \circ g)^{-1}=g^{-1} \circ f^{-1}$

풀이

(1) $(g \circ f^{-1})(2)=g(f^{-1}(2))$에서

$f^{-1}(2)=k$ (k는 상수)로 놓으면 $f(k)=2$

$f(x)=\dfrac{1}{2}x$이므로 $\dfrac{1}{2}k=2$에서 $k=4$, 즉 $f^{-1}(2)=4$

$\therefore (g \circ f^{-1})(2)=g(f^{-1}(2))=g(4)$

$\qquad\qquad\qquad = 2 \times 4 + 5 = 13$

다른 풀이

$y=\dfrac{1}{2}x$로 놓고, x와 y를 서로 바꾸면

$x=\dfrac{1}{2}y$

즉, $y=2x$이므로 $f^{-1}(x)=2x$

$(g \circ f^{-1})(x)=g(f^{-1}(x))=g(2x)=4x+5$이므로

$(g \circ f^{-1})(2)=4 \times 2 + 5 = 13$

(2) **STEP 1** $(f \circ g^{-1})(1)$, $(g \circ f)^{-1}(4)$의 값 구하기

$(f \circ g^{-1})(1)=f(g^{-1}(1))=f(2)^{\text{❶}}=3$

$(g \circ f)^{-1}(4)=(f^{-1} \circ g^{-1})(4)$

$\qquad\qquad = f^{-1}(g^{-1}(4))=f^{-1}(3)^{\text{❷}}=2^{\text{❸}}$

STEP 2 $(f \circ g^{-1})(1)+(g \circ f)^{-1}(4)$의 값 구하기

$\therefore (f \circ g^{-1})(1)+(g \circ f)^{-1}(4)=3+2=5$

❶ $g(2)=1$이므로 $g^{-1}(1)=2$

❷ $g(3)=4$이므로 $g^{-1}(4)=3$

❸ $f(2)=3$이므로 $f^{-1}(3)=2$

답 (1) 13 (2) 5

풍쌤 강의 NOTE

합성함수와 역함수 관련 문제는 우선 역함수의 성질을 이용하여 주어진 식을 간단히 하면 역함수의 함숫값을 구하는 문제로 바뀌게 된다.

09-1 ⦿ 유사

두 함수 $f(x)=3x-1$, $g(x)=x+1$일 때, $(f^{-1} \circ g)(4)$의 값을 구하여라.

09-2 ⦿ 유사

집합 $X=\{1, 3, 5, 7\}$에 대하여 X에서 X로의 두 함수 f, g가 다음 그림과 같을 때, $(f \circ g^{-1})(5)+(f \circ g)^{-1}(5)$의 값을 구하여라.

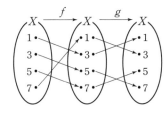

09-3 ⦿ 변형

두 함수 $f(x)=2x$, $g(x)=x^2$에 대하여 $(f \circ (f \circ g)^{-1} \circ f)(k)=4$를 만족시키는 상수 k의 값을 구하여라.

09-4 ⦿ 변형

세 함수 $f(x)=2x$, $g(x)=x+2$, $h(x)$에 대하여 $(f^{-1} \circ g^{-1})(x)=h(x)$를 만족시킬 때, $h(2)$의 값을 구하여라.

09-5 ⦿ 변형

함수 $f(x)=2x-1$이고 함수 $g(x)$는 임의의 함수 $h(x)$에 대하여 $(h \circ g \circ f)(x)=h(x)$를 만족시킬 때, $g(5)$의 값을 구하여라.

09-6 ⦿ 실력   기출

집합 $X=\{1, 2, 3, 4\}$에 대하여 함수 $f: X \longrightarrow X$가 다음 그림과 같다.

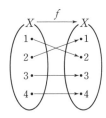

함수 $g: X \longrightarrow X$의 역함수가 존재하고
$$g(2)=3, \ g^{-1}(1)=3, \ (g \circ f)(2)=2$$
일 때, $g^{-1}(4)+(f \circ g)(2)$의 값을 구하여라.

다음 물음에 답하여라.

(1) 함수 $y=f(x)$의 그래프와 직선 $y=x$가 오른쪽 그림과 같다. 함수 $f(x)$의 역함수를 $g(x)$라 할 때, $(g \circ g)(k)$의 값을 구하여라. (단, 모든 점선은 x축 또는 y축에 평행하다.)

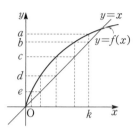

(2) 함수 $y=f(x)$의 그래프와 직선 $y=x$가 오른쪽 그림과 같을 때, $(f \circ f \circ f)^{-1}(b)$의 값을 구하여라.
(단, 모든 점선은 x축 또는 y축에 평행하다.)

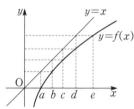

풍쌤 POINT

함수 f에 대하여 $y=f(x)$의 그래프가 점 (a, b)를 지난다는 것은

➡ 그 역함수 f^{-1}에 대하여 $y=f^{-1}(x)$의 그래프가 점 (b, a)를 지난다는 것과 같아.

➡ $f^{-1}(b)=a$이기도 해.

풀이

(1) $k=b$[①]이므로 $g(b)=p$ (p는 상수)로 놓으면 $f(p)=b$[②]에서 $p=c$이므로
$g(b)=c$
또, $g(c)=q$ (q는 상수)로 놓으면
$f(q)=c$에서 $q=d$이므로
$g(c)=d$
$\therefore (g \circ g)(k)=g(g(k))=g(g(b))=g(c)=d$

(2) $f^{-1}(b)=s$ (s는 상수)로 놓으면
$f(s)=b$에서 $s=c$이므로
$f^{-1}(b)=c$
$f^{-1}(c)=t$ (t는 상수)로 놓으면
$f(t)=c$에서 $t=d$이므로
$f^{-1}(c)=d$
$f^{-1}(d)=u$ (u는 상수)로 놓으면 $f(u)=d$에서 $u=e$이므로
$f^{-1}(d)=e$
$\therefore (f \circ f \circ f)^{-1}(b)=f^{-1}(f^{-1}(f^{-1}(b)))=f^{-1}(f^{-1}(c))$
$\qquad =f^{-1}(d)=e$

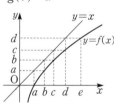

❶ 직선 $y=x$ 위의 모든 점은 x좌표와 y좌표가 같다.

❷ $g(b)=p$에서 $g^{-1}(p)=b$이고 $g^{-1}=f$이므로 $f(p)=b$이다.

🔲 (1) d (2) e

풍쌤 강의 NOTE

함수의 그래프와 그 역함수의 그래프는 직선 $y=x$에 대하여 대칭이다.

10-1 ◉유사

오른쪽 그림은 함수 $y=f(x)$의 그래프와 직선 $y=x$이다. 이때 $(f^{-1} \circ f^{-1})(c)$의 값을 구하여라.
(단, 모든 점선은 x축 또는 y축에 평행하다.)

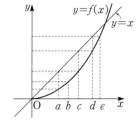

10-2 ◉유사

함수 $y=f(x)$의 그래프와 직선 $y=x$가 오른쪽 그림과 같을 때, $(f \circ f \circ f)^{-1}(e)$의 값을 구하여라.
(단, 모든 점선은 x축 또는 y축에 평행하다.)

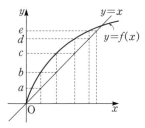

10-3 ◉변형

집합 $A=\{x \mid 0 \le x \le 1\}$에 대하여 A에서 A로의 함수 $y=f(x)$와 함수 $y=g(x)$의 그래프가 오른쪽 그림과 같을 때, $(f \circ g \circ f^{-1})(d)$의 값을 구하여라.
(단, 모든 점선은 x축 또는 y축에 평행하다.)

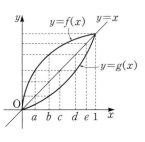

10-4 ◉변형

오른쪽 그림은 두 함수 $y=f(x)$와 $y=g(x)$의 그래프이다. $(f \circ g^{-1} \circ f \circ g^{-1})(r)$의 값을 구하여라.
(단, 모든 점선은 x축 또는 y축에 평행하다.)

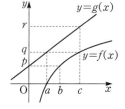

10-5 ◉변형

세 함수 $y=f(x)$, $y=g(x)$, $y=x$의 그래프가 오른쪽 그림과 같을 때, $(g \circ f)^{-1}(3)+g^{-1}(2)$의 값을 구하여라.
(단, 모든 점선은 x축 또는 y축에 평행하다.)

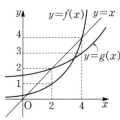

10-6 ◉실력   기출

집합 $A=\{1,\ 2,\ 3,\ 4,\ 5\}$에 대하여 집합 A에서 집합 A로의 두 함수 $f(x)$, $g(x)$가 있다. 두 함수 $y=f(x)$, $y=(f \circ g)(x)$의 그래프가 각각 다음 그림과 같을 때, $g(2)+(g \circ f)^{-1}(1)$의 값을 구하여라.

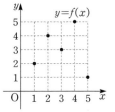 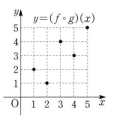

합성함수의 그래프

합성함수의 그래프를 그리는 방법에 대하여 알아보고, 이를 활용할 수 있도록 하자.

예시 1 합성함수의 그래프 (1)

$0 \leq x \leq 2$에서 정의된 두 함수 $y = f(x)$와 $y = g(x)$의 그래프가 다음 그림과 같을 때, 함수 $y = (f \circ g)(x)$의 그래프를 그려라.

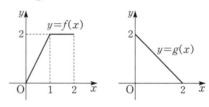

풍산자 풀이 흐름

❶ 함수 $f(x)$의 함수식을 구한다.

❷ 함수 $g(x)$의 함수식을 구한다.

❸ 합성함수 $(f \circ g)(x)$의 함수식을 구한다.

❹ 함수 $y = (f \circ g)(x)$의 그래프를 그린다.

❶ 함수 $f(x)$는 $0 \leq x \leq 1$일 때, 두 점 $(0, 0)$, $(1, 2)$를 지나므로

$$f(x) = \frac{2-0}{1-0}x = 2x$$

또, $1 \leq x \leq 2$일 때, $f(x) = 2$이므로 $f(x) = \begin{cases} 2x & (0 \leq x \leq 1) \\ 2 & (1 \leq x \leq 2) \end{cases}$

❷ 함수 $g(x)$는 $0 \leq x \leq 2$일 때, 두 점 $(0, 2)$, $(2, 0)$을 지나므로

$$g(x) - 2 = \frac{0-2}{2-0}x$$에서 $g(x) = -x + 2 \ (0 \leq x \leq 2)$

❸ $(f \circ g)(x) = f(g(x))$

$$= \begin{cases} 2g(x) & (0 \leq g(x) \leq 1) \\ 2 & (1 \leq g(x) \leq 2) \end{cases}$$

$$= \begin{cases} 2(-x+2) & (0 \leq -x+2 \leq 1) \\ 2 & (1 \leq -x+2 \leq 2) \end{cases}$$

$$= \begin{cases} 2 & (0 \leq x \leq 1) \\ -2x+4 & (1 \leq x \leq 2) \end{cases}$$

❹ 따라서 함수 $y = (f \circ g)(x)$의 그래프는 오른쪽 그림과 같다.

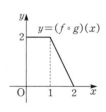

함수식을 구하지 않고 x의 값에 따라 꺾인 점에서의 $f(g(x))$의 값을 구해 그래프를 그릴 수도 있다.

x	$g(x)$	$f(g(x))$
0	2	2
1	1	2
2	0	0

✔ **확인 1** 정답과 풀이 **99**쪽

$0 \leq x \leq 3$에서 정의된 두 함수 $y = f(x)$와 $y = g(x)$의 그래프가 다음 그림과 같을 때, 함수 $y = (f \circ g)(x)$의 그래프를 그려라.

 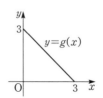

예시 2 합성함수의 그래프(2)

$0 \le x \le 4$에서 정의된 함수 $y=f(x)$의 그래프가 오른쪽 그림과 같을 때, 함수 $y=(f \circ f)(x)$의 그래프를 그려라.

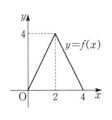

❶ 함수 $f(x)$는 $0 \le x \le 2$일 때, 두 점 $(0, 0)$, $(2, 4)$를 지나므로

$$f(x) = \frac{4-0}{2-0}x = 2x$$

또, $2 \le x \le 4$일 때, 두 점 $(2, 4)$, $(4, 0)$을 지나므로

$$f(x) - 4 = \frac{0-4}{4-2}(x-2)$$에서

$$f(x) = -2x + 8$$

$$\therefore f(x) = \begin{cases} 2x & (0 \le x \le 2) \\ -2x + 8 & (2 \le x \le 4) \end{cases}$$

❷ $(f \circ f)(x) = f(f(x)) = \begin{cases} 2f(x) & (0 \le f(x) \le 2) \\ -2f(x) + 8 & (2 \le f(x) \le 4) \end{cases}$에서

(ⅰ) $0 \le x \le 1$일 때, $0 \le f(x) \le 2$이므로

$$f(f(x)) = 2f(x) = 2 \times 2x = 4x$$

(ⅱ) $1 \le x \le 2$일 때, $2 \le f(x) \le 4$이므로

$$f(f(x)) = -2f(x) + 8 = -2 \times 2x + 8 = -4x + 8$$

(ⅲ) $2 \le x \le 3$일 때, $2 \le f(x) \le 4$이므로

$$f(f(x)) = -2f(x) + 8 = -2(-2x+8) + 8 = 4x - 8$$

(ⅳ) $3 \le x \le 4$일 때, $0 \le f(x) \le 2$이므로

$$f(f(x)) = 2f(x) = 2(-2x+8) = -4x + 16$$

❸ 따라서 함수 $y=(f \circ f)(x)$의 그래프는 오른쪽 그림과 같다.

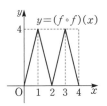

풍산자 풀이 흐름

❶ 함수 $f(x)$의 함수식을 구한다.

❷ 합성함수 $(f \circ f)(x)$의 함수식을 구한다.

❸ 함수 $y=(f \circ f)(x)$의 그래프를 그린다.

함수식을 구하지 않고 x의 값에 따라 꺾인 점에서의 $f(f(x))$의 값을 구해 그래프를 그릴 수도 있다.

x	$f(x)$	$f(f(x))$
0	0	0
1	2	4
2	4	0
3	2	4
4	0	0

✔️ **확인 2**

정답과 풀이 **99쪽**

$0 \le x \le 2$에서 정의된 함수 $y=f(x)$의 그래프가 오른쪽 그림과 같을 때, 함수 $y=(f \circ f)(x)$의 그래프를 그려라.

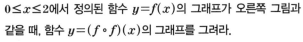

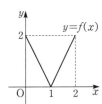

01

두 함수 $f(x)=x-1$, $g(x)-x^2+4$에 대하여 $(f \circ (g \circ f))(x)=18$을 만족시키는 모든 실수 x의 값의 합은?

① -3 ② 0 ③ 2

④ 5 ⑤ 8

02

두 함수 $f(x)$, $g(x)$가
$$f(x)=\begin{cases} 0 & (x \geq 1) \\ 1 & (x < 1) \end{cases}, \quad g(x)=x^2-x+1$$
일 때, 다음 중 합성함수 $(g \circ f)(x)$의 그래프의 개형은?

①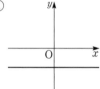
②

③
④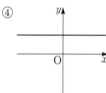

⑤

03

일차함수 $g(x)$가 모든 실수 x에 대하여 $g(g(x))=x$이고 $g(0)=1$일 때, $g(-1)$의 값은?

① -4 ② -2 ③ 0

④ 2 ⑤ 4

04 `기출`

두 함수 $f(x)=x+a$, $g(x)=\begin{cases} x-2 & (x<2) \\ x^2 & (x \geq 2) \end{cases}$에 대하여 $(f \circ g)(0)+(g \circ f)(0)=10$을 만족시키는 상수 a의 값을 구하여라.

05 서술형

실수 전체의 집합에서 정의된 함수 f, g가
$$f(x)=ax+b \ (a \neq 0), \quad g(x)=2x^2+3x+1$$
이고, 모든 실수 x에 대하여 $(f \circ g)(x)=(g \circ f)(x)$를 만족시킬 때, $f(1)+f(2)+f(3)+\cdots+f(9)$의 값을 구하여라.

(단, a, b는 상수이다.)

06

세 함수 f, g, h를

$$f(x)=x-1 \ (1\leq x\leq 3)$$
$$g(x)=(x-1)^2 \ (0\leq x\leq 3)$$
$$h(x)=x^3 \ (0\leq x\leq 4)$$

과 같이 정의할 때, 다음 중 함수가 정의되지 <u>않는</u> 것은?

① $g\circ f$　　② $h\circ f$　　③ $h\circ g$

④ $h\circ g\circ f$　　⑤ $h\circ f\circ g$

07　기출

집합 $X=\{1,\ 2,\ 3\}$에 대하여 함수 $f:X\longrightarrow X$가 다음 그림과 같이 주어져 있다.

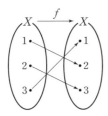

$f^1(x)=f(x)$, $f^{n+1}(x)=f(f^n(x))$ $(n=1,\ 2,\ 3,\ \cdots)$
라 할 때, $f^{2010}(2)+f^{2011}(3)$의 값을 구하여라.

08　서술형

함수 $f(x)=x^2-2x-4 \ (x\geq 1)$의 그래프와 그 역함수 $y=f^{-1}(x)$의 그래프의 교점을 P라 할 때, 선분 OP의 길이를 구하여라. (단, O는 원점이다.)

09

함수 $f(x)=4x-1$의 역함수를 $g(x)$라 할 때, 함수 $f(3x)$의 역함수를 $g(x)$로 나타낸 것은?

① $g\left(\dfrac{x}{3}\right)$　　② $3g(x)$　　③ $g(3x)$

④ $\dfrac{1}{3}g(3x)$　　⑤ $\dfrac{1}{3}g(x)$

10　기출

임의의 실수 x에 대하여 함수 $f(x)$가 항상 $f(f(x))=x$를 만족시킬 때, 함수 $y=f(x)$의 그래프의 대칭성에 대한 설명으로 다음 중 옳은 것은?

① x축에 대하여 대칭이다.

② y축에 대하여 대칭이다.

③ 원점에 대하여 대칭이다.

④ 직선 $y=x$에 대하여 대칭이다.

⑤ 직선 $y=-x$에 대하여 대칭이다.

11

실수 전체의 집합에서 정의된 두 함수 f, g가 일대일대응이고, $(g\circ f)^{-1}(x)=2x-1$, $f(3)=5$일 때, $g(5)$의 값을 구하여라.

12

아래 그림과 같은 함수 $y=f(x)$와 그 역함수
$y=f^{-1}(x)$의 그래프가 다음 조건을 모두 만족시킨다.

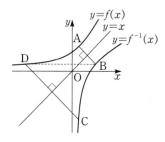

> (가) 두 선분 AB, CD는 직선 $y=x$에 수직이다.
> (나) 선분 BD는 x축에 평행하다.

점 A의 좌표가 $(1, 2)$이고 $f(1)-f^{-1}(1)=5$일 때,
삼각형 ABD의 넓이를 구하여라.

13

함수 $f(x)=\dfrac{x^2}{4}+a \ (x \geq 0)$의 역함수를 $g(x)$라 할
때, 방정식 $f(x)=g(x)$가 음이 아닌 서로 다른 두 실
근을 가지도록 하는 실수 a의 값의 범위는?

① $0 \leq a < 1$ ② $a \geq 0$ ③ $a < 1$
④ $0 < a < 2$ ⑤ $a < 2$

14

집합 $X=\{1, 2, 3, 4\}$에서 집합 $Y=\{1, 3, 7, 9\}$로
의 두 함수 f, g를 각각

$$f(n)=(3^n\text{의 일의 자리 숫자}),$$
$$g(n)=(7^n\text{의 일의 자리 숫자})$$

로 정의할 때, $(f \circ g^{-1})(1)+(g \circ f^{-1})(7)$의 값은?

① 4   ② 8   ③ 10
④ 12   ⑤ 16

15

다음 그림은 함수 $y=f(x)$의 그래프와 직선 $y=x$이다.

$$f^1(x)=f(x),$$
$$f^2(x)=(f \circ f)(x),$$
$$f^3(x)=(f \circ f^2)(x),$$
$$\vdots$$
$$f^n(x)=(f \circ f^{n-1})(x) \ (n=2, 3, 4)$$

라 할 때, $f^{2008}(a)$의 값은?

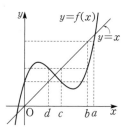

① 1   ② a ③ b
④ c ⑤ d

상위권 도약 문제

01 기출

함수 $f(x)=x^2-x-6$, $g(x)=x^2-ax+4$일 때, 모든 실수 x에 대하여 $(f \circ g)(x) \geq 0$이 되는 실수 a의 값의 범위는? (단, $f \circ g$는 g와 f의 합성함수이다.)

① $a \leq -1$, $a \geq 1$ ② $-1 \leq a \leq 1$

③ $a \leq -2$, $a \geq 2$ ④ $-2 \leq a \leq 2$

⑤ $-4 \leq a \leq 4$

02 기출

음이 아닌 정수 n에 대하여 n을 5로 나눈 나머지를 $f(n)$, 10으로 나눈 나머지를 $g(n)$이라 하자. 옳은 것만을 |보기|에서 모두 고른 것은?

┌보기├
ㄱ. $f(f(n))=f(n)$
ㄴ. $g(f(n))=g(n)$
ㄷ. $f(g(n))=f(n)$
└──

① ㄱ   ② ㄴ   ③ ㄱ, ㄴ

④ ㄱ, ㄷ   ⑤ ㄴ, ㄷ

03

두 일차함수 f_1, f_2에 대하여 $f_1 \circ f_1$, $f_1 \circ f_2$, $f_2 \circ f_1$, $f_2 \circ f_2$는 각각 f_1 또는 f_2와 일치한다. 이때 $f_1(1)=f_2(1)=1$을 만족시키는 함수 f_1, f_2의 순서쌍 (f_1, f_2)의 개수를 구하여라.

04 기출

오른쪽 그림은 $0 \leq x \leq 3$에서 정의된 함수 $y=f(x)$의 그래프를 나타낸 것이다. 방정식 $f(f(x))=2-f(x)$의 서로 다른 실근의 개수는?

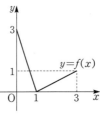

① 1   ② 2   ③ 3

④ 4   ⑤ 5

05

정답과 풀이 104쪽

기출

양수 a, b에 대하여 함수 $f(x)$가 $f(a)+f(b)=f(ab)$를 만족시킬 때, $y=f(x)$의 역함수 $y=g(x)$의 성질로 옳은 것만을 |보기|에서 모두 고른 것은?

(단, p, q는 실수이다.)

┌─|보기|─────────────────────┐
│ ㄱ. $g(0)=1$ │
│ ㄴ. $g(p+q)=g(p)g(q)$ │
│ ㄷ. $g(p)+g(q)=g(pq)$ │
└──────────────────────────┘

① ㄱ   ② ㄴ   ③ ㄷ

④ ㄱ, ㄴ   ⑤ ㄱ, ㄷ

06

다음 중 실수 전체의 집합 R에서 R로 정의된 함수 $f(x)=-3ax+2+|x-2|$의 역함수가 존재할 때, 실수 a의 값이 될 수 <u>없는</u> 것은?

① -2 ② -1 ③ 0

④ 1 ⑤ 2

07

집합 $X=\{1,\ 2,\ 3,\ 4,\ 5\}$에서 X로의 함수 $y=f(x)$의 그래프가 오른쪽 그림과 같다. f의 역함수 f^{-1}에 대하여 $(f^{-1})^n$을

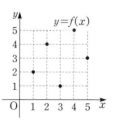

$$f^{-1} \circ f^{-1} = (f^{-1})^2,$$

$$\underbrace{(f^{-1} \circ f^{-1} \circ \cdots \circ f^{-1})}_{n개} = (f^{-1})^n$$

으로 정의할 때, $(f^{-1})^{2007}(1)$의 값을 구하여라.

(단, n은 자연수이다.)

08

기출

다음 그림과 같이 점 $(1, 0)$을 지나는 함수 $y=f(x)$의 그래프와 $y=x$의 그래프가 두 점 $(-1, -1)$, $(4, 4)$에서 만나고 그 외의 점에서는 만나지 않는다. $\{f(x)\}^2=f(x)f^{-1}(x)$를 만족시키는 모든 실수 x의 값의 합을 구하여라.

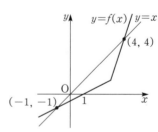

07

유리식과 유리함수

07 유리식과 유리함수

개념 01 유리식

(1) **유리식**: 두 다항식 A, B ($B \neq 0$)에 대하여 $\dfrac{A}{B}$의 꼴로 나타내어지는 식을 유리식이라 한다.

(2) **유리식의 사칙연산**

네 다항식 A, B, C, D에 대하여

① 덧셈, 뺄셈: $\dfrac{A}{C} \pm \dfrac{B}{C} = \dfrac{A \pm B}{C}$ (단, $C \neq 0$) (복부호 동순)

$\dfrac{A}{C} \pm \dfrac{B}{D} = \dfrac{AD \pm BC}{CD}$ (단, $C \neq 0$, $D \neq 0$) (복부호 동순)

② 곱셈: $\dfrac{A}{B} \times \dfrac{C}{D} = \dfrac{AC}{BD}$ (단, $B \neq 0$, $D \neq 0$)

③ 나눗셈: $\dfrac{A}{B} \div \dfrac{C}{D} = \dfrac{A}{B} \times \dfrac{D}{C} = \dfrac{AD}{BC}$ (단, $B \neq 0$, $C \neq 0$, $D \neq 0$)

> ▶ 유리식 $\begin{cases} \text{다항식} \\ \text{분수식: 다항식이 아닌} \\ \qquad\qquad \text{유리식} \end{cases}$

> ▶ **유리식의 성질**
> 세 다항식 A, B, C ($B \neq 0$, $C \neq 0$)에 대하여
> $\dfrac{A}{B} = \dfrac{A \times C}{B \times C}$, $\dfrac{A}{B} = \dfrac{A \div C}{B \div C}$

확인 01 다음 식을 간단히 하여라.

(1) $\dfrac{x-3}{x-4} - \dfrac{x-5}{x-6}$ 　　　　(2) $\dfrac{x-1}{x^2+3x+2} \times \dfrac{x^2-4}{x^2-x}$

개념 02 유리식의 계산

(1) **유리식의 계산**

① 분자의 차수가 분모의 차수보다 크거나 같을 때

➡ 분자를 분모로 나누어 (분자의 차수) < (분모의 차수)가 되도록 변형한다.

② 분수식이 네 개 이상일 때

➡ 한꺼번에 통분하지 않고 두 개씩 묶어 통분한다.

③ 분모가 두 인수의 곱일 때

➡ 부분분수로 분해한다.

$$\dfrac{1}{AB} = \dfrac{1}{B-A}\left(\dfrac{1}{A} - \dfrac{1}{B}\right) \text{ (단, } A \neq B)$$

④ 분자 또는 분모에 분수가 있을 때

➡ 유리식의 분자에 분모의 역수를 곱한다.

$$\dfrac{\frac{D}{C}}{\frac{B}{A}} = \dfrac{D}{C} \div \dfrac{B}{A} = \dfrac{D}{C} \times \dfrac{A}{B} = \dfrac{AD}{BC} \text{ (단, } A \neq 0, B \neq 0, C \neq 0)$$

> ▶ 분자 또는 분모에 분수식이 포함된 유리식을 번분수식이라 한다.

> ▶ $\dfrac{\frac{D}{C}}{\frac{B}{A}} = \dfrac{AD}{BC}$

확인 02 다음 식을 간단히 하여라.

(1) $\dfrac{1}{x} - \dfrac{1}{x(x+1)}$ 　　　　(2) $\dfrac{x}{1+\frac{1}{x}}$

개념 03) 유리함수 $y=\dfrac{k}{x}(k\neq0)$의 그래프

(1) **유리함수**: 함수 $y=f(x)$에서 $f(x)$가 x에 대한 유리식일 때, 이 함수를 유리함수라 한다.

(2) 유리함수 $y=\dfrac{k}{x}\,(k\neq0)$의 그래프와 그 성질

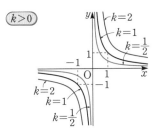 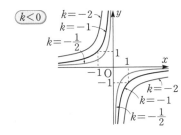

① 정의역, 치역은 모두 0을 제외한 실수 전체의 집합이다.

② 점근선은 x축$(y=0)$, y축$(x=0)$이다.

③ $k>0$이면 제1, 3사분면에 있고, $k<0$이면 제2, 4사분면에 있다.

④ $|k|$의 값이 클수록 곡선은 원점에서 멀어진다.

⑤ 원점 및 직선 $y=x$, $y=-x$에 대하여 각각 대칭이다.

확인 03 다음 유리함수의 그래프를 그리고, 그 정의역과 치역을 각각 구하여라.

(1) $y=\dfrac{2}{x}$ (2) $y=-\dfrac{4}{x}$

> 곡선이 어떤 직선에 한없이 가까워질 때, 이 직선을 그 곡선의 점근선이라 한다.

> $y=\dfrac{k}{x}(k\neq0)$의 그래프는 직선 $y=x$에 대하여 대칭이므로 역함수는 자기 자신이 된다.

개념 04) 유리함수 $y=\dfrac{k}{x-p}+q\,(k\neq0)$의 그래프

(1) 유리함수 $y=\dfrac{k}{x-p}+q\;(k\neq0)$의 그래프와 그 성질

① $y=\dfrac{k}{x}$의 그래프를 x축의 방향으로 p만큼, y축의 방향으로 q만큼 평행이동한 것이다.

② 정의역은 $\{x\,|\,x\neq p$인 실수$\}$, 치역은 $\{y\,|\,y\neq q\}$인 실수이다.

③ 점근선은 두 직선 $x=p$, $y=q$이다.

(2) 유리함수 $y=\dfrac{ax+b}{cx+d}\;(c\neq0,\ ad-bc\neq0)$의 그래프

$y=\dfrac{k}{x-p}+q\,(k\neq0)$의 꼴로 변형하여 그래프를 그린다.

이때 점근선의 방정식은 $x=-\dfrac{d}{c}$, $y=\dfrac{a}{c}$와 같다.

확인 04 다음 유리함수의 그래프를 그리고, 그 정의역과 치역을 각각 구하여라.

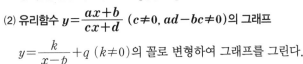

(1) $y=\dfrac{1}{x-1}+2$ (2) $y=\dfrac{2x-3}{x+1}$

> 유리함수 $y=\dfrac{ax+b}{cx+d}$에서
> ① $c=0$일 때 ➡ 일차함수
> ② $ad-bc=0$일 때 ➡ 상수함수

다음 물음에 답하여라.

(1) $\dfrac{1}{x-1} - \dfrac{1}{x+1} - \dfrac{2}{x^2+1} - \dfrac{4}{x^4+1}$ 를 간단히 하여라.

(2) $\dfrac{a}{x+1} + \dfrac{bx+c}{x^2-x+1} = \dfrac{6}{x^3+1}$ 이 분모를 0이 되지 않게 하는 모든 실수 x 에 대하여 성립할 때, 상수 a, b, c의 값을 각각 구하여라.

풍쌤 POINT

· 분모가 서로 다른 두 유리식의 덧셈과 뺄셈은 분모를 통분하여 계산해.

· (2)는 좌변을 통분한 후, 계수비교법을 이용하여 상수 a, b, c의 값을 구해.

풀이

(1) $\dfrac{1}{x-1} - \dfrac{1}{x+1} - \dfrac{2}{x^2+1} - \dfrac{4}{x^4+1}$

$= \dfrac{x+1-(x-1)}{(x-1)(x+1)} - \dfrac{2}{x^2+1} - \dfrac{4}{x^4+1}$ ❶

$= \dfrac{2}{x^2-1} - \dfrac{2}{x^2+1} - \dfrac{4}{x^4+1}$

$= \dfrac{2(x^2+1)-2(x^2-1)}{(x^2-1)(x^2+1)} - \dfrac{4}{x^4+1}$

$= \dfrac{4}{x^4-1} - \dfrac{4}{x^4+1} = \dfrac{4(x^4+1)-4(x^4-1)}{(x^4-1)(x^4+1)}$

$= \dfrac{8}{x^8-1}$

❶ $\dfrac{A}{C} \pm \dfrac{B}{D} = \dfrac{AD \pm BC}{CD}$ (복부호 동순)

(2) **STEP1** 좌변 통분하기

$\dfrac{a}{x+1} + \dfrac{bx+c}{x^2-x+1} = \dfrac{a(x^2-x+1)+(bx+c)(x+1)}{(x+1)(x^2-x+1)}$

$= \dfrac{(a+b)x^2-(a-b-c)x+a+c}{x^3+1}$

STEP2 a, b, c의 값 구하기

$\therefore \dfrac{(a+b)x^2-(a-b-c)x+a+c}{x^3+1} = \dfrac{6}{x^3+1}$

위의 등식은 x에 대한 항등식이므로

$a+b=0$, $a-b-c=0$, $a+c=6$ ❷

위의 세 식을 연립하여 풀면

$a=2$, $b=-2$, $c=4$

❷ $ax+b=a'x+b'$이 x에 대한 항등식이면 $a=a'$, $b=b'$

📋 (1) $\dfrac{8}{x^8-1}$ (2) $a=2$, $b=-2$, $c=4$

풍쌤 강의 NOTE

유리식의 곱셈은 분모는 분모끼리, 분자는 분자끼리 곱하여 계산하고, 유리식의 나눗셈은 나누는 식의 분모와 분자를 바꾼 식을 곱하여 계산한다.

$\dfrac{A}{B} \times \dfrac{C}{D} = \dfrac{AC}{BD}$, $\dfrac{A}{B} \div \dfrac{C}{D} = \dfrac{A}{B} \times \dfrac{D}{C} = \dfrac{AD}{BC}$ (단, $B \neq 0$, $C \neq 0$, $D \neq 0$)

01-1 ⊙ 유사

분모를 0이 되게 하지 않는 모든 실수 x에 대하여 다음 등식이 성립할 때, 상수 a, b의 값을 각각 구하여라.

$$\frac{a}{x+1}+\frac{b}{x+2}=\frac{2x+3}{(x+1)(x+2)}$$

01-2 ⊙ 변형

다음 물음에 답하여라.

(1) $\dfrac{x^2-4}{x^2+4x-5}\div\dfrac{x+2}{x^2-4x+3}\times\dfrac{1}{x-2}$ 을 간단히 하여라.

(2) $x^2-2x-1=0$일 때,
$4x^2+x-1-\dfrac{1}{x}+\dfrac{4}{x^2}$의 값을 구하여라.

01-3 ⊙ 변형

$\dfrac{6x+a}{3x-1}$가 임의의 실수 x에 대하여 일정한 값을 가질 때, 상수 a의 값을 구하여라. $\left(\text{단, } x\neq\dfrac{1}{3}\right)$

01-4 ⊙ 변형   기출

0이 아닌 실수 a, b가 $\dfrac{a-b}{b}=\dfrac{b-a}{a}$를 만족시킬 때, $\dfrac{b}{a}+\dfrac{a}{b}$의 값 α, β에 대하여 $4(\alpha^2+\beta^2)$의 값을 구하여라.

01-5 ⊙ 변형   기출

$\dfrac{n^3+6n^2+15n+14}{n+1}$의 값이 정수가 되도록 하는 정수 n의 개수를 구하여라.

01-6 ⊙ 실력

분모를 0으로 만들지 않는 모든 실수 x에 대하여 다항식 $f(x)$가 다음 등식을 만족시킬 때, $f(-1)$의 값을 구하여라.

$$\frac{2x+3}{x+1}-\frac{3x+10}{x+3}+\frac{3x+16}{x+5}-\frac{2x+15}{x+7}$$
$$=\frac{f(x)+x+3}{(x+1)(x+3)(x+5)(x+7)}$$

다음 식을 간단히 하여라.

(1) $\dfrac{1}{x^2+x}+\dfrac{1}{x^2+3x+2}+\dfrac{1}{x^2+5x+6}$

(2) $\dfrac{1}{1-\dfrac{1}{1-\dfrac{1}{x}}}$

풍쌤 POINT

• 부분분수로 변형하여 간단히 해.

$\Rightarrow \dfrac{1}{AB}=\dfrac{1}{B-A}\left(\dfrac{1}{A}-\dfrac{1}{B}\right)$ (단, $A\neq B$)

• 번분수식을 계산할 때는 분자에 분모의 역수를 곱하여 계산해.

풀이

(1) **STEP1** 분모 인수분해하기

$\dfrac{1}{x^2+x}+\dfrac{1}{x^2+3x+2}+\dfrac{1}{x^2+5x+6}$

$=\dfrac{1}{x(x+1)}+\dfrac{1}{(x+1)(x+2)}+\dfrac{1}{(x+2)(x+3)}$

STEP2 부분분수로 변형하기

∴ (주어진 식)

$=\left(\dfrac{1}{x}-\dfrac{1}{x+1}\right)+\left(\dfrac{1}{x+1}-\dfrac{1}{x+2}\right)+\left(\dfrac{1}{x+2}-\dfrac{1}{x+3}\right)$ ❶

$=\dfrac{1}{x}-\dfrac{1}{x+3}=\dfrac{3}{x(x+3)}$ ❷

❶ $\dfrac{1}{AB}=\dfrac{1}{B-A}\left(\dfrac{1}{A}-\dfrac{1}{B}\right)$

❷ 통분하기 $\dfrac{A}{B}-\dfrac{C}{D}=\dfrac{AD-BC}{BD}$

(2) $\dfrac{1}{1-\dfrac{1}{1-\dfrac{1}{x}}}=\dfrac{1}{1-\dfrac{1}{\dfrac{x-1}{x}}}=\dfrac{1}{1-\dfrac{x}{x-1}}$

$=\dfrac{1}{\dfrac{(x-1)-x}{x-1}}=\dfrac{1}{\dfrac{-1}{x-1}}=\dfrac{x-1}{-1}$

$=-x+1$

답 (1) $\dfrac{3}{x(x+3)}$ (2) $-x+1$

풍쌤 강의 NOTE

• 부분분수: $\dfrac{1}{AB}=\dfrac{1}{B-A}\left(\dfrac{1}{A}-\dfrac{1}{B}\right)$ (단, $A\neq B$)

$\dfrac{1}{ABC}=\dfrac{1}{C-A}\left(\dfrac{1}{AB}-\dfrac{1}{BC}\right)$ (단, $A\neq C$)

• 번분수식: $\dfrac{\dfrac{D}{C}}{\dfrac{B}{A}}=\dfrac{D}{C}\div\dfrac{B}{A}=\dfrac{D}{C}\times\dfrac{A}{B}=\dfrac{AD}{BC}$ (단, $A\neq0,\ B\neq0,\ C\neq0$)

02-1 유사

상수 a, b에 대하여

$$\frac{a}{x(x+a)}+\frac{b-a}{(x+a)(x+b)}+\frac{4-b}{(x+b)(x+4)}$$

를 간단히 하여라.

02-2 변형

$x^2=\sqrt{3}$일 때, $\dfrac{x-\dfrac{1}{x}}{x+\dfrac{1}{x}}$의 값을 구하여라.

02-3 변형

등식

$$\frac{1}{\dfrac{1}{x+\dfrac{1}{x}}-1}=-\frac{x^2+1}{x^2+ax-b}$$ 이 항상 성립할 때,

상수 a, b의 값을 각각 구하여라. (단, $x\neq 0$)

02-4 변형

$f(x)=\dfrac{2}{x(x+2)}$일 때,

$f(1)+f(3)+\cdots+f(101)$의 값을 구하여라.

02-5 변형

다음 등식이 성립하도록 하는 자연수 a, b, c, d, e에 대하여 $a+b+c+d+e$의 값을 구하여라.

$$\frac{105}{43}=a+\cfrac{1}{b+\cfrac{1}{c+\cfrac{1}{d+\cfrac{1}{e}}}}$$

02-6 실력 · 기출

분모를 0으로 만들지 않는 모든 실수 x에 대하여 등식

$$\frac{6}{x^2-1}+\frac{12}{x^2-4}+\frac{18}{x^2-9}+\cdots+\frac{120}{x^2-400}$$
$$=k\left\{\frac{1}{(x-1)(x+20)}+\frac{1}{(x-2)(x+19)}\right.$$
$$\left.+\cdots+\frac{1}{(x-20)(x+1)}\right\}$$

이 항상 성립할 때, 상수 k의 값을 구하여라.

다음을 구하여라.

(1) $2x+y-z=0$, $4x+4y-3z=0$일 때, $\dfrac{x^2+y^2+z^2}{xy+yz+zx}$의 값 (단, $xyz\neq0$)

(2) $\dfrac{b+c}{a}=\dfrac{c+a}{b}=\dfrac{a+b}{c}=k$일 때, k의 값의 합 (단, $abc\neq0$)

풍쌤 POINT

- (1)은 두 방정식을 이용하여 두 문자를 나머지 한 문자로 나타낸 후, 구하는 식에 대입해.

- (2)는 $b+c=ak$, $c+a=bk$, $a+b=ck$로 놓고 변끼리 더하면 $2(a+b+c)=(a+b+c)k$야.

풀이

(1) **STEP1** y, z를 x로 나타내기

$\begin{cases} 2x+y-z=0 & \cdots\cdots\ \text{㉠} \\ 4x+4y-3z=0 & \cdots\cdots\ \text{㉡} \end{cases}$

㉠$\times4-$㉡을 하면 $4x-z=0$ ∴ $z=4x$

㉠$\times3-$㉡을 하면 $2x-y=0$ ∴ $y=2x$

STEP2 식의 값 구하기

∴ $\dfrac{x^2+y^2+z^2}{xy+yz+zx}=\dfrac{x^2+(2x)^2+(4x)^2}{x\times2x+2x\times4x+4x\times x}=\dfrac{21x^2}{14x^2}=\dfrac{3}{2}$ **❶**

❶ $xyz\neq0$에서 $x\neq0$이므로 x^2으로 분모, 분자를 나눌 수 있다.

(2) **STEP1** $a+b+c\neq0$일 때 k의 값 구하기

$b+c=ak$, $c+a=bk$, $a+b=ck$이므로 변끼리 더하면 **❷**

$2(a+b+c)=(a+b+c)k$ $\cdots\cdots$ ㉠

(i) $a+b+c\neq0$일 때

㉠의 양변을 $a+b+c$로 나누면 $k=2$

❷ $\begin{array}{r} b+c=ak \\ c+a=bk \\ +\,)\ a+b=ck \\ \hline 2(a+b+c)=(a+b+c)k \end{array}$

STEP2 $a+b+c=0$일 때 k의 값 구하기

(ii) $a+b+c=0$일 때

$b+c=-a$, $c+a=-b$, $a+b=-c$

이를 주어진 식의 좌변에 대입하면

$\dfrac{-a}{a}=\dfrac{-b}{b}=\dfrac{-c}{c}=-1$ **❸** ∴ $k=-1$

❸ $abc\neq0$에서 $a\neq0$, $b\neq0$, $c\neq0$이다.

STEP3 k의 값의 합 구하기

(i), (ii)에 의하여 k의 값은 -1 또는 2이므로 그 합은 1이다.

답 (1) $\dfrac{3}{2}$ (2) 1

풍쌤 강의 NOTE

- $a:b=c:d \iff \dfrac{a}{b}=\dfrac{c}{d}$일 때, $\dfrac{a}{b}=\dfrac{c}{d}=k\ (k\neq0)$로 놓고 $a=bk$, $c=dk$로 나타내어 대입한다.

- $a:b:c=d:e:f \iff \dfrac{a}{d}=\dfrac{b}{e}=\dfrac{c}{f}$일 때, 다음과 같이 변형하여 이용할 수 있다.

$\dfrac{a}{d}=\dfrac{b}{e}=\dfrac{c}{f}=\dfrac{a+b+c}{d+e+f}=\dfrac{pa+qb+rc}{pd+qe+rf}$ (단, $d+e+f\neq0$, $pd+qe+rf\neq0$)

03-1 ⦿ 유사

$x+y+z=0$, $3x+y+2z=0$일 때,

$\dfrac{2x+3y-z}{x-4y+5z}$의 값을 구하여라. (단, $xyz\neq0$)

03-2 ⦿ 유사

세 실수 x, y, z가 $\dfrac{x}{2}=\dfrac{y}{3}=\dfrac{z}{4}$를 만족시킬 때,

$\dfrac{x^2+2y^2+3z^2}{xy-yz+zx}$의 값을 구하여라. (단, $xyz\neq0$)

03-3 ⦿ 변형

$(x+y):(y+z):(z+x)=5:3:4$일 때,

$\dfrac{(x+y+z)^3}{x^3+y^3+z^3}$의 값을 구하여라. (단, $xyz\neq0$)

03-4 ⦿ 변형

어느 시험에 응시한 수험생의 남녀의 비는 $5:4$, 합격자의 남녀의 비는 $4:3$, 불합격자의 남녀의 비는 $1:2$라 한다. 수험생의 합격률이 $\dfrac{q}{p}$일 때, $p+q$의 값을 구하여라. (단, p와 q는 서로소인 자연수이다.)

03-5 ⦿ 변형 　기출

세 양수 x, y, z가

$$\dfrac{x(y+z)}{80}=\dfrac{y(z+x)}{98}=\dfrac{z(x+y)}{108}$$

를 만족시킬 때, $x:y:z=5:m:n$이 성립한다. 이때 $m+n$의 값을 구하여라.

03-6 ⦿ 실력 　기출

어느 자동차 회사에서 생산하는 A, B 두 자동차의 연비의 비는 $4:5$이고 연료 탱크의 용량의 비는 $4:3$이다. A, B 두 자동차에 연료를 가득 채우고 $400\,\mathrm{km}$를 달린 후 연료 탱크에 남아 있는 연료의 양의 비가 $2:1$일 때, A, B 두 자동차에 연료를 가득 채우고 달릴 수 있는 거리의 합은 $x\,\mathrm{km}$이다. 이때 x의 값을 구하여라.
(단, 연비는 $1\,\mathrm{L}$의 연료로 달릴 수 있는 거리이다.)

다음을 구하여라.

(1) 함수 $y=\dfrac{4x-3}{-x+2}$의 그래프의 두 점근선의 교점의 좌표

(2) 함수 $y=\dfrac{5x+1}{x-2a}$의 그래프의 점근선의 방정식이 $x=1$, $y=b$일 때, $a-b$의 값

(단, a는 상수이다.)

풍쌤 POINT

유리함수 $y=\dfrac{ax+b}{cx+d}$ $(c\neq0,\ ad-bc\neq0)$의 그래프의 점근선의 방정식은

$y=\dfrac{k}{x-p}+q$ $(k\neq0)$의 꼴로 변형한 후 구해.

이때 점근선의 방정식은 $x=-\dfrac{d}{c}$, $y=\dfrac{a}{c}$야.

풀이

(1) **STEP1** 점근선의 방정식 구하기

$y=\dfrac{4x-3}{-x+2}=\dfrac{-4(-x+2)+5}{-x+2}=-\dfrac{5}{x-2}-4$

이므로 그래프의 두 점근선의 방정식은

$x=2$, $y=-4$

STEP2 교점의 좌표 구하기

따라서 두 점근선의 교점의 좌표는 $(2,\ -4)$❶

❶ 두 직선 $x=a$, $y=b$의 교점의 좌표는 $(a,\ b)$

(2) **STEP1** 점근선의 방정식 구하기

$y=\dfrac{5x+1}{x-2a}=\dfrac{5(x-2a)+10a+1}{x-2a}=\dfrac{10a+1}{x-2a}+5$

이므로 그래프의 두 점근선의 방정식은

$x=2a$, $y=5$

STEP2 $a-b$의 값 구하기

따라서 $2a=1$, $b=5$이므로 $a=\dfrac{1}{2}$, $b=5$

$\therefore a-b=\dfrac{1}{2}-5=-\dfrac{9}{2}$

달 (1) $(2,\ -4)$ (2) $-\dfrac{9}{2}$

풍쌤 강의 NOTE

· 유리함수 $y=\dfrac{k}{x}$ $(k\neq0)$의 그래프의 점근선의 방정식 ➡ $x=0$, $y=0$

· 유리함수 $y=\dfrac{k}{x-a}+b$ $(k\neq0)$의 그래프의 점근선의 방정식 ➡ $x=a$, $y=b$

04-1 ⊙유사

다음을 구하여라.

(1) 함수 $y = \dfrac{3x+5}{x+1}$ 의 그래프의 점근선의 방정식

(2) 함수 $y = \dfrac{2x-4}{2x-3}$ 의 그래프의 두 점근선의 교점의 좌표

04-2 ⊙유사

함수 $y = \dfrac{4x+1}{2x-a}$ 의 그래프의 점근선의 방정식이 $x=1$, $y=b$일 때, $a-b$의 값을 구하여라.

(단, a는 상수이다.)

04-3 ⊙변형

두 함수 $y = \dfrac{3x+5}{x+1}$, $y = \dfrac{bx-8}{2x+a}$ 의 그래프의 점근선이 일치할 때, 상수 a, b에 대하여 $a+b$의 값을 구하여라.

04-4 ⊙변형

두 함수 $y = \dfrac{x-1}{x+1}$, $y = \dfrac{ax+1}{x-b}$ 의 그래프의 점근선으로 둘러싸인 부분의 넓이가 17일 때, 자연수 a, b에 대하여 $a+b$의 값을 구하여라.

04-5 ⊙변형

함수 $y = \dfrac{ax+b}{x+c}$ 의 그래프가 점 $(3, 1)$에 대하여 대칭이고 점 $(0, 2)$를 지날 때, $a-b+c$의 값을 구하여라. (단, a, b, c는 상수이다.)

04-6 ⊙실력

함수 $y = \dfrac{ax+b}{x+c}$ 의 그래프가 점 $(1, 2)$를 지나고 점근선의 방정식이 $x=-2$, $y=4$일 때, 상수 a, b, c에 대하여 $a+b+c$의 값을 구하여라.

함수 $y=\dfrac{3x+5}{x+2}$ 의 그래프를 x축의 방향으로 p만큼, y축의 방향으로 q만큼 평행이동한 그래프

의 식이 $y=\dfrac{4x+15}{x+4}$ 일 때, $p+q$의 값을 구하여라. (단, p, q는 상수이다.)

풍쌤 POINT

- 유리함수 $y=\dfrac{k}{x}\ (k\neq0)$의 그래프를 x축의 방향으로 p만큼, y축의 방향으로 q만큼 평행이동한

  그래프의 식은 $y=\dfrac{k}{x-p}+q\ (k\neq0)$야.

- 유리함수 $y=\dfrac{ax+b}{cx+d}\ (c\neq0,\ ad-bc\neq0)$의 그래프는 $y=\dfrac{k}{x-p}+q\ (k\neq0)$의 꼴로 변형하

  여 그래프의 성질을 알아봐.

풀이

STEP1 평행이동한 그래프의 식 구하기

$$y=\frac{3x+5}{x+2}=\frac{3(x+2)-1}{x+2}=-\frac{1}{x+2}+3$$

이므로 $y=\dfrac{3x+5}{x+2}$ 의 그래프를 x축의 방향으로 p만큼, y축의 방

향으로 q만큼 평행이동한 그래프의 식은❶

$$y=-\frac{1}{x-p+2}+3+q \qquad\qquad \cdots\cdots\ \bigcirc$$

❶ x 대신 $x-p$, y 대신 $y-q$를
대입한다.

STEP2 그래프의 식 변형하기

한편,

$$y=\frac{4x+15}{x+4}=\frac{4(x+4)-1}{x+4}$$

$$=-\frac{1}{x+4}+4 \qquad\qquad \cdots\cdots\ \bigcirc\!\!\!\bigcirc$$

STEP3 $p+q$의 값 구하기

$\bigcirc$과 $\bigcirc\!\!\!\bigcirc$이 일치하므로

$$-p+2=4,\ 3+q=4$$

따라서 $p=-2$, $q=1$이므로

$$p+q=-2+1=-1$$

답 -1

풍쌤 강의 NOTE

유리함수 $y=\dfrac{k}{x}\ (k\neq0)$의 그래프를 평행이동했을 때, $y=\dfrac{l}{x-p}+q\ (l\neq0)$의 그래프와 서로 겹쳐

지면 $k=l$이다.

05-1 유사

함수 $y=\dfrac{4x-6}{x-1}$ 의 그래프는 함수 $y=\dfrac{3x+1}{x+1}$ 의 그래프를 x축의 방향으로 a만큼, y축의 방향으로 b만큼 평행이동한 것이다. 이때 상수 a. b에 대하여 $a+b$의 값을 구하여라.

05-2 변형

다음 함수의 그래프 중 평행이동에 의하여 $y=\dfrac{4x-6}{2x-1}$ 의 그래프와 겹쳐질 수 있는 것은?

① $y=\dfrac{2x-1}{x-3}$ ② $y=\dfrac{2x+5}{2x-1}$

③ $y=\dfrac{2x+8}{x+3}$ ④ $y=\dfrac{x+1}{2-x}$

⑤ $y=\dfrac{-x-1}{x-1}$

05-3 변형

다음 함수의 그래프 중 평행이동에 의하여 서로 겹쳐질 수 <u>없는</u> 것은?

① $y=\dfrac{2x-1}{x}$ ② $y=\dfrac{4x-5}{x-1}$

③ $y=\dfrac{3x-2}{x-1}$ ④ $y=\dfrac{-3x+8}{x-3}$

⑤ $y=\dfrac{2x-7}{x-3}$

05-4 변형

함수 $y=\dfrac{3x+1}{x-1}$ 의 그래프를 평행이동하였더니 $y=\dfrac{k}{x}$ 의 그래프와 겹쳐졌다. 이때 상수 k의 값을 구하여라.

05-5 변형

함수 $y=\dfrac{-2x+5}{x-1}$ 의 그래프는 함수 $y=\dfrac{k}{x}$ 의 그래프를 x축의 방향으로 p만큼, y축의 방향으로 q만큼 평행이동한 것이다. 이때 $k+p+q$의 값을 구하여라.

(단, k, p, q는 상수이다.)

05-6 실력

함수 $y=\dfrac{5x-1}{2x-1}$ 의 그래프는 $y=\dfrac{3}{mx}$ $(m\neq0)$의 그래프를 x축의 방향으로 a만큼, y축의 방향으로 b만큼 평행이동한 것이다. 이때 $m+a+b$의 값을 구하여라.

(단, m, a, b는 상수이다.)

다음을 구하여라.

(1) 함수 $y=\dfrac{4x-3}{-x+2}$ 의 그래프가 점 (a, b)에 대하여 대칭일 때, a^2+b^2의 값

(2) 함수 $y=\dfrac{ax+1}{x+1}$의 그래프가 직선 $y=x$에 대하여 대칭일 때, 상수 a의 값

풍쌤 POINT

• 유리함수의 그래프가 점 (a, b)에 대하여 대칭이면 점근선의 방정식은 $x=a$, $y=b$야.

• 유리함수의 그래프가 직선 $y=x$에 대하여 대칭이면 점근선의 교점이 직선 $y=x$ 위에 있어.

풀이

(1) **STEP1** 점근선의 방정식 구하기

$$y=\frac{4x-3}{-x+2}=\frac{-4(-x+2)+5}{-x+2}=-\frac{5}{x-2}-4$$

이므로 점근선의 방정식은

$x=2$, $y=-4$

STEP2 a^2+b^2의 값 구하기

이 함수의 그래프는 두 점근선의 교점

$(2, -4)$에 대하여 대칭이므로

$a=2$, $b=-4$ [1]

$\therefore a^2+b^2=4+16=20$

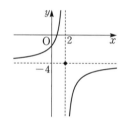

[1] 점근선의 방정식이
$x=a$, $y=b$이면 그 교점
(a, b)에 대하여 대칭이 된다.

(2) **STEP1** 점근선의 방정식 구하기

$$y=\frac{ax+1}{x+1}=\frac{a(x+1)-a+1}{x+1}=\frac{-a+1}{x+1}+a$$

이므로 점근선의 방정식은

$x=-1$, $y=a$

STEP2 a의 값 구하기

이때 두 점근선의 교점 $(-1, a)$가

직선 $y=x$ 위의 점이므로

$a=-1$

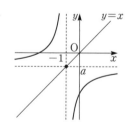

🔖 (1) 20   (2) −1

풍쌤 강의 NOTE

유리함수 $y=\dfrac{k}{x-p}+q\,(k\neq 0)$의 그래프는

① 두 점근선의 교점인 점 (p, q)에 대하여 대칭이다.

② 점 (p, q)를 지나고 기울기가 ± 1인 직선에 대하여 대칭이다.

06-1 ⊙ 유사

함수 $y=\dfrac{4x-5}{-x+2}$의 그래프가 점 $(a,\,b)$에 대하여 대칭일 때, a^2+b^2의 값을 구하여라.

06-4 ⊙ 변형

함수 $y=\dfrac{3x-1}{x-1}$의 그래프가 직선 $y=ax+b$에 대하여 대칭일 때, $a+b$의 값을 구하여라.

(단, a, b는 상수이다.)

06-2 ⊙ 유사 　기출

함수 $f(x)=\dfrac{kx}{x+3}$의 그래프가 직선 $y=x$에 대하여 대칭일 때, 상수 k의 값을 구하여라.

06-5 ⊙ 변형

함수 $y=\dfrac{ax+1}{x+b}$의 그래프가 직선 $y=x+2$와 직선 $y=-x-3$에 대하여 대칭일 때, $4ab$의 값을 구하여라. (단, a, b는 상수이다.)

06-3 ⊙ 변형

함수 $y=\dfrac{3x-4}{x-2}$의 그래프가 직선 $y=-x+k$에 대하여 대칭일 때, 상수 k의 값을 구하여라.

06-6 ⊙ 실력

함수 $y=\dfrac{2x+2}{x+4}$의 그래프가 점 $(p,\,q)$에 대하여 대칭이고, 동시에 직선 $y=x+r$에 대하여 대칭이다. 이때 $p+q+r$의 값을 구하여라. (단, r는 상수이다.)

오른쪽 그림은 함수 $y=\dfrac{bx-c}{x+a}$의 그래프이다. 이때 상수 a, b, c에 대하여 $a+b+c$의 값을 구하여라.

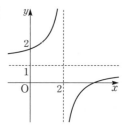

풍쌤 POINT

점근선의 방정식이 $x=p$, $y=q$인 유리함수의 그래프의 식을 구할 때는 다음과 같은 순서로 구해.

❶ $y=\dfrac{k}{x-p}+q \,(k\neq0)$로 놓자.

❷ 곡선 위의 한 점의 좌표를 이용하여 k의 값을 구해.

풀이

STEP1 그래프의 식 유추하기

주어진 그래프에서 점근선의 방정식이 $x-2$, $y=1$이므로
구하는 유리함수의 꼴은❶

$$y=\dfrac{k}{x-2}+1 \,(k\neq0) \qquad \cdots\cdots\ \bigcirc$$

로 놓을 수 있다.

STEP2 그래프의 식 구하기

이때 ㉠의 그래프가 점 $(0, 2)$를 지나므로

$$2=\dfrac{k}{-2}+1 \qquad \therefore k=-2$$

$k=-2$를 ㉠에 대입하여 정리하면

$$y=\dfrac{-2}{x-2}+1=\dfrac{(x-2)-2}{x-2}=\dfrac{x-4}{x-2}$$

STEP3 $a+b+c$의 값 구하기

$\dfrac{x-4}{x-2}=\dfrac{bx-c}{x+a}$이므로

$$a=-2,\ b=1,\ c=4$$

$$\therefore a+b+c=-2+1+4=3$$

❶ 두 점근선의 교점이 (p, q)인
유리함수의 그래프의 식은
$y=\dfrac{k}{x-p}+q\,(k\neq0)$
로 놓는다.

답 3

풍쌤 강의 NOTE

유리함수 $y=\dfrac{ax+b}{cx+d}$의 그래프의 점근선의 방정식이 $x=-\dfrac{d}{c}$, $y=\dfrac{a}{c}$임을 이용하면 식을 변형하지 않고 미정계수를 구할 수 있다.
두 점근선의 교점의 좌표가 주어져도 마찬가지로 이를 적용하면 된다.

07-1 ◉유사

함수 $y = \dfrac{k}{x-p} + q$의 그래프
가 오른쪽 그림과 같을 때, 상
수 k, p, q에 대하여 $k+p+q$
의 값을 구하여라.

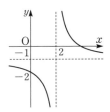

07-2 ◉유사

함수 $y = \dfrac{ax+b}{x+c}$의 그래프가
오른쪽 그림과 같을 때, 상수 a,
b, c에 대하여 abc의 값을 구하
여라.

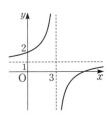

07-3 ◉변형   기출

상수 a, b, c에 대하여 유리함수 $f(x) = \dfrac{ax+b}{x+c}$의 그
래프가 점 $(0, 1)$을 지나고 점근선이 두 직선
$x = -1$, $y = -2$일 때, $f(-4)$의 값을 구하여라.

07-4 ◉변형

함수 $y = \dfrac{ax+b}{x+c}$의 그래프가
오른쪽 그림과 같다. 이 그래프
가 점 $(-4, n)$을 지날 때, n의
값을 구하여라.
　　　　(단, a, b, c는 상수이다.)

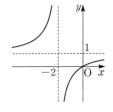

07-5 ◉변형

함수 $y = \dfrac{ax-b}{-2x+c}$의 그래프가
오른쪽 그림과 같다. 이 그래프
가 두 점 (a, m), (c, n)을 지
날 때, mn의 값을 구하여라.
　　　　(단, a, b, c는 상수이다.)

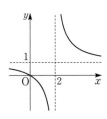

07-6 ◉실력

함수 $y = \dfrac{ax+b}{x+c}$의 그래프가
오른쪽 그림과 같을 때, 상수 a,
b, c의 부호를 구하여라.

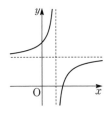

함수 $y=\dfrac{x}{x-1}$의 그래프에 대한 설명으로 옳은 것만을 |보기|에서 모두 골라라.

┌ 보기 ┐

ㄱ. 점근선은 두 직선 $x=1$, $y=0$이다.

ㄴ. 직선 $y=x$와 직선 $y=-x+2$에 대하여 대칭이다.

ㄷ. 제1, 2, 4사분면을 지난다.

풍쌤 POINT

• 유리함수 $y=\dfrac{k}{x}$ $(k\neq0)$의 그래프는 두 직선 $y=x$, $y=-x$에 대하여 대칭이야.

• 유리함수 $y=\dfrac{k}{x-p}+q$ $(k\neq0)$의 그래프는 두 직선 $y=x$, $y=-x$를 x축의 방향으로 p만큼, y축의 방향으로 q만큼 평행이동한 직선에 대하여 대칭이야.

풀이

STEP1 그래프 그리기

$$y=\dfrac{x}{x-1}=\dfrac{(x-1)+1}{x-1}=\dfrac{1}{x-1}+1$$

따라서 주어진 함수의 그래프는 오른쪽 그림과 같다.

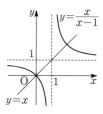

STEP2 보기의 참, 거짓 판별하기

ㄱ. 점근선은 두 직선 $x=1$, $y=1$이다. (거짓)

ㄴ. $y=\dfrac{x}{x-1}$의 그래프는 $y=\dfrac{1}{x}$의 그래프를 x축의 방향으로 1만큼, y축의 방향으로 1만큼 평행이동한 것이므로 두 직선

$$y=(x-1)+1=x, \quad y=-(x-1)+1=-x+2$$

에 대하여 대칭이다. (참)

ㄷ. $y=\dfrac{x}{x-1}$의 그래프는 제1, 2, 4사분면을 지난다. (참)

이상에서 옳은 것은 ㄴ, ㄷ이다.

답 ㄴ, ㄷ

풍쌤 강의 NOTE

유리함수 $y=\dfrac{k}{x-p}+q$ $(k\neq0)$의 그래프와 그 성질

① $y=\dfrac{k}{x}$의 그래프를 x축의 방향으로 p만큼, y축의 방향으로 q만큼 평행이동한 것이다.

② 직선 $y-q=\pm(x-p)$에 대하여 대칭이다.

08-1 ◉ 유사

함수 $y=-\dfrac{1}{x-2}+3$의 그래프에 대한 설명으로 옳은 것만을 |보기|에서 모두 골라라.

┤보기├

ㄱ. 점 $(2, 3)$에 대하여 대칭이다.

ㄴ. 제1, 2, 3사분면을 지난다.

ㄷ. x축과의 교점의 좌표는 $\left(\dfrac{7}{3}, 0\right)$이다.

08-2 ◉ 변형

함수 $y=\dfrac{x-1}{2x-4}$의 그래프에 대한 다음 설명 중 옳지 않은 것은?

① 점근선의 방정식은 $x=2$, $y=\dfrac{1}{2}$이다.

② 정의역은 $\{x \mid x \neq 2$인 실수$\}$, 치역은 $\left\{y \mid y \neq \dfrac{1}{2}$인 실수$\right\}$이다.

③ 모든 사분면을 지난다.

④ $y=\dfrac{1}{2x}$의 그래프를 평행이동한 것이다.

⑤ 점 $\left(2, \dfrac{1}{2}\right)$에 대하여 대칭이다.

08-3 ◉ 변형

함수 $y=\dfrac{2x-4}{3-x}$의 그래프에 대한 설명으로 옳은 것만을 |보기|에서 모두 골라라.

┤보기├

ㄱ. $y=-\dfrac{2}{x}$의 그래프를 x축의 방향으로 3만큼, y축의 방향으로 -2만큼 평행이동한 것이다.

ㄴ. 점근선의 방정식은 $x=3$, $y=2$이다.

ㄷ. 점 $(3, -2)$에 대하여 대칭이다.

ㄹ. 제2, 4사분면을 지나지 않는다.

08-4 ◉ 변형

함수 $y=\dfrac{x+1}{2x-4}$의 그래프에 대한 다음 설명 중 옳지 않은 것은? (단, R는 실수 전체의 집합이다.)

① 정의역은 $R-\{2\}$, 치역은 $R-\left\{\dfrac{1}{2}\right\}$이다.

② 점근선의 방정식은 $x=2$, $y=\dfrac{1}{2}$이다.

③ 모든 사분면을 지난다.

④ 두 직선 $y=x-\dfrac{3}{2}$, $y=-x+\dfrac{3}{2}$에 대하여 대칭이다.

⑤ 평행이동하면 함수 $y=\dfrac{3}{2x}$의 그래프와 겹쳐진다.

$0 \leq x \leq 4$에서 함수 $y = \dfrac{x+2}{x+1}$의 최댓값과 최솟값의 합을 구하여라.

풍쌤 POINT

유리함수의 최대, 최소를 구할 때는 다음과 같은 순서로 구해.

❶ 주어진 범위에서 그래프를 그려.

❷ 주어진 범위에서 함숫값을 구한 후, 최댓값과 최솟값을 구해.

풀이

STEP1 주어진 범위에서 그래프 그리기

$$y = \frac{x+2}{x+1} = \frac{(x+1)+1}{x+1} = \frac{1}{x+1} + 1$$

따라서 주어진 함수의 그래프는 $y = \dfrac{1}{x}$의 그래프를 x축의 방향으로 -1만큼, y축의 방향으로 1만큼 평행이동한 것이다.

$0 \leq x \leq 4$에서 $y = \dfrac{x+2}{x+1}$의 그래프는 다음 그림과 같다.

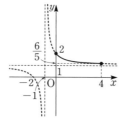

STEP2 최댓값과 최솟값의 합 구하기

$x = 0$일 때, 최댓값은 $2$❶

$x = 4$일 때, 최솟값은 $\dfrac{6}{5}$❷

따라서 최댓값과 최솟값의 합은

$$2 + \frac{6}{5} = \frac{16}{5}$$

❶ $y = \dfrac{0+2}{0+1} = 2$

❷ $y = \dfrac{4+2}{4+1} = \dfrac{6}{5}$

답 $\dfrac{16}{5}$

풍쌤 강의 NOTE

정의역이 주어질 때, 유리함수의 최댓값과 최솟값을 구하는 것은 함수의 치역을 구하는 것과 같다.

치역을 구하기 위해서는 그래프의 개형을 그려 해결할 수 있고, 정의역과 치역을 비교하여 최댓값과 최솟값을 유추할 수도 있다.

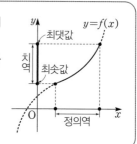

09-1 유사

$2 \leq x \leq 5$에서 함수 $y = \dfrac{x+2}{x-1}$의 최댓값과 최솟값의 합을 구하여라.

09-4 변형

함수 $y = \dfrac{2x+6}{x+1}$의 치역이 $\{y \mid y \leq 0$ 또는 $y \geq 3\}$일 때, 정의역에 속하는 모든 정수의 합을 구하여라.

09-2 유사

함수 $y = \dfrac{2x-1}{x-1}$의 정의역이

$\{x \mid 0 \leq x < 1$ 또는 $1 < x \leq 4\}$일 때, 치역을 구하여라.

09-5 변형

함수 $f(x) = \dfrac{k}{a(x-2)} + 1$의 그래프가 점 $(1, 2)$를 지날 때, $-1 \leq x \leq 1$에서 함수 $y = f(x)$의 최댓값과 최솟값의 합을 구하여라.

(단, a, k는 0이 아닌 상수이다.)

09-3 유사

$-4 \leq x \leq 0$에서 함수 $y = \dfrac{4x+1}{1-x}$의 최댓값을 M, 최솟값을 m이라 할 때, $M - m$의 값을 구하여라.

09-6 실력

정의역이 $\{x \mid 2 \leq x \leq a\}$일 때, 함수 $y = \dfrac{3x+5}{x-1}$의 최솟값은 5이고, 최댓값은 M이다. 이때 $a+M$의 값을 구하여라.

두 집합 $A=\left\{(x, y)\,\Big|\,y=\dfrac{x+2}{x}\right\}$, $B=\{(x, y)\,|\,y=kx+1\}$에 대하여 $n(A\cap B)=0$일 때, 상수 k의 값의 범위를 구하여라. (단, $n(A)$는 집합 A의 원소의 개수이다.)

풍쌤 POINT

• 유리함수의 그래프와 절대 만나지 않는 직선 중 하나는 점근선임을 기억해.
• 점근선을 기준으로 직선을 움직여 보면 조건을 만족시키는 k의 값의 범위를 구할 수 있어.

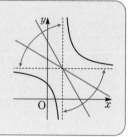

풀이

STEP1 유리함수의 그래프와 직선의 위치 관계 알아내기

주어진 조건 $n(A\cap B)=0$을 만족시키려면 $y=\dfrac{x+2}{x}$의 그래프 와 $y=kx+1$의 그래프는 서로 만나지 않아야 한다.❶

❶ $n(A\cap B)=0$
$\Longleftrightarrow A\cap B=\varnothing$
➡ 유리함수의 그래프와 직선 이 서로 만나지 않는다.

STEP2 그래프 그리기

$y=\dfrac{x+2}{x}=\dfrac{2}{x}+1$ ...... ㉠

따라서 ㉠의 그래프는 다음 그림과 같이 $y=\dfrac{2}{x}$의 그래프를 y축의 방향으로 1만큼 평행이동한 것이므로 점근선의 방정식은 $x=0$, $y=1$이다.

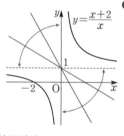

❷ 직선 $y=kx+1$은 k의 값에 관 계없이 점 $(0, 1)$을 지난다.

STEP3 k의 값의 범위 구하기

이때 $y=kx+1$의 그래프는 k의 값에 관계없이 점 $(0, 1)$을 지 나는 직선이다. 따라서 위의 그림에서 곡선과 직선이 만나지 않 을 때의 k의 값의 범위는 $k\leq 0$

🔁 $k\leq 0$

풍쌤 강의 NOTE

• 직선 $y=m(x-a)+b$ ➡ 정점 (a, b)를 지나는 직선이다.
• 직선 $y=mx+1$ ➡ y절편이 1로 고정되고 기울기가 변하는 직선이다.
• 직선 $y=m(x-2)$ ➡ 점 $(2, 0)$을 지나고, 기울기가 변하는 직선이다.

10-1 유사

함수 $y = \dfrac{3}{x}$의 그래프와 직선 $y = -2x + k$가 한 점에서 만날 때, 상수 k의 값을 모두 구하여라.

10-4 변형

함수 $y = -\dfrac{4}{x-1} - 4$의 그래프와 직선 $y = kx - 1$이 한 점에서 만날 때, 모든 양수 k의 값의 합을 구하여라.

10-2 유사

두 집합

$$A = \left\{ (x, y) \,\middle|\, y = \frac{2x-1}{x} \right\},$$
$$B = \{ (x, y) \,|\, y = ax + 2 \}$$

에 대하여 $A \cap B = \varnothing$일 때, 실수 a의 값의 범위를 구하여라.

10-5 변형

함수 $y = \dfrac{2x+1}{x-1}$의 그래프와 직선 $y = mx + 2$가 만나지 않도록 하는 실수 m의 값의 범위를 구하여라.

10-3 변형

정의역이 $\{ x \,|\, 2 \le x \le 3 \}$인 함수 $y = \dfrac{2}{x-1} + 1$의 그래프와 직선 $y = ax + 1$이 만날 때, 상수 a의 최댓값과 최솟값의 합을 구하여라.

10-6 실력

두 집합

$$P = \left\{ (x, y) \,\middle|\, y = \frac{x+2}{x} \right\},$$
$$Q = \{ (x, y) \,|\, y = kx \}$$

에 대하여 $n(P \cap Q) = 1$일 때, 상수 k의 값을 모두 구하여라. (단, $n(A)$는 집합 A의 원소의 개수이다.)

두 함수 $f(x)=\dfrac{x+1}{x}$, $g(x)=\dfrac{x}{x-1}$에 대하여 다음을 구하여라.

(1) $(g\circ f)(2)$의 값

(2) $g(g(x))=x^2$을 만족시키는 모든 x의 값의 합

풍쌤 POINT

- (1)에서 $(g\circ f)(x)=g(f(x))$

- (2)에서 $g(x)=\dfrac{x}{x-1}$이므로 $g(g(x))=g\left(\dfrac{x}{x-1}\right)$

풀이

(1) STEP1 $f(2)$의 값 구하기

$$f(2)=\frac{2+1}{2}=\frac{3}{2}$$

STEP2 $(g\circ f)(2)$의 값 구하기

$$\therefore (g\circ f)(2)=g(f(2))=g\left(\frac{3}{2}\right)$$

$$=\frac{\frac{3}{2}}{\frac{3}{2}-1}=\frac{\frac{3}{2}}{\frac{1}{2}}=3$$

(2) STEP1 $g(g(x))$ 구하기

$$g(g(x))=g\left(\frac{x}{x-1}\right)=\frac{\frac{x}{x-1}}{\frac{x}{x-1}-1}=\frac{\frac{x}{x-1}}{\frac{1}{x-1}}=x$$

STEP2 $g(g(x))=x^2$을 만족시키는 x의 값 구하기

즉, $x=x^2$이므로 $x^2-x=0$, $x(x-1)=0$

$$\therefore x=0 \text{ 또는 } x=1$$

STEP3 x의 값의 합 구하기

그런데 $x=1$이면 함숫값이 존재하지 않으므로 $x=0$만이 해가 된다.❶

따라서 모든 x의 값의 합은 0이다.

❶ 유리함수에서 분모가 0이 되는 x의 값은 제외시킨다.

🖎 (1) 3　(2) 0

풍쌤 강의 NOTE

$g\circ f$는 두 함수 $f: X \longrightarrow Y$와 $g: Y \longrightarrow Z$가 있을 때, 집합 X의 각 원소를 집합 Z의 원소에 대응하는 새로운 함수이다.

➡ $(g\circ f)(x)=g(f(x))$

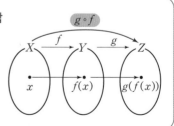

11-1 ◉유사

두 함수 $f(x) = \dfrac{x+4}{x}$, $g(x) = \dfrac{4x}{x-2}$에 대하여 합성함수 $(g \circ f)(-1)$의 값을 구하여라.

11-4 ◉변형

함수 $f(x) = \dfrac{x-1}{x}$에 대하여 $f^{2022}(3)$의 값을 구하여라. (단, $f^1 = f$, $f^{n+1} = f \circ f^n$이고, n은 자연수이다.)

11-2 ◉유사

함수 $f(x) = \dfrac{x}{x+1}$에 대하여 $f(f(x)) = 4x$를 만족시키는 모든 x의 값의 합을 구하여라.

11-5 ◉변형

함수 $f(x) = \dfrac{1}{1-x}$에 대하여 $f^{1025}(4)$의 값을 구하여라. (단, $f^1 = f$, $f^{n+1} = f \circ f^n$이고, n은 자연수이다.)

11-3 ◉변형

두 함수 $f(x) = \dfrac{3x+1}{2x+3}$, $g(x) = \dfrac{1}{x}$에 대하여 함수 $h(x)$가 $(h \circ g)(x) = f(x)$를 만족시킬 때, $h(-2)$의 값을 구하여라.

11-6 ◉실력

함수 $f(x) = \dfrac{x-2}{x-1}$에 대하여
$$f^1 = f, \quad f^{n+1} = f \circ f^n \ (n은 \ 자연수)$$
으로 정의할 때, $f^{2000}(k) = 10$을 만족시키는 실수 k의 값을 구하여라.

함수 $y=\dfrac{2ax-5}{x+a}$의 그래프를 x축의 방향으로 3만큼, y축의 방향으로 b만큼 평행이동하였더니

원래의 함수의 역함수의 그래프와 일치하였다. 이때 $a-b$의 값을 구하여라. (단, a, b는 상수이다.)

풍쌤 POINT

함수 $y=f(x)$가 일대일대응일 때, 역함수 $y=f^{-1}(x)$는 다음과 같은 순서로 구해.

❶ x와 y를 서로 바꿔. ➡ $x=f(y)$

❷ $x=f(y)$에서 y를 x로 나타내. ➡ $y=f^{-1}(x)$

풀이

STEP1 **평행이동한 그래프의 식 구하기**

함수 $y=\dfrac{2ax-5}{x+a}$의 그래프를 x축의 방향으로 3만큼, y축의 방

향으로 b만큼 평행이동한 그래프의 식은❶

$$y-b=\dfrac{2a(x-3)-5}{(x-3)+a}$$

$$\therefore y=\dfrac{(2a+b)x+ab-6a-3b-5}{x+(a-3)}$$

> ❶ x 대신 $x-3$,
> y 대신 $y-b$
> 를 대입한다.

STEP2 **역함수 구하기**

또한, $y=\dfrac{2ax-5}{x+a}$에서 x와 y를 서로 바꾸면

$$x=\dfrac{2ay-5}{y+a},\; x(y+a)=2ay-5$$

$$(x-2a)y=-5-ax$$

$$\therefore y=\dfrac{-5-ax}{x-2a}$$

STEP3 **$a-b$의 값 구하기**

이때 $\dfrac{-5-ax}{x-2a}=\dfrac{(2a+b)x+ab-6a-3b-5}{x+(a-3)}$❷이므로

$$2a+b=-a,\; a-3=-2a$$

위의 두 식을 연립하여 풀면

$$a=1,\; b=-3$$

$$\therefore a-b=1-(-3)=4$$

> ❷ x에 대한 항등식이다.

답 4

풍쌤 강의 NOTE

• 유리함수 $y=\dfrac{ax+b}{cx+d}$ $(c\neq0,\, ad-bc\neq0)$의 역함수는 $y=\dfrac{-dx+b}{cx-a}$

• 역함수의 성질

① $(f^{-1})^{-1}=f$

② $(f^{-1}\circ f)(x)=x$

③ $(g\circ f)^{-1}=f^{-1}\circ g^{-1}$

• 일대일대응인 두 함수의 그래프가 직선 $y=x$에 대하여 대칭이면 두 함수는 역함수 관계이다.

12-1 ◉ 유사

함수 $f(x)=\dfrac{3x+6}{x+k}$ 이 그 역함수 $f^{-1}(x)$와 서로 같을 때, 상수 k의 값을 구하여라.

12-2 ◉ 유사

함수 $y=\dfrac{2ax-1}{x+a}$ 의 그래프를 x축의 방향으로 2만큼, y축의 방향으로 b만큼 평행이동하였더니 원래의 함수의 역함수의 그래프와 일치하였다. 이때 $3a-b$의 값을 구하여라. (단, a, b는 상수이다.)

12-3 ◉ 변형

두 함수

$$f(x)=\dfrac{-2x+1}{x+a}, \ g(x)=\dfrac{bx+1}{cx+2}$$

에 대하여 두 함수의 그래프가 직선 $y=x$에 대하여 대칭일 때, $a+b+c$의 값을 구하여라.

(단, a, b, c는 상수이다.)

12-4 ◉ 변형

함수 $f(x)=\dfrac{x+4}{3x+a}$ 에 대하여 $f=f^{-1}$가 성립할 때, $f(1)$의 값을 구하여라. (단, a는 상수이다.)

12-5 ◉ 변형

함수 $f(x)=\dfrac{x+8}{2x+1}$ 의 역함수를 $f^{-1}(x)$라 할 때, $(f^{-1}\circ f\circ f^{-1})(2)+(f\circ f^{-1})(4)$의 값을 구하여라.

12-6 ◉ 실력

함수 $f(x)=\dfrac{bx+2}{ax-1}$ 의 그래프의 한 점근선의 방정식이 $x=2$이다. 모든 실수 x에 대하여 $f(f(x))=x$가 성립할 때, $a+b$의 값을 구하여라.

(단, a, b는 상수이다.)

함수 $y=\dfrac{4}{x}$의 그래프 위를 움직이는 점 P에 대하여 원점 O에서 점 P까지의 거리의 최솟값을 구하여라.

풍쌤 POINT

점 P의 좌표를 $\left(a, \dfrac{4}{a}\right)$로 놓고 $\overline{\text{OP}}$의 길이를 a로 나타내.

이때 두 양수에 대하여 두 수의 곱이 일정하면 산술평균과 기하평균의 관계를 이용하여 최솟값을 구할 수 있어.

풀이

STEP1 $\overline{\text{OP}}$의 길이 구하기

함수 $y=\dfrac{4}{x}$의 그래프 위의 점 P의 좌표를 $\left(a, \dfrac{4}{a}\right)$라 하면

원점 O에서 점 P까지의 거리 $\overline{\text{OP}}^{\textbf{❶}}$는

$$\overline{\text{OP}}=\sqrt{a^2+\dfrac{16}{a^2}}$$

❶ 두 점 (x_1, y_1), (x_2, y_2) 사이의 거리는
$$\sqrt{(x_2-x_1)^2+(y_2-y_1)^2}$$

STEP2 산술평균과 기하평균의 관계 이용하기

이때 $a^2>0$, $\dfrac{16}{a^2}>0$이므로 산술평균과 기하평균의 관계에 의하여

$$a^2+\dfrac{16}{a^2}\geq 2\sqrt{a^2\times\dfrac{16}{a^2}}=8^{\textbf{❷}}$$

$$\left(\text{단, 등호는 } a^2=\dfrac{16}{a^2}\text{일 때 성립한다.}\right)$$

❷ $a>0$, $b>0$일 때
$$\dfrac{a+b}{2}\geq\sqrt{ab}$$
(단, 등호는 $a=b$일 때 성립한다.)

STEP3 최솟값 구하기

$$\therefore\ \overline{\text{OP}}=\sqrt{a^2+\dfrac{16}{a^2}}\geq\sqrt{8}=2\sqrt{2}$$

따라서 구하는 거리의 최솟값은 $2\sqrt{2}$이다.

답 $2\sqrt{2}$

풍쌤 강의 NOTE

$x>0$일 때 산술평균과 기하평균의 관계에 의하여

$$x+\dfrac{1}{x}\geq 2\sqrt{x\times\dfrac{1}{x}}=2\ \left(\text{단, 등호는 } x=\dfrac{1}{x}\text{일 때 성립한다.}\right)$$

이므로 $x+\dfrac{1}{x}$의 최솟값은 2이다.

이와 같이 (다항식)+(유리식)의 꼴의 최솟값을 구하는 문제는 산술평균과 기하평균의 관계를 이용하여 구할 수 있다.

13-1 ⦿유사

함수 $y=\dfrac{8}{x}$의 그래프 위를 움직이는 점 P에 대하여 원점 O에서 점 P까지의 거리의 최솟값을 구하여라.

13-4 ⦿변형

좌표평면 위에 점 $P(0,\ 4)$와 곡선 $y=\dfrac{8}{x}+4$가 있다. 점 Q가 이 곡선 위를 움직일 때, 선분 PQ의 길이의 최솟값을 구하여라.

13-2 ⦿변형

함수 $y=\dfrac{4}{x}\ (x>0)$의 그래프 위를 움직이는 점 P에서 x축, y축에 내린 수선의 발을 각각 Q, R라 할 때, 직사각형 OQPR의 둘레의 길이의 최솟값을 구하여라.

(단, O는 원점이다.)

13-5 ⦿실력

오른쪽 그림은 $y=x+\dfrac{1}{x}$의 그래프이다. 양수 a에 대하여 $x=a+\dfrac{1}{a}$일 때, $2x+\dfrac{1}{2x}$의 최솟값을 구하여라.

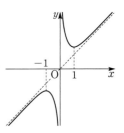

13-3 ⦿변형

함수 $y=\dfrac{3}{x}\ (x>0)$의 그래프 위의 점 P에서 x축, y축에 내린 수선의 발을 각각 Q, R라 할 때, 직사각형 OQPR의 대각선의 길이의 최솟값을 구하여라.

(단, O는 원점이다.)

13-6 ⦿실력   기출

$x>0$에서 정의된 함수 $y=\dfrac{2}{x}$의 그래프를 x축의 방향으로 1만큼, y축의 방향으로 2만큼 평행이동한 그래프 위의 점 P에서 x축, y축에 내린 수선의 발을 각각 Q, R라 할 때, 직사각형 ROQP의 넓이의 최솟값을 구하여라. (단, O는 원점이다.)

실전 연습 문제

01

다음 식을 만족시키는 유리식 A를 구하여라.

$$A \times \left\{ \frac{1}{(x-1)(x-2)} + \frac{1}{(x-2)(x+3)} \right\}$$
$$= \frac{x^2+x}{x^2+2x-3}$$

02

$x^2-x-1=0$일 때,

$x^3-2x^2+x-5-\dfrac{1}{x}-\dfrac{2}{x^2}-\dfrac{1}{x^3}$의 값을 구하여라.

03

$\dfrac{4x+2a}{2x-4}$가 임의의 x에 대하여 일정한 값을 가질 때,

상수 a의 값을 구하여라. (단, $x \neq 2$)

04

자연수 n에 대하여 $\dfrac{4n+40}{n+5}$이 자연수가 되도록 하는

모든 n의 값의 합을 구하여라.

05

$f(x) = \dfrac{1}{x(x+1)} + \dfrac{1}{(x+1)(x+2)}$일 때,

$f(1)+f(3)+f(5)+\cdots+f(99)$의 값을 구하여라.

06 서술형 ✎

$x+y-z=0$, $2x-3y+z=0$을 만족시키는 x, y, z에

대하여 $x:y:z=m:3:n$일 때, $m+n$의 값을 구하

여라. (단, $xyz \neq 0$)

07 기출

함수 $y=\dfrac{2}{x-1}$의 그래프를 x축의 방향으로 a만큼, y축의 방향으로 4만큼 평행이동한 그래프의 점근선은 두 직선 $x=3$, $y=b$이다. 상수 a, b에 대하여 $a+b$의 값을 구하여라.

08

함수 $y=\dfrac{ax+4}{x+b}$의 그래프가 직선 $y=x+1$에 대하여 대칭이고 동시에 직선 $y=-x+5$에 대해서도 대칭일 때, ab의 값을 구하여라. (단, a, b는 상수이다.)

09

오른쪽 그림은 함수 $y=\dfrac{ax+b}{x+c}$의 그래프이다. 이때 상수 a, b, c에 대하여 abc의 값을 구하여라.

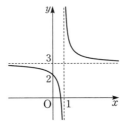

10

오른쪽 그림과 같이 함수 $y=f(x)$의 그래프는 기울기가 양수이고, x절편이 1이다. 다음 중 함수 $y=\dfrac{1}{f(x)}$의 그래프의 개형은?

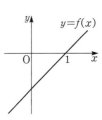

① ②

③ ④

⑤

11

함수 $y=\dfrac{k}{x+5}-3$의 그래프가 모든 사분면을 지나도록 하는 상수 k의 값의 범위를 구하여라. (단, $k\ne0$)

12

함수 $f(x) = \dfrac{kx}{x-2}$ $(k \neq 0)$의 그래프에 대한 설명으로 옳은 것만을 |보기|에서 모두 고른 것은?

┤보기├

ㄱ. 두 직선 $x=2$, $y=k$를 점근선으로 갖는다.
ㄴ. $2 < x_1 < x_2$이면 $f(x_1) < f(x_2)$이다.
ㄷ. 직선 $y = x+2+k$에 대하여 대칭이다.
ㄹ. 정의역은 $R - \{2\}$, 치역은 $R - \{k\}$이다.
         (단, R는 실수 전체의 집합이다.)

① ㄱ, ㄴ   ② ㄱ, ㄹ   ③ ㄴ, ㄷ
④ ㄷ, ㄹ   ⑤ ㄱ, ㄷ, ㄹ

13

오른쪽 그림과 같이 함수 $y = \dfrac{1}{x}$의 그래프의 제1사분면 위의 점 A에서 x축, y축에 평행한 직선을 그어 $y = \dfrac{k}{x}$ $(k > 1)$의 그래프와

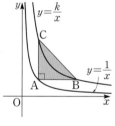

만나는 점을 각각 B, C라 하자. 삼각형 ABC의 넓이가 72일 때, 상수 k의 값을 구하여라.

14 서술형 ✎

부등식 $x^2 - 2x - 3 \leq 0$을 만족시키는 x에 대하여 함수 $y = \dfrac{3x+4}{x+2}$의 최댓값을 M, 최솟값을 m이라 할 때, $M + m$의 값을 구하여라.

15

함수 $y = \dfrac{-x+5}{x+1}$의 그래프에 대한 설명으로 다음 중 옳지 <u>않은</u> 것은?

① 정의역은 $\{x \mid x \neq -1$인 실수$\}$이다.

② 치역은 $\{y \mid y \neq -1$인 실수$\}$이다.

③ 점근선의 방정식은 $x = -1$, $y = -1$이다.

④ $y = \dfrac{6}{x}$의 그래프를 x축의 방향으로 -1만큼, y축의 방향으로 -1만큼 평행이동한 곡선이다.

⑤ $y = \dfrac{-x+5}{x+1}$의 역함수는 $y = \dfrac{x+5}{x+1}$이다.

16 서술형 ✎

함수 $y = \dfrac{3}{x}$ $(x > 0)$의 그래프 위의 점 P와 두 점 A$(-5, 7)$, B$(4, -5)$에 대하여 삼각형 PAB의 넓이의 최솟값을 구하여라.

01

$\dfrac{\dfrac{1}{n}-\dfrac{1}{n+2}}{\dfrac{1}{n+2}-\dfrac{1}{n+3}}$ 의 값이 정수가 되도록 하는 모든 정

수 n의 값의 합을 구하여라.

02

함수 $y=\dfrac{ax+b}{cx+d}$ 의 그래프

가 오른쪽 그림과 같을 때, 옳은 것만을 |보기|에서 모두 고른 것은?

(단, $c\neq0$, $ad-bc\neq0$)

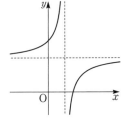

┤보기├

ㄱ. $ac>0$　　　　　　ㄴ. $cd<0$

ㄷ. $bc-ad>0$　　　　ㄹ. $b>0$이면 $d<0$

① ㄱ, ㄴ 　　② ㄴ, ㄷ 　　③ ㄷ, ㄹ

④ ㄱ, ㄴ, ㄷ 　　⑤ ㄱ, ㄴ, ㄷ, ㄹ

03

함수 $y=\dfrac{k}{x-4}+8$과 $y=\dfrac{k}{x+5}-2$의 그래프가 모두

모든 사분면을 지날 때, 상수 k의 최솟값을 구하여라.

(단, $k\neq0$)

04

오른쪽 그림은 함수

$f(x)=\left|\dfrac{2}{x}-1\right|$ $(x>0)$의

그래프이다. $0<a<b$인 두

실수 a, b에 대하여

$f(a)=f(b)$가 성립할 때,

옳은 것만을 |보기|에서 모두 고른 것은?

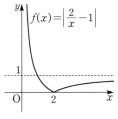

┤보기├

ㄱ. $0<f(b)<1$

ㄴ. $0<a<1$

ㄷ. $abf(a)f(b)=(a-2)(2-b)$

① ㄱ 　　② ㄱ, ㄴ 　　③ ㄱ, ㄷ

④ ㄴ, ㄷ 　　⑤ ㄱ, ㄴ, ㄷ

05

함수 $y=\dfrac{-8x+16}{4x+1}$ 의 그래프 위에 있는 점 중에서 x좌표, y좌표가 모두 정수인 점의 개수를 구하여라.

06

$0 \le x \le 1$에서 정의된 함수 $f(x)=\dfrac{-x+1}{x+1}$ 이 다음 두 조건을 만족시킨다.

> ㈎ $f(-x)=f(x)$
> ㈏ $f(x)=f(x+2)$

함수 $y=f(x)$의 그래프와 직선 $y=\dfrac{1}{m}x+\dfrac{1}{2m}$의 교점의 개수를 $g(m)$이라 할 때, $g(12)$의 값을 구하여라. (단, $m \ne 0$)

07

함수 $f(x)=\dfrac{bx+3}{ax-1}$ 의 그래프의 한 점근선의 방정식이 $x=30$이다. 모든 실수 x에 대하여 $f(f(x))=x$가 성립할 때, $a+b$의 값을 구하여라. (단, a, b는 상수이다.)

08

기출

곡선 $y=\dfrac{1}{x}$ 위의 두 점 $A(-1, -1)$, $B\left(a, \dfrac{1}{a}\right)$ $(a>1)$을 지나는 직선이 x축, y축과 만나는 점을 각각 P, Q라 하자. 점 B에서 x축에 내린 수선의 발을 B'이라 할 때, 두 삼각형 POQ, PB'B의 넓이를 각각 S_1, S_2라 하자. S_1+S_2의 최솟값을 구하여라. (단, O는 원점이다.)

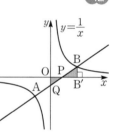

08

무리식과 무리함수

무리식과 무리함수

개념 01 제곱근의 성질

(1) 임의의 실수 a, b에 대하여

① $\sqrt{a^2} = |a| = \begin{cases} a & (a \geq 0) \\ -a & (a < 0) \end{cases}$

② $\sqrt{(a-b)^2} = |a-b|$

(2) 제곱근의 성질

$a > 0$, $b > 0$일 때

① $\sqrt{a}\sqrt{b} = \sqrt{ab}$

② $\dfrac{\sqrt{a}}{\sqrt{b}} = \sqrt{\dfrac{a}{b}}$

③ $\sqrt{a^2 b} = a\sqrt{b}$

④ $\dfrac{\sqrt{a}}{\sqrt{b^2}} = \dfrac{\sqrt{a}}{b}$

> **주의** 위의 제곱근의 성질은 $a > 0$, $b > 0$일 때에만 성립한다. 다음과 같은 음수의 제곱근의 성질과 혼동하지 않도록 한다.
>
> ① $a < 0$, $b < 0$일 때, $\sqrt{a}\sqrt{b} = -\sqrt{ab}$
>
> ② $a > 0$, $b < 0$일 때, $\dfrac{\sqrt{a}}{\sqrt{b}} = -\sqrt{\dfrac{a}{b}}$

확인 01 다음 식을 간단히 하여라.

(1) $x > 0$일 때, $\sqrt{4x^2}$

(2) $x < 0$일 때, $\sqrt{(-5x)^2}$

확인 02 다음 식을 간단히 하여라.

(1) $(\sqrt{2} - 2\sqrt{3})(3\sqrt{2} + \sqrt{3})$

(2) $\sqrt{\dfrac{3}{20}}\left(\sqrt{\dfrac{5}{12}} + \sqrt{\dfrac{4}{15}}\right)$

> **中3 수학** 제곱근
>
> 제곱하여 실수 a가 되는 수, 즉 $x^2 = a$인 수 x를 a의 제곱근이라 한다.

개념 02 무리식

(1) **무리식**: 근호 안에 문자가 포함되어 있는 식 중에서 유리식으로 나타낼 수 없는 식

예 $\sqrt{2x}$, $\sqrt{x} + 3$, $\dfrac{x}{\sqrt{x+1}}$는 무리식이다.

(2) 무리식이 실수가 되기 위한 조건은 다음과 같다.

(근호 안에 있는 식의 값) ≥ 0, (분모) $\neq 0$

확인 03 다음 무리식의 값이 실수가 되도록 x의 값의 범위를 정하여라.

(1) $\sqrt{4-x}$

(2) $\dfrac{x}{\sqrt{x-3}}$

> 식 $\begin{cases} \text{유리식} \begin{cases} \text{다항식} \\ \text{분수식} \end{cases} \\ \text{무리식} \end{cases}$

> $\sqrt{A}$가 실수 $\Longleftrightarrow A \geq 0$
>
> $\dfrac{1}{\sqrt{A}}$이 실수 $\Longleftrightarrow A > 0$

개념 03 분모의 유리화

$a>0$, $b>0$일 때

(1) $\dfrac{b}{\sqrt{a}}=\dfrac{b\times\sqrt{a}}{\sqrt{a}\times\sqrt{a}}=\dfrac{b\sqrt{a}}{a}$

(2) $\dfrac{c}{\sqrt{a}+\sqrt{b}}=\dfrac{c(\sqrt{a}-\sqrt{b})}{(\sqrt{a}+\sqrt{b})(\sqrt{a}-\sqrt{b})}$

$=\dfrac{c(\sqrt{a}-\sqrt{b})}{a-b}$ (단, $a\neq b$)

(3) $\dfrac{c}{\sqrt{a}-\sqrt{b}}=\dfrac{c(\sqrt{a}+\sqrt{b})}{(\sqrt{a}-\sqrt{b})(\sqrt{a}+\sqrt{b})}$

$=\dfrac{c(\sqrt{a}+\sqrt{b})}{a-b}$ (단, $a\neq b$)

확인 04 다음 식을 간단히 하여라.

(1) $\dfrac{1}{\sqrt{5}+2}$

(2) $\dfrac{\sqrt{5}}{\sqrt{7}+\sqrt{6}}$

(3) $\dfrac{\sqrt{2}+1}{\sqrt{2}-1}$

확인 05 다음 식을 간단히 하여라.

(1) $\dfrac{1}{\sqrt{x}-1}$

(2) $\dfrac{1}{\sqrt{x-2}-\sqrt{x+1}}$

(3) $\dfrac{1}{\sqrt{2x+1}-\sqrt{2x-1}}$

개념 04 무리수가 서로 같을 조건

a, b, c, d가 유리수이고, $\sqrt{m}$, $\sqrt{n}$이 무리수일 때

(1) $a+b\sqrt{m}=0 \iff a=0$, $b=0$

(2) $a+b\sqrt{m}=c+d\sqrt{m} \iff a=c$, $b=d$

(3) $a\sqrt{m}+b\sqrt{n}=c\sqrt{m}+d\sqrt{n} \iff a=c$, $b=d$

주의 무리수가 서로 같을 조건은 복소수가 서로 같을 조건과 유사하지만 여기서는 a, b, c, d가 실수가 아닌 유리수이어야 한다.

확인 06 다음 등식을 만족시키는 유리수 x, y의 값을 각각 구하여라.

(1) $(x-2)\sqrt{2}+y+1=0$

(2) $(x+y+3)\sqrt{3}+y+1=2+\sqrt{3}$

(3) $(x-y+1)\sqrt{2}+(x+y)\sqrt{5}=2\sqrt{2}-3\sqrt{5}$

中3 수학 분모의 유리화

분모가 근호가 있는 무리수일 때, 분모, 분자에 각각 0이 아닌 같은 수를 곱하여 분모를 유리수로 고치는 것을 분모의 유리화라 한다.

▶ 분모에 근호를 포함한 식은 $(\sqrt{A}+\sqrt{B})(\sqrt{A}-\sqrt{B})=A-B$ 임을 이용하여 분모를 유리화한다.

高1 수학 복소수가 서로 같을 조건

a, b, c, d가 실수일 때

① $a+bi=0$ $\iff a=0$, $b=0$

② $a+bi=c+di$ $\iff a=c$, $b=d$

개념 05 무리함수

(1) **무리함수**: 함수 $y=f(x)$에서 $f(x)$가 x에 대한 무리식일 때, 이 함수를 무리함수라 한다.

　[예] $y=\sqrt{2x}$, $y=-\sqrt{x+2}$, $y=\sqrt{x^2-1}$은 무리함수이다.

(2) **무리함수의 정의역**

　무리함수에서 정의역이 주어져 있지 않을 때에는 (근호 안의 식의 값)≥ 0
　이 되도록 하는 실수 전체의 집합을 정의역으로 한다.

> **무리식의 성질**
> $\sqrt{A}$에서 $A \geq 0$

확인 07 다음 무리함수의 정의역을 구하여라.

　　(1) $y=\sqrt{x+3}$

　　(2) $y=\sqrt{2-x}$

　　(3) $y=\sqrt{2x+1}$

　　(4) $y=\sqrt{x^2-4}$

개념 06 무리함수 $y=\pm\sqrt{ax}\,(a \neq 0)$의 그래프

(1) 함수 $y=\sqrt{ax}\,(a \neq 0)$의 그래프

　① $a>0$일 때

　　정의역: $\{x\,|\,x \geq 0\}$, 치역: $\{y\,|\,y \geq 0\}$

　② $a<0$일 때

　　정의역: $\{x\,|\,x \leq 0\}$, 치역: $\{y\,|\,y \geq 0\}$

(2) 함수 $y=-\sqrt{ax}\,(a \neq 0)$의 그래프

　① $a>0$일 때

　　정의역: $\{x\,|\,x \geq 0\}$, 치역: $\{y\,|\,y \leq 0\}$

　② $a<0$일 때

　　정의역: $\{x\,|\,x \leq 0\}$, 치역: $\{y\,|\,y \leq 0\}$

> **참고** 함수 $y=\sqrt{x}$의 그래프는 함수 $y=x^2\,(x \geq 0)$의 그래프와 직선 $y=x$
> 에 대하여 대칭이다.

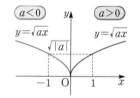

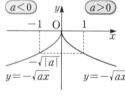

> 함수 $y=\pm\sqrt{ax}$의 그래프는 $|a|$의 값이 커질수록 x축에서 멀어진다.

> 함수 $y=-\sqrt{ax}$, $y=\sqrt{-ax}$, $y=-\sqrt{-ax}$의 그래프는 $y=\sqrt{ax}$의 그래프를 각각 x축, y축, 원점에 대하여 대칭이동한 것과 같다.

확인 08 다음 함수의 그래프를 그리고 정의역과 치역을 각각 구하여라.

　　(1) $y=\sqrt{2x}$

　　(2) $y=\sqrt{-2x}$

　　(3) $y=-\sqrt{2x}$

　　(4) $y=-\sqrt{-2x}$

개념 07 무리함수 $y=\sqrt{a(x-p)}+q\ (a\neq0)$의 그래프

(1) 함수 $y=\sqrt{a(x-p)}+q(a\neq0)$의 그래프

① 함수 $y=\sqrt{ax}\,(a\neq0)$의 그래프를 x축의 방향으로 p만큼, y축의 방향으로 q만큼 평행이동한 그래프이다.

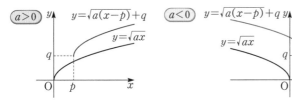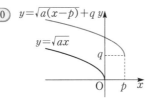

② $a>0$일 때, 정의역은 $\{x|x\geq p\}$, 치역은 $\{y|y\geq q\}$이다.

　$a<0$일 때, 정의역은 $\{x|x\leq p\}$, 치역은 $\{y|y\geq q\}$이다.

(2) 함수 $y=\sqrt{ax+b}+c\,(a\neq0)$의 그래프는 함수 $y=\sqrt{a(x-p)}+q$의 꼴로 변형하여 그린다.

> **참고** $y=\sqrt{ax+b}+c=\sqrt{a\left(x+\dfrac{b}{a}\right)}+c$이므로 무리함수 $y=\sqrt{ax+b}+c$의 그래프는 $y=\sqrt{ax}$의
>
> 그래프를 x축의 방향으로 $-\dfrac{b}{a}$만큼, y축의 방향으로 c만큼 평행이동한 것이다.

확인 09 다음 함수의 그래프를 그리고, 정의역과 치역을 각각 구하여라.

(1) $y=\sqrt{x-2}+3$　　　　　　(2) $y=-\sqrt{2(x+3)}+1$

(3) $y=\sqrt{-(x-4)}+2$　　　　(4) $y=-\sqrt{-3(x-2)}-1$

(5) $y=\sqrt{2x-4}-1$　　　　　(6) $y=-\sqrt{3x+3}+2$

> **＞** 함수
> $y=-\sqrt{a(x-p)}+q\,(a\neq0)$의
> 그래프는 함수 $y=-\sqrt{ax}\,(a\neq0)$
> 의 그래프를 x축의 방향으로 p만
> 큼, y축의 방향으로 q만큼 평행이
> 동한 그래프이다.

개념 08 무리함수의 역함수

함수 $y=\sqrt{ax+b}+c\,(a\neq0)$의 역함수는 다음과 같은 순서로 구한다.

❶ 주어진 무리함수의 정의역과 치역을 각각 구한다.

❷ x와 y를 서로 바꾼다.

❸ y를 x에 대한 식으로 나타낸다.

확인 10 다음 함수의 역함수를 구하여라.

(1) $y=\sqrt{x}-2$　　　　　　　　(2) $y=-\sqrt{x-3}+1$

> **＞** 함수의 역함수를 구할 때, y를 x에
> 대한 식으로 나타낸 후 x와 y를
> 서로 바꾸어도 된다.

개념＋ 함수 $y=\sqrt{ax+b}+c\,(a\neq0)$의 정의역과 치역

$y=\sqrt{ax+b}+c=\sqrt{a\left(x+\dfrac{b}{a}\right)}+c$이므로

$a>0$일 때, 정의역은 $\left\{x\middle|x\geq-\dfrac{b}{a}\right\}$, 치역은 $\{y|y\geq c\}$이다.

$a<0$일 때, 정의역은 $\left\{x\middle|x\leq-\dfrac{b}{a}\right\}$, 치역은 $\{y|y\geq c\}$이다.

다음 물음에 답하여라.

(1) $-2 < a < 1$일 때, $\sqrt{(a+2)^2} + \sqrt{(a-1)^2}$을 간단히 하여라.

(2) $-3 < a < 1$일 때, $\sqrt{a^2+6a+9} + \sqrt{4a^2-12a+9}$를 간단히 하여라.

(3) 실수 a에 대하여 $\sqrt{(a-3)(2-a)} = -\sqrt{a-3}\sqrt{2-a}$일 때,
$\sqrt{(a-1)^2} + \sqrt{(a-4)^2}$을 간단히 하여라.

풍쌤 POINT

근호를 포함한 식은 근호 안을 완전제곱식이 되도록 변형한 후, 제곱근의 성질을 이용하여 근호를 없애면 식을 간단히 할 수 있어.

풀이

(1) STEP1 $a+2$, $a-1$의 부호 구하기

$-2 < a < 1$이므로 $a+2 > 0$, $a-1 < 0$

STEP2 근호를 없애고 식 간단히 하기

$\therefore \sqrt{(a+2)^2} + \sqrt{(a-1)^2} = |a+2| + |a-1|$ ❶
$\qquad\qquad\qquad = a+2 - (a-1)$
$\qquad\qquad\qquad = a+2-a+1 = 3$

❶ $\sqrt{a^2} = |a|$를 이용하여 근호를 없앤다.

(2) STEP1 근호 안의 식을 완전제곱식으로 나타내기

$\sqrt{a^2+6a+9} + \sqrt{4a^2-12a+9} = \sqrt{(a+3)^2} + \sqrt{(2a-3)^2}$

STEP2 $a+3$, $2a-3$의 부호 구하기

$-3 < a < 1$이므로 $a+3 > 0$, $2a-3 < 0$ ❷

STEP3 근호를 없애고 식 간단히 하기

$\therefore \sqrt{(a+3)^2} + \sqrt{(2a-3)^2} = |a+3| + |2a-3|$
$\qquad\qquad\qquad\qquad = a+3 - (2a-3)$
$\qquad\qquad\qquad\qquad = a+3-2a+3 = -a+6$

❷ $-3 < a < 1$이므로
$-6 < 2a < 2$
$\therefore -9 < 2a-3 < -1$

(3) STEP1 a의 값의 범위 구하기

$\sqrt{(a-3)(2-a)} = -\sqrt{a-3}\sqrt{2-a}$이므로
$a-3 \le 0$, $2-a \le 0$ ❸ $\quad \therefore 2 \le a \le 3$

STEP2 $a-1$, $a-4$의 부호 구하기

$2 \le a \le 3$이므로 $a-1 > 0$, $a-4 < 0$

STEP3 근호를 없애고 식 간단히 하기

$\therefore \sqrt{(a-1)^2} + \sqrt{(a-4)^2} = |a-1| + |a-4|$
$\qquad\qquad\qquad\qquad = a-1 - (a-4)$
$\qquad\qquad\qquad\qquad = a-1-a+4 = 3$

❸ $\sqrt{x}\sqrt{y} = -\sqrt{xy}$이면
$x \le 0$, $y \le 0$임을 이용한다.

답 (1) 3 (2) $-a+6$ (3) 3

풍쌤 강의 NOTE

$\sqrt{A^2}$의 꼴이 포함된 식은 $\sqrt{A^2} = |A|$임을 이용하여 간단히 한다.
이때 A가 0 또는 양수이면 $|A| = A$, A가 음수이면 $|A| = -A$이다.

01-1 ◉ 유사

$-2 \leq a \leq 5$일 때, $\sqrt{(a+2)^2} - \sqrt{(a-5)^2}$을 간단히 하여라.

01-2 ◉ 유사

$-1 < a < 0$일 때, $\sqrt{a^2-2a+1} - \sqrt{4a^2-4a+1}$을 간단히 하여라.

01-3 ◉ 유사

실수 x에 대하여
$\sqrt{x-4}\sqrt{2-x} = -\sqrt{(x-4)(2-x)}$일 때,
$\sqrt{(x-4)^2} + \sqrt{(x-2)^2}$을 간단히 하여라.

01-4 ◉ 변형

$1 < a < 2$일 때, $\sqrt{(a^2-1)^2} - \sqrt{(a^2-4)^2}$을 간단히 하여라.

01-5 ◉ 변형

실수 x가 $\dfrac{\sqrt{x+2}}{\sqrt{x-3}} = -\sqrt{\dfrac{x+2}{x-3}}$를 만족시킬 때,
$\sqrt{x^2+4x+4} - \sqrt{x^2-8x+16}$을 간단히 하여라.

01-6 ◉ 실력

$x = a + \dfrac{1}{a}$일 때, $\sqrt{x^2-4} - x$를 a로 나타내어라.

(단, $a > 1$)

다음 무리식의 값이 실수가 되도록 하는 x의 값의 범위를 구하여라.

(1) $\sqrt{x^2-3x-10}$

(2) $\sqrt{x-3}+\sqrt{6-x}$

(3) $\dfrac{\sqrt{2-x}}{\sqrt{x+3}}$

풍쌤 POINT

무리식의 값이 실수가 되려면 다음 조건을 만족시켜야 해.

(i) (근호 안에 있는 식의 값)≥ 0

(ii) 분모에 무리식이 있을 경우 ➡ (분모)$\neq 0$

풀이 ●◉

(1) 무리식 $\sqrt{x^2-3x-10}$의 값이 실수가 되려면

$x^2-3x-10\geq 0$이어야 하므로

$(x+2)(x-5)\geq 0$ $\therefore x\leq -2$ 또는 $x\geq 5$ ❶

❶ $(x-a)(x-b)\geq 0$이면 $x\leq a$ 또는 $x\geq b$ (단, $a<b$)

(2) STEP1 $\sqrt{x-3}$, $\sqrt{6-x}$의 값이 각각 실수가 되는 x의 값의 범위 구하기

무리식 $\sqrt{x-3}$의 값이 실수가 되려면 $x-3\geq 0$에서 $x\geq 3$

무리식 $\sqrt{6-x}$의 값이 실수가 되려면 $6-x\geq 0$에서 $x\leq 6$

STEP2 x의 값의 범위 구하기

무리식 $\sqrt{x-3}+\sqrt{6-x}$의 값이 실수가 되려면 $\sqrt{x-3}$과 $\sqrt{6-x}$

의 값이 모두 실수이어야 하므로 구하는 x의 값의 범위는

$3\leq x\leq 6$

(3) STEP1 $\sqrt{2-x}$, $\dfrac{1}{\sqrt{x+3}}$의 값이 각각 실수가 되는 x의 값의 범위 구하기

무리식 $\sqrt{2-x}$의 값이 실수가 되려면 $2-x\geq 0$에서 $x\leq 2$

무리식 $\dfrac{1}{\sqrt{x+3}}$의 값이 실수가 되려면 $x+3>0$ ❷에서

$x>-3$

❷ (분모)$\neq 0$이어야 하므로 $x-3\neq 0$

STEP2 x의 값의 범위 구하기

무리식 $\dfrac{\sqrt{2-x}}{\sqrt{x+3}}$의 값이 실수가 되려면 $\sqrt{2-x}$와 $\dfrac{1}{\sqrt{x+3}}$의

값이 모두 실수이어야 하므로 구하는 x의 값의 범위는

$-3<x\leq 2$

📖 (1) $x\leq -2$ 또는 $x\geq 5$ (2) $3\leq x\leq 6$ (3) $-3<x\leq 2$

풍쌤 강의 NOTE

무리식의 값이 실수가 되도록 하는 조건에서 $\sqrt{f(x)}$의 값이 실수이면 $f(x)\geq 0$, $\dfrac{1}{\sqrt{f(x)}}$의 값이 실수

이면 $f(x)>0$임을 꼭 기억해야 한다.

02-1 유사

무리식 $\sqrt{6x^2-7x-3}$의 값이 실수가 되도록 하는 x의 값의 범위를 구하여라.

02-2 유사

무리식 $\sqrt{5+x}-\sqrt{3-x}$의 값이 실수가 되도록 하는 x의 값의 범위를 구하여라.

02-3 유사

무리식 $\dfrac{\sqrt{9-x^2}}{\sqrt{x+2}}$의 값이 실수가 되도록 하는 x의 값의 범위를 구하여라.

02-4 변형

무리식 $\sqrt{1-x}+\dfrac{1}{\sqrt{x+2}}$의 값이 실수가 되도록 하는 모든 정수 x의 값의 합을 구하여라.

02-5 변형

무리식 $\sqrt{x+2}-\sqrt{2-x}$의 값이 실수가 되도록 하는 x에 대하여 $\sqrt{x^2-6x+9}$를 간단히 하여라.

02-6 실력

자연수 n에 대하여 $\sqrt{n+x}+\sqrt{n-x}$의 값이 실수가 되도록 하는 정수 x의 개수를 $f(n)$이라 할 때, $f(3)+f(4)+f(5)$의 값을 구하여라.

다음 식을 간단히 하여라.

(1) $\dfrac{\sqrt{x+1}+\sqrt{x-1}}{\sqrt{x+1}-\sqrt{x-1}}$

(2) $\dfrac{x}{1+\sqrt{x+1}}+\dfrac{x}{1-\sqrt{x+1}}$

(3) $\dfrac{\sqrt{x}}{\sqrt{x-1}+\sqrt{x}}-\dfrac{\sqrt{x}}{\sqrt{x-1}-\sqrt{x}}$

풍쌤 POINT

분모가 무리식인 경우는 $(\sqrt{a}+\sqrt{b})(\sqrt{a}-\sqrt{b})=a-b$를 이용하여 분모를 유리화하면 그 식을 간단 히 할 수 있어.

풀이

(1) $\dfrac{\sqrt{x+1}+\sqrt{x-1}}{\sqrt{x+1}-\sqrt{x-1}}=\dfrac{(\sqrt{x+1}+\sqrt{x-1})^2}{(\sqrt{x+1}-\sqrt{x-1})(\sqrt{x+1}+\sqrt{x-1})}$

$=\dfrac{x+1-2\sqrt{x^2-1}\,^{❶}+x-1}{(x+1)-(x-1)}$

$=\dfrac{2x-2\sqrt{x^2-1}}{2}$

$=x-\sqrt{x^2-1}$

❶ $\sqrt{x+1}\times\sqrt{x-1}$
$=\sqrt{(x+1)(x-1)}$
$=\sqrt{x^2-1}$

(2) $\dfrac{x}{1+\sqrt{x+1}}+\dfrac{x}{1-\sqrt{x+1}}$

$=\dfrac{x(1-\sqrt{x+1})+x(1+\sqrt{x+1})}{(1+\sqrt{x+1})(1-\sqrt{x+1})}$

$=\dfrac{x-x\sqrt{x+1}+x+x\sqrt{x+1}}{1-(x+1)}$

$=\dfrac{2x}{-x}=-2$

(3) $\dfrac{\sqrt{x}}{\sqrt{x-1}+\sqrt{x}}-\dfrac{\sqrt{x}}{\sqrt{x-1}-\sqrt{x}}$

$=\dfrac{\sqrt{x}(\sqrt{x-1}-\sqrt{x})-\sqrt{x}(\sqrt{x-1}+\sqrt{x})^{❷}}{(\sqrt{x-1}+\sqrt{x})(\sqrt{x-1}-\sqrt{x})}$

$=\dfrac{\sqrt{x^2-x}-x-\sqrt{x^2-x}-x}{(x-1)-x}$

$=\dfrac{-2x}{-1}=2x$

❷ $\sqrt{x}\sqrt{x-1}=\sqrt{x(x-1)}$
$=\sqrt{x^2-x}$
$\sqrt{x}\sqrt{x}=\sqrt{x^2}=x$

답 (1) $x-\sqrt{x^2-1}$ (2) -2 (3) $2x$

풍쌤 강의 NOTE

분모에 무리식이 있으면 ➡ 분모를 유리화한다.

$\dfrac{1}{\sqrt{a}+\sqrt{b}}=\dfrac{\sqrt{a}-\sqrt{b}}{(\sqrt{a}+\sqrt{b})(\sqrt{a}-\sqrt{b})}=\dfrac{\sqrt{a}-\sqrt{b}}{a-b}$ (단, $a\neq b$)

03-1 ⓢ 유사

다음 식을 간단히 하여라.

(1) $\dfrac{\sqrt{x+2}+\sqrt{x-2}}{\sqrt{x-2}-\sqrt{x+2}}$

(2) $\dfrac{2x}{\sqrt{2x+3}+\sqrt{3}}-\dfrac{2x}{\sqrt{2x+3}-\sqrt{3}}$

(3) $\dfrac{\sqrt{x}}{\sqrt{x+2}-\sqrt{x}}-\dfrac{\sqrt{x}}{\sqrt{x+2}+\sqrt{x}}$

03-2 ⓢ 변형

임의의 양수 a, b에 대하여 다음 식을 간단히 하여라.

$$\dfrac{1}{a+\sqrt{ab}}+\dfrac{1}{b+\sqrt{ab}}$$

03-3 ⓢ 변형

$x>y>0$일 때, 다음 식을 간단히 하여라.

$$\dfrac{\sqrt{x+y}-\sqrt{x-y}}{\sqrt{x+y}+\sqrt{x-y}}+\dfrac{\sqrt{x+y}+\sqrt{x-y}}{\sqrt{x+y}-\sqrt{x-y}}$$

03-4 ⓢ 변형

$x=\sqrt{2}$일 때, $\dfrac{\sqrt{x+1}-\sqrt{x}}{\sqrt{x+1}+\sqrt{x}}+\dfrac{\sqrt{x+1}+\sqrt{x}}{\sqrt{x+1}-\sqrt{x}}$의 값을 구하여라.

03-5 ⓢ 변형

$x=\dfrac{1}{\sqrt{2}-1}$, $y=\dfrac{1}{\sqrt{2}+1}$일 때,

$\dfrac{\sqrt{y}}{\sqrt{x}-\sqrt{y}}+\dfrac{\sqrt{x}}{\sqrt{x}+\sqrt{y}}$의 값을 구하여라.

03-6 ⓢ 실력

$f(x)=\sqrt{x}+\sqrt{x+1}$일 때, 다음 식의 값을 구하여라.

$$\dfrac{1}{f(1)}+\dfrac{1}{f(2)}+\dfrac{1}{f(3)}+\cdots+\dfrac{1}{f(15)}$$

다음을 구하여라.

(1) 함수 $y=\sqrt{2x-2}+4$의 그래프를 x축의 방향으로 a만큼, y축의 방향으로 b만큼 평행이동하면 함수 $y=\sqrt{2x-3}-4$의 그래프와 일치할 때, 상수 a, b의 값

(2) 함수 $y=\sqrt{x+3}$의 그래프를 x축의 방향으로 1만큼, y축의 방향으로 -2만큼 평행이동한 후, x축에 대하여 대칭이동하면 함수 $y=-\sqrt{ax+b}+c$의 그래프와 일치할 때, 상수 a, b, c의 값

풍쌤 POINT

- x축의 방향으로 p만큼 평행이동 ➡ x 대신 $x-p$를 대입
- y축의 방향으로 q만큼 평행이동 ➡ y 대신 $y-q$를 대입
- x축에 대하여 대칭이동 ➡ y 대신 $-y$를 대입
- y축에 대하여 대칭이동 ➡ x 대신 $-x$를 대입

풀이

(1) **STEP1** 함수 $y=\sqrt{2x-2}+4$의 그래프를 평행이동한 그래프의 식 구하기

함수 $y=\sqrt{2x-2}+4$의 그래프를 x축의 방향으로 a만큼, y축의 방향으로 b만큼 평행이동❶한 그래프의 식은

$y=\sqrt{2(x-a)-2}+4+b$

$\therefore y=\sqrt{2x+(-2a-2)}+4+b$

❶ x 대신 $x-a$를, y 대신 $y-b$를 대입한다.

STEP2 a, b의 값 구하기

위의 함수의 그래프가 $y=\sqrt{2x-3}-4$의 그래프와 일치하므로

$-2a-2=-3$, $4+b=-4$ $\therefore a=\dfrac{1}{2}$, $b=-8$

(2) **STEP1** 함수 $y=\sqrt{x+3}$의 그래프를 평행이동한 그래프의 식 구하기

함수 $y=\sqrt{x+3}$의 그래프를 x축의 방향으로 1만큼, y축의 방향으로 -2만큼 평행이동한 그래프의 식은

$y=\sqrt{(x-1)+3}-2=\sqrt{x+2}-2$

STEP2 대칭이동한 그래프의 식 구하기

위의 함수의 그래프를 x축에 대하여 대칭이동❷하면

$-y=\sqrt{x+2}-2$ $\therefore y=-\sqrt{x+2}+2$

❷ y 대신 $-y$를 대입한다.

STEP3 a, b, c의 값 구하기

위의 함수의 그래프가 $y=-\sqrt{ax+b}+c$의 그래프와 일치하므로 $a=1$, $b=2$, $c=2$

답 (1) $a=\dfrac{1}{2}$, $b=-8$ (2) $a=1$, $b=2$, $c=2$

풍쌤 강의 NOTE

무리함수 $y=\sqrt{a(x-p)}+q$ $(a\neq0)$, 즉 $y-q=a\sqrt{(x-p)}$는 무리함수 $y=\sqrt{ax}$에 x 대신 $x-p$를, y 대신 $y-q$를 대입한 것이다.

04-1 (유사)

함수 $y=\sqrt{3x+a}+b$의 그래프는 함수 $y=\sqrt{3x}$의 그래프를 x축의 방향으로 1만큼, y축의 방향으로 -2만큼 평행이동한 것이다. 이때 상수 a, b의 값을 각각 구하여라.

04-2 (유사)

함수 $y=\sqrt{2x+1}-2$의 그래프를 x축의 방향으로 a만큼, y축의 방향으로 b만큼 평행이동하면 함수 $y=\sqrt{2x+3}-3$의 그래프와 일치한다. 이때 상수 a, b의 값을 각각 구하여라.

04-3 (유사)

함수 $y=\sqrt{x-4}$의 그래프를 x축의 방향으로 -1만큼, y축의 방향으로 3만큼 평행이동한 후, y축에 대하여 대칭이동하면 함수 $y=\sqrt{ax+b}+c$의 그래프와 일치한다. 이때 상수 a, b, c의 값을 각각 구하여라.

04-4 (변형)

함수 $y=\sqrt{ax-2}+1$의 그래프는 함수 $y=\sqrt{2x}$의 그래프를 x축의 방향으로 b만큼, y축의 방향으로 c만큼 평행이동한 것이다. 상수 a, b, c에 대하여 $a+b+c$의 값을 구하여라.

04-5 (변형) (기출)

함수 $y=2\sqrt{x}$의 그래프를 y축의 방향으로 k만큼 평행이동한 그래프가 점 $(1, 5)$를 지난다. 상수 k의 값을 구하여라.

04-6 (실력)

함수 $y=a\sqrt{x}+2$의 그래프를 x축의 방향으로 m만큼, y축의 방향으로 n만큼 평행이동하였더니 $y=\sqrt{4x-8}$의 그래프와 일치하였다. 상수 a, m, n에 대하여 $a+m+n$의 값을 구하여라.

다음 그림과 같은 함수의 그래프에 대하여 상수 a, b, c의 값을 각각 구하여라.

(1) $y=\sqrt{ax+b}+c$

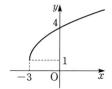

(2) $y=-\sqrt{ax+b}+c$

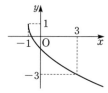

풍쌤 POINT

무리함수 $y=\pm\sqrt{ax}$ $(a\neq0)$의 그래프 위의 점 $(0, 0)$을 점 (p, q)로 평행이동한 그래프의 식은 $y=\pm\sqrt{a(x-p)}+q$야.

풀이

(1) STEP1 **주어진 함수를 $y=\pm\sqrt{a(x-p)}+q$의 꼴로 나타내기**

주어진 함수의 그래프는 $y=\sqrt{ax}$ $(a>0)$의 그래프를 x축의 방향으로 -3만큼, y축의 방향으로 1만큼 평행이동❶한 것이므로
$$y=\sqrt{a(x+3)}+1$$

❶ x 대신 $x+3$을, y 대신 $y-1$을 대입한다.

STEP2 **a의 값 구하기**

함수 $y=\sqrt{a(x+3)}+1$의 그래프가 점 $(0, 4)$를 지나므로
$$4=\sqrt{3a}+1, \sqrt{3a}=3, 3a=9 \qquad \therefore a=3$$

STEP3 **b, c의 값 구하기**

따라서 $y=\sqrt{3(x+3)}+1=\sqrt{3x+9}+1$이므로
$$b=9, c=1$$

(2) STEP1 **주어진 함수를 $y=\pm\sqrt{a(x-p)}+q$의 꼴로 나타내기**

주어진 함수의 그래프는 $y=-\sqrt{ax}$ $(a>0)$의 그래프를 x축의 방향으로 -1만큼, y축의 방향으로 1만큼 평행이동❷한 것이므로
$$y=-\sqrt{a(x+1)}+1$$

❷ x 대신 $x+1$을, y 대신 $y-1$을 대입한다.

STEP2 **a의 값 구하기**

함수 $y=-\sqrt{a(x+1)}+1$의 그래프가 점 $(3, -3)$을 지나므로
$$-3=-\sqrt{4a}+1, \sqrt{4a}=4, 4a=16 \qquad \therefore a=4$$

STEP3 **b, c의 값 구하기**

따라서 $y=-\sqrt{4(x+1)}+1=-\sqrt{4x+4}+1$이므로
$$b=4, c=1$$

답 (1) $a=3$, $b=9$, $c=1$ (2) $a=4$, $b=4$, $c=1$

풍쌤 강의 NOTE

무리함수의 그래프가 시작하는 점의 좌표 (p, q)를 찾아 $y=\pm\sqrt{a(x-p)}+q$ $(a\neq0)$의 꼴로 놓은 후, 그래프가 지나는 다른 한 점의 좌표를 이용하여 무리함수의 식을 구한다.

05-1 유사

함수 $y=\sqrt{ax+b}+c$의 그래프가 오른쪽 그림과 같을 때, 상수 a, b, c의 값을 각각 구하여라.

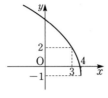

05-2 유사

함수 $y=-\sqrt{-ax+b}+c$의 그래프가 오른쪽 그림과 같을 때, 상수 a, b, c의 값을 각각 구하여라.

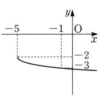

05-3 유사

함수 $y=-\sqrt{ax+b}+c$의 그래프가 오른쪽 그림과 같을 때, 상수 a, b, c의 값을 각각 구하여라.

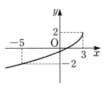

05-4 변형

함수 $f(x)=-\sqrt{ax+b}+c$의 그래프가 오른쪽 그림과 같다. $f(0)=-3$일 때, 상수 a, b, c에 대하여 $a+b+c$의 값을 구하여라.

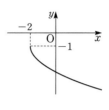

05-5 변형 · 기출

오른쪽 그림과 같이 함수 $y=\sqrt{-2x+4}+a$의 그래프가 두 점 $(b, 1)$, $(0, 3)$을 지날 때, 상수 a, b에 대하여 $a+b$의 값을 구하여라.

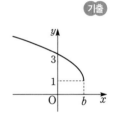

05-6 실력

함수 $f(x)=a\sqrt{x+b}+c$의 그래프가 오른쪽 그림과 같을 때, $f(7)$의 값을 구하여라.

(단, a, b, c는 상수이다.)

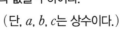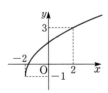

다음 물음에 답하여라.

(1) 함수 $y=\sqrt{4-2x}+2-b$의 정의역이 $\{x\,|\,x\le a\}$, 치역이 $\{y\,|\,y\ge -1\}$일 때, 상수 a, b의 값을 각각 구하여라.

(2) 함수 $y=-\sqrt{ax+3}+b$의 정의역이 $\{x\,|\,x\le 3\}$이고 그래프가 점 $(-1,\,2)$를 지날 때, 이 함수의 치역을 구하여라. (단, a, b는 상수이다.)

풍쌤 POINT

$y=\sqrt{a(x-p)}+q$			$y=-\sqrt{a(x-p)}+q$		
a의 부호	$a>0$	$a<0$	a의 부호	$a>0$	$a<0$
정의역	$\{x\,|\,x\ge p\}$	$\{x\,|\,x\le p\}$	정의역	$\{x\,|\,x\ge p\}$	$\{x\,|\,x\le p\}$
치역	$\{y\,|\,y\ge q\}$	$\{y\,|\,y\ge q\}$	치역	$\{y\,|\,y\le q\}$	$\{y\,|\,y\le q\}$

풀이

(1) STEP1 **a의 값 구하기**

$4-2x\ge 0$에서 $x\le 2$이므로 주어진 함수의 정의역은

$\{x\,|\,x\le 2\}$ ∴ $a=2$

STEP2 **b의 값 구하기**

$\sqrt{4-2x}\ge 0$이므로 주어진 함수의 치역은 $\{y\,|\,y\ge 2-b\}$

즉, $2-b=-1$이므로 $b=3$

(2) STEP1 **a의 값 구하기**

$ax+3\ge 0$에서 $ax\ge -3$

이때 정의역이 $\{x\,|\,x\le 3\}$이려면 $a<0$이어야 하므로

양변을 a로 나누면 $x\le -\dfrac{3}{a}$ ❶

즉, $-\dfrac{3}{a}=3$이므로 $a=-1$

STEP2 **b의 값 구하기**

함수 $y=-\sqrt{-x+3}+b$의 그래프가 점 $(-1,\,2)$를 지나므로

$2=-\sqrt{4}+b,\ 2=-2+b$ ∴ $b=4$

STEP3 **주어진 함수의 치역 구하기**

함수 $y=-\sqrt{-x+3}+4$에서 $-\sqrt{-x+3}\le 0$이므로

$-\sqrt{-x+3}+4\le 4$

따라서 구하는 치역은 $\{y\,|\,y\le 4\}$ ❷

❶ a가 음수이므로 양변을 a로 나누면 부등호의 방향이 바뀐다.

❷ $-\sqrt{-x+3}\le 0$이므로
$-\sqrt{-x+3}+4\le 4$
∴ $y\le 4$

답 (1) $a=2$, $b=3$ (2) $\{y\,|\,y\le 4\}$

풍쌤 강의 NOTE

무리함수 $y=\sqrt{ax+b}+c\ (a\ne 0)$에서 $ax+b\ge 0$을 이용하면 정의역을, $\sqrt{ax+b}\ge 0$을 이용하면 치역을 구할 수 있다.

06-1 (유사)

함수 $y=\sqrt{1-2x}+2+b$의 정의역이 $\{x\,|\,x\leq a\}$, 치역이 $\{y\,|\,y\geq 3\}$일 때, 상수 a, b의 값을 각각 구하여라.

06-2 (유사)

함수 $y=\sqrt{ax-1}+b$의 정의역이 $\{x\,|\,x\geq 1\}$, 치역이 $\{y\,|\,y\geq 2\}$일 때, 상수 a, b의 값을 각각 구하여라.

06-3 (유사)

함수 $y=-\sqrt{4x-a}+b$의 정의역이 $\{x\,|\,x\geq 2\}$이고 그래프가 점 $(3, 5)$를 지날 때, 이 함수의 치역을 구하여라. (단, a, b는 상수이다.)

06-4 (변형)

함수 $y=\sqrt{2x-4}+3$의 그래프에 대하여 옳은 것만을 |보기|에서 모두 골라라.

┤보기├
ㄱ. 점 $(2, 0)$을 지난다.
ㄴ. 정의역은 $\{x\,|\,x\leq -2\}$이다.
ㄷ. 치역은 $\{y\,|\,y\geq 3\}$이다.
ㄹ. $y=\sqrt{2x}$의 그래프를 평행이동한 것이다.

06-5 (변형)

함수 $y=-\sqrt{-x+3}+2$의 그래프에 대한 설명으로 옳지 <u>않은</u> 것은?

① 정의역은 $\{x\,|\,x\leq 3\}$이다.
② 치역은 $\{y\,|\,y\leq 2\}$이다.
③ $y=-\sqrt{-x}$의 그래프를 평행이동한 것이다.
④ 점 $(-1, 4)$를 지난다.
⑤ 그래프는 제4사분면을 지나지 않는다.

06-6 (실력)

함수 $y=a\sqrt{x+b}+c$의 그래프에 대하여 옳은 것만을 |보기|에서 모두 골라라. (단, a, b, c는 상수이다.)

┤보기├
ㄱ. $y=\sqrt{ax}$의 그래프를 평행이동한 것이다.
ㄴ. $a<0$, $b<0$, $c>0$이면 제1사분면과 제4사분면을 지난다.
ㄷ. $a>0$이면 정의역은 $\{x\,|\,x\geq -b\}$, 치역은 $\{y\,|\,y\geq c\}$이다.

다음 물음에 답하여라.

(1) $5 \le x \le 13$일 때, 함수 $y = \sqrt{x-4} + 2$의 최댓값과 최솟값을 각각 구하여라.

(2) $-3 \le x \le 1$일 때, 함수 $y = \sqrt{3-2x} + 1$의 최댓값과 최솟값을 각각 구하여라.

풍쌤 POINT

정의역이 $\{x \mid m \le x \le n\}$인 무리함수 $f(x) = \sqrt{ax+b} + c$의 최대, 최소

(i) $a > 0$일 때, 최솟값은 $f(m)$, 최댓값은 $f(n)$

(ii) $a < 0$일 때, 최솟값은 $f(n)$, 최댓값은 $f(m)$

풀이

(1) STEP1 $5 \le x \le 13$에서 주어진 무리함수의 그래프 그리기

$y = \sqrt{x-4} + 2$의 그래프는 $y = \sqrt{x}$의 그래프를 x축의 방향으로 4만큼, y축의 방향으로 2만큼 평행이동한 것이므로 $5 \le x \le 13$에서 $y = \sqrt{x-4} + 2$의 그래프를 그리면 오른쪽 그림과 같다.

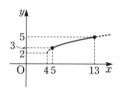

STEP2 최댓값과 최솟값 구하기

따라서

$x = 5$일 때, 최솟값은 3❶

$x = 13$일 때, 최댓값은 5❷

❶ $\sqrt{5-4} + 2 = 3$

❷ $\sqrt{13-4} + 2 = 5$

(2) STEP1 $-3 \le x \le 1$에서 주어진 무리함수의 그래프 그리기

$y = \sqrt{3-2x} + 1 = \sqrt{-2\left(x - \dfrac{3}{2}\right)} + 1$의 그래프는 $y = \sqrt{-2x}$의 그래프를 x축의 방향으로 $\dfrac{3}{2}$만큼, y축의 방향으로 1만큼 평행이동한 것이므로 $-3 \le x \le 1$에서 $y = \sqrt{3-2x} + 1$의 그래프를 그리면 위의 그림과 같다.

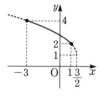

STEP2 최댓값과 최솟값 구하기

따라서

$x = -3$일 때, 최댓값은 4❸

$x = 1$일 때, 최솟값은 2❹

❸ $\sqrt{3+6} + 1 = 4$

❹ $\sqrt{3-2} + 1 = 2$

📋 (1) 최댓값: 5, 최솟값: 3   (2) 최댓값: 4, 최솟값: 2

풍쌤 강의 NOTE

정의역이 주어질 때, 무리함수의 최댓값과 최솟값은 함수식을 $y = \pm\sqrt{a(x-m)} + n\,(a \ne 0)$의 꼴로 변형하여 그래프를 그리면 쉽게 구할 수 있다.

07-1 유사

$-2 \le x \le 2$일 때, 함수 $y=\sqrt{x+2}-1$의 최댓값과 최솟값을 각각 구하여라.

07-4 변형

$-2 \le x \le 2$에서 함수 $y=\sqrt{2x+5}-a$의 최댓값이 5일 때, 상수 a의 값을 구하여라.

07-2 유사

$-1 \le x \le 1$일 때, 함수 $y=\sqrt{5-4x}-2$의 최댓값과 최솟값을 각각 구하여라.

07-5 변형

$4 \le x \le 7$에서 함수 $y=-\sqrt{x-a}+2$의 최댓값이 1일 때, 최솟값을 구하여라. (단, a는 상수이다.)

07-3 변형

$-7 \le x \le 0$에서 함수 $y=-\sqrt{-3x+4}-2$의 최댓값을 M, 최솟값을 m이라 할 때, $M+m$의 값을 구하여라.

07-6 실력

$a \le x \le 0$에서 함수 $y=-\sqrt{b-3x}+1$의 최댓값이 0, 최솟값이 -3일 때, $a+b$의 값을 구하여라.
(단, b는 상수이다.)

다음을 구하여라.

(1) 함수 $y=\sqrt{x-2}+1$의 역함수가 $y=x^2+ax+b\,(x\geq c)$일 때, 상수 a, b, c의 값

(2) 함수 $y=x^2-2x+2\,(x\geq1)$의 역함수가 $y=\sqrt{ax+b}+c\,(x\geq d)$일 때, 상수 a, b, c, d의 값

(3) 함수 $f(x)=\sqrt{ax+5}$에 대하여 $f^{-1}(5)=10$일 때, 상수 a의 값

풍쌤 POINT

역함수를 구하는 방법

x와 y를 서로 바꾸기 → y를 x에 대한 식으로 나타내기 → 원래 함수의 치역이 역함수의 정의역이 된다는 것 기억하기!

풀이

(1) STEP1 주어진 무리함수의 치역 구하기

$\sqrt{x-2}\geq0$이므로 치역은 $\{y\,|\,y\geq1\}$

STEP2 역함수 구하기

x와 y를 서로 바꾸면

$x=\sqrt{y-2}+1$, $x-1=\sqrt{y-2}$

양변을 제곱하면

$x^2-2x+1=y-2$ $\therefore\ y=x^2-2x+3\,(x\geq1)$❶

STEP3 a, b, c의 값 구하기

따라서 $a=-2$, $b=3$, $c=1$

❶ 원래 함수의 치역이 $\{y\,|\,y\geq1\}$ 이므로 역함수의 정의역은 $\{x\,|\,x\geq1\}$이 된다.

(2) STEP1 주어진 무리함수의 치역 구하기

$y=x^2-2x+2=(x-1)^2+1\,(x\geq1)$ 이므로 치역은 $\{y\,|\,y\geq1\}$

STEP2 역함수 구하기

$y=(x-1)^2+1$에서 $(x-1)^2=y-1$

x와 y를 서로 바꾸면 $(y-1)^2=x-1$

$\therefore\ y-1=\sqrt{x-1}$❷ $\therefore\ y=\sqrt{x-1}+1\,(x\geq1)$

STEP3 a, b, c, d의 값 구하기

따라서 $a=1$, $b=-1$, $c=1$, $d=1$

❷ $y-1=\pm\sqrt{x-1}$이지만 $y\geq1$ 이므로 $y-1=\sqrt{x-1}$

(3) STEP1 역함수의 성질을 이용하여 $f(10)$의 값 구하기

$f^{-1}(5)=10$이므로 $f(10)=5$❸

STEP2 a의 값 구하기

$f(10)=\sqrt{10a+5}=5$이므로 $10a+5=25$ $\therefore\ a=2$

❸ f의 역함수가 f^{-1}일 때 $f(p)=q \Longleftrightarrow p=f^{-1}(q)$

답 (1) $a=-2$, $b=3$, $c=1$ (2) $a=1$, $b=-1$, $c=1$, $d=1$ (3) 2

풍쌤 강의 NOTE

함수 $y=f(x)$의 역함수 $y=f^{-1}(x)$에 대하여 $f^{-1}(a)=b\,(a,\ b$는 상수$)$가 주어진 경우는 함수 $y=f(x)$의 역함수를 직접 구하는 것보다 역함수의 성질을 이용하여 문제를 해결한다.

08-1 ◎ 유사

함수 $y=\sqrt{x+1}-3$의 역함수가
$y=x^2+ax+b \ (x\geq c)$일 때, 상수 a, b, c의 값을 각각 구하여라.

08-4 ◎ 변형

함수 $f(x)=-\sqrt{2-x}+1$의 역함수를 $f^{-1}(x)$라 할 때, $f^{-1}(-2)$의 값을 구하여라.

08-5 ◎ 변형

함수 $f(x)=\sqrt{ax+1}-2$의 역함수를 $f^{-1}(x)$라 할 때, $f^{-1}(0)=1$이다. $f^{-1}(3)$의 값을 구하여라.
(단, a는 상수이다.)

08-2 ◎ 유사

함수 $y=x^2-4x+1 \ (x\geq 2)$의 역함수가
$y=\sqrt{ax+b}+c \ (x\geq d)$일 때, 상수 a, b, c, d의 값을 각각 구하여라.

08-6 ◎ 실력

함수 $f(x)=\sqrt{x+2}$의 그래프와 그 역함수 $y=f^{-1}(x)$의 그래프의 교점의 좌표가 (a, b)일 때, $a+b$의 값을 구하여라.

08-3 ◎ 유사 　　　　　　　　　　 기출

함수 $f(x)=a\sqrt{x+1}+2$에 대하여 $f^{-1}(10)=3$일 때, 상수 a의 값을 구하여라.

함수 $y=\sqrt{2x-4}$의 그래프와 직선 $y=x+k$의 위치 관계가 다음과 같을 때, 실수 k의 값 또는 k의 값의 범위를 구하여라.

(1) 서로 다른 두 점에서 만난다.

(2) 한 점에서 만난다.

(3) 만나지 않는다.

풍쌤 POINT

무리함수 $y=f(x)$의 그래프를 그린 후, 직선 $y=g(x)$를 주어진 조건을 만족시키도록 움직여 가며 두 그래프의 위치 관계를 파악해 봐!

풀이

STEP 1 무리함수의 그래프와 직선 그리기

함수 $y=\sqrt{2x-4}=\sqrt{2(x-2)}$의 그래프는 $y=\sqrt{2x}$의 그래프를 x축의 방향으로 2만큼 평행이동한 것이고 직선 $y=x+k$는 기울기가 1이고 y절편이 k이다.

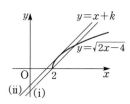

STEP 2 직선 $y=x+k$가 점 $(2, 0)$을 지날 때, k의 값 구하기

(i) 직선 $y=x+k$가 점 $(2, 0)$을 지날 때

$$0=2+k \qquad \therefore k=-2$$

STEP 3 무리함수의 그래프와 직선이 접할 때, k의 값 구하기

(ii) 직선 $y=x+k$가 함수 $y=\sqrt{2x-4}$의 그래프에 접할 때

$\sqrt{2x-4}=x+k$의 양변을 제곱하면

$$2x-4=x^2+2kx+k^2, \ x^2+2(k-1)x+k^2+4=0$$

이 이차방정식의 판별식을 D라 하면

$$\frac{D}{4}=(k-1)^2-(k^2+4)=0 \;❶ \qquad \therefore k=-\frac{3}{2}$$

❶ 직선과 무리함수의 그래프가 접하므로 $D=0$이어야 한다.

STEP 4 k의 값의 범위 구하기

(1) 서로 다른 두 점에서 만나려면 직선이 (i)이거나 (i)과 (ii) 사이 이어야 하므로 $-2 \leq k < -\frac{3}{2}$

(2) 한 점에서 만나려면 직선이 (ii)이거나 (i)보다 아래쪽에 있어야 하므로 $k=-\frac{3}{2}$ 또는 $k<-2$

(3) 만나지 않으려면 직선 (ii)보다 위쪽에 있어야 하므로 $k>-\frac{3}{2}$

📖 (1) $-2 \leq k < -\frac{3}{2}$ (2) $k=-\frac{3}{2}$ 또는 $k<-2$ (3) $k>-\frac{3}{2}$

풍쌤 강의 NOTE

무리함수의 그래프와 직선의 위치 관계는 무리함수의 그래프를 그린 후, 직선을 y절편의 값에 따라 y축의 방향으로 평행이동하면 위치 관계를 쉽게 파악할 수 있다.

09-1 유사

함수 $y=\sqrt{x-3}$의 그래프와 직선 $y=x+k$가 서로 다른 두 점에서 만나도록 하는 실수 k의 값의 범위를 구하여라.

09-2 유사

함수 $y=\sqrt{1-2x}$의 그래프와 직선 $y=-x+k$가 한 점에서 만날 때, 실수 k의 값의 범위를 구하여라.

09-3 변형

함수 $y=\sqrt{x+2}$의 그래프와 직선 $y=x+k$가 서로 다른 두 점에서 만나도록 하는 실수 k의 값의 범위가 $a\le k<b$일 때, $2ab$의 값을 구하여라.

09-4 변형

두 집합
$$A=\{(x,y)\,|\,y=\sqrt{2-x}\,\},$$
$$B=\{(x,y)\,|\,y=-x+k\}$$
에 대하여 $n(A\cap B)=2$가 되도록 하는 실수 k의 값의 범위를 구하여라.

09-5 변형

두 집합
$$A=\{(x,y)\,|\,y=\sqrt{3x-3}\,\},$$
$$B=\{(x,y)\,|\,y=x+k\}$$
에 대하여 $A\cap B\neq\varnothing$이 되도록 하는 실수 k의 값의 범위를 구하여라.

09-6 실력   기출

함수 $y=5-2\sqrt{1-x}$의 그래프와 직선 $y=-x+k$가 제1사분면에서 만나도록 하는 모든 정수 k의 값의 합을 구하여라.

01

$x>3$, $y<1$일 때, $\sqrt{(x-3)^2}-\sqrt{(y-1)^2}$를 간단히 하면?

① $x-y-2$ ② $x-y+2$

③ $x+y-2$ ④ $x+y-4$

⑤ $x+y+2$

02 서술형✐

$x=a^2+4$, $y=4a\,(0<a<2)$일 때, $\sqrt{x+y}+\sqrt{x-y}$를 간단히 하여라.

03

$x=\dfrac{\sqrt{3}}{2}$일 때,

$\dfrac{\sqrt{2x+1}-\sqrt{2x-1}}{\sqrt{2x+1}+\sqrt{2x-1}}+\dfrac{\sqrt{2x+1}+\sqrt{2x-1}}{\sqrt{2x+1}-\sqrt{2x-1}}$의 값을 구하여라.

04 기출

함수 $y=\sqrt{3x}$의 그래프를 x축의 방향으로 1만큼, y축의 방향으로 2만큼 평행이동하면 함수 $y=\sqrt{3x+a}+b$의 그래프와 일치한다. $a+b$의 값은? (단, a, b는 상수이다.)

① -4 ② -3 ③ -2

④ -1 ⑤ 0

05

점 $(-1,\ 4)$를 지나는 함수 $y=\sqrt{ax+2}+b$의 그래프는 함수 $y=\sqrt{-2x}$의 그래프를 x축의 방향으로 c만큼, y축의 방향으로 d만큼 평행이동한 것이다. $a+b+c+d$의 값을 구하여라. (단, a, b, c는 상수이다.)

06

함수 $f(x)=-\sqrt{ax+b}+c$의 그래프가 오른쪽 그림과 같다. $f(6)=-1$일 때, 상수 a, b, c에 대하여 abc의 값은?

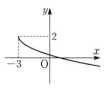

① 2 ② 4 ③ 6

④ 8 ⑤ 10

07

함수 $f(x)=-\sqrt{ax+b}+c$의 그래프가 오른쪽 그림과 같을 때, $f(-6)$의 값을 구하여라.

(단, a, b, c는 상수이다.)

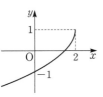

08 기출

함수 $y=\sqrt{a(6-x)}\,(a>0)$의 그래프와 함수 $y=\sqrt{x}$ 의 그래프가 만나는 점을 A라 하자. 원점 O와 점 B$(6,0)$에 대하여 삼각형 AOB의 넓이가 6일 때, 상수 a의 값은?

① 1   ② 2   ③ 3

④ 4   ⑤ 5

09

함수 $y=-\sqrt{2x-2}-3$의 그래프에 대한 다음 설명 중 옳지 <u>않은</u> 것은?

① 정의역은 $\{x\,|\,x\geq1\}$이다.

② 치역은 $\{y\,|\,y\leq-3\}$이다.

③ 점 $(3,-5)$를 지난다.

④ $y=\sqrt{2x}$의 그래프를 x축의 방향으로 -2만큼, y축의 방향으로 -3만큼 평행이동한 것이다.

⑤ 제4사분면을 지난다.

10

$4\leq x\leq10$에서 함수 $y=-\sqrt{2x-4}+a$의 최솟값이 -6일 때, 최댓값을 구하여라. (단, a는 상수이다.)

11

$-3\leq x\leq2$에서 함수 $y=\sqrt{a-x}-2$의 최댓값이 1일 때, 최솟값은 m이다. $a+m$의 값은?

(단, a는 상수이다.)

① 2   ② 4   ③ 6

④ 8   ⑤ 10

12 서술형

$5\leq x\leq a$에서 함수 $y=\sqrt{3x-6}+2$의 최솟값이 b, 최댓값이 8일 때, $a+b$의 값을 구하여라.

13

함수 $f(x)=-\sqrt{4-2x}+2$의 역함수를 $f^{-1}(x)$라 할 때, $f^{-1}(-2)$의 값은?

① 2   ② 0   ③ −2

④ −4   ⑤ −6

14   기출

함수 $f(x)=\sqrt{ax+b}$의 역함수를 $g(x)$라 하자. $f(2)=3$, $g(5)=10$일 때, $a+b$의 값은?

(단, a, b는 상수이다.)

① 7   ② 8   ③ 9

④ 10   ⑤ 11

15   기출

오른쪽 그림은 함수 $f(x)=\sqrt{x+a}+b$의 그래프 이다. 함수 $y=f(x)$의 그래프와 그 역함수 $y=f^{-1}(x)$의 그래프의 교점이 (p, q)일 때, $p+q$의 값은?

(단, a, b는 상수이다.)

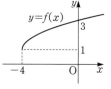

① $3+\sqrt{15}$ ② $3+3\sqrt{2}$

③ $3+\sqrt{21}$ ④ $3+2\sqrt{6}$

⑤ $3+3\sqrt{3}$

16

함수 $f(x)=\sqrt{x-a}+1$의 그래프와 그 역함수 $y=g(x)$의 그래프의 두 교점 사이의 거리가 $\sqrt{2}$일 때, 상수 a의 값을 구하여라.

17   서술형 ✎

두 집합
$$A=\{(x, y)\,|\,y=\sqrt{x-2}\},$$
$$B=\{(x, y)\,|\,y=x+k\}$$
에 대하여 $n(A\cap B)=2$가 되도록 하는 실수 k의 최 솟값을 구하여라.

18

두 집합
$$A=\{(x, y)\,|\,y=mx+1\},$$
$$B=\{(x, y)\,|\,y=\sqrt{x-3}\}$$
에 대하여 $A\cap B\neq\varnothing$이 되도록 하는 실수 m의 값의 범위가 $a\leq m\leq b$일 때, $a+b$의 값을 구하여라.

01

$\sqrt{x-3}\sqrt{1-x}=-\sqrt{-x^2+4x-3}$일 때,
$\sqrt{(x+3)^2}-\sqrt{(x-4)^2}$을 간단히 하여라.

02 기출

함수 $y=a\sqrt{x}+4$의 그래프를 x축의 방향으로 m만큼, y축의 방향으로 n만큼 평행이동하였더니 함수 $y=\sqrt{9x-18}$의 그래프와 일치하였다. $a+m+n$의 값은? (단, a, m, n은 상수이다.)

① 1   ② 2   ③ 3
④ 4   ⑤ 5

03

두 함수
$$f(x)=\sqrt{x+2}-1,\ g(x)=\sqrt{-x+2}+1$$
의 그래프와 직선 $x=-2$로 둘러싸인 부분의 넓이는?

① 4   ② 8   ③ 12
④ 16   ⑤ 20

04

오른쪽 그림과 같이 함수 $y=\sqrt{4-2x}$의 그래프 위의 점 $\mathrm{P}(a,\ b)$에서 x축, y축에 내린 수선의 발을 각각 Q, R라 할 때, $\overline{\mathrm{PQ}}+\overline{\mathrm{PR}}$의 최댓값을 구하여라. (단, 점 P는 제 1사분면에 있다.)

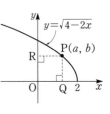

05

오른쪽 그림과 같이 함수 $y=2\sqrt{x}$의 그래프 위의 점 A 를 지나고 x축, y축에 각각 평행한 직선이 함수 $y=\sqrt{x}$의 그래프와 만나는 점을 각각 B, C라 하자. 삼각형 ACB가 직각이등변삼각형일 때, 삼각형 ACB의 넓이는? (단, 점 A는 제1사분면에 있다.)

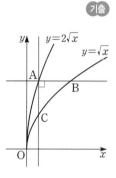

① $\dfrac{1}{18}$ ② $\dfrac{1}{15}$ ③ $\dfrac{1}{12}$

④ $\dfrac{1}{9}$ ⑤ $\dfrac{1}{6}$

06

함수 $f(x)=\begin{cases}-\sqrt{x-1}+1 & (x\geq 2) \\ \sqrt{3-x} & (x<2)\end{cases}$ 에 대하여 $(f^{-1}\circ f^{-1})(a)=5$를 만족시키는 상수 a의 값은?

① 0 ② 1 ③ 2

④ 3 ⑤ 4

07

두 함수 $f(x)=\dfrac{1}{5}x^2+\dfrac{1}{5}k\,(x\geq 0)$, $g(x)=\sqrt{5x-k}$ 에 대하여 $y=f(x)$, $y=g(x)$의 그래프가 서로 다른 두 점에서 만나도록 하는 모든 정수 k의 개수는?

① 5 ② 7 ③ 9

④ 11 ⑤ 13

08

함수 $y=\sqrt{|x-1|}$의 그래프와 직선 $y=x+k$가 서로 다른 세 점에서 만나도록 하는 실수 k의 값의 범위는?

① $-1<k<-\dfrac{3}{4}$ ② $-\dfrac{1}{2}<k<\dfrac{1}{2}$

③ $-1<k\leq\dfrac{7}{4}$ ④ $0<k<\dfrac{3}{4}$

⑤ $0\leq k<\dfrac{2}{3}$

09

순열

순열

개념 01 경우의 수

(1) 합의 법칙

두 사건 A, B가 동시에 일어나지 않을 때, 두 사건 A, B가 일어나는 경우의 수가 각각 m, n이면 사건 A 또는 사건 B가 일어나는 경우의 수는 $m+n$이다.

> **참고** • '또는', '~이거나'와 같은 표현이 있으면 합의 법칙을 이용한다.
> • 합의 법칙은 어느 두 사건도 동시에 일어나지 않는 셋 이상의 사건에 대해서도 성립한다.

(2) 곱의 법칙

두 사건 A, B에 대하여 사건 A가 일어나는 경우의 수가 m이고, 그 각각에 대하여 사건 B가 일어나는 경우의 수가 n일 때, 두 사건 A, B가 잇달아 일어나는 경우의 수는 $m \times n$이다.

> **참고** • '동시에', '~이고'와 같은 표현이 있으면 곱의 법칙을 이용한다.
> • 곱의 법칙은 잇달아 일어나는 셋 이상의 사건에 대해서도 성립한다.

확인 01 다음을 구하여라.

(1) 집에서 학교까지 가는 버스 노선이 3개, 지하철 노선이 2개가 있을 때, 집에서 학교까지 버스 또는 지하철을 타고 가는 경우의 수

(2) 4종류의 티셔츠와 3종류의 바지를 각각 한 가지씩 선택하여 동시에 입는 경우의 수

개념 02 순열

(1) 순열

서로 다른 n개에서 r $(0<r\leq n)$개를 택하여 일렬로 나열하는 것을 n개에서 r개를 택하는 순열이라 하고, 이 순열의 수를 기호로 $_n\mathrm{P}_r$와 같이 나타낸다.

$$_n\mathrm{P}_r = \underbrace{n(n-1)(n-2) \times \cdots \times (n-r+1)}_{r\text{개}} \text{ (단, } 0<r\leq n)$$

(2) 계승

1부터 n까지의 자연수를 차례대로 곱한 것을 n의 계승이라 하며, 이것을 기호로 $n!$과 같이 나타낸다.

$$n! = n(n-1)(n-2) \times \cdots \times 3 \times 2 \times 1$$

(3) 계승을 이용한 순열의 수

① $_n\mathrm{P}_r = \dfrac{n!}{(n-r)!}$ (단, $0 \leq r \leq n$)

② $_n\mathrm{P}_n = n!$, $_n\mathrm{P}_0 = 1$, $0! = 1$

中2 수학 사건과 경우의 수

• 사건: 실험이나 관찰에 의하여 나타나는 결과
• 경우의 수: 어떤 사건이 일어날 수 있는 경우의 가짓수

> 두 사건 A, B가 동시에 일어나는 경우의 수가 l일 때는
> (사건 A 또는 사건 B가 일어나는 경우의 수)$=m+n-l$

> $_n\mathrm{P}_r$에서 P는 순열을 뜻하는 Permutation의 첫 글자이다.

> $_n\mathrm{P}_r$는 n에서 시작하여 1씩 작아지는 자연수를 차례대로 r개 곱한 것이다.

> $n!$에서 !은 팩토리얼(factorial)이라고 읽기도 한다.

확인 **02** 다음 값을 구하여라.

(1) $_5P_3$

(2) $_7P_1$

(3) $_4P_4$

(4) $3!$

개념03 조건이 있는 순열

(1) **이웃하는 순열**

❶ 이웃하는 것을 한 묶음으로 생각하여 일렬로 나열하는 방법의 수를 구한다.

❷ ❶의 결과에 이웃하는 것끼리 자리를 바꾸는 방법의 수를 곱한다.

➡ (이웃하는 것을 하나로 묶었을 때의 순열의 수)

×(한 묶음 안에서 순서를 바꾸는 순열의 수)

> ❯ 특정한 자리에 대한 조건이 있는 경우에는 특정한 자리에 오는 것을 먼저 나열한 후 나머지를 나열한다.

(2) **이웃하지 않는 순열**

❶ 이웃해도 되는 것을 일렬로 나열하는 방법의 수를 구한다.

❷ ❶에서 나열한 것 사이사이와 양 끝에 이웃하지 않아야 할 것을 나열하는 방법의 수를 구하여 ❶의 결과에 곱한다.

➡ (이웃해도 되는 것들의 순열의 수)

×(그 양 끝과 사이사이에 이웃하지 않아야 할 것을 나열하는 순열의 수)

(3) **'적어도 ~'의 조건이 있는 순열**

❶ 전체 경우의 수를 구한다.

❷ ❶의 결과에서 '모두 ~가 아닌' 경우의 수를 뺀다.

➡ (전체 경우의 수)-(모두 ~가 아닌 경우의 수)

> ❯ (사건 A가 적어도 한 번 일어나는 경우의 수)
> =(전체 경우의 수)-(사건 A가 일어나지 않는 경우의 수)

(4) **교대로 나열하는 순열**

❶ 두 개의 대상 중 하나를 일렬로 나열하는 경우의 수를 구한다

❷ ❶에서 나열한 것 사이사이와 양 끝(한쪽 끝)에 나머지 대상들을 일렬로 나열하는 경우의 수를 구하여 ❶의 결과에 곱한다.

확인 **03** 4개의 숫자 5, 6, 7, 8을 일렬로 나열할 때, 다음을 구하여라.

(1) 6과 7이 이웃하도록 나열하는 방법의 수

(2) 6과 7이 이웃하지 않도록 나열하는 방법의 수

(3) 적어도 한쪽 끝에 짝수가 오는 경우의 수

(4) 홀수와 짝수를 교대로 나열하는 경우의 수

다음을 구하여라.

(1) 음이 아닌 정수 x, y, z에 대하여 방정식 $x+2y+5z=10$을 만족시키는 순서쌍 $(x,\ y,\ z)$의 개수

(2) 부등식 $2x+5y\leq16$을 만족시키는 자연수 x, y의 순서쌍 $(x,\ y)$의 개수

풍쌤 POINT

- 방정식 $ax+by+cz=d$ $(a, b, c, d$는 상수$)$를 만족시키는 순서쌍 (x, y, z)의 개수
  ➡ x, y, z 중 계수의 절댓값이 가장 큰 문자를 기준으로 수를 대입하여 구해야 해.
- 부등식 $ax+by\leq c$ $(a, b, c$는 상수$)$를 만족시키는 순서쌍 (x, y)의 개수
  ➡ 주어진 x, y의 값의 조건을 이용하여 x, y 중 계수의 절댓값이 큰 문자를 기준으로 수를 대입하여 구하면 돼.

풀이

(1) **STEP1** x, y, z의 값의 범위 각각 구하기

x, y, z가 음이 아닌 정수이므로 $x\geq0$, $y\geq0$, $z\geq0$

STEP2 순서쌍 $(x,\ y,\ z)$의 개수 구하기

$x+2y+5z=10$에서 **❶**

(i) $z=0$일 때, $x+2y=10$이므로 순서쌍 $(x,\ y)$는
$(10,\ 0)$, $(8,\ 1)$, $(6,\ 2)$, $(4,\ 3)$, $(2,\ 4)$, $(0,\ 5)$의 6개

(ii) $z=1$일 때, $x+2y=5$이므로 순서쌍 $(x,\ y)$는
$(5,\ 0)$, $(3,\ 1)$, $(1,\ 2)$의 3개

(iii) $z=2$일 때, $x+2y=0$이므로 순서쌍 $(x,\ y)$는
$(0,\ 0)$의 1개

(i)~(iii)에 의하여 구하는 순서쌍 $(x,\ y,\ z)$의 개수는
$6+3+1=10$

(2) **STEP1** x, y의 값의 범위 각각 구하기

x, y가 자연수이므로 $x\geq1$, $y\geq1$

STEP2 순서쌍 $(x,\ y)$의 개수 구하기

$2x+5y\leq16$에서 **❷**

(i) $y=1$일 때, $x\leq\dfrac{11}{2}$이므로 x는 1, 2, 3, 4, 5의 5개

(ii) $y=2$일 때, $x\leq3$이므로 x는 1, 2, 3의 3개

(i), (ii)에 의하여 구하는 순서쌍 $(x,\ y)$의 개수는
$5+3=8$

❶ x, y, z 중 계수가 가장 큰 z항을 기준으로 수를 대입한다.
$x+2y+5z=10$에서
$5z\leq10$, 즉 $z\leq2$이므로
$z=0$ 또는 $z=1$ 또는 $z=2$
인 경우로 나누어 알아본다.

❷ x, y 중 계수가 큰 y항을 기준으로 수를 대입한다.
$2x+5y\leq16$에서
$5y\leq14$, 즉 $y\leq\dfrac{14}{5}$이므로
$y=1$ 또는 $y=2$

답 (1) 10 　 (2) 8

풍쌤 강의 NOTE

방정식이나 부등식을 만족시키는 자연수 또는 정수의 순서쌍의 개수는 방정식이나 부등식에서 계수의 절댓값이 가장 큰 항을 기준으로 수를 대입하여 생각한다.

01-1 ⦿유사

다음을 구하여라.

(1) 양의 정수 x, y, z에 대하여 방정식 $4x+y+2z=12$를 만족시키는 순서쌍 (x, y, z)의 개수

(2) 부등식 $3x+4y \leq 18$을 만족시키는 자연수 x, y의 순서쌍 (x, y)의 개수

01-2 ⦿유사

부등식 $x+3y \leq 12$를 만족시키는 음이 아닌 정수 x, y의 순서쌍 (x, y)의 개수를 구하여라.

01-3 ⦿변형

$a \geq -2$, $b \leq 1$, $c \geq 6$인 세 정수 a, b, c에 대하여 방정식 $a+c-2b=5$의 해의 순서쌍 (a, b, c)의 개수를 구하여라.

01-4 ⦿변형

100원, 500원, 1000원짜리 3종류의 스티커를 합하여 4000원어치를 사는 방법의 수를 구하여라. (단, 3종류의 스티커가 적어도 한 장씩은 포함되어야 한다.)

01-5 ⦿변형

700원, 1400원짜리의 두 종류의 연필이 있다. 이 연필을 5600원어치 이하로 사는 방법의 수를 구하여라.

(단, 각 연필을 적어도 한 자루씩 산다.)

01-6 ⦿실력

음이 아닌 세 정수 x, y, z가 등식

$$(x+z)(x+y+z)=12$$

를 만족시킬 때, 순서쌍 (x, y, z)의 개수를 구하여라.

다음을 구하여라.

(1) 300의 양의 약수의 개수

(2) 300과 450의 양의 공약수의 개수

풍쌤 POINT

자연수 N이 $N = x^a y^b z^c$ (x, y, z는 서로 다른 소수, a, b, c는 자연수) 꼴로 소인수분해될 때, N의 양의 약수의 개수 ➡ $(a+1)(b+1)(c+1)$

풀이

(1) **STEP1 300을 소인수분해하기**

$300 = 2^2 \times 3 \times 5^2$이므로 300의 양의 약수는

(2^2의 양의 약수) × (3의 양의 약수) × (5^2의 양의 약수)❶

STEP2 300의 양의 약수의 개수 구하기

이때 2^2, 3, 5^2의 각각의 양의 약수 중 하나를 택하는 방법의 수는 각각 3, 2, 3이므로 300의 양의 약수의 개수는 곱의 법칙에 의하여

$3 \times 2 \times 3 = 18$

(2) **STEP1 300과 450의 최대공약수 구하기**

300과 450의 양의 공약수의 개수는 300과 450의 최대공약수의 양의 약수의 개수와 같다.❷

300과 450의 최대공약수는 150이고, 150을 소인수분해하면

$150 = 2 \times 3 \times 5^2$이므로 150의 양의 약수는

(2의 양의 약수) × (3의 양의 약수) × (5^2의 양의 약수)

STEP2 300과 450의 양의 공약수의 개수 구하기

이때 2, 3, 5^2의 각각의 양의 약수 중 하나를 택하는 방법의 수는 각각 2, 2, 3이므로 150의 양의 약수의 개수는 곱의 법칙에 의하여

$2 \times 2 \times 3 = 12$

❶ 수형도를 이용하여 나타내면 다음과 같다.

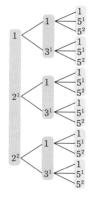

❷ 두 수의 공약수는 최대공약수의 약수와 같다.

🔲 (1) 18 (2) 12

풍쌤 강의 NOTE

자연수 A를 소인수분해하여 $A = a_1^{p_1} a_2^{p_2} \cdots a_n^{p_n}$ (a_1, a_2, $\cdots$, a_n은 서로 다른 소수, p_1, p_2, $\cdots$, p_n은 자연수) 꼴로 나타내어질 때,

$a_1^{p_1}$의 양의 약수는 1, a_1, a_1^2, $\cdots$, $a_1^{p_1}$의 (p_1+1)개

$a_2^{p_2}$의 양의 약수는 1, a_2, a_2^2, $\cdots$, $a_2^{p_2}$의 (p_2+1)개

$\vdots$

$a_n^{p_n}$의 양의 약수는 1, a_n, a_n^2, $\cdots$, $a_n^{p_n}$의 (p_n+1)개

이므로 A의 양의 약수의 개수는 $(p_1+1)(p_2+1) \times \cdots \times (p_n+1)$이다.

그리고 A의 양의 약수의 총합은

$(1+a_1+\cdots+a_1^{p_1})(1+a_2+\cdots+a_2^{p_2}) \times \cdots \times (1+a_n+\cdots+a_n^{p_n})$이다.

02-1 ◉ 유사

다음 수의 양의 약수의 개수를 구하여라.

(1) 360

(2) 432

02-2 ◉ 유사

960과 1120의 양의 공약수의 개수를 구하여라.

02-3 ◉ 변형

10의 거듭제곱 중 양의 약수의 개수가 16인 수는?

① 10   ② 10^2 ③ 10^3

④ 10^4 ⑤ 10^5

02-4 ◉ 변형

72의 양의 약수의 개수를 a, 양의 약수의 총합을 b라 할 때, $b-a$의 값을 구하여라.

02-5 ◉ 변형

자연수 $2^3 \times 5 \times 9^k$의 양의 약수의 개수가 24일 때, 양의 약수 중 10의 배수의 합을 구하여라.

02-6 ◉ 실력

소수 a와 자연수 k에 대하여 $16a^k$ 꼴의 자연수 중에서 양의 약수의 개수가 25인 가장 작은 수의 백의 자리의 숫자와 일의 자리의 숫자의 합을 구하여라.

오른쪽 그림과 같이 네 지점 A, B, C, D를 연결하는 길이 있다. 다음을 구하여라.

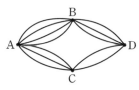

(1) A지점에서 출발하여 D지점으로 가는 경우의 수

  (단, 한 번 지나간 지점은 다시 지나지 않는다.)

(2) 효빈이와 정희가 A지점에서 출발하여 D지점으로 가는 경우의 수

  (단, 한 사람이 지나간 중간 지점은 다른 사람이 지나갈 수 없다.)

풍쌤 POINT

- 어떤 경우를 선택했을 때, 다른 경우를 포기해야 하면 합해야 해.
- 어떤 경우를 선택했을 때, 다른 경우를 선택해야 하면 곱해야 해.

  또한 경우를 분석했을 때, '잇달아, 동시에, 그리고, 연이어, 각각에 대하여'일 경우에는 곱해야 해.

풀이

(1) STEP1 **A지점에서 D지점으로 가는 각 경우의 수 구하기**

A지점에서 D지점으로 가는 경우는

$A \rightarrow B \rightarrow D$, $A \rightarrow C \rightarrow D$의 2가지이다.

(i) $A \rightarrow B \rightarrow D$로 가는 경우의 수는 곱의 법칙에 의하여

$4 \times 3 = 12$❶

(ii) $A \rightarrow C \rightarrow D$로 가는 경우의 수는 곱의 법칙에 의하여

$3 \times 2 = 6$

STEP2 **A지점에서 D지점으로 가는 경우의 수 구하기**

(i), (ii)는 동시에 일어날 수 없으므로 구하는 경우의 수는 합의 법칙에 의하여

$12 + 6 = 18$❷

❶ $A \rightarrow B$의 4개의 길, $B \rightarrow D$의 3개의 길에서 각각 하나씩 택하므로 곱의 법칙을 이용한다.

❷ $A \rightarrow B \rightarrow D$ 또는 $A \rightarrow C \rightarrow D$ 이므로 합의 법칙을 이용한다.

(2) STEP1 **A지점에서 D지점으로 가는 각 경우의 수 구하기**

(i) 효빈이가 $A \rightarrow B \rightarrow D$로 가는 경우의 수는 12이고,

정희가 $A \rightarrow C \rightarrow D$로 가는 경우의 수는 6이므로

곱의 법칙에 의하여 $12 \times 6 = 72$

(ii) 효빈이가 $A \rightarrow C \rightarrow D$로 가는 경우의 수는 6이고,

정희가 $A \rightarrow B \rightarrow D$로 가는 경우의 수는 12이므로

곱의 법칙에 의하여 $6 \times 12 = 72$

STEP2 **A지점에서 D지점으로 가는 경우의 수 구하기**

(i), (ii)는 동시에 일어날 수 없으므로 구하는 경우의 수는 합의 법칙에 의하여

$72 + 72 = 144$

답 (1) 18   (2) 144

풍쌤 강의 NOTE

도로망에서 동시에 갈 수 없는 길이면 합의 법칙을 이용하고, 동시에 갈 수 있는 길이거나 연이어 갈 수 있는 길이면 곱의 법칙을 이용한다.

03-1 _{유사}

오른쪽 그림과 같이 네 지점 A, B, C, D를 연결하는 길이 있다. 다음을 구하여라.

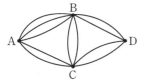

(1) A지점에서 출발하여 D지점으로 가는 경우의 수 (단, 한 번 지나간 지점은 다시 지나지 않는다.)

(2) 희서와 민종이가 A지점에서 출발하여 D지점으로 가는 경우의 수 (단, 한 사람이 지나간 중간 지점은 다른 사람이 지나갈 수 없다.)

03-2 _{변형}

오른쪽 그림과 같이 세 지점 A, B, C를 연결하는 길이 있다. A지점에서 출발하여 C지점으로 이동한 후 다시 A지점으로 돌아오는 경우의 수를 구하여라.

(단, 두 지점 B, C를 모두 한 번씩 지난다.)

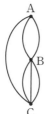

03-3 _{변형}

다음 그림과 같이 네 지역 A, B, C, D를 연결하는 도로가 있다. 같은 지점을 두 번 이상 거치지 않고 A지역에서 D지역으로 가는 경우의 수를 구하여라.

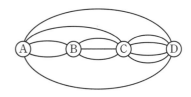

03-4 _{변형}

오른쪽 그림과 같은 도로망에서 가게와 도서관을 연결하는 길을 추가하여 집에서 학교로 가는 경우의 수가 66이 되도록 하려고 한다. 추가해야 하는 길의 개수를 구하여라. (단, 한 번 지나간 지점은 다시 지나지 않고, 길끼리는 서로 만나지 않는다.)

03-5 _{변형}

벨기에, 독일, 프랑스, 스위스의 네 나라 사이에 오른쪽 그림과 같은 도로망이 있다. 독일에서 두 나라를 경유하여 프랑스로 가는 경우의 수를 m, 스위스에서 한 나라를 경유하여 벨기에로 가는 경우의 수를 n이라 할 때, $m+n$의 값을 구하여라.

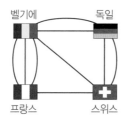

03-6 _{실력}　　　　　_{기출}

오른쪽 그림과 같이 산 아래에 있는 매표소에서 산 중턱에 있는 약수터까지 오르는 등산로가 5개, 산 중턱에 있는 약수터에서 산 정상까지 오르는 등산로가 4개 있다. 어느 등산객이 매표소에서 약수터를 지나 산 정상에 오른 후, 다시 약수터를 지나 매표소까지 내려오는 경우의 수를 구하여라.

(단, 올라갈 때 이용한 등산로로는 내려오지 않기로 한다.)

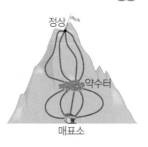

500원짜리 동전 2개, 100원짜리 동전 6개, 50원짜리 동전 1개의 일부 또는 전부를 사용하여 돈을 지불할 때, 다음을 구하여라. (단, 0원을 지불하는 것은 제외한다.)

(1) 지불할 수 있는 방법의 수   (2) 지불할 수 있는 금액의 수

풍쌤 POINT

단위가 다른 화폐의 개수가 각각 a, b, c일 때

(i) 지불 방법의 수는 $(a+1)(b+1)(c+1)-1$임을 이용해.

(ii) 지불 금액의 수는 중복되는 금액이 없으면 지불 방법의 수와 같고, 중복되는 금액이 있으면 큰 단위의 화폐를 작은 단위의 화폐로 바꾼 후 지불 방법의 수를 이용하면 돼.

풀이

(1) **STEP1 각 동전으로 지불할 수 있는 방법 구하기**

500원짜리 동전으로 지불할 수 있는 방법은 0개, 1개, 2개의 3가지

100원짜리 동전으로 지불할 수 있는 방법은 0개, 1개, 2개, $\cdots$, 6개의 7가지

50원짜리 동전으로 지불할 수 있는 방법은 0개, 1개의 2가지

STEP2 지불할 수 있는 방법의 수 구하기

이때 0원을 지불하는 것은 제외해야 하므로 구하는 방법의 수는 $3 \times 7 \times 2 - 1 = 41$ ❶

❶ 모두 0개씩 지불하는 경우인 1가지 경우를 빼야 한다.

(2) **STEP1 각 동전으로 지불할 수 있는 방법 구하기**

100원짜리 동전 5개로 지불할 수 있는 금액과 500원짜리 동전 1개로 지불할 수 있는 금액이 같으므로 ❷ 500원짜리 동전 2개를 100원짜리 동전 10개로 바꾸면 지불할 수 있는 금액의 수는 100원짜리 동전 16개, 50원짜리 동전 1개로 지불할 수 있는 금액의 수와 같다.

100원짜리 동전으로 지불할 수 있는 금액은 0원, 100원, 200원, $\cdots$, 1600원의 17가지

50원짜리 동전으로 지불할 수 있는 금액은 0원, 50원의 2가지

STEP2 지불할 수 있는 금액의 수 구하기

이때 0원을 지불하는 것은 제외해야 하므로 구하는 금액의 수는 $17 \times 2 - 1 = 33$

❷ 500원짜리 동전으로 지불할 수 있는 금액은 0원, 500원, 1000원의 3가지,
100원짜리 동전으로 지불할 수 있는 금액은 0원, 100원,
$\cdots$
500원, 600원의 7가지
에서 중복되는 경우가 있다.

📄 (1) 41 (2) 33

풍쌤 강의 NOTE

지불할 수 있는 금액을 계산할 때, 금액이 중복되는 경우에는 큰 단위의 화폐를 작은 단위의 화폐로 바꾸어 지불 방법의 수를 이용한다.

04-1 ◉ 기본

10원짜리 동전 7개, 100원짜리 동전 3개, 1000원짜리 지폐 3장이 있을 때, 이들을 일부 또는 전부를 사용하여 돈을 지불할 때, 다음을 구하여라.

(단, 0원을 지불하는 것은 제외한다.)

(1) 지불할 수 있는 방법의 수
(2) 지불할 수 있는 금액의 수

04-2 ◉ 유사

1000원짜리 지폐 4장, 5000원짜리 지폐 3장, 10000원짜리 지폐 1장의 일부 또는 전부를 사용하여 돈을 지불할 때, 다음을 구하여라.

(단, 0원을 지불하는 것은 제외한다.)

(1) 지불할 수 있는 방법의 수
(2) 지불할 수 있는 금액의 수

04-3 ◉ 변형

100원짜리 동전 2개, 50원짜리 동전 4개, 10원짜리 동전 4개가 있다. 이 동전의 일부 또는 전부를 사용하여 지불할 수 있는 방법의 수를 A, 지불할 수 있는 금액의 수를 B라 할 때, $A+B$의 값을 구하여라.

(단, 0원을 지불하는 것은 제외한다.)

04-4 ◉ 변형

1000원짜리 지폐 3장, 5000원짜리 지폐 5장, 10000원짜리 지폐 4장을 사용하여 거스름돈 없이 지불할 수 있는 방법의 수를 a, 지불할 수 있는 금액의 수를 b라 할 때, $|a-b|$의 값을 구하여라.

(단, 0원을 지불하는 것은 제외한다.)

04-5 ◉ 변형

50원, 100원, 500원짜리 동전만 사용할 수 있는 자동판매기에서 500원짜리 음료수 4개를 선택하려고 한다. 세 종류의 동전을 모두 사용하여 거스름돈 없이 자동판매기에 동전을 넣는 방법의 수를 구하여라.

(단, 동전을 넣는 순서는 생각하지 않는다.)

04-6 ◉ 실력

50원짜리 동전 3개, 100원짜리 동전 n개, 500원짜리 동전 2개가 있다. 이 동전의 일부 또는 전부를 사용하여 지불할 수 있는 방법의 수가 95일 때, 지불할 수 있는 금액의 수를 구하여라.

(단, 0원을 지불하는 것은 제외한다.)

오른쪽 그림에서 A, B, C, D, E 5개의 영역을 서로 다른 6가지 색을 사용하여 칠하려고 한다. 다음을 구하여라.

(단, 각 영역에는 한 가지 색만 칠한다.)

(1) 모두 다른 색으로 칠하는 방법의 수

(2) 같은 색을 중복하여 사용해도 좋으나 인접한 영역은 서로 다른 색으로 칠하는 방법의 수

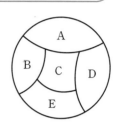

풍쌤 POINT

인접한 영역이 가장 많은 영역을 기준이 되는 영역으로 정하여 칠하는 방법의 수를 구하고, 그 영역을 중심으로 인접한 영역에 칠할 수 있는 색의 수를 곱의 법칙을 이용해서 구해야 해.

풀이

(1) **STEP1 각 영역에 칠할 수 있는 경우의 수 구하기**

A에 칠할 수 있는 색은 6가지,

B에 칠할 수 있는 색은 A에 칠한 색을 제외한 5가지,

C에 칠할 수 있는 색은 A, B에 칠한 색을 제외한 4가지,

D에 칠할 수 있는 색은 A, B, C에 칠한 색을 제외한 3가지,

E에 칠할 수 있는 색은 A, B, C, D에 칠한 색을 제외한 2가지

STEP2 조건을 만족시키는 방법의 수 구하기

따라서 구하는 방법의 수는 곱의 법칙에 의하여❶

$6 \times 5 \times 4 \times 3 \times 2 = 720$

(2) **STEP1 각 영역에 칠할 수 있는 경우의 수 구하기**

C❷에 칠할 수 있는 색은 6가지,

A에 칠할 수 있는 색은 C에 칠한 색을 제외한 5가지,

B에 칠할 수 있는 색은 A, C에 칠한 색을 제외한 4가지,

D에 칠할 수 있는 색은 A, C에 칠한 색을 제외한 4가지,

E에 칠할 수 있는 색은 B, C, D에 칠한 색을 제외한 3가지

STEP2 조건을 만족시키는 방법의 수 구하기

따라서 구하는 방법의 수는 곱의 법칙에 의하여

$6 \times 5 \times 4 \times 4 \times 3 = 1440$

❶ 각 영역에 색을 칠하는 사건은 잇달아 일어나므로 곱의 법칙을 이용한다.

❷ 인접한 영역이 가장 많은 C영역을 먼저 칠한다.

답 (1) 720 (2) 1440

풍쌤 강의 NOTE

색칠하는 순서를 정할 때, 다음 규칙으로 정한다.

❶ 인접한 영역의 개수가 가장 많은 영역을 먼저 칠한다.

❷ 인접하는 영역 중 이미 색칠된 영역의 개수가 가장 많은 영역을 칠한다.

❸ ❷의 과정을 차례대로 되풀이한다.

05-1 유사

오른쪽 그림에서 A, B, C, D 4개의 영역을 서로 다른 4가지 색을 사용하여 칠하려고 한다. 다음을 구하여라.
(단, 각 영역에는 한 가지 색만 칠한다.)

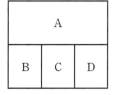

(1) 모두 다른 색으로 칠하는 방법의 수
(2) 같은 색을 중복하여 사용해도 좋으나 인접한 영역은 서로 다른 색으로 칠하는 방법의 수

05-2 변형

오른쪽 그림에서 A, B, C, D, E, F 6개의 영역을 서로 다른 5가지 색을 사용하여 칠하려고 한다. 같은 색을 중복하여 사용해도 좋으나 인접한 영역은 서로 다른 색으로 칠하는 방법의 수를 구하여라.

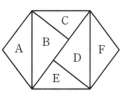

(단, 각 영역에는 한 가지 색만 칠한다.)

05-3 변형

오른쪽 그림에서 조선의 행정구역 8도 중 강원, 경기도, 충청도, 전라도, 경상도의 5도를 구분하기 위하여 서로 다른 5가지 색으로 칠하려고 한다. 같은 색을 중복하여 사용할 수 있으나 인접한 영역은 서로 다른 색을 사용하여 색칠할 때, 칠하는 방법의 수를 구하여라.

(단, 각 영역에는 한 가지 색만 칠한다.)

05-4 변형

오른쪽 그림에서 A, B, C, D, E, F, G 7개의 영역을 서로 다른 7가지 색으로 칠하려고 한다. 같은 색을 여러 번 사용해도 좋으나 인접한 영역은 서로 다른 색으로 칠하는 방법의 수를 n이라 할 때, $\dfrac{n}{2^4 \times 5^3}$의 값을 구하여라. (단, 각 영역에는 한 가지 색만 칠한다.)

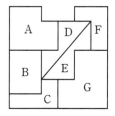

05-5 실력 기출

다음 그림과 같이 6개의 섬이 다리로 연결되어 있다. 흰색, 노란색, 파란색 깃발이 각각 2개씩 총 6개 있을 때, 이 6개의 깃발을 섬에 한 개씩 세우고자 한다. 다리로 연결된 이웃한 두 섬에는 같은 색의 깃발을 세우지 않는다고 할 때, 깃발을 세우는 경우의 수를 구하여라.

(단, 같은 색의 깃발끼리는 서로 구별하지 않는다.)

다음 등식을 만족시키는 자연수 n 또는 r의 값을 구하여라.

(1) $_n\mathrm{P}_2=30$

(2) $_6\mathrm{P}_r=120$

(3) $_n\mathrm{P}_4=30_n\mathrm{P}_3$

(4) $_4\mathrm{P}_r\times 5!=2880$

(5) $_{n+3}\mathrm{P}_3=10\times_{n+1}\mathrm{P}_2$

(6) $_n\mathrm{P}_3+3_n\mathrm{P}_2=120$

풍쌤 POINT

- $_n\mathrm{P}_r=n(n-1)(n-2)\times\cdots\times(n-r+1)$ (단, $0<r\leq n$)
- $n!=n(n-1)(n-2)\times\cdots\times 3\times 2\times 1$

풀이

(1) $_n\mathrm{P}_2=30$에서 $n(n-1)=30$

$n^2-n-30=0$, $(n+5)(n-6)=0$

이때 $n\geq 2$이므로 $n=6$

(2) $_6\mathrm{P}_r=120=6\times 5\times 4$이므로 $r=3$

(3) $_n\mathrm{P}_4=30_n\mathrm{P}_3$에서

$n(n-1)(n-2)(n-3)=30n(n-1)(n-2)$

이때 $n\geq 4$❶이므로 양변을 $n(n-1)(n-2)$로 나누면

$n-3=30$ ∴ $n=33$

(4) $_4\mathrm{P}_r\times 5!$❷$=2880$에서 $_4\mathrm{P}_r\times 120=2880$

$_4\mathrm{P}_r=24=4\times 3\times 2$이므로 $r=3$

(5) $_{n+3}\mathrm{P}_3=10\times_{n+1}\mathrm{P}_2$에서

$(n+3)(n+2)(n+1)=10(n+1)n$

이때 $n\geq 1$❸이므로 양변을 $n+1$로 나누면

$(n+3)(n+2)=10n$, $n^2-5n+6=0$

$(n-2)(n-3)=0$ ∴ $n=2$ 또는 $n=3$

(6) $_n\mathrm{P}_3+3_n\mathrm{P}_2=120$에서

$n(n-1)(n-2)+3n(n-1)=120$

$(n-1)n(n+1)=120$

이때 $n\geq 3$이고 $120=4\times 5\times 6$이므로 $n=5$

❶ $_n\mathrm{P}_4$에서 $n\geq 4$, $_n\mathrm{P}_3$에서 $n\geq 3$
이므로 $n\geq 4$

❷ $5!=5\times 4\times 3\times 2\times 1$
$=120$

❸ $_{n+3}\mathrm{P}_3$에서 $n+3\geq 3$,
$_{n+1}\mathrm{P}_2$에서 $n+1\geq 2$
이므로 $n\geq 1$

📋 (1) 6 (2) 3 (3) 33 (4) 3 (5) 2 또는 3 (6) 5

풍쌤 강의 NOTE

$_n\mathrm{P}_r=n(n-1)(n-2)\times\cdots\times(n-r+1)$ $(0<r\leq n)$, $_n\mathrm{P}_r=\dfrac{n!}{(n-r)!}$ $(0\leq r\leq n)$

임을 이용하여 주어진 식을 n 또는 r에 대한 식으로 나타내어 해결한다.

06-1 유사

다음 등식을 만족시키는 자연수 n 또는 r의 값을 구하여라.

(1) $_n\mathrm{P}_3 = 20n$

(2) $_7\mathrm{P}_r \times 2! = 1680$

(3) $4 \times {}_{n-1}\mathrm{P}_3 = 5 \times {}_{n-2}\mathrm{P}_3$

(4) $5 \times {}_{n-1}\mathrm{P}_3 + {}_n\mathrm{P}_3 = 9 \times {}_{n-1}\mathrm{P}_2$

06-2 유사   기출

$_n\mathrm{P}_2 = 110$을 만족시키는 자연수 n의 값을 구하여라.

06-3 변형

$_n\mathrm{P}_4 + 48 \times {}_{n-1}\mathrm{P}_2 - 11 \times {}_n\mathrm{P}_3 = 0$을 만족시키는 모든 자연수 n의 값의 합을 구하여라.

06-4 변형

다음은 $1 \le r < n$일 때,
$$_{n+1}\mathrm{P}_{r+1} = {}_n\mathrm{P}_{r+1} + (r+1) \times {}_n\mathrm{P}_r$$
가 성립함을 증명하는 과정이다.

$$
\begin{aligned}
&{}_n\mathrm{P}_{r+1} + (r+1) \times {}_n\mathrm{P}_r \\
&= \frac{n!}{(n-r-1)!} + (r+1) \times \frac{n!}{(n-r)!} \\
&= \frac{(n-r)n!}{(n-r)!} + \frac{(r+1)n!}{(n-r)!} \\
&= \frac{\{(\boxed{\ (\text{가})\ }) + (r+1)\}n!}{(n-r)!} \\
&= \frac{(\boxed{\ (\text{나})\ })n!}{(n-r)!} \\
&= \frac{(n+1)!}{(n-r)!} = {}_{n+1}\mathrm{P}_{r+1}
\end{aligned}
$$

위의 과정에서 (가), (나)에 알맞은 식을 차례대로 나열한 것은? (단, n, r는 자연수이다.)

① $n-r$, n ② $n-r$, $n+1$

③ n, n ④ n, $n+1$

⑤ $n+r$, $n+1$

06-5 실력

자연수 n, r에 대하여
$$_{n-1}\mathrm{P}_{r-1} = (n-1) \times {}_{n-2}\mathrm{P}_{r-2} \ (2 < r \le n)$$
임을 증명하여라.

다음을 구하여라.

(1) 5명의 학생을 일렬로 세우는 방법의 수

(2) 10명의 학생 중 3명을 뽑아 일렬로 세우는 방법의 수

(3) 학생 수가 25명인 학급에서 회장 한 명과 부회장 한 명을 뽑는 방법의 수

(4) 1번부터 15번까지 15명의 학생 중 반장, 부반장, 서기를 각각 한 명씩 뽑을 때, 1번이 서기를 하는 방법의 수

풍쌤 POINT

서로 다른 n개 모두를 일렬로 나열하는 경우에는 $_nP_n$을 이용하고, 서로 다른 n개에서 r개를 뽑아 일렬로 나열하는 경우에는 $_nP_r$를 이용해.

풀이

(1) 5명의 학생을 일렬로 세우는 방법의 수[1]는

$_5P_5 = 5 \times 4 \times 3 \times 2 \times 1 = 120$

(2) 10명의 학생 중 3명을 뽑아 일렬로 세우는 방법의 수[2]는

$_{10}P_3 = 10 \times 9 \times 8 = 720$

(3) 25명의 학생 중 회장 한 명, 부회장 한 명을 뽑는 방법의 수[3]는

$_{25}P_2 = 25 \times 24 = 600$

(4) **STEP1** 서기를 뽑는 방법의 수 구하기

1번이 서기를 하는 경우는 정해진 것이므로 1가지

STEP2 반장, 부반장을 뽑는 방법의 수 구하기

2번부터 15번까지 14명의 학생 중 반장, 부반장을 각각 한 명씩 뽑는 방법의 수는

$_{14}P_2 = 14 \times 13 = 182$

STEP3 조건을 만족시키는 방법의 수 구하기

따라서 구하는 방법의 수는

$1 \times 182 = 182$

[1] 서로 다른 5개에서 5개를 택하는 순열의 수와 같다.

[2] 서로 다른 10개에서 3개를 택하는 순열의 수와 같다.

[3] 서로 다른 25개에서 2개를 택하는 순열의 수와 같다.

답 (1) 120 (2) 720 (3) 600 (4) 182

풍쌤 강의 NOTE

서로 다른 n개에서 r개를 뽑아 일렬로 세우는 방법의 수는 서로 다른 n개에서 r개를 택하는 순열의 수와 같다.

$_nP_r = n(n-1)(n-2) \times \cdots \times (n-r+1)$ (단, $0 < r \leq n$)

07-1 ⓢ유사

다음을 구하여라.

(1) 400 m 자유형 수영 시합에서 선수 6명의 출전 순서를 임의로 정하는 방법의 수

(2) 세 명의 학생 A, B, C가 분식집에 가서 김밥, 라면, 우동, 떡볶이의 네 가지 메뉴 중에서 각자 한 개씩 주문하려고 할 때, 세 명이 서로 다른 음식을 주문하는 방법의 수

07-2 ⓢ유사

어느 지역의 모든 기차역은 30곳이 있다고 한다. 이 지역이 기차 편도 승차권을 발권하려고 할 때, 모두 몇 종류를 만들어야 하는지 구하여라.

07-3 ⓢ변형

n명으로 구성되어 있는 동아리에서 회장, 부회장, 총무를 각각 1명씩 선출하는 방법의 수가 1320일 때, n의 값을 구하여라.

07-4 ⓢ변형

제주도 유명 관광지 A, B, C, D, E 5곳을 2일 동안 모두 관광하려고 할 때, 첫째 날 2곳, 둘째 날 3곳을 정하여 순서대로 관광하는 경우의 수를 구하여라.

07-5 ⓢ변형

다음 표는 4월 6일 어느 고등학교 1학년 반별 학생 수를 나타낸 것이다.

반	1	2	3	4	5	6	7	8
학생 수	28	29	27	27	29	27	28	28

이 학교에 4월 13일에 1명, 4월 20일에 2명, 4월 27일에 2명의 전입생이 왔고, 전입생은 학생 수가 가장 적은 반 중 하나의 반에 임의로 배정된다고 한다. 이때 전입생 5명이 반을 배정받는 경우의 수를 구하여라.

(단, 전출생은 없다.)

07-6 ⓢ실력　　　　　ⓖ기출

1개의 본사와 5개의 지사로 이루어진 어느 회사의 본사로부터 각 지사까지의 거리가 표와 같다.

지사	가	나	다	라	마
거리(km)	50	50	100	150	200

본사에서 각 지사에 A, B, C, D, E를 지사장으로 각각 발령할 때, A보다 B가 본사로부터 거리가 먼 지사의 지사장이 되도록 5명을 발령하는 경우의 수를 구하여라.

5개의 숫자 1, 2, 3, 4, 5 중에서 서로 다른 4개의 숫자를 택하여 네 자리 자연수를 만들 때, 다음을 구하여라.

(1) 3의 배수의 개수

(2) 4200보다 작은 자연수의 개수

풍쌤 POINT

• 네 자리 자연수가 3의 배수가 되려면 각 자리의 숫자의 합이 3의 배수가 되어야 해.

• 4200보다 작은 자연수는 앞의 두 자리의 수가 42보다 작아야 해.

풀이

(1) STEP1 **3의 배수가 되는 경우 구하기**

3의 배수는 각 자리의 숫자의 합이 3의 배수이어야 한다. 즉, 5개의 숫자 1, 2, 3, 4, 5에서 서로 다른 4개를 택하였을 때, 그 합이 3의 배수가 되는 경우는 1, 2, 4, 5의 1가지이다.

STEP2 **3의 배수의 개수 구하기**

서로 다른 4개의 숫자 1, 2, 4, 5로 만들 수 있는 네 자리 자연수의 개수는

$4! = 24$

따라서 구하는 3의 배수의 개수는 24이다.

(2) STEP1 **4200보다 작은 자연수가 되는 경우 구하기**

4200보다 작은 자연수는 천의 자리의 숫자가 4보다 작거나❶ 4인 경우❷로 나누어 생각한다.

(i) 1□□□, 2□□□, 3□□□ 꼴의 자연수의 개수는

$3 \times {}_4P_3 = 3 \times 4 \times 3 \times 2 = 72$

(ii) 41□□ 꼴의 자연수의 개수는

${}_3P_2 = 3 \times 2 = 6$

STEP2 **4200보다 작은 자연수의 개수 구하기**

(i), (ii)에 의하여 4200보다 작은 자연수의 개수는

$72 + 6 = 78$

❶ 천의 자리의 숫자가 1 또는 2 또는 3이다.

❷ 4200보다 작고 천의 자리의 숫자가 4이므로 백의 자리의 숫자가 1이다.

답 (1) 24 (2) 78

풍쌤 강의 NOTE

배수의 판정

① 2의 배수: 일의 자리의 숫자가 0 또는 2의 배수인 수

② 3의 배수: 각 자리의 숫자의 합이 3의 배수인 수

③ 4의 배수: 끝의 두 자리의 수가 4의 배수인 수

④ 5의 배수: 일의 자리의 숫자가 0 또는 5인 수

⑤ 9의 배수: 각 자리의 숫자의 합이 9의 배수인 수

08-1 ⦿ 유사

6개의 숫자 0, 1, 2, 3, 4, 5 중에서 서로 다른 4개의 숫자를 택하여 네 자리 자연수를 만들 때, 다음을 구하여라.

(1) 네 자리 자연수의 개수

(2) 짝수의 개수

08-2 ⦿ 유사

7개의 숫자 1, 2, 3, 4, 5, 6, 7 중에서 서로 다른 4개의 숫자를 뽑아서 네 자리 자연수를 만들 때, 5300보다 큰 수의 개수를 구하여라.

08-3 ⦿ 유사

7개의 숫자 0, 1, 2, 3, 4, 5, 6 중에서 서로 다른 숫자를 뽑아서 만들 수 있는 네 자리 홀수의 개수를 구하여라.

08-4 ⦿ 변형

다섯 개의 숫자 1, 2, 3, 4, 5 중에서 4개의 숫자를 택하여 네 자리 자연수를 만들 때, 백의 자리의 숫자와 일의 자리의 숫자의 합이 8 미만인 자연수의 개수를 구하여라.

08-5 ⦿ 변형 〔기출〕

2000보다 크고 7000보다 작은 짝수 중에서 각 자리의 숫자가 모두 다른 수의 개수를 구하여라.

08-6 ⦿ 실력

숫자 1, 2, 3, 4, 5, 6이 각각 하나씩 적혀 있는 6개의 카드 중에서 4개의 카드를 뽑아 나열한다. 이때 다음 그림의 예와 같이 첫 번째 카드와 네 번째 카드에 적혀 있는 숫자의 합이 짝수이면서 네 번째 카드에 적힌 숫자가 4 이상이 되도록 나열하는 방법의 수를 구하여라.

다음 물음에 답하여라.

(1) 농구 선수 4명, 배구 선수 5명을 일렬로 세울 때, 농구 선수끼리 이웃하게 세우는 방법의 수를 구하여라.

(2) 남학생 2명, 여학생 4명이 한 명씩 차례대로 놀이 공원에 입장하려고 할 때, 여학생 4명이 연속하여 놀이 공원에 입장하게 되는 방법의 수를 구하여라.

풍쌤 POINT

이웃하는 것이 있는 순열의 수는 다음과 같은 순서로 구하면 돼!

이웃하는 것을 한 묶음으로 생각해. ➡ (하나로 묶었을 때의 순열의 수) × (한 묶음 안에서 순서를 바꾸는 순열의 수)

풀이

(1) **STEP1 6명을 일렬로 세우는 방법의 수 구하기**

농구 선수 4명을 한 묶음❶으로 생각하여 6명을 일렬로 세우는❷ 방법의 수는

$6!=6\times5\times4\times3\times2\times1=720$

STEP2 농구 선수가 자리를 바꾸는 방법의 수 구하기

그 각각에 대하여 농구 선수 4명이 자리를 바꾸는 방법의 수는

$4!=4\times3\times2\times1=24$

STEP3 조건을 만족시키는 방법의 수 구하기

따라서 구하는 방법의 수는

$720\times24=17280$

❶ 농구 선수끼리 이웃하게 세우기 위해 4명을 1명으로 생각한다.

❷ 농구 선수 한 묶음과 배구 선수 5명을 일렬로 세운다.

(2) **STEP1 3명을 일렬로 세우는 방법의 수 구하기**

여학생 4명을 한 묶음으로 생각하여 3명이 차례대로 입장하는❸ 방법의 수는

$3!=3\times2\times1=6$

STEP2 여학생이 자리를 바꾸는 방법의 수 구하기

그 각각에 대하여 여학생 4명이 자리를 바꾸는 방법의 수는

$4!=4\times3\times2\times1=24$

STEP3 조건을 만족시키는 방법의 수 구하기

따라서 구하는 방법의 수는

$6\times24=144$

❸ 여학생 한 묶음과 남학생 2명이 차례대로 입장한다.

답 (1) 17280   (3) 144

풍쌤 강의 NOTE

'이웃한다.'가 나오면 이웃하는 것을 한 묶음으로 생각하여 일렬로 나열하는 방법의 수를 구한 다음 이웃하는 것끼리 자리를 바꾸는 방법의 수를 구하여 곱해 주면 된다.

09-1 유사

다음 물음에 답하여라.

(1) 여학생 3명, 남학생 4명을 일렬로 세울 때, 남학생끼리 이웃하게 세우는 방법의 수를 구하여라.

(2) 중학생 3명, 고등학생 5명이 한 명씩 차례대로 공연장에 입장하려고 할 때, 중학생 3명이 연속하여 공연장에 입장하게 되는 방법의 수를 구하여라.

09-2 유사

pencil에 있는 6개의 문자를 일렬로 나열할 때, 모음끼리 이웃하게 나열하는 방법의 수를 구하여라.

09-3 변형

남학생 n명과 여학생 6명이 한 줄로 서서 놀이기구를 탈 때, 여학생끼리 서로 이웃하여 서는 방법의 수는 17280이다. 이때 n의 값을 구하여라.

09-4 변형

다음 그림은 학급 발표회에 나가기 전 대기하는 자리의 배치이다. 여학생 5명과 남학생 4명이 앞줄에 4명, 뒷줄에 5명이 앉으려고 할 때, 남학생 4명이 앞줄 또는 뒷줄에서 옆으로 나란히 서로 이웃하여 앉는 방법의 수를 구하여라.

09-5 실력 · 기출

할아버지, 할머니, 아버지, 어머니, 아이로 구성된 5명의 가족이 영화를 보려고 한다. 영화관의 좌석은 오른쪽 그

림과 같이 A, B 두 개의 열로 이루어져 있고, 각 열에는 5개의 좌석이 있다. A열에는 할아버지와 할머니가 이웃하여 앉고, B열에는 아버지, 어머니, 아이가 앉되 아이는 아버지 또는 어머니와 이웃하고, 아이의 바로 앞에 있는 좌석은 비어 있도록 한다. 이때 5명이 모두 좌석에 앉는 경우의 수를 구하여라. (단, 2명이 같은 열의 바로 옆에 앉을 때만 이웃한 것으로 본다. 또한, 한 좌석에는 한 명만 앉고, 다른 관람객은 없다.)

남학생 3명과 여학생 4명을 일렬로 세울 때, 다음을 구하여라.

(1) 남학생끼리 이웃하지 않도록 세우는 방법의 수

(2) 남학생과 여학생이 교대로 서는 방법의 수

풍쌤 POINT

• 이웃하지 않는 순열의 수는 다음과 같은 순서로 구하면 돼!

이웃해도 좋은 것을 먼저 나열해. ➡ (이웃해도 되는 것들의 순열의 수) × (그 양 끝과 사이사이에 이웃하지 않아야 할 것을 나열하는 순열의 수)

• 교대로 서는 순열의 수는 다음과 같은 방법으로 구하면 돼!

(i) 인원수가 같은 경우: 두 집단의 크기가 각각 n일 때 ➡ $2 \times n! \times n!$

(ii) 인원수가 다른 경우: 두 집단의 크기가 각각 $n, n-1$일 때 ➡ $n! \times (n-1)!$

풀이

(1) **STEP1 여학생을 일렬로 세우는 방법의 수 구하기**

여학생 4명을 일렬로 세우는 방법의 수는

$4! = 24$

STEP2 남학생을 일렬로 세우는 방법의 수 구하기

여학생 사이사이와 양 끝의 5개의 자리❶ 중에서 3개의 자리에 남학생 3명을 세우는 방법의 수는

$_5P_3 = 5 \times 4 \times 3 = 60$

STEP3 조건을 만족시키는 방법의 수 구하기

따라서 구하는 방법의 수는

$24 \times 60 = 1440$

❶ '이웃하지 않는다.'라는 말이 나오면 이웃해도 상관없는 것을 먼저 배열한 후, 그 양 끝과 사이사이에 이웃하지 않아야 할 것을 끼워 넣는 방법을 생각한다.

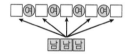

(2) **STEP1 남학생을 일렬로 세우는 방법의 수 구하기**

남학생 3명을 일렬로 세우는 방법의 수는

$3! = 6$

STEP2 여학생을 일렬로 세우는 방법의 수 구하기

남학생 사이사이와 양 끝의 4개의 자리❷에 여학생 4명을 일렬로 세우는 방법의 수는

$4! = 24$

❷ 여남여남여남여

STEP3 조건을 만족시키는 방법의 수 구하기

따라서 구하는 방법의 수는

$6 \times 24 = 144$

답 (1) 1440 (3) 144

풍쌤 강의 NOTE

• '이웃하지 않는다.'가 나오면 이웃해도 되는 것을 먼저 나열한다.

• 교대로 나열하는 경우에는 두 개의 대상 중 하나를 먼저 나열한다.

10-1 ⊙ 유사

중학생 2명과 고등학생 3명을 일렬로 세울 때, 다음을 구하여라.

(1) 중학생끼리 이웃하지 않도록 세우는 방법의 수
(2) 중학생과 고등학생이 교대로 서는 방법의 수

10-2 ⊙ 유사

6개의 문자 a, b, c, d, e, f를 일렬로 나열할 때, 두 개의 문자 a, b가 서로 이웃하지 않도록 하는 방법의 수를 구하여라.

10-3 ⊙ 변형

남자 4명과 여자 4명이 한 줄로 설 때, 특정한 여자 2명이 이웃하지 않도록 서는 방법의 수를 a, 남자와 여자가 교대로 서는 방법의 수를 b라 하자. 이때 $a+b$의 값을 구하여라.

10-4 ⊙ 변형   기출

다음 그림과 같이 의자 6개가 나란히 설치되어 있다. 여학생 2명과 남학생 3명이 모두 의자에 앉을 때 여학생이 이웃하지 않게 앉는 경우의 수를 구하여라. (단, 두 학생 사이에 빈 의자가 있는 경우는 이웃하지 않는 것으로 한다.)

10-5 ⊙ 실력

'연, 연, 예, 예, 인, 인'의 6개의 글자를 일렬로 나열할 때, 같은 글자가 이웃하지 않도록 나열하는 경우의 수를 구하여라.

10-6 ⊙ 실력

오른쪽 그림과 같이 번호가 하나씩 적혀 있는 6칸의 상자에 인형, 공, 신발, 모자, 가방, 책을 각각 한 개씩 넣을 때, 신발과 모자는 이웃하지 않게 넣으려고 한다. 예를 들

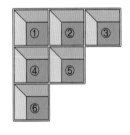

어 ①의 경우에는 ②와 ④가 이웃하는 칸이고, ③, ⑤, ⑥은 이웃하지 않는 칸이다. 이때 여섯 가지의 물건을 서로 다른 칸에 각각 넣는 방법의 수를 구하여라.

hospital의 8개의 문자를 일렬로 나열할 때, 다음을 구하여라.

(1) s와 p가 양 끝에 오는 경우의 수

(2) s와 p 사이에 2개의 문자가 있는 경우의 수

풍쌤 POINT

• 특정한 자리에 대한 조건이 있는 경우 다음과 같은 방법으로 구하면 돼!

➡ (위치가 정해진 것을 먼저 나열하는 경우의 수)

× (위치가 정해진 것을 제외한 나머지를 나열하는 경우의 수)

• 특정한 A, B 사이에 일부가 들어가는 조건이 있는 경우 다음과 같은 방법으로 구하면 돼!

➡ (A, B 사이에 일부를 넣어 한 묶음으로 만드는 경우의 수)

× (묶음으로 묶인 것과 나머지를 나열하는 경우의 수)

풀이

(1) STEP1 **특정한 문자를 양 끝에 나열하는 경우의 수 구하기**

s와 p를 양 끝에 나열하는 경우❶의 수는 $2!=2$

❶ s□□□□□□p,
p□□□□□□s

STEP2 **특정한 문자를 제외한 문자를 배열하는 경우의 수 구하기**

s와 p를 제외한 6개의 문자를 일렬로 나열하는 경우의 수는

$6!=6\times5\times4\times3\times2\times1=720$

STEP3 **조건을 만족시키는 경우의 수 구하기**

따라서 구하는 경우의 수는

$2\times720=1440$

(2) STEP1 **특정한 문자로 묶음을 만드는 경우의 수 구하기**

s와 p 사이에 2개의 문자를 택하여 나열하는 경우의 수는

$_6P_2=6\times5=30$

STEP2 **특정한 문자를 묶음으로 한 후, 일렬로 나열하는 경우의 수 구하기**

s○○p를 한 묶음으로 생각하여 5개의 문자를 일렬로 나열하는 경우의 수는

$5!=5\times4\times3\times2\times1=120$

STEP3 **특정한 문자의 순서를 정하는 경우의 수 구하기**

s와 p의 자리를 바꾸는 경우❷의 수는 $2!=2$

❷ s○○p, p○○s

STEP4 **조건을 만족시키는 경우의 수 구하기**

따라서 구하는 경우의 수는

$30\times120\times2=7200$

답 (1) 1440 (2) 7200

풍쌤 강의 NOTE

• 양 끝이 확정된 경우에는 양 끝을 제외한 가운데만 나열하는 경우의 수를 생각하면 된다.

• 특정한 두 개 사이에 일부를 넣는 경우에는 그 특정한 두 개와 넣어야 하는 일부까지 합하여 하나의 묶음으로 생각하고 나열하는 경우의 수를 생각하면 된다.

11-1 ◉유사

kitchen의 7개의 문자를 일렬로 나열할 때, 다음을 구하여라.

(1) t가 맨 처음에, h가 맨 마지막에 오는 경우의 수
(2) t와 h 사이에 2개의 문자가 있는 경우의 수

11-2 ◉유사

family에 있는 6개의 문자를 일렬로 나열할 때, 양 끝에 모음이 오도록 나열하는 경우의 수를 구하여라.

11-3 ◉변형   기출

할머니, 아버지, 어머니, 아들, 딸로 구성된 5명의 가족이 있다. 이 가족이 다음 그림과 같이 번호가 적힌 5개의 의자에 모두 앉을 때, 아버지, 어머니가 모두 홀수 번호가 적힌 의자에 앉는 경우의 수를 구하여라.

11-4 ◉변형

5명의 선수 A, B, C, D, E가 경기장을 향하여 일렬로 설 때, A가 B보다 항상 앞쪽에 오도록 서는 경우의 수를 구하여라.

11-5 ◉변형

6개의 문자 A, B, C, D, E, F를 일렬로 배열할 때, D, A, B, E, C, F와 같이 항상 A는 B보다 왼쪽에 놓고, C는 B보다 오른쪽에 놓이는 경우의 수를 구하여라.

11-6 ◉실력

두 대의 자동차 A, B에 8명이 각각 3명과 5명으로 나누어 타고 가다가 엔진 고장으로 자동차 B는 견인되어 좌석수가 9개인 승용차 A에 모두 타고 목적지로 향했다. 자동차 A의 운전자는 그대로 있고 남은 7명이 임의로 자리를 바꿀 때, 처음부터 자동차 A에 탔던 운전자를 제외한 2명이 모두 처음과 다른 위치에 앉게 되는 경우의 수를 구하여라.

다음 물음에 답하여라.

(1) market의 6개의 문자를 일렬로 나열할 때, 적어도 한쪽 끝에는 모음이 오는 경우의 수를 구하여라.

(2) a, b, c, d, e, f, g의 7개의 문자를 일렬로 나열할 때, a, b, c 중 적어도 2개가 이웃하는 경우의 수를 구하여라.

풍쌤 POINT

적어도 한쪽 끝에 모음이 오는 사건은 한쪽 끝에만 모음이 오거나 양 끝에 모음이 오는 사건이므로

(적어도 한 쪽 끝에 모음이 오는 경우의 수)

= (전체 경우의 수) − (양 끝에 자음이 오는 경우의 수)

임을 이용해.

풀이 (1) STEP1 **6개의 문자를 일렬로 나열하는 경우의 수 구하기**

6개의 문자를 일렬로 나열하는 경우의 수는

$6!=6\times5\times4\times3\times2\times1=720$

STEP2 **양 끝에 자음이 오는 경우의 수 구하기**

양 끝에 자음인 m, r, k, t의 4개의 문자 중에서 2개를 택하여 나열하는 경우의 수는 $_4P_2=4\times3=12$이고, 가운데에 나머지 4개의 문자를 일렬로 나열하는 경우의 수는

$4!=4\times3\times2\times1=24$이므로 양 끝에 자음이 오는 경우의 수는 $12\times24=288$

STEP3 **조건을 만족시키는 경우의 수 구하기**

따라서 구하는 경우의 수는❶ $720-288=432$

(2) STEP1 **7개의 문자를 일렬로 나열하는 경우의 수 구하기**

7개의 문자를 일렬로 나열하는 경우의 수는

$7!=7\times6\times5\times4\times3\times2\times1=5040$

STEP2 **a, b, c 중 어느 것도 이웃하지 않는 경우의 수 구하기**

a, b, c 중 어느 것도 이웃하지 않는 경우의 수는 4개의 문자 d, e, f, g를 일렬로 나열한 다음 양 끝과 사이사이의 5개의 자리에 a, b, c를 나열하는 경우❷의 수와 같으므로

$4!\times_5P_3=24\times(5\times4\times3)=1440$

STEP3 **조건을 만족시키는 경우의 수 구하기**

따라서 구하는 경우의 수❸는

$5040-1440=3600$

❶ (적어도 한쪽 끝에 모음이 오는 경우의 수) = (전체 경우의 수) − (양 끝에 자음이 오는 경우의 수)

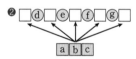

❸ (a, b, c 중 적어도 2개가 이웃하는 경우의 수) = (전체 경우의 수) − (a, b, c 중 어느 것도 이웃하지 않는 경우의 수)

답 (1) 432 (2) 3600

풍쌤 강의 NOTE

'적어도 하나가 ~이다.'가 나오면 '모두 ~가 아니다.'를 생각한다.

12-1 (유사)

다음 물음에 답하여라.

(1) kitchen의 7개의 문자를 일렬로 나열할 때, 적어도 한쪽 끝에 자음이 오는 경우의 수를 구하여라.

(2) movie의 5개의 문자를 일렬로 나열할 때, 적어도 2개의 모음이 이웃하도록 나열하는 경우의 수를 구하여라.

12-2 (유사)

남학생 3명과 여학생 2명을 일렬로 세울 때, 적어도 한쪽 끝에 여학생이 오도록 세우는 방법의 수를 구하여라.

12-3 (변형)

서로 다른 6개의 알파벳을 일렬로 나열할 때, 적어도 한쪽 끝에 모음이 오는 경우의 수가 432이다. 이때 모음의 개수를 구하여라.

12-4 (변형)

숫자 1, 2, 3, 4, 5, 6, 7, 8이 각각 하나씩 적혀 있는 8장의 카드에서 세 장을 뽑아 세 자리 정수를 만들 때, 적어도 한쪽 끝에 오는 숫자가 짝수인 세 자리 정수의 개수를 구하여라.

12-5 (변형)

a, b, c, d, e, f의 6개의 문자를 일렬로 나열할 때, e, f 사이에 적어도 2개의 문자가 들어가는 경우의 수를 구하여라.

12-6 (변형)

할아버지, 할머니, 아버지, 어머니, 자녀 3명으로 구성된 7명의 가족이 사진을 찍을 때, 조부모 사이에 손주 세 명 중 적어도 두 명이 서게 되는 경우의 수를 구하여라.

6개의 문자 a, b, c, d, e, f를 한 번씩만 사용하여 사전식으로 abcdef에서 fedcba까지 배열할 때, 다음 물음에 답하여라.

(1) bdceaf는 몇 번째에 오는지 구하여라.

(2) 301번째에 오는 문자열을 구하여라.

풍쌤 POINT

문자를 사전식으로 배열하는 방법의 수는 다음과 같은 순서로 구하면 돼!

❶ 기준이 되는 것들을 먼저 순열을 이용하여 정할 수 있는 자리에 문자를 배열해.

❷ 순열을 이용하여 나머지 자리에 올 수 있는 것을 배열한 경우의 수를 구하면 돼.

풀이

(1) **STEP1 각 자리별로 문자열의 개수 구하기**

a□□□□□ 꼴인 문자열의 개수는 $5! = 120$

ba□□□□ 꼴인 문자열의 개수는 $4! = 24$

bc□□□□ 꼴인 문자열의 개수는 $4! = 24$

bda□□□ 꼴인 문자열의 개수는 $3! = 6$

bdca□□ 꼴인 문자열의 개수는 $2! = 2$

STEP2 bdceaf의 순서 정하기

이때 bdceaf는 bdce□□ 꼴에서 첫 번째에 오는 문자열❶ 이므로 $120 + 24 + 24 + 6 + 2 + 1 = 177$(번째)에 오는 문자열 이다.

❶ bdceaf, bdcefa이므로 bdceaf는 bdce□□ 꼴에서 첫 번째에 오는 문자열이다.

(2) **STEP1 각 자리별로 문자열의 개수 구하기**

a□□□□□ 꼴인 문자열의 개수는 $5! = 120$

b□□□□□ 꼴인 문자열의 개수는 $5! = 120$

ca□□□□ 꼴인 문자열의 개수는 $4! = 24$

cb□□□□ 꼴인 문자열의 개수는 $4! = 24$

cda□□□ 꼴인 문자열의 개수는 $3! = 6$

cdb□□□ 꼴인 문자열의 개수는 $3! = 6$

STEP2 301번째에 오는 문자열 구하기

이때 $120 + 120 + 24 + 24 + 6 + 6 = 300$이므로 301번째에 오 는 문자열은 cdeabf이다.

답 (1) 177번째 (2) cdeabf

풍쌤 강의 NOTE

사전식 배열에서 문자열을 찾는 방법은 다음을 이용하여 문제를 해결한다.

① 영문사전의 경우: A → B → C → …

② 국어사전의 경우: ㄱ → ㄴ → ㄷ → …

③ 수의 경우: 1 → 2 → 3 → …

13-1 (유사)

다섯 개의 자연수 1, 2, 3, 4, 5를 한 번씩 사용하여 만든 다섯 자리 정수를 크기가 작은 수부터 나열할 때, 다음 물음에 답하여라.

(1) 34125는 몇 번째에 오는지 구하여라.
(2) 67번째에 오는 수를 구하여라.

13-2 (유사)

6개의 숫자 0, 1, 2, 3, 4, 5 중 서로 다른 숫자 5개를 선택하여 다섯 자리 자연수를 만들어 작은 수부터 나열하였을 때, 344번째 수를 구하여라.

13-3 (유사)

6개의 문자 ㄱ, ㄴ, ㄷ, ㄹ, ㅁ, ㅂ을 한 번씩만 사용하여 사전식으로 배열할 때, ㄷㄱㅁㄹㄴㅂ은 몇 번째로 나타나는지 구하여라.

13-4 (변형)

L, A, U, G, H의 5개의 문자로 이루어지는 120개의 순열을 알파벳 순서에 의한 사전식 배열을 하였을 때, 74번째 단어의 마지막 문자를 구하여라.

13-5 (변형)

6개의 숫자 0, 1, 2, 3, 4, 5를 모두 배열해서 만든 여섯 자리 자연수 중에서 250000보다 작은 수의 개수를 구하여라.

13-6 (실력) (기출)

여섯 개의 문자 A, B, C, D, E, F를 모두 사용하여 만든 6자리 문자열 중에서 다음 세 조건을 만족시키는 문자열의 개수를 구하여라. (예를 들어 CDFBAE는 조건을 만족시키지만 CDFABE는 조건을 만족시키지 않는다.)

(가) A의 바로 다음 자리에 B가 올 수 없다.
(나) B의 바로 다음 자리에 C가 올 수 없다.
(다) C의 바로 다음 자리에 A가 올 수 없다.

01

호열이는 만 원으로 친구들에 줄 스티커를 사려고 한다. 팬시점에는 다음과 같이 A, B, C 세 종류의 스티커가 있을 때, 만 원을 모두 사용하여 스티커를 구입할 수 있는 방법의 수를 구하여라.

(단, 가격별 스티커는 1개 이상 구입한다.)

종류	가격	현재 수량
A 스티커	500원	15개
B 스티커	1000원	10개
C 스티커	2000원	5개

02

150의 양의 약수 중 짝수의 개수를 p, 3의 배수의 개수를 q라 할 때, $p+q$의 값은?

① 12   ② 14   ③ 16
④ 18   ⑤ 20

03

오른쪽 그림과 같은 지도가 있다. 우리집에서 친구집까지 가는데 같은

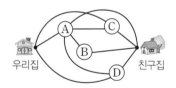

길이나 같은 지점을 두 번 거치지 않고 가는 방법의 수를 구하여라.

04

어느 전시회에서는 전시관을 돌아볼 수 있는 길을 오른쪽 그림과 같이 A, B, C 세 전시관 사이에 마련하

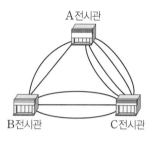

였다. A 전시관을 출발하여 다시 A 전시관으로 되돌아오는 방법의 수를 구하여라. (단, 한 번 선택한 길과 지나간 지점은 다시 지나지 않는다.)

05

1000원짜리 지폐 3장, 500원짜리 동전 3개, 100원짜리 동전 4개의 전부 또는 일부를 사용하여 거스름돈 없이 지불할 수 있는 금액의 수를 구하여라.

(단, 0원을 지불하는 것은 제외한다.)

06 서술형

오른쪽 그림은 어느 도시를 5개의 영역으로 나누어 놓은 지도이다. 이 지도의 A, B, C, D, E 5개의 영역을 5가지 색으로 칠하려고 한다. 같은 색

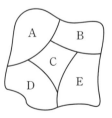

을 중복하여 사용해도 좋으나 인접한 부분은 서로 다른 색으로 칠할 때, 칠하는 방법의 수를 구하여라.

07

오른쪽 그림과 같이 6개의 영역으로 나누어진 퍼즐판에 색을 칠하려고 한다. 각 영역을 구분하여 색을 칠할 때, 같은 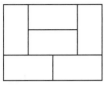 색을 중복하여 사용해도 좋으나 인접한 영역은 서로 다른 색을 칠하려고 한다. 서로 다른 n가지 색을 이용하여 칠하는 방법의 수를 $f(n)$이라 할 때, $f(4)+f(5)+f(6)$의 값을 구하여라.

08 기출

등식 $_{n+1}P_3 = {}_nP_3 + 90$을 만족시키는 자연수 n의 값을 구하여라.

09

0, 1, 2, 3, 4의 5개의 숫자 중에서 서로 다른 4개의 숫자를 이용하여 만들 수 있는 네 자리 자연수 중 짝수의 개수를 구하여라.

10 서술형

어느 학교의 체육대회에서 3학년 2명, 4학년 3명, 5학년 3명, 6학년 2명이 한 팀이 되어 한 명씩 차례로 이어달리기를 한다고 한다. 3학년 2명이 연이어 뛰고, 4학년 3명도 연이어 뛰도록 순서를 정하는 방법의 수를 구하여라.

11

A, B를 포함한 5명이 영화를 보기 위해 영화관 사이트에 들어갔다. 다음 그림과 같이 남아 있는 자리가 E열에 3자리, G열에 3자리, H열에 2자리 있을 때, A, B가 같은 열에 이웃하게 앉도록 5명이 자리를 정하는 방법의 수를 구하여라.

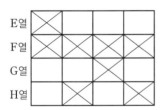

12

기출

남학생 12명과 여학생 2명이 일렬로 설 때, 여학생끼리는 이웃하지 않고 남학생끼리는 서로 이웃한 학생 수가 항상 짝수가 되도록 줄을 서는 경우의 수는 $N \times 12!$ 이다. 자연수 N의 값은?

① 36   ② 38   ③ 40

④ 42   ⑤ 44

13

다섯 쌍의 부부가 일직선으로 놓여 있는 의자에 앉으려고 한다. 부부끼리는 서로 이웃하게 앉고 남녀가 교대로 앉도록 자리를 배정하는 방법의 수를 구하여라.

14

기출

한 줄에 3개씩 모두 6개의 좌석이 있는 케이블카가 있다. 두 학생 A, B를 포함한 5명의 학생이 이 케이블카에 탑승하여 A, B는 같은 줄의 좌석에 앉고 나머지 세 명은 맞은편 줄의 좌석에 앉는 경우의 수는?

① 48   ② 54   ③ 60

④ 66   ⑤ 72

15 서술형 ✍

1부터 8까지의 번호로 여는 자물쇠를 설치하여 비밀번호를 정하려고 한다. 특정한 서로 다른 네 개의 숫자를 순서대로 누르면 자물쇠가 열리는데 다음과 같은 두 가지 정보를 이용하려면 최대 n번 누르면 열린다. 이때 n의 값을 구하여라.

> (개) 세 번째 번호는 짝수이다.
> (내) 첫 번째와 네 번째 번호는 소수이다.

16

이차방정식 $108x^2 - 21nx + n^2 = 0 \ (n \le 500)$이 적어도 하나의 정수해를 갖도록 하는 자연수 n의 개수는?

① 80   ② 83   ③ 85

④ 89   ⑤ 90

17

하나의 한글 문자와 7개의 숫자를 이용하여 만든 번호판 중에서 서로 다른 것의 개수가 $a \times 10^b$일 때, 두 자연수 a, b에 대하여 $a+b$의 값을 구하여라.

(단, $10 \le a < 100$이고, 번호판은 '123아4567'과 같이 숫자 3개와 숫자 4개 사이에 문자를 배열하고 자음 중 ㄲ, ㄸ, ㅃ, ㅆ, ㅉ는 제외하며, 모음은 ㅏ, ㅑ, ㅓ, ㅕ, ㅗ, ㅛ, ㅜ, ㅠ, ㅡ, ㅣ만을 사용한다. 이때 받침은 넣지 않는다.)

01

서로 다른 두 개의 주사위 A, B를 동시에 던져서 나오는 눈의 수를 각각 a, b라 할 때, 이차함수 $y = x^2 - (a+b)x + ab + 4$의 그래프와 x축이 만나지 않도록 하는 순서쌍 (a, b)의 개수를 구하여라.

02

어느 도시에는 오른쪽 그림과 같이 세 건물 A, B, C를 연결하는 길이 있다. 또, 두 건물 B, C를 연결하는 길 중 하나의 길 위에 편의점이 있다. 건물 A에서 출발하여 건물 C를 거쳐 다시 건물 A로 되돌아올 때, 다음 조건을 만족시키는 방법의 수를 구하여라.

(단, 지나간 길은 다시 지날 수 있다.)

> ㈎ 건물 A에서 건물 C로 갈 때에는 편의점을 지나지 않는다.
> ㈏ 건물 C에서 건물 A로 갈 때에는 반드시 편의점을 지난다.
> ㈐ 건물 A를 시작과 끝 외에는 지나지 않고, 건물 C는 단 한 번만 지난다.

03

100원짜리 동전 p개, 500원짜리 동전 q개, 1000원짜리 지폐 r장의 일부 또는 전부를 사용하여 지불하려고 한다. 지불할 수 있는 방법의 수를 A(p, q, r), 지불할 수 있는 금액의 수를 B(p, q, r)라 할 때, |보기|에서 옳은 것만을 모두 고른 것은? (단, p, q, r는 1 이상의 정수이고, 0원을 지불하는 것은 제외한다.)

> ┤보기├
> ㄱ. A$(1, 1, 1) =$ B$(1, 1, 1)$
> ㄴ. A$(3, 3, 1) <$ B$(3, 3, 1)$
> ㄷ. $p > 5$이거나 $q > 2$이면
>   A$(p, q, r) >$ B(p, q, r)

① ㄱ   ② ㄱ, ㄴ   ③ ㄱ, ㄷ
④ ㄴ, ㄷ   ⑤ ㄱ, ㄴ, ㄷ

04

기출

오른쪽 그림과 같이 크기가 같은 6개의 정사각형에 1부터 6까지의 자연수가 하나씩 적혀 있다. 서로 다른 4가지 색의

1	2	3
4	5	6

일부 또는 전부를 사용하여 다음 조건을 만족시키도록 6개의 정사각형에 색을 칠하는 경우의 수를 구하여라.

(단, 한 정사각형에 한 가지 색만을 칠한다.)

> ㈎ 1이 적혀 있는 정사각형과 6이 적혀 있는 정사각형에는 같은 색을 칠한다.
> ㈏ 변을 공유하는 두 정사각형에는 서로 다른 색을 칠한다.

05

_{기출}

다음은 40 이하의 서로 다른 두 자연수 a, b의 최대공약수가 3인 a, b의 모든 순서쌍 (a, b)의 개수를 구하는 과정이다.

40 이하의 서로 다른 두 자연수 a, b의 최대공약수가 3이므로 서로소인 두 자연수 m, n에 대하여 $a=3m$, $b=3n$이라 하면 m과 n은 13 이하의 자연수이다.

순서쌍 (a, b)를 선택하는 경우는
「(i) 서로 다른 두 자연수 m, n을 선택하는 경우」
에서 「(ii) 서로 다른 두 자연수 m과 n이 서로소가 아닌 경우」
를 제외하면 된다.

(i)의 경우:
13개의 자연수에서 서로 다른 두 자연수 m, n을 선택하는 경우의 수는 □(가) 이다.

(ii)의 경우:
m과 n이 2의 배수인 경우의 수는 $_6P_2$이고, m과 n이 3의 배수인 경우의 수는 $_4P_2$이고, m과 n이 5의 배수인 경우의 수는 $_2P_2$이다.

이때 m과 n이 □(나) 의 배수인 경우가 중복되므로 서로 다른 두 자연수 m과 n이 서로소가 아닌 경우의 수는 □(다) 이다.

따라서 40 이하의 서로 다른 두 자연수 a, b의 최대공약수가 3인 a, b의 모든 순서쌍 (a, b)의 개수는 □(가) $-$ □(다) 이다.

위의 (가), (나), (다)에 알맞은 수를 각각 p, q, r라 할 때, $p+q+r$의 값은?

① 192   ② 196   ③ 200

④ 204   ⑤ 208

06

_{기출}

어느 관광지에서 7명의 관광객 A, B, C, D, E, F, G가 미차를 타려고 한다. 다음 그림과 같이 이 마차에는 4개의 2인용 의자가 있고, 마부는 가장 앞에 있는 2인용 의자의 오른쪽 좌석에 앉는다. 7명의 관광객이 다음 조건을 만족시키도록 비어 있는 7개의 좌석에 앉는 경우의 수를 구하여라.

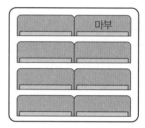

(가) A와 B는 같은 2인용 의자에 이웃하여 앉는다.
(나) C와 D는 같은 2인용 의자에 이웃하여 앉지 않는다.

10

조합

10 조합

개념01 조합

(1) 조합

서로 다른 n개에서 순서를 생각하지 않고 $r\,(0<r\le n)$개를 택하는 것을 n개에서 r개를 택하는 조합이라 하고, 이 조합의 수를 기호로 $_n\mathrm{C}_r$와 같이 나타낸다.

> **참고** 서로 다른 것 중에서 순서를 생각하지 않고 택하는 것은 조합이고, 순서를 생각하여 택하는 것은 순열이다. 예를 들어 한 반에서의 대표 2명을 뽑는 것은 조합이고, 회장과 부회장을 각각 1명씩 뽑는 것은 순열이다.

> $_n\mathrm{C}_r$의 C는 조합을 뜻하는 Combination의 첫 글자이다.

(2) 조합의 수

① 서로 다른 n개에서 순서를 생각하지 않고 $r\,(0\le r\le n)$개를 택하는 조합의 수는

$$_n\mathrm{C}_r=\frac{_n\mathrm{P}_r}{r!}$$
$$=\frac{n(n-1)(n-2)\times\cdots\times(n-r+1)}{r!}$$
$$=\frac{n!}{r!(n-r)!}$$

② $_n\mathrm{C}_0=1,\ _n\mathrm{C}_n=1$

> $_n\mathrm{P}_r=_n\mathrm{C}_r\times r!$
> ➡ (순열의 수)
> =(조합의 수)
> ×(일렬로 나열하는 방법의 수)

확인01 다음 값을 구하여라.

(1) $_5\mathrm{C}_3$ (2) $_{10}\mathrm{C}_4$

(3) $_4\mathrm{C}_0$ (4) $_7\mathrm{C}_7$

개념02 조합의 수의 성질

(1) $_n\mathrm{C}_r=_n\mathrm{C}_{n-r}$ (단, $0\le r\le n$)

(2) $_n\mathrm{C}_r=_{n-1}\mathrm{C}_{r-1}+_{n-1}\mathrm{C}_r$ (단, $1\le r<n$)

> **증명** (1) $_n\mathrm{C}_{n-r}=\dfrac{n!}{(n-r)!\{n-(n-r)\}!}=\dfrac{n!}{(n-r)!r!}=\dfrac{n!}{r!(n-r)!}=_n\mathrm{C}_r$
>
> (2) $_{n-1}\mathrm{C}_{r-1}+_{n-1}\mathrm{C}_r=\dfrac{(n-1)!}{(r-1)!\{(n-1)-(r-1)\}!}+\dfrac{(n-1)!}{r!\{(n-1)-r\}!}$
> $$=\frac{(n-1)!}{(r-1)!(n-r)!}+\frac{(n-1)!}{r!(n-1-r)!}$$
> $$=\frac{r(n-1)!}{r!(n-r)!}+\frac{(n-r)(n-1)!}{r!(n-r)!}$$
> $$=\frac{\{r+(n-r)\}(n-1)!}{r!(n-r)!}=\frac{n!}{r!(n-r)!}=_n\mathrm{C}_r$$

> 서로 다른 n개에서 r개를 택하는 조합의 수는 뽑히지 않은 $(n-r)$개를 택하는 조합의 수와 같으므로 $_n\mathrm{C}_r=_n\mathrm{C}_{n-r}$가 성립한다. 즉, $_n\mathrm{C}_r$의 값을 계산할 때 $r>n-r$이면 $_n\mathrm{C}_r$의 값을 $_n\mathrm{C}_{n-r}$의 값으로 바꾸어 계산하는 것이 간단하다.

> 서로 다른 n개에서 r개를 택하는 조합의 수는 특정한 1개를 제외하고 나머지 $(n-1)$개 중에서 r개를 택하는 조합의 수와 특정한 1개를 택하고 나머지 $(n-1)$개 중에서 $(r-1)$개를 택하는 조합의 수의 합과 같다.

확인02 다음 등식을 만족시키는 자연수 n 또는 r의 값을 구하여라.

(1) $_n\mathrm{C}_7=_n\mathrm{C}_3$ (2) $_7\mathrm{C}_3+_7\mathrm{C}_4=_8\mathrm{C}_r$

정답과 풀이 **178**쪽

개념03 **조건이 주어진 조합**

(1) 특정한 것을 포함하거나 포함하지 않는 조합의 수

　서로 다른 n개에서 r개를 뽑을 때,

　① 특정한 k개를 반드시 포함하여 r개를 택하는 방법의 수

　　➡ $(n-k)$개에서 $(r-k)$개를 택하는 방법의 수

　　➡ $_{n-k}C_{r-k}$

　② 특정한 k개를 반드시 제외하고 r개를 택하는 방법의 수

　　➡ $(n-k)$개에서 r개를 택하는 방법의 수

　　➡ $_{n-k}C_r$

　③ 특정한 x개를 포함하고 특정한 y개는 제외하여 r개를 택하는 방법의 수

　　➡ $(n-x-y)$개에서 $(r-x)$개를 택하는 방법의 수

　　➡ $_{n-x-y}C_{r-x}$

> 특정한 k개를 포함하여 뽑는 방법의 수 ➡ 특정한 k개를 먼저 뽑아 놓고 나머지를 뽑는다.

> 특정한 k개를 포함하지 않고 뽑는 방법의 수 ➡ 전체에서 특정한 k개를 제외하고 나머지에서 뽑는다.

확인 03 7가지 색 빨강, 주황, 노랑, 초록, 파랑, 남색, 보라 중에서 3가지 색을 택하려고 한다. 다음을 구하여라.

　(1) 노란색을 포함하여 택하는 방법의 수

　(2) 파란색을 제외하고 택하는 방법의 수

　(3) 빨간색은 포함하고 보라색은 제외하여 택하는 방법의 수

개념04 **조합을 이용하여 조를 나누는 방법의 수**

(1) 서로 다른 n개의 물건을 p개, q개, r개 $(p+q+r=n)$의 세 묶음으로 나누는 방법의 수

　① p, q, r가 모두 다른 수일 때, $_nC_p \times _{n-p}C_q \times _rC_r$

　② p, q, r 중 어느 두 수가 같을 때, $_nC_p \times _{n-p}C_q \times _rC_r \times \dfrac{1}{2!}$

　③ p, q, r가 모두 같은 수일 때, $_nC_p \times _{n-p}C_q \times _rC_r \times \dfrac{1}{3!}$

(2) n묶음으로 나누어 n명에게 나누어 주는 방법의 수

　(n묶음으로 나누는 방법의 수)$\times n!$

확인 04 9명의 학생을 3개의 조로 나누려고 한다. 다음을 구하여라.

　(1) 2명, 3명, 4명으로 나누는 방법의 수

　(2) 2명, 2명, 5명으로 나누는 방법의 수

　(3) 3명, 3명, 3명으로 나누는 방법의 수

다음 등식을 만족시키는 자연수 n의 값을 구하여라.

(1) $_nC_3 = 220$

(2) $_nC_4 = _nC_6$

(3) $_{n+4}C_2 = _nC_2 + _{n-3}C_2$

풍쌤 POINT

- $_nC_r = \dfrac{_nP_r}{r!} = \dfrac{n!}{r!(n-r)!}$ (단, $0 \leq r \leq n$)
- $_nC_r = _nC_{n-r}$ (단, $0 \leq r \leq n$)
- $_nC_r = _{n-1}C_{r-1} + _{n-1}C_r$ (단, $1 \leq r < n$)
- $_nC_0 = 1$, $_nC_n = 1$, $_nC_1 = n$

풀이

(1) STEP1 n에 대한 식으로 나타내기

$_nC_3 = \dfrac{_nP_3}{3!}$ **❶** $= 220$이므로 $\dfrac{n(n-1)(n-2)}{3 \times 2 \times 1} = 220$

❶ $_nC_r = \dfrac{_nP_r}{r!}$

STEP2 n의 값 구하기

$n(n-1)(n-2) = 1320 = 12 \times 11 \times 10$

$\therefore n = 12$

(2) $_nC_4 = _nC_{n-4}$ **❷** 이므로 $_nC_4 = _nC_6$에서 $_nC_{n-4} = _nC_6$

$n - 4 = 6$ $\therefore n = 10$

❷ $_nC_r = _nC_{n-r}$

(3) STEP1 n에 대한 식으로 나타내기

$_{n+4}C_2 = _nC_2 + _{n-3}C_2$에서

$\dfrac{(n+4)(n+3)}{2 \times 1} = \dfrac{n(n-1)}{2 \times 1} + \dfrac{(n-3)(n-4)}{2 \times 1}$

STEP2 n의 값 구하기

$n^2 + 7n + 12 = n^2 - n + n^2 - 7n + 12$

$n^2 - 15n = 0$, $n(n-15) = 0$

$n \geq 5$ **❸** 이므로 $n = 15$

❸ $n+4 \geq 2$, $n \geq 2$, $n-3 \geq 2$에서 $n \geq 5$

답 (1) 12 (2) 10 (3) 15

풍쌤 강의 NOTE $_nC_r$에서 $r > \dfrac{n}{2}$일 때에는 $_nC_r = _nC_{n-r}$를 이용하면 간단히 계산할 수 있다.

01-1 ⊙ 유사

다음 등식을 만족시키는 자연수 n 또는 r의 값을 구하여라.

(1) $_n\mathrm{C}_2 = {}_n\mathrm{C}_1 + 9$

(2) $_n\mathrm{P}_3 + 5 \times {}_n\mathrm{C}_3 = 44$

(3) $_{12}\mathrm{C}_{r-3} = {}_{12}\mathrm{C}_{3r-1}$

01-2 ⊙ 유사 〔기출〕

등식 $_{10}\mathrm{P}_3 = n \times {}_{10}\mathrm{C}_3$을 만족시키는 자연수 n의 값을 구하여라.

01-3 ⊙ 변형

다음은 $1 \le r \le n$일 때, $r \times {}_n\mathrm{C}_r = n \times {}_{n-1}\mathrm{C}_{r-1}$이 성립함을 증명하는 과정이다.

$$
\begin{aligned}
&n \times {}_{n-1}\mathrm{C}_{r-1} \\
&= n \times \frac{(n-1)!}{(r-1)!\{(n-1)-(r-1)\}!} \\
&= n \times \frac{(n-1)!}{(r-1)!(\boxed{\text{(가)}})!} \\
&= r \times \frac{\boxed{\text{(나)}}!}{r!(\boxed{\text{(가)}})!} = r \times {}_n\mathrm{C}_r \\
&\therefore\ r \times {}_n\mathrm{C}_r = n \times {}_{n-1}\mathrm{C}_{r-1}
\end{aligned}
$$

위의 과정에서 (가), (나)에 알맞은 것을 차례대로 나열한 것은?

① $n-1,\ n$
② $n-1,\ n-r$
③ $n,\ n-1$
④ $n-r,\ n$
⑤ $n+1,\ n-r$

01-4 ⊙ 변형

다음 등식 중 옳지 <u>않은</u> 것은?

① $_n\mathrm{C}_0 = {}_n\mathrm{C}_n$

② $_n\mathrm{C}_1 = n$

③ $_n\mathrm{P}_r = {}_n\mathrm{C}_r \times r!$

④ $_{n+1}\mathrm{C}_r = {}_{n+1}\mathrm{C}_{n-r}$

⑤ $_n\mathrm{C}_r = \dfrac{n!}{r!(n-r)!}$

01-5 ⊙ 변형

$_n\mathrm{P}_3 = 336$, $_n\mathrm{C}_4 = 70$일 때, $_n\mathrm{C}_3 + {}_n\mathrm{P}_4$의 값을 구하여라.

01-6 ⊙ 실력

x에 대한 이차방정식 $_n\mathrm{C}_1 x^2 - {}_n\mathrm{C}_2 x + {}_n\mathrm{C}_3 = 0$의 두 근을 α, β라 할 때, $\alpha\beta = \dfrac{10}{3}$이다. 이때 $\alpha + \beta$의 값을 구하여라.

다음을 구하여라.

(1) 서로 다른 8개의 과자 중에서 2개를 택하는 방법의 수

(2) 남학생 6병, 여학생 5명인 모임에서 남학생 대표 2명, 여학생 대표 2명을 선출하는 방법의 수

(3) 서로 다른 과자 7개와 서로 다른 아이스크림 3개 중에서 3개를 뽑을 때, 모두 같은 품목에서 뽑는 방법의 수

풍쌤 POINT

서로 다른 것 중에서 순서를 생각하지 않고 택하는 것은 조합을 이용해!

이때 뽑고 뽑으면 곱의 법칙을 이용하고, 뽑거나 뽑으면 합의 법칙을 이용하면 돼.

풀이

(1) **STEP1 주어진 문장을 식으로 나타내기**

서로 다른 8개에서 2개를 택하는 방법의 수는 $_8C_2$

STEP2 조건을 만족시키는 방법의 수 구하기

$$\therefore \ _8C_2 = \frac{8 \times 7}{2 \times 1} = 28$$

(2) **STEP1 주어진 문장을 식으로 나타내기**

남학생 6명 중에서 2명을 뽑는 방법의 수는 $_6C_2$

여학생 5명 중에서 2명을 뽑는 방법의 수는 $_5C_2$

STEP2 조건을 만족시키는 방법의 수 구하기

따라서 구하는 방법의 수❶는

$$_6C_2 \times {}_5C_2 = \frac{6 \times 5}{2 \times 1} \times \frac{5 \times 4}{2 \times 1} = 15 \times 10 = 150$$

❶ 남학생 대표를 뽑고 여학생 대표를 뽑으므로 곱의 법칙을 이용한다.

(3) **STEP1 주어진 문장을 식으로 나타내기**

서로 다른 과자 7개 중에서 3개를 뽑는 방법의 수는 $_7C_3$

서로 다른 아이스크림 3개 중에서 3개를 뽑는 방법의 수는 $_3C_3$

STEP2 조건을 만족시키는 방법의 수 구하기

따라서 구하는 방법의 수❷는

$$_7C_3 + {}_3C_3{}^❸ = \frac{7 \times 6 \times 5}{3 \times 2 \times 1} + 1 = 35 + 1 = 36$$

❷ 과자를 뽑거나 아이스크림을 뽑으므로 합의 법칙을 이용한다.

❸ $_nC_n = 1$

🔗 (1) 28 (2) 150 (3) 36

풍쌤 강의 NOTE

순열과 조합은 모두 선택을 할 때 이용한다.

① 택하는 순서를 바꿀 때 다른 경우가 되면 ➡ 순열 이용

② 택하는 순서를 바꿔도 같은 경우가 되면 ➡ 조합 이용

02-1 ◦유사

다음을 구하여라.

⑴ 서로 다른 9개의 아이스크림 중에서 3개를 고르는 방법의 수

⑵ 경찰관 8명과 소방관 4명 중에서 3명을 뽑을 때, 3명의 직업이 같은 경우의 수

⑶ 학생 수가 10명인 모임에서 보육원을 방문할 학생 2명과 경로원을 방문할 학생 2명을 뽑는 방법의 수 (단, 보육원을 방문하는 학생은 경로원을 방문하지 않는다.)

02-2 ◦유사   기출

서로 다른 6개의 과목 중에서 서로 다른 3개를 선택하는 경우의 수를 구하여라.

02-3 ◦변형

어느 학급에서 모든 학생이 다른 학생과 모두 한 번씩 악수를 하였다. 악수를 한 횟수가 모두 190회일 때, 이 학급의 학생 수를 구하여라.

02-4 ◦변형

1부터 10까지의 자연수 중 서로 다른 두 수를 뽑을 때, 뽑힌 두 수의 합이 짝수인 경우의 수를 구하여라.

02-5 ◦변형

1부터 50까지의 자연수 중에서 서로 다른 두 홀수를 택할 때, 택한 두 수의 합이 3의 배수가 되는 경우의 수를 구하여라.

02-6 ◦실력

서로 다른 5개의 바구니에 사과 4개와 배 6개를 다음 조건을 모두 만족시키도록 넣는 방법의 수를 구하여라.

> ㈎ 과일은 각 바구니에 1개 이상 넣고, 사과는 한 바구니에 2개 이상 넣을 수 없다.
> ㈏ 같은 종류의 과일은 서로 구별하지 않는다.

남학생 7명과 여학생 5명 중에서 5명의 대표를 뽑으려고 한다. 다음을 구하여라.

(1) 남학생 2명과 여학생 3명을 뽑는 방법의 수

(2) 특성한 3명을 포함하여 뽑는 방법의 수

(3) 적어도 한 명은 여학생을 뽑는 방법의 수

풍쌤 POINT

- 서로 다른 n개에서 특정한 k개를 포함하여 r개를 뽑는 방법의 수는 $(n-k)$개에서 $(r-k)$개를 뽑는 방법의 수와 같아. ➡ $_{n-k}C_{r-k}$
- 서로 다른 n개에서 특정한 k개를 제외하고 r개를 뽑는 방법의 수는 $(n-k)$개에서 r개를 뽑는 방법의 수와 같아. ➡ $_{n-k}C_r$
- (적어도 하나가 ★인 경우의 수) ➡ (전체 경우의 수)−(모두 ★이 아닌 경우의 수)를 이용해.

풀이

(1) **STEP1 남학생과 여학생 각각을 뽑는 방법의 수 구하기**

남학생 7명 중에서 2명을 뽑는 방법의 수는 $_7C_2=21$ ❶

여학생 5명 중에서 3명을 뽑는 방법의 수는 $_5C_3=_5C_2=10$ ❷

STEP2 조건을 만족시키는 방법의 수 구하기

따라서 구하는 방법의 수는 $21\times10=210$

❶ $_7C_2=\dfrac{7\times6}{2\times1}=21$

❷ $_5C_2=\dfrac{5\times4}{2\times1}=10$

(2) **STEP1 구하고자 하는 방법 이해하기**

구하고자 하는 방법의 수는 특정한 3명을 대표로 뽑았다고 생각하고 ❸ 나머지 9명 중에서 2명을 뽑는 방법의 수와 같다.

STEP2 조건을 만족시키는 방법의 수 구하기

따라서 구하는 방법의 수는 $_9C_2=\dfrac{9\times8}{2\times1}=36$

❸ 특정한 것을 반드시 포함하는 경우에는 특정한 것을 이미 뽑았다고 생각하고 특정한 것을 뺀 나머지 중에서 조건을 만족시키도록 뽑는다.

(3) **STEP1 전체 방법의 수와 ~가 아닌 방법의 수 구하기**

12명 중에서 5명의 대표를 뽑는 방법의 수는

$$_{12}C_5=\dfrac{12\times11\times10\times9\times8}{5\times4\times3\times2\times1}=792$$

5명의 대표 중에서 여학생이 한 명도 포함되지 않는, 즉 남학생만 5명을 뽑는 방법의 수는 ❹ $_7C_5=_7C_2=\dfrac{7\times6}{2\times1}=21$

STEP2 조건을 만족시키는 방법의 수 구하기

따라서 구하는 방법의 수는 $792-21=771$

❹ '적어도 하나 ~인 경우'와 같은 조건이 있으면 '모두 ~가 아닌 경우'를 이용한다.

답 (1) 210　(2) 36　(3) 771

풍쌤 강의 NOTE

(적어도 ~인 경우의 수)는 (모든 경우의 수)−(여사건의 경우의 수)를 이용한다.

① 적어도 a가 1개 포함되는 사건의 여사건 ➡ a가 하나도 없는 사건

② 적어도 a가 2개 포함되는 사건의 여사건 ➡ a가 하나도 없거나 1개 포함되는 사건

03-1 ⊙유사

서로 다른 사탕 4봉지와 서로 다른 젤리 5봉지가 들어 있는 바구니에서 3봉지를 꺼내려고 한다. 다음을 구하여라.

(1) 사탕 2봉지와 젤리 1봉지를 꺼내는 방법의 수

(2) 사탕을 2봉지 이상 꺼내는 방법의 수

(3) 사탕과 젤리가 각각 적어도 한 봉지씩 포함되도록 꺼내는 방법의 수

03-2 ⊙유사

학생회에 새로 들어온 남학생 6명, 여학생 4명 중에서 3명을 뽑아 선도부에 배치하려고 한다. 남학생과 여학생을 적어도 각각 1명씩 선도부에 배치하는 방법의 수를 구하여라.

03-3 ⊙변형 기출

어느 동아리의 회원모집 공고를 보고 철수를 포함하여 10명이 지원하였다. 이 지원자들 중에서 철수를 포함하여 4명을 뽑는 경우의 수를 a, 철수를 포함하지 않고 4명을 뽑는 경우의 수를 b라 할 때, $a+b$의 값은?

① $_{10}P_3$　　② $_{10}P_4$　　③ $_{10}C_4$

④ $2 \times _9C_4$　　⑤ $2 \times _{10}C_4$

03-4 ⊙변형

빨강, 주황, 노랑, 초록, 파랑, 남색, 보라 7가지 색 중에서 노란색을 포함하여 4가지 색을 뽑아 섞어서 새로운 색을 만들 때, 만들 수 있는 색의 수를 구하여라.

(단, 어떤 두 색을 섞어도 같은 색을 만들 수 없다.)

03-5 ⊙변형

12명의 학생 중에서 6명의 배구 선수를 선발할 때, 특정한 두 학생 A, B는 선발하고 학생 C는 선발하지 않는 방법의 수를 구하여라.

03-6 ⊙실력

남학생 9명, 여학생 5명 중에서 4명의 임원을 선출할 때, 다음과 같은 각 경우의 수의 대소 관계를 옳게 나타낸 것은?

> A: 남학생 2명, 여학생 2명을 뽑는 경우
> B: 여학생을 적어도 1명 뽑는 경우
> C: 여학생 1명, 남학생 1명을 반드시 포함하는 경우

① $A < B < C$　　② $A < C < B$

③ $B < A < C$　　④ $B < C < A$

⑤ $C < A < B$

다음을 구하여라.

(1) 남자 6명과 여자 7명 중에서 남자 3명과 여자 4명을 뽑아서 일렬로 세우는 방법의 수

(2) 10명 중에서 A와 B를 포함한 5명을 뽑아서 일렬로 세울 때, A, B 두 사람을 서로 이웃하게 세우는 방법의 수

풍쌤 POINT

(뽑아서 나열하는 방법의 수)=(뽑는 방법의 수)×(나열하는 방법의 수)

=(조합의 수)×(순열의 수)

풀이

(1) **STEP1 남자와 여자 각각을 뽑는 방법의 수 구하기**

남자 6명 중에서 3명, 여자 7명 중에서 4명을 뽑는 방법의 수는

$$_6C_3 \times {}_7C_4 = {}_6C_3 \times {}_7C_3 = \frac{6 \times 5 \times 4}{3 \times 2 \times 1} \times \frac{7 \times 6 \times 5}{3 \times 2 \times 1}$$

$$= 20 \times 35 = 700$$

STEP2 뽑은 사람을 일렬로 세우는 방법의 수 구하기

뽑힌 7명을 일렬로 세우는 방법의 수는 $7! = 5040$

STEP3 조건을 만족시키는 방법의 수 구하기

따라서 구하는 방법의 수[1]는

$$700 \times 5040 = 3528000$$

(2) **STEP1 A와 B를 포함한 5명을 뽑는 방법의 수 구하기**

10명 중에서 A, B를 포함하여 5명을 뽑는 방법의 수[2]는 A와 B를 제외한 8명 중에서 3명을 뽑는 방법의 수와 같으므로

$$_8C_3 = \frac{8 \times 7 \times 6}{3 \times 2 \times 1} = 56$$

STEP2 뽑은 사람을 일렬로 세우는 방법의 수 구하기

A, B를 포함하여 뽑은 5명에서 A, B를 한 사람으로 생각하여 4명을 일렬로 세우는 방법의 수는 4!이고, 그 각각의 경우에 대하여 A, B가 자리를 바꾸는 방법의 수는 2!이므로 A, B를 이웃하게 세우는 방법의 수[3]는

$$4! \times 2! = 24 \times 2 = 48$$

STEP3 조건을 만족시키는 방법의 수 구하기

따라서 구하는 방법의 수는 $56 \times 48 = 2688$

[1] 두 개 이상의 집단에서 각각 몇 개를 뽑아 일렬로 나열하는 경우에는 조합을 이용하여 뽑는 방법의 수를 구한 다음 일렬로 세우는 방법의 수를 곱한다.

[2] 10명 중 A, B는 이미 뽑았다고 생각하고 나머지 8명 중에서 3명을 뽑는다.

[3] 이웃하는 것을 한 묶음으로 생각하여 한 묶음 안에서 자리를 바꾸는 경우의 수를 곱해야 함에 유의한다.

답 (1) 3528000 (2) 2688

풍쌤 강의 NOTE

'뽑아서 나열한다.'는 것은 뽑는 단계와 나열하는 단계를 구분하여 생각한다. 이때 뽑는 경우의 수는 조합, 일렬로 나열하는 경우의 수는 순열을 이용한다.

04-1 (유사)

어른 7명, 청소년 5명 중에서 어른 3명, 청소년 2명을 뽑아서 일렬로 세울 때, 다음을 구하여라.

(1) 일렬로 세우는 방법의 수

(2) 어른 3명을 이웃하게 세우는 방법의 수

04-2 (유사)

8개의 숫자 1, 2, 3, 4, 5, 6, 7, 8 중에서 4개를 택하여 네 자리 자연수를 만들 때, 5를 포함하는 자연수의 개수를 구하여라.

04-3 (변형)   (기출)

1부터 9까지의 자연수 중에서 서로 다른 세 수를 일렬로 나열하여 세 자리 자연수를 만들 때, 그 중 각 자리의 수의 곱이 10의 배수인 자연수의 개수를 구하여라.

04-4 (변형)

7개의 문자 A, B, C, D, E, F, G 중에서 B, C를 포함하여 5개의 문자를 뽑아 일렬로 나열할 때, B, C가 이웃하지 않게 나열하는 방법의 수를 구하여라.

04-5 (변형)

흰 바둑돌 6개와 검은 바둑돌 5개를 일렬로 나열할 때, 가운데 놓인 바둑돌을 중심으로 대칭인 형태로 바둑돌을 나열하는 방법의 수를 구하여라.

(단, 바둑돌은 서로 구분하지 않는다.)

04-6 (실력)

1부터 n까지의 자연수 중에서 2개를 뽑고, 6개의 문자 a, b, c, d, e, f 중에서 3개를 뽑아 다섯 자리의 비밀번호를 만들려고 한다. 비밀번호를 만드는 방법의 수가 50400일 때, 자연수 n의 값을 구하여라.

두 집합 $X=\{1, 2, 3\}$, $Y=\{1, 2, 3, 4, 5\}$에 대하여 다음 함수 f의 개수를 구하여라.

(1) X에서 Y로의 함수 f

(2) X에서 Y로의 일대일함수 f

(3) $x<y$이면 $f(x)<f(y)$인 X에서 Y로의 함수 f (단, $x\in X$, $y\in X$)

풍쌤 POINT

두 집합 X, Y의 원소의 개수가 각각 m, n일 때, 함수 $f:X \longrightarrow Y$ 중에서

(ⅰ) 일대일함수 f의 개수: 서로 다른 n개에서 m개 $(m\leq n)$를 택하는 순열의 수 ➡ $_n\mathrm{P}_m$

(ⅱ) $a<b$이면 $f(a)<f(b)$를 만족시키는 함수 f의 개수: 서로 다른 n개에서 m개를 택하는 조합의 수 ➡ $_n\mathrm{C}_m$

풀이

(1) X에서 Y로의 함수는 X의 각 원소에 Y의 원소가 대응하면 된다. 따라서 X의 각 원소에 대응할 수 있는 Y의 원소는 각각 5개이고, X의 원소의 개수는 3이므로 구하는 함수 f의 개수는 $5\times5\times5=125$

(2) **STEP1 일대일함수의 의미 파악하기**

X에서 Y로의 일대일함수는 X의 서로 다른 원소에 Y의 서로 다른 원소가 대응하면 된다.

STEP2 일대일함수의 개수 구하기

$x\neq y$이면 $f(x)\neq f(y)$**❶**, 즉 Y의 원소 1, 2, 3, 4, 5 중 서로 다른 3개를 뽑아 순서대로 $f(1)$, $f(2)$, $f(3)$에 대응시키면 되므로 구하는 일대일함수 f의 개수는 $_5\mathrm{P}_3=5\times4\times3=60$

(3) **STEP1 조건이 주어진 함수의 의미 파악하기**

X의 원소의 값이 커지면 그 원소에 대응하는 Y의 원소의 값도 커지도록 대응하면 된다.

STEP2 조건을 만족시키는 함수의 개수 구하기

$x<y$이면 $f(x)<f(y)$**❷**이므로 $f(1)<f(2)<f(3)$

즉, Y의 원소 1, 2, 3, 4, 5 중 서로 다른 3개를 뽑아 작은 수부터 차례로 $f(1)$, $f(2)$, $f(3)$에 대응시키면 되므로 구하는 함수 f의 개수는 $_5\mathrm{C}_3=_5\mathrm{C}_2=\dfrac{5\times4}{2\times1}=10$

❶ $x\neq y$이면 $f(x)\neq f(y)$를 만족시키는 함수는 공역에서 정의역의 개수만큼 함숫값을 뽑아서 일렬로 나열하면 되므로 순열을 이용하여 함수의 개수를 구한다.

❷ $x<y$이면 $f(x)<f(y)$를 만족시키는 함수는 공역에서 정의역의 개수만큼 함숫값을 뽑으면 순서는 자동으로 결정되므로 조합을 이용하여 함수의 개수를 구한다.

📋 (1) 125 (2) 60 (3) 10

풍쌤 강의 NOTE

함수의 개수

① 일대일함수 ➡ 순열 이용

② 원소의 값이 증가 또는 감소하는 함수 ➡ 조합 이용

05-1 유사

두 집합 $X=\{a, b, c\}$, $Y=\{1, 2, 3, 4\}$에 대하여 다음 함수 f의 개수를 구하여라.

(1) X에서 Y로의 함수 f

(2) X에서 Y로의 일대일함수 f

(3) $a<b<c$이면 $f(a)<f(b)<f(c)$인 X에서 Y로의 함수 f

05-2 변형

두 집합 $A=\{1, 2, 3, 4, 5\}$, $B=\{1, 2, 3\}$에 대하여 A에서 B로의 함수 중 치역과 공역이 같은 함수의 개수를 구하여라.

05-3 변형

두 집합 $X=\{a, b, c\}$, $Y=\{y \mid 1 \leq y \leq 10$인 자연수$\}$에 대하여 함수 $f: X \longrightarrow Y$가 다음 두 조건을 만족시킬 때, 함수 f의 개수를 구하여라.

> (가) $x_1 \in X$, $x_2 \in X$에 대하여
> $x_1 \neq x_2$이면 $f(x_1) \neq f(x_2)$이다.
> (나) $x \in X$에 대하여
> $f(x)$의 최솟값은 3, 최댓값은 8이다.

05-4 변형

두 집합 $A=\{1, 2, 3, 4, 5\}$, $B=\{1, 2, 3, 4, 5, 6, 7\}$에 대하여 다음 두 조건을 만족시키는 함수 $f: A \longrightarrow B$의 개수를 구하여라.

> (가) $f(2)=3$
> (나) $f(1)<f(2)<f(3)<f(4)<f(5)$

05-5 변형

두 집합 $A=\{1, 2, 3\}$, $B=\{1, 2, 3, 4, 5, 6\}$에 대하여 다음 두 조건을 만족시키는 함수 $f: A \longrightarrow B$의 개수를 구하여라.

> (가) $f(3)$의 값은 짝수이다.
> (나) $a \in A$, $b \in A$일 때,
> $a>b$이면 $f(a)<f(b)$이다.

05-6 실력 기출

집합 $X=\{1, 2, 3, 4, 5\}$에 대하여 다음 조건을 만족시키는 함수 $f: X \longrightarrow X$의 개수를 구하여라.

> (가) 함수 f의 치역의 원소의 개수는 4이다.
> (나) $f(a)=a$인 X의 원소 a의 개수는 3이다.

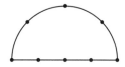

오른쪽 그림과 같이 반원 위에 8개의 점이 있다. 다음을 구하여라.

(1) 두 점을 연결하여 만들 수 있는 서로 다른 직선의 개수

(2) 세 점을 꼭짓점으로 하여 만들 수 있는 삼각형의 개수

풍쌤 POINT

어느 세 점도 일직선 위에 있지 않은 서로 다른 n개의 점으로 만들 수 있는 직선의 개수와 삼각형의 개수는 다음과 같아.

➡ 직선의 개수: $_nC_2$, 삼각형의 개수: $_nC_3$

풀이

(1) **STEP1 각 경우의 수 구하기**

8개의 점 중에서 2개의 점을 택하는 방법의 수는

$$_8C_2 = \frac{8 \times 7}{2 \times 1} = 28$$

일직선 위에 있는 5개의 점 중에서 2개를 택하는 방법의 수는

$$_5C_2 = \frac{5 \times 4}{2 \times 1} = 10$$

STEP2 조건을 만족시키는 직선의 개수 구하기

이때 일직선 위에 있는 점으로 만들 수 있는 직선은 1개이므로 구하는 직선의 개수는[1]

$$28 - 10 + 1 = 19$$

❶ 두 점을 지나는 직선은 오직 하나뿐이므로 직선의 개수는 두 점을 택하는 방법의 수와 같다. 이때 일직선 위에 있는 2개 이상의 점으로 만들 수 있는 직선은 오직 1개임에 주의한다.

(2) **STEP1 각 경우의 수 구하기**

8개의 점 중에서 3개의 점을 택하는 방법의 수는

$$_8C_3 = \frac{8 \times 7 \times 6}{3 \times 2 \times 1} = 56$$

일직선 위에 있는 5개의 점 중에서 3개를 택하는 방법의 수는

$$_5C_3 = {_5C_2} = \frac{5 \times 4}{2 \times 1} = 10$$

STEP2 조건을 만족시키는 삼각형의 개수 구하기

이때 일직선 위에 있는 점으로는 삼각형을 만들 수 없으므로 구하는 삼각형의 개수는[2]

$$56 - 10 = 46$$

❷ 삼각형의 개수는 세 점을 택하는 방법의 수와 같다. 이때 일직선 위에 있는 3개의 점으로는 삼각형을 만들 수 없음에 주의한다.

답 (1) 19 (2) 46

풍쌤 강의 NOTE

(n각형의 대각선의 개수)

=(n개의 꼭짓점에서 2개를 택하여 만들 수 있는 선분의 개수)$-$(변의 개수)

$= {_nC_2} - n$

이웃하는 두 꼭짓점을 택하는 경우

06-1 유사

오른쪽 그림과 같이 평행한 두 직선 l_1, l_2 위에 각각 4개, 5개의 점이 있다. 다음을 구하여라.

(1) 두 점을 연결하여 만들 수 있는 서로 다른 직선의 개수

(2) 세 점을 꼭짓점으로 하여 만들 수 있는 삼각형의 개수

06-2 유사

오른쪽 그림과 같은 정팔각형의 대각선의 개수를 구하여라.

06-3 유사 기출

삼각형 ABC에서 꼭짓점 A와 선분 BC 위의 네 점을 연결하는 4개의 선분을 그리고, 선분 AB 위의 세 점과 선분 AC 위의 세 점을

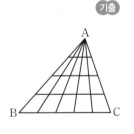

연결하는 3개의 선분을 그려 위의 그림과 같은 도형을 만들었다. 이 도형의 선들로 만들 수 있는 삼각형의 개수를 구하여라.

06-4 변형

오른쪽 그림과 같이 16개의 점이 가로, 세로로 같은 간격으로 놓여 있을 때, 이들 점을 연결하여 만들 수 있는 서로 다른 직선의 개수를 구하여라.

06-5 변형

오른쪽 그림과 같은 원 위에 같은 간격으로 놓인 8개의 점이 있다. 이 중에서 3개의 점을 연결하여 만들 수 있는 삼각형 중에서 직각삼각형이 아닌 것의 개수를 구하여라.

06-6 실력

$|x|+|y|=3$의 그래프와 그 내부에 있는 점 (x, y) 중에서 세 점을 택하여 만들 수 있는 삼각형의 개수를 구하여라. (단, x, y는 정수이다.)

오른쪽 그림과 같이 가로선과 세로선이 같은 간격을 이루며 서로 수직일 때, 이 선으로 만들 수 있는 사각형 중에서 다음을 구하여라.

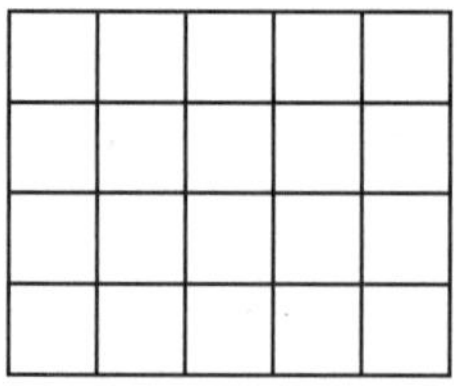

(1) 직사각형의 개수

(2) 정사각형의 개수

(3) 정사각형이 아닌 직사각형의 개수

풍쌤 POINT

서로 다른 m개의 가로선과 n개의 세로선이 수직으로 만날 때 생기는 직사각형의 개수는 가로선과 세로선에서 각각 2개씩 골라야 하므로 곱의 법칙을 이용해서 구하면 돼!

➡ $_mC_2 \times _nC_2$ (단, $m \geq 2$, $n \geq 2$)

풀이

(1) **STEP1 직사각형이 결정되는 조건 구하기**

가로선 5개 중에서 2개, 세로선 6개 중에서 2개를 택하면 하나의 직사각형이 결정된다.

STEP2 직사각형의 개수 구하기

따라서 구하는 직사각형의 개수는

$$_5C_2 \times _6C_2 = \frac{5 \times 4}{2 \times 1} \times \frac{6 \times 5}{2 \times 1} = 10 \times 15 = 150$$

(2) **STEP1 정사각형이 결정되는 조건 구하기**

정사각형은 네 변의 길이가 같아야 하므로 가장 작은 정사각형 1개, 4개, 9개, 16개로 이루어진 정사각형을 생각하면 된다.❶

STEP2 정사각형의 개수 구하기

가장 작은 정사각형 1개, 4개, 9개, 16개로 만들어지는 정사각형의 개수는 각각

$5 \times 4 = 20$, $4 \times 3 = 12$, $3 \times 2 = 6$, $2 \times 1 = 2$❷

이므로 구하는 정사각형의 개수는

$20 + 12 + 6 + 2 = 40$

(3) 직사각형의 개수는 150, 정사각형의 개수는 40이므로 정사각형이 아닌 직사각형의 개수는

$150 - 40 = 110$

❶ 가로선과 세로선의 간격을 1이라 할 때, 한 변의 길이가 1, 2, 3, 4인 정사각형을 생각하면 된다.

❷ 가로칸 5칸 중에서 1칸, 2칸, 3칸, 4칸을 선택하면서 세로칸 4칸 중에서 1칸, 2칸, 3칸, 4칸을 선택하는 방법을 이용한다.

답 (1) 150 (2) 40 (3) 110

풍쌤 강의 NOTE

m개의 평행선과 이와 평행하지 않은 n개의 평행선이 만날 때 생기는 평행사변형의 개수

➡ $_mC_2 \times _nC_2$ (단, $m \geq 2$, $n \geq 2$)

07-1 ⊙유사

오른쪽 그림과 같이 가로선과 세로선이 같은 간격을 이루며 서로 수직일 때, 이 선으로 만들 수 있는 사각형 중에서 다음을 구하여라.

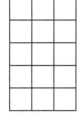

(1) 직사각형의 개수
(2) 정사각형이 아닌 직사각형의 개수

07-2 ⊙변형

오른쪽 그림과 같이 가로, 세로로 간격이 일정한 선들로 이루어진 도형이 있다. 이 선들로 만들 수 있는 직사각형의 개수를 구하여라.

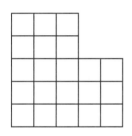

07-3 ⊙변형

오른쪽 그림과 같이 가로 방향의 평행선 4개와 세로 방향의 평행선 5개가 만날 때, 이 평행선으로 만들어지는 평행사변형의 개수를 구하여라.

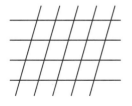

07-4 ⊙변형

오른쪽 그림과 같이 평행한 직선들이 서로 만나고 있다. 이들 평행한 직선들로 이루어지는 평행사변형의 개수를 구하여라.

07-5 ⊙변형

오른쪽 그림과 같은 원 위에 같은 간격으로 놓인 12개의 점이 있다. 이 중에서 4개의 점을 연결하여 만들 수 있는 직사각형의 개수를 구하여라.

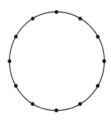

07-6 ⊙실력

오른쪽 그림과 같이 반원 위에 14개의 점이 있다. 이 중에서 서로 다른 4개의 점을 택하여 만들 수 있는 사각형의 개수를 구하여라.

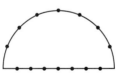

서로 다른 **10권**의 책이 있다. 다음을 구하여라.

(1) 5권, 5권씩 두 묶음으로 나누는 방법의 수

(2) 2권, 3권, 5권씩 세 묶음으로 나누는 방법의 수

(3) 3권, 3권, 4권씩 세 묶음으로 나누어 세 명에게 나누어 주는 방법의 수

풍쌤 POINT

• 분할하는 방법의 수: 서로 다른 n개의 물건을 p개, q개, r개 $(p+q+r=n)$의 세 묶음으로 나누는 방법의 수는 다음과 같아.

(i) p, q, r가 모두 다른 수일 때 ➡ $_n\text{C}_p \times _{n-p}\text{C}_q \times _r\text{C}_r$

(ii) p, q, r 중 어느 두 수가 같을 때 ➡ $_n\text{C}_p \times _{n-p}\text{C}_q \times _r\text{C}_r \times \dfrac{1}{2!}$

(iii) p, q, r의 세 수가 모두 같을 때 ➡ $_n\text{C}_p \times _{n-p}\text{C}_q \times _r\text{C}_r \times \dfrac{1}{3!}$

• 분배하는 방법의 수: n묶음으로 나누어 n명에게 나누어 주는 방법의 수
➡ (n묶음으로 분할하는 방법의 수)$\times n!$

풀이

(1) 10권의 책을 5권, 5권**❶**씩 두 묶음으로 나누는 방법의 수는

$$_{10}\text{C}_5 \times _5\text{C}_5 \times \frac{1}{2!} = \frac{10 \times 9 \times 8 \times 7 \times 6}{5 \times 4 \times 3 \times 2 \times 1} \times 1 \times \frac{1}{2} = 126$$

❶ 나누는 개수가 같으므로 중복되는 경우가 2!개씩 생긴다.

(2) 10권의 책을 2권, 3권, 5권씩 세 묶음으로 나누는 방법의 수는

$$_{10}\text{C}_2 \times _8\text{C}_3 \times _5\text{C}_5 = \frac{10 \times 9}{2 \times 1} \times \frac{8 \times 7 \times 6}{3 \times 2 \times 1} \times 1 = 2520$$

(3) **STEP1** **10권의 책을 세 묶음으로 나누는 방법의 수 구하기**

10권의 책을 3권, 3권, 4권씩 세 묶음으로 나누는 방법의 수는

$$_{10}\text{C}_3 \times _7\text{C}_3 \times _4\text{C}_4 \times \frac{1}{2!} = \frac{10 \times 9 \times 8}{3 \times 2 \times 1} \times \frac{7 \times 6 \times 5}{3 \times 2 \times 1} \times 1 \times \frac{1}{2}$$
$$= 2100$$

STEP2 **세 묶음으로 나눈 책을 세 명에게 나누어 주는 방법의 수 구하기**

이때 세 묶음으로 나누어진 책을 세 명에게 나누어 주는 방법의 수는

$3! = 6$

따라서 구하는 방법의 수는

$2100 \times 6 = 12600$**❷**

❷ 분할은 나누는 묶음의 크기가 같은 것이 있는 경우와 없는 경우로 구분하여 방법의 수를 구하고, 분배는 분할하는 방법의 수에 (묶음의 수)!을 곱한다.

🔑 (1) 126 (2) 2520 (3) 12600

풍쌤 강의 NOTE

분할과 분배
① 몇 개의 묶음으로 나누는 것 ➡ 분할 ➡ 조합
② 분할된 묶음을 나누어 주는 것 ➡ 분배 ➡ 순열

08-1 유사

서로 다른 6개의 과일이 있다. 다음을 구하여라.

(1) 3개, 3개씩 두 묶음으로 나누는 방법의 수

(2) 1개, 2개, 3개씩 세 묶음으로 나누는 방법의 수

(3) 2개, 2개, 2개씩 세 묶음으로 나누어 세 명에게 나누어 주는 방법의 수

08-2 유사

A, B, C 세 사람에게 서로 다른 종류의 공책 8권을 나누어줄 때, 두 사람에게는 3권씩, 나머지 한 사람에게는 2권을 나누어 주는 방법의 수를 구하여라.

08-3 변형 기출

서로 다른 인형 5개를 3개의 가방 A, B, C에 남김없이 넣으려고 할 때, 각 가방에 인형을 적어도 1개 이상 넣는 경우의 수를 구하여라.

08-4 변형

9명의 학생회 임원이 체육대회 준비를 위해 몇 개의 조로 나누기로 하였다. 조별 인원은 2명 또는 3명이고 모든 학생은 어떤 조에든 들어가야 할 때, 조를 짜는 방법의 수를 구하여라.

08-5 변형

6층짜리 건물 1층에서 14명이 승강기를 함께 탄 후 6층까지 올라가는 동안 6명, 4명, 4명씩 서로 다른 3개의 층에서 내리는 방법의 수를 구하여라.

(단, 이 승강기는 4층에서는 서지 않는다.)

08-6 실력

어린이 2명과 어른 7명이 4인승 자동차 1대와 6인승 자동차 1대에 나누어 타려고 한다. 어른 중 운전면허를 소지하고 있는 사람이 3명일 때, 어린이 2명을 서로 다른 차에 타도록 9명이 모두 차에 나누어 타는 방법의 수를 구하여라. (단, 운전석을 제외한 모든 좌석은 구분하지 않고, 차에 타는 인원은 정원을 초과하지 않는다.)

다음 그림과 같은 토너먼트 방식으로 탁구 시합을 하기로 할 때, 대진표를 작성하는 방법의 수를 구하여라.

(1)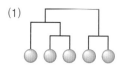

(2)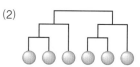

풍쌤 POINT

대진표 작성은 다음과 같은 순서로 해야 해.

❶ 몇 팀씩, 몇 개의 조로 나눌지 그림을 보고 분할하는 방법의 수를 구해.

❷ 나누어진 각 조에서 다시 나누어야 하면 ❶의 과정을 반복해.

❸ ❶, ❷에서 구한 방법의 수를 곱하여 대진표를 작성하는 방법의 수를 구해.

풀이

(1) **STEP1** 2개 조로 나누기

5팀을 3팀, 2팀의 2개의 조로 나누는❶ 방법의 수는

$$_5C_3 \times _2C_2 = _5C_2 \times _2C_2 = \frac{5 \times 4}{2 \times 1} \times 1 = 10$$

STEP2 부전승으로 올라가는 1팀 정하기

3팀 중 부전승으로 올라가는 팀을 택하는 방법의 수는

$$_3C_1 = 3$$

STEP3 대진표를 작성하는 방법의 수 구하기

따라서 구하는 방법의 수는

$$10 \times 3 = 30$$

❶

(2) **STEP1** 2개 조로 나누기

6팀을 3팀씩 2개의 조로 나누는❷ 방법의 수는

$$_6C_3 \times _3C_3 \times \frac{1}{2!} = \frac{6 \times 5 \times 4}{3 \times 2 \times 1} \times 1 \times \frac{1}{2} = 10$$

STEP2 부전승으로 올라가는 1팀씩 정하기

각 조에서 3팀 중 부전승으로 올라가는 팀을 택하는 방법의 수는

$$_3C_1 \times _3C_1 = 9$$

STEP3 대진표를 작성하는 방법의 수 구하기

따라서 구하는 방법의 수는

$$10 \times 9 = 90$$

❷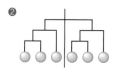

🔖 (1) 30 (3) 90

풍쌤 강의 NOTE

대진표 작성은 주어진 그림을 보고 몇 팀씩 몇 개의 조로 나눌 것인지 생각해야 한다.

09-1 ◉ 유사

다음 그림과 같은 토너먼트 방식으로 바둑 시합을 하기로 할 때, 대진표를 작성하는 방법의 수를 구하여라.

(1) 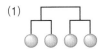 (2)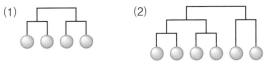

09-2 ◉ 유사

7명의 탁구 선수가 참가한 대표 선발전의 대진표가 다음 그림과 같을 때, 대진표를 작성하는 방법의 수를 구하여라.

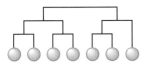

09-3 ◉ 변형

교내 야구 대회에서 9팀이 다음 그림과 같은 대진표로 시합을 할 때, 특정한 한 팀이 부전승으로 올라가는 대진표를 작성하는 방법의 수를 구하여라.

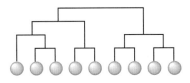

09-4 ◉ 변형

다음 그림은 준희와 도윤이가 포함된 8명이 참가하는 격투기 시합의 대진표이다. 준희와 도윤이가 결승전에서 만날 수 있도록 대진표를 작성하는 방법의 수를 구하여라.

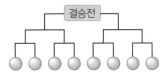

09-5 ◉ 변형

세 팀에서 2명씩 출전하여 경기를 하는데 다음 그림과 같이 2조로 나누어 토너먼트 시합을 하기로 할 때, 같은 팀의 선수는 결승전에서만 만나도록 대진표를 작성하는 방법의 수를 구하여라.

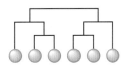

09-6 ◉ 실력

6개의 축구팀이 다음 그림과 같은 토너먼트 방식으로 축구 시합을 하기로 할 때, 1팀과 2팀이 1회전에서 맞붙는 방법의 수를 구하여라.

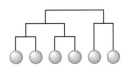

01

$_nC_2 + _{n+1}C_3 = 2 \times _nP_2$를 만족시키는 자연수 n의 값은?

(단, $n \geq 2$)

① 5   ② 6   ③ 7
④ 8   ⑤ 9

02

x에 대한 이차방정식 $10x^2 - 4 \times _nC_rx - 4 \times _nP_r = 0$의 두 근이 -6, 8일 때, 자연수 n, r에 대하여 $n+r$의 값을 구하여라.

03   서술형

12명의 학생 중에서 반장 2명, 부반장 2명을 뽑는 방법의 수를 구하여라.

04   기출

서로 다른 종류의 꽃 4송이와 같은 종류의 초콜릿 2개를 5명의 학생에게 남김없이 나누어 주려고 한다. 아무 것도 받지 못하는 학생이 없도록 꽃과 초콜릿을 나누어 주는 경우의 수를 구하여라.

05   기출

A, B 두 사람이 서로 다른 4개의 동아리 중에서 2개씩 가입하려고 한다. A와 B가 공통으로 가입하는 동아리가 1개 이하가 되도록 하는 경우의 수를 구하여라.

(단, 가입 순서는 고려하지 않는다.)

06   기출

오른쪽 그림과 같이 숫자 1, 2, 3이 각각 하나씩 적힌 세 가지 그림의 카드 9장이 있다. 이 중에서 서로 다른 5장의 카드를 선택할 때, 숫자 1, 2, 3이 적힌 카드가 적어도 한 장씩 포함되도록 선택하는 경우의 수를 구하여라.

(단, 카드를 선택하는 순서는 고려하지 않는다.)

정답과 풀이 192쪽

07

어느 자격증 시험은 3점짜리 10문항, 6점짜리 5문항, 10점짜리 4문항으로 모두 19문항이 출제된다. 진현이가 이 시험에서 받은 점수의 합계가 72점일 때, 맞은 문항을 문항 번호 순서대로 나열하는 모든 경우의 수를 구하여라. (단, 각 점수의 문항에서 1문항 이상 맞았다.)

08

10개의 문자 a, a, a, a, b, b, b, b, b, b를 일렬로 나열할 때, 문자 변화가 n번 있는 경우의 수를 $f(n)$이라 하자. 예를 들어, $f(1)=2$, $f(2)=8$이다. $f(4)$의 값은?

① 10   ② 15   ③ 25
④ 30   ⑤ 45

09

두 집합 $A=\{a,\ b,\ c\}$, $B=\{1,\ 2,\ 3,\ 4,\ 5,\ 6\}$이 있다. 집합 C의 임의의 원소 b에 대하여 $b\in B$이고 $n(C)=3$일 때, 집합 A에서 집합 C로의 함수 g 중에서 역함수가 존재하는 함수의 개수는?

① 120   ② 140   ③ 160
④ 180   ⑤ 200

10   서술형 ✏

오른쪽 그림과 같이 합동인 정사각형 4개로 만든 도형 위에 9개의 점이 놓여 있다. 주어진 점을 연결하여 만들 수 있는 서로 다른 직선의 개수를 a, 주어진 점을 꼭짓점으로 하여 만들 수 있는 삼각형의 개수를 b라 할 때, $a+b$의 값을 구하여라.

11

대각선의 개수가 27인 볼록다각형의 변의 개수는?

① 6   ② 7   ③ 8
④ 9   ⑤ 10

12

오른쪽 그림과 같이 같은 간격으로 놓인 12개의 점이 있을 때, 두 점 이상을 지나는 서로 다른 직선의 개수를 구하여라.

13

오른쪽 그림과 같이 반원 위에 12개의 점이 있다. 이 중에서 서로 다른 4개의 점을 택하여 만들 수 있는 사각형의 개수를 구하여라.

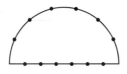

14

오른쪽 그림과 같이 가로줄과 세로줄의 간격이 1이고 서로 수직으로 만나는 도형이 있다. 이 도형의 선들로 이루어지는 사각형 중에서 정사각형의 개수를 a, 정사각형이 아닌 직사각형의 개수를 b라 할 때, $4a-b$의 값을 구하여라.

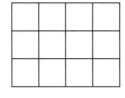

15

어떤 학교에 배구부, 축구부, 탁구부, 핸드볼부, 테니스부의 5개의 부가 있다. 이 학교에서 올해 신입부원 11명을 뽑았는데 우선 4명, 4명, 3명씩을 3개의 부로 보내는 경우의 수를 구하여라.

16

기출

남학생 4명과 여학생 3명을 세 개의 모둠으로 나누려 할 때, 모든 모둠에 남학생과 여학생이 각각 1명 이상 포함되도록 하는 경우의 수는?

① 30 ② 32 ③ 34
④ 36 ⑤ 38

17

핸드볼 6개의 팀이 다음 그림과 같은 토너먼트 방식으로 핸드볼 시합을 하기로 힐 때, 1팀과 2팀이 1회전에서 맞붙는 방법의 수를 구하여라.

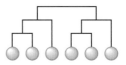

18 서술형

8명의 선수가 다음 그림과 같은 토너먼트 방식으로 시합을 가진다. 이들 8명의 선수는 실력의 차가 두드려져서 어느 시합에서나 실력이 우세한 선수가 이긴다고 한다. 실력이 4위인 선수가 결승전에 나갈 수 있도록 대진표를 만드는 방법의 수를 구하여라.

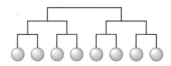

01

기출

다음 그림과 같이 좌석 번호가 적힌 10개의 의자가 배열되어 있다.

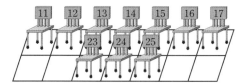

두 학생 A, B를 포함한 5명의 학생이 다음 규칙에 따라 10개의 의자 중에서 서로 다른 5개의 의자에 앉는 경우의 수를 구하여라.

> ㈎ A의 좌석 번호는 24 이상이고, B의 좌석 번호는 14 이하이다.
> ㈏ 5명의 학생 중에서 어느 두 학생도 좌석 번호의 차가 1이 되도록 앉지 않는다.
> ㈐ 5명의 학생 중에서 어느 두 학생도 좌석 번호의 차가 10이 되도록 앉지 않는다.

02

어느 레스토랑의 메뉴에는 5종류의 한식, 4종류의 중식, 6종류의 일식이 있다. 중식의 특정한 음식 3종류를 포함하면서 한식과 일식이 각각 적어도 한 종류 이상은 포함되도록 할 때, 모두 7종류의 음식을 주문하는 방법의 수를 구하여라.

03

기출

다음은 집합 $X = \{1, 2, 3, 4, 5, 6\}$과 함수 $f : X \longrightarrow X$에 대하여 합성함수 $f \circ f$의 치역의 원소의 개수가 5인 함수 f의 개수를 구하는 과정이다.

> 함수 f와 함수 $f \circ f$의 치역을 각각 A와 B라 하자. $n(A) = 6$이면 함수 f는 일대일대응이고, 함수 $f \circ f$도 일대일대응이므로 $n(B) = 6$이다.
> 또한 $n(A) \leq 4$이면 $B \subset A$이므로 $n(B) \leq 4$이다. 그러므로 $n(A) = 5$, 즉 $B = A$인 경우만 생각하면 된다.
> (ⅰ) $n(A) = 5$인 X의 부분집합 A를 선택하는 경우의 수는 ☐㈎ 이다.
> (ⅱ) (ⅰ)에서 선택한 집합 A에 대하여 X의 원소 중 A에 속하지 않는 원소를 k라 하자.
> $n(A) = 5$이므로 집합 A에서 $f(k)$를 선택하는 경우의 수는 ☐㈏ 이다.
> (ⅲ) (ⅰ)에서 선택한 $A = \{a_1, a_2, a_3, a_4, a_5\}$와 (ⅱ)에서 선택한 $f(k)$에 대하여 $f(k) \in A$이며 $A = B$이므로
> $A = \{f(a_1), f(a_2), f(a_3), f(a_4), f(a_5)\}$
> $\qquad\qquad\qquad\qquad\qquad \cdots\cdots(*)$
> 이다.
> $(*)$을 만족시키는 경우의 수는 집합 A에서 집합 A로의 일대일대응의 개수와 같으므로 ☐㈐ 이다.

위의 ㈎, ㈏, ㈐에 알맞은 수를 각각 p, q, r라 할 때, $p + q + r$의 값은?

① 131   ② 136   ③ 141

④ 146   ⑤ 151

04

다음 그림과 같이 좌표평면 위에 두 원 $x^2+y^2=2$, $x^2+y^2=1$과 네 직선 $x=0$, $y=0$, $y=x$, $y=-x$가 만나는 16개의 점들을 꼭짓점으로 하는 삼각형의 개수를 구하여라.

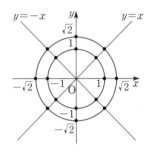

05 기출

다음 그림과 같이 좌표평면 위에 9개의 점 (i, j) $(i=0, 4, 8, j=0, 4, 8)$이 있다. 이 9개의 점 중 네 점을 꼭짓점으로 하는 사각형 중에서 내부에 세 점 $(1, 1), (3, 1), (1, 3)$을 꼭짓점으로 하는 삼각형을 포함하는 사각형의 개수는?

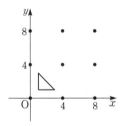

① 13   ② 15   ③ 17

④ 19   ⑤ 21

06 기출

다음 그림과 같이 한 변의 길이가 1인 정사각형 8개로 이루어진 도로망이 있다. 이 도로망을 따라 A 지점에서 출발하여 B 지점에 도착할 때, 가로 방향으로 이동한 길이의 합이 4이고 전체 이동한 길이가 12인 경우의 수를 구하여라. (단, 한 번 지나간 도로는 다시 지나지 않는다.)

가로 방향

07 기출

어느 학교의 학급 대항 체육대회는 탁구, 농구, 배드민턴, 마라톤의 순서로 경기가 진행된다. 다음은 학급대표 선수를 네 경기에 배정하는 규칙이다.

> [규칙1] 모든 선수들은 적어도 한 경기에 배정한다.
> [규칙2] 경기에 배정된 선수는 바로 다음 경기에는 배정될 수 없다.
> [규칙3] 탁구에 2명, 농구에 3명, 배드민턴에 2명, 마라톤에 3명을 배정한다.

학급대표 선수 A, B, C, D, E, F 6명을 이 규칙에 따라 네 경기에 배정하는 모든 경우의 수를 구하여라. (단, 같은 경기에 배정되는 선수들의 순서는 고려하지 않는다.)

01 집합

8~32쪽

개념확인

01 (1) × (2) ○ (3) ×

02 (1) ∈ (2) ∈ (3) ∉ (4) ∈

03 원소나열법: $A=\{3, 6, 9\}$
조건제시법: $A=\{x\,|\,x는\ 10보다\ 작은\ 3의\ 양의\ 배수\}$

04 (1) 4 (2) 1

05 (1) $A \subset B$ (2) $A \not\subset B$(또는 $B \not\subset A$)

06 $\varnothing$, $\{1\}$, $\{2\}$, $\{1, 2\}$

07 (1) $A=B$ (2) $A \neq B$

08 (1) 8 (2) 4 (3) 4

유형

01-1 (1) $\{x\,|\,x는\ 27의\ 양의\ 약수\}$
(2) $\{x\,|\,x는\ 13의\ 양의\ 배수\}$
(3) $\{-4, 4\}$
(4) $\{2, 3, 5, 7, 11, 13, 17, 19\}$

01-2 ④, ⑤　　**01-3** $C=\{2, 3, 4, 5, 6, 7, 8\}$

01-4 19　　　**01-5** $C=\{-4, -2, 0, 2, 4\}$

01-6 3

02-1 7　　　**02-2** 3

02-3 ④　　　**02-4** 70

02-5 ②　　　**02-6** -1

03-1 $a=2, b=3$　　**03-2** ④

03-3 (1) 2 (2) 4　　**03-4** 2

03-5 8　　　**03-6** 2

04-1 ④　　　**04-2** ①, ⑤

04-3 4　　　**04-4** ㄴ, ㄷ

04-5 ㄴ, ㄷ　　**04-6** ⑤

05-1 (1) $B \subset A$ (2) $B \subset A \subset C$

05-2 풀이 참조　　**05-3** 10

05-4 16　　　**05-5** 10

05-6 4

06-1 0　　　**06-2** -1

06-3 5　　　**06-4** 5

06-5 -3　　　**06-6** 7

07-1 ㄴ, ㄷ　　**07-2** 6

07-3 4　　　**07-4** -1

07-5 2　　　**07-6** 12

08-1 511　　**08-2** 96

08-3 28　　　**08-4** 8

08-5 24　　　**08-6** 138

09-1 4　　　**09-2** 8

09-3 4　　　**09-4** 15

09-5 4　　　**09-6** 8

실전 연습 문제

01 ③　　**02** -2　　**03** ⑤　　**04** ⑤

05 $\{5, 10, 15, 20, \cdots, 50\}$　**06** ②, ⑤　**07** ③

08 3　　**09** ④　　**10** ①　　**11** ㄱ, ㄷ, ㅂ

12 48　　**13** 6　　**14** ③　　**15** 240

16 16　　**17** ①　　**18** 8

상위권 도약 문제

01 ③　　**02** 8　　**03** ③　　**04** 546

05 ③　　**06** ②　　**07** 42　　**08** ③

02 집합의 연산

34~60쪽

개념확인

01 (1) $\{1, 2, 3, 4, 5\}$ (2) $\{3, 4\}$

02 (1) $\{2, 4, 6, 8, 10\}$ (2) $\{3, 5, 9\}$

03 (1) $\cap$, $\cup$, $\cap$, $\varnothing$, $\cap$, $\cap$
(2) $\cup$, $\cup$, $\cup$, $\cup$, U, U

04 (1) $\{4, 5\}$ (2) $\{4, 5\}$ (3) $\{1, 2, 4, 5, 7\}$
(4) $\{1, 2, 4, 5, 7\}$

05 (1) 27 (2) 8 (3) 12 (4) 5

유형

01-1 (1) $\{1, 3, 5\}$ (2) $\{1, 3, 5, 6, 7, 9\}$ (3) $\{3, 9\}$

01-2 $\{1, 2, 16\}$　　**01-3** 12

01-4 ④　　　　**01-5** $\{2, 4, 6, 7, 8\}$

01-6 6

02-1 (1) {2, 6} (2) {5, 7, 9} (3) {1, 2, 3, 5, 6, 7, 9}
02-2 {3, 8, 9}   02-3 13
02-4 {2, 3, 5, 7}   02-5 {3, 4, 6, 8}
02-6 {7, 23}
03-1 1   03-2 -9
03-3 {1, 2, 7, 10, 29} 03-4 ③
03-5 {7}   03-6 -1, 29
04-1 ㄱ, ㄴ, ㄹ   04-2 ㄱ, ㄴ, ㄹ
04-3 ⑤   04-4 ④
04-5 ㄱ, ㄷ   04-6 ③
05-1 32   05-2 8
05-3 8   05-4 8
05-5 16   05-6 24
06-1 {3, 5, 7}   06-2 {1, 5, 6, 7, 8, 10}
06-3 ②   06-4 28
06-5 ⑤   06-6 4
07-1 ㄱ   07-2 ③
07-3 ⑤   07-4 ③
07-5 ①
08-1 {1, 10}   08-2 {1, 2, 3, 5, 7, 9, 10}
08-3 25   08-4 ⑤
08-5 ㄱ, ㄴ, ㄹ   08-6 9
09-1 17   09-2 19
09-3 33   09-4 12
09-5 27   09-6 14
10-1 38   10-2 10
10-3 10   10-4 53
10-5 31   10-6 21

실전 연습 문제

01 ③	02 ㄱ, ㅁ	03 ⑤	04 ③
05 ⑤	06 32	07 18	08 ⑤
09 ③	10 ⑤	11 160	12 ④
13 ④	14 ①	15 14	16 ④
17 13	18 ⑤		

상위권 도약 문제

01 ④	02 8	03 22	04 16
05 ②	06 39	07 2	08 10

03 명제

개념확인

01 ㄱ, ㄷ
02 (1) {1, 2, 3, ···, 9} (2) {−2, 1}
03 (1) 참 (2) 거짓
04 (1) 거짓 (2) 참 (3) 참 (4) 참
05 풀이 참조
06 (1) 충분조건 (2) 필요조건 (3) 필요충분조건
07 ㄱ

유형

01-1 풀이 참조   01-2 풀이 참조
01-3 ⑤   01-4 ㄱ, ㄷ
01-5 $-3 \leq x < 4$ 01-6 ④
02-1 {x | 1 ≤ x ≤ 2}
02-2 (1) {1, 2, 3, 4, 6, 7, 8, 9} (2) {1, 2, 3, 4, 6, 7, 8, 9}
       (3) {5, 10}
02-3 37   02-4 ⑤
02-5 10   02-6 -1
03-1 (1) 참 (2) 거짓   03-2 (1) 거짓 (2) 참
03-3 ㄴ   03-4 ③
03-5 ②
04-1 d, e 04-2 2
04-3 ㄷ   04-4 ②
04-5 ①   04-6 ㄱ, ㄴ
05-1 $0 < a \leq 2$ 05-2 $a \leq \dfrac{1}{3}$
05-3 5   05-4 8
05-5 3   05-6 10
06-1 (1) 거짓 (2) 참   06-2 ④
06-3 모든 실수 x에 대하여 $x^2 \leq 8$이다. (거짓)
06-4 4   06-5 ⑤
06-6 7
07-1 풀이 참조   07-2 ㄱ, ㄴ
07-3 ③   07-4 6
07-5 2   07-6 A, D
08-1 ㄱ, ㄷ   08-2 ④
08-3 ③   08-4 ㄱ, ㄷ
08-5 ③

실전 연습 문제

상위권 도약 문제

04 절대부등식   94~112쪽

개념확인

유형

실전 연습 문제

상위권 도약 문제

05 함수와 그래프   114~136쪽

개념확인

유형

01-1 (3)	01-2 (2), (3)
01-3 ④	01-4 ①
01-5 ㄱ, ㄴ, ㄷ	
02-1 -1	02-2 3
02-3 10	02-4 10
02-5 2	02-6 6
03-1 -5	03-2 0
03-3 ㄴ, ㄷ	03-4 4
03-5 ㄱ, ㄷ, ㄹ	03-6 7
04-1 ㄴ, ㄷ	04-2 ㄱ, ㄴ, ㄹ
04-3 ㄱ, ㄹ	04-4 ㄴ
05-1 2	05-2 3
05-3 ①	05-4 ㄷ
05-5 1	
06-1 17	06-2 ②
06-3 (1) ㄴ (2) ㄱ, ㄹ	06-4 (1) ㄷ (2) ㄴ
06-5 4	
07-1 (1) 125 (2) 60 (3) 1 (4) 5	
07-2 (1) 256 (2) 24 (3) 1 (4) 4	
07-3 16	07-4 4
07-5 18	07-6 25

유형 특강

01 풀이 참조
02 풀이 참조
03 풀이 참조
04 풀이 참조

실전 연습 문제

01 ②	02 ④	03 ④	04 8
05 ④	06 ①	07 ④	08 ③
09 0	10 ④	11 ①	12 400
13 (1) ㄱ, ㄹ (2) ㄱ (3) ㄱ (4) ㄷ			14 ②
15 126	16 96		

상위권 도약 문제

01 3	02 ②	03 7	04 ③
05 5	06 5	07 ⑤	

개념확인

01 (1) 5   (2) -4 (3) 11   (4) 23
02 (1) -2 (2) -5 (3) 1   (4) 1
03 (1) 1   (2) 3   (3) 1   (4) 3
04 (1) 3   (2) 3   (3) 0   (4) 8

유형

01-1 1	01-2 8
01-3 2	01-4 (1) 4 (2) 3
01-5 0	01-6 2
02-1 1	02-2 $-\dfrac{1}{2}$
02-3 2	02-4 $\dfrac{1}{2}$
02-5 0	02-6 21
03-1 $h(x)=\dfrac{x-5}{2}$	03-2 $h(x)=-2x-4$
03-3 3	03-4 7
03-5 -99	03-6 2
04-1 -10	04-2 7
04-3 -6	04-4 3
04-5 e	04-6 50
05-1 8	05-2 $\dfrac{8}{3}$
05-3 2	05-4 1
05-5 -1	05-6 1
06-1 ㄷ	06-2 ㄱ
06-3 1	06-4 7
06-5 1	06-6 $\dfrac{1}{2}$
07-1 (1) $y=\dfrac{1}{2}x-\dfrac{3}{2}$ (2) $y=-\dfrac{1}{5}x-2$	
07-2 $f^{-1}(x)=\sqrt{x-2}\ (x\geq 2)$	
07-3 0	07-4 $\dfrac{1}{4}$
07-5 3	07-6 $\dfrac{5}{6}$
08-1 3	08-2 -3
08-3 8	08-4 -6
08-5 $4\sqrt{2}$	08-6 490
09-1 2	09-2 2
09-3 4	09-4 0
09-5 3	09-6 7

유형 특강

실전 연습 문제

상위권 도약 문제

07 유리식과 유리함수   168~200쪽

개념확인

유형

01 $\dfrac{x(x-2)}{2}$　02 -6　03 -4　04 20

05 $\dfrac{100}{101}$　06 7　07 6　08 -6

09 6　10 ④　11 $k>15$　12 ②

13 13　14 $\dfrac{18}{5}$　15 ⑤　16 $\dfrac{33}{2}$

상위권 도약 문제

01 5　02 ①　03 33　04 ③

05 3　06 11　07 $\dfrac{4}{3}$　08 $\sqrt{2}-1$

08 무리식과 무리함수　202~228쪽

개념확인

01 (1) $2x$　(2) $-5x$

02 (1) $-5\sqrt{6}$　(2) $\dfrac{9}{20}$

03 (1) $x\leq 4$　(2) $x>3$

04 (1) $\sqrt{5}-2$　(2) $\sqrt{35}-\sqrt{30}$　(3) $3+2\sqrt{2}$

05 (1) $\dfrac{\sqrt{x}+1}{x-1}$　(2) $-\dfrac{\sqrt{x-2}+\sqrt{x+1}}{3}$

　(3) $\dfrac{\sqrt{2x+1}+\sqrt{2x-1}}{2}$

06 (1) $x=2,\ y=-1$　(2) $x=-3,\ y=1$

　(3) $x=-1,\ y=-2$

07 (1) $\{x\,|\,x\geq -3\}$　(2) $\{x\,|\,x\leq 2\}$

　(3) $\left\{x\,\middle|\,x\geq -\dfrac{1}{2}\right\}$　(4) $\{x\,|\,x\leq -2$ 또는 $x\geq 2\}$

08 풀이 참조

09 풀이 참조

10 (1) $y=x^2+4x+4\ (x\geq -2)$

　(2) $y=x^2-2x+4\ (x\leq 1)$

유형

01-1 $2a-3$　01-2 a

01-3 2　01-4 $2a^2-5$

01-5 $2x-2$　01-6 $-\dfrac{2}{a}$

02-1 $x\leq -\dfrac{1}{3}$ 또는 $x\geq \dfrac{3}{2}$　02-2 $-5\leq x\leq 3$

02-3 $-2<x\leq 3$　02-4 0

02-5 $-x+3$　02-6 27

03-1 (1) $-\dfrac{x+\sqrt{x^2-4}}{2}$　(2) $-2\sqrt{3}$　(3) x

03-2 $\dfrac{\sqrt{ab}}{ab}$　03-3 $\dfrac{2x}{y}$

03-4 $4\sqrt{2}+2$　03-5 $\sqrt{2}$

03-6 3

04-1 $a=-3,\ b=-2$　04-2 $a=-1,\ b=-1$

04-3 $a=-1,\ b=-3,\ c=3$　04-4 4

04-5 3　04-6 2

05-1 $a=-9,\ b=36,\ c=-1$

05-2 $a=-\dfrac{1}{4},\ b=\dfrac{5}{4},\ c=-2$

05-3 $a=-2,\ b=6,\ c=2$　05-4 5

05-5 3　05-6 5

06-1 $a=\dfrac{1}{2},\ b=1$　06-2 $a=1,\ b=2$

06-3 $\{y\,|\,y\leq 7\}$　06-4 ㄷ, ㄹ

06-5 ④　06-6 ㄴ, ㄷ

07-1 최댓값: 1, 최솟값: -1　07-2 최댓값: 1, 최솟값: -1

07-3 -11　07-4 -2

07-5 0　07-6 -4

08-1 $a=6,\ b=8,\ c=-3$

08-2 $a=1,\ b=3,\ c=2,\ d=-3$

08-3 4　08-4 -7

08-5 8　08-6 4

09-1 $-3\leq k<-\dfrac{11}{4}$　09-2 $k=1$ 또는 $k<\dfrac{1}{2}$

09-3 9　09-4 $2\leq k<\dfrac{9}{4}$

09-5 $k\leq -\dfrac{1}{4}$　09-6 15

실전 연습 문제

01 ④　02 4　03 $2\sqrt{3}$　04 ④

05 3　06 ③　07 -3　08 ②

09 ④　10 -4　11 ③　12 19

13 ⑤　14 ①　15 ③　16 1

17 -2　18 $-\dfrac{1}{6}$

01 $2x-1$ 02 ①   03 ②   04 $\dfrac{5}{2}$

05 ①   06 ③   07 ②   08 ①

09 순열   230~262쪽

개념확인

01 (1) 5   (2) 12

02 (1) 60   (2) 7   (3) 24   (4) 6

03 (1) 12   (2) 12   (3) 20   (4) 8

유형

01-1 (1) 4   (2) 9   01-2 35

01-3 6   01-4 9

01-5 12   01-6 9

02-1 (1) 24   (2) 20   02-2 12

02-3 ③   02-4 183

02-5 910   02-6 8

03-1 (1) 30   (2) 48   03-2 12

03-3 30   03-4 4

03-5 15   03-6 240

04-1 (1) 127   (2) 127   04-2 (1) 39   (2) 29

04-3 118   04-4 64

04-5 27   04-6 37

05-1 (1) 24   (2) 48   05-2 2880

05-3 480   05-4 63

05-5 12

06-1 (1) 6   (2) 4   (3) 16   (4) 4

06-2 11   06-3 14

06-4 ②   06-5 풀이 참조

07-1 (1) 720   (2) 24   07-2 870종류

07-3 12   07-4 120

07-5 180   07-6 54

08-1 (1) 300   (2) 156   08-2 320

08-3 300   08-4 96

08-5 1232   08-6 72

09-1 (1) 576   (2) 4320   09-2 240

09-3 3   09-4 8640

09-5 192

10-1 (1) 72   (2) 12   10-2 480

10-3 31392   10-4 480

10-5 30   10-6 432

11-1 (1) 120   (2) 960   11-2 48

11-3 36   11-4 60

11-5 120   11-6 30960

12-1 (1) 4800   (2) 108   12-2 84

12-3 2   12-4 264

12-5 288   12-6 2880

13-1 (1) 61번째   (2) 35124   13-2 35104

13-3 255번째   13-4 H

13-5 216   13-6 432

실전 연습 문제

01 16   02 ①   03 12   04 62

05 49   06 360   07 6936   08 6

09 60   10 60480   11 720   12 ④

13 240   14 ⑤   15 210   16 ②

17 22

상위권 도약 문제

01 30   02 36   03 ③   04 96

05 ④   06 576

10 조합   264~288쪽

개념확인

01 (1) 10   (2) 210   (3) 1   (4) 1

02 (1) 10   (2) 4

03 (1) 15   (2) 20   (3) 10

04 (1) 1260   (2) 378   (3) 280

고등 풍산자와 함께하면
개념부터 ~ 고난도 문제까지!
어떤 시험 문제도 익숙해집니다!

고등 풍산자 1등급 로드맵

고등 풍산자 교재	하	중하	중	상	최상
개념 기본서 1위 — 풍산자 수학(상)	필수 문제로 개념 정복, 개념 학습 완성				
유형 기본서 — 풍산자 유형기본서 수학(상)		개념 정리부터 유형까지 모두 정복, 유형 학습 완성			
기초 반복 훈련서 — 풍산자 반복수학		개념 및 기본 연산 정복, 기본 실력 완성			
기본 유형 연습서 — 풍산자 라이트 유형 수학(상)		기본 및 대표 유형 연습, 중위권 실력 완성			
유형서 만족도 1위 — 풍산자 필수유형 수학(상)			기출 문제로 유형 정복, 시험 준비 완료		
상위권 필독서 — 풍산자 일등급 유형 수학(상)				내신과 수능 1등급 도전, 상위권 실력 완성	
단기 특강서 — 풍산자 라이트 고등 수학(상)		개념 및 기본 체크, 단기 실력 점검			

유형 학습 비법서

풍산자
유형기본서

수학(하)

발 행 인 권준구
발 행 처 (주)지학사 (등록번호 : 1957.3.18 제 13–11호) 04056 서울시 마포구 신촌로6길 5
발 행 일 2022년 1월 10일 [초판 1쇄]
구입 문의 TEL 02-330-5300 | FAX 02-325-8010 구입 후에는 철회되지 않으며, 잘못된 제품은 구입처에서 교환해 드립니다.
내용 문의 www.jihak.co.kr 전화번호는 홈페이지 〈고객센터 → 담당자 안내〉에 있습니다.

문제의 핵심을 알려주는
유형 학습 비법서

풍산자

유형기본서

수학(하)

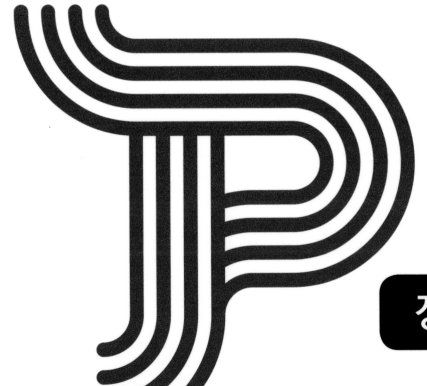

정답과 풀이

지학사

풍산자

유형기본서

수학(하)

정답과 풀이

집합

개념확인   8~9쪽

01 답 (1) × (2) ○ (3) ×

(1), (3) '좋아하는', '가까운'은 기준이 명확하지 않아 그
대상을 분명하게 정할 수 없으므로 집합이 아니다.

02 답 (1) ∈ (2) ∈ (3) ∉ (4) ∈

집합 A의 원소는 1, 2, 3, 4, 6, 12이므로
(1) $1 \in A$ (2) $2 \in A$ (3) $5 \notin A$ (4) $6 \in A$

03 답 원소나열법: $A = \{3, 6, 9\}$
조건제시법: $A = \{x \mid x$는 10보다 작은 3의 양의 배수$\}$

04 답 (1) 4 (2) 1

05 답 (1) $A \subset B$ (2) $A \not\subset B$(또는 $B \not\subset A$)

06 답 $\varnothing$, $\{1\}$, $\{2\}$, $\{1, 2\}$

원소가 0개인 부분집합은 $\varnothing$
원소가 1개인 부분집합은 $\{1\}$, $\{2\}$
원소가 2개인 부분집합은 $\{1, 2\}$
따라서 집합 $\{1, 2\}$의 부분집합은 $\varnothing$, $\{1\}$, $\{2\}$, $\{1, 2\}$

07 답 (1) $A = B$ (2) $A \neq B$

08 답 (1) 8 (2) 4 (3) 4

(1) $2^3 = 8$
(2) $2^{3-1} = 2^2 = 4$
(3) $2^{3-1} = 2^2 = 4$

필수유형 01   11쪽

01-1 답 (1) $\{x \mid x$는 27의 양의 약수$\}$
(2) $\{x \mid x$는 13의 양의 배수$\}$
(3) $\{-4, 4\}$
(4) $\{2, 3, 5, 7, 11, 13, 17, 19\}$

해결전략 | 원소나열법은 { } 안에 원소들을 나열하여 나타
내고, 조건제시법은 $\{x \mid x$의 조건$\}$으로 나타낸다.

(1) 1, 3, 9, 27은 27의 양의 약수이므로
$\{x \mid x$는 27의 양의 약수$\}$

(2) 13, 26, 39, …는 13의 양의 배수이므로
$\{x \mid x$는 13의 양의 배수$\}$

(3) $x^2 - 16 = 0$에서 $x^2 = 16$
$x = -4$ 또는 $x = 4$이므로
$\{-4, 4\}$

(4) 1 이상 20 이하의 소수는 2, 3, 5, 7, 11, 13, 17, 19
이므로
$\{2, 3, 5, 7, 11, 13, 17, 19\}$

01-2 답 ④, ⑤

해결전략 | 조건제시법으로 주어진 집합을 원소나열법으로
나타낼 때, 원소가 많고 일정한 규칙이 있으면 '…'을 사용하
여 원소의 일부를 생략한다.

④ 5 이하의 정수인 n의 값은
5, 4, 3, 2, 1, 0, …
이때 $x = 4n - 3$인 x의 값은
$4 \times 5 - 3 = 17$, $4 \times 4 - 3 = 13$, $4 \times 3 - 3 = 9$,
$4 \times 2 - 3 = 5$, $4 \times 1 - 3 = 1$, $4 \times 0 - 3 = -3$, …
이므로
$\{x \mid x = 4n - 3, n$은 5 이하의 정수$\}$
$= \{\cdots, -3, 1, 5, 9, 13, 17\}$

⑤ 10 이하의 짝수인 x의 값은 2, 4, 6, 8, 10
이때 2^x의 값은 2^2, 2^4, 2^6, 2^8, 2^{10}이므로
$\{2^x \mid x$는 10 이하의 짝수$\} = \{2^2, 2^4, 2^6, 2^8, 2^{10}\}$
따라서 옳지 않은 것은 ④, ⑤이다.

01-3 답 $C = \{2, 3, 4, 5, 6, 7, 8\}$

해결전략 | 표를 이용하여 집합 C의 원소를 구한다.

STEP1 x, y가 될 수 있는 값 확인하기
$x \in A$이므로 x가 될 수 있는 값은 2, 3, 5, 7이고
$y \in B$이므로 y가 될 수 있는 값은 0, 1이다.

STEP2 표를 이용하여 $x + y$의 값 구하기
이때 $x + y$의 값은 다음 표와 같다.

y ＼ x	2	3	5	7
0	2	3	5	7
1	3	4	6	8

STEP3 집합 C를 원소나열법으로 나타내기
따라서 구하는 집합 C는
$C = \{2, 3, 4, 5, 6, 7, 8\}$

01-4 답 19

해결전략 | 주어진 조건을 이용하여 집합 C의 원소를 구한다.

STEP1 $x \in A$, $x \notin B$인 x의 값 찾기

$x \in A$, $x \notin B$인 x의 값은 2, 4, 5

STEP2 집합 C의 원소 구하기

이 x의 값에 대하여 $2x-1$의 값을 원소로 갖는 집합 C의 원소는

$2 \times 2 - 1 = 3$, $2 \times 4 - 1 = 7$, $2 \times 5 - 1 = 9$

STEP3 집합 C의 모든 원소의 합 구하기

따라서 집합 C의 모든 원소의 합은

$3 + 7 + 9 = 19$

01-5 답 $C = \{-4, -2, 0, 2, 4\}$

해결전략 | 두 집합 A, B의 원소를 각각 구한 후, 집합 C의 원소를 구한다.

STEP1 두 집합 A, B를 원소나열법으로 나타내기

집합 A에서 $|x| \leq 1$이므로 $-1 \leq x \leq 1$

$\therefore A = \{-1, 0, 1\}$

집합 B에서 $|x| = 2$이므로 $x = -2$ 또는 $x = 2$

$\therefore B = \{-2, 2\}$

STEP2 표를 이용하여 $2x+y$의 값 구하기

$x \in A$, $y \in B$에 대하여 $2x+y$의 값은 다음 표와 같다.

y \\ $2x$	-2	0	2
-2	-4	-2	0
2	0	2	4

STEP3 집합 C를 원소나열법으로 나타내기

따라서 구하는 집합 C는

$C = \{-4, -2, 0, 2, 4\}$

01-6 답 3

해결전략 | 복소수의 성질을 이용하여 집합 A를 구하고, 집합 A의 원소를 이용하여 집합 B를 구한다.

STEP1 집합 A를 원소나열법으로 나타내기

$n = 1, 2, 3, 4, 5, \cdots$를 차례로 대입하면

$i^1 = i$, $i^2 = -1$, $i^3 = -i$, $i^4 = 1$, $i^5 = i$, $\cdots$

이므로 $A = \{i, -1, -i, 1\}$

STEP2 집합 B를 원소나열법으로 나타내기

$z \in A$이면 $z^2 = 1$ 또는 $z^2 = -1$이므로

$B = \{z_1^2 + z_2^2 \mid z_1 \in A, z_2 \in A\} = \{-2, 0, 2\}$

STEP3 집합 B의 원소의 개수 구하기

따라서 집합 B의 원소의 개수는 3이다.

> 🎯 **풍쌤의 비법**
>
> **i의 거듭제곱**
>
> i^n(n은 자연수)의 값은 i, -1, $-i$, 1이 반복되어 나타나므로 i의 거듭제곱은 다음과 같은 규칙을 갖는다.
>
> $k = 0, 1, 2, 3, \cdots$ 일 때
>
> $i^{4k+1} = i$, $i^{4k+2} = -1$, $i^{4k+3} = -i$, $i^{4k+4} = 1$

필수유형 02 13쪽

02-1 답 7

해결전략 | x와 $6-x$가 모두 자연수임을 이용하여 x의 값을 구한 후, 집합 S를 구한다.

STEP1 집합 S의 원소가 될 수 있는 x의 값 구하기

x와 $6-x$가 모두 자연수이므로

$x \geq 1$, $6-x \geq 1$에서 $x = 1, 2, 3, 4, 5$

이때

$1 \in S$이면 $5 \in S$

$2 \in S$이면 $4 \in S$

$3 \in S$이면 $3 \in S$

이므로 1과 5, 2와 4, 3은 각각 동시에 집합 S의 원소이거나 원소가 아니다.

따라서 집합 S는 집합 $\{1, 5\}$, $\{2, 4\}$, $\{3\}$ 중에서 일부 또는 전부를 부분집합으로 갖는 집합이다.

STEP2 원소의 개수에 따른 집합 S 구하기

(ⅰ) 원소가 1개인 집합 S는 $\{3\}$

(ⅱ) 원소가 2개인 집합 S는 $\{1, 5\}$, $\{2, 4\}$

(ⅲ) 원소가 3개인 집합 S는 $\{1, 3, 5\}$, $\{2, 3, 4\}$

(ⅳ) 원소가 4개인 집합 S는 $\{1, 2, 4, 5\}$

(ⅴ) 원소가 5개인 집합 S는 $\{1, 2, 3, 4, 5\}$

STEP3 집합 S의 개수 구하기

(ⅰ)~(ⅴ)에 의하여 조건을 만족시키는 집합 S의 개수는 7이다.

02-2 답 3

해결전략 | x와 $\dfrac{6}{x}$이 모두 자연수임을 이용하여 x의 값을 구한 후, 집합 S를 구한다.

STEP1 집합 S의 원소가 될 수 있는 x의 값 구하기

x와 $\dfrac{6}{x}$이 모두 자연수이므로 $x \geq 1$, $\dfrac{6}{x} \geq 1$에서 x는 6의 양의 약수 1, 2, 3, 6이다. 이때

$1 \in S$이면 $\dfrac{6}{1} = 6 \in S$

$2 \in S$이면 $\dfrac{6}{2} = 3 \in S$

이므로 1과 6, 2와 3은 각각 동시에 집합 S의 원소이거나 원소가 아니다.

따라서 집합 S는 집합 $\{1, 6\}$, $\{2, 3\}$ 중에서 일부 또는 전부를 부분집합으로 갖는 집합이다.

STEP 2 원소의 개수에 따른 집합 S 구하기

(i) 원소가 2개인 집합 S는 $\{1, 6\}$, $\{2, 3\}$

(ii) 원소가 4개인 집합 S는 $\{1, 2, 3, 6\}$

STEP 3 집합 S의 개수 구하기

(i), (ii)에 의하여 조건을 만족시키는 집합 S의 개수는 3이다.

02-3 답 ④

해결전략 | $x \in S$이면 $\dfrac{1}{3}x \in S$임을 이용하여 주어진 보기의 참, 거짓을 확인한다.

① $5 \in S$이면 $\dfrac{5}{3} \in S$, $\dfrac{5}{9} \in S$, $\dfrac{5}{27} \in S$, $\cdots$

② $4 \in S$이면 $\dfrac{4}{3} \in S$, $\dfrac{4}{9} \in S$, $\dfrac{4}{27} \in S$, $\cdots$

③ $3 \in S$이면 $1 \in S$, $\dfrac{1}{3} \in S$, $\dfrac{1}{9} \in S$, $\cdots$

④ $2 \in S$이면 $\dfrac{2}{3} \in S$, $\dfrac{2}{9} \in S$, $\dfrac{2}{27} \in S$, $\cdots$

⑤ 0이 아닌 실수 a에 대하여 $a \in S$이면

$\dfrac{a}{3} \in S$, $\dfrac{a}{9} \in S$, $\dfrac{a}{27} \in S$, $\cdots$이므로 집합 S는 무한집합이다.

따라서 옳은 것은 ④이다.

02-4 답 70

해결전략 | x와 $\dfrac{24}{x}$가 모두 자연수임을 이용하여 x의 값을 구한 후, 집합 S의 원소의 합의 최댓값과 최솟값을 구한다.

STEP 1 집합 S의 원소가 될 수 있는 x의 값 구하기

x와 $\dfrac{24}{x}$가 모두 자연수이므로 $x \geq 1$, $\dfrac{24}{x} \geq 1$에서 x는 24의 양의 약수 1, 2, 3, 4, 6, 8, 12, 24이다. 이때

$1 \in S$이면 $\dfrac{24}{1} = 24 \in S$

$2 \in S$이면 $\dfrac{24}{2} = 12 \in S$

$3 \in S$이면 $\dfrac{24}{3} = 8 \in S$

$4 \in S$이면 $\dfrac{24}{4} = 6 \in S$

이므로 1과 24, 2와 12, 3과 8, 4와 6은 각각 동시에 집합 S의 원소이거나 원소가 아니다.

따라서 집합 S는 집합 $\{1, 24\}$, $\{2, 12\}$, $\{3, 8\}$, $\{4, 6\}$ 중에서 일부 또는 전부를 부분집합으로 갖는 집합이다.

STEP 2 집합 S의 원소의 합의 최댓값, 최솟값 구하기

(i) 집합 S의 원소의 합이 최대일 때

$S = \{1, 2, 3, 4, 6, 8, 12, 24\}$일 때이므로 $X(S)$의 최댓값은

$m = 1 + 2 + 3 + 4 + 6 + 8 + 12 + 24 = 60$

(ii) 집합 S의 원소의 합이 최소일 때

$S = \{4, 6\}$일 때이므로 $X(S)$의 최솟값은

$n = 4 + 6 = 10$

STEP 3 $m + n$의 값 구하기

$\therefore m + n = 60 + 10 = 70$

02-5 답 ②

해결전략 | 주어진 조건을 이용하여 보기의 수가 집합 S의 원소인지 알아본다.

① $3 \in S$이므로 $3 + 3 = 6 \in S$

③ $3 \in S$, $5 \in S$이므로 $3 + 5 = 8 \in S$

④ $5 \in S$이므로 $5 + 5 = 10 \in S$

⑤ $3 \in S$, $5 \in S$이므로 $(3 + 3 + 3) + 5 = 14 \in S$

따라서 집합 S의 원소가 아닌 것은 ②이다.

02-6 답 −1

해결전략 | 조건을 만족시키는 집합 S가 반드시 갖는 원소를 구한다.

STEP 1 집합 S가 반드시 갖는 원소 구하기

조건 (가), (나)에 의하여

$2 \in S$이므로 $\dfrac{1}{1-2} = -1 \in S$

$-1 \in S$이므로 $\dfrac{1}{1-(-1)} = \dfrac{1}{2} \in S$

$\dfrac{1}{2} \in S$이므로 $\dfrac{1}{1-\frac{1}{2}} = 2 \in S$

즉, 집합 S는 반드시 2, -1, $\dfrac{1}{2}$을 원소로 갖는다.

STEP 2 원소의 개수가 최소인 집합 S의 모든 원소의 곱 구하기

따라서 원소의 개수가 최소인 집합 S의 원소는

2, -1, $\dfrac{1}{2}$이므로 모든 원소의 곱은

$2 \times (-1) \times \dfrac{1}{2} = -1$

03-1 답 $a=2, b=3$

해결전략 | 보기에 주어진 집합의 원소를 구하여 유한집합과 무한집합을 구별한다.

STEP1 보기에 주어진 집합을 원소나열법으로 나타낸 후, 유한집합인지 무한집합인지 파악하기

ㄱ. 1과 2 사이에는 무수히 많은 유리수가 있으므로 무한집합이다.

ㄴ. 18을 나누어떨어지게 하는 자연수는 18의 양의 약수인 1, 2, 3, 6, 9, 18이므로 유한집합이다.

ㄷ. $5<x<7$인 홀수 x는 존재하지 않으므로 공집합, 즉 유한집합이다.

ㄹ. 8로 나누어 3이 남는 자연수는 3, 11, 19, 27, … 이므로 무한집합이다.

ㅁ. 10보다 큰 5의 배수는 15, 20, 25, 30, … 이므로 무한집합이다.

STEP2 a, b의 값 구하기

따라서 유한집합은 ㄴ, ㄷ이고 무한집합은 ㄱ, ㄹ, ㅁ이므로 $a=2, b=3$

03-2 답 ④

해결전략 | 보기의 주어진 집합의 원소를 각각 구해 본다.

① $\varnothing$은 유한집합이다.

② $\{\varnothing\}$은 원소가 $\varnothing$이므로 공집합이 아니다.

③ 3으로 나누어 1이 남는 자연수는 1, 4, 7, 10, 13, … 이므로 무한집합이다.

④ $5\times x=12$를 만족시키는 자연수 x의 값은 존재하지 않으므로 공집합이다.

⑤ $0\times x=0$을 만족시키는 자연수 x의 값은 무수히 많으므로 무한집합이다.

따라서 옳은 것은 ④이다.

03-3 답 (1) 2 (2) 4

해결전략 | 집합의 원소의 개수를 구하여 계산한다.

(1) 집합 $\{\varnothing, 1, \{0, 1\}\}$은 $\varnothing$, 1, $\{0, 1\}$을 원소로 갖고, 집합 $\{0\}$은 0을 원소로 가지므로

$n(\{\varnothing, 1, \{0, 1\}\})+n(\varnothing)-n(\{0\})$
$=3+0-1=2$

(2) $\{x \mid |x|<2$인 정수$\}=\{-1, 0, 1\}$이고 집합 $\{\varnothing\}$은 $\varnothing$를 원소로 가지므로

$n(\{x \mid |x|<2$인 정수$\})-n(\{\varnothing\})+n(\{-1, 1\})$
$=3-1+2=4$

03-4 답 2

해결전략 | 세 집합 A, B, C의 원소의 개수를 각각 구한다.

STEP1 세 집합 A, B, C를 각각 원소나열법으로 나타내기

$A=\{x \mid x$는 12의 양의 약수$\}$
  $=\{1, 2, 3, 4, 6, 12\}$
$B=\{x \mid x$는 10보다 작은 소수$\}$
  $=\{2, 3, 5, 7\}$
$C=\{x \mid x$는 $x^2-6x+8<0$인 짝수$\}$
  $=\{x \mid x$는 $(x-2)(x-4)<0$인 짝수$\}$
  $=\{x \mid x$는 $2<x<4$인 짝수$\}$
  $=\varnothing$

STEP2 $n(A)-n(B)+n(C)$의 값 구하기

$\therefore n(A)-n(B)+n(C)=6-4+0=2$

03-5 답 8

해결전략 | 표를 이용하여 집합 C의 원소를 구한다.

STEP1 표를 이용하여 xy의 값 구하기

$x\in A, y\in B$에 대하여 xy의 값은 다음 표와 같다.

y \ x	2	2^2	2^3	2^4	2^5	2^6
2	2^2	2^3	2^4	2^5	2^6	2^7
2^2	2^3	2^4	2^5	2^6	2^7	2^8
2^3	2^4	2^5	2^6	2^7	2^8	2^9

STEP2 $n(C)$의 값 구하기

따라서 $C=\{2^2, 2^3, 2^4, 2^5, 2^6, 2^7, 2^8, 2^9\}$이므로

$n(C)=8$

03-6 답 2

해결전략 | 집합 A의 원소가 1개임을 이용한다.

STEP1 $n(A)=1$이 의미하는 것 파악하기

$n(A)=1$에서 집합 A의 원소의 개수가 1이라는 것은 집합 $A=\{x \mid (k-1)x^2-8x+k=0, x$는 실수$\}$에서 방정식 $(k-1)x^2-8x+k=0$의 실근의 개수가 1이라는 것이다.

STEP2 k의 값 구하기

(i) $k=1$일 때, $(k-1)x^2-8x+k=0$에서

$-8x+1=0$이므로 $x=\dfrac{1}{8}$

즉, $k=1$일 때 실근은 1개이다.

(ii) $k\neq1$일 때, 이차방정식 $(k-1)x^2-8x+k=0$이 중근을 가져야 하므로

$\dfrac{D}{4}=(-4)^2-k(k-1)=0$, $k^2-k-16=0$

이 이차방정식에서 근과 계수의 관계에 의하여 두 근의 합은 1이다.

STEP3 모든 k의 값의 합 구하기

(i), (ii)에 의하여 구하는 모든 상수 k의 값의 합은

$1+1=2$

17쪽

필수유형 04

04-1 답 ④

해결전략 | 집합 A의 원소를 파악한다.

집합 $A=\{0, 1, \{1\}, \{1, 2\}\}$의 원소는 0, 1, $\{1\}$, $\{1, 2\}$
이다.

④ 2는 집합 A의 원소가 아니므로 $2\notin A$

따라서 옳지 않은 것은 ④이다.

04-2 답 ①, ⑤

해결전략 | 기호 $\in$, $\subset$를 구분한다.

집합 $A=\{0, 1, 2\}$의 원소는 0, 1, 2이다.

① 공집합은 모든 집합의 부분집합이므로 $\varnothing\subset A$

② 1, 2는 집합 A의 원소이므로 $\{1, 2\}\subset A$

③ 0은 집합 A의 원소이므로 $0\in A$

④ 0, 1은 집합 A의 원소이므로 $\{0, 1\}\subset A$

⑤ 0, 1, 2는 집합 A의 원소이므로 $\{0, 1, 2\}\subset A$

따라서 옳은 것은 ①, ⑤이다.

04-3 답 4

해결전략 | 집합 기호 안에 들어 있는 집합은 원소로 생각한다.

집합 $A=\{\varnothing, a, b, \{a, b\}\}$의 원소는 $\varnothing$, a, b, $\{a, b\}$
이다.

ㄱ. $\varnothing$는 집합 A의 원소이므로 $\varnothing\in A$ (참)

ㄴ. 공집합은 모든 집합의 부분집합이므로 $\varnothing\subset A$ (참)

ㄷ. $\{a, b\}$는 집합 A의 원소이므로 $\{a, b\}\in A$ (참)

ㄹ. a, b는 집합 A의 원소이므로 $\{a, b\}\subset A$ (참)

ㅁ. $A=\{\varnothing, a, b, \{a, b\}\}$이므로
   $A\subset\{\varnothing, a, b, c, \{a, b\}\}$ (거짓)

따라서 옳은 것은 ㄱ, ㄴ, ㄷ, ㄹ의 4개이다.

04-4 답 ㄴ, ㄷ

해결전략 | (원소)$\in$(집합), (원소)$\notin$(집합),
(집합)$\subset$(집합), (집합)$\not\subset$(집합)임을 이용한다.

ㄱ. 공집합은 원소가 없는 집합이므로 $0\notin\varnothing$ (거짓)

ㄴ. 4는 집합 $\{1, 2, 4\}$의 원소이므로 $4\in\{1, 2, 4\}$ (참)

ㄷ. 집합 $\{a, b, \{c, d\}\}$의 원소는 a, b, $\{c, d\}$의 3개이
   므로 $n(\{a, b, \{c, d\}\})=3$ (참)

ㄹ. 짝수인 소수는 2뿐이므로
   $\{x\,|\,x$는 짝수인 소수$\}\not\subset\{4, 6, 8, 10\}$ (거짓)

따라서 옳은 것은 ㄴ, ㄷ이다.

04-5 답 ㄴ, ㄷ

해결전략 | 집합 X의 원소를 구한 후, 보기의 참, 거짓을 판
별한다.

STEP1 집합 X를 원소나열법으로 나타내기

10의 양의 약수는 1, 2, 5, 10이므로

$X=\{1, 2, 5, 10\}$

STEP2 보기에서 옳은 것 고르기

ㄱ. 0은 집합 X의 원소가 아니므로 $0\notin X$ (거짓)

ㄴ. 4는 집합 X의 원소가 아니므로 $4\notin X$ (참)

ㄷ. 1, 10은 집합 X의 원소이므로 $\{1, 10\}\subset X$ (참)

ㄹ. 집합 X의 원소의 개수가 4이므로 $n(X)=4$ (거짓)

따라서 옳은 것은 ㄴ, ㄷ이다.

04-6 답 ⑤

해결전략 | 집합 B의 원소를 구한 후, 보기에서 옳은 것을 고
른다.

STEP1 집합 B를 원소나열법으로 나타내기

$a\in A$, $b\in A$이므로 ab의 값은 다음 표와 같다.

b ＼ a	1	3	5
1	1	3	5
3	3	9	15
5	5	15	25

$\therefore B=\{1, 3, 5, 9, 15, 25\}$

STEP2 보기에서 옳은 것 고르기

① $5\in B$ ② $10\notin B$

③ $15\in B$ ④ $A\subset B$

따라서 옳은 것은 ⑤이다.

19쪽

필수유형 05

05-1 답 ⑴ $B\subset A$ ⑵ $B\subset A\subset C$

해결전략 | 집합을 수직선 위에 나타내거나 원소를 구한 후,
포함 관계를 확인한다.

(1) **STEP1 집합 A, B 구하기**

집합 A에서 $x^2-x-20\leq0$

$(x+4)(x-5)\leq0$이므로 $-4\leq x\leq5$

$\therefore A=\{x|-4\leq x\leq5\}$

집합 B에서 $2x^2-5x-12\leq0$

$(2x+3)(x-4)\leq0$이므로 $-\dfrac{3}{2}\leq x\leq4$

$\therefore B=\left\{x\left|-\dfrac{3}{2}\leq x\leq4\right.\right\}$

STEP2 두 집합 A, B 사이의 포함 관계 파악하기

두 집합 A, B를 수직선 위에 나타내면 다음 그림과 같다.

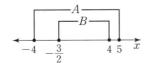

$\therefore B\subset A$

(2) **STEP1 세 집합 A, B, C 구하기**

$A=\{-1, 0, 1, 2, 3, 4, 5\}$

$B=\{1, 3, 5\}$

$C=\{x|-1\leq x\leq5\}$

STEP2 세 집합 A, B, C 사이의 포함 관계 파악하기

$\therefore B\subset A\subset C$

05-2 📖 풀이 참조

해결전략 | 집합 A의 원소를 구한 후, $X\subset A$이고 $X\neq A$인 집합, 즉 집합 A의 진부분집합을 원소의 개수에 따라 구한다.

STEP1 집합 A를 원소나열법으로 나타내기

$A=\{2, 3, 5, 7\}$

STEP2 원소의 개수에 따라 집합 X 구하기

$X\subset A$이고 $X\neq A$인 집합 X를 원소의 개수에 따라 구하면

(i) $n(X)=0$일 때

$\varnothing$

(ii) $n(X)=1$일 때

$\{2\}$, $\{3\}$, $\{5\}$, $\{7\}$

(iii) $n(X)=2$일 때

$\{2, 3\}$, $\{2, 5\}$, $\{2, 7\}$, $\{3, 5\}$, $\{3, 7\}$, $\{5, 7\}$

(iv) $n(X)=3$일 때

$\{2, 3, 5\}$, $\{2, 3, 7\}$, $\{2, 5, 7\}$, $\{3, 5, 7\}$

(i)~(iv)에 의하여 구하는 집합 X는 다음과 같다.

$\varnothing$, $\{2\}$, $\{3\}$, $\{5\}$, $\{7\}$,

$\{2, 3\}$, $\{2, 5\}$, $\{2, 7\}$, $\{3, 5\}$, $\{3, 7\}$, $\{5, 7\}$,

$\{2, 3, 5\}$, $\{2, 3, 7\}$, $\{2, 5, 7\}$, $\{3, 5, 7\}$

05-3 📖 10

해결전략 | 집합 A의 원소를 구한 후, 집합 A의 부분집합 중 원소의 개수가 3인 집합을 구한다.

STEP1 집합 A를 원소나열법으로 나타내기

$A=\{1, 2, 4, 8, 16\}$

STEP2 원소의 개수가 3인 부분집합 구하기

$X\subset A$이고 $n(X)=3$을 만족시키는 집합 X는 집합 A의 부분집합 중에서 원소의 개수가 3인 집합이므로

$\{1, 2, 4\}$, $\{1, 2, 8\}$, $\{1, 2, 16\}$, $\{1, 4, 8\}$,

$\{1, 4, 16\}$, $\{1, 8, 16\}$, $\{2, 4, 8\}$, $\{2, 4, 16\}$,

$\{2, 8, 16\}$, $\{4, 8, 16\}$

의 10개이다.

05-4 📖 16

해결전략 | 원소의 개수가 3인 부분집합을 모두 구하고 원소의 총합을 구한다.

STEP1 원소의 개수가 3인 부분집합 구하기

집합 $S=\{a, b, c, d\}$의 부분집합 중 원소의 개수가 3인 부분집합은

$\{a, b, c\}$, $\{a, b, d\}$, $\{a, c, d\}$, $\{b, c, d\}$

STEP2 모든 원소의 총합을 식으로 나타내기

이 집합들의 모든 원소의 총합이 48이므로

$(a+b+c)+(a+b+d)+(a+c+d)+(b+c+d)$

$=48$

$3(a+b+c+d)=48$

STEP3 $a+b+c+d$의 값 구하기

$\therefore a+b+c+d=16$

05-5 📖 10

해결전략 | 원소 중 가장 작은 수가 5이면 나머지 원소는 6, 7, 8, 9, 10 중에 있음을 이용한다.

STEP1 집합 B의 원소 파악하기

$A=\{1, 2, 3, 4, 5, 6, 7, 8, 9, 10\}$

집합 B는 집합 A의 부분집합 중 원소의 개수가 4이고 원소 중 가장 작은 수가 5이므로 나머지 원소는 6, 7, 8, 9, 10 중 3개이다.

STEP2 집합 B의 개수 구하기

이때 6, 7, 8, 9, 10 중 3개를 원소로 하는 집합은

$\{6, 7, 8\}$, $\{6, 7, 9\}$, $\{6, 7, 10\}$, $\{6, 8, 9\}$,

$\{6, 8, 10\}$, $\{6, 9, 10\}$, $\{7, 8, 9\}$, $\{7, 8, 10\}$,

$\{7, 9, 10\}$, $\{8, 9, 10\}$

이므로 집합 B는 이 집합들에 각각 원소 5를 포함시키면 된다.

따라서 집합 B의 개수는 10이다.

05-6 답 4

해결전략 | 두 수의 곱이 어떤 자연수의 제곱이 되게 하는 수를 구한다.

STEP1 U의 원소 중 두 수의 곱이 어떤 자연수의 제곱이 되게 하는 수 구하기

집합 $U=\{1, 2, 3, \cdots, 9, 10\}$의 부분집합 중 두 개의 원소를 가지는 집합에서 두 원소의 곱 ab가 어떤 자연수의 제곱이 되는 집합은 1, 4, 9 중 두 개를 원소로 가지는 집합 $\{1, 4\}$, $\{1, 9\}$, $\{4, 9\}$와 집합 $\{2, 8\}$이다.

STEP2 집합 A의 개수 구하기

따라서 구하는 집합 A의 개수는 4이다.

필수유형 06 　　　　　　　　　21쪽

06-1 답 0

해결전략 | $1\in B$임을 이해하고 $A\subset B$를 이용하여 a의 값을 구한다.

STEP1 $A\subset B$임을 이용하여 a의 조건 파악하기

$A\subset B$이므로 집합 A의 모든 원소가 집합 B에 속한다.

즉, $1\in A$에서 $1\in B$이므로

$a+3=1$ 또는 $2a+1=1$

$\therefore a=-2$ 또는 $a=0$

STEP2 a의 값 구하기

(ⅰ) $a=-2$일 때

$A=\{0, 1\}$, $B=\{-3, 1, 2\}$이므로

$A\not\subset B$

(ⅱ) $a=0$일 때

$A=\{1, 2\}$, $B=\{1, 2, 3\}$이므로

$A\subset B$

(ⅰ), (ⅱ)에 의하여 $a=0$

06-2 답 −1

해결전략 | $A\subset B$가 성립하도록 두 집합 A, B를 수직선 위에 나타낸다.

STEP1 $A\subset B$가 성립하도록 두 집합 A, B를 수직선 위에 나타내기

$A\subset B$가 성립하도록 두 집합 A, B를 수직선 위에 나타내면 다음 그림과 같다.

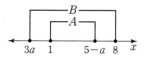

STEP2 a의 값의 범위 구하기

즉, $3a\leq 1$, $5-a\leq 8$에서 $a\leq\dfrac{1}{3}$, $a\geq -3$

$\therefore -3\leq a\leq\dfrac{1}{3}$

STEP3 mn의 값 구하기

따라서 $m=-3$, $n=\dfrac{1}{3}$이므로

$mn=(-3)\times\dfrac{1}{3}=-1$

🎯 **풍쌤의 비법**

부등식으로 표현된 집합 A, B에서 $B\subset A$가 성립하도록 하는 미지수의 값의 범위를 등호가 포함되는지 안되는지 주의하여 구해 보자.

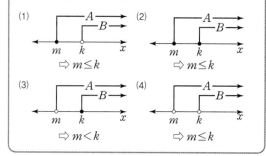

06-3 답 5

해결전략 | 집합 A의 원소를 구하고 $A\subset B$를 이용하여 a의 값을 구한다.

STEP1 집합 A를 원소나열법으로 나타내기

집합 A에서 $(x-5)(x-a)=0$이므로

$x=5$ 또는 $x=a$

$\therefore A=\{5, a\}$

STEP2 $A\subset B$를 이용하여 a의 값 구하기

$A\subset B$가 성립하므로 $a\in B$이고 a는 양수이므로

$a=5$

06-4 답 5

해결전략 | $3\in B$임을 이해하고 $A\subset B$를 이용하여 a의 값을 구한다.

STEP1 $A \subset B$임을 이용하여 a의 조건 파악하기

$A \subset B$이므로 집합 A의 모든 원소가 집합 B에 속한다.

즉, $3 \in A$에서 $3 \in B$이므로

$a-2=3$ 또는 $a^2-1=3$

$\therefore a=5$ 또는 $a=\pm 2$

STEP2 a의 값 구하기

(i) $a=5$일 때

  $A=\{3, 7\}$, $B=\{3, 7, 24\}$이므로

  $A \subset B$

(ii) $a=\pm 2$일 때

  $a=2$이면 $A=\{3, 4\}$, $B=\{0, 3, 7\}$이므로

  $A \not\subset B$

  $a=-2$이면 $A=\{0, 3\}$, $B=\{-4, 3, 7\}$이므로

  $A \not\subset B$

(i), (ii)에 의하여 $a=5$

06-5 답 -3

해결전략 | $B \subset A$가 성립하도록 두 집합 A, B를 수직선 위에 나타낸다.

STEP1 집합 B 구하기

집합 B에서 $|2x-1| \leq 7$이므로

$-7 \leq 2x-1 \leq 7$, $-6 \leq 2x \leq 8$, $-3 \leq x \leq 4$

$\therefore B=\{x \mid -3 \leq x \leq 4\}$

STEP2 $B \subset A$가 성립하도록 두 집합 A, B를 수직선 위에 나타내기

$B \subset A$가 성립하도록 두 집합 A, B를 수직선 위에 나타내면 다음 그림과 같다.

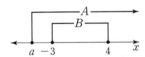

STEP3 a의 최댓값 구하기

즉, $a \leq -3$

따라서 정수 a의 최댓값은 -3이다.

06-6 답 7

해결전략 | $C \subset B \subset A$가 성립하도록 세 집합 A, B, C를 수직선 위에 나타낸다.

STEP1 세 집합 A, B, C 구하기

집합 A에서 $x-1 \leq 3$이므로 $x \leq 4$

$\therefore A=\{x \mid x \leq 4\}$

집합 B에서 $|x| \leq k$이므로 $-k \leq x \leq k$

$\therefore B=\{x \mid -k \leq x \leq k\}$

집합 C에서 $x^2-x-6<0$이므로

$(x+2)(x-3)<0$, $-2<x<3$

$\therefore C=\{x \mid -2<x<3\}$

STEP2 $C \subset B \subset A$가 성립하도록 세 집합 A, B, C를 수직선 위에 나타내기

$C \subset B \subset A$가 성립하도록 세 집합 A, B, C를 수직선 위에 나타내면 다음 그림과 같다.

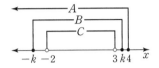

STEP3 모든 자연수 k의 값 구하기

즉, $-k \leq -2$, $3 \leq k \leq 4$에서 $3 \leq k \leq 4$

따라서 구하는 모든 자연수 k의 값은 3, 4이고 그 합은 7이다.

필수유형 **07**   23쪽

07-1 답 ㄴ, ㄷ

해결전략 | 집합을 원소나열법으로 나타낸다.

ㄱ. $A=\{1, 2, 3, 4\}$,

  $B=\{x \mid x$는 5 이하의 자연수$\}=\{1, 2, 3, 4, 5\}$

  이므로 $A \neq B$

ㄴ. $A=\{-2, 0\}$,

  $B=\{x \mid x^2+2x=0\}=\{-2, 0\}$

  이므로 $A=B$

ㄷ. $A=\{x \mid x^2-6x+5=0\}=\{1, 5\}$,

  $B=\{x \mid x$는 5의 약수$\}=\{1, 5\}$

  이므로 $A=B$

ㄹ. $A=\{x \mid 2x-6 \leq 0\}=\{x \mid x \leq 3\}$,

  $B=\{x \mid x^2-2x-3 \leq 0\}=\{x \mid -1 \leq x \leq 3\}$

  이므로 $A \neq B$

따라서 $A=B$인 것은 ㄴ, ㄷ이다.

07-2 답 6

해결전략 | $A=B$이면 두 집합 A, B의 원소가 같다.

STEP1 a, b의 값 구하기

$A=\{1, a+2\}$, $B=\{b-1, 5\}$, $A=B$에서

$a+2=5$, $b-1=1$이므로

$a=3$, $b=2$

STEP2 ab의 값 구하기

$\therefore ab=3 \times 2=6$

07-3 답 4

해결전략 | 두 집합 A, B의 원소가 같음을 이용한다.

STEP1 a, b의 값 구하기

$A=\{1, 10, a+b\}$, $B=\{1, 8, 2a-b\}$, $A=B$에서

$a+b=8$, $2a-b=10$

두 식을 연립하여 풀면 $a=6$, $b=2$

STEP2 $a-b$의 값 구하기

$\therefore a-b=6-2=4$

07-4 답 -1

해결전략 | $A=B$임을 이해하고 $4 \in B$이므로 $4 \in A$임을 이용한다.

STEP1 $A=B$임을 알기

$A \subset B$이고 $B \subset A$이므로 $A=B$

STEP2 $A=B$임을 이용하여 a의 조건 파악하기

즉, $a^2+3=4$이므로 $a^2=1$

$\therefore a=-1$ 또는 $a=1$

STEP3 a의 값 구하기

(ⅰ) $a=-1$일 때

  $A=\{2, 3, 4\}$, $B=\{2, 3, 4\}$이므로 $A=B$

(ⅱ) $a=1$일 때

  $A=\{2, 3, 4\}$, $B=\{3, 4\}$이므로 $A \neq B$

(ⅰ), (ⅱ)에 의하여 $a=-1$

07-5 답 2

해결전략 | $A=B$이고 $2 \in B$이므로 $2 \in A$임을 이용한다.

STEP1 $A=B$임을 이용하여 a의 조건 파악하기

$a+2=2$ 또는 $a^2-2=2$

$\therefore a=0$ 또는 $a=\pm 2$

STEP2 a의 값 구하기

(ⅰ) $a=0$일 때

  $A=\{-2, 2\}$, $B=\{2, 6\}$이므로

  $A \neq B$

(ⅱ) $a=\pm 2$일 때

  $a=2$이면

  $A=\{2, 4\}$, $B=\{2, 4\}$이므로

  $A=B$

  $a=-2$이면

  $A=\{0, 2\}$, $B=\{2, 8\}$이므로

  $A \neq B$

(ⅰ), (ⅱ)에 의하여 $a=2$

07-6 답 12

해결전략 | 이차부등식의 해를 이용하면 이차부등식을 구할 수 있다.

STEP1 해가 $-8 \leq x \leq b$인 이차부등식 세우기

$A=B$이므로 이차부등식 $x^2+ax-16 \leq 0$의 해가

$-8 \leq x \leq b$이다.

해가 $-8 \leq x \leq b$이고 x^2의 계수가 1인 이차부등식은

$(x+8)(x-b) \leq 0$

$\therefore x^2+(8-b)x-8b \leq 0$

STEP2 ab의 값 구하기

이 식이 $x^2+ax-16 \leq 0$과 같으므로

$a=8-b$, $16=8b$

따라서 $a=6$, $b=2$이므로

$ab=6 \times 2=12$

> **◎ 풍쌤의 비법**
>
> **이차부등식 구하기**
>
> 이차부등식의 해가 주어졌을 때, 다음과 같이 이차부등식을 구할 수 있다.
>
> (1) 해가 $\alpha < x < \beta$이고 x^2의 계수가 1인 이차부등식
>
> $\Rightarrow (x-\alpha)(x-\beta) < 0$
>
> (2) 해가 $x < \alpha$ 또는 $x > \beta$이고 x^2의 계수가 1인 이차부등식 $\Rightarrow (x-\alpha)(x-\beta) > 0$ (단, $\alpha < \beta$)

필수유형 08   25쪽

08-1 답 511

해결전략 | 집합 A의 원소의 개수를 구한 후, 부분집합과 진부분집합의 개수를 구한다.

STEP1 집합 A를 원소나열법으로 나타내기

$A=\{1, 2, 3, 4, 6, 8, 12, 24\}$

STEP2 m, n의 값 구하기

집합 A의 원소의 개수가 8이므로 집합 A의 부분집합의 개수는

$m=2^8=256$

집합 A의 진부분집합의 개수는

$n=2^8-1=255$

STEP3 $m+n$의 값 구하기

$\therefore m+n=256+255=511$

08-2 📘 96

해결전략 | 집합 A의 원소의 개수를 구한 후, 조건에 맞는 부분집합의 개수를 구한다.

STEP1 집합 A를 원소나열법으로 나타내기

$A=\{1, 2, 3, 4, 5, 6, 7, 8, 9, 10\}$

STEP2 x의 값 구하기

집합 A의 부분집합 중에서 2, 4, 6, 8을 원소로 갖는 집합의 개수는

$x=2^{10-4}=2^6=64$

STEP3 y의 값 구하기

집합 A의 부분집합 중에서 1, 3, 5를 원소로 갖고 7, 9를 원소로 갖지 않는 집합의 개수는

$y=2^{10-3-2}=2^5=32$

STEP4 $x+y$의 값 구하기

$\therefore x+y=64+32=96$

08-3 📘 28

해결전략 | 전체 부분집합의 개수에서 홀수가 없는 부분집합의 개수를 뺀다.

STEP1 홀수가 한 개 이상 속해 있는 집합 이해하기

집합 $A=\{1, 2, 3, 4, 5\}$의 부분집합 중 홀수가 한 개 이상 속해 있는 집합의 개수는 전체 부분집합의 개수에서 짝수로만 이루어진 집합 $\{2, 4\}$의 부분집합의 개수를 뺀 것과 같다.

STEP2 홀수가 한 개 이상 속해 있는 부분집합의 개수 구하기

따라서 구하는 부분집합의 개수는

$2^5-2^2=32-4=28$

> 🎯 **풍쌤의 비법**
>
> 원소의 개수가 n인 집합 A에 대하여 집합 A의 특정한 원소 a개 중 1개 이상을 원소로 갖는 부분집합의 개수는 다음과 같다.
>
> 2^n-2^{n-a}

08-4 📘 8

해결전략 | 구하는 부분집합은 3을 원소로 갖고 9, 15를 원소로 갖지 않는다.

STEP1 집합 S를 원소나열법으로 나타내기

$S=\{3, 6, 9, 12, 15, 18\}$

STEP2 3을 원소로 갖고 9, 15를 원소로 갖지 않는 부분집합의 개수 구하기

따라서 집합 S의 부분집합 중 3을 원소로 갖고 9, 15를 원소로 갖지 않는 집합의 개수는

$2^{6-1-2}=2^3=8$

08-5 📘 24

해결전략 | 2 또는 10을 원소로 갖는 부분집합은 2, 10을 제외한 부분집합을 이용하여 구한다.

STEP1 2 또는 10을 원소로 갖는 부분집합 이해하기

집합 $A=\{2, 4, 6, 8, 10\}$의 부분집합 중에서 2 또는 10을 원소로 갖는 부분집합의 개수는 전체 부분집합의 개수에서 2, 10을 제외한 $\{4, 6, 8\}$의 부분집합의 개수를 뺀 것과 같다.

STEP2 2 또는 10을 원소로 갖는 부분집합의 개수 구하기

따라서 구하는 부분집합의 개수는

$2^5-2^3=32-8=24$

◉ 다른 풀이

집합 A의 부분집합 중 2를 원소로 갖는 부분집합의 개수는 $2^{5-1}=2^4=16$

10을 원소로 갖는 부분집합의 개수는

$2^{5-1}=2^4=16$

2와 10을 모두 원소로 갖는 부분집합의 개수는

$2^{5-2}=2^3=8$

따라서 2 또는 10을 원소로 갖는 부분집합의 개수는

$16+16-8=24$

08-6 📘 138

해결전략 | 주어진 부분집합의 개수를 이용하여 집합 A의 원소의 개수를 구한다.

STEP1 n의 값 구하기

집합 A의 원소의 개수가 n이고 어떤 특정한 두 원소를 반드시 포함하는 부분집합의 개수는 256이므로

$2^{n-2}=256=2^8$

$n-2=8$에서 $n=10$

STEP2 a의 값 구하기

어떤 특정한 세 원소를 반드시 포함하지 않는 부분집합의 개수는

$2^{10-3}=2^7=128$, 즉 $a=128$

STEP3 $n+a$의 값 구하기

$\therefore n+a=10+128=138$

09-1 답 4

해결전략 | 집합 X는 집합 A의 원소 1, 3, 5를 반드시 포함하는 집합 B의 부분집합이다.

STEP1 집합 B를 원소나열법으로 나타내기

$B=\{1, 3, 5, 7, 9\}$

STEP2 $A \subset X \subset B$에서 집합 A, X, B 사이의 관계 파악하기

집합 X는 집합 $\{1, 3, 5, 7, 9\}$의 부분집합 중에서 1, 3, 5를 반드시 원소로 갖는 집합이다.

STEP3 집합 X의 개수 구하기

따라서 집합 X의 개수는

$2^{5-3}=2^2=4$

09-2 답 8

해결전략 | 집합 X는 집합 A의 원소 1, 2, 4를 반드시 포함하는 집합 B의 부분집합이다.

STEP1 집합 A, B를 원소나열법으로 나타내기

$A=\{1, 2, 4\}$, $B=\{1, 2, 3, 4, 6, 12\}$

STEP2 $A \subset X \subset B$에서 집합 A, X, B 사이의 관계 파악하기

집합 X는 집합 $\{1, 2, 3, 4, 6, 12\}$의 부분집합 중에서 1, 2, 4를 반드시 원소로 갖는 집합이다.

STEP3 집합 X의 개수 구하기

따라서 집합 X의 개수는

$2^{6-3}=2^3=8$

09-3 답 4

해결전략 | 집합 B, C를 원소나열법으로 나타낸 후, 집합 B, X, C 사이의 관계를 이용한다.

STEP1 집합 B, C를 원소나열법으로 나타내기

$B=\{2x \,|\, x \in A\}=\{2, 4, 6\}$

$x \in A$, $y \in A$이므로 $x+y$의 값은 다음 표와 같다.

y \\ x	1	2	3
1	2	3	4
2	3	4	5
3	4	5	6

$\therefore C=\{2, 3, 4, 5, 6\}$

STEP2 $B \subset X \subset C$에서 집합 B, X, C 사이의 관계 파악하기

집합 X는 집합 $\{2, 3, 4, 5, 6\}$의 부분집합 중에서 2, 4, 6을 반드시 원소로 갖는 집합이다.

STEP3 집합 X의 개수 구하기

따라서 집합 X의 개수는

$2^{5-3}=2^2=4$

09-4 답 15

해결전략 | 집합 X는 집합 B의 진부분집합임에 주의한다.

STEP1 집합 A, X, B 사이의 관계 파악하기

집합 X는 집합 $\{1, 2, 3, 4, 5, 6, 7, 8\}$의 부분집합 중에서 2, 4, 6, 8을 반드시 원소로 갖는 집합이고, 집합 X의 진부분집합이다.

STEP2 집합 X의 개수 구하기

따라서 집합 X의 개수는

$2^{8-4}-1=2^4-1=16-1=15$

09-5 답 4

해결전략 | 집합 X는 집합 A의 원소 2, 5를 반드시 포함하고 원소의 개수가 3인 집합 B의 부분집합이다.

STEP1 집합 B를 원소나열법으로 나타내기

$B=\{1, 2, 4, 5, 10, 20\}$

STEP2 집합 A, X, B 사이의 관계 파악하기

집합 X는 집합 $\{1, 2, 4, 5, 10, 20\}$의 부분집합 중에서 2, 5를 반드시 원소로 갖는 집합이고, $n(X)=3$이므로 원소의 개수가 3인 부분집합이다.

STEP3 집합 X의 개수 구하기

따라서 집합 X는 집합 B에서 2, 5를 제외한 집합 $\{1, 4, 10, 20\}$의 부분집합 중 원소가 1개인 집합에 2, 5를 추가하면 되므로

$\{1, 2, 5\}$, $\{2, 4, 5\}$, $\{2, 5, 10\}$, $\{2, 5, 20\}$

의 4개이다.

09-6 답 8

해결전략 | 집합 X는 집합 A의 원소 1, 3, 5를 반드시 포함하는 집합 B의 부분집합이다.

STEP1 집합 B의 원소의 개수 구하기

$B=\{1, 2, 3, \cdots, k\}$이므로 집합 B의 원소의 개수는 k이다.

STEP2 집합 X의 개수를 이용하여 k의 값 구하기

집합 X는 집합 B의 부분집합 중에서 1, 3, 5를 반드시 원소로 갖는 집합이고 그 개수가 32이므로

$2^{k-3}=32=2^5$, $k-3=5$

$\therefore k=8$

01 ③	**02** -2	**03** ⑤	**04** ⑤
05 $\{5, 10, 15, 20, \cdots, 50\}$		**06** ②, ⑤	**07** ③
08 3	**09** ④	**10** ①	**11** ㄱ, ㄷ, ㅂ
12 48	**13** 6	**14** ③	**15** 240 **16** 16
17 ①	**18** 8		

01

해결전략 | 그 대상을 분명히 알 수 있는 것이 집합이다.

③ 100에 가까운 자연수는 대상을 분명히 정할 수 없으므로 집합이 아니다.

02

해결전략 | 집합 A의 세 원소 중 어느 하나가 4이다.

STEP1 $4 \in A$이기 위한 조건 알기

$4 \in A$이므로

$a+3=4$ 또는 $a^2+3a=4$ 또는 $2a=4$ ······ ❶

STEP2 조건을 만족시키는 a의 값 구하기

(i) $a+3=4$일 때, $a=1$

이때 $A=\{2, 4\}$이므로 조건을 만족시키지 않는다.

(ii) $a^2+3a=4$일 때, $a^2+3a-4=0$

$(a+4)(a-1)=0$ ∴ $a=-4$ 또는 $a=1$

$a=-4$이면 $A=\{-8, -1, 4\}$이므로 조건을 만족시킨다.

$a=1$이면 $A=\{2, 4\}$이므로 조건을 만족시키지 않는다.

(iii) $2a=4$일 때, $a=2$

이때 $A=\{4, 5, 10\}$이므로 조건을 만족시킨다.

······ ❷

STEP3 a의 값의 합 구하기

(i)~(iii)에 의하여 구하는 모든 상수 a의 값의 합은

$-4+2=-2$ ······ ❸

채점 요소	비율
❶ $4 \in A$이기 위한 조건 알기	30%
❷ 조건을 만족시키는 a의 값 구하기	60%
❸ a의 값의 합 구하기	10%

03

해결전략 | (x, y)의 순서쌍 $(5, -3)$, $(-1, 6)$을 $ax+2by=9$에 대입하면 등식이 성립한다.

STEP1 a, b에 대한 식 세우기

$(5, -3) \in X$이므로

$ax+2by=9$에 $x=5$, $y=-3$을 대입하면

$5a-6b=9$ ······ ㉠

$(-1, 6) \in X$이므로

$ax+2by=9$에 $x=-1$, $y=6$을 대입하면

$-a+12b=9$ ······ ㉡

STEP2 a, b의 값 구하기

㉠, ㉡을 연립하여 풀면 $a=3$, $b=1$

STEP3 $a+b$의 값 구하기

∴ $a+b=3+1=4$

04

해결전략 | 보기에 주어진 수들을 소인수분해하여 $2^m \times 3^n$ (m, n은 자연수)의 꼴인지 각각 확인한다.

보기의 수를 각각 소인수분해하면

① $12=2^2 \times 3$

② $24=2^3 \times 3$

③ $72=2^3 \times 3^2$

④ $108=2^2 \times 3^3$

⑤ $126=2 \times 3^2 \times 7$

따라서 집합 A의 원소가 아닌 것은 ⑤이다.

05

해결전략 | $5 \in A$이므로 조건 (나)를 만족시키는 집합 A의 원소를 차례로 구해 본다.

STEP1 집합 A의 원소들의 규칙 찾기

$5 \in A$이고 조건 (나)에 의하여 $5+5=10 \in A$

또, 조건 (나)에 의하여 $10+5=15 \in A$

이와 같이 반복하면 집합 A는 5의 배수를 원소로 갖는다.

STEP2 집합 A 구하기

따라서 5의 배수를 원소로 가지면서 원소의 개수가 가장 적은 집합 A는 $\{5, 10, 15, 20, \cdots, 50\}$이다.

06

해결전략 | 집합의 원소를 구하여 보기에서 옳지 않은 것을 고른다.

② $\{4, 8, 12, \cdots\} \subset \{2, 4, 6, \cdots\}$이므로

$\{y | y$는 4의 양의 배수$\} \subset \{x | x$는 2의 양의 배수$\}$

③ $\{1, 2, 4\} \subset \{1, 2, 3, 4, 6, 12\}$이므로

$\{x | x$는 4의 양의 약수$\} \subset \{y | y$는 12의 양의 약수$\}$

④ $\{x | 1 < x < 3, x$는 자연수$\} = \{2\}$이므로 유한집합이다.

⑤ $\{x | x^2 < 0, x$는 실수$\} = \varnothing$이므로 유한집합이다.

따라서 옳지 않은 것은 ②, ⑤이다.

07

해결전략 | 집합의 원소의 개수를 구하여 확인하고 옳지 않은 것은 그 예를 생각한다.

① $n(\{0\})=1$

② $n(\{a, b, c\})-n(\{b, a, c\})=3-3=0$

③ $n(\varnothing)+n(\{\varnothing\})+n(\{0\})=0+1+1=2$

④ $A=\{1, 2\}$, $B=\{1, 2\}$이면 $A\subset B$이지만 $n(A)=n(B)$이다.

⑤ $A=\{1, 2\}$, $B=\{3, 4\}$이면 $n(A)=n(B)$이지만 $A\neq B$이다.

따라서 옳은 것은 ③이다.

08

해결전략 | 이차방정식의 판별식을 이용하여 실근의 개수를 구한다.

STEP1 $n(P_k)$의 의미 파악하기

집합 P_k는 이차방정식 $x^2-6x+k=0$의 실근의 집합이고 $n(P_k)$는 실근의 개수이다.   ······ ❶

STEP2 판별식을 이용하여 $n(P_k)$의 값 구하기

이차방정식 $x^2-6x+k=0$의 판별식을 D라 하면

$$\frac{D}{4}=(-3)^2-1\times k=9-k$$

(i) $9-k>0$, 즉 $k<9$일 때, 서로 다른 두 실근을 가지므로 $n(P_3)=2$

(ii) $9-k=0$, 즉 $k=9$일 때, 중근을 가지므로 $n(P_9)=1$

(iii) $9-k<0$, 즉 $k>9$일 때, 실근을 갖지 않으므로 $n(P_{12})=0$ ······ ❷

STEP3 $n(P_3)+n(P_9)+n(P_{12})$의 값 구하기

$\therefore n(P_3)+n(P_9)+n(P_{12})=2+1+0=3$ ······ ❸

채점 요소	비율
❶ $n(P_k)$의 의미 파악하기	30%
❷ $k=3, 9, 12$일 때, $n(P_k)$의 값 구하기	60%
❸ $n(P_3)+n(P_9)+n(P_{12})$의 값 구하기	10%

ⓒ 풍쌤의 비법

이차방정식의 근의 판별

계수가 실수인 이차방정식 $ax^2+bx+c=0$에서 $D=b^2-4ac$라 할 때

(1) $D>0$이면 서로 다른 두 실근을 갖는다.

(2) $D=0$이면 중근을 갖는다.

(3) $D<0$이면 서로 다른 두 허근을 갖는다.

09

해결전략 | 집합 기호 안에 들어 있는 집합은 원소로 생각한다.

STEP1 집합 A의 원소 구하기

집합 A의 원소는 $\varnothing$, 0, 1, $\{0\}$, $\{1\}$이다.

STEP2 보기에서 옳지 않은 것 고르기

①, ③ $\varnothing$은 집합 A의 원소이므로 $\varnothing\in A$, $\{\varnothing\}\subset A$

② $\varnothing$은 모든 집합의 부분집합이므로 $\varnothing\subset A$

④ 0, 1은 집합 A의 원소이므로 $\{0, 1\}\subset A$

⑤ 0, $\{0\}$은 집합 A의 원소이므로 $\{\{0\}, 0\}\subset A$

따라서 옳지 않은 것은 ④이다.

10

해결전략 | 세 집합 A, B, C의 원소를 구한 후, A, B, C 사이의 포함 관계를 확인한다.

STEP1 세 집합 A, B, C를 원소나열법으로 나타내기

집합 A에서 $x^2-9<0$, $(x+3)(x-3)<0$

$-3<x<3$이고 x는 자연수이므로

$A=\{1, 2\}$

집합 B에서 $x(x-1)(x-2)=0$

$x=0$ 또는 $x=1$ 또는 $x=2$이므로

$B=\{0, 1, 2\}$

집합 C에서 $|x|\leq 2$

$-2\leq x\leq 2$이고 x는 정수이므로

$C=\{-2, -1, 0, 1, 2\}$

STEP2 세 집합 A, B, C 사이의 포함 관계 파악하기

$\therefore A\subset B\subset C$

11

해결전략 | 집합 $P(A)$를 이해하고 그 원소를 구하여 보기에서 옳은 것을 고른다.

STEP1 집합 $P(A)$의 원소 구하기

$P(A)$는 집합 A의 부분집합을 원소로 갖는 집합이므로 $P(A)$의 원소는

$\varnothing$, $\{2\}$, $\{3\}$, $\{\{4, 5\}\}$, $\{2, 3\}$, $\{2, \{4, 5\}\}$, $\{3, \{4, 5\}\}$, $\{2, 3, \{4, 5\}\}$

STEP2 보기에서 옳은 것 고르기

ㄴ. $\{2\}$는 집합 $P(A)$의 원소이므로 $\{2\}\in P(A)$ (거짓)

ㄹ. 2, 3, 4는 집합 $P(A)$의 원소가 아니므로 $\{2, 3, 4\}\not\subset P(A)$ (거짓)

ㅁ. $\{\{4, 5\}\}$는 집합 $P(A)$의 원소이므로 $\{4, 5\}\not\subset P(A)$ (거짓)

따라서 옳은 것은 ㄱ, ㄷ, ㅂ이다.

12

해결전략 | 집합 A_n에 속하는 원소를 파악하고 집합 사이의 포함 관계를 이용한다.

STEP1 A_{25}의 원소 구하기

$\sqrt{25}=5$이므로

$A_{25}=\{x\,|\,x$는 5 이하의 홀수$\}=\{1,\ 3,\ 5\}$

STEP2 조건을 만족시키는 자연수 n의 최댓값 구하기

$A_n\subset A_{25}$를 만족시키는 A_n은 5 이하의 홀수만을 원소로 가질 수 있다.

즉, $1\leq\sqrt{n}<7$이므로

$1\leq n<49$

따라서 자연수 n의 최댓값은 48이다.

13

해결전략 | $B\subset A$가 성립하도록 두 집합 A, B를 수직선 위에 나타내어 a의 값을 구한다.

STEP1 집합 A 구하기

집합 A에서 $x^2-2ax+a^2-9<0$

$(x-a+3)(x-a-3)<0$이므로

$a-3<x<a+3$

$\therefore A=\{x\,|\,a-3<x<a+3\}$

STEP2 $B\subset A$가 성립하도록 두 집합 A, B를 수직선 위에 나타내기

$B\subset A$가 성립하도록 두 집합을 수직선 위에 나타내면 다음 그림과 같다.

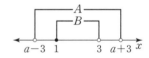

STEP3 정수 a의 값의 합 구하기

즉, $a-3<1$, $3\leq a+3$에서 $a<4$, $a\geq 0$

$\therefore 0\leq a<4$

따라서 구하는 정수 a는 0, 1, 2, 3이고 그 합은 6이다.

14

해결전략 | 두 집합 A, B의 원소가 서로 같음을 이용한다.

$A\subset B$이고 $B\subset A$이므로 $A=B$

즉, $5\in A$, $20\in B$이므로

$a=5$, $a+b=20$

$\therefore b=15$

15

해결전략 | $A\odot B$의 원소를 구한 후, 부분집합, 진부분집합의 개수를 구한다.

STEP1 집합 $A\odot B$를 원소나열법으로 나타내기

$a\in A$, $b\in B$에 대하여 ab의 값은 다음 표와 같다.

b ＼ a	1	2
1	1	2
3	3	6

$\therefore A\odot B=\{1,\ 2,\ 3,\ 6\}$ ······ ❶

STEP2 mn의 값 구하기

따라서 $A\odot B$의 부분집합의 개수는 $m=2^4=16$

진부분집합의 개수는 $n=2^4-1=15$ ······ ❷

$\therefore mn=16\times 15=240$ ······ ❸

채점 요소	비율
❶ 집합 $A\odot B$를 원소나열법으로 나타내기	30%
❷ m, n의 값 구하기	60%
❸ mn의 값 구하기	10%

16

해결전략 | 집합 A의 원소를 구하고 조건을 만족시키는 집합 S를 찾는다.

STEP1 집합 A를 원소나열법으로 나타내기

$A=\{-4,\ -3,\ -2,\ -1,\ 0,\ 1,\ 2,\ 3,\ 4\}$

STEP2 조건을 만족시키는 집합 S 구하기

조건 (가)에 의하여 $1\in S$이므로 조건 (다)에 의하여 $-1\in S$이다.

즉, 집합 S는 반드시 1, -1을 원소로 갖는다.

조건 (나), (다)에 의하여 -4와 4, -3과 3, -2와 2, 0은 각각 동시에 집합 S의 원소이거나 원소가 아니다.

따라서 집합 S는 집합 $\{-1,\ 1\}$을 반드시 포함하고 $\{-4,\ 4\}$, $\{-3,\ 3\}$, $\{-2,\ 2\}$, $\{0\}$ 중에서 일부 또는 전부를 부분집합으로 갖는 집합이다.

STEP3 집합 S의 개수 구하기

즉, 집합 S의 개수는

$2^4=16$

17

해결전략 | 조건을 만족시키는 집합 B를 파악한다.

STEP1 조건 (나)를 만족시키는 x의 값 구하기

조건 (나)에서 $\dfrac{x+3}{4}$이 정수가 되게 하는 x의 값은 1, 5, 9이다.

STEP2 집합 B가 될 수 있는 부분집합 찾기

집합 B의 어떤 원소 x에 대하여 $\dfrac{x+3}{4}$은 정수이므로 집합 B는 1, 5, 9 중 적어도 하나를 원소로 갖는 집합 A의 부분집합이다.

STEP3 집합 B의 개수 구하기

따라서 1, 5, 9 중 적어도 하나를 원소로 갖는 집합 A의 부분집합의 개수는 전체 부분집합의 개수에서 1, 5, 9를 원소로 갖지 않는 부분집합의 개수를 뺀 것과 같으므로

$2^{10}-2^{10-3}=1024-128=896$

18

해결전략 | 집합 X는 집합 B의 원소 1, 2를 반드시 포함하는 집합 A의 부분집합이다.

집합 X는 $\{1, 2, 3, 4, 5\}$의 부분집합 중에서 1, 2를 반드시 원소로 갖는 집합이므로 집합 X의 개수는

$2^{5-2}=2^3=8$

상위권 도약 문제			31~32쪽
01 ③	**02** 8	**03** ③	**04** 546
05 ③	**06** ②	**07** 42	**08** ③

01

해결전략 | 조건 ㈎, ㈏를 이용하여 보기에서 옳은 것을 고른다.

조건 ㈎, ㈏에서

ㄱ. $1 \in A$이므로 $\dfrac{1}{1+1}=\dfrac{1}{2} \in A$

$\dfrac{1}{2} \in A$이므로 $\dfrac{1}{\frac{1}{2}+1}=\dfrac{2}{3} \in A$ (참)

ㄴ. $\dfrac{q}{p} \in A$이면 $\dfrac{1}{\frac{q}{p}+1}=\dfrac{p}{p+q} \in A$이다. (거짓)

ㄷ. 자연수 p, q에 대하여 $p+q>p$이므로 항상

$\dfrac{p}{p+q}<1$이다.

즉, 집합 A의 원소 중에서 정수인 것은 1뿐이다. (참)

따라서 옳은 것은 ㄱ, ㄷ이다.

02

해결전략 | 집합 X의 원소를 구하고 $n(X)=10$을 이용하여 자연수 a의 최댓값을 구한다.

STEP1 집합 X를 원소나열법으로 나타내기

$x \in A$, $y \in B$에 대하여 $x+y$의 값은 다음 표와 같다.

x \ y	1	3	5
1	2	4	6
2	3	5	7
3	4	6	8
4	5	7	9
a	$a+1$	$a+3$	$a+5$

$\therefore X=\{2, 3, 4, 5, 6, 7, 8, 9, a+1, a+3, a+5\}$

STEP2 자연수 a의 최댓값 구하기

$n(X)=10$이려면 세 수 $a+1$, $a+3$, $a+5$ 중에서 두 수는 2보다 작거나 9보다 커야 하고 나머지 한 수는 2부터 9까지의 자연수 중 하나이어야 하므로

(i) $a+1<2$, $a+3<2$, $2 \le a+5 \le 9$에서
  $a<1$, $a<-1$, $-3 \le a \le 4$이므로 $-3 \le a < -1$

(ii) $a+1<2$, $a+5>9$, $2 \le a+3 \le 9$에서
  $a<1$, $a>4$, $-1 \le a \le 6$이므로 해가 없다.

(iii) $a+3>9$, $a+5>9$, $2 \le a+1 \le 9$에서
  $a>6$, $a>4$, $1 \le a \le 8$이므로 $6<a \le 8$

따라서 자연수 a의 최댓값은 8이다.

03

해결전략 | 표를 이용하여 새롭게 정의된 집합을 구하고 보기에서 옳은 것을 고른다.

ㄱ. $x \in A$, $y \in A$에 대하여 $x+y$의 값은 오른쪽 표와 같으므로

y \ x	0	1
0	0	1
1	1	2

$A \triangledown A=\{0, 1, 2\}$ (참)

ㄴ. $x \in A$, $y \in B$에 대하여 xy의 값은 오른쪽 표와 같으므로

y \ x	0	1
-1	0	-1
1	0	1

$A \star B=\{-1, 0, 1\}$

이때 $2 \notin A \star B$이므로 $A \triangledown A \not\subset A \star B$ (거짓)

ㄷ. $x \in B$, $y \in A$에 대하여 xy의 값은 오른쪽 표와 같으므로

y \ x	-1	1
0	0	0
1	-1	1

$B \star A=\{-1, 0, 1\}$

$\therefore A \star B=B \star A$ (참)

따라서 옳은 것은 ㄱ, ㄷ이다.

04

해결전략 | 원소의 개수가 3 이상인 부분집합의 원소의 합은 모든 부분집합의 원소의 합에서 원소의 개수가 2 이하인 부분집합의 원소의 합을 뺀 것과 같음을 이용한다.

STEP1 집합 U의 모든 원소의 합 구하기

집합 U의 부분집합을 모두 구하면 각각의 원소는 $2^{6-1}=2^5=32$(번)씩 들어가므로 모든 부분집합의 원소의 합은

$(1+2+3+4+5+6)\times32=672$

STEP2 원소의 개수가 2 이하인 부분집합의 원소의 합 구하기

원소의 개수가 2 이하인 부분집합의 원소의 합을 구하면

(i) 원소가 2개인 경우

$\quad(1+2+3+4+5+6)\times5=105$

(ii) 원소가 1개인 경우

$\quad1+2+3+4+5+6=21$

STEP3 원소의 개수가 3 이상인 부분집합의 원소의 합 구하기

원소의 개수가 3 이상인 부분집합의 원소의 합은 모든 부분집합의 원소의 합에서 원소의 개수가 2 이하인 부분집합의 원소의 합을 뺀 것과 같다.

$\therefore t_1+t_2+\cdots+t_n=672-(105+21)=546$

05

해결전략 | 모든 원소의 곱과 합이 모두 홀수이려면 모든 원소는 홀수이면서 원소의 개수도 홀수이어야 한다.

STEP1 집합 A의 원소의 특징 파악하기

조건 ㈐에서 집합 A의 모든 원소의 곱과 합은 모두 홀수이므로 집합 A의 모든 원소는 홀수이고 원소의 개수도 홀수이어야 한다.

조건 ㈎, ㈏에서 $5\in A$, $n(A)\geq2$이므로

집합 A는 집합 $\{1,3,5,7,9\}$의 부분집합 중에서 5를 반드시 포함하고 원소의 개수는 3 또는 5인 집합이다.

STEP2 집합 A의 개수 구하기

(i) $n(A)=3$일 때

$\quad\{1,3,5\}$, $\{1,5,7\}$, $\{1,5,9\}$, $\{3,5,7\}$,

$\quad\{3,5,9\}$, $\{5,7,9\}$

(ii) $n(A)=5$일 때

$\quad\{1,3,5,7,9\}$

(i), (ii)에 의하여 구하는 집합 A의 개수는 7이다.

06

해결전략 | 모든 원소의 곱이 6의 배수가 되려면 2의 배수와 3의 배수를 원소로 가져야 함을 이용하여 집합 X를 구한다.

STEP1 집합 A의 원소 중 곱이 6의 배수인 경우 구하기

$A=\{3,4,5,6,7\}$의 원소 중에서 곱이 6의 배수가 되는 경우는 6을 포함하거나 3과 4를 동시에 포함할 때이다.

(i) $6\in X$인 경우의 부분집합의 개수는 $2^{5-1}=16$

이 중에서 $n(X)\geq2$인 부분집합의 개수는

$16-1=15$

(ii) $3\in X$, $4\in X$인 경우의 부분집합의 개수는

$2^{5-2}=8$

(iii) $3\in X$, $4\in X$, $6\in X$인 경우의 부분집합의 개수는

$2^{5-3}=4$

STEP2 집합 X의 개수 구하기

(i)~(iii)에 의하여 구하는 집합 X의 개수는

$15+8-4=19$

07

해결전략 | 집합의 가장 작은 원소가 1, 2, 3, 4일 때로 나누어 구한다.

STEP1 가장 작은 원소가 1, 2, 3, 4일 때, 부분집합 파악하기

(i) 가장 작은 원소가 1인 경우

0, 1을 제외한 집합 $\{2,3,4,5\}$의 부분집합 중 공집합을 제외한 집합의 개수는 $2^4-1=15$

즉, 가장 작은 원소가 1인 집합이 15개이므로 그 합은

$1\times15=15$

(ii) 가장 작은 원소가 2인 경우

0, 1, 2를 제외한 집합 $\{3,4,5\}$의 부분집합 중 공집합을 제외한 집합의 개수는 $2^3-1=7$

즉, 가장 작은 원소가 2인 집합이 7개이므로 그 합은

$2\times7=14$

(iii) 가장 작은 원소가 3인 경우

0, 1, 2, 3을 제외한 집합 $\{4,5\}$의 부분집합 중 공집합을 제외한 집합의 개수는 $2^2-1=3$

즉, 가장 작은 원소가 3인 집합이 3개이므로 그 합은

$3\times3=9$

(iv) 가장 작은 원소가 4인 경우

0, 1, 2, 3, 4를 제외한 집합 $\{5\}$의 부분집합 중 공집합을 제외한 집합의 개수는 1

즉, 가장 작은 원소가 4인 집합이 1개이므로 그 합은

$4\times1=4$

STEP2 각 집합의 가장 작은 원소를 모두 더한 값 구하기

(i)~(iv)에 의하여 원소의 개수가 2 이상인 각 집합의 가장 작은 원소를 모두 더한 값은

$15+14+9+4=42$

08

해결전략 | n을 최소의 원소로 가지는 부분집합은 n을 반드시 포함한다는 것을 이용하여 $f(n)$을 구한다.

STEP1 $f(n)$ 구하기

원소 n을 최소의 원소로 갖는 집합 X의 부분집합의 개수는 집합 $\{n, n+1, \cdots, 10\}$에서 원소 n을 반드시 포함하는 부분집합의 개수와 같으므로

$f(n)=2^{10-n}$

STEP2 보기에서 옳은 것 고르기

ㄱ. $f(8)=2^{10-8}=2^2=4$ (참)

ㄴ. $f(9)=2^{10-9}=2$, $f(10)=2^{10-10}=1$이므로

    $f(9)>f(10)$ (거짓)

ㄷ. $f(1)+f(3)+f(5)+f(7)+f(9)$

    $=2^{10-1}+2^{10-3}+2^{10-5}+2^{10-7}+2^{10-9}$

    $=2^9+2^7+2^5+2^3+2$

    $=512+128+32+8+2$

    $=682$ (참)

따라서 옳은 것은 ㄱ, ㄷ이다.

---

02 집합의 연산

개념확인   34~35쪽

01 답 (1) $\{1, 2, 3, 4, 5\}$ (2) $\{3, 4\}$

02 답 (1) $\{2, 4, 6, 8, 10\}$ (2) $\{3, 5, 9\}$

03 답 (1) $\cap$, $\cup$, $\cap$, $\varnothing$, $\cap$, $\cap$

       (2) $\cup$, $\cup$, $\cup$, $\cup$, U, U

(1) $A\cap(A^C\cup B)=(A\cap A^C)\cup(A\cap B)$

               $=\varnothing\cup(A\cap B)$

               $=A\cap B$

(2) $A\cup(A\cap B)^C=A\cup(A^C\cup B^C)$

               $=(A\cup A^C)\cup B^C$

               $=U\cup B^C=U$

04 답 (1) $\{4, 5\}$ (2) $\{4, 5\}$ (3) $\{1, 2, 4, 5, 7\}$

       (4) $\{1, 2, 4, 5, 7\}$

(1) $A\cup B=\{1, 2, 3, 6, 7\}$이므로

    $(A\cup B)^C=\{4, 5\}$

(2) $A^C=\{1, 4, 5\}$, $B^C=\{2, 4, 5, 7\}$이므로

    $A^C\cap B^C=\{4, 5\}$

    ◉→ 다른 풀이

    $A^C\cap B^C=(A\cup B)^C=\{4, 5\}$

(3) $A\cap B=\{3, 6\}$이므로

    $(A\cap B)^C=\{1, 2, 4, 5, 7\}$

(4) $A^C=\{1, 4, 5\}$, $B^C=\{2, 4, 5, 7\}$이므로

    $A^C\cup B^C=\{1, 2, 4, 5, 7\}$

    ◉→ 다른 풀이

    $A^C\cup B^C=(A\cap B)^C=\{1, 2, 4, 5, 7\}$

05 답 (1) 27   (2) 8   (3) 12   (4) 5

(1) $n(A\cup B)=n(A)+n(B)-n(A\cap B)$

              $=22+15-10=27$

(2) $n(A^C)=n(U)-n(A)$

             $=30-22=8$

(3) $n(A-B)=n(A)-n(A\cap B)$

             $=22-10=12$

(4) $n(B\cap A^C)=n(B-A)$

              $=n(B)-n(A\cap B)$

              $=15-10=5$

01-1 🔲 (1) {1, 3, 5} (2) {1, 3, 5, 6, 7, 9} (3) {3, 9}

해결전략 | 조건제시법으로 나타내어진 집합을 원소나열법으로 나타낸 후, 각 집합을 구한다.

$A=\{1, 3, 5, 14\}$, $B=\{1, 3, 5, 7, 9\}$, $C=\{3, 6, 9\}$

(1) $A\cap B=\{1, 3, 5\}$

(2) $B\cup C=\{1, 3, 5, 6, 7, 9\}$

(3) $(A\cup B)\cap C=\{1, 3, 5, 7, 9, 14\}\cap\{3, 6, 9\}$
$\qquad\qquad\qquad =\{3, 9\}$

01-2 🔲 {1, 2, 16}

해결전략 | 조건제시법으로 나타내어진 집합을 원소나열법으로 나타낸 후, 집합 $B\cup C$, $A\cap(B\cup C)$를 구한다.

STEP1 집합 B, C를 원소나열법으로 나타내기

$A=\{1, 2, 4, 7, 16\}$, $B=\{1, 2, 5, 10\}$, $C=\{8, 16\}$

STEP2 집합 $A\cap(B\cup C)$ 구하기

$\therefore A\cap(B\cup C)$
$\quad =\{1, 2, 4, 7, 16\}\cap\{1, 2, 5, 8, 10, 16\}$
$\quad =\{1, 2, 16\}$

01-3 🔲 12

해결전략 | 집합 B를 원소나열법으로 나타낸 후, 집합 $A\cap B\cap C$의 원소를 구한다.

STEP1 집합 B를 원소나열법으로 나타내기

$B=\{1, 2, 3, 6, 9, 18\}$

STEP2 집합 $A\cap B\cap C$ 구하기

$\therefore A\cap B\cap C$
$\quad =\{2, 3, 9, 12, 15\}\cap\{1, 2, 3, 6, 9, 18\}$
$\qquad\qquad\qquad\qquad \cap\{1, 3, 4, 5, 9, 10, 12\}$
$\quad =\{3, 9\}$

STEP3 집합 $A\cap B\cap C$의 모든 원소의 합 구하기

따라서 집합 $A\cap B\cap C$의 모든 원소의 합은

$3+9=12$

01-4 🔲 ④

해결전략 | 조건제시법으로 나타내어진 집합을 원소나열법으로 나타낸 후, 각 집합을 구한다.

$A=\{2, 4, 9, 12, 18\}$, $B=\{6, 12, 18\}$,
$C=\{1, 2, 3, 4, 6, 12\}$

④ $(A\cap B)\cup C=\{12, 18\}\cup\{1, 2, 3, 4, 6, 12\}$
$\qquad\qquad\qquad =\{1, 2, 3, 4, 6, 12, 18\}$

따라서 옳지 않은 것은 ④이다.

01-5 🔲 {2, 4, 6, 7, 8}

해결전략 | 주어진 조건을 벤다이어그램으로 나타낸 후, 집합 A를 구한다.

STEP1 주어진 조건을 벤다이어그램으로 나타내기

주어진 조건을 만족시키도록 벤다이어그램으로 나타내면 오른쪽 그림과 같다.

STEP2 집합 A 구하기

$\therefore A=\{2, 4, 6, 7, 8\}$

> 🎯 **풍쌤의 비법**
>
> 집합 A는 집합 $A\cup B$의 원소 중 6, 7을 반드시 원소로 갖고 3, 5, 9를 원소로 갖지 않아야 한다.

01-6 🔲 6

해결전략 | 두 집합 A와 B가 서로소이므로 $A\cap B=\varnothing$이 됨을 이용한다.

STEP1 두 집합 A와 B가 서로소가 되도록 수직선 위에 나타내기

두 집합 A와 B가 서로소, 즉 $A\cap B=\varnothing$이려면 오른쪽 그림과 같아야 한다.

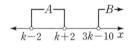

STEP2 두 집합 A와 B가 서로소일 때, k의 값의 범위 구하기

$k+2\leq 3k-10$에서 $2k\geq 12$　　 $\therefore k\geq 6$

STEP3 k의 최솟값 구하기

따라서 k의 최솟값은 6이다.

> 🎯 **풍쌤의 비법**
>
> 두 집합 A와 B가 서로소이다.
> ⇨ $A\cap B=\varnothing$
> ⇨ 공통인 원소가 하나도 없다.

02-1 🔲 (1) {2, 6} (2) {5, 7, 9}
$\qquad\qquad$ (3) {1, 2, 3, 5, 6, 7, 9}

해결전략 | 조건제시법으로 나타내어진 집합을 원소나열법으로 나타낸 후, 각 집합을 구한다.

$U=\{1, 2, 3, 4, 5, 6, 7, 8, 9\}$,
$A=\{2, 4, 6, 8\}$, $B=\{4, 8\}$, $C=\{1, 2, 3, 6, 8\}$
(1) $A-B=\{2, 6\}$
(2) B^C-C
$\quad=\{1, 2, 3, 5, 6, 7, 9\}-\{1, 2, 3, 6, 8\}$
$\quad=\{5, 7, 9\}$
(3) $A\cap B=\{4, 8\}$이므로
$\quad(A\cap B)^C=\{1, 2, 3, 5, 6, 7, 9\}$

02-2 답 $\{3, 8, 9\}$

해결전략 | 조건제시법으로 나타내어진 집합을 원소나열법으로 나타낸 후, 집합 $A\cup C$, $(A\cup C)-B$를 구한다.

STEP 1 집합 U, A, C를 원소나열법으로 나타내기
$U=\{1, 2, 3, \cdots, 9\}$, $A=\{1, 3, 5, 7, 9\}$,
$B=\{1, 2, 4, 5, 7\}$, $C=\{1, 2, 4, 8\}$

STEP 2 집합 $(A\cup C)-B$ 구하기
$\therefore (A\cup C)-B$
$\quad=\{1, 2, 3, 4, 5, 7, 8, 9\}-\{1, 2, 4, 5, 7\}$
$\quad=\{3, 8, 9\}$

02-3 답 13

해결전략 | 전체집합 U를 원소나열법으로 나타낸 후, 집합 A^C, $A^C\cap B$를 구한다.

STEP 1 집합 U를 원소나열법으로 나타내기
$U=\{1, 2, 3, \cdots, 10\}$, $A=\{4, 5, 6, 7, 8\}$,
$B=\{1, 3, 4, 7, 8, 9\}$

STEP 2 집합 $A^C\cap B$ 구하기
$\therefore A^C\cap B$
$\quad=\{1, 2, 3, 9, 10\}\cap\{1, 3, 4, 7, 8, 9\}$
$\quad=\{1, 3, 9\}$

STEP 3 집합 $A^C\cap B$의 모든 원소의 합 구하기
따라서 집합 $A^C\cap B$의 모든 원소의 합은
$1+3+9=13$

◉→ 다른 풀이
$A^C\cap B=B-A=\{1, 3, 9\}$
따라서 모든 원소의 합은
$1+3+9=13$

02-4 답 $\{2, 3, 5, 7\}$

해결전략 | 주어진 벤다이어그램에서 각 집합의 원소를 구한다.

STEP 1 집합 $A\cup B$, $(A-B)^C$ 구하기
$A\cup B=\{2, 3, 4, 5, 6, 7\}$
$A-B=\{4, 6\}$이므로
$(A-B)^C=\{1, 2, 3, 5, 7, 8\}$

STEP 2 집합 $(A\cup B)\cap(A-B)^C$ 구하기
$\therefore (A\cup B)\cap(A-B)^C$
$\quad=\{2, 3, 4, 5, 6, 7\}\cap\{1, 2, 3, 5, 7, 8\}$
$\quad=\{2, 3, 5, 7\}$

◉→ 다른 풀이
$(A\cup B)\cap(A-B)^C$
$=(A\cup B)-(A-B)$
$=\{2, 3, 4, 5, 6, 7\}-\{4, 6\}$
$=\{2, 3, 5, 7\}$

02-5 답 $\{3, 4, 6, 8\}$

해결전략 | 주어진 조건을 벤다이어그램으로 나타낸 후, 집합 B를 구한다.

STEP 1 주어진 조건을 벤다이어그램으로 나타내기
$U=\{1, 2, 3, \cdots, 9\}$이므로 주
어진 조건을 만족시키도록 벤다
이어그램으로 나타내면 오른쪽
그림과 같다.
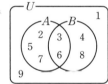

STEP 2 집합 B 구하기
$\therefore B=\{3, 4, 6, 8\}$

02-6 답 $\{7, 23\}$

해결전략 | 전체집합 U의 원소가 집합 A의 원소가 되는 경우로 나누어 집합 A, B를 구하고 $3T(A)=T(B)$를 만족시키는지 확인한다.

STEP 1 주어진 조건을 벤다이어그램으로 나타내고 집합 A의 원소가 될 수 있는 수의 조건 구하기
$A\cap B=\{1, 2\}$, $A\cup B=U$이
므로 벤다이어그램으로 나타내
면 오른쪽 그림과 같고 색칠한
부분에 들어갈 원소가 7, 8, 23
이다.
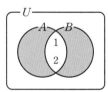

$3T(A)=T(B)$에서 $T(A)<T(B)$이므로 $23\notin A$이
어야 한다.

STEP 2 집합 A의 원소가 될 수 있는 경우로 나누어
$3T(A)=T(B)$를 만족시키는지 파악하기
(i) $7\in A$이고 $8\in B$, $23\in B$일 때
$\quad A=\{1, 2, 7\}$, $B=\{1, 2, 8, 23\}$이므로

$$T(A)=10, \ T(B)=34$$
$$3T(A)\neq T(B)$$

(ⅱ) $8\in A$이고 $7\in B$, $23\in B$일 때

$A=\{1, 2, 8\}$, $B=\{1, 2, 7, 23\}$이므로

$$T(A)=11, \ T(B)=33$$
$$3T(A)=T(B)$$

(ⅲ) $7\in A$, $8\in A$이고 $23\in B$일 때

$B=\{1, 2, 7, 8\}$, $A=\{1, 2, 23\}$이므로

$$T(A)=18, \ T(B)=26$$
$$3T(A)\neq T(B)$$

(ⅳ) $7\in B$, $8\in B$, $23\in B$일 때

$A=\{1, 2\}$, $B=\{1, 2, 7, 8, 23\}$이므로

$$T(A)=3, \ T(B)=41$$
$$3T(A)\neq T(B)$$

STEP3 집합 $A-B$ 구하기

(ⅰ)~(ⅳ)에 의하여 $A=\{1, 2, 8\}$, $B=\{1, 2, 7, 23\}$이므로

$B-A=\{7, 23\}$

◉ → 다른 풀이

$$
\begin{aligned}
T(A)+T(B)&=T(A\cup B)+T(A\cap B)\\
&=(1+2+7+8+23)+(1+2)\\
&=44
\end{aligned}
$$

이때 $3T(A)=T(B)=44-T(A)$이므로

$4T(A)=44$ ∴ $T(A)=11$

$T(B)=3T(A)=3\times 11=33$

$T(A)=11$, $T(B)=33$을 만족시키는 집합 A, B는

$A=\{1, 2, 8\}$, $B=\{1, 2, 7, 23\}$이므로

$B-A=\{7, 23\}$

필수유형 03   41쪽

03-1 답 1

해결전략 | $A\cap B$의 원소는 모두 집합 A의 원소임을 이용하여 a의 값을 구한다.

STEP1 $(A\cap B)\subset A$임을 이용하여 a의 값 구하기

$A\cap B=\{2, 3\}$이므로

$a^2+2a=3$, $a^2+2a-3=0$

$(a+3)(a-1)=0$ ∴ $a=-3$ 또는 $a=1$

STEP2 a의 값에 따른 $A\cap B$ 구하기

(ⅰ) $a=-3$일 때

$$a+1=-3+1=-2, \ a^2+2=(-3)^2+2=11$$

즉, $A=\{2, 3, 4\}$, $B=\{-2, 5, 11\}$이므로

$A\cap B=\varnothing$

(ⅱ) $a=1$일 때

$$a+1=1+1=2, \ a^2+2=1^2+2=3$$

즉, $A=\{2, 3, 4\}$, $B=\{2, 3, 5\}$이므로

$A\cap B=\{2, 3\}$

STEP3 a의 값 구하기

(ⅰ), (ⅱ)에 의하여 $a=1$

03-2 답 -9

해결전략 | $A\cap B$의 원소를 구하여 $a-b$, $a+b$의 값을 구한다.

STEP1 $a-b$, $a+b$의 값 구하기

$A-B=\{5\}$이므로 4, 8, $a-b$는 $A\cap B$의 원소이다.

∴ $a-b=10$, $a+b=8$

STEP2 ab의 값 구하기

위의 두 식을 연립하여 풀면

$a=9$, $b=-1$

∴ $ab=9\times(-1)=-9$

03-3 답 $\{1, 2, 7, 10, 29\}$

해결전략 | $A-B$의 원소는 모두 집합 A의 원소임을 이용하여 a의 값을 구한다.

STEP1 $(A-B)\subset A$임을 이용하여 a의 값 구하기

$A-B=\{2, 7\}$이므로

$a^2-6a=7$, $a^2-6a-7=0$

$(a+1)(a-7)=0$ ∴ $a=-1$ 또는 $a=7$

STEP2 a의 값에 따른 $A-B$ 구하기

(ⅰ) $a=-1$일 때

$$a-6=-1-6=-7, \ a+3=-1+3=2,$$
$$a^2-20=(-1)^2-20=-19$$

즉, $A=\{1, 2, 7\}$, $B=\{-19, -7, 2\}$이므로

$A-B=\{1, 7\}$

(ⅱ) $a=7$일 때

$$a-6=7-6=1, \ a+3=7+3=10,$$
$$a^2-20=7^2-20=29$$

즉, $A=\{1, 2, 7\}$, $B=\{1, 10, 29\}$이므로

$A-B=\{2, 7\}$

STEP3 집합 $A \cup B$ 구하기

(i), (ii)에 의하여 $a=7$

따라서 $A=\{1, 2, 7\}$, $B=\{1, 10, 29\}$이므로

$A \cup B=\{1, 2, 7, 10, 29\}$

> **● 풍쌤의 비법**
>
> 집합 $A-B$의 원소 2, 7은 모두 집합 A의 원소이므로
> $2 \in A$, $7 \in A$이다. 즉, $a^2-6a=7$이 성립한다.

03-4 🔲 ③

해결전략 | $A \cap B$의 원소를 구하여 $2a+b$, $3a-b$의 값을 구한다.

STEP1 $2a+b$, $3a-b$의 값 구하기

$B-A=\{6\}$이므로 2, 3, $2a+b$는 $A \cap B$의 원소이다.

$\therefore 2a+b=7$, $3a-b=3$

STEP2 a, b의 값 구하기

위의 두 식을 연립하여 풀면

$a=2$, $b=3$

STEP3 보기 중 옳지 않은 것 고르기

③ $A \cap B=\{2, 7\}$

따라서 옳지 않은 것은 ③이다.

03-5 🔲 {7}

해결전략 | $1 \in A$, $5 \in A$이므로 집합 A의 원소인 $2a-1$의 값이 되는 경우는 3 또는 7임을 이용한다.

STEP1 $2a-1$의 값 구하기

$A=\{1, 5, 2a-1\}$, $A \cup B=\{1, 3, 5, 7\}$이므로

$2a-1=3$ 또는 $2a-1=7$이어야 한다.

STEP2 $2a-1$의 값에 따른 $A \cup B$ 구하기

(i) $2a-1=3$일 때, $a=2$

$A=\{1, 3, 5\}$, $B=\{3, 7\}$이므로

$A \cup B=\{1, 3, 5, 7\}$

(ii) $2a-1=7$일 때, $a=4$

$A=\{1, 5, 7\}$, $B=\{3, 15\}$이므로

$A \cup B=\{1, 3, 5, 7, 15\}$

STEP3 집합 $B-A$ 구하기

(i), (ii)에 의하여 $a=2$

따라서 $A=\{1, 3, 5\}$, $B=\{3, 7\}$이므로

$B-A=\{7\}$

03-6 🔲 -1, 29

해결전략 | 벤다이어그램을 이용하여 $2a-1$이 $A \cap B$의 원소임을 파악한다.

STEP1 $2a-1$이 집합 B의 원소인 $a^2-4a-17$과 같음을 이용하여 a의 값 구하기

주어진 조건을 만족시키도록 벤다이어그램으로 나타내면 오른쪽 그림과 같다.

$(2a-1) \in (A \cap B)$이므로 $2a-1$은 집합 B의 원소이다.

$2a-1 \neq 2a+5$이므로

$2a-1=a^2-4a-17$

$a^2-6a-16=0$, $(a+2)(a-8)=0$

$\therefore a=-2$ 또는 $a=8$

STEP2 a의 값에 따른 $(A-B) \cup (B-A)$ 구하기

(i) $a=-2$일 때

$A=\{-5, 4, 6\}$, $B=\{-5, 1\}$이므로

$(A-B) \cup (B-A)=\{1, 4, 6\}$

(ii) $a=8$일 때

$A=\{4, 6, 15\}$, $B=\{15, 21\}$이므로

$(A-B) \cup (B-A)=\{4, 6, 21\}$

STEP3 $a+b$의 값 모두 구하기

(i), (ii)에 의하여

$a=-2$, $b=1$이므로 $a+b=-2+1=-1$

$a=8$, $b=21$이므로 $a+b=8+21=29$

필수유형 04   43쪽

04-1 🔲 ㄱ, ㄴ, ㄹ

해결전략 | 집합의 연산에 대한 성질을 이용하여 보기의 참, 거짓을 판별한다.

ㄱ. 집합 A, B는 전체집합 U의 부분집합이므로

$(A \cap B) \subset U$ (참)

ㄴ. $A-B^C=A \cap (B^C)^C=A \cap B$ (참)

ㄷ. $(A \cap B) \cup (A \cap B^C)=A \cap (B \cup B^C)$

$=A \cap U$

$=A$ (거짓)

ㄹ. $U \cap B=B$이므로

$A \cup (U \cap B)=A \cup B$ (참)

이상에서 옳은 것은 ㄱ, ㄴ, ㄹ이다.

04-2 답 ㄱ, ㄴ, ㄹ

해결전략 | $A \cap B = A$에서 두 집합 A, B 사이의 포함 관계를 파악하고 벤다이어그램을 이용한다.

STEP 1 두 집합 A, B 사이의 포함 관계 파악하기

$A \cap B = A$이면 $A \subset B$이므로 벤다이어그램으로 나타내면 오른쪽 그림과 같다.

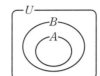

STEP 2 보기의 참, 거짓 판별하기

ㄱ. $A \cup B = B$ (참)

ㄴ. $A \cap B^c = A - B = \varnothing$ (참)

ㄷ. $B^c - A^c = B^c \cap (A^c)^c$
$\quad = B^c \cap A = A - B = \varnothing$ (거짓)

ㄹ. $B^c \subset A^c$ (참)

이상에서 옳은 것은 ㄱ, ㄴ, ㄹ이다.

04-3 답 ⑤

해결전략 | 집합의 연산에 대한 성질을 이용하여 나머지 넷과 다른 하나를 찾는다.

② $B - A^c = B \cap (A^c)^c = B \cap A$

③ $U - A^c = U \cap (A^c)^c = U \cap A = A$이므로
$\quad B \cap (U - A^c) = B \cap A$

④ $(A \cap B) \subset (A \cup B)$이므로
$\quad (A \cup B) \cap (A \cap B) = A \cap B$

⑤ $(A \cup A^c) \cap B = U \cap B = B$

따라서 나머지 넷과 다른 하나는 ⑤이다.

04-4 답 ④

해결전략 | 14의 배수는 7의 배수이므로 두 집합 A, B 사이의 포함 관계를 파악하고 벤다이어그램을 이용한다.

STEP 1 두 집합 A, B 사이의 포함 관계 파악하기

$A = \{7, 14, 21, 28, \cdots\}$,
$B = \{14, 28, \cdots\}$이므로 $B \subset A$
벤다이어그램으로 나타내면 오른쪽 그림과 같다.

STEP 2 보기 중 옳은 것 고르기

① $A^c \subset B^c$

② $A \cap B = B$

③ $A - B \neq \varnothing$

④ $(A \cup B) - A = A - A = \varnothing$

⑤ $U - (A \cap B) = U - B = B^c$

따라서 옳은 것은 ④이다.

04-5 답 ㄱ, ㄷ

해결전략 | $B - A = B$에서 두 집합 A, B 사이의 포함 관계를 파악하고 벤다이어그램을 이용한다.

STEP 1 두 집합 A, B 사이의 포함 관계 파악하기

$B - A = B$이면 $A \cap B = \varnothing$이므로 벤다이어그램으로 나타내면 오른쪽 그림과 같다.

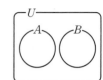

STEP 2 보기의 참, 거짓 판별하기

ㄴ. $(A \cup B) \subset U$ (거짓)

ㄹ. $A \subset B^c$ (거짓)

이상에서 옳은 것은 ㄱ, ㄷ이다.

04-6 답 ③

해결전략 | 주어진 조건을 간단히 하여 두 집합 A, B 사이의 포함 관계를 파악하고 벤다이어그램을 이용한다.

STEP 1 두 집합 A, B 사이의 포함 관계 파악하기

$(A \cap B^c) \cup (B \cap A^c) = A \cup B$
에서
$(A - B) \cup (B - A) = A \cup B$
$\therefore A \cap B = \varnothing$

벤다이어그램으로 나타내면 오른쪽 그림과 같다.

STEP 2 보기 중 옳지 않은 것 고르기

③ $(A \cap B)^c = \varnothing^c = U$

④ A와 $B - A = B$는 서로소이다.

⑤ B와 $A - B = A$는 서로소이다.

따라서 옳지 않은 것은 ③이다.

> **◎ 풍쌤의 비법**
>
> 두 집합의 교집합이 공집합이면 두 집합은 서로소이다.
> $A \cap B = \varnothing$에서 $B - A = B$이므로
> $A \cap (B - A) = \varnothing$
> 즉, A와 $B - A$는 서로소이다.
> 또, $A \cap B = \varnothing$에서 $A - B = A$이므로
> $B \cap (A - B) = \varnothing$
> 즉, B와 $A - B$는 서로소이다.

필수유형 05 45쪽

05-1 답 32

해결전략 | 집합 X는 집합 $A \cup B$의 부분집합 중 집합 $A \cap B$의 모든 원소를 포함하는 집합임을 이용한다.

STEP1 $A \cap B$, $A \cup B$ 구하기

$A \cap B = \{1, 3\}$, $A \cup B = \{1, 2, 3, 5, 6, 7, 8\}$

STEP2 집합 X의 성질 파악하기

$(A \cap B) \subset X \subset (A \cup B)$에서

$\{1, 3\} \subset X \subset \{1, 2, 3, 5, 6, 7, 8\}$

즉, 집합 X는 1, 3을 반드시 원소로 갖는 집합 $A \cup B$의 부분집합이다.

STEP3 집합 X의 개수 구하기

따라서 집합 X의 개수는

$2^{7-2} = 2^5 = 32$

◎ 풍쌤의 비법

주어진 조건을 만족시키는 집합 X의 개수는 다음과 같은 순서로 구한다.

(i) 집합 X에 반드시 속하는 원소 또는 속하지 않는 원소를 찾는다.

(ii) (i)을 만족시키는 집합 X의 개수를 구한다.

05-2 답 8

해결전략 | 집합 사이의 포함 관계를 파악하여 집합 X는 집합 $A \cup B$의 부분집합 중 집합 B의 모든 원소를 포함하는 집합임을 이용한다.

STEP1 집합 사이의 포함 관계 파악하기

$B \cup X = X$에서 $B \subset X$

$(A \cup B) \cap X = X$에서 $X \subset (A \cup B)$

∴ $B \subset X \subset (A \cup B)$

STEP2 집합 X의 성질 파악하기

$A \cup B = \{2, 3, 4, 7, 9, 10\}$이므로

$\{4, 7, 9\} \subset X \subset \{2, 3, 4, 7, 9, 10\}$

즉, 집합 X는 4, 7, 9를 반드시 원소로 갖는 집합 $A \cup B$의 부분집합이다.

STEP3 집합 X의 개수 구하기

따라서 집합 X의 개수는

$2^{6-3} = 2^3 = 8$

05-3 답 8

해결전략 | 집합 사이의 포함 관계를 파악하여 집합 X는 집합 B의 부분집합 중 집합 A의 모든 원소를 포함하는 집합임을 이용한다.

STEP1 집합 사이의 포함 관계 파악하기

$A - X = \varnothing$에서 $A \subset X$

$B \cap X = X$에서 $X \subset B$

∴ $A \subset X \subset B$

STEP2 집합 X의 성질 파악하기

$B = \{1, 2, 3, 6, 9, 18\}$이므로

$\{1, 3, 6\} \subset X \subset \{1, 2, 3, 6, 9, 18\}$

즉, 집합 X는 1, 3, 6을 반드시 원소로 갖는 집합 B의 부분집합이다.

STEP3 집합 X의 개수 구하기

따라서 집합 X의 개수는

$2^{6-3} = 2^3 = 8$

05-4 답 8

해결전략 | 집합 사이의 포함 관계를 파악하여 집합 X는 집합 B^C의 부분집합 중 집합 A의 모든 원소를 포함하는 집합임을 이용한다.

STEP1 집합 사이의 포함 관계 파악하기

$X \cup A = X$에서 $A \subset X$

$X \cap B^C = X$에서 $X \subset B^C$

∴ $A \subset X \subset B^C$

STEP2 집합 X의 성질 파악하기

$B^C = \{1, 2, 6, 7, 8\}$이므로

$\{1, 2\} \subset X \subset \{1, 2, 6, 7, 8\}$

즉, 집합 X는 1, 2를 반드시 원소로 갖는 집합 B^C의 부분집합이다.

STEP3 집합 X의 개수 구하기

따라서 집합 X의 개수는

$2^{5-2} = 2^3 = 8$

05-5 답 16

해결전략 | 집합 사이의 포함 관계를 파악하여 집합 B는 전체집합 U의 부분집합 중 집합 A의 모든 원소를 포함하지 않는 집합임을 이용한다.

STEP1 집합 사이의 포함 관계 파악하기

$A - B = A$에서 $A \cap B = \varnothing$

STEP2 집합 X의 성질 파악하기

즉, 집합 B는 3, 5를 포함하지 않는 전체집합 U의 부분집합이다.

STEP3 집합 X의 개수 구하기

따라서 집합 B의 개수는

$2^{6-2} = 2^4 = 16$

05-6 답 24

해결전략 | 전체집합 U의 부분집합인 집합 A, B가 반드시 포함하는 원소 또는 포함하지 않는 원소를 찾는다.

STEP1 a의 값 구하기

조건 ㈎에서 집합 A는 3, 5를 반드시 원소로 갖고 1, 7, 8, 9, 10을 원소로 갖지 않는 전체집합 U의 부분집합이다.

따라서 집합 A의 개수는

$2^{10-2-5}=2^3=8$이므로 $a=8$

STEP2 b의 값 구하기

조건 ㈏에서 집합 B는 1, 3, 7, 9를 반드시 원소로 갖고 2, 4를 원소로 갖지 않는 전체집합 U의 부분집합이다.

따라서 집합 B의 개수는

$2^{10-4-2}=2^4=16$이므로 $b=16$

STEP3 $a+b$의 값 구하기

$\therefore a+b=8+16=24$

필수유형 06　　　　　　　　　　47쪽

06-1 답 $\{3, 5, 7\}$

해결전략 | 주어진 식을 드모르간의 법칙, 분배법칙, 여집합과 차집합의 성질을 이용하여 간단히 한다.

$$\begin{aligned}
A\cap(A\cap B)^c &= A\cap(A^c\cup B^c) \\
&= (A\cap A^c)\cup(A\cap B^c) \\
&= \varnothing\cup(A\cap B^c) \\
&= A\cap B^c \\
&= A-B \\
&= \{3, 5, 7\}
\end{aligned}$$

06-2 답 $\{1, 5, 6, 7, 8, 10\}$

해결전략 | 주어진 식을 여집합과 차집합의 성질, 드모르간의 법칙, 분배법칙을 이용하여 간단히 한다.

$$\begin{aligned}
\{A\cap(A-B)^c\}&\cup(C\cap U) \\
&= \{A\cap(A\cap B^c)^c\}\cup C \\
&= \{A\cap(A^c\cup B)\}\cup C \\
&= \{(A\cap A^c)\cup(A\cap B)\}\cup C \\
&= \{\varnothing\cup(A\cap B)\}\cup C \\
&= (A\cap B)\cup C \\
&= \{6\}\cup\{1, 5, 7, 8, 10\} \\
&= \{1, 5, 6, 7, 8, 10\}
\end{aligned}$$

06-3 답 ②

해결전략 | 주어진 식을 여집합과 차집합의 성질, 분배법칙, 드모르간의 법칙을 이용하여 간단히 한다.

$$\begin{aligned}
(B-A)\cup(B-C) &= (B\cap A^c)\cup(B\cap C^c) \\
&= B\cap(A^c\cup C^c) \\
&= B\cap(A\cap C)^c \\
&= B-(A\cap C)
\end{aligned}$$

06-4 답 28

해결전략 | 주어진 식을 집합의 연산의 성질을 이용하여 간단히 한 후, 주어진 집합의 원소를 구한다.

STEP1 $(P^c\cup Q)^c-R$ 간단히 하기

$$\begin{aligned}
(P^c\cup Q)^c-R &= (P^c\cup Q)^c\cap R^c \\
&= (P\cap Q^c)\cap R^c \\
&= P\cap(Q^c\cap R^c) \\
&= P\cap(Q\cup R)^c \\
&= P-(Q\cup R)
\end{aligned}$$

STEP2 집합 $P-(Q\cup R)$를 원소나열법으로 나타내기

$P=\{1, 2, 3, 4, \cdots, 10\}$, $Q=\{2, 3, 5, 7, \cdots\}$, $R=\{1, 3, 5, 7, 9, \cdots\}$이므로

$Q\cup R=\{1, 2, 3, 5, 7, 9, 11, \cdots\}$

$\therefore P-(Q\cup R)=\{4, 6, 8, 10\}$

STEP3 집합 $P-(Q\cup R)$의 모든 원소의 합 구하기

따라서 집합 $P-(Q\cup R)$의 모든 원소의 합은

$4+6+8+10=28$

06-5 답 ⑤

해결전략 | 주어진 식의 좌변을 집합의 연산의 성질을 이용하여 간단히 하여 집합 $A\cap B\cap C$의 원소가 될 수 없는 수를 찾는다.

STEP1 $\{(A\cap B)\cup A\}\cap\{(A\cup B)\cap B\}^c$ 간단히 하기

$$\begin{aligned}
\{(A\cap B)\cup A\}&\cap\{(A\cup B)\cap B\}^c \\
&= A\cap B^c \\
&= A-B \\
&= \{2, 3, 4, 5\}
\end{aligned}$$

STEP2 집합 $A\cap B\cap C$의 원소가 될 수 없는 수 찾기

즉, 2, 3, 4, 5는 집합 $A\cap B\cap C$의 원소가 될 수 없다.

한편, $7\notin C$이므로 7도 집합 $A\cap B\cap C$의 원소가 될 수 없다.

STEP3 집합 $A\cap B\cap C$의 원소가 될 수 있는 수 찾기

따라서 집합 $A\cap B\cap C$의 원소가 될 수 있는 것은 ⑤ 6이다.

(i) $A-B=\{2, 3, 4, 5\}$이므로 집합 A의 원소 중 2, 3, 4, 5는 집합 $A\cap B\cap C$의 원소가 될 수 없고, 6, 7은 집합 $A\cap B\cap C$의 원소가 될 수 있다.

(ii) $7\notin C$이므로 7도 집합 $A\cap B\cap C$의 원소가 될 수 없다.

따라서 집합 $A=\{2, 3, 4, 5, 6, 7\}$의 원소 중에서 2, 3, 4, 5, 7은 집합 $A\cap B\cap C$의 원소가 될 수 없으므로 집합 $A\cap B\cap C$의 원소가 될 수 있는 것은 6이다.

06-6 답 4

해결전략 | 조건 (개), (내)에서 주어진 식의 좌변을 집합의 연산의 성질을 이용하여 간단히 한 후, 집합 A를 구한다.

STEP1 집합 $A\cap B$ 구하기

조건 (개)에서 $A^C\cup B^C=(A\cap B)^C$이므로

$(A\cap B)^C=\{1, 3, 6, 7\}$

$\therefore A\cap B=\{2, 4, 5\}$ ...... ㉠

STEP2 $\{A\cap(A\cap B)^C\}\cap(B-A)^C$ 간단히 하기

조건 (내)에서

$\{A\cap(A\cap B)^C\}\cap(B-A)^C$

$=\{A\cap(A^C\cup B^C)\}\cap(B\cap A^C)^C$

$=\{(A\cap A^C)\cup(A\cap B^C)\}\cap(B^C\cup A)$

$=\{\varnothing\cup(A\cap B^C)\}\cap(B^C\cup A)$

$=(A\cap B^C)\cap(B^C\cup A)$

$=A\cap B^C\ (\because(A\cap B^C)\subset(B^C\cup A))$

$=A-B=\{3\}$ ...... ㉡

STEP3 집합 A의 원소의 개수 구하기

㉠, ㉡에 의하여

$A=\{2, 3, 4, 5\}$

따라서 집합 A의 원소의 개수는 4이다.

필수유형 07 49쪽

07-1 답 ㄱ

해결전략 | 주어진 식의 좌변을 집합의 연산 법칙을 이용하여 간단히 한 후, 두 집합 A, B 사이의 포함 관계를 파악한다.

STEP1 $(B^C\cup A)\cap B$ 간단히 하기

$(B^C\cup A)\cap B=(B^C\cap B)\cup(A\cap B)$

$=\varnothing\cup(A\cap B)$

$=A\cap B$

STEP2 두 집합 A, B 사이의 포함 관계 파악하기

즉, $A\cap B=A$이므로

$A\subset B$

STEP3 보기의 참, 거짓 판별하기

ㄱ. $A\cup B=B$ (참)

ㄴ. $B-A\neq\varnothing$ (거짓)

ㄷ. $(A\cap B^C)^C=A^C\cup B=U$ (거짓)

이상에서 옳은 것은 ㄱ이다.

07-2 답 ③

해결전략 | 주어진 식의 좌변을 집합의 연산 법칙을 이용하여 간단히 한 후, 두 집합 A, B 사이의 포함 관계를 파악한다.

STEP1 $B\cup\{(A\cup B^C)\cap(A\cup B)\}$ 간단히 하기

$B\cup\{(A\cup B^C)\cap(A\cup B)\}$

$=B\cup\{A\cup(B^C\cap B)\}$

$=B\cup(A\cup\varnothing)$

$=B\cup A$

STEP2 두 집합 A, B 사이의 포함 관계 파악하기

즉, $A\cup B=A$이므로

$B\subset A$

STEP3 보기 중 옳지 않은 것 고르기

③ $A-B\neq\varnothing$

따라서 옳지 않은 것은 ③이다.

$B\subset A$와 같은 표현

① $A\cap B=B$ ② $A\cup B=A$

③ $B-A=\varnothing$ ④ $B\cap A^C=\varnothing$

⑤ $A^C\subset B^C$ ⑥ $A^C-B^C=\varnothing$

07-3 답 ⑤

해결전략 | 주어진 식의 좌변을 집합의 연산 법칙을 이용하여 간단히 한 후, 두 집합 A, B 사이의 포함 관계를 파악한다.

STEP1 $\{(A^C\cap B^C)\cup(A\cap B)\}^C$ 간단히 하기

$\{(A^C\cap B^C)\cup(A\cap B)\}^C$

$=(A^C\cap B^C)^C\cap(A\cap B)^C$

$=(A\cup B)\cap(A\cap B)^C$

$=(A\cup B)-(A\cap B)$

STEP2 두 집합 A, B 사이의 포함 관계 파악하기
즉, $(A \cup B) - (A \cap B) = \varnothing$이므로
$A = B$
STEP3 보기 중 옳지 않은 것 고르기
⑤ $A^c \not\subset B$
따라서 옳지 않은 것은 ⑤이다.

07-4 답 ③

해결전략 | 주어진 식의 좌변을 집합의 연산 법칙을 이용하여 간단히 한 후, 두 집합 A, B 사이의 포함 관계를 파악한다.
STEP1 $\{(B-A) \cup (A \cup B)^c\} \cup B^c$ 간단히 하기
$\{(B-A) \cup (A \cup B)^c\} \cup B^c$
$= \{(B \cap A^c) \cup (A^c \cap B^c)\} \cup B^c$
$= \{(A^c \cap B) \cup (A^c \cap B^c)\} \cup B^c$
$= \{A^c \cap (B \cup B^c)\} \cup B^c$
$= (A^c \cap U) \cup B^c$
$= A^c \cup B^c$
STEP2 두 집합 A, B 사이의 포함 관계 파악하기
즉, $A^c \cup B^c = A^c$이므로
$B^c \subset A^c$ ∴ $A \subset B$
따라서 A, B 사이의 관계를 바르게 나타낸 것은 ③이다.

07-5 답 ①

해결전략 | $(A-C) \cup (C-B) = \varnothing$이 되도록 하는 집합 $A-C$, $C-B$를 찾고 세 집합 A, B, C 사이의 포함 관계를 파악한다.
STEP1 세 집합 A, B, C 사이의 포함 관계 파악하기
$(A-C) \cup (C-B) = \varnothing$이므로
$A-C = \varnothing$이고 $C-B = \varnothing$
$A-C = \varnothing$에서 $A \subset C$이고
$C-B = \varnothing$에서 $C \subset B$이므로
$A \subset C \subset B$
STEP2 $(A \cap C) \cup (A-B)$와 같은 집합 구하기
∴ $(A \cap C) \cup (A-B) = A \cup \varnothing = A$

> ◎ 풍쌤의 비법
>
> 두 집합 $A-C$나 $C-B$ 중에 공집합이 아닌 집합이 있다고 하면 두 집합의 합집합은 공집합이 아니고 원소를 갖는다.
> 따라서 $A-C = \varnothing$이고 $C-B = \varnothing$이다.

08-1 답 $\{1, 10\}$

해결전략 | 연산 ◎의 정의에 의하여 순서대로 푼다.
STEP1 $A ◎ B$ 구하기
$A ◎ B = B^c - (A-B)$
$\qquad = \{3, 5, 6, 7, 9\} - \{6\}$
$\qquad = \{3, 5, 7, 9\}$
STEP2 $(A ◎ B) ◎ A$ 구하기
∴ $(A ◎ B) ◎ A = \{3, 5, 7, 9\} ◎ A$
$\qquad = A^c - (\{3, 5, 7, 9\} - A)$
$\qquad = \{1, 3, 5, 7, 9, 10\} - \{3, 5, 7, 9\}$
$\qquad = \{1, 10\}$

08-2 답 $\{1, 2, 3, 5, 7, 9, 10\}$

해결전략 | $A ☆ B$를 집합의 연산 법칙을 이용하여 간단히 한 후, 연산에 맞게 순서대로 푼다.
STEP1 $(A - B^c) \cup (B^c - A)^c$ 간단히 하기
$A ☆ B = (A - B^c) \cup (B^c - A)^c$
$\qquad = (A - B^c) \cup (B^c \cap A^c)^c$
$\qquad = (A \cap B) \cup (B \cup A)$
$\qquad = (A \cap B) \cup (A \cup B)$
$\qquad = A \cup B$
STEP2 $A ☆ (A ☆ B)$ 구하기
∴ $A ☆ (A ☆ B) = A ☆ (A \cup B)$
$\qquad = A \cup (A \cup B)$
$\qquad = A \cup B$
$\qquad = \{1, 2, 3, 5, 7, 9, 10\}$

08-3 답 25

해결전략 | A와 $A \triangledown B$를 이용하여 $A \cap B$, $B-A$를 구하고 집합 B를 구한다.
STEP1 $A \triangledown B$ 이해하기
$A \triangledown B = (A \cup B) - (A \cap B)$이 므로 $A \triangledown B$를 벤다이어그램으로 나타내면 오른쪽 그림과 같다.

STEP2 A와 $A \triangledown B$를 이용하여 집합 B 구하기
이때 $A - (A \triangledown B) = A \cap B$이므로
$A \cap B = \{1, 4, 5, 6\} - \{2, 4, 6, 8, 9\} = \{1, 5\}$
$(A \triangledown B) - A = B - A$이므로
$B - A = \{2, 4, 6, 8, 9\} - \{1, 4, 5, 6\} = \{2, 8, 9\}$

$\therefore B=(A\cap B)\cup(B-A)$
$\qquad=\{1,\,5\}\cup\{2,\,8,\,9\}$
$\qquad=\{1,\,2,\,5,\,8,\,9\}$

STEP3 집합 B의 모든 원소의 합 구하기
따라서 집합 B의 모든 원소의 합은
$1+2+5+8+9=25$

08-4 답 ⑤

해결전략 | 연산 $\oplus$의 정의에 의하여 각각의 등식이 성립하는지 알아본다.

① $B\oplus A=(B-A)\cup(A-B)$
$\qquad=(A-B)\cup(B-A)=A\oplus B$

② $A\oplus\varnothing=(A-\varnothing)\cup(\varnothing-A)$
$\qquad=A\cup\varnothing=A$

③ $A\oplus U=(A-U)\cup(U-A)$
$\qquad=\varnothing\cup A^c=A^c$

④ $A\oplus A^c=(A-A^c)\cup(A^c-A)$
$\qquad=A\cup A^c=U$

⑤ $A\oplus A=(A-A)\cup(A-A)$
$\qquad=\varnothing\cup\varnothing=\varnothing$

따라서 옳지 않은 것은 ⑤이다.

08-5 답 ㄱ, ㄴ, ㄹ

해결전략 | $A*B$를 집합의 연산법칙을 이용하여 간단히 한 후, 연산 $*$의 정의에 의하여 각각의 등식이 성립하는지 알아본다.

$A*B=(A^c\cap B^c)^c-(A\cap B)$
$\qquad=(A\cup B)-(A\cap B)$

ㄱ. $A^c*B^c=(A^c\cup B^c)-(A^c\cap B^c)$
$\qquad=(A^c\cup B^c)\cap(A^c\cap B^c)^c$
$\qquad=(A^c\cup B^c)\cap(A\cup B)$
$\qquad=(A\cap B)^c\cap(A\cup B)$
$\qquad=(A\cup B)\cap(A\cap B)^c$
$\qquad=(A\cup B)-(A\cap B)$
$\qquad=A*B$ (참)

ㄴ. $(A*B)*C$를 벤다이어그램으로 나타내면 다음 그림과 같다.

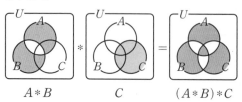

$\qquad\qquad A*B\qquad\qquad C\qquad\qquad(A*B)*C$

$A*(B*C)$를 벤다이어그램으로 나타내면 다음 그림과 같다.

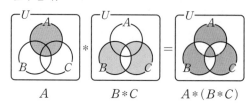

$\qquad\qquad A\qquad\qquad B*C\qquad\qquad A*(B*C)$

$\therefore (A*B)*C=A*(B*C)$ (참)

ㄷ. $(A*B)*A=(B*A)*A$ ($\because A*B=B*A$)
$\qquad=B*(A*A)$ ($\because$ ㄴ)
$\qquad=B*\varnothing$
$\qquad=B$ (거짓)

ㄹ. $(A-B)*(B-A)$
$\qquad=\{(A-B)\cup(B-A)\}-\{(A-B)\cap(B-A)\}$
$\qquad=\{(A-B)\cup(B-A)\}-\varnothing$
$\qquad=(A-B)\cup(B-A)$
$\qquad=(A\cup B)-(A\cap B)$
$\qquad=A*B$ (참)

이상에서 옳은 것은 ㄱ, ㄴ, ㄹ이다.

08-6 답 9

해결전략 | 배수의 집합의 연산을 이해하고 포함 관계를 생각한다.

STEP 1 m의 최솟값 구하기
$A_m\subset(A_2\cap A_3)$에서
$A_2\cap A_3=A_6$이므로
$A_m\subset A_6$
즉, m은 6의 양의 배수이어야 하므로 m의 최솟값은 6이다.

STEP 2 n의 최댓값 구하기
$(A_6\cup A_9)\subset A_n$에서
$A_6\subset A_n,\ A_9\subset A_n$
즉, n은 6과 9의 양의 공약수이어야 하므로 n의 최댓값은 3이다.

STEP 3 m의 최솟값과 n의 최댓값의 합 구하기
따라서 m의 최솟값과 n의 최댓값의 합은
$6+3=9$

▶**참고** A_2는 2의 양의 배수의 집합, A_3은 3의 양의 배수의 집합이므로 $A_2\cap A_3$은 2와 3의 양의 공배수, 즉 6의 양의 배수의 집합이다.

🎯 풍쌤의 비법

(1) 자연수 k의 양의 배수의 집합을 A_k라 할 때, 자연수 m이 자연수 n의 배수이면 $A_m \subset A_n$

∴ $A_m \cap A_n = A_m$, $A_m \cup A_n = A_n$

(2) 자연수 k의 양의 약수의 집합을 B_k라 할 때, 자연수 n이 자연수 m의 약수이면 $B_n \subset B_m$

∴ $B_m \cap B_n = B_n$, $B_m \cup B_n = B_m$

필수유형 09 53쪽

09-1 답 17

해결전략 | $n(A \cup B) = n(A) + n(B) - n(A \cap B)$, $n(A-B) = n(A) - n(A \cap B)$임을 이용한다.

STEP 1 $n(A \cap B)$의 값 구하기

$n(A-B) = n(A) - n(A \cap B)$이므로

$n(A \cap B) = n(A) - n(A-B)$

$\qquad\qquad = 16 - 7 = 9$

STEP 2 $n(A \cup B)$의 값 구하기

∴ $n(A \cup B) = n(A) + n(B) - n(A \cap B)$

$\qquad\qquad = 16 + 10 - 9 = 17$

09-2 답 19

해결전략 | $n(A \cup B) = n(A) + n(B) - n(A \cap B)$, $n(A^C) = n(U) - n(A)$임을 이용한다.

STEP 1 $n(A \cup B)$의 값 구하기

$n(A^C \cap B^C) = n((A \cup B)^C)$

$\qquad\qquad\qquad = n(U) - n(A \cup B)$

이므로

$n(A \cup B) = n(U) - n(A^C \cap B^C)$

$\qquad\qquad = 45 - 8 = 37$

STEP 2 $n(A \cap B)$의 값 구하기

∴ $n(A \cap B) = n(A) + n(B) - n(A \cup B)$

$\qquad\qquad = 32 + 24 - 37 = 19$

09-3 답 33

해결전략 | $n((A-B) \cup (B-A))$

$= n(A \cup B) - n(A \cap B)$임을 이용한다.

STEP 1 $n(A \cup B)$의 값 구하기

$n(A^C \cap B^C) = n((A \cup B)^C)$

$\qquad\qquad\qquad = n(U) - n(A \cup B)$

이므로

$n(A \cup B) = n(U) - n(A^C \cap B^C)$

$\qquad\qquad = 50 - 5 = 45$

STEP 2 $n((A-B) \cup (B-A))$의 값 구하기

∴ $n((A-B) \cup (B-A))$

$= n(A \cup B) - n(A \cap B)$

$= 45 - 12 = 33$

09-4 답 12

해결전략 | 주어진 벤다이어그램에서 색칠한 부분이 나타내는 집합의 원소의 개수는 $n(A \cap B) + n((A \cup B)^C)$임을 이용한다.

STEP 1 $n(A \cap B)$의 값 구하기

$n(A \cap B^C) = n(A-B) = 8$이므로

$n(A-B) = n(A) - n(A \cap B)$에서

$n(A \cap B) = n(A) - n(A-B) = 12 - 8 = 4$

STEP 2 $n((A \cup B)^C)$의 값 구하기

$n(A \cup B) = n(A) + n(B) - n(A \cap B)$

$\qquad\qquad = 12 + 14 - 4 = 22$

이므로

$n((A \cup B)^C) = n(U) - n(A \cup B)$

$\qquad\qquad\qquad = 30 - 22 = 8$

STEP 3 $n(A \cap B) + n((A \cup B)^C)$의 값 구하기

따라서 구하는 원소의 개수는

$n(A \cap B) + n((A \cup B)^C) = 4 + 8 = 12$

◉→ 다른 풀이

$n(A \cap B^C) = n(A-B) = 8$이므로

$n(A \cap B) = n(A) - n(A-B) = 12 - 8 = 4$

∴ $n(B-A) = n(B) - n(A \cap B) = 14 - 4 = 10$

벤다이어그램에서 색칠한 부분이 나타내는 집합은 $\{(A-B) \cup (B-A)\}^C$이므로 구하는 원소의 개수는

$n(U) - n((A-B) \cup (B-A)) = 30 - (8+10) = 12$

09-5 답 27

해결전략 | $n(A \cup B \cup C) = n(A) + n(B) + n(C)$

$- n(A \cap B) - n(B \cap C) - n(C \cap A) + n(A \cap B \cap C)$

에 필요한 집합의 원소의 개수를 구한 후 대입한다.

STEP 1 $n(A \cap B)$, $n(A \cap C)$, $n(B \cap C)$, $n(A \cap B \cap C)$의 값 구하기

$n(A \cap C) = n(A) + n(C) - n(A \cup C)$

$\qquad\qquad = 13 + 13 - 22 = 4$

$n(B \cap C) = n(B) + n(C) - n(B \cup C)$

$\qquad\qquad = 12 + 13 - 18 = 7$

$A \cap B = \varnothing$에서 $A \cap B \cap C = \varnothing$이므로

$n(A \cap B) = 0$, $n(A \cap B \cap C) = 0$

STEP 2 $n(A \cup B \cup C)$의 값 구하기

$\therefore n(A \cup B \cup C)$

$\quad = n(A) + n(B) + n(C) - n(A \cap B) - n(B \cap C)$

$\qquad\qquad\qquad\qquad\qquad - n(C \cap A) + n(A \cap B \cap C)$

$\quad = 13 + 12 + 13 - 0 - 7 - 4 + 0 = 27$

09-6 답 14

해결전략 | $n(B) < n(A)$일 때, $n(A \cap B)$가 최대인 경우는 $B \subset A$, 최소인 경우는 $A \cup B = U$일 때임을 이용한다.

STEP 1 M의 값 구하기

$n(A \cap B)$가 최대인 경우는 $B \subset A$일 때이므로

$M = n(B) = 9$

STEP 2 m의 값 구하기

$n(A \cap B)$가 최소인 경우는 $A \cup B = U$일 때이므로

$n(A \cap B) = n(A) + n(B) - n(A \cup B)$에서

$m = 16 + 9 - 20 = 5$

STEP 3 $M + m$의 값 구하기

$\therefore M + m = 9 + 5 = 14$

◉→ 다른 풀이

$n(A \cap B) = n(A) + n(B) - n(A \cup B)$

$\qquad\qquad = 16 + 9 - n(A \cup B)$

$\qquad\qquad = 25 - n(A \cup B)$

$A \subset (A \cup B)$이므로 $n(A) \le n(A \cup B)$

$(A \cup B) \subset U$이므로 $n(A \cup B) \le n(U)$

즉, $n(A) \le n(A \cup B) \le n(U)$에서

$16 \le n(A \cup B) \le 20$, $-20 \le -n(A \cup B) \le -16$

$5 \le 25 - n(A \cup B) \le 9$

$\therefore 5 \le n(A \cap B) \le 9$

따라서 $M = 9$, $m = 5$이므로

$M + m = 9 + 5 = 14$

ⓒ 풍쌤의 비법

전체집합 U의 두 부분집합 A, B에 대하여

$n(B) < n(A)$일 때

(1) $n(A \cap B)$의 값이 최대가 되는 경우

$\quad \Rightarrow n(A \cup B)$가 최소가 될 때

$\quad \Rightarrow B \subset A$

(2) $n(A \cap B)$의 값이 최소가 되는 경우

$\quad \Rightarrow n(A \cup B)$가 최대가 될 때

$\quad \Rightarrow A \cup B = U$

10-1 답 38

해결전략 | 여동생이 있는 학생의 집합을 A, 남동생이 있는 학생의 집합을 B로 놓으면 여동생이나 남동생이 있는 학생을 나타내는 집합은 $A \cup B$임을 이용한다.

STEP 1 주어진 조건을 집합으로 나타낸 후, 각 집합의 원소의 개수 구하기

여동생이 있는 학생의 집합을 A, 남동생이 있는 학생의 집합을 B라 하면

$n(A) = 28$, $n(B) = 22$, $n(A \cap B) = 12$

STEP 2 여동생이나 남동생이 있는 학생 수 구하기

따라서 여동생이나 남동생이 있는 학생 수는

$n(A \cup B) = n(A) + n(B) - n(A \cap B)$

$\qquad\qquad = 28 + 22 - 12 = 38$

ⓒ 풍쌤의 비법

주어진 조건을 전체집합 U와 그 부분집합 A, B로 구별하여 집합으로 나타낸 후 집합의 원소의 개수를 구한다.

(1) A, B를 모두 만족시키는 집합 $\Rightarrow A \cap B$

(2) A 또는 B를 만족시키는 집합 $\Rightarrow A \cup B$

(3) A만 만족시키는 집합 $\Rightarrow A - B$

(4) A, B 중 하나만 만족시키는 집합

$\quad \Rightarrow (A - B) \cup (B - A)$

10-2 답 10

해결전략 | 축구를 해 본 학생의 집합을 A, 야구를 해 본 학생의 집합을 B로 놓으면 축구만 해 본 학생을 나타내는 집합은 $A - B$임을 이용한다.

STEP 1 주어진 조건을 집합으로 나타낸 후, 각 집합의 원소의 개수 구하기

25명의 학생 전체의 집합을 U, 축구를 해 본 학생의 집합을 A, 야구를 해 본 학생의 집합을 B라 하면

$n(U) = 25$, $n(A) = 16$, $n(B) = 8$,

$n(A^c \cap B^c) = 7$

STEP 2 축구만 해 본 학생 수 구하기

$n((A \cup B)^c) = n(A^c \cap B^c) = 7$이므로

$n(A \cup B) = n(U) - n((A \cup B)^c)$

$\qquad\qquad = 25 - 7 = 18$

따라서 축구만 해본 학생 수는

$n(A - B) = n(A \cup B) - n(B)$

$\qquad\qquad = 18 - 8 = 10$

10-3 답 10

해결전략 | 영어를 수강한 학생의 집합을 A, 수학을 수강한 학생의 집합을 B로 놓으면 영어와 수학 두 과목 중 어느 하나도 수강하지 않은 학생을 나타내는 집합은 $(A \cup B)^C$임을 이용한다.

STEP 1 주어진 조건을 집합으로 나타낸 후, 각 집합의 원소의 개수 구하기

50명의 수강생 전체의 집합을 U, 영어를 수강한 학생의 집합을 A, 수학을 수강한 학생의 집합을 B라 하면

$n(U)=50$, $n(A)=30$, $n(B)=35$,

$n(A \cap B)=25$

STEP 2 영어와 수학 두 과목 중 어느 하나도 수강하지 않은 학생 수 구하기

$n(A \cup B)=n(A)+n(B)-n(A \cap B)$

$\qquad\quad =30+35-25=40$

따라서 영어와 수학 두 과목 중 어느 하나도 수강하지 않은 학생 수는

$n((A \cup B)^C)=n(U)-n(A \cup B)$

$\qquad\qquad\qquad =50-40=10$

10-4 답 53

해결전략 | 도시락 배달 자원봉사 활동을 신청한 사람의 집합을 A, 청소 자원봉사 활동을 신청한 사람의 집합을 B로 놓으면 두 자원봉사 활동 중에서 하나만 신청한 사람을 나타내는 집합은 $(A \cup B)-(A \cap B)$임을 이용한다.

STEP 1 주어진 조건을 집합으로 나타낸 후, 각 집합의 원소의 개수 구하기

100명의 자원봉사 단체 회원 전체의 집합을 U, 도시락 배달 자원봉사 활동을 신청한 사람의 집합을 A, 청소 자원봉사 활동을 신청한 사람의 집합을 B라 하면

$n(U)=100$, $n(A)=50$, $n(B)=43$,

$n(A^C \cap B^C)=27$

STEP 2 두 자원봉사 활동 중에서 하나만 신청한 사람 수 구하기

$n((A \cup B)^C)=n(A^C \cap B^C)=27$이므로

$n(A \cup B)=n(U)-n((A \cup B)^C)$

$\qquad\qquad =100-27$

$\qquad\qquad =73$

$n(A \cap B)=n(A)+n(B)-n(A \cup B)$

$\qquad\qquad =50+43-73$

$\qquad\qquad =20$

따라서 두 자원봉사 활동 중에서 하나만 신청한 사람 수는

$n(A \cup B)-n(A \cap B)=73-20=53$

◈→ 다른 풀이

도시락 배달 자원봉사 활동만 신청한 사람의 집합은 $A-B$, 청소 자원봉사 활동만 신청한 사람의 집합은 $B-A$이므로 두 자원봉사 활동 중에서 하나만 신청한 사람 수는

$n((A-B) \cup (B-A))$

$=n(A-B)+n(B-A)$

$\qquad\qquad (\because A-B$와 $B-A$는 서로소$)$

$=\{n(A \cup B)-n(B)\}+\{n(A \cup B)-n(A)\}$

$=(73-43)+(73-50)=53$

10-5 답 31

해결전략 | 주어진 조건을 집합으로 나타낸 후,

$n(A \cup B \cup C)=n(A)+n(B)+n(C)-n(A \cap B)$

$-n(B \cap C)-n(C \cap A)+n(A \cap B \cap C)$임을 이용한다.

STEP 1 주어진 조건을 집합으로 나타낸 후, 각 집합의 원소의 개수 구하기

50명의 학생 전체의 집합을 U, A를 읽은 학생의 집합을 A, B를 읽은 학생의 집합을 B, C를 읽은 학생의 집합을 C라 하면

$n(U)=n(A \cup B \cup C)=50$, $n(A)=28$,

$n(B)=17$, $n(C)=32$, $n(A \cap B \cap C)=8$

STEP 2 $n(A \cap B)+n(B \cap C)+n(C \cap A)$의 값 구하기

$n(A \cup B \cup C)$

$=n(A)+n(B)+n(C)-n(A \cap B)-n(B \cap C)$

$\qquad\qquad\qquad -n(C \cap A)+n(A \cap B \cap C)$

이므로

$50=28+17+32-n(A \cap B)-n(B \cap C)$

$\qquad\qquad\qquad\qquad\qquad -n(C \cap A)+8$

$\therefore n(A \cap B)+n(B \cap C)+n(C \cap A)=35$

STEP 3 세 권의 책 중 한 권만 읽은 학생 수 구하기

따라서 세 권의 책 중 한 권만 읽은 학생 수는

$n(A \cup B \cup C)-\{n(A \cap B)+n(B \cap C)$

$\qquad\qquad +n(C \cap A)-2 \times n(A \cap B \cap C)\}$

$=50-(35-2 \times 8)=31$

10-6 답 21

해결전략 | $n(B)<n(A)$일 때, $n(A \cap B)$가 최대인 경우는 $B \subset A$, 최소인 경우는 $A \cap B=\varnothing$일 때임을 이용한다.

STEP 1 주어진 조건을 집합으로 나타낸 후, 각 집합의 원소의 개수 구하기

40명의 직원 전체의 집합을 U, S회사 제품을 사용하는 직원의 집합을 A, T회사 제품을 사용하는 직원의 집합을 B라 하면

$n(U)=40$, $n(A)=22$, $n(B)=15$

STEP2 S회사 제품도 T회사 제품도 사용하지 않는 직원 수를 집합의 원소의 개수로 나타내기

S회사 제품도 T회사 제품도 사용하지 않는 직원의 집합은 $A^c \cap B^c$이므로

$n(A^c \cap B^c)$
$=n((A \cup B)^c)$
$=n(U)-n(A \cup B)$
$=n(U)-\{n(A)+n(B)-n(A \cap B)\}$
$=n(U)-n(A)-n(B)+n(A \cap B)$
$=40-22-15+n(A \cap B)$
$=3+n(A \cap B)$ …… ㉠

STEP3 최댓값과 최솟값의 합 구하기

(i) $n(A \cap B)$가 최대인 경우는 $B \subset A$일 때이므로
   $n(A \cap B)$의 최댓값은
   $n(A \cap B)=n(B)=15$
   따라서 $n(A^c \cap B^c)$의 최댓값은 ㉠에서
   $3+15=18$

(ii) $n(A \cap B)$가 최소인 경우는 $A \cap B=\varnothing$일 때이므로
   $n(A \cap B)$의 최솟값은
   $n(A \cap B)=0$
   따라서 $n(A^c \cap B^c)$의 최솟값은 ㉠에서
   $3+0=3$

(i), (ii)에 의하여 S회사 제품도 T회사 제품도 사용하지 않는 직원 수의 최댓값과 최솟값의 합은
$18+3=21$

실전 연습 문제   56~58쪽

01 ③	02 ㄱ, ㅁ	03 ⑤	04 ③	05 ⑤
06 32	07 18	08 ⑤	09 ③	10 ⑤
11 160	12 ④	13 ④	14 ①	15 14
16 ④	17 13	18 ⑤		

01

해결전략 | 집합 B에 속하는 원소와 속하지 않는 원소를 확인한다.

집합 B는 c, e를 반드시 원소로 갖고 a, b, d를 원소로 갖지 않아야 하므로 집합 B가 될 수 있는 것은 ③이다.

02

해결전략 | 집합 $\{1, 3, 5\}$와 교집합이 공집합인 집합을 찾는다.

ㄱ. $\{2, 4, 6, \cdots\}$

ㄴ. $\{1, 3, 5, \cdots\}$

ㄷ. $x^2-2x-15=0$에서 $(x+3)(x-5)=0$
   $\therefore x=-3$ 또는 $x=5$
   $\therefore \{x|x^2-2x-15=0\}=\{-3, 5\}$

ㄹ. $\{1, 3, 5, 15\}$

ㅁ. $\{2, 4, 6, \cdots\}$

따라서 집합 $\{1, 3, 5\}$와 서로소인 집합은 ㄱ, ㅁ이다.

> **◎ 풍쌤의 비법**
>
> 두 집합이 서로소이면 두 집합의 공통인 원소가 하나도 없어야 한다.

03

해결전략 | 조건제시법으로 나타내어진 집합을 원소나열법으로 나타낸 후, 각 집합의 원소를 구한다.

$U=\{1, 2, 3, \cdots, 15\}$, $A=\{1, 2, 5, 6, 9\}$,
$B=\{3, 6, 9, 12, 15\}$, $C=\{1, 2, 3, 4, 6, 12\}$이므로

① $A \cup C=\{1, 2, 3, 4, 5, 6, 9, 12\}$

② $A \cap B=\{6, 9\}$

③ $B-C=\{9, 15\}$

④ $(A \cup B) \cap C$
   $=\{1, 2, 3, 5, 6, 9, 12, 15\} \cap \{1, 2, 3, 4, 6, 12\}$
   $=\{1, 2, 3, 6, 12\}$

⑤ $B-C^c$
   $=\{3, 6, 9, 12, 15\}$
   $\qquad\qquad -\{5, 7, 8, 9, 10, 11, 13, 14, 15\}$
   $=\{3, 6, 12\}$

따라서 옳지 않은 것은 ⑤이다.

04

해결전략 | 각 집합을 벤다이어그램으로 나타낸다.

각 집합을 벤다이어그램으로 나타내면 다음 그림과 같다.

①   ②

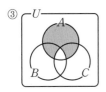 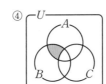

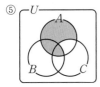

따라서 구하는 집합은 ③이다.

05

해결전략 | 집합 B의 모든 원소의 합이 12일 때의 $A \cap B$를 구한다.

STEP 1 집합 $A-B$의 원소 구하기

$B-A=\{5, 6\}$에서 집합 $B-A$의 모든 원소의 합은 11이고, $B=(B-A) \cup (A \cap B)$이므로 집합 B의 모든 원소의 합이 12이려면 $A \cap B=\{1\}$이어야 한다.

$\therefore A-B=A-(A \cap B)=\{2, 3, 4\}$

STEP 2 집합 $A-B$의 모든 원소의 합 구하기

따라서 집합 $A-B$의 모든 원소의 합은

$2+3+4=9$

◉• 다른 풀이

$A \cup B=A \cup (B-A)$이므로

$A \cup B=\{1, 2, 3, 4, 5, 6\}$

따라서 집합 $A \cup B$의 모든 원소의 합은

$1+2+3+4+5+6=21$

이때 $A-B=(A \cup B)-B$이고, 집합 B의 모든 원소의 합이 12이므로 집합 $A-B$의 모든 원소의 합은

$21-12=9$

▶참고 집합 A, B를 벤다이어그램으로 나타내면 오른쪽 그림과 같다.

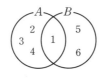

06

해결전략 | 주어진 집합을 벤다이어그램으로 나타내고 집합 A의 원소의 개수를 구한다.

STEP 1 주어진 집합을 벤다이어그램으로 나타내기

$U=\{1, 2, 3, \cdots, 10\}$이고 주어진 집합을 벤다이어그램으로 나타내면 오른쪽 그림과 같다.

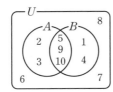

STEP 2 집합 A의 모든 부분집합의 개수 구하기

따라서 $n(A)=5$이므로 집합 A의 모든 부분집합의 개수는

$2^5=32$

07

해결전략 | $B-A$의 원소는 모두 집합 B의 원소임을 이용하여 a, b의 값을 구한다.

$B-A=\{3, b-2\}$에서 $3 \in B$이므로

$a=3$ 또는 $b=3$이어야 한다. ……❶

(i) $a=3$일 때

$A=\{2, 5, 6\}$, $B=\{2, 3, 4, 5, b\}$

$B-A=\{3, b-2\}$이므로 $b-2 \neq 6$이고

$b-2=4$에서 $b=6$

$\therefore ab=3 \times 6=18$

(ii) $b=3$일 때

$A=\{2, a+2, 6\}$, $B=\{2, a, 3, 4, 5\}$

$B-A=\{3, b-2\}=\{1, 3\}$이므로 성립하지 않는다.

……❷

(i), (ii)에 의하여

$ab=18$ ……❸

채점 요소	비율
❶ $3 \in B$임을 알아내고 a, b의 값 구하기	40%
❷ ❶의 a, b의 값에 따라 조건을 만족시키는지 판단하기	40%
❸ 조건을 만족시키는 ab의 값 구하기	20%

08

해결전략 | 집합의 연산의 성질을 이용한다.

① $A \cap B^c=A-B$

② $(A \cup B)-B=A-B$

③ $A-(A \cap B)=A-B$

④ $A \cap (U-B)=A \cap B^c=A-B$

⑤ $(A \cup B)-(A \cap B)=(A-B) \cup (B-A)$

따라서 나머지 넷과 다른 하나는 ⑤이다.

09

해결전략 | 집합 사이의 포함 관계를 파악하고 집합 X에 포함되지 않는 원소를 찾는다.

STEP 1 집합 사이의 포함 관계 파악하기

$X \cup A=X-B$에서

$X \cup A=X \cap B^c$이므로 $(X \cup A) \subset (X \cap B^c)$

즉, $X \subset (X \cap B^c)$이고 $A \subset (X \cap B^c)$이므로

$X \subset B^c$이고 $A \subset X$

$\therefore A \subset X \subset B^c$

이때 $B^c = \{1, 2, 4, 6, 7\}$이므로 집합 U의 부분집합 X는 $\{1, 2\} \subset X \subset \{1, 2, 4, 6, 7\}$을 만족시킨다.

STEP2 집합 X의 개수 구하기

따라서 집합 X의 개수는

$2^{5-2} = 2^3 = 8$

🎯 **풍쌤의 비법**

$(X \cup A) \subset (X \cap B^c)$이므로 두 집합 X, A의 원소는 모두 $X \cap B^c$의 원소이다. 즉, $X \subset B^c$이고 $A \subset X$이다.

따라서 조건을 만족시키는 집합 X는 집합 A의 원소인 1, 2를 포함하고, 집합 B의 원소인 3, 5, 8을 포함하지 않아야 한다.

10

해결전략 | 주어진 식을 집합의 연산의 성질을 이용하여 간단히 한다.

ㄱ. $A - B^c = A \cap (B^c)^c = A \cap B$ (참)

ㄴ. $(A-B) - C = (A \cap B^c) \cap C^c$
$= A \cap (B^c \cap C^c)$
$= A \cap (B \cup C)^c$
$= A - (B \cup C)$ (참)

ㄷ. $A \cap (B-A)^c = A \cap (B \cap A^c)^c$
$= A \cap (B^c \cup A)$
$= A \ (\because A \subset (B^c \cup A))$

$(B-A) \cap A = (B \cap A^c) \cap A$
$= B \cap (A^c \cap A)$
$= B \cap \varnothing = \varnothing$

$\therefore \{A \cap (B-A)^c\} \cup \{(B-A) \cap A\}$
$= A \cup \varnothing = A$ (참)

이상에서 ㄱ, ㄴ, ㄷ 모두 옳다.

11

해결전략 | 주어진 식을 집합의 연산의 성질을 이용하여 간단히 한 후, 벤다이어그램을 이용하여 집합 $A \cup B$를 구한다.

STEP1 $(A \cup B) \cap (A^c \cup B^c)$ 간단히 하기

$(A \cup B) \cap (A^c \cup B^c)$
$= (A \cup B) \cap (A \cap B)^c$
$= (A \cup B) - (A \cap B)$ ...... ❶

STEP2 집합 $A \cup B$ 구하기

$(A \cup B) - (A \cap B)$
$= \{1, 2, 7\}$

이고 $A = \{2, 3, 6\}$이므로 오른쪽 벤다이어그램에서

$A \cup B = \{1, 2, 3, 6, 7\}$ ...... ❷

STEP3 집합 $A^c \cap B^c$의 모든 원소의 곱 구하기

$\therefore A^c \cap B^c = (A \cup B)^c = \{4, 5, 8\}$

따라서 집합 $A^c \cap B^c$의 모든 원소의 곱은

$4 \times 5 \times 8 = 160$ ...... ❸

채점 요소	비율
❶ $(A \cup B) \cap (A^c \cup B^c)$ 간단히 하기	40%
❷ 집합 $A \cup B$ 구하기	40%
❸ 집합 $A^c \cap B^c$의 모든 원소의 곱 구하기	20%

12

해결전략 | 주어진 식의 좌변을 집합의 연산의 성질을 이용하여 간단히 하고 집합 A를 구한다.

STEP1 주어진 식의 좌변을 간단히 하기

$(A^c \cup B)^c = A \cap B^c$
$= A - B = \{2, 3, 7\}$ ...... ㉠

$\{(A \cap B) \cup (A-B)\} \cap B$
$= \{(A \cap B) \cup (A \cap B^c)\} \cap B$
$= \{A \cap (B \cup B^c)\} \cap B$
$= (A \cap U) \cap B$
$= A \cap B = \{4\}$ ...... ㉡

STEP2 집합 A의 원소의 개수 구하기

㉠, ㉡에 의하여

$A = (A-B) \cup (A \cap B)$
$= \{2, 3, 7\} \cup \{4\}$
$= \{2, 3, 4, 7\}$

따라서 집합 A의 원소의 개수는 4이다.

13

해결전략 | 주어진 식의 좌변을 집합의 연산 법칙을 이용하여 간단히 한 후, 두 집합 A, B 사이의 포함 관계를 파악한다.

STEP1 $\{(A^c \cap B)^c \cap (A \cup B)\} \cap B^c$ 간단히 하기

$(A^c \cap B)^c \cap (A \cup B)$
$= (A \cup B^c) \cap (A \cup B)$
$= A \cup (B^c \cap B)$
$= A \cup \varnothing = A$

$$\therefore \{(A^C \cap B)^C \cap (A \cup B)\} \cap B^C = A \cap B^C$$
$$= A - B$$

STEP2 두 집합 A, B 사이의 포함 관계 파악하기

즉, $A - B = \varnothing$이므로

$A \subset B$

STEP3 보기 중 옳은 것 고르기

① $A \cap B = A$

② $B - A \neq \varnothing$

③ $B^C \subset A^C$

④ $A^C \cap B^C = (A \cup B)^C = B^C$

⑤ $A \cap B^C = A - B = \varnothing$

따라서 옳은 것은 ④이다.

14

해결전략 | 두 집합 A, B 사이의 포함 관계를 파악하고 주어진 식을 집합의 연산 법칙을 이용하여 간단히 한다.

STEP1 두 집합 A, B 사이의 포함 관계 파악하기

$A \cap B = B$이므로

$B \subset A$

STEP2 $\{(A \cup B) \cap (A \cup B^C)\} \cup B$ 간단히 하기

$$\therefore \{(A \cup B) \cap (A \cup B^C)\} \cup B$$
$$= \{A \cup (B \cap B^C)\} \cup B$$
$$= (A \cup \varnothing) \cup B$$
$$= A \cup B = A$$

15

해결전략 | 주어진 연산을 집합의 연산 법칙을 이용하여 간단히 한 후, 연산에 맞게 순서대로 푼다.

STEP1 $X \triangle Y$ 간단히 하기

$$X \triangle Y = (X \cup Y) - Y$$
$$= X - Y \qquad \cdots\cdots ❶$$

STEP2 $(A \triangle B) \triangle C$ 구하기

$A \triangle B = A - B = \{4, 6, 8\}$이므로

$$(A \triangle B) \triangle C = \{4, 6, 8\} \triangle C$$
$$= \{4, 6, 8\} - C$$
$$= \{4, 6, 8\} - \{3, 4, 5\}$$
$$= \{6, 8\} \qquad \cdots\cdots ❷$$

STEP3 $(A \triangle B) \triangle C$의 모든 원소의 합 구하기

따라서 집합 $(A \triangle B) \triangle C$의 모든 원소의 합은

$6 + 8 = 14 \qquad \cdots\cdots ❸$

채점 요소	비율
❶ $X \triangle Y$ 간단히 하기	40%
❷ $(A \triangle B) \triangle C$ 구하기	40%
❸ $(A \triangle B) \triangle C$의 모든 원소의 합 구하기	20%

16

해결전략 | 배수의 집합의 연산을 이해하고 포함 관계를 생각한다.

STEP1 $A_2 \cup (A_4 \cap A_8)$ 간단히 하기

$A_8 \subset A_4$이므로

$A_4 \cap A_8 = A_8$

$A_8 \subset A_2$이므로

$A_2 \cup (A_4 \cap A_8) = A_2 \cup A_8 = A_2$

STEP2 $A_2 \cup (A_4 \cap A_8)$의 원소의 개수 구하기

따라서 전체집합 U의 원소 중 2의 배수는 25개이므로 구하는 원소의 개수는 25이다.

17

해결전략 | 조건 (나)의 식을 간단히 하여 주어진 집합의 성질을 찾는다.

STEP1 조건 (나)에서 $n(A \cap B) \geq 1$임을 알기

조건 (나)에서

$$A \cap (A^C \cup B) = (A \cap A^C) \cup (A \cap B)$$
$$= \varnothing \cup (A \cap B)$$
$$= A \cap B$$

즉, $A \cap B \neq \varnothing$이므로

$n(A \cap B) \geq 1$

STEP2 조건 (다)에서 $n(A) \geq 12$임을 알기

조건 (다)에서 $n(A - B) = 11$이므로

$n(A) = n(A - B) + n(A \cap B) \geq 11 + 1 = 12$

STEP3 조건 (가)에서 $n(B - A)$의 최댓값 구하기

조건 (가)에서 $n(U) = 25$이므로

$n(A) + n(B - A) = n(A \cup B) \leq n(U)$

$$\therefore n(B - A) \leq n(U) - n(A)$$
$$= 25 - 12 = 13$$

따라서 $n(B - A)$의 최댓값은 13이다.

18

해결전략 | 주어진 조건을 집합으로 나타낸 후, $n(A \cup B) = n(A) + n(B) - n(A \cap B)$임을 이용한다.

STEP1 주어진 조건을 집합으로 나타낸 후, 각 집합의 원소의 개수 구하기

등 번호가 2의 배수인 선수의 집합을 A, 등 번호가 3의 배수인 선수의 집합을 B라 하면

$n(A \cup B)=25$, $n(A)=n(B)$, $n(A \cap B)=3$

STEP2 등 번호가 2의 배수인 선수의 수 구하기

$$n(A \cup B)=n(A)+n(B)-n(A \cap B)$$
$$=n(A)+n(A)-n(A \cap B)$$
$$=2 \times n(A)-n(A \cap B)$$

$25=2 \times n(A)-3$ ∴ $n(A)=14$

따라서 등 번호가 2의 배수인 선수의 수는 14이다.

◉→ **다른 풀이**

$n(A)=n(B)$이므로

$n(A-B)=n(B-A)=x$라 하면

$n(A \cup B)=25$이므로

$n(A-B)+n(A \cap B)+n(B-A)=n(A \cup B)$

에서

$x+3+x=25$, $2x=22$

∴ $x=11$

∴ $n(A)=11+3=14$

상위권 도약 문제

59~60쪽

01 ④	**02** 8	**03** 22	**04** 16
05 ②	**06** 39	**07** 2	**08** 10

01

해결전략 | 주어진 조건을 벤다이어그램으로 모두 나타내고 집합 $A \cap (B^C \cup C)$를 구한다.

STEP1 주어진 조건을 벤다이어그램으로 나타내기

$U=\{1, 2, 3, \cdots, 7\}$, $A \cup C=\{1, 2, 3, 4, 5, 6\}$이므로

$(A \cup C)^C=\{7\}$

따라서 주어진 조건을 모두 만족시키는 벤다이어그램은 다음 두 가지 중 하나이다.

(i) 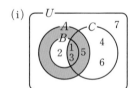　(ii)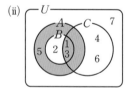

STEP2 집합 $A \cap (B^C \cup C)$ 구하기

$A \cap (B^C \cup C)=(A \cap B^C) \cup (A \cap C)$이므로 집합 $A \cap (B^C \cup C)$는 위의 벤다이어그램에서 색칠한 부분과 같다.

따라서 (i), (ii)에 의하여 $A \cap (B^C \cup C)=\{1, 3, 5\}$

➤ **참고** (i)에서

$$B^C \cup C=\{4, 5, 6, 7\} \cup \{1, 3, 4, 5, 6\}$$
$$=\{1, 3, 4, 5, 6, 7\}$$

이므로

$$A \cap (B^C \cup C)=\{1, 2, 3, 5\} \cap \{1, 3, 4, 5, 6, 7\}$$
$$=\{1, 3, 5\}$$

(ii)에서

$$B^C \cup C=\{4, 5, 6, 7\} \cup \{1, 3, 4, 6\}$$
$$=\{1, 3, 4, 5, 6, 7\}$$

이므로

$$A \cap (B^C \cup C)=\{1, 2, 3, 5\} \cap \{1, 3, 4, 5, 6, 7\}$$
$$=\{1, 3, 5\}$$

(i), (ii)에 의하여

$$A \cap (B^C \cup C)=\{1, 3, 5\}$$

02

해결전략 | $A \cup B$의 원소는 모두 집합 A 또는 B의 원소임을 이용하여 a의 값을 구한다.

STEP1 $9 \in A$ 또는 $9 \in B$임을 이용하여 a의 값 구하기

$A \cup B=\{2, 3, 6, 9\}$이므로

$9 \in A$ 또는 $9 \in B$

따라서 $a+3=9$ 또는 $3a=9$ 또는 $-a+5=9$이므로

$a=6$ 또는 $a=3$ 또는 $a=-4$

STEP2 a의 값에 따라 조건을 만족시키는지 판단하기

(i) $a=6$일 때

　$A=\{2, 9, 18\}$, $B=\{-1, 3, 6\}$이므로

　$A \cup B=\{-1, 2, 3, 6, 9, 18\}$

(ii) $a=3$일 때

　$A=\{2, 6, 9\}$, $B=\{2, 3, 6\}$이므로

　$A \cup B=\{2, 3, 6, 9\}$

(iii) $a=-4$일 때

　$A=\{-12, -1, 2\}$, $B=\{3, 6, 9\}$이므로

　$A \cup B=\{-12, -1, 2, 3, 6, 9\}$

STEP3 집합 $A \cap B$의 모든 원소의 합 구하기

(i)~(iii)에 의하여 $a=3$이고

$A=\{2, 6, 9\}$, $B=\{2, 3, 6\}$이므로

$A \cap B=\{2, 6\}$

따라서 집합 $A \cap B$의 모든 원소의 합은

$2+6=8$

03

해결전략 | $A \cap B=\{2\}$이므로 $2 \in X$, $2 \notin X$인 경우로 나누어 생각한다.

STEP 1 $2 \in X$인 경우 집합 X의 개수 구하기

(ⅰ) $2 \in X$인 경우

$2 \in A$, $2 \in B$이므로 $X \cap A \neq \varnothing$, $X \cap B \neq \varnothing$을 만족시킨다. 이때 집합 X는 원소 2를 반드시 포함하는 전체집합 U의 부분집합이므로 집합 X의 개수는

$2^{5-1} = 2^4 = 16$

STEP 2 $2 \notin X$인 경우 집합 X의 개수 구하기

(ⅱ) $2 \notin X$인 경우

2를 제외한 집합 A의 원소는 1이고 집합 B의 원소는 3, 4이므로 집합 X는 원소 1을 포함하면서 3 또는 4를 반드시 포함해야 한다.

따라서 $1 \in X$, $3 \in X$, $4 \notin X$인 경우, $1 \in X$, $3 \notin X$, $4 \in X$인 경우, $1 \in X$, $3 \in X$, $4 \in X$인 경우로 나눌 수 있다.

① $1 \in X$, $3 \in X$, $4 \notin X$인 경우

집합 X는 원소 1, 3을 반드시 포함하고 2, 4를 포함하지 않는 전체집합 U의 부분집합이므로 집합 X의 개수는

$2^{5-2-2} = 2$

② $1 \in X$, $3 \notin X$, $4 \in X$인 경우

집합 X는 원소 1, 4를 반드시 포함하고 2, 3을 포함하지 않는 전체집합 U의 부분집합이므로 집합 X의 개수는

$2^{5-2-2} = 2$

③ $1 \in X$, $3 \in X$, $4 \in X$인 경우

집합 X는 원소 1, 3, 4를 반드시 포함하고 2를 포함하지 않는 전체집합 U의 부분집합이므로 집합 X의 개수는

$2^{5-3-1} = 2$

①~③에 의하여 집합 X의 개수는

$2 + 2 + 2 = 6$

STEP 3 집합 X의 개수 구하기

(ⅰ), (ⅱ)에 의하여 집합 X의 개수는

$16 + 6 = 22$

04

해결전략 | 두 집합 A, B를 간단히 하고 수직선 위에 집합 C를 나타낸다.

STEP 1 두 집합 A, B를 간단히 하기

$A = \{x \mid x^2 - 6x + 9 \geq 0\}$
$\quad = \{x \mid (x-3)^2 \geq 0\}$
$\quad = \{x \mid x \text{는 모든 실수}\}$

$B = \{x \mid x^2 - 4x > 0\}$
$\quad = \{x \mid x(x-4) > 0\}$
$\quad = \{x \mid x < 0 \text{ 또는 } x > 4\}$

STEP 2 집합 C 구하기

이때 $B \cup C = A$, $B \cap C = \{x \mid -2 \leq x < 0\}$이므로 오른쪽 그림에서

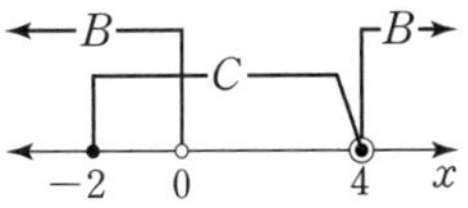

$C = \{x \mid -2 \leq x \leq 4\}$
$\quad = \{x \mid (x+2)(x-4) \leq 0\}$
$\quad = \{x \mid x^2 - 2x - 8 \leq 0\}$

STEP 3 ab의 값 구하기

따라서 $a = -2$, $b = -8$이므로

$ab = -2 \times (-8) = 16$

05

해결전략 | 집합 A_k에서 x와 $y-k$ 사이의 관계를 조사하고 가능한 $A_k \cap B^C$의 원소에 따른 k의 값의 범위를 구한다.

STEP 1 집합 A_k에서 x와 $y-k$ 사이의 관계 조사하기

집합 A_k는 전체집합 U의 부분집합이므로 x는 20 이하의 자연수이고 $y-k$는 30의 약수이다.

$y \in U$이므로 $y - k < 30$이고 $x \neq 1$

$x \in U$이므로 $x \neq 30$

$y - k$와 x 사이의 관계는 다음 표와 같다.

$y-k$	2	3	5	6	10	15
x	15	10	6	5	3	2

STEP 2 집합 $A_k \cap B^C$ 구하기

따라서 $A_k \subset \{2, 3, 5, 6, 10, 15\}$이고

$\dfrac{30-x}{5} \in U$에서 $30 - x$는 5의 배수이므로

$B = \{5, 10, 15, 20\}$

$\therefore (A_k \cap B^C) \subset \{2, 3, 6\}$

STEP 3 집합 $A_k \cap B^C$의 원소에 따라 k의 값의 범위 구하기

(ⅰ) $2 \in (A_k \cap B^C)$일 때

$x = 2$, $y - k = 15$이고

$y = 15 + k \leq 20$ $\quad \therefore k \leq 5$

(ⅱ) $3 \in (A_k \cap B^C)$일 때

$x = 3$, $y - k = 10$이고

$y = 10 + k \leq 20$ $\quad \therefore k \leq 10$

(ⅲ) $6 \in (A_k \cap B^C)$일 때

$x = 6$, $y - k = 5$이고

$y = 5 + k \leq 20$ $\quad \therefore k \leq 15$

(ⅰ)~(ⅲ)에 의하여

$k \le 5$일 때, $A_k \cap B^C = \{2, 3, 6\}$

$5 < k \le 10$일 때, $A_k \cap B^C = \{3, 6\}$

$10 < k \le 15$일 때, $A_k \cap B^C = \{6\}$

STEP4 모든 자연수 k의 개수 구하기

이때 $n(A_k \cap B^C) = 1$이므로 $10 < k \le 15$

따라서 모든 자연수 k의 개수는 5이다.

06

해결전략 | $A_n \cap A_2 = A_{2n}$을 만족시키는 n의 조건을 파악한다.

STEP1 $A_n \cap A_2 = A_{2n}$일 조건 구하기

$A_n \cap A_2 = A_{2n}$에서 n과 2의 최소공배수는 $2n$이므로 n과 2는 서로소이다.

즉, n은 홀수인 자연수이다.

STEP2 90이 $A_2 - A_n$의 원소일 조건 구하기

90이 집합 $A_2 - A_n$의 원소이면 $90 \in A_2$, $90 \notin A_n$이므로 90은 n의 배수가 아니다.

즉, n은 90의 약수가 아니다.

STEP3 자연수 n의 개수 구하기

한편, 90의 홀수인 약수는 1, 3, 5, 9, 15, 45이다.

따라서 주어진 조건을 만족시키는 자연수 n은 90 이하의 홀수 중 90의 홀수인 약수를 제외한 수이므로 그 개수는 $45 - 6 = 39$

07

해결전략 | 세 집합 U, A, X를 벤다이어그램으로 나타내어 집합 X를 구하고 집합 X의 모든 원소의 합이 18임을 이용하여 a의 값을 구한다.

STEP1 집합 X 구하기

$A = \{1, 2, 5, 8\}$, $B = \{2, 5, a\}$이고

$A \circledcirc B = (A - B) \cup (B - A)$이므로

$A \circledcirc X = B$를 만족시키는 집합

X는 오른쪽 벤다이어그램에서

$X = \{1, 8, a\}$

STEP2 a의 값 구하기

집합 X의 모든 원소의 합이 18

이므로

$1 + 8 + a = 18$ $\therefore a = 9$

STEP3 집합 $(A \circledcirc B) \cap (B \circledcirc X)$의 원소의 개수 구하기

$A = \{1, 2, 5, 8\}$, $B = \{2, 5, 9\}$, $X = \{1, 8, 9\}$이므로

$A \circledcirc B = (A - B) \cup (B - A)$
$= \{1, 8\} \cup \{9\} = \{1, 8, 9\}$

$B \circledcirc X = (B - X) \cup (X - B)$
$= \{2, 5\} \cup \{1, 8\} = \{1, 2, 5, 8\}$

$\therefore (A \circledcirc B) \cap (B \circledcirc X)$
$= \{1, 8, 9\} \cap \{1, 2, 5, 8\}$
$= \{1, 8\}$

따라서 집합 $(A \circledcirc B) \cap (B \circledcirc X)$의 원소의 개수는 2이다.

08

해결전략 | 주어진 조건을 집합으로 나타낸 후,

$n(A \cup B \cup C)$
$= n(A) + n(B) + n(C) - n(A \cap B) - n(B \cap C)$
$\quad - n(C \cap A) + n(A \cap B \cap C)$임을 이용한다.

STEP1 주어진 조건을 집합으로 나타낸 후, 각 집합의 원소의 개수 구하기

창우네 반 전체 학생의 집합을 U, A 문제를 맞힌 학생의 집합을 A, B 문제를 맞힌 학생의 집합을 B, C 문제를 맞힌 학생의 집합을 C라 하면

$n(U) = n(A \cup B \cup C) = 36$, $n(A) = 20$,
$n(B) = 22$, $n(C) = 25$

STEP2 $n(A \cap B) + n(B \cap C) + n(C \cap A)$를 $n(A \cap B \cap C)$에 대한 식으로 나타내기

두 문제만 맞힌 학생이 11명이므로

$n(A \cap B) + n(B \cap C) + n(C \cap A) - 3 \times n(A \cap B \cap C)$
$= 11$

$\therefore n(A \cap B) + n(B \cap C) + n(C \cap A)$
$= 11 + 3 \times n(A \cap B \cap C)$

STEP3 세 문제를 모두 맞힌 학생 수 구하기

이때

$n(A \cup B \cup C)$
$= n(A) + n(B) + n(C) - n(A \cap B) - n(B \cap C)$
$\qquad\qquad - n(C \cap A) + n(A \cap B \cap C)$

이므로

$36 = 20 + 22 + 25 - \{11 + 3 \times n(A \cap B \cap C)\}$
$\qquad\qquad\qquad + n(A \cap B \cap C)$

$2 \times n(A \cap B \cap C) = 20$

$\therefore n(A \cap B \cap C) = 10$

따라서 세 문제를 모두 맞힌 학생 수는 10이다.

03 명제

개념확인   62~65쪽

01 답 ㄱ, ㄷ

02 답 (1) $\{1, 2, 3, \cdots, 9\}$ (2) $\{-2, 1\}$

03 답 (1) 참 (2) 거짓

04 답 (1) 거짓 (2) 참 (3) 참 (4) 참
(1) 조건 '$p: x=3$'의 진리집합을 P라 하면 $P=\{3\}$
이때 $P \neq U$이므로 이 명제는 거짓이다.
(2) 조건 '$p: x^2=0$'의 진리집합을 P라 하면 $P=\{0\}$
이때 $P \neq \varnothing$이므로 이 명제는 참이다.
(3) 조건 '$p: x^2 \geq 0$'의 진리집합을 P라 하면
$P=\{x \mid x$는 모든 실수$\}$
이때 $P=U$이므로 이 명제는 참이다.
(4) 조건 '$p: x^2 \leq 0$'의 진리집합을 P라 하면 $P=\{0\}$
이때 $P \neq \varnothing$이므로 이 명제는 참이다.

05 답 풀이 참조
(1) 역: x가 8의 배수이면 x는 4의 배수이다.
대우: x가 8의 배수가 아니면 x는 4의 배수가 아니다.
(2) 역: $x=0$ 또는 $y=0$이면 $xy=0$이다.
대우: $x \neq 0$이고 $y \neq 0$이면 $xy \neq 0$이다.

06 답 (1) 충분조건 (2) 필요조건 (3) 필요충분조건
(1) $p \Longrightarrow q$, $q \not\Longrightarrow p$이므로 p는 q이기 위한 충분조건이다.
(2) $p \not\Longrightarrow q$, $q \Longrightarrow p$이므로 p는 q이기 위한 필요조건이다.
(3) $p \Longleftrightarrow q$이므로 p는 q이기 위한 필요충분조건이다.

07 답 ㄱ

필수유형 **01**   67쪽

01-1 답 풀이 참조
해결전략 | 명제 p의 부정은 'p가 아니다.'임을 이용한다.
(1) 주어진 명제의 부정은 '$\sqrt{2}$는 유리수가 아니다.'
(2) 주어진 명제의 부정은 '정삼각형은 이등변삼각형이
아니다.'

(3) '크다.'의 부정은 '크지 않다.', 즉 '작거나 같다.'이므
로 주어진 명제의 부정은 '0은 -1보다 작거나 같다.'

01-2 답 풀이 참조
해결전략 | 조건 p의 부정은 'p가 아니다.'임을 이용한다.
(1) 주어진 조건의 부정은 '$x+3 \neq 5$'
(2) '이고'의 부정은 '또는'이므로 주어진 조건의 부정은
'$x=-3$ 또는 $y \neq 3$'
(3) '$<$'의 부정은 '$\geq$', '$>$'의 부정은 '$\leq$'이고, '또는'의
부정은 '그리고'이므로 주어진 조건의 부정은
'$-5 \leq x \leq 2$'

01-3 답 ⑤
해결전략 | 실수 x, y에 대하여 $|x|+|y|=0$과 같은 의미를
찾은 후, 그 부정을 구한다.
실수 x, y에 대하여 '$|x|+|y|=0$'은 '$x=0$이고 $y=0$'
이므로 주어진 조건의 부정은 '$x \neq 0$ 또는 $y \neq 0$'

01-4 답 ㄱ, ㄷ
해결전략 | 보기의 각 조건 p에 대하여 그 부정 $\sim p$를 구하여
주어진 것과 비교한다.
ㄱ. $p: a=0$ 또는 $b=0$
∴ $\sim p: a \neq 0$이고 $b \neq 0$ ➡ $ab \neq 0$
ㄴ. $p: a^2+b^2=0$에서 $a=0$이고 $b=0$
∴ $\sim p: a \neq 0$ 또는 $b \neq 0$
ㄷ. $p: (a-b)^2=0$에서 $a=b$
∴ $\sim p: a \neq b$
이상에서 바르게 연결된 것은 ㄱ, ㄷ이다.

01-5 답 $-3 \leq x < 4$
해결전략 | '$\sim p$', '그리고', '$\sim q$'의 부정을 각각 구한다.
조건 '$\sim p$ 그리고 $\sim q$'의 부정은
'p 또는 q'
이때 $p: -3 \leq x \leq 0$, $q: 0 < x < 4$이므로
'p 또는 q'는
$-3 \leq x < 4$

01-6 답 ④
해결전략 | $(a-b)^2+(b-c)^2+(c-a)^2=0$과 같은 의미를
찾은 후, 그 부정이 의미하는 것과 같은 것을 찾는다.
세 실수 a, b, c에 대하여

'$(a-b)^2+(b-c)^2+(c-a)^2=0$'은 '$a=b=c$'이므로 주어진 조건의 부정은

'$a \neq b$ 또는 $b \neq c$ 또는 $c \neq a$'

즉, 'a, b, c 중 서로 다른 것이 적어도 하나 있다.'이다.

필수유형 02   69쪽

02-1   🔑 $\{x|1 \leq x \leq 2\}$

해결전략 | 두 조건 p, q의 진리집합 P, Q를 각각 구한 후, 조건 'p 그리고 q'의 진리집합을 두 집합 P, Q의 연산으로 나타낸다.

STEP 1 두 조건 p, q의 진리집합 구하기
두 조건 p, q의 진리집합을 각각 P, Q라 하면
$P=\{x|1 \leq x < 4\}$, $Q=\{x|-2 \leq x \leq 2\}$

STEP 2 조건 'p 그리고 q'의 진리집합 구하기
조건 'p 그리고 q'의 진리집합은 $P \cap Q$이므로
$P \cap Q=\{x|1 \leq x \leq 2\}$

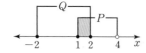

02-2   🔑 (1) $\{1, 2, 3, 4, 6, 7, 8, 9\}$
            (2) $\{1, 2, 3, 4, 6, 7, 8, 9\}$ (3) $\{5, 10\}$

해결전략 | 두 조건 p, q의 진리집합 P, Q를 각각 구한 후, 주어진 조건의 진리집합을 두 집합 P, Q의 연산으로 나타낸다.
두 조건 p, q의 진리집합을 각각 P, Q라 하면
$P=\{3, 6, 9\}$, $Q=\{5, 10\}$
(1) 조건 '$\sim q$'의 진리집합은 Q^C이므로
    $Q^C=\{1, 2, 3, 4, 6, 7, 8, 9\}$
(2) 조건 'p 또는 $\sim q$'의 진리집합은 $P \cup Q^C$이므로
    $P \cup Q^C=\{3, 6, 9\} \cup \{1, 2, 3, 4, 6, 7, 8, 9\}$
               $=\{1, 2, 3, 4, 6, 7, 8, 9\}$
(3) 조건 '$\sim p$ 그리고 q'의 진리집합은 $P^C \cap Q$이므로
    $P^C \cap Q=\{1, 2, 4, 5, 7, 8, 10\} \cap \{5, 10\}$
              $=\{5, 10\}$

02-3   🔑 37

해결전략 | 조건 p의 진리집합을 원소나열법으로 나열한다.
STEP 1 조건 p의 진리집합 구하기
조건 p의 진리집합을 P라 하면
$P=\{1, 2, 3, 4, 5, 6, 7, 9\}$

STEP 2 조건 p의 진리집합의 모든 원소의 합 구하기
따라서 구하는 모든 원소의 합은
$1+2+3+4+5+6+7+9=37$

02-4   🔑 ⑤

해결전략 | 조건 '$-1 < x \leq 5$'가 나오도록 두 조건 p, q의 진리집합을 변형한다.
STEP 1 주어진 조건의 의미 파악하기
조건 '$-1 < x \leq 5$'는 '$x > -1$이고 $x \leq 5$'이다.
STEP 2 주어진 조건의 진리집합 구하기
$p: x \leq -1$에서 $\sim p: x > -1$이므로 $P^C=\{x|x > -1\}$
$q: x \leq 5$이므로 $Q=\{x|x \leq 5\}$
따라서 구하는 진리집합은
$P^C \cap Q=Q-P$

02-5   🔑 10

해결전략 | 조건 p의 진리집합이 P이면 조건 $\sim p$의 진리집합은 P^C임을 이용한다.
STEP 1 조건 $\sim p$ 구하기
$\sim p: x(x-11) < 0$
STEP 2 조건 $\sim p$의 진리집합의 원소의 개수 구하기
조건 $\sim p$의 진리집합은 $\{x|0 < x < 11, x$는 정수$\}$이다.
따라서 조건 $\sim p$의 진리집합의 원소는
$1, 2, 3, \cdots, 10$의 10개이다.

02-6   🔑 -1

해결전략 | 두 집합 P, Q를 구한 후, $P \subset Q$가 성립하도록 집합 P, Q를 수직선 위에 나타내어 본다.
STEP 1 두 집합 P, Q 구하기
$|x-a| \leq 2$에서 $-2 \leq x-a \leq 2$
$\therefore a-2 \leq x \leq a+2$
$\therefore P=\{x|a-2 \leq x \leq a+2\}$
또, $|x-b| \leq 3$에서 $-3 \leq x-b \leq 3$
$\therefore b-3 \leq x \leq b+3$
$\therefore Q=\{x|b-3 \leq x \leq b+3\}$
STEP 2 $P \subset Q$가 성립하는 $a-b$의 값의 범위 구하기

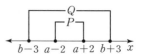

$P \subset Q$이므로 위의 그림에서
$b-3 \leq a-2$, $a+2 \leq b+3$
$\therefore -1 \leq a-b \leq 1$

STEP3 $a-b$의 최댓값과 최솟값의 곱 구하기

따라서 $a-b$의 최댓값은 1, 최솟값은 -1이므로 최댓값과 최솟값의 곱은 -1이다.

필수유형 03 71쪽

03-1 답 (1) 참 (2) 거짓

해결전략 ┃ 두 조건 p, q의 진리집합을 구하여 진리집합 사이의 포함 관계를 조사하거나 반례가 있는지 찾아본다.

(1) 두 조건 p, q의 진리집합을 각각 P, Q라 하자.

$x^2-4x-5=0$에서 $(x+1)(x-5)=0$

$\therefore x=-1$ 또는 $x=5$

$\therefore P=\{-1,\ 5\}$

또, $Q=\{x|-3\le x\le5\}$

따라서 $P\subset Q$이므로 주어진 명제는 참이다.

(2) [반례] $x=3$이고 $y=0$이면 $x+y=3>2$이지만 $x>1$이고 $y<1$이다.

따라서 주어진 명제는 거짓이다.

03-2 답 (1) 거짓 (2) 참

해결전략 ┃ 조건 p가 성립하는 도형이 조건 q를 만족시키는지 확인한다.

(1) [반례] 오른쪽 그림에서
$\triangle ABC$는 이등변삼각형이지만 정삼각형은 아니다.
따라서 주어진 명제는 거짓이다.

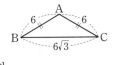

(2) 마름모는 네 변의 길이가 모두 같은 사각형이고, 평행사변형은 두 쌍의 대변의 길이가 각각 같은 사각형이다.
따라서 마름모는 모두 평행사변형이므로 주어진 명제는 참이다.

> **◎ 풍쌤의 비법**
>
> **여러 가지 사각형의 집합 사이의 포함 관계**
> 여러 가지 사각형의 집합 사이의 포함 관계를 벤다이어그램으로 나타내면 오른쪽 그림과 같다.
>
>

03-3 답 ㄴ

해결전략 ┃ (홀수)×(짝수)=(짝수)임을 이용한다.

ㄱ. $|x|=0$이면 $x=0$이다. (참)

ㄴ. x가 짝수이면 $3x$도 짝수이다. (거짓)

ㄷ. 두 유리수의 합은 항상 유리수이다. (참)

이상에서 거짓인 명제는 ㄴ이다.

03-4 답 ③

해결전략 ┃ 참인 명제는 증명하고, 거짓인 명제는 반례를 찾는다.

① [반례] 4는 4의 배수이지만 8의 배수는 아니다.

② [반례] $x=-1$이면 $x^2=1$이지만 $x\ne1$이다.

③ 조건 $x-1>0$에서 $x>1$, 조건 $2x+1>1$에서 $x>0$이므로 $x-1>0$이면 $2x+1>1$이다.

④ [반례] $x=1$, $y=3$이면 $xy=3$은 홀수이지만 $x+y=4$는 짝수이다.

⑤ [반례] $x=1$, $y=-1$이면 $xy=-1<0$이지만 $x>0$이고 $y<0$이다.

따라서 참인 명제는 ③이다.

03-5 답 ②

해결전략 ┃ 세 조건 p, q, r의 진리집합을 수직선 위에 각각 나타내어 보기의 참, 거짓을 판별한다.

STEP1 세 조건 p, q, r의 진리집합 구하기

세 조건 p, q, r의 진리집합을 각각 P, Q, R라 하면

$P=\{x|x<-4$ 또는 $x>4\}$,

$Q=\{x|-3\le x\le3\}$, $R=\{x|x\le3\}$

이고 세 집합 P, Q, R를 수직선 위에 나타내면 다음 그림과 같다.

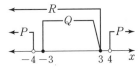

STEP2 보기에 주어진 명제의 참, 거짓 판별하기

ㄱ. $Q\subset R$이므로 명제 $q\longrightarrow r$는 참이다.

ㄴ. $Q^C=\{x|x<-3$ 또는 $x>3\}$
이므로 $P\subset Q^C$
즉, 명제 $p\longrightarrow \sim q$는 참이다.

ㄷ. $P^C=\{x|-4\le x\le4\}$
이므로 $R\not\subset P^C$
즉, 명제 $r\longrightarrow \sim p$는 거짓이다.

이상에서 참인 명제는 ㄱ, ㄴ이다.

04-1 답 d, e

해결전략 | 명제 $\sim p \longrightarrow q$가 거짓이려면 $\sim p$를 만족시키면서 q를 만족시키지 않아야 함을 이용한다.

STEP 1 반례가 되는 조건 찾기

명제 $\sim p \longrightarrow q$가 거짓임을 보이는 원소는 집합 P^C에는 속하지만 집합 Q에는 속하지 않는다.

STEP 2 반례가 될 수 있는 원소 구하기

따라서 구하는 집합은

$P^C - Q = P^C \cap Q^C = (P \cup Q)^C = \{d, e\}$

이므로 원소는 d, e이다.

04-2 답 2

해결전략 | 명제 $p \longrightarrow \sim q$가 거짓이려면 p를 만족시키면서 $\sim q$를 만족시키지 않아야 함을 이용한다.

STEP 1 반례가 되는 조건 찾기

명제 $p \longrightarrow \sim q$가 거짓임을 보이는 원소는 집합 P에는 속하지만 집합 Q^C에는 속하지 않는다.

STEP 2 반례가 될 수 있는 원소의 개수 구하기

따라서 구하는 집합은

$P - Q^C = P \cap (Q^C)^C = P \cap Q = \{3, 8\}$

이므로 원소의 개수는 2이다.

04-3 답 ㄷ

해결전략 | 명제 $p \longrightarrow q$가 참임을 이용하여 진리집합 사이의 포함 관계를 구한다.

STEP 1 두 집합 P, Q 사이의 포함 관계 구하기

명제 $p \longrightarrow q$가 참이므로
$P \subset Q$

따라서 두 집합 P, Q 사이의 포함 관계를 벤다이어그램으로 나타내면 오른쪽 그림과 같다.

STEP 2 보기의 참, 거짓 판별하기

ㄱ. $P \cap Q = P$ (거짓)

ㄴ. $P \cup Q^C \neq U$ (거짓)

ㄷ. $P - Q = \varnothing$ (참)

이상에서 항상 옳은 것은 ㄷ이다.

04-4 답 ②

해결전략 | 명제 $\sim q \longrightarrow p$가 참임을 이용하여 진리집합 사이의 포함 관계를 구한다.

04-5 답 ①

해결전략 | 명제 $q \longrightarrow \sim p$가 거짓이려면 q를 만족시키면서 $\sim p$를 만족시키지 않아야 함을 이용한다.

STEP 1 반례가 되는 조건 찾기

명제 $q \longrightarrow \sim p$가 거짓임을 보이는 원소는 집합 Q에는 속하고 집합 P^C에는 속하지 않는다.

STEP 2 반례가 될 수 있는 원소가 속하는 집합 구하기

따라서 이 원소가 속하는 집합은

$Q - P^C = Q \cap (P^C)^C = Q \cap P = P \cap Q$

04-6 답 ㄱ, ㄴ

해결전략 | 주어진 조건에서 세 집합 P, Q, R 사이의 포함 관계를 알아내어 참인 명제를 찾는다.

STEP 1 집합 P, Q 사이의 포함 관계로 ㄱ이 성립하는지 판단하기

ㄱ. $P \cap Q = P$이므로 $P \subset Q$

    따라서 명제 $p \longrightarrow q$는 참이다.

STEP 2 집합 R, Q 사이의 포함 관계로 ㄴ이 성립하는지 판단하기

ㄴ. $R^C \cup Q = U$에서

    $(R^C \cup Q)^C = U^C = \varnothing$이므로

    $R \cap Q^C = R - Q = \varnothing$

    $\therefore R \subset Q$

    따라서 명제 $r \longrightarrow q$는 참이다.

STEP 3 집합 P, R 사이의 포함 관계로 ㄷ이 성립하는지 판단하기

ㄷ. [반례] $P \cap R \neq \varnothing$이면 $P \not\subset R^C$

    따라서 명제 $p \longrightarrow \sim r$는 거짓이다.

이상에서 참인 명제는 ㄱ, ㄴ이다.

명제 $\sim q \longrightarrow p$가 참이므로
$Q^C \subset P$

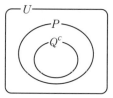

따라서 두 집합 P, Q 사이의 포함 관계를 벤다이어그램으로 나타내면 오른쪽 그림과 같다.

STEP 2 보기 중 옳은 것 고르기

② $Q^C \subset P$에서 $(Q^C \cup Q) \subset (P \cup Q)$

    이때 $Q^C \cup Q = U$, $(P \cup Q) \subset U$이므로

    $P \cup Q = U$

따라서 옳은 것은 ②이다.

05-1 답 $0 < a \leq 2$

해결전략 | 명제 $p \longrightarrow q$가 참이 되도록 두 조건 p, q의 진리집합을 수직선 위에 나타낸다.

STEP1 두 조건 p, q의 진리집합 구하기

두 조건 p, q의 진리집합을 각각 P, Q라 하자.

$x^2 - a^2 \leq 0$에서 $(x+a)(x-a) \leq 0$

$\therefore -a \leq x \leq a$

$\therefore P = \{x \mid -a \leq x \leq a\}$

또, $|x-1| \leq 3$에서 $-3 \leq x-1 \leq 3$

$\therefore -2 \leq x \leq 4$

$\therefore Q = \{x \mid -2 \leq x \leq 4\}$

STEP2 진리집합 사이의 포함 관계 이해하기

명제 $p \longrightarrow q$가 참이 되려면 $P \subset Q$이어야 하고 $P \subset Q$가 되도록 두 집합을 수직선 위에 나타내면 다음 그림과 같다.

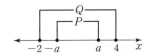

STEP3 a의 값의 범위 구하기

즉, $-a \geq -2$이고 $a \leq 4$이므로

$a \leq 2$이고 $a \leq 4$

$\therefore a \leq 2$

그런데 $a > 0$이므로 $0 < a \leq 2$

05-2 답 $a \leq \dfrac{1}{3}$

해결전략 | 명제 $p \longrightarrow \sim q$가 참이 되도록 두 조건 p, $\sim q$의 진리집합을 수직선 위에 나타낸다.

STEP1 두 조건 p, q의 진리집합 구하기

두 조건 p, q의 진리집합을 각각 P, Q라 하면

$P = \{x \mid x \geq 1\}$

또, $2x + a > 3x - 2a$에서 $x < 3a$이므로

$Q = \{x \mid x < 3a\}$

STEP2 진리집합 사이의 포함 관계 이해하기

명제 $p \longrightarrow \sim q$가 참이 되려면 $P \subset Q^C$이어야 하고, $Q^C = \{x \mid x \geq 3a\}$이므로 $P \subset Q^C$가 되도록 두 집합을 수직선 위에 나타내면 다음 그림과 같다.

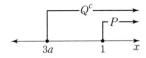

STEP3 a의 값의 범위 구하기

즉, $3a \leq 1$이므로 $a \leq \dfrac{1}{3}$

05-3 답 5

해결전략 | 가정과 결론을 각각 p, q로 놓고, 명제 $p \longrightarrow q$가 참이 되도록 두 조건 p, q의 진리집합을 수직선 위에 나타낸다.

STEP1 가정과 결론의 진리집합 구하기

p: $|x-2| < 2$, q: $5-a < x < a$라 하고, 두 조건 p, q의 진리집합을 각각 P, Q라 하자.

$|x-2| < 2$에서 $-2 < x-2 < 2$

$\therefore 0 < x < 4$

$\therefore P = \{x \mid 0 < x < 4\}$

또, $Q = \{x \mid 5-a < x < a\}$

STEP2 진리집합 사이의 포함 관계 이해하기

명제 $p \longrightarrow q$가 참이 되려면 $P \subset Q$이어야 하고 $P \subset Q$가 되도록 두 집합을 수직선 위에 나타내면 다음 그림과 같다.

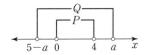

STEP3 a의 최솟값 구하기

즉, $5-a \leq 0$이고 $a \geq 4$이므로

$a \geq 5$이고 $a \geq 4$

$\therefore a \geq 5$

따라서 실수 a의 최솟값은 5이다.

05-4 답 8

해결전략 | 명제 $p \longrightarrow q$가 참이 되도록 두 조건 p, q의 진리집합 사이의 포함 관계를 조사한다.

STEP1 두 조건 p, q의 진리집합 구하기

두 조건 p, q의 진리집합을 각각 P, Q라 하면

$P = \{a\}$

또, $x^2 + 3x - 10 \leq 0$에서 $(x+5)(x-2) \leq 0$

$\therefore -5 \leq x \leq 2$

$\therefore Q = \{x \mid -5 \leq x \leq 2\}$

STEP2 진리집합 사이의 포함 관계 이해하기

명제 $p \longrightarrow q$가 참이 되려면 $P \subset Q$이어야 한다.

STEP3 정수 a의 개수 구하기

$\therefore -5 \leq a \leq 2$

따라서 구하는 정수 a는 -5, -4, -3, $\cdots$, 2의 8개이다.

05-5 답 3

해결전략 | 명제 $p \longrightarrow \sim q$가 참이 되도록 두 조건 p, $\sim q$의 진리집합을 수직선 위에 나타낸다.

STEP1 두 조건 p, q의 진리집합 구하기

두 조건 p, q의 진리집합을 각각 P, Q라 하자.

$|x-a| \le 1$에서 $-1 \le x-a \le 1$

$\therefore a-1 \le x \le a+1$

$\therefore P = \{x \,|\, a-1 \le x \le a+1\}$

조건 q : $x^2-2x-8>0$에 대하여

$\sim q$: $x^2-2x-8 \le 0$

$x^2-2x-8 \le 0$에서 $(x+2)(x-4) \le 0$

$\therefore -2 \le x \le 4$

$\therefore Q^C = \{x \,|\, -2 \le x \le 4\}$

STEP2 진리집합 사이의 포함 관계 이해하기

명제 $p \longrightarrow \sim q$가 참이 되려면 $P \subset Q^C$이어야 하고 $P \subset Q^C$이 되도록 두 집합을 수직선 위에 나타내면 다음 그림과 같다.

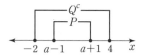

STEP3 a의 최댓값 구하기

즉, $a-1 \ge -2$이고 $a+1 \le 4$이므로

$a \ge -1$이고 $a \le 3$

$\therefore -1 \le a \le 3$

따라서 실수 a의 최댓값은 3이다.

05-6 답 10

해결전략 | 세 조건 p, q, r의 진리집합 사이의 포함 관계를 조사하여 a의 값의 범위를 구한다.

STEP1 세 조건 p, q, r의 진리집합 구하기

세 조건 p, q, r의 진리집합을 각각 P, Q, R라 하면

$P = \{x \,|\, 1 \le x \le 6\}$, $Q = \{x \,|\, x \ge a\}$, $R = \{x \,|\, x \ge 4\}$

STEP2 M의 값 구하기

(i) 명제 $r \longrightarrow (p$ 또는 $q)$가 참이 되려면 $R \subset (P \cup Q)$ 이어야 하므로 다음 그림에서

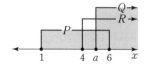

$a \le 6$

$\therefore M=6$

STEP3 m의 값 구하기

(ii) 명제 $(p$이고 $q) \longrightarrow r$가 참이 되려면 $(P \cap Q) \subset R$ 이어야 하므로 다음 그림에서

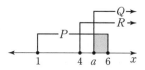

$a \ge 4$

$\therefore m=4$

STEP4 $M+m$의 값 구하기

(i), (ii)에 의하여

$M+m = 6+4 = 10$

필수유형 06   77쪽

06-1 답 (1) 거짓 (2) 참

해결전략 | '모든'이 있는 명제는 집합 U의 모든 원소에 대하여 성립하면 참이고, '어떤'이 있는 명제는 집합 U에 있는 원소 중 하나라도 성립하면 참이 됨을 이용한다.

(1) $x = -2$이면 $-x = 2 \notin U$이므로 주어진 명제는 거짓이다.

(2) $x = 1$이면 $x^2 = 1$, $2x = 2$이므로 $x^2 < 2x$

따라서 주어진 명제는 참이다.

> **풍쌤의 비법**
>
> (1) 모든 x에 대하여 $\sim$ ➡ 조건을 만족시키지 않는 x가 하나라도 있으면 거짓이다.
>
> (2) 어떤 x에 대하여 $\sim$ ➡ 조건을 만족시키는 x가 하나라도 있으면 참이다.

06-2 답 ④

해결전략 | '모든'이 있는 명제는 집합 U의 모든 원소가 포함되는지 확인하고, '어떤'이 있는 명제는 집합 U에 있는 원소 중 하나라도 포함되는지 확인한다.

① $x^2+x<0$에서 $x(x+1)<0$

$\therefore -1 < x < 0$

따라서 집합 U의 어떤 원소 x를 대입하여도 부등식이 성립하지 않으므로 주어진 명제는 거짓이다.

② $x-2<3$에서 $x<5$

따라서 $x=5$이면 부등식이 성립하지 않으므로 주어진 명제는 거짓이다.

③ $x^2-5x+6=0$에서 $(x-2)(x-3)=0$

∴ $x=2$ 또는 $x=3$

따라서 $x=1$이면 등식이 성립하지 않으므로 주어진 명제는 거짓이다.

④ $x=5$, $y=4$이면 $x^2+y^2=25+16=41>40$

따라서 주어진 명제는 참이다.

⑤ [반례] $x=5$, $y=5$이면 $|x|+|y|=5+5=10>9$

따라서 주어진 명제는 거짓이다.

이상에서 참인 명제는 ④이다.

06-3 📝 모든 실수 x에 대하여 $x^2\leq8$이다. (거짓)

해결전략 | '어떤'의 부정은 '모든'임을 이용하여 명제의 부정을 구한다.

STEP 1 명제의 부정 구하기

주어진 명제의 부정은

'모든 실수 x에 대하여 $x^2\leq8$이다.'

STEP 2 명제의 부정의 참, 거짓 판별하기

[반례] $x=3$이면 $x^2=9>8$

따라서 주어진 명제의 부정은 거짓이다.

06-4 📝 4

해결전략 | $x>0$에서 $x-a+4>0$이므로 x의 값 사이의 포함 관계를 이용하여 a의 값의 범위를 구한다.

STEP 1 주어진 조건이 참인 명제가 되도록 하는 x의 값의 포함 관계 알기

자연수 a에 대한 주어진 조건이 참인 명제가 되려면

$\{x|x>0\}\subset\{x|x-a+4>0\}$

즉, $\{x|x>0\}\subset\{x|x>a-4\}$이어야 한다.

STEP 2 a의 값 구하기

따라서 $a-4\leq0$에서 $a\leq4$이므로

자연수 a는 1, 2, 3, 4의 4개이다.

06-5 📝 ⑤

해결전략 | 보기에서 주어진 수의 범위에서 '모든'이나 '어떤'이 있는 명제의 참, 거짓을 판별한다.

① 임의의 실수 x에 대하여 $x^2\geq0$

따라서 주어진 명제는 참이다.

② $x=0$이면 $|x|=x$

따라서 주어진 명제는 참이다.

③ 모든 정수 x에 대하여 $x+1$은 x보다 1 큰 수이므로 정수이다.

따라서 주어진 명제는 참이다.

④ $x-3=5$에서 $x=8$

따라서 $x=8$이면 $x-3=5$이므로 주어진 명제는 참이다.

⑤ $x^2=2$에서 $x=\pm\sqrt{2}$

이때 $\sqrt{2}$, $-\sqrt{2}$는 모두 무리수이므로 $x^2=2$를 만족시키는 유리수는 없다.

따라서 주어진 명제는 거짓이다.

이상에서 거짓인 명제는 ⑤이다.

06-6 📝 7

해결전략 | $k-3\leq x\leq k+1$과 $-2\leq x\leq0$에 공통으로 속하는 x가 존재해야 함을 이용한다.

STEP 1 명제가 참이 되는 조건 알기

$P=\{x|k-3\leq x\leq k+1\}$, $Q=\{x|-2\leq x\leq0\}$

라 할 때, 주어진 명제가 참이면 $P\cap Q\neq\varnothing$

STEP 2 k의 값의 범위 구하기

따라서 다음의 세 가지 경우를 생각할 수 있다.

(i)

$-2\leq k-3\leq0$ ∴ $1\leq k\leq3$

(ii)

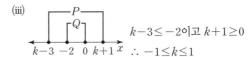

$-2\leq k+1\leq0$ ∴ $-3\leq k\leq-1$

(iii)

$k-3\leq-2$이고 $k+1\geq0$ ∴ $-1\leq k\leq1$

(i)~(iii)에 의하여 $-3\leq k\leq3$

STEP 3 k의 개수 구하기

따라서 정수 k는 -3, -2, -1, 0, 1, 2, 3의 7개이다.

필수유형 07 79쪽

07-1 📝 풀이 참조

해결전략 | 명제 $p\longrightarrow q$의 역은 $q\longrightarrow p$, 대우는 $\sim q\longrightarrow\sim p$임을 이용한다.

(1) 역: 두 삼각형이 닮음이면 합동이다. (거짓)

[반례] 두 삼각형의 닮음비가 $1:1$이 아니면 합동이 아니다.

대우: 두 삼각형이 닮음이 아니면 합동이 아니다. (참)

(2) 역: 두 직사각형이 합동이면 두 직사각형의 넓이가 같다. (참)

대우: 두 직사각형이 합동이 아니면 두 직사각형의 넓이가 같지 않다. (거짓)

[반례] 다음 그림과 같은 두 직사각형은 합동이 아니지만 넓이가 같다.

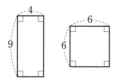

07-2 답 ㄱ, ㄴ

해결전략 | 각 보기의 역을 구한 후, 참, 거짓을 판별한다.

ㄱ. 역: $x=1$이면 $x^2=1$이다. (참)

ㄴ. 역: $xy \neq 0$이면 $x \neq 0$ 또는 $y \neq 0$이다. (참)

[증명] $xy \neq 0$이면 $x \neq 0$이고 $y \neq 0$

$x \neq 0$ 또는 $y \neq 0$이면

(i) $x \neq 0$, $y = 0$

(ii) $x = 0$, $y \neq 0$

(iii) $x \neq 0$, $y \neq 0$

따라서 $xy \neq 0$이면 $x \neq 0$ 또는 $y \neq 0$이다.

ㄷ. 역: $x > y$이면 $\dfrac{x}{y} > 1$이다. (거짓)

[반례] $x = 1$, $y = -1$이면 $x > y$이지만

$\dfrac{x}{y} = -1 < 1$이다.

이상에서 명제의 역이 참인 것은 ㄱ, ㄴ이다.

07-3 답 ③

해결전략 | 명제와 그 대우의 참, 거짓이 일치함을 이용한다.

명제 $\sim q \longrightarrow p$의 역 $p \longrightarrow \sim q$가 참이므로 역의 대우인 $q \longrightarrow \sim p$도 참이다.

07-4 답 6

해결전략 | 명제가 참이면 그 대우도 참임을 이용한다.

STEP 1 명제와 그 명제의 대우 사이의 관계를 이용하여 참, 거짓 이해하기

주어진 명제가 참이 되기 위해서는 그 명제의 대우

'$x - a = 0$이면 $x^2 - 6x + 5 = 0$이다.'

가 참이 되어야 한다.

STEP2 a의 값의 합 구하기

즉, $a^2 - 6a + 5 = 0$이므로 $(a-1)(a-5) = 0$

$\therefore a = 1$ 또는 $a = 5$

따라서 주어진 명제가 참이 되기 위한 모든 a의 값의 합은

$1 + 5 = 6$

07-5 답 2

해결전략 | 명제 $p \longrightarrow q$가 참이면 $P \subset Q$임을 이용한다.

STEP 1 두 집합 P, Q 사이의 관계 알기

명제 $p \longrightarrow q$의 역인 $q \longrightarrow p$가 참이므로 $Q \subset P$이다.

또, 명제 $p \longrightarrow q$의 대우가 참이므로 명제 $p \longrightarrow q$가 참이다.

$\therefore P \subset Q$

즉, $Q \subset P$, $P \subset Q$이므로 $P = Q$이다.

STEP2 a의 값 구하기

$7 \in Q$에서 $7 \in P$이므로

$a = 7$ 또는 $a + 5 = 7$

$\therefore a = 2$ 또는 $a = 7$

(i) $a = 2$일 때

$P = \{2, 3, 7\}$, $Q = \{2, 3, 7\}$이므로

$P = Q$

(ii) $a = 7$일 때

$P = \{3, 7, 12\}$, $Q = \{3, 7, 17\}$이므로

$P \neq Q$

(i), (ii)에 의하여 $a = 2$

07-6 답 A, D

해결전략 | 주어진 명제가 참이면 그 대우도 참이므로 명제와 그 대우를 찾아 참임을 확인할 수 있는 카드를 조사한다.

STEP 1 주어진 명제가 참인지 확인하기 위한 카드 찾기

명제 '홀수가 적힌 카드의 뒷면에는 ♣가 그려져 있다.'가 참인지 확인하기 위해서는 홀수가 적힌 카드를 뒤집어 ♣가 그려져 있는지 확인해야 하므로 A 카드를 뒤집어 보아야 한다.

STEP2 주어진 명제의 대우가 참인지 확인하기 위한 카드 찾기

명제가 참이면 그 대우도 참이므로 주어진 명제의 대우 '♣가 아닌 그림이 그려져 있는 카드의 앞면에는 짝수가 적혀 있다.'가 참인지 확인하기 위해서는 ♣가 아닌 그림이 그려져 있는 카드를 뒤집어 짝수가 적혀 있는지 확인해야 하므로 D 카드를 뒤집어 보아야 한다.

따라서 뒤집어 보아야 할 카드는 A, D이다.

08-1 답 ㄱ, ㄷ

해결전략 | 참인 명제에서 공통으로 들어 있는 조건을 찾아 보기의 명제가 참인지 확인한다.

ㄱ. 명제 $\sim r \longrightarrow \sim q$가 참이므로 그 대우 $q \longrightarrow r$도 참이다.

ㄴ. 명제 $\sim r \longrightarrow \sim q$와 그 대우 $q \longrightarrow r$가 참이지만 $r \longrightarrow \sim q$가 참인지는 알 수 없다.

ㄷ. 명제 $q \longrightarrow r$, $r \longrightarrow p$가 모두 참이므로 삼단논법에 의하여 $q \longrightarrow p$가 참이다.

ㄹ. 명제 $r \longrightarrow p$가 참이므로 그 대우 $\sim p \longrightarrow \sim r$도 참이다.

    명제 $\sim p \longrightarrow \sim r$, $\sim r \longrightarrow \sim q$가 모두 참이므로 삼단논법에 의하여 $\sim p \longrightarrow \sim q$가 참이고, 그 대우 $q \longrightarrow p$도 참이지만 $p \longrightarrow q$가 참인지는 알 수 없다.

이상에서 항상 참인 명제는 ㄱ, ㄷ이다.

08-2 답 ④

해결전략 | 참인 명제에서 공통으로 들어 있는 조건을 찾아 참인 새로운 명제를 발견한다.

명제 $\sim r \longrightarrow \sim q$가 참이므로 그 대우 $q \longrightarrow r$도 참이다. 따라서 두 명제 $p \longrightarrow q$, $q \longrightarrow r$가 모두 참이므로 명제 $p \longrightarrow r$가 참이고, 그 대우 $\sim r \longrightarrow \sim p$도 참이다.

08-3 답 ③

해결전략 | 명제와 그 대우의 참, 거짓이 일치함과 삼단논법을 이용하여 새로운 명제가 참인지 확인한다.

① 두 명제 $p \longrightarrow q$, $q \longrightarrow \sim r$가 모두 참이면 $p \longrightarrow \sim r$가 참이다.

② 명제 $\sim q \longrightarrow \sim p$가 참이므로 그 대우 $p \longrightarrow q$도 참이다.

    따라서 두 명제 $p \longrightarrow q$, $q \longrightarrow r$가 모두 참이므로 $p \longrightarrow r$가 참이다.

③ 명제 $p \longrightarrow r$의 참, 거짓은 알 수 없다.

④ 명제 $p \longrightarrow \sim q$가 참이므로 그 대우 $q \longrightarrow \sim p$도 참이다.

    또, 명제 $r \longrightarrow p$가 참이므로 그 대우 $\sim p \longrightarrow \sim r$가 참이다.

    따라서 두 명제 $q \longrightarrow \sim p$, $\sim p \longrightarrow \sim r$가 모두 참이므로 $q \longrightarrow \sim r$가 참이다.

⑤ 명제 $\sim p \longrightarrow \sim r$가 참이므로 그 대우 $r \longrightarrow p$가 참이다.

따라서 두 명제 $q \longrightarrow r$, $r \longrightarrow p$가 모두 참이므로 $q \longrightarrow p$가 참이다.

이상에서 옳지 않은 것은 ③이다.

08-4 답 ㄱ, ㄷ

해결전략 | 참인 명제의 진리집합 사이의 관계를 이용하여 보기의 참, 거짓을 판별한다.

ㄱ. 명제 $\sim p \longrightarrow r$가 참이므로 $P^C \subset R$ (참)

ㄴ. 두 명제 $r \longrightarrow \sim q$, $\sim p \longrightarrow r$가 모두 참이므로 각각의 대우 $q \longrightarrow \sim r$, $\sim r \longrightarrow p$도 참이다.

    따라서 $q \longrightarrow p$가 참이므로

    $Q \subset P$ …… ㉠

    이때 $p \longrightarrow q$가 참인지는 알 수 없으므로 $P \subset Q$인지는 알 수 없다. (거짓)

ㄷ. 명제 $r \longrightarrow \sim q$가 참이므로 그 대우 $q \longrightarrow \sim r$도 참이다.

    $\therefore Q \subset R^C$ …… ㉡

    명제 $\sim r \longrightarrow q$가 참이므로

    $R^C \subset Q$ …… ㉢

    ㉡, ㉢에 의하여 $Q = R^C$

    ㉠에 의하여 $P \cap Q = Q = R^C$ (참)

이상에서 옳은 것은 ㄱ, ㄷ이다.

08-5 답 ③

해결전략 | 주어진 명제를 기호로 나타내고, 명제와 그 대우의 참, 거짓이 일치함과 삼단논법을 이용하여 보기에 주어진 각 명제의 참, 거짓을 판별한다.

STEP1 주어진 명제와 대우를 기호로 나타내고, 참인 명제 찾기

세 조건 p, q, r를

p : 운동을 좋아한다.

q : 축구를 좋아한다.

r : 야구를 좋아한다.

로 놓으면 명제 $p \longrightarrow q$, $\sim p \longrightarrow \sim r$가 참이므로 각각의 대우인 $\sim q \longrightarrow \sim p$, $r \longrightarrow p$도 참이다.

또, $r \longrightarrow p$, $p \longrightarrow q$가 참이므로 $r \longrightarrow q$가 참이고, 그 대우인 $\sim q \longrightarrow \sim r$도 참이다.

STEP2 보기 중 참인 명제 고르기

각 보기를 세 조건 p, q, r를 사용하여 나타내면

① $p \longrightarrow r$ ② $q \longrightarrow r$ ③ $r \longrightarrow q$

④ $\sim r \longrightarrow \sim q$ ⑤ $\sim q \longrightarrow r$

따라서 항상 참인 명제는 ③이다.

09-1 답 ㄴ

해결전략 | 각 보기에 대하여 두 명제 $p \longrightarrow q$, $q \longrightarrow p$의 참, 거짓을 판별하여 어떤 조건인지 조사한다.

ㄱ. $x=1$, $y=3$이면 $x+y=4$는 짝수이지만 x, y는 홀수이므로 $p \not\Longrightarrow q$

또, x, y가 모두 짝수이면 $x+y$도 짝수이므로
$q \Longrightarrow p$

따라서 p는 q이기 위한 필요조건이다.

ㄴ. $x=1$이면 $x^3=1$이므로 $p \Longrightarrow q$

또, $x^3=1$이면 $x^3-1=0$에서
$(x-1)(x^2+x+1)=0$, $x=1$ ($\because$ x는 실수)
$\therefore q \Longrightarrow p$

따라서 p는 q이기 위한 필요충분조건이다.

ㄷ. $x>1$, $y>1$이면 $xy>1$이므로 $p \Longrightarrow q$

또, $x=4$, $y=\dfrac{1}{2}$이면 $xy>1$이지만 $x>1$, $y<1$이므로 $q \not\Longrightarrow p$

따라서 p는 q이기 위한 충분조건이다.

이상에서 p가 q이기 위한 필요충분조건인 것은 ㄴ이다.

09-2 답 ④

해결전략 | 각 보기에 대하여 진리집합 사이의 포함 관계를 이용하거나 두 명제 $p \longrightarrow q$, $q \longrightarrow p$의 참, 거짓을 판별하여 어떤 조건인지 조사한다.

① $x+z=y+z$의 양변에서 z를 빼면 $x=y$
$\therefore p \Longrightarrow q$

또, $x=y$의 양변에 z를 더하면 $x+z=y+z$
$\therefore q \Longrightarrow p$

따라서 p는 q이기 위한 필요충분조건이다.

② 두 조건 p, q의 진리집합을 각각 P, Q라 하면
$P=\{1, 2, 4, 8\}$, $Q=\{1, 2, 4\}$
즉, $P \not\subset Q$, $Q \subset P$이므로 $p \not\Longrightarrow q$, $q \Longrightarrow p$

따라서 p는 q이기 위한 필요조건이지만 충분조건은 아니다.

③ 두 조건 p, q의 진리집합을 각각 P, Q라 하면
$P=\{0, 1\}$
$x^2=x$에서 $x^2-x=0$
$x(x-1)=0$, $x=0$ 또는 $x=1$이므로 $Q=\{0, 1\}$
즉, $P=Q$이므로 $p \Longleftrightarrow q$

따라서 p는 q이기 위한 필요충분조건이다.

④ x, y가 모두 유리수이면 xy도 유리수이다.
$\therefore p \Longrightarrow q$

또, $x=\sqrt{2}$, $y=\sqrt{2}$이면 $xy=2$이므로 유리수이지만 x, y는 모두 무리수이다.
$\therefore q \not\Longrightarrow p$

따라서 p는 q이기 위한 충분조건이지만 필요조건은 아니다.

⑤ $x=2$이면 $|x| \leq 2$이지만 $0 \leq x \leq 1$은 아니다.
$\therefore p \not\Longrightarrow q$

또, $0 \leq x \leq 1$이면 $-2 \leq x \leq 2$이므로 $|x| \leq 2$이다.
$\therefore q \Longrightarrow p$

따라서 p는 q이기 위한 필요조건이지만 충분조건은 아니다.

이상에서 p는 q이기 위한 충분조건이지만 필요조건은 아닌 것은 ④이다.

09-3 답 필요조건

해결전략 | 두 명제 $p \longrightarrow q$, $q \longrightarrow p$의 참, 거짓을 각각 판별하여 어떤 조건인지 조사한다.

$A=\{1, 2\}$, $B=\{3\}$이면
$A \cap B = \varnothing$, $A \cup B = \{1, 2, 3\}$이므로
$(A \cap B) \subset (A \cup B)$이지만 $A \neq B$이다.
$\therefore p \not\Longrightarrow q$

또, $A=B$이면 $A \cap B = A$, $A \cup B = A$이므로
$(A \cap B) \subset (A \cup B)$
$\therefore q \Longrightarrow p$

이상에서 p는 q이기 위한 필요조건이다.

09-4 답 필요충분조건

해결전략 | 주어진 조건을 기호로 나타내고 삼단논법을 이용하여 두 명제 $r \longrightarrow p$, $p \longrightarrow r$의 참, 거짓을 판별한다.

STEP 1 주어진 조건을 기호로 나타내기

p는 q이기 위한 충분조건이므로 $p \Longrightarrow q$　　　……㉠

r는 q이기 위한 필요조건이므로 $q \Longrightarrow r$　　　……㉡

p는 r이기 위한 필요조건이므로 $r \Longrightarrow p$　　　……㉢

STEP 2 r는 p이기 위한 어떤 조건인지 구하기

㉠, ㉡에서 $p \Longrightarrow q$, $q \Longrightarrow r$이므로 $p \Longrightarrow r$　　　……㉣

㉢, ㉣에서 $r \Longrightarrow p$, $p \Longrightarrow r$이므로 $r \Longleftrightarrow p$

따라서 r는 p이기 위한 필요충분조건이다.

09-5 탭 ①

해결전략 | 집합의 연산을 이용하여 두 집합 A, B 사이의 포함 관계를 찾는다.

$(A \cup B) - (A \cap B) = (A-B) \cup (B-A)$,

$B \cap A^c = B - A$

즉, $(A-B) \cup (B-A) = B-A$이므로

$A-B = \varnothing$ ∴ $A \subset B$

따라서 $(A \cup B) - (A \cap B) = B \cap A^c$가 성립하기 위한 필요충분조건은 $A \subset B$이다.

09-6 탭 ㄱ, ㄴ, ㄷ

해결전략 | 세 조건 p, q, r가 되기 위한 각각의 필요충분조건을 찾아 보기의 참, 거짓을 판별한다.

STEP 1 **p, q, r가 되기 위한 각각의 필요충분조건 찾기**

$p: |a|+|b|=0 \Longleftrightarrow a=b=0$

$q: a^2 -2ab+b^2=0 \Longleftrightarrow (a-b)^2=0$

$\Longleftrightarrow a=b$

$r: |a+b|=|a-b| \Longleftrightarrow |a+b|^2=|a-b|^2$

$\Longleftrightarrow ab=0$

$\Longleftrightarrow a=0$ 또는 $b=0$

STEP 2 **보기의 참, 거짓 판별하기**

ㄱ. $p \longrightarrow q$가 참, $q \longrightarrow p$가 거짓이므로 p는 q이기 위한 충분조건이지만 필요조건은 아니다. (참)

ㄴ. $\sim p : a \neq 0$ 또는 $b \neq 0$

$\sim r : a \neq 0$이고 $b \neq 0$

따라서 $\sim p \longrightarrow \sim r$가 거짓, $\sim r \longrightarrow \sim p$가 참이므로 $\sim p$는 $\sim r$이기 위한 필요조건이지만 충분조건은 아니다. (참)

ㄷ. q이고 r이면 $a=b=0$이다.

따라서 (q이고 r)는 p이기 위한 필요충분조건이다. (참)

이상에서 ㄱ, ㄴ, ㄷ 모두 옳다.

필수유형 ⑩ 85쪽

10-1 탭 ④

해결전략 | 주어진 조건에서 진리집합 사이의 포함 관계를 구하여 보기를 확인한다.

STEP 1 **세 집합 P, Q, R를 벤다이어그램으로 나타내기**

$P \cap Q = Q$에서 $Q \subset P$

$P \cup R = R$에서 $P \subset R$

따라서 전체집합 U에 대하여 주어진 조건을 만족시키도록 세 집합 P, Q, R를 벤다이어 그램으로 나타내면 오른쪽 그림과 같다.

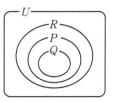

STEP 2 **보기에서 옳은 것 고르기**

① $P \not\subset Q$이므로 p는 q이기 위한 충분조건이 아니다.

② $P \neq R^c$이므로 p는 $\sim r$이기 위한 필요충분조건이 아니다.

③ $P^c \not\subset Q$이므로 q는 $\sim p$이기 위한 필요조건이 아니다.

④ $Q \subset R$이므로 q는 r이기 위한 충분조건이다.

⑤ $Q^c \subset R$이므로 r는 $\sim q$이기 위한 필요조건이 아니다.

따라서 항상 옳은 것은 ④이다.

10-2 탭 ㄴ, ㄷ

해결전략 | 주어진 벤다이어그램에서 진리집합 사이의 포함 관계를 파악하여 보기의 참, 거짓을 판별한다.

ㄱ. $P \neq Q$이므로 p는 q이기 위한 필요충분조건이 아니다. (거짓)

ㄴ. $R \subset P^c$이므로 r는 $\sim p$이기 위한 충분조건이다. (참)

ㄷ. $R \subset Q$이므로 q는 r이기 위한 필요조건이다. (참)

이상에서 옳은 것은 ㄴ, ㄷ이다.

10-3 탭 ④

해결전략 | 주어진 조건에서 두 집합 P, Q 사이의 포함 관계를 구하여 항상 옳은 것을 찾는다.

q는 p이기 위한 필요조건이므로 $P \subset Q$

① $P \cap Q = P$ ② $P \cup Q^c \neq U$

③ $P \neq Q$ ⑤ $P - Q = \varnothing$

따라서 항상 옳은 것은 ④이다.

10-4 탭 필요충분조건

해결전략 | 주어진 등식의 좌변을 간단히 하여 두 집합 P, Q 사이의 포함 관계를 조사한다.

STEP 1 **주어진 식의 좌변 간단히 하기**

$(P \cup Q) \cap (P^c \cup Q^c)$

$= \{(P \cup Q) \cap P^c\} \cup \{(P \cup Q) \cap Q^c\}$

$= \{(P \cup Q) - P\} \cup \{(P \cup Q) - Q\}$

$= (Q-P) \cup (P-Q) = \varnothing$

STEP 2 **p는 q이기 위한 어떤 조건인지 구하기**

즉, $P-Q = \varnothing$, $Q-P = \varnothing$에서 $P \subset Q$, $Q \subset P$이므로

$P = Q$

따라서 p는 q이기 위한 필요충분조건이다.

10-5 답 256

해결전략 | 집합 P를 이용하여 두 집합 Q, R로 가능한 것의 개수를 각각 구한다.

STEP1 집합 P 구하기

$x^2-2x-8\leq0$에서

$(x+2)(x-4)\leq0$ ∴ $-2\leq x\leq4$

이때 $U=\{1, 2, 3, \cdots, 8\}$이므로

$P=\{1, 2, 3, 4\}$

STEP2 집합 Q로 가능한 것의 개수 구하기

이때 p는 q이기 위한 충분조건이므로

$P\subset Q$ ∴ $\{1, 2, 3, 4\}\subset Q$

즉, 집합 Q는 네 원소 1, 2, 3, 4를 반드시 포함하는 집합 U의 부분집합이므로 집합 Q로 가능한 것의 개수는

$2^{8-4}=2^4=16$

STEP3 집합 R로 가능한 것의 개수 구하기

또, r는 $\sim p$이기 위한 필요조건이므로

$P^C\subset R$ ∴ $\{5, 6, 7, 8\}\subset R$

즉, 집합 R는 네 원소 5, 6, 7, 8을 반드시 포함하는 집합 U의 부분집합이므로 집합 R로 가능한 것의 개수는

$2^{8-4}=2^4=16$

STEP4 순서쌍 (Q, R)의 개수 구하기

따라서 두 집합 Q, R의 순서쌍 (Q, R)의 개수는

$16\times16=256$

필수유형 11 87쪽

11-1 답 5

해결전략 | 참인 명제를 구하여 그 대우를 이용한다.

STEP1 참인 명제 구하기

$x-a\neq0$은 $x^2+3x-40\neq0$이기 위한 필요조건이므로 명제 '$x^2+3x-40\neq0$이면 $x-a\neq0$이다.'가 참이다.

따라서 그 대우 '$x-a=0$이면 $x^2+3x-40=0$이다.'도 참이다.

STEP2 a의 값 구하기

$x-a=0$, 즉 $x=a$를 $x^2+3x-40=0$에 대입하면

$a^2+3a-40=0$, $(a+8)(a-5)=0$

∴ $a=5$ ($\because a>0$)

11-2 답 $1<a<2$

해결전략 | $\sim p$가 q이기 위한 충분조건이 되도록 두 조건의 진리집합을 수직선 위에 나타내어 본다.

STEP1 진리집합 구하기

두 조건 p, q의 진리집합을 각각 P, Q라 하자.

p: $x^2-2x-8>0$에서 $\sim p$: $x^2-2x-8\leq0$

$(x+2)(x-4)\leq0$, $-2\leq x\leq4$

∴ $P^C=\{x|-2\leq x\leq4\}$

q: $x^2-(a^2-3a+5)x+5(a^2-3a)<0$에서

$\{x-(a^2-3a)\}(x-5)<0$

$a^2-3a<x<5$ 또는 $5<x<a^2-3a$

∴ $Q=\{x|a^2-3a<x<5\}$ 또는

$Q=\{x|5<x<a^2-3a\}$

STEP2 진리집합 사이의 포함 관계 이해하기

$\sim p$가 q이기 위한 충분조건이 되려면 $P^C\subset Q$이어야 하고 $P^C\subset Q$가 되도록 두 집합을 수직선 위에 나타내면 다음 그림과 같다.

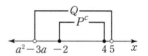

STEP3 a의 값의 범위 구하기

즉, $a^2-3a<-2$이므로

$a^2-3a+2<0$, $(a-1)(a-2)<0$

∴ $1<a<2$

11-3 답 6

해결전략 | $x\geq a$, $2\leq x<4$, $x<b$를 각각 조건 p, q, r로 놓고 주어진 조건이 성립하도록 그 진리집합을 수직선 위에 나타내어 a, b의 값의 범위를 구한다.

STEP1 진리집합 구하기

세 조건 p, q, r를 p: $x\geq a$, q: $2\leq x<4$, r: $x<b$라 하고, 세 조건 p, q, r의 진리집합을 각각 P, Q, R라 하면

$P=\{x|x\geq a\}$, $Q=\{x|2\leq x<4\}$, $R=\{x|x<b\}$

STEP2 a의 값의 범위 구하기

p는 q이기 위한 필요조건이므로 $q \Longrightarrow p$

즉, $Q\subset P$이므로 다음 그림에서 $a\leq2$

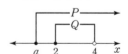

STEP3 b의 값의 범위 구하기

또, q는 r이기 위한 충분조건이므로 $q \Longrightarrow r$

즉, $Q\subset R$이므로 다음 그림에서 $b\geq4$

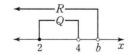

STEP4 a의 최댓값과 b의 최솟값의 합 구하기

따라서 a의 최댓값은 2, b의 최솟값은 4이므로 구하는 합은

$2+4=6$

11-4 답 0

해결전략 | 주어진 조건을 만족시키는 참인 명제를 찾는다.

STEP1 참인 명제 찾기

$x-2=0$, 즉 $x=2$는 $x^2+ax+b=0$이기 위한 필요충분 조건이므로 명제 '$x=2$이면 $x^2+ax+b=0$이다.'와 명제 '$x^2+ax+b=0$이면 $x=2$이다.'가 모두 참이다.

STEP2 $a+b$의 값 구하기

따라서 이차방정식 $x^2+ax+b=0$의 해는 $x=2$뿐이므로 $(x-2)^2=0$에서 $x^2-4x+4=0$

즉, $a=-4$, $b=4$이므로

$a+b=-4+4=0$

11-5 답 2

해결전략 | p가 q이기 위한 충분조건이 되도록 두 조건의 진리집합을 수직선 위에 나타내어 본다.

STEP1 진리집합 구하기

두 조건 p, q의 진리집합을 각각 P, Q라 하자.

$|x-3| \leq n$에서 $-n \leq x-3 \leq n$

$\therefore -n+3 \leq x \leq n+3$

$\therefore P=\{x \mid -n+3 \leq x \leq n+3\}$

또, $Q=\{x \mid x \geq 1\}$

STEP2 진리집합 사이의 포함 관계 이해하기

p가 q이기 위한 충분조건이 되려면 $P \subset Q$이어야 하고 $P \subset Q$가 되도록 두 집합을 수직선 위에 나타내면 다음 그림과 같다.

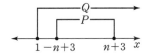

STEP3 모든 자연수 n의 개수 구하기

즉, $-n+3 \geq 1$이므로 $n \leq 2$

따라서 자연수 n은 1, 2의 2개이다.

11-6 답 8

해결전략 | 두 조건 p, $\sim q$의 진리집합을 수직선 위에 나타내어 a의 값의 범위를 구한다.

STEP1 진리집합 구하기

두 조건 p, q의 진리집합을 각각 P, Q라 하자.

$p : 2x-a \leq 0$에서 $x \leq \dfrac{a}{2}$

$\therefore P=\left\{x \mid x \leq \dfrac{a}{2}\right\}$

$q : x^2-5x+4>0$에서 $\sim q : x^2-5x+4 \leq 0$

$(x-1)(x-4) \leq 0$, $1 \leq x \leq 4$

$\therefore Q^C=\{x \mid 1 \leq x \leq 4\}$

STEP2 진리집합 사이의 포함 관계 이해하기

p가 $\sim q$이기 위한 필요조건이 되려면 $Q^C \subset P$이어야 하고 $Q^C \subset P$가 되도록 두 집합을 수직선 위에 나타내면 다음 그림과 같다.

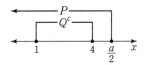

STEP3 a의 최솟값 구하기

즉, $\dfrac{a}{2} \geq 4$이므로 $a \geq 8$

따라서 실수 a의 최솟값은 8이다.

실전 연습 문제　　88~90쪽

01 $x \leq -1$	02 ①	03 16	04 ④	05 ③
06 ④	07 ②	08 -3	09 81	10 ①
11 -2	12 ③	13 ③	14 ㄱ, ㄴ	
15 필요, 충분	16 8	17 ⑤		

01

해결전략 | '또는'의 부정은 '그리고'임을 이용하여 주어진 조건의 부정을 구한다.

STEP1 '$\sim p$ 또는 q'의 부정 구하기

조건 '$\sim p$ 또는 q'의 부정은

'p 그리고 $\sim q$'

STEP2 부등식으로 나타내기

이때 $p : x<5$, $\sim q : x \leq -1$이므로

조건 'p 그리고 $\sim q$'는 $x \leq -1$

02

해결전략 | 조건 '$-1 \leq x < 2$'의 의미를 파악하여 두 집합 P, Q에 대한 연산으로 나타낸다.

STEP1 주어진 조건의 의미 파악하기

조건 '$-1 \leq x < 2$'는 '$x \geq -1$이고 $x < 2$'이다.

STEP2 주어진 조건의 진리집합 구하기

$p: x \geq 2$에서 $\sim p: x < 2$이므로

$P^C = \{x \mid x < 2\}$

$q: x < -1$에서 $\sim q: x \geq -1$이므로

$Q^C = \{x \mid x \geq -1\}$

따라서 조건 '$-1 \leq x < 2$'의 진리집합은

$P^C \cap Q^C = (P \cup Q)^C$

03

해결전략 | 조건 p의 진리집합의 원소의 개수를 n에 대한 식으로 나타낸다.

STEP1 조건 p의 진리집합 구하기

조건 p의 진리집합을 P라 하면

$P = \{x \mid 3n - 2 \leq x \leq -n^2 + 9n + 4\}$ ...... ❶

STEP2 집합 P의 원소의 개수를 식으로 나타내기

집합 P의 원소의 개수는

$3n - 2 \leq x \leq -n^2 + 9n + 4$를 만족시키는 자연수 x의 개수이다.

즉, 집합 P의 원소의 개수는

$(-n^2 + 9n + 4) - (3n - 2) + 1 = -n^2 + 6n + 7$
$= -(n-3)^2 + 16$

...... ❷

STEP3 조건 p의 진리집합의 원소의 개수의 최댓값 구하기

따라서 집합 P의 원소의 개수는 $n = 3$일 때 최댓값 16을 갖는다.

...... ❸

채점 요소	비율
❶ 조건 p의 진리집합 구하기	30%
❷ 집합 P의 원소의 개수를 식으로 나타내기	50%
❸ 조건 p의 진리집합의 원소의 개수의 최댓값 구하기	20%

04

해결전략 | 보기의 명제 중 반례가 존재하는 것을 찾는다.

① $x = -2$이면 $x^2 = (-2)^2 = 4$ (참)

② $x = \sqrt{3}$이면 $x^2 = (\sqrt{3})^2 = 3$ (참)

③ $x = 5$이면 $x(x-5) = 5 \times (5-5) = 0$ (참)

④ $x(x+1) = 6$에서 $x^2 + x - 6 = 0$
$(x+3)(x-2) = 0$ ∴ $x = -3$ 또는 $x = 2$
따라서 $x = -3$이면 x는 자연수가 아니다. (거짓)

⑤ 이차방정식 $x^2 - 3x - 1 = 0$의 판별식을 D라 하면
$D = (-3)^2 - 4 \times 1 \times (-1) = 13 > 0$
이므로 이 이차방정식은 서로 다른 두 실근을 갖는다.
따라서 x는 실수이다. (참)

이상에서 거짓인 명제는 ④이다.

05

해결전략 | 주어진 식에서 집합 사이의 포함 관계를 조사하여 참인 명제를 찾는다.

$(P \cup Q) \cap R = \varnothing$이므로

$(P \cup Q) \subset R^C$

∴ $P \subset R^C$

이상에서 ③ 'p이면 $\sim r$이다.'는 항상 참인 명제이다.

06

해결전략 | 명제가 참임을 이용하여 진리집합 사이의 포함 관계를 구한다.

STEP1 진리집합 사이의 포함 관계 조사하기

명제 $p \longrightarrow \sim q$가 참이면 $P \subset Q^C$이므로 두 집합 P, Q 사이의 포함 관계를 벤다이어그램으로 나타내면 오른쪽 그림과 같다.

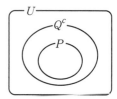

STEP2 보기 중 옳은 것 고르기

① $P \cup Q \neq P$ ② $P - Q = P$

③ $Q - P = Q$ ⑤ $P \cup Q^C = Q^C$

따라서 항상 옳은 것은 ④이다.

07

해결전략 | 명제 $p \longrightarrow q$가 참이 되도록 두 조건 p, q의 진리집합을 수직선 위에 나타낸다.

STEP1 두 조건 p, q의 진리집합 구하기

두 조건 p, q의 진리집합을 각각 P, Q라 하면

$P = \{x \mid -4 \leq x \leq 6\}$,
$Q = \{x \mid -a \leq x - 2 \leq a\}$
$= \{x \mid -a + 2 \leq x \leq a + 2\}$

STEP2 진리집합 사이의 포함 관계 이해하기

명제 $p \longrightarrow q$가 참이 되려면 $P \subset Q$이어야 하고 $P \subset Q$가 되도록 두 집합을 수직선 위에 나타내면 다음 그림과 같다.

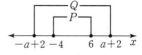

STEP3 a의 최솟값 구하기

즉, $-a + 2 \leq -4$이고 $a + 2 \geq 6$이므로

$a \geq 6$이고 $a \geq 4$

∴ $a \geq 6$

따라서 자연수 a의 최솟값은 6이다.

08

해결전략 | 명제 $\sim q \longrightarrow p$가 참이 되도록 두 조건 p, $\sim q$의 진리집합을 수직선 위에 나타낸다.

STEP 1 두 조건 p, q의 진리집합 구하기

두 조건 p, q의 진리집합을 각각 P, Q라 하면

$P=\{x|a\leq x\leq -2a+3\}$

$Q=\{x|x\leq -3$ 또는 $x\geq 5\}$ ...... ❶

STEP 2 진리집합 사이의 포함 관계 이해하기

명제 $\sim q \longrightarrow p$가 참이 되어야 하므로

$Q^C\subset P$

이때 조건 $\sim q$의 진리집합은

$Q^C=\{x|-3<x<5\}$이므로

$Q^C\subset P$가 되도록 두 집합 P, Q^C를 수직선 위에 나타내면 다음 그림과 같다.

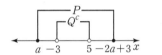

...... ❷

STEP 3 a의 최댓값 구하기

즉, $a\leq -3$이고 $-2a+3\geq 5$이므로

$a\leq -3$이고 $a\leq -1$

$\therefore a\leq -3$

따라서 정수 a의 최댓값은 -3이다. ...... ❸

채점 요소	비율
❶ 두 조건 p, q의 진리집합 구하기	20%
❷ $\sim q \longrightarrow p$가 참이 되는 조건 구하기	40%
❸ a의 최댓값 구하기	40%

09

해결전략 | 주어진 명제의 부정을 구하고 그 명제가 참이 되기 위한 조건을 찾는다.

STEP 1 주어진 명제의 부정 구하기

주어진 명제의 부정은

'모든 실수 x에 대하여 $x^2-18x+k\geq 0$이다.'

STEP 2 주어진 명제의 부정이 참일 조건 구하기

모든 실수 x에 대하여 $x^2-18x+k\geq 0$이 참이려면 이차함수 $y=x^2-18x+k$의 그래프가 x축과 한 점에서 만나거나 만나지 않아야 한다.

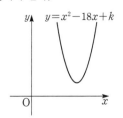

STEP 3 k의 최솟값 구하기

즉, 이차방정식 $x^2-18x+k=0$의 판별식을 D라 할 때 $D\leq 0$이어야 하므로

$\dfrac{D}{4}=(-9)^2-k\leq 0$ $\therefore k\geq 81$

따라서 k의 최솟값은 81이다.

10

해결전략 | '모든'이 있는 명제가 참일 조건과 '어떤'이 있는 명제가 참일 조건을 이용하여 보기의 참, 거짓을 판별한다.

ㄱ. '모든 x에 대하여 p이다.'가 참이면 $P=U$이다. (참)

ㄴ. '어떤 x에 대하여 p이다.'가 거짓이면 $P=\varnothing$이다. (거짓)

ㄷ. '모든 x에 대하여 $\sim p$이다.'의 부정은 '어떤 x에 대하여 p이다.'이고, 이 명제가 참이면 $P\neq\varnothing$이다. (거짓)

이상에서 옳은 것은 ㄱ이다.

11

해결전략 | 먼저 주어진 명제의 역을 구한 후, 역이 참이 되도록 하는 상수 a의 값을 구한다.

STEP 1 명제의 역 구하기

명제 '$x^2+ax+2a+1=0$이면 $x=3$이다.'의 역은

명제 '$x=3$이면 $x^2+ax+2a+1=0$이다.'

STEP 2 a의 값 구하기

명제 '$x=3$이면 $x^2+ax+2a+1=0$이다.'가 참이므로

$x=3$을 $x^2+ax+2a+1=0$에 대입하면

$9+3a+2a+1=0$, $5a+10=0$

$\therefore a=-2$

12

해결전략 | 명제와 그 대우의 참, 거짓이 일치함과 삼단논법을 이용하여 항상 참이라고 할 수 없는 명제를 찾는다.

두 명제 $p \longrightarrow \sim q$, $\sim r \longrightarrow q$가 참이므로 각각의 대우인 $q \longrightarrow \sim p$, $\sim q \longrightarrow r$도 참이다.

이때 두 명제 $p \longrightarrow \sim q$, $\sim q \longrightarrow r$가 모두 참이므로 삼단논법에 의하여 $p \longrightarrow r$가 참이고 대우인 $\sim r \longrightarrow \sim p$도 참이다.

따라서 항상 참이라고 할 수 없는 명제는 ③이다.

13

해결전략 | 주어진 조건을 명제로 나타내어 참, 거짓을 판별한다.

STEP 1 주어진 문제 상황을 조건과 조건 사이의 관계로 나타내기

조건 p, q, r, s를

p: 10대, 20대에게 선호도가 높다.

q: 판매량이 많다.

r: 가격이 싸다.

s: 기능이 많다.

로 놓으면 (가), (나), (다)를 다음과 같이 나타낼 수 있다.

(가) $p \Longrightarrow q$

(나) $r \Longrightarrow q$

(다) $s \Longrightarrow p$

STEP 2 STEP 1을 이용하여 참, 거짓 판별하기

위의 결과로부터 추론할 수 있는 사실은

(다) $s \Longrightarrow p$이고 (가) $p \Longrightarrow q$이므로 $s \Longrightarrow q$이다.

또한, $\sim q \Longrightarrow \sim s$이다. ($\because$ 대우 명제)

각 보기를 p, q, r, s를 이용하여 나타내면 다음과 같다.

① $s \longrightarrow \sim r$

② $\sim r \longrightarrow \sim q$

③ $\sim q \longrightarrow \sim s$

④ $p \longrightarrow s$

⑤ $p \longrightarrow \sim r$

따라서 항상 옳은 것은 ③이다.

14

해결전략 | 조건 p의 식을 변형하여 조건 q와 같은 것을 찾는다.

ㄱ. 조건 p의 식의 양변을 xy로 나누면

$\dfrac{x+y}{xy}=1$ ($\because$ x, y는 0이 아닌 실수)에서

$\dfrac{1}{x}+\dfrac{1}{y}=1$

따라서 p는 q이기 위한 필요충분조건이다.

ㄴ. 조건 p의 부등식의 각 변을 xy로 나누면

$0<\dfrac{x}{xy}<\dfrac{y}{xy}$ ($\because$ $xy>0$)에서

$0<\dfrac{1}{y}<\dfrac{1}{x}$

따라서 p는 q이기 위한 필요충분조건이다.

ㄷ. p: $(x-y)(y-z)(z-x)=0$에서

$x=y$ 또는 $y=z$ 또는 $z=x$

이때 두 조건 p, q의 진리집합을 각각 P, Q라 하면

$Q \subset P$이므로 p는 q이기 위한 필요조건이다.

이상에서 p가 q이기 위한 필요충분조건인 것은 ㄱ, ㄴ이다.

15

해결전략 | 주어진 벤다이어그램에서 집합 사이의 포함 관계를 파악하여 어떤 조건인지 구한다.

STEP 1 p는 r이기 위한 어떤 조건인지 구하기

주어진 벤다이어그램에서 $R \subset P$이므로 p는 r이기 위한

필요 조건이다. ...... ❶

STEP 2 $\sim p$는 $\sim q$이기 위한 어떤 조건인지 구하기

또, $Q \subset P$에서 $P^C \subset Q^C$이므로 $\sim p$는 $\sim q$이기 위한

충분 조건이다. ...... ❷

채점 요소	비율
❶ p는 r이기 위한 어떤 조건인지 구하기	50%
❷ $\sim p$는 $\sim q$이기 위한 어떤 조건인지 구하기	50%

16

해결전략 | 주어진 조건이 성립하도록 세 조건의 진리집합을 수직선 위에 나타내어 본다.

STEP 1 세 조건 p, q, r의 진리집합 구하기

세 조건 p, q, r의 진리집합을 각각 P, Q, R라 하면

$P=\{x \mid 0<x\leq 7\}$,

$Q=\{x \mid -1\leq x\leq a\}$,

$R=\{x \mid x\geq b\}$

STEP 2 주어진 조건에 맞게 집합을 수직선 위에 나타내기

p는 q이기 위한 충분조건이므로 $P \subset Q$이고 r는 q이기 위한 필요조건이므로 $Q \subset R$이다.

$\therefore P \subset Q \subset R$

$P \subset Q \subset R$가 되도록 세 집합을 수직선 위에 나타내면 다음 그림과 같다.

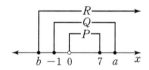

STEP 3 $a-b$의 최솟값 구하기

따라서 $a\geq 7$이고 $b\leq -1$이므로

$a-b\geq 7-(-1)=8$

그러므로 $a-b$의 최솟값은 8이다.

17

해결전략 | 주어진 조건을 이용하여 참인 명제를 찾은 후, 명제와 그 대우의 참, 거짓이 일치함과 삼단논법을 이용한다.

p는 q이기 위한 충분조건이므로

$p \Longrightarrow q$ ...... ㉠

$\sim q$는 r이기 위한 필요조건이므로

$r \Longrightarrow \sim q$ $\qquad$ ...... ㉡

㉠의 대우는 $\sim q \Longrightarrow \sim p$ $\qquad$ ...... ㉢

㉡의 대우는 $q \Longrightarrow \sim r$

㉡, ㉢에서 $r \Longrightarrow \sim p$ $\qquad$ ...... ㉣

㉣의 대우는 $p \Longrightarrow \sim r$

따라서 거짓인 명제는 ⑤이다.

◉→ 다른 풀이

$p \Longrightarrow q$이므로 $P \subset Q$

$r \Longrightarrow \sim q$이므로 $R \subset Q^C$

따라서 P, Q, R를 벤다이어그
램으로 나타내면 오른쪽 그림과
같다.

① $P \subset R^C$ ② $Q \subset R^C$
③ $Q^C \subset P^C$ ④ $R \subset P^C$
⑤ $Q^C \not\subset R^C$

따라서 거짓인 명제는 ⑤이다.

상위권 도약 문제   91~92쪽

01 ④	02 ①	03 12	04 6
05 -3	06 ③	07 충분조건	08 ③

01

해결전략 | 주어진 조건에서 두 집합 P^C, Q^C를 구하고, 그것의 의미를 파악한다.

STEP1 두 집합 P^C, Q^C 구하기

$P = \{x \mid x \neq 1\}$이므로 $P^C = \{1\}$

$Q = \{x \mid x^2 - 2x + a > 0\}$이므로

$Q^C = \{x \mid x^2 - 2x + a \leq 0\}$

그런데 집합 P^C의 원소는 1 하나뿐이고, $Q^C \subset P^C$,

$Q^C \neq \varnothing$이므로

$Q^C = \{1\}$

STEP2 a의 값 구하기

따라서 이차부등식 $x^2 - 2x + a \leq 0$의 해는 $x = 1$ 하나뿐
이므로 이차방정식 $x^2 - 2x + a = 0$이 중근 $x = 1$을 가져
야 한다.

즉, $1 - 2 + a = 0$이므로

$a = 1$

02

해결전략 | 주어진 조건을 표로 나타내어 본다.

STEP1 주어진 조건을 표로 나타내기

수리영역은 4문항이므로 네 사람이 각각 한 문항씩 풀어
야 한다.

따라서 주어진 조건을 표로 나타내면 다음과 같다.

	언어(3)	수리(4)	외국어(3)	사탐(2)
A	○	○	○	×
B		○	○	
C	○	○	×	○
D		○	○	

STEP2 B와 D가 푸는 영역으로 경우를 나누어 표로 나타내기

이때 B와 D는 언어영역 또는 사회탐구영역을 풀 수 있
으므로 각 경우에 따라 표를 완성하면 다음과 같다.

(ⅰ) B가 언어영역을 풀고 D가 사회탐구영역을 푼 경우

	언어(3)	수리(4)	외국어(3)	사탐(2)
A	○	○	○	×
B	○	○	○	×
C	○	○	×	○
D	×	○	○	○

(ⅱ) B가 사회탐구영역을 풀고 D가 언어영역을 푼 경우

	언어(3)	수리(4)	외국어(3)	사탐(2)
A	○	○	○	×
B	×	○	○	○
C	○	○	×	○
D	○	○	○	×

STEP3 보기 중 옳은 것 고르기

(ⅰ), (ⅱ)에 의하여 항상 옳은 것은 '① A는 외국어영역 문
항을 풀었다.'이다.

03

해결전략 | 주어진 명제의 의미를 파악하여 집합 P의 개수를
경우를 나누어 구한다.

STEP1 주어진 명제의 의미 이해하기

명제 '집합 P의 어떤 원소 x에 대하여 x는 3의 배수이
다.'가 참이 되도록 하려면 집합 P는 적어도 하나의 3의
배수를 원소로 가져야 한다.

STEP2 집합 P의 개수 구하기

(ⅰ) $\{3\} \subset P \subset \{1, 2, 3, 6\}$인 경우

집합 P는 원소 3을 반드시 포함하는 집합 $\{1, 2, 3, 6\}$

의 부분집합이므로 집합 P의 개수는
$$2^{4-1}=2^3=8$$

(ii) $\{6\} \subset P \subset \{1, 2, 3, 6\}$인 경우

집합 P는 원소 6을 반드시 포함하는 집합 $\{1, 2, 3, 6\}$의 부분집합이므로 집합 P의 개수는
$$2^{4-1}=2^3=8$$

(iii) $\{3, 6\} \subset P \subset \{1, 2, 3, 6\}$인 경우

집합 P는 원소 3, 6을 반드시 포함하는 집합 $\{1, 2, 3, 6\}$의 부분집합이므로 집합 P의 개수는
$$2^{4-2}=2^2=4$$

이때 (iii)은 (i)과 (ii)에 동시에 포함되므로 구하는 집합 P의 개수는
$$8+8-4=12$$

04

해결전략 | 주어진 명제가 참이 되기 위한 점 P의 위치를 구한다.

STEP 1 명제가 참이 되도록 하는 조건 찾기

명제 '직선 l 위의 어떤 점 P에 대하여 $\angle APB=90°$이다.'가 참이 되려면 점 P가 두 점 A, B를 지름의 양 끝 점으로 하는 원 위에 존재해야 한다.

즉, 직선 $l: 3x-y=t$와 선분 AB를 지름으로 하는 원의 교점이 존재해야 한다.

STEP 2 원의 중심의 좌표와 반지름의 길이 구하기

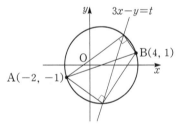

$A(-2, -1)$, $B(4, 1)$이므로 원의 중심은 선분 AB의 중점인 점 $(1, 0)$이고 원의 반지름의 길이는
$$\frac{1}{2}\overline{AB}=\frac{1}{2}\sqrt{\{4-(-2)\}^2+\{1-(-1)\}^2}=\sqrt{10}$$

STEP 3 $M+m$의 값 구하기

따라서 직선 $l: 3x-y=t$와 선분 AB를 지름으로 하는 원의 교점이 존재하려면 원의 중심과 직선 l 사이의 거리가 원의 반지름의 길이보다 작거나 같아야 하므로
$$\frac{|3-t|}{\sqrt{3^2+(-1)^2}} \leq \sqrt{10}$$
$$|t-3| \leq 10, \quad -10 \leq t-3 \leq 10$$
$$\therefore -7 \leq t \leq 13$$

즉, $M=13$, $m=-7$이므로
$$M+m=13+(-7)=6$$

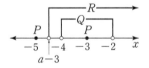
풍쌤의 비법

점 (x_1, y_1)과 직선 $ax+by+c=0$ 사이의 거리
$$\frac{|ax_1+by_1+c|}{\sqrt{a^2+b^2}}$$

05

해결전략 | 주어진 조건을 만족시키도록 세 조건 p, q, r의 진리집합을 수직선 위에 나타내어 본다.

STEP 1 세 조건 p, q, r의 진리집합 구하기

$x^2+8x+15=0$에서 $(x+3)(x+5)=0$
$$\therefore x=-3 \text{ 또는 } x=-5$$
또, $x^2+6x+8<0$에서 $(x+2)(x+4)<0$
$$\therefore -4<x<-2$$
세 조건 p, q, r의 진리집합을 각각 P, Q, R라 하면
$$P=\{-3, -5\}, \quad Q=\{x \mid -4<x<-2\}$$
$$R=\{x \mid x>a-3\}$$

STEP 2 세 집합 P, Q, R 사이의 포함 관계 조사하기

이때 명제 $p \longrightarrow r$가 거짓이므로 $P \not\subset R$

또, 명제 $q \longrightarrow r$의 대우가 참이므로 명제 $q \longrightarrow r$도 참이다. 즉, $Q \subset R$

따라서 세 집합 P, Q, R를 수직선 위에 나타내면 다음 그림과 같다.

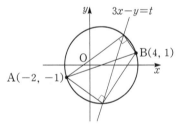

STEP 3 a의 최댓값과 최솟값의 합 구하기

즉, $-5 \leq a-3 \leq -4$이므로
$$-2 \leq a \leq -1$$
따라서 a의 최댓값은 -1, 최솟값은 -2이므로 구하는 합은
$$-1+(-2)=-3$$

06

해결전략 | 세 집합 P, Q, R 사이의 포함 관계를 이용하여 보기의 참, 거짓을 판별한다.

STEP 1 세 집합 P, Q, R 사이의 포함 관계 조사하기

$p \longrightarrow q$, $\sim p \longrightarrow q$, $\sim p \longrightarrow r$가 참인 명제이므로 진리집합 P, Q, R 사이의 포함 관계를 구하면
$$P \subset Q, \quad P^C \subset Q, \quad P^C \subset R$$

$P \subset Q$, $P^C \subset Q$에서 $(P \cup P^C) \subset Q \subset U$

그런데 $P \cup P^C = U$이므로 $Q = U$

또, $P^C \subset R$에서 $(P^C)^C \supset R^C$이므로 $R^C \subset P$

STEP2 보기의 참, 거짓 판별하기

ㄱ. $Q = U$이므로 $Q - R^C = U - R^C = R$ (참)

ㄴ. $R^C \subset P$이므로 $P - R = P \cap R^C = R^C$ (거짓)

ㄷ. $Q = U$이고 $P^C \subset R$이므로

　　$Q - P = U - P = P^C \subset R$ (참)

이상에서 옳은 것은 ㄱ, ㄷ이다.

07

해결전략 | $X \triangle Y$를 벤다이어그램으로 나타내어 본다.

STEP1 $X \triangle Y$를 벤다이어그램으로 나타내기

$X \triangle Y = (X - Y) \cup (Y - X)$이므로 $X \triangle Y$를 벤다이어 그램으로 나타내면 다음 그림과 같다.

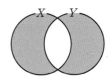

STEP2 $X \triangle Y = Y$는 $X - Y = \varnothing$이기 위한 어떤 조건인지 구하기

두 조건 p, q를 각각

p: $X \triangle Y = Y$, q: $X - Y = \varnothing$

라 하자.

$X \triangle Y = Y$이면 $X = \varnothing$이므로 $X - Y = \varnothing$

$\therefore p \Longrightarrow q$

또, $X - Y = \varnothing$이면

$X \triangle Y = (X - Y) \cup (Y - X)$

　　　　$= \varnothing \cup (Y - X) = Y - X$

$\therefore q \nRightarrow p$

따라서 p는 q이기 위한 충분조건이다.

08

해결전략 | 각 보기에 대하여 $p \longrightarrow q$, $q \longrightarrow p$가 참인지 확인하여 어떤 조건인지 조사한다.

ㄱ. $|a + b| = |a| + |b|$에서

　　$|a + b|^2 = (|a| + |b|)^2$, $ab = |ab|$

　　$\therefore ab \geq 0$

　　$ab > 0$이면 $ab \geq 0$이므로 $p \Longrightarrow q$

　　또, $ab = 0$이면 $ab \geq 0$이지만 $ab = 0$이므로 $q \nRightarrow p$

　　따라서 p는 q이기 위한 충분조건이지만 필요조건은 아니다.

ㄴ. $a < 1$이고 $b < 1$이면 $a + b < 2$

　　즉, $\sim q \Longrightarrow \sim p$이므로 $p \Longrightarrow q$

　　또, $a = -1$, $b = 1$이면 $a \geq 1$ 또는 $b \geq 1$이지만

　　$a + b = 0 < 2$이다.

　　$\therefore q \nRightarrow p$

　　따라서 p는 q이기 위한 충분조건이지만 필요조건은 아니다.

ㄷ. $a = 0$, $b = 1$이면 $|a + b| = |a - b| = 1$이지만

　　$a^2 + ab + b^2 = 1 > 0$이다.

　　$\therefore p \nRightarrow q$

　　또, $a^2 + ab + b^2 \leq 0$이면

　　$a^2 + ab + b^2 = \left(a + \dfrac{b}{2}\right)^2 + \dfrac{3}{4}b^2$이므로

　　$a + \dfrac{b}{2} = 0$, $\dfrac{\sqrt{3}}{2}|b| = 0$

　　즉, $a = 0$, $b = 0$이므로 $|a + b| = |a - b|$이다.

　　$\therefore q \Longrightarrow p$

　　따라서 p는 q이기 위한 필요조건이지만 충분조건은 아니다.

이상에서 p는 q이기 위한 충분조건이지만 필요조건이 아닌 것은 ㄱ, ㄴ이다.

절대부등식

개념확인

01 탑 풀이 참조

(1) 주어진 명제의 대우는

'$x=2$이고 $y=3$이면 $xy=6$이다.'

$x=2$이고 $y=3$이면 $xy=6$이므로 주어진 명제의 대우가 참이다.

따라서 주어진 명제도 참이다.

(2) $xy \neq 6$이면 $x=2$이고 $y=3$이라 가정하면

$x \times y = 6$

그런데 이것은 $xy \neq 6$이라는 가정에 모순이다.

따라서 $xy \neq 6$이면 $x \neq 2$ 또는 $y \neq 3$이다.

02 탑 풀이 참조

(1) $a^2-ab+b^2 = \left(a-\dfrac{b}{2}\right)^2 + \dfrac{3}{4}b^2$

그런데 $\left(a-\dfrac{b}{2}\right)^2 \geq 0$, $\dfrac{3}{4}b^2 \geq 0$이므로

$a^2-ab+b^2 \geq 0$

여기서 등호는 $a-\dfrac{b}{2}=0$, $b=0$, 즉 $a=b=0$일 때 성립한다.

(2) $a^2+b^2+c^2-ab-bc-ca$

$= \dfrac{1}{2}(2a^2+2b^2+2c^2-2ab-2bc-2ca)$

$= \dfrac{1}{2}\{(a-b)^2+(b-c)^2+(c-a)^2\}$

그런데 $(a-b)^2 \geq 0$, $(b-c)^2 \geq 0$, $(c-a)^2 \geq 0$이므로

$a^2+b^2+c^2-ab-bc-ca \geq 0$

여기서 등호는 $a-b=b-c=c-a=0$, 즉 $a=b=c$일 때 성립한다.

03 탑 2

$a>0$, $\dfrac{1}{a}>0$이므로 산술평균과 기하평균의 관계에 의하여

$a+\dfrac{1}{a} \geq 2\sqrt{a \times \dfrac{1}{a}} = 2$

$\left(\text{단, 등호는 } a=\dfrac{1}{a}, \text{ 즉 } a=1 \text{일 때 성립}\right)$

따라서 $a+\dfrac{1}{a}$의 최솟값은 2이다.

04 탑 $-2 \leq ax+by \leq 2$

a, b, x, y가 실수이므로 코시-슈바르츠 부등식에 의하여

$(a^2+b^2)(x^2+y^2) \geq (ax+by)^2$에서

$1 \times 4 \geq (ax+by)^2$, $(ax+by)^2 \leq 4$

$\therefore -2 \leq ax+by \leq 2$ $\left(\text{단, 등호는 } \dfrac{x}{a}=\dfrac{y}{b}\text{일 때 성립}\right)$

필수유형 01

01-1 탑 ㈎ 홀수 ㈏ 짝수 ㈐ $2k^2+2l^2-2k-2l+1$

해결전략 | 명제 'p이면 q이다.'의 대우는 '$\sim q$이면 $\sim p$이다.'임을 이용하여 먼저 주어진 명제의 대우를 구한다.

주어진 명제의 대우 '자연수 m, n에 대하여 mn이 홀수 이면 m^2+n^2은 짝수 이다.'가 참임을 보이면 된다.

mn이 홀수 이면 m, n은 모두 홀수 이므로 $m=2k-1$, $n=2l-1$(k, l은 자연수)로 나타낼 수 있다. 이때

$m^2+n^2 = (2k-1)^2+(2l-1)^2$

$\qquad = 4k^2-4k+1+4l^2-4l+1$

$\qquad = 2(\boxed{2k^2+2l^2-2k-2l+1})$

이므로 m^2+n^2은 짝수 이다.

따라서 주어진 명제의 대우가 참이므로 주어진 명제도 참이다.

01-2 탑 ③

해결전략 | 먼저 주어진 명제의 대우를 구한 후, 이것이 참임을 증명하며 빈칸을 완성한다.

주어진 명제의 대우 '실수 x, y에 대하여 x < 1이고 y < 1이면 $x+y$ < 2이다.'가 참임을 보이면 된다.

$x<1$이고 $y<1$이면 $x+y<2$이므로 주어진 명제의 대우 가 참이다.

따라서 주어진 명제도 참 이다.

따라서 옳지 않은 것은 ③이다.

01-3 탑 풀이 참조

해결전략 | 먼저 주어진 명제의 대우를 구한 후, 이것이 참임을 증명한다.

주어진 명제의 대우 '자연수 a, b에 대하여 a, b가 모두 홀수이면 ab도 홀수이다.'가 참임을 보이면 된다.

a, b가 모두 홀수이므로

$a=2k-1$, $b=2l-1$ (k, l은 자연수)

로 나타낼 수 있다. 이때

$ab=(2k-1)(2l-1)$

$\quad =4kl-2k-2l+1$

$\quad =2(2kl-k-l)+1$

이므로 ab는 홀수이다.

따라서 주어진 명제의 대우가 참이므로 주어진 명제도 참이다.

01-4 답 22

해결전략 | 증명 과정에서 빈칸에 알맞은 식을 구한 후, $k=1$을 대입한다.

STEP 1 빈칸 완성하기

주어진 명제의 대우는 '자연수 n에 대하여 n이 3의 배수가 아니면 n^2+3n도 3의 배수가 아니다.'이다.

n이 3의 배수가 아니면

$n=3k+1$ 또는 $n=3k+2$ ($k=0$, 1, 2, $\cdots$)

로 나타낼 수 있다.

(i) $n=3k+1$이면

$n^2+3n=(3k+1)^2+3(3k+1)$

$\quad\quad\quad =9k^2+15k+4$

$\quad\quad\quad =3(\boxed{3k^2+5k+1})+1$

이므로 n^2+3n은 3의 배수가 아니다.

(ii) $n=3k+2$이면

$n^2+3n=(3k+2)^2+3(3k+2)$

$\quad\quad\quad =9k^2+21k+10$

$\quad\quad\quad =3(\boxed{3k^2+7k+3})+1$

이므로 n^2+3n은 3의 배수가 아니다.

(i), (ii)에 의하여 n^2+3n은 3의 배수가 아니다.

따라서 주어진 명제의 대우가 참이므로 주어진 명제도 참이다.

STEP 2 $f(1)+g(1)$의 값 구하기

$f(k)=3k^2+5k+1$, $g(k)=3k^2+7k+3$이므로

$f(1)+g(1)=9+13=22$

필수유형 02   99쪽

02-1 답 ㈎ $3k^2-2k$ ㈏ $3k^2-4k+1$ ㈐ 3의 배수

해결전략 | n^2이 3의 배수일 때, n이 3의 배수가 아니라 가정하고 모순이 생김을 보이며 빈칸을 완성한다.

n^2이 3의 배수일 때, n이 3의 배수가 아니라 가정하면

$n=3k-1$ 또는 $n=3k-2$ (k는 자연수)

로 나타낼 수 있다.

(i) $n=3k-1$일 때

$n^2=(3k-1)^2=9k^2-6k+1$

$\quad =3(\boxed{3k^2-2k})+1$

(ii) $n=3k-2$일 때

$n^2=(3k-2)^2=9k^2-12k+4$

$\quad =3(\boxed{3k^2-4k+1})+1$

(i), (ii)에서 n^2을 3으로 나눈 나머지가 1이므로 n^2이 $\boxed{\text{3의 배수}}$라는 가정에 모순이다.

따라서 자연수 n에 대하여 n^2이 3의 배수이면 n도 3의 배수이다.

02-2 답 ㈎ 유리수 ㈏ 유리수 ㈐ 유리수 ㈑ 무리수

해결전략 | $\sqrt{2}$가 무리수일 때, $1+\sqrt{2}$가 무리수가 아니라 가정하고 모순이 생김을 보이며 빈칸을 완성한다.

$1+\sqrt{2}$가 $\boxed{\text{유리수}}$라 가정하면

$(1+\sqrt{2})-1=\sqrt{2}$

에서 $1+\sqrt{2}$와 -1은 모두 $\boxed{\text{유리수}}$이므로 $\sqrt{2}$는 $\boxed{\text{유리수}}$이다.

그런데 이것은 $\sqrt{2}$가 $\boxed{\text{무리수}}$라는 사실에 모순이다.

따라서 $1+\sqrt{2}$는 무리수이다.

02-3 답 풀이 참조

해결전략 | $a^2+b^2=0$일 때, $a\neq0$ 또는 $b\neq0$이라 가정하고 모순이 생김을 보이며 증명한다.

실수 a, b에 대하여 $a^2+b^2=0$이면 $a\neq0$ 또는 $b\neq0$이라 가정하자.

$a\neq0$ 또는 $b\neq0$이면

$a^2>0$ 또는 $b^2>0$

$\therefore a^2+b^2>0$

그런데 이것은 $a^2+b^2=0$이라는 가정에 모순이다.

따라서 실수 a, b에 대하여 $a^2+b^2=0$이면 $a=0$이고 $b=0$이다.

02-4 답 29

해결전략 | 증명 과정에서 빈칸에 알맞은 식을 구한 후, $p=1$, $a=2$, $b=3$을 대입한다.

STEP 1 빈칸 완성하기

정사각형의 넓이와 직각삼각형의 넓이가 같으므로

$p^2=\dfrac{1}{2}ab$ $\therefore ab=\boxed{2p^2}$

또한, 직각삼각형에서 $a^2+b^2=c^2$이고 $c=a+2$이므로
$b^2=c^2-a^2=(a+2)^2-a^2=\boxed{4a+4}$ 이고
$8p^2=4ab=b(b^2-4)=\boxed{b(b+2)(b-2)}$ 이다.
여기서 a, b, p를 모두 정수라 하면 $b^2=\boxed{4a+4}$ 에서
b는 짝수이므로 $b=2b'$ (b'은 자연수)라 할 때
$$p^2=\frac{b(b+2)(b-2)}{8}$$
$$=\frac{2b'}{2}\times\frac{2b'+2}{2}\times\frac{2b'-2}{2}$$
$$=b'(b'+1)(b'-1)$$
이 된다.
$p^2=b'(b'+1)(b'-1)$에서 우변은 연속된 세 자연수의
곱이므로 제곱수가 될 수 없다.
따라서 모순이다. 그러므로 a, b, p 중 적어도 하나는 정
수가 아니다.
STEP2 $f(1)+g(2)+h(3)$의 값 구하기
$f(p)=2p^2$, $g(a)=4a+4$, $h(b)=b(b+2)(b-2)$이므로
$f(1)+g(2)+h(3)=2+12+15=29$

필수유형 03 101쪽

03-1 답 (1) $\sqrt{2(a+b)}\geq\sqrt{a}+\sqrt{b}$ (2) $\dfrac{a}{1+a}>\dfrac{b}{1+b}$

해결전략 | 주어진 두 수의 차 또는 제곱의 차를 이용하여 대소
를 비교한다.

(1) STEP1 두 수의 제곱의 차의 부호 조사하기
$$\{\sqrt{2(a+b)}\}^2-(\sqrt{a}+\sqrt{b})^2$$
$$=2(a+b)-(a+2\sqrt{ab}+b)$$
$$=a-2\sqrt{ab}+b$$
$$=(\sqrt{a}-\sqrt{b})^2\geq0$$
$$\therefore \{\sqrt{2(a+b)}\}^2\geq(\sqrt{a}+\sqrt{b})^2$$
STEP2 두 수의 대소 비교하기
그런데 $\sqrt{2(a+b)}>0$, $\sqrt{a}+\sqrt{b}>0$이므로
$$\sqrt{2(a+b)}\geq\sqrt{a}+\sqrt{b}$$
여기서 등호는 $\sqrt{a}=\sqrt{b}$, 즉 $a=b$일 때 성립한다.

(2) STEP1 두 수의 차의 부호 조사하기
$$\frac{a}{1+a}-\frac{b}{1+b}=\frac{a(1+b)-b(1+a)}{(1+a)(1+b)}$$
$$=\frac{a-b}{(1+a)(1+b)}$$
이때 $a>b>0$에서 $a-b>0$, $(1+a)(1+b)>0$이므
로
$$\frac{a-b}{(1+a)(1+b)}>0$$

STEP2 두 수의 대소 비교하기

즉, $\dfrac{a}{1+a}-\dfrac{b}{1+b}>0$이므로
$$\frac{a}{1+a}>\frac{b}{1+b}$$

03-2 답 ㄱ, ㄴ, ㄷ

해결전략 | 부등식의 기본 성질 또는 두 수의 차를 이용하여
보기의 참, 거짓을 판별한다.

ㄱ. $a>b>1$, $c>0$에서 $a+c>b+c>0$이므로
$$\frac{1}{a+c}<\frac{1}{b+c}\ (참)$$

ㄴ. $ab+1-(a+b)=ab-a-b+1$
$$\qquad\qquad\qquad\quad=a(b-1)-(b-1)$$
$$\qquad\qquad\qquad\quad=(a-1)(b-1)$$
이때 $a>b>1$에서 $a-1>0$, $b-1>0$이므로
$$(a-1)(b-1)>0$$
$$\therefore ab+1>a+b\ (참)$$

ㄷ. $\dfrac{a}{b}-\dfrac{a-1}{b-1}=\dfrac{a(b-1)-b(a-1)}{b(b-1)}$
$$=-\frac{a-b}{b(b-1)}$$
이때 $a>b>1$에서 $a-b>0$, $b>0$, $b-1>0$이므로
$$-\frac{a-b}{b(b-1)}<0$$
$$\therefore \frac{a}{b}<\frac{a-1}{b-1}\ (참)$$

따라서 ㄱ, ㄴ, ㄷ 모두 옳다.

> **풍쌤의 비법**
>
> **부등식의 기본 성질**
>
> ① $a>b$이면 $a+c>b+c$, $a-c>b-c$
>
> ② $a>b$, $c>0$이면 $ac>bc$, $\dfrac{a}{c}>\dfrac{b}{c}$
>
> ③ $a>b$, $c<0$이면 $ac<bc$, $\dfrac{a}{c}<\dfrac{b}{c}$

03-3 답 ㄱ, ㄹ

해결전략 | 임의의 실수 x에 대하여 항상 성립하는 부등식을
찾는다.

ㄴ. $x=0$일 때, $x^2=0$이므로 절대부등식이 아니다.

ㄷ. $x=1$일 때, $x^2+1=2$, $2x=2$이므로
$$x^2+1=2x$$
즉, 절대부등식이 아니다.

ㄹ. $x^2+x+1=\left(x^2+x+\dfrac{1}{4}\right)+\dfrac{3}{4}=\left(x+\dfrac{1}{2}\right)^2+\dfrac{3}{4}$

이때 임의의 실수 x에 대하여 $\left(x+\dfrac{1}{2}\right)^2\geq0$이므로

$\left(x+\dfrac{1}{2}\right)^2+\dfrac{3}{4}>0$

$\therefore x^2+x+1>0$

즉, 절대부등식이다.

따라서 절대부등식인 것은 ㄱ, ㄹ이다.

03-4 답 ㈎ $ab-|ab|$ ㈏ $<$ ㈐ $<$ ㈑ $\geq$

해결전략 | 실수의 성질을 이용하여 절대부등식을 증명하는 과정을 완성한다.

(i) $|a|\geq|b|$일 때

$(|a|-|b|)^2-|a-b|^2$

$=(|a|^2-2|a||b|+|b|^2)-(a-b)^2$

$=(a^2-2|ab|+b^2)-(a^2-2ab+b^2)$

$=2(\boxed{ab-|ab|})\leq0\,(\because ab\leq|ab|)$

$\therefore (|a|-|b|)^2\leq|a-b|^2$

그런데 $|a|-|b|\geq0$, $|a-b|\geq0$이므로

$|a|-|b|\leq|a-b|$

(ii) $|a|<|b|$일 때

$|a|-|b|\boxed{<}0$, $|a-b|>0$이므로

$|a|-|b|\boxed{<}|a-b|$

(i), (ii)에서 $|a|-|b|\leq|a-b|$

여기서 등호는 $|ab|=ab$, $|a|\geq|b|$, 즉

$ab\boxed{\geq}0$, $|a|\geq|b|$일 때 성립한다.

03-5 답 36

해결전략 | $(a+b+c)^2\geq3(ab+bc+ca)$, $a^2+b^2+c^2\geq ab+bc+ca$가 성립함을 이용하여 p, q의 값을 각각 구한다.

STEP 1 p의 값 구하기

임의의 세 실수 a, b, c에 대하여

$(a+b+c)^2\geq3(ab+bc+ca)$

(단, 등호는 $a=b=c$일 때 성립)

이므로

$(a+b+c)^2\geq3\times27=81$

$\therefore a+b+c\geq9\,(\because a>0,\ b>0,\ c>0)$

$\therefore p=9$

STEP 2 q의 값 구하기

또, 임의의 세 실수 a, b, c에 대하여

$a^2+b^2+c^2\geq ab+bc+ca$

(단, 등호는 $a=b=c$일 때 성립)

이므로

$a^2+b^2+c^2\geq27$

$\therefore q=27$

STEP 3 $p+q$의 값 구하기

$\therefore p+q=9+27=36$

필수유형 04   103쪽

04-1 답 20

해결전략 | 산술평균과 기하평균의 관계를 이용하여 $2a+5b$의 최솟값을 구한다.

STEP 1 식 세우기

$2a>0$, $5b>0$이므로 산술평균과 기하평균의 관계에 의하여

$2a+5b\geq2\sqrt{2a\times5b}$

$\qquad\quad=2\sqrt{10ab}$ (단, 등호는 $2a=5b$일 때 성립)

STEP 2 $2a+5b$의 값의 범위 구하기

그런데 $ab=10$이므로

$2a+5b\geq2\sqrt{10\times10}=20$

STEP 3 $2a+5b$의 최솟값 구하기

따라서 $2a+5b$의 최솟값은 20이다.

04-2 답 3

해결전략 | 산술평균과 기하평균의 관계를 이용하여 ab의 최댓값을 구한다.

STEP 1 식 세우기

$3a>0$, $b>0$이므로 산술평균과 기하평균의 관계에 의하여

$3a+b\geq2\sqrt{3ab}$ (단, 등호는 $3a=b$일 때 성립)

STEP 2 $\sqrt{3ab}$의 값의 범위 구하기

그런데 $3a+b=6$이므로

$6\geq2\sqrt{3ab}$ $\quad\therefore \sqrt{3ab}\leq3$

STEP 3 ab의 최댓값 구하기

위의 식의 양변을 제곱하면

$3ab\leq9$ $\quad\therefore ab\leq3$

따라서 ab의 최댓값은 3이다.

04-3 답 8

해결전략 | 산술평균과 기하평균의 관계를 이용할 수 있도록 주어진 식을 변형한다.

STEP1 식 변형하기

$$4a+\frac{1}{a-1}=4(a-1)+\frac{1}{a-1}+4$$

STEP2 $4a+\dfrac{1}{a-1}$의 값의 범위 구하기

$a>1$에서 $a-1>0$이므로 산술평균과 기하평균의 관계에 의하여

$$4(a-1)+\frac{1}{a-1}+4\geq2\sqrt{4(a-1)\times\frac{1}{a-1}}+4$$
$$=2\sqrt{4}+4$$
$$=2\times2+4=8$$

$\left($단, 등호는 $4(a-1)=\dfrac{1}{a-1}$, 즉 $a=\dfrac{3}{2}$일 때 성립$\right)$

STEP3 $4a+\dfrac{1}{a-1}$의 최솟값 구하기

따라서 $4a+\dfrac{1}{a-1}$의 최솟값은 8이다.

04-4 답 $\dfrac{1}{4}$

해결전략 | 산술평균과 기하평균의 관계를 이용하여 주어진 식의 최솟값을 a에 대한 식으로 나타낸다.

STEP1 식 세우기

$x>0$, $a>0$에서 $4x>0$, $\dfrac{a}{x}>0$이므로 산술평균과 기하평균의 관계에 의하여

$$4x+\frac{a}{x}\geq2\sqrt{4x\times\frac{a}{x}}=2\sqrt{4a}=4\sqrt{a}$$

$\left($단, 등호는 $4x=\dfrac{a}{x}$일 때 성립$\right)$

STEP2 상수 a의 값 구하기

따라서 주어진 식의 최솟값이 $4\sqrt{a}$이므로

$$4\sqrt{a}=2,\ \sqrt{a}=\frac{1}{2}$$

$$\therefore a=\frac{1}{4}$$

04-5 답 25

해결전략 | 주어진 식을 전개한 후, 산술평균과 기하평균의 관계를 이용한다.

STEP1 식 전개하기

$$(3a+b)\left(\frac{3}{a}+\frac{4}{b}\right)=9+\frac{12a}{b}+\frac{3b}{a}+4$$
$$=13+\frac{12a}{b}+\frac{3b}{a} \qquad \cdots\cdots\ ㉠$$

STEP2 $\dfrac{12a}{b}+\dfrac{3b}{a}$의 값의 범위 구하기

$a>0$, $b>0$에서 $\dfrac{12a}{b}>0$, $\dfrac{3b}{a}>0$이므로 산술평균과 기하평균의 관계에 의하여

$$\frac{12a}{b}+\frac{3b}{a}\geq2\sqrt{\frac{12a}{b}\times\frac{3b}{a}}=2\sqrt{36}=12$$

$\left($단, 등호는 $\dfrac{12a}{b}=\dfrac{3b}{a}$, 즉 $2a=b$일 때 성립$\right)$

STEP3 $(3a+b)\left(\dfrac{3}{a}+\dfrac{4}{b}\right)$의 최솟값 구하기

㉠에서 $(3a+b)\left(\dfrac{3}{a}+\dfrac{4}{b}\right)\geq13+12=25$이므로 구하는 최솟값은 25이다.

04-6 답 $\dfrac{3}{4}$

해결전략 | 주어진 식을 변형한 후, 산술평균과 기하평균의 관계를 이용한다.

STEP1 $\dfrac{x-2}{x^2-2x+1}$의 값이 최대이기 위한 조건 찾기

$x>2$에서 $x-2>0$, $x^2-2x+1>0$

즉, $\dfrac{x-2}{x^2-2x+1}>0$이므로 $\dfrac{x^2-2x+1}{x-2}$의 값이 최소일 때, $\dfrac{x-2}{x^2-2x+1}$의 값은 최대이다.

STEP2 식 변형하기

$$\frac{x^2-2x+1}{x-2}=\frac{x(x-2)+1}{x-2}$$
$$=x+\frac{1}{x-2}$$
$$=(x-2)+\frac{1}{x-2}+2 \qquad \cdots\cdots\ ㉠$$

STEP3 $(x-2)+\dfrac{1}{x-2}$의 값의 범위 구하기

$x-2>0$, $\dfrac{1}{x-2}>0$이므로 산술평균과 기하평균의 관계에 의하여

$$(x-2)+\frac{1}{x-2}\geq2\sqrt{(x-2)\times\frac{1}{x-2}}=2$$

$\left($단, 등호는 $x-2=\dfrac{1}{x-2}$, 즉 $x=3$일 때 성립$\right)$

STEP4 ab의 값 구하기

㉠에서 $x=3$일 때 $\dfrac{x^2-2x+1}{x-2}$은 최솟값 $2+2=4$를 가지므로 $\dfrac{x-2}{x^2-2x+1}$의 최댓값은 $\dfrac{1}{4}$이다.

따라서 $a=3$, $b=\dfrac{1}{4}$이므로 $ab=\dfrac{3}{4}$

05-1 답 16 m²

해결전략 | 창고의 밑면에서 직각을 낀 두 변의 길이를 각각 x m, y m로 놓고 산술평균과 기하평균의 관계를 이용한다.

STEP1 x, y 사이의 관계식 구하기

창고의 밑면에서 직각을 낀 두 변의 길이를 각각 x m, y m라 하면

$x^2+y^2=8^2=64$

STEP2 xy의 값의 범위 구하기

$x^2>0$, $y^2>0$이므로 산술평균과 기하평균의 관계에 의하여
$x^2+y^2 \geq 2\sqrt{x^2y^2}=2xy \ (\because \ x>0, \ y>0)$
　　　　　(단, 등호는 $x^2=y^2$, 즉 $x=y$일 때 성립)

그런데 $x^2+y^2=64$이므로 $64 \geq 2xy$

$\therefore xy \leq 32$

STEP3 창고의 밑면의 넓이의 최댓값 구하기

이때 창고의 밑면의 넓이는 $\frac{1}{2}xy$ m²이므로

$\frac{1}{2}xy \leq \frac{1}{2} \times 32 = 16$

따라서 창고의 밑면의 넓이의 최댓값은 16 m²이다.

> 🎯 풍쌤의 비법
>
> **피타고라스 정리**
> 직각삼각형에서 직각을 낀 두 변의 길이를 각각 a, b라 하고 빗변의 길이를 c라 하면 $a^2+b^2=c^2$이 성립한다.

05-2 답 105

해결전략 | 잔디밭의 두 변의 길이를 각각 x, y로 놓고 산술평균과 기하평균의 관계를 이용한다.

STEP1 x, y 사이의 관계식 구하기

잔디밭의 가로, 세로의 길이를 각각 x, y라 하면
울타리의 길이는 $2x+2y-15$
잔디밭의 넓이는 $xy=900$

STEP2 울타리의 길이의 범위 구하기

$x>0$, $y>0$이므로 산술평균과 기하평균의 관계에 의하여
$2x+2y-15 \geq 2\sqrt{2x \times 2y}-15 = 4\sqrt{xy}-15$
　　　　　(단, 등호는 $2x=2y$, 즉 $x=y$일 때 성립)

그런데 $xy=900$이므로
$4\sqrt{xy}-15 = 4 \times 30 -15 = 105$

$\therefore 2x+2y-15 \geq 105$

STEP3 울타리의 길이의 최솟값 구하기

따라서 울타리의 길이의 최솟값은 105이다.

05-3 답 50

해결전략 | 직사각형의 가로, 세로의 길이를 각각 x, y로 놓고 산술평균과 기하평균의 관계를 이용한다.

STEP1 x, y 사이의 관계식 구하기

직사각형의 가로, 세로의 길이를 각각 x, y라 하면 원의 지름이 직사각형의 대각선이므로
$x^2+y^2=10^2=100$

STEP2 xy의 값의 범위 구하기

$x^2>0$, $y^2>0$이므로 산술평균과 기하평균의 관계에 의하여
$x^2+y^2 \geq 2\sqrt{x^2y^2}=2xy \ (\because \ x>0, \ y>0)$
　　　　　(단, 등호는 $x^2=y^2$, 즉 $x=y$일 때 성립)

그런데 $x^2+y^2=100$이므로
$100 \geq 2xy$ 　　 $\therefore xy \leq 50$

STEP3 직사각형의 넓이의 최댓값 구하기

이때 직사각형의 넓이는 xy이므로 직사각형의 넓이의 최댓값은 50이다.

05-4 답 48 m²

해결전략 | 울타리 전체의 가로, 세로의 길이를 각각 x m, y m로 놓고 산술평균과 기하평균의 관계를 이용한다.

STEP1 x, y 사이의 관계식 구하기

울타리 전체의 가로의 길이를 x m, 세로의 길이를 y m라 하면 줄이 가로로는 4줄, 세로로는 3줄이고, 줄의 길이가 48 m이므로
$4x+3y=48$

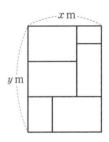

또, 울타리 내부의 전체 넓이는
xy m²

STEP2 xy의 값의 범위 구하기

$x>0$, $y>0$에서 $4x>0$, $3y>0$이므로 산술평균과 기하평균의 관계에 의하여
$4x+3y \geq 2\sqrt{4x \times 3y} = 2\sqrt{12xy}$
　　　　　(단, 등호는 $4x=3y$일 때 성립)

그런데 $4x+3y=48$이므로
$48 \geq 2\sqrt{12xy}$, $24 \geq \sqrt{12xy}$

양변을 제곱하면
$576 \geq 12xy$ 　　 $\therefore xy \leq 48$

STEP3 울타리 내부의 넓이의 최댓값 구하기

따라서 울타리 내부의 전체 넓이의 최댓값은 48 m²이다.

05-5 답 6

해결전략 | 직선의 방정식을 이용하여 직선의 기울기 $f(a)$, $g(a)$를 구한 후, 산술평균과 기하평균의 관계를 이용하여 k의 값을 구한다.

STEP1 ㈎에 알맞은 식 구하기

양수 a에 대하여 곡선 $y=x^2$ 위의 점 $P(a, a^2)$에서의 접선의 방정식은

$y-a^2=m_1(x-a)$, 즉 $y=m_1(x-a)+a^2$

곡선 $y=x^2$과 직선 $y=m_1(x-a)+a^2$이 접하므로

이차방정식 $x^2=m_1(x-a)+a^2$이 중근을 갖는다.

이차방정식 $x^2-m_1x+am_1-a^2=0$의 판별식을 D라 하면

$D=m_1{}^2-4am_1+4a^2=0$

$(m_1-2a)^2=0$

$\therefore m_1=\boxed{2a}$

STEP2 ㈏에 알맞은 식 구하기

직선 AP의 기울기는 m_2이므로 직선 AP의 방정식은

$y-a^2=m_2(x-a)$, 즉 $y=m_2(x-a)+a^2$

직선 $y=m_2(x-a)+a^2$이 점 $A(0, 1)$을 지나므로

$1=-am_2+a^2$

$am_2=a^2-1$

$\therefore m_2=\boxed{a-\dfrac{1}{a}}$

STEP3 ㈐에 알맞은 값 구하기

이때

$m_1-m_2=2a-\left(a-\dfrac{1}{a}\right)$

$\qquad\quad=a+\dfrac{1}{a}$

$\qquad\quad\geq 2\sqrt{a\times\dfrac{1}{a}}=2$

$\qquad\qquad\left(\text{단, 등호는 }a=\dfrac{1}{a}, \text{즉 }a=1\text{일 때 성립}\right)$

따라서 m_1-m_2의 최솟값은 $\boxed{2}$이다.

STEP4 $f(k)\times g(k)$의 값 구하기

$f(a)=2a$, $g(a)=a-\dfrac{1}{a}$, $k=2$이므로

$f(k)\times g(k)=f(2)\times g(2)=4\times\dfrac{3}{2}=6$

필수유형 06   107쪽

06-1 답 $10\sqrt{2}$

해결전략 | 코시-슈바르츠 부등식에 $a=2$, $b=4$를 대입하여 $2x+4y$의 값의 범위를 구한다.

STEP1 식 세우기

x, y가 실수이므로 코시-슈바르츠 부등식에 의하여

$(2^2+4^2)(x^2+y^2)\geq(2x+4y)^2$

$\qquad\qquad\left(\text{단, 등호는 }\dfrac{x}{2}=\dfrac{y}{4}\text{일 때 성립}\right)$

STEP2 $(2x+4y)^2$의 값의 범위 구하기

그런데 $x^2+y^2=10$이므로

$20\times 10\geq(2x+4y)^2$

$(2x+4y)^2\leq 200$

STEP3 $2x+4y$의 최댓값 구하기

$\therefore -10\sqrt{2}\leq 2x+4y\leq 10\sqrt{2}$

따라서 $2x+4y$의 최댓값은 $10\sqrt{2}$이다.

06-2 답 50

해결전략 | 코시-슈바르츠 부등식에 $a=7$, $b=1$을 대입하여 x^2+y^2의 값의 범위를 구한다.

STEP1 식 세우기

x, y가 실수이므로 코시-슈바르츠 부등식에 의하여

$(7^2+1^2)(x^2+y^2)\geq(7x+y)^2$

$\qquad\qquad\left(\text{단, 등호는 }\dfrac{x}{7}=y\text{일 때 성립}\right)$

STEP2 x^2+y^2의 최솟값 구하기

그런데 $7x+y=50$이므로

$50(x^2+y^2)\geq 50^2$

$\therefore x^2+y^2\geq 50$

따라서 x^2+y^2의 최솟값은 50이다.

06-3 답 5

해결전략 | 코시-슈바르츠 부등식을 이용하여 $2x-y$의 최댓값과 최솟값을 k에 대한 식으로 나타내어 본다.

STEP1 $2x-y$의 값의 범위 구하기

x, y가 실수이므로 코시-슈바르츠 부등식에 의하여

$\{2^2+(-1)^2\}(x^2+y^2)\geq(2x-y)^2$

$\qquad\qquad\left(\text{단, 등호는 }\dfrac{x}{2}=-y\text{일 때 성립}\right)$

그런데 $x^2+y^2=k$이므로

$5k\geq(2x-y)^2$, $(2x-y)^2\leq 5k$

$\therefore -\sqrt{5k}\leq 2x-y\leq\sqrt{5k}$

STEP2 k의 값 구하기

이때 최댓값과 최솟값이 각각 $\sqrt{5k}$, $-\sqrt{5k}$이고 그 차가 10이므로

$\sqrt{5k}-(-\sqrt{5k})=2\sqrt{5k}=10$, $\sqrt{5k}=5$

$5k=25$ $\therefore k=5$

06-4 답 10

해결전략 | $x+y=(\sqrt{x})^2+(\sqrt{y})^2$으로 변형한 후, 코시-슈바르츠 부등식을 이용한다.

STEP 1 식 세우기

$x+y=(\sqrt{x})^2+(\sqrt{y})^2$이고, $\sqrt{x}$, $\sqrt{y}$는 실수이므로 코시-슈바르츠 부등식에 의하여

$(2^2+1^2)\{(\sqrt{x})^2+(\sqrt{y})^2\}\geq(2\sqrt{x}+\sqrt{y})^2$

$\left(\text{단, 등호는 } \dfrac{\sqrt{x}}{2}=\sqrt{y}, \text{ 즉 } x=4y\text{일 때 성립}\right)$

STEP 2 $(2\sqrt{x}+\sqrt{y})^2$의 값의 범위 구하기

그런데 $x+y=20$이므로

$5\times20\geq(2\sqrt{x}+\sqrt{y})^2$

$(2\sqrt{x}+\sqrt{y})^2\leq100$

STEP 3 $2\sqrt{x}+\sqrt{y}$의 최댓값 구하기

$\therefore 0<2\sqrt{x}+\sqrt{y}\leq10 \;(\because x>0, y>0)$

따라서 $2\sqrt{x}+\sqrt{y}$의 최댓값은 10이다.

06-5 답 $-\dfrac{25}{9}$

해결전략 | 원의 방정식을 이용하여 a, b 사이의 관계식을 구한 후, 코시-슈바르츠 부등식을 이용한다.

STEP 1 a, b 사이의 관계식 구하기

원점을 중심으로 하고 반지름의 길이가 4인 원의 방정식은

$x^2+y^2=16$

점 P(a, b)가 이 원 위를 움직이므로 $a^2+b^2=16$

STEP 2 $\dfrac{a}{4}+\dfrac{b}{3}$의 값의 범위 구하기

a, b가 실수이므로 코시-슈바르츠 부등식에 의하여

$\left\{\left(\dfrac{1}{4}\right)^2+\left(\dfrac{1}{3}\right)^2\right\}(a^2+b^2)\geq\left(\dfrac{a}{4}+\dfrac{b}{3}\right)^2$

$\qquad$ (단, 등호는 $4a=3b$일 때 성립)

그런데 $a^2+b^2=16$이므로

$\left(\dfrac{1}{16}+\dfrac{1}{9}\right)\times16\geq\left(\dfrac{a}{4}+\dfrac{b}{3}\right)^2$

$\left(\dfrac{a}{4}+\dfrac{b}{3}\right)^2\leq\dfrac{25}{9}$

$\therefore -\dfrac{5}{3}\leq\dfrac{a}{4}+\dfrac{b}{3}\leq\dfrac{5}{3}$

STEP 3 $\dfrac{a}{4}+\dfrac{b}{3}$의 최댓값과 최솟값의 곱 구하기

따라서 $\dfrac{a}{4}+\dfrac{b}{3}$의 최댓값은 $\dfrac{5}{3}$, 최솟값은 $-\dfrac{5}{3}$이므로 구하는 곱은

$\dfrac{5}{3}\times\left(-\dfrac{5}{3}\right)=-\dfrac{25}{9}$

🎯 **풍쌤의 비법**

원의 방정식

원의 중심이 점 (a, b)이고 반지름의 길이가 r인 원의 방정식은

$(x-a)^2+(y-b)^2=r^2$

06-6 답 18

해결전략 | $\overline{BC}=x$, $\overline{CD}=y$로 놓고 원주각의 성질을 이용하여 x, y 사이의 관계식을 구한 후, 코시-슈바르츠 부등식을 이용한다.

STEP 1 x, y 사이의 관계식 구하기

원의 중심이 선분 BD 위에 있으면 선분 BD가 이 원의 지름이므로 $\angle A=\angle C=90°$이다.

따라서 두 삼각형 BAD, BCD는 각각 직각삼각형이다.

$\overline{AB}=1$, $\overline{AD}=7$이므로

$\overline{BD}^2=1^2+7^2=50$ $\qquad\qquad$ ...... ㉠

$\overline{BC}=x$, $\overline{CD}=y$라 하면 ㉠에 의하여

$x^2+y^2=50$

STEP 2 $x+y$의 값의 범위 구하기

x, y가 실수이므로 코시-슈바르츠 부등식에 의하여

$(1^2+1^2)(x^2+y^2)\geq(x+y)^2$

$\qquad$ (단, 등호는 $x=y$일 때 성립)

그런데 $x^2+y^2=50$이므로

$2\times50\geq(x+y)^2$

$(x+y)^2\leq100$

$\therefore 0<x+y\leq10\;(\because x+y>0)$

STEP 3 사각형 ABCD의 둘레의 길이의 최댓값 구하기

따라서 사각형 ABCD의 둘레의 길이는 $x+y+8$이고 $8<x+y+8\leq18$이므로 구하는 최댓값은 18이다.

실전 연습 문제 108~110쪽

01 ④	**02** (1) 풀이 참조 (2) 풀이 참조		**03** ②
04 23	**05** ③	**06** ②	**07** ③	**08** 16
09 80	**10** ①	**11** ②	**12** 72	**13** ③
14 ⑤	**15** 15		

01

해결전략 | 명제와 그 대우의 참, 거짓이 일치함을 이용한다.

명제와 그 대우는 참, 거짓이 일치한다.

따라서 주어진 명제 대신 그 대우인 ④ '두 자연수 m, n 에 대하여 m, n이 모두 짝수이면 $m+n$이 짝수이다.'가 참임을 증명하면 된다.

02

해결전략 | 주어진 명제의 대우를 구하고, 대우가 참임을 증명한다.

(1) 주어진 명제의 대우는 '두 실수 a, b에 대하여 a, b가 모두 2 이하이면 $a+b \leq 4$이다.' ...... ❶

(2) 두 실수 a, b가 모두 2 이하, 즉 $a \leq 2$, $b \leq 2$이면 $a-2 \leq 0$, $b-2 \leq 0$이므로
$(a-2)+(b-2) \leq 0$, $a+b-4 \leq 0$
$\therefore a+b \leq 4$

따라서 주어진 명제의 대우가 참이므로 주어진 명제도 참이다. ...... ❷

채점 요소	비율
❶ 주어진 명제의 대우 구하기	40%
❷ 주어진 명제가 참임을 증명하기	60%

03

해결전략 | 명제의 결론을 부정하여 모순이 나오는 과정을 보임으로써 빈칸을 완성한다.

주어진 명제의 결론을 부정하여 a, b, c가 $\boxed{\text{모두 홀수}}$ 라 가정하면 a^2, b^2, c^2은 모두 홀수이다.

이때 a^2+b^2은 $\boxed{\text{짝수}}$ 이고 c^2은 $\boxed{\text{홀수}}$ 이므로 $a^2+b^2 \neq c^2$이 되어 가정에 모순이다.

따라서 세 자연수 a, b, c에 대하여 $a^2+b^2=c^2$이면 a, b, c 중 적어도 하나는 짝수이다.

$\therefore$ (개) 모두 홀수   (내) 짝수   (대) 홀수

04

해결전략 | 산술평균과 기하평균을 이용할 수 있도록 식을 변형한다.

STEP 1 식 변형하기

주어진 식을 변형하면
$$x^2+\frac{49}{x^2-9}=(x^2-9)+\frac{49}{x^2-9}+9$$

STEP 2 $x^2+\dfrac{49}{x^2-9}$의 값의 범위 구하기

$x>3$에서 $x^2-9>0$, $\dfrac{49}{x^2-9}>0$이므로 산술평균과 기하평균의 관계에 의하여

$$(x^2-9)+\frac{49}{x^2-9}+9 \geq 2\sqrt{(x^2-9)\times\frac{49}{x^2-9}}+9$$
$$=2\sqrt{49}+9=23$$

$\left(\text{단, 등호는 } x^2-9=\dfrac{49}{x^2-9}, \text{ 즉 } x=4\text{일 때 성립}\right)$

STEP 3 $x^2+\dfrac{49}{x^2-9}$의 최솟값 구하기

따라서 구하는 최솟값은 23이다.

05

해결전략 | 증명을 완성하며 $f(q)$, $g(k)$를 구한 후, $q=2$, $k=3$을 각각 대입한다.

STEP 1 빈칸 완성하기

$p^2(n^2-1)=q^2$에서 p는 q^2의 약수이므로 $\dfrac{q^2}{p}$은 자연수이다.

이때 p, q가 서로소이므로 p가 1이 아닌 자연수이면 $\dfrac{q^2}{p}$은 자연수가 아니다. 그러므로 $p=1$이다.

$p^2(n^2-1)=q^2$에 $p=1$을 대입하면
$n^2-1=q^2$
$\therefore n^2=\boxed{q^2+1}$

$n \geq 2$이므로
$q^2=n^2-1 \geq 2^2-1=4-1=3$
따라서 $q^2 \geq 3$이므로 $q>1$

자연수 k에 대하여

(i) $q=2k$일 때
$n^2=(2k)^2+1$이므로
$(2k)^2<n^2<\boxed{(2k+1)^2}$
그런데 $2k<n<2k+1$을 만족시키는 자연수 n은 존재하지 않는다.

(ii) $q=2k+1$일 때
$n^2=(2k+1)^2+1$이므로
$\boxed{(2k+1)^2}<n^2<(2k+2)^2$
그런데 $2k+1<n<2k+2$를 만족시키는 자연수 n은 존재하지 않는다.

STEP 2 $f(2)+g(3)$의 값 구하기

따라서 $f(q)=q^2+1$, $g(k)=(2k+1)^2$이므로
$f(2)+g(3)=5+49=54$

06

해결전략 | 두 수 A, B의 차를 이용하여 두 수의 대소를 비교한다.

STEP 1 $A-B$ 구하기

$A-B$

$=a^2+b^2+1-(ab+a+b)$

$=\dfrac{1}{2}(2a^2+2b^2+2-2ab-2a-2b)$

$=\dfrac{1}{2}\{(a^2-2ab+b^2)+(a^2-2a+1)+(b^2-2b+1)\}$

$=\dfrac{1}{2}\{(a-b)^2+(a-1)^2+(b-1)^2\}$

STEP 2 두 수 A, B의 대소 비교하기

a, b가 실수이므로

$(a-b)^2\geq0$, $(a-1)^2\geq0$, $(b-1)^2\geq0$

따라서 $(a-b)^2+(a-1)^2+(b-1)^2\geq0$이므로

$A-B\geq0$

$\therefore A\geq B$

여기서 등호는 $a-b=0$, $a-1=0$, $b-1=0$, 즉

$a=b=1$일 때 성립한다.

07

해결전략 | 두 수의 차를 이용하여 보기의 참, 거짓을 판별한다.

ㄱ. $\dfrac{a}{b}-\dfrac{a}{c}=\dfrac{a(c-b)}{bc}$

이때 $a<0<b<c$에서 $a<0$, $bc>0$, $c-b>0$이므로

$\dfrac{a(c-b)}{bc}<0$

$\therefore \dfrac{a}{b}<\dfrac{a}{c}$ (참)

ㄴ. [반례] $a=-2$, $b=1$, $c=4$이면 $a<0<b<c$이지만 $a+c=2$이므로 $a+c>b$이다. (거짓)

ㄷ. $\dfrac{c}{a-b}-\dfrac{b}{a-c}=\dfrac{c(a-c)-b(a-b)}{(a-b)(a-c)}$

$=\dfrac{-a(b-c)+(b^2-c^2)}{(a-b)(a-c)}$

$=\dfrac{-a(b-c)+(b+c)(b-c)}{(a-b)(a-c)}$

$=\dfrac{(b-c)(-a+b+c)}{(a-b)(a-c)}$

이때 $a<0<b<c$에서 $b-c<0$, $-a+b+c>0$, $a-b<0$, $a-c<0$이므로

$\dfrac{(b-c)(-a+b+c)}{(a-b)(a-c)}<0$

$\therefore \dfrac{c}{a-b}<\dfrac{b}{a-c}$ (참)

따라서 옳은 것은 ㄱ, ㄷ이다.

08

해결전략 | 산술평균과 기하평균의 관계를 이용하여 $x+4y$의 최솟값을 구한다.

STEP 1 식 세우기

$x>0$, $4y>0$이므로 산술평균과 기하평균의 관계에 의하여

$x+4y\geq2\sqrt{x\times4y}$

$=4\sqrt{xy}$ (단, 등호는 $x=4y$일 때 성립)

STEP 2 $x+4y$의 값의 범위 구하기

그런데 $xy=16$이므로

$x+4y\geq4\sqrt{16}=16$ ...... ❶

STEP 3 $x+4y$의 최솟값 구하기

따라서 $x+4y$의 최솟값은 16이다. ...... ❷

채점 요소	비율
❶ $x+4y$의 값의 범위 구하기	80%
❷ $x+4y$의 최솟값 구하기	20%

09

해결전략 | 산술평균과 기하평균을 이용하여 a, b, c의 값을 각각 구한다.

STEP 1 식 세우기

$x>0$, $y>0$이므로 산술평균과 기하평균의 관계에 의하여

$x+y\geq2\sqrt{xy}$ (단, 등호는 $x=y$일 때 성립)

STEP2 a의 값 구하기

그런데 $x+y=16$이므로

$16 \geq 2\sqrt{xy}$, $\sqrt{xy} \leq 8$

$\therefore xy \leq 64$

따라서 xy의 최댓값은 64이므로 $a=64$

STEP3 b, c의 값 구하기

이때 등호가 성립할 조건은 $x=y$이므로

$x+y=16$에서 $2x=16$ $\therefore x=y=8$

$\therefore b=c=8$

STEP4 $a+b+c$의 값 구하기

$\therefore a+b+c=64+8+8=80$

10

해결전략 | 주어진 식을 전개한 후, 산술평균과 기하평균의 관계를 이용한다.

STEP1 식 전개하기

$$\left(4x+\frac{1}{y}\right)\left(\frac{1}{x}+16y\right)=4+64xy+\frac{1}{xy}+16$$
$$=20+64xy+\frac{1}{xy}$$

STEP2 $\left(4x+\dfrac{1}{y}\right)\left(\dfrac{1}{x}+16y\right)$의 값의 범위 구하기

$x>0$, $y>0$에서 $xy>0$이므로 산술평균과 기하평균의 관계에 의하여

$$\left(4x+\frac{1}{y}\right)\left(\frac{1}{x}+16y\right)=20+64xy+\frac{1}{xy}$$
$$\geq 20+2\sqrt{64xy \times \frac{1}{xy}}$$
$$=20+16=36$$

$\left(\text{단, 등호는 } 64xy=\dfrac{1}{xy}, \text{ 즉 } xy=\dfrac{1}{8} \text{일 때 성립}\right)$

STEP3 $\left(4x+\dfrac{1}{y}\right)\left(\dfrac{1}{x}+16y\right)$의 최솟값 구하기

따라서 구하는 최솟값은 36이다.

11

해결전략 | $\dfrac{A+B}{C}=\dfrac{A}{C}+\dfrac{B}{C}$ $(C \neq 0)$임을 이용하여 주어진 식을 변형한 후, 산술평균과 기하평균의 관계를 이용한다.

$a>0$, $b>0$, $c>0$이므로 산술평균과 기하평균의 관계에 의하여

$$\frac{b+c}{a}+\frac{c+a}{b}+\frac{a+b}{c}$$
$$=\frac{b}{a}+\frac{c}{a}+\frac{c}{b}+\frac{a}{b}+\frac{a}{c}+\frac{b}{c}$$
$$=\left(\frac{b}{a}+\frac{a}{b}\right)+\left(\frac{c}{a}+\frac{a}{c}\right)+\left(\frac{c}{b}+\frac{b}{c}\right)$$

$$\geq 2\sqrt{\frac{b}{a} \times \frac{a}{b}}+2\sqrt{\frac{c}{a} \times \frac{a}{c}}+2\sqrt{\frac{c}{b} \times \frac{b}{c}}$$
$$=2+2+2$$
$$=6 \, (\text{단, 등호는 } a=b=c \text{일 때 성립})$$

따라서 구하는 최솟값은 6이다.

12

해결전략 | 직사각형의 가로, 세로의 길이를 각각 x, y로 놓고 산술평균과 기하평균의 관계를 이용한다.

STEP1 x, y 사이의 관계식 구하기

직사각형의 가로, 세로의 길이를 각각 x, y라 하면 대각선의 길이가 12이므로

$x^2+y^2=12^2=144$ ······ ❶

STEP2 xy의 값의 범위 구하기

$x^2>0$, $y^2>0$이므로 산술평균과 기하평균의 관계에 의하여

$x^2+y^2 \geq 2\sqrt{x^2 y^2}=2xy \, (\because x>0, \, y>0)$

$\qquad (\text{단, 등호는 } x^2=y^2, \text{ 즉 } x=y \text{일 때 성립})$

그런데 $x^2+y^2=144$이므로

$144 \geq 2xy$ $\therefore xy \leq 72$ ······ ❷

STEP3 직사각형의 넓이의 최댓값 구하기

이때 직사각형의 넓이는 xy이므로 구하는 최댓값은 72이다. ······ ❸

채점 요소	비율
❶ x, y 사이의 관계식 구하기	40%
❷ xy의 값의 범위 구하기	50%
❸ 직사각형의 넓이의 최댓값 구하기	10%

13

해결전략 | 점 A가 직선 위에 있음을 이용하여 a, b에 대한 식을 구한 후, 산술평균과 기하평균의 관계를 이용한다.

STEP1 a, b 사이의 관계식 구하기

직선 $\dfrac{x}{a}+\dfrac{y}{b}=1$이 점 A$(2, 3)$을 지나므로

$\dfrac{2}{a}+\dfrac{3}{b}=1$

STEP2 ab의 값의 범위 구하기

$a>0$, $b>0$이므로 산술평균과 기하평균의 관계에 의하여

$$\frac{2}{a}+\frac{3}{b} \geq 2\sqrt{\frac{2}{a} \times \frac{3}{b}}=2\sqrt{\frac{6}{ab}}$$

$\left(\text{단, 등호는 } \dfrac{2}{a}=\dfrac{3}{b} \text{일 때 성립}\right)$

그런데 $\dfrac{2}{a}+\dfrac{3}{b}=1$이므로 $1\geq 2\sqrt{\dfrac{6}{ab}}$

양변을 제곱하면

$\dfrac{24}{ab}\leq 1$ $\quad \therefore ab\geq 24$

STEP3 ab의 최솟값 구하기

따라서 ab의 최솟값은 24이다.

▶참고 등호는 $\dfrac{2}{a}=\dfrac{3}{b}$일 때 성립하므로

$\dfrac{2}{a}+\dfrac{3}{b}=1$에 대입하면 $\dfrac{4}{a}=1$ $\quad \therefore a=4$

$a=4$를 $\dfrac{2}{a}=\dfrac{3}{b}$에 대입하면 $\dfrac{2}{4}=\dfrac{3}{b}$ $\quad \therefore b=6$

14

해결전략 | 코시-슈바르츠 부등식을 이용하여 $ax+by$의 값의 범위를 구한다.

STEP1 식 세우기

a, b, x, y가 실수이므로 코시-슈바르츠 부등식에 의하여

$(a^2+b^2)(x^2+y^2)\geq (ax+by)^2$

$\left(\text{단, 등호는 } \dfrac{x}{a}=\dfrac{y}{b}\text{일 때 성립}\right)$

STEP2 $ax+by$의 값의 범위 구하기

그런데 $a^2+b^2=8$, $x^2+y^2=4$이므로

$8\times 4\geq (ax+by)^2$, $(ax+by)^2\leq 32$

$\therefore -4\sqrt{2}\leq ax+by\leq 4\sqrt{2}$

STEP3 $ax+by$의 값이 될 수 없는 것 찾기

따라서 $ax+by$의 값이 될 수 없는 것은 ⑤ 6이다.

15

해결전략 | 코시-슈바르츠 부등식을 이용하여 m의 값을 구하고, 등호가 성립할 조건을 이용하여 a, b의 값을 각각 구한다.

STEP1 식 세우기

$3x$, $2y$가 실수이므로 코시-슈바르츠 부등식에 의하여

$(1^2+2^2)\{(3x)^2+(2y)^2\}\geq (1\times 3x+2\times 2y)^2$

$(\text{단, 등호는 } 3x=y\text{일 때 성립})$

STEP2 m의 값 구하기

그런데 $3x+4y=5$이므로 $5(9x^2+4y^2)\geq 5^2$

$\therefore 9x^2+4y^2\geq 5$

즉, $9x^2+4y^2$의 최솟값은 5이므로

$m=5$ $\qquad \cdots\cdots$ ❶

STEP3 a, b의 값 구하기

이때 등호는 $3x=y$일 때 성립하므로 $3x+4y=5$에서

$y+4y=5$, $5y=5$ $\quad \therefore y=1$

$y=1$을 $y=3x$에 대입하면 $x=\dfrac{1}{3}$

$\therefore a=\dfrac{1}{3}$, $b=1$ $\qquad \cdots\cdots$ ❷

STEP4 $\dfrac{m}{ab}$의 값 구하기

$\therefore \dfrac{m}{ab}=\dfrac{5}{\dfrac{1}{3}\times 1}=15$ $\qquad \cdots\cdots$ ❸

채점 요소	비율
❶ m의 값 구하기	50%
❷ a, b의 값 구하기	40%
❸ $\dfrac{m}{ab}$의 값 구하기	10%

상위권 도약 문제 111~112쪽

01 ⑤	02 ⑤	03 5	04 80
05 5	06 283	07 39	

01

해결전략 | 귀류법을 이용하여 증명 과정을 완성한다.

STEP1 ㈎에 알맞은 식 구하기

원 위에 점 $P(a, b)$
(a, b는 정수)가 아닌
다른 점 $Q(c, d)$ (c, d
는 정수)가 존재한다고
가정하자.

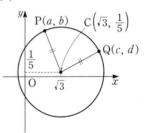

원의 중심 C에서 원 위의 두 점 P, Q까지의
거리는 서로 같으므로 $\overline{CP}=\overline{CQ}$

$\therefore \sqrt{(a-\sqrt{3})^2+\left(b-\dfrac{1}{5}\right)^2}=\sqrt{(c-\sqrt{3})^2+\left(d-\dfrac{1}{5}\right)^2}$

양변을 제곱하여 정리하면

$(a^2-2a\sqrt{3}+3)+\left(b^2-\dfrac{2}{5}b+\dfrac{1}{25}\right)$

$=(c^2-2c\sqrt{3}+3)+\left(d^2-\dfrac{2}{5}d+\dfrac{1}{25}\right)$

$a^2-c^2+b^2-d^2-\dfrac{2}{5}(b-d)=\boxed{2\sqrt{3}(a-c)}$ $\cdots\cdots$ ㉠

STEP2 ㈏, ㈐에 알맞은 식 구하기

㉠에서 좌변은 $\boxed{\text{유리수}}$이므로 $a-c=0$

$\therefore b^2-d^2-\dfrac{2}{5}(b-d)=0$ $\qquad \cdots\cdots$ ㉡

$(b+d)(b-d)-\dfrac{2}{5}(b-d)=0$

$(b-d)(b+d)=\dfrac{2}{5}(b-d)$

$b-d\neq0$이면 $b+d=\dfrac{2}{5}$인데 b, d가 정수이므로 $b+d$도

정수이어서 모순이다.

ⓒ에서 b, d는 정수이므로 $\boxed{b-d=0}$

따라서 이 원 위의 점들 중에는 x좌표, y좌표가 모두 정수인 점이 P 외에 존재하지 않는다.

$\therefore$ ㈎ $2\sqrt{3}(a-c)$ ㈏ 유리수 ㈐ $b-d=0$

02

해결전략 | 두 수의 제곱의 차를 이용하여 대소를 비교하는 과정을 완성한다.

STEP 1 ㈎에 알맞은 식 구하기

$|ap+bq|^2-(\sqrt{a^2p+b^2q})^2$

$=(ap+bq)^2-(a^2p+b^2q)$

$=a^2p^2+2abpq+b^2q^2-a^2p-b^2q$

$=a^2p(p-1)+b^2q\boxed{(q-1)}+2abpq$ $\quad\cdots\cdots$ ㉠

STEP 2 ㈏에 알맞은 식 구하기

㉠에 $q=1-p$를 대입하면

$a^2p(p-1)+b^2q(q-1)+2abpq$

$=a^2p(p-1)+b^2(1-p)(-p)+2abp(1-p)$

$=p(p-1)(a^2+b^2-2ab)$

$=\boxed{(a-b)^2}p(p-1)$

STEP 3 ㈐에 알맞은 식 구하기

$p\geq0$, $q\geq0$, $p+q=1$이므로

$p(p-1)=p(-q)=-pq\boxed{\leq}0$이다.

따라서 $|ap+bq|^2-(\sqrt{a^2p+b^2q})^2\leq0$

그러므로 $|ap+bq|\leq\sqrt{a^2p+b^2q}$이다.

$\therefore$ ㈎ $(q-1)$ ㈏ $(a-b)^2$ ㈐ $\leq$

03

해결전략 | 주어진 부등식의 좌변을 완전제곱식을 포함한 식으로 변형하여 부등식이 성립할 조건을 찾는다.

STEP 1 부등식의 좌변 변형하기

$x^2+y^2-xy+ay+2>0$에서

$\left(x^2-xy+\dfrac{y^2}{4}\right)+\dfrac{3}{4}y^2+ay+2>0$

$\therefore \left(x-\dfrac{y}{2}\right)^2+\dfrac{3}{4}y^2+ay+2>0$

STEP 2 a의 값의 범위 구하기

위의 부등식이 모든 실수 x, y에 대하여 성립하고,

$\left(x-\dfrac{y}{2}\right)^2\geq0$이므로 $\dfrac{3}{4}y^2+ay+2>0$이어야 한다.

이차방정식 $\dfrac{3}{4}y^2+ay+2=0$의 판별식을 D라 하면

$D=a^2-4\times\dfrac{3}{4}\times2=a^2-6<0$

$\therefore -\sqrt{6}<a<\sqrt{6}$

STEP 3 정수 a의 개수 구하기

따라서 정수 a는 -2, -1, 0, 1, 2의 5개이다.

04

해결전략 | A의 부피와 겉넓이를 각각 x, y에 대한 식으로 나타낸 후, 산술평균과 기하평균의 관계를 이용한다.

STEP 1 A의 부피의 식에서 xy의 값 구하기

$(A의 부피)=3xy-1=47$

$\therefore xy=16$

STEP 2 A의 겉넓이의 식 구하기

$(A의 겉넓이)=2(xy+3x+3y)$

$\qquad\qquad\qquad -32+6(x+y)$

STEP 3 A의 겉넓이의 최솟값 구하기

$x>0$, $y>0$이므로 산술평균과 기하평균의 관계에 의하여

$32+6(x+y)\geq32+6\times2\sqrt{xy}$

$\qquad\qquad\qquad =32+12\times4=80$

$\qquad\qquad\qquad$ (단, 등호는 $x=y$일 때 성립)

따라서 A의 겉넓이의 최솟값은 80이다.

05

해결전략 | 산술평균과 기하평균의 관계를 이용할 수 있도록 식을 변형한다.

STEP 1 부등식의 좌변 변형하기

$x^2-x+\dfrac{9}{x^2-x+1}=x^2-x+1+\dfrac{9}{x^2-x+1}-1$

STEP 2 $x^2-x+\dfrac{9}{x^2-x+1}$의 최솟값 구하기

$x^2-x+1=\left(x-\dfrac{1}{2}\right)^2+\dfrac{3}{4}>0$이므로 산술평균과 기하평균의 관계에 의하여

$x^2-x+1+\dfrac{9}{x^2-x+1}\geq2\sqrt{(x^2-x+1)\times\dfrac{9}{x^2-x+1}}$

$\qquad\qquad\qquad\qquad =2\sqrt{9}=6$

$\left(단, 등호는 x^2-x+1=\dfrac{9}{x^2-x+1}일 때 성립\right)$

$\therefore x^2-x+1+\dfrac{9}{x^2-x+1}-1\geq6-1=5$

STEP3 k의 최댓값 구하기

따라서 모든 실수 x에 대하여 주어진 부등식이 성립하려면 $k \leq 5$이어야 한다.

즉, k의 최댓값은 5이다.

06

해결전략 | 삼각형의 넓이를 이용하여 a, b 사이의 관계식을 구한 후, 코시-슈바르츠 부등식을 이용한다.

STEP1 a, b 사이의 관계식 구하기

직각삼각형 ABC에서

$\overline{AC} = \sqrt{6^2+8^2} = 10$

삼각형 ABC의 넓이에서

$\triangle ABC$

$= \triangle PAB + \triangle PBC + \triangle PCA$

이므로

$\dfrac{1}{2} \times 6 \times 8$

$= \dfrac{1}{2} \times 6 \times 2 + \dfrac{1}{2} \times 8 \times a + \dfrac{1}{2} \times 10 \times b$

$\therefore 4a + 5b = 18$

STEP2 $a^2 + b^2$의 최솟값 구하기

a, b가 실수이므로 코시-슈바르츠 부등식에 의하여

$(4^2 + 5^2)(a^2 + b^2) \geq (4a + 5b)^2$

$\left(\text{단, 등호는 } \dfrac{a}{4} = \dfrac{b}{5} \text{일 때 성립}\right)$

그런데 $4a + 5b = 18$이므로

$41(a^2 + b^2) \geq 18^2 \qquad \therefore a^2 + b^2 \geq \dfrac{324}{41}$

따라서 $a^2 + b^2$의 최솟값은 $\dfrac{324}{41}$이다.

STEP3 $q - p$의 값 구하기

즉, $p = 41$, $q = 324$이므로

$q - p = 324 - 41 = 283$

07

해결전략 | 산술평균과 기하평균의 관계를 이용하여 M_1, 코시-슈바르츠 부등식을 이용하여 M_2의 값을 구한다.

STEP1 M_1의 값 구하기

$a > 0$, $b > 0$이므로 산술평균과 기하평균의 관계에 의하여

$a^2 + b^2 \geq 2\sqrt{a^2 b^2} = 2ab$ (단, 등호는 $a = b$일 때 성립)

그런데 $a^2 + b^2 = 4$이므로

$2ab \leq 4 \qquad \therefore ab \leq 2 \qquad\qquad \cdots\cdots \text{㉠}$

또, $c > 0$, $d > 0$이므로 산술평균과 기하평균의 관계에 의하여

$c^2 + d^2 \geq 2\sqrt{c^2 d^2} = 2cd$ (단, 등호는 $c = d$일 때 성립)

그런데 $c^2 + d^2 = 9$이므로

$2cd \leq 9 \qquad \therefore cd \leq \dfrac{9}{2} \qquad\qquad \cdots\cdots \text{㉡}$

㉠, ㉡에서 $ab + cd \leq 2 + \dfrac{9}{2} = \dfrac{13}{2}$

따라서 $ab + cd$의 최댓값은 $\dfrac{13}{2}$이므로 $M_1 = \dfrac{13}{2}$

STEP2 M_2의 값 구하기

한편, a, b, c, d는 실수이므로 코시-슈바르츠 부등식에 의하여

$(a^2 + b^2)(c^2 + d^2) \geq (ac + bd)^2$

$\left(\text{단, 등호는 } \dfrac{c}{a} = \dfrac{d}{b} \text{일 때 성립}\right)$

그런데 $a^2 + b^2 = 4$, $c^2 + d^2 = 9$이므로

$4 \times 9 \geq (ac + bd)^2$, $(ac + bd)^2 \leq 36$

$\therefore 0 < ac + bd \leq 6 \ (\because a > 0, b > 0, c > 0, d > 0)$

따라서 $ac + bd$의 최댓값은 6이므로 $M_2 = 6$

STEP3 $M_1 M_2$의 값 구하기

$\therefore M_1 M_2 = \dfrac{13}{2} \times 6 = 39$

05 함수와 그래프

개념확인 114~115쪽

01 답 정의역: {1, 2, 3}, 공역: {1, 2, 3, 4, 5}
치역: {1, 3, 5}

02 답 (1) 서로 같은 함수이다.   (2) 서로 같은 함수가 아니다.

03 답 (1) ×   (2) ○   (3) ×

04 답 (1) ㄱ, ㄴ   (2) ㄱ, ㄴ   (3) ㄱ   (4) ㄷ

필수유형 01 117쪽

01-1 답 (3)

해결전략 | 주어진 대응을 그림으로 나타내어 함수인 것을 찾는다.

(1) **STEP 1** 대응을 그림으로 나타내기

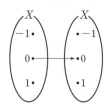

STEP 2 대응이 함수인지 확인하기
집합 X의 원소 -1, 1에 대응하는 집합 X의 원소가 없으므로 함수가 아니다.

(2) **STEP 1** 대응을 그림으로 나타내기

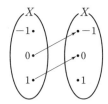

STEP 2 대응이 함수인지 확인하기
집합 X의 원소 -1에 대응하는 집합 X의 원소가 없으므로 함수가 아니다.

(3) **STEP 1** 대응을 그림으로 나타내기

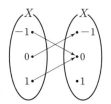

STEP 2 대응이 함수인지 확인하기
집합 X의 각 원소에 집합 X의 원소가 오직 하나씩 대응하므로 함수이다.
따라서 X에서 X로의 함수인 것은 (3)이다.

01-2 답 (2), (3)

해결전략 | 집합 X의 원소에 대응하는 값을 구한 후, 주어진 대응을 그림으로 나타낸다.

(1) **STEP 1** 대응을 그림으로 나타내기

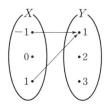

STEP 2 대응이 함수인지 확인하기
집합 X의 원소 0에 대응하는 집합 Y의 원소가 없으므로 함수가 아니다.

(2) **STEP 1** 대응을 그림으로 나타내기

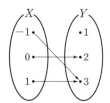

STEP 2 대응이 함수인지 확인하기
집합 X의 각 원소에 집합 Y의 원소가 오직 하나씩 대응하므로 함수이다.

(3) **STEP 1** 대응을 그림으로 나타내기

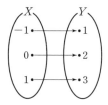

STEP 2 대응이 함수인지 확인하기
집합 X의 각 원소에 집합 Y의 원소가 오직 하나씩 대응하므로 함수이다.
따라서 X에서 Y로의 함수인 것은 (2), (3)이다.

01-3 답 ④

해결전략 | 대응을 그림으로 나타내어 함수인지 아닌지를 확인한다.

STEP 1 대응을 그림으로 나타내기

주어진 대응을 그림으로 나타내면 다음과 같다.

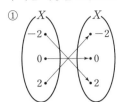

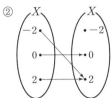

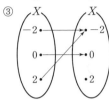

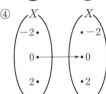

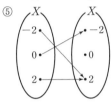

STEP 2 함수가 아닌 것 찾기

④는 집합 X의 원소 -2, 2에 대응하는 집합 X의 원소가 없으므로 함수가 아니다.

01-4 目 ①

해결전략 | 집합 X의 각 원소에 대응하는 집합 Y의 원소가 오직 하나씩 존재하는 그림을 찾는다.

① 집합 X의 각 원소에 집합 Y의 원소가 오직 하나씩 대응하므로 함수이다.

② 집합 X의 원소 3에 대응하는 집합 Y의 원소가 없으므로 함수가 아니다.

③ 집합 X의 원소 3에 대응하는 집합 Y의 원소가 2, 3의 2개이므로 함수가 아니다.

④ 집합 X의 원소 4에 대응하는 집합 Y의 원소가 없으므로 함수가 아니다.

⑤ 집합 X의 원소 1에 대응하는 집합 Y의 원소가 없고, 집합 X의 원소 2에 대응하는 집합 Y의 원소가 1, 2의 2개이므로 함수가 아니다.

따라서 X에서 Y로의 함수인 것은 ①이다.

01-5 目 ㄱ, ㄴ, ㄷ

해결전략 | 집합 X의 원소 x의 값에 대한 $f(x)$의 값을 구하여 대응을 그림으로 나타낸다.

STEP 1 대응을 그림으로 나타내기

주어진 대응을 그림으로 나타내면 다음과 같다.

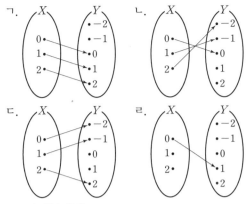

STEP 2 함수 찾기

ㄱ, ㄴ, ㄷ은 집합 X의 각 원소에 집합 Y의 원소가 오직 하나씩 대응하므로 함수이다.

ㄹ은 집합 X의 원소 1, 2에 대응하는 집합 Y의 원소가 없으므로 함수가 아니다.

따라서 X에서 Y로의 함수인 것은 ㄱ, ㄴ, ㄷ이다.

필수유형 02   119쪽

02-1 目 -1

해결전략 | 일차함수의 그래프의 기울기가 음수이면 x의 값이 증가할 때, y의 값은 감소함을 이용한다.

STEP 1 $f(0)$, $f(3)$의 값 구하기

함수 $y=ax+b$에서 $a<0$이므로 x의 값이 증가할 때, y의 값은 감소한다. 즉, $f(0)=1$, $f(3)=-5$

STEP 2 a, b의 값 구하기

$f(0)=1$에서 $b=1$ …… ㉠

$f(3)=-5$에서 $3a+b=-5$ …… ㉡

㉠을 ㉡에 대입하면

$3a+1=-5$, $3a=-6$ ∴ $a=-2$

STEP 3 $a+b$의 값 구하기

∴ $a+b=-2+1=-1$

02-2 目 3

해결전략 | 이차함수의 그래프의 꼭짓점의 x좌표가 정의역에 포함되는지 먼저 파악한다.

STEP 1 함수 $y=ax^2+2ax+b$가 최댓값, 최솟값을 갖는 x의 값 구하기

$y=f(x)=ax^2+2ax+b=a(x+1)^2+b-a$

이고 $a>0$이므로 함수 $f(x)$는 $-2 \leq x \leq 2$에서 $x=-1$일 때 최솟값을 갖고, $x=2$일 때 최댓값을 갖는다.

∴ $f(-1)=-3$, $f(2)=6$

STEP2 a, b의 값 구하기

$f(-1)=-3$에서 $b-a=-3$ ...... ㉠

$f(2)=6$에서 $8a+b=6$ ...... ㉡

㉡-㉠을 하면 $9a=9$ ∴ $a=1$

$a=1$을 ㉠에 대입하면 $b-1=-3$ ∴ $b=-2$

STEP3 $a-b$의 값 구하기

∴ $a-b=1-(-2)=3$

> ⊙ **풍쌤의 비법**
>
> 정의역이 주어진 이차함수 $f(x)$의 치역을 구할 때는 이차함수의 그래프의 꼭짓점의 x좌표가 정의역에 포함되는지에 따라 풀이 방법이 달라진다.

02-3 🔖 10

해결전략 | 함수 f를 나타낸 그림에서 치역을 구한다.

STEP1 함수 f의 치역 구하기

주어진 그림에서 집합 X의 원소 1, 2에 대응하는 집합 Y의 원소는 4, 집합 X의 원소 3에 대응하는 집합 Y의 원소는 6이므로 함수 f의 치역은 $\{4, 6\}$이다.

STEP2 함수 f의 치역의 모든 원소의 합 구하기

따라서 치역의 모든 원소의 합은

$4+6=10$

02-4 🔖 10

해결전략 | $f(1), f(2), f(3)$에 각각 대응되는 값을 구한다.

STEP1 $f(1), f(2), f(3)$의 값 구하기

함수 $f(x)=ax+2$에서 $a>0$이므로 x의 값이 증가할 때, y의 값도 증가한다.

∴ $f(1)=12, f(2)=22, f(3)=32$

STEP2 a의 값 구하기

$f(1)=12$에서 $a+2=12$이므로 $a=10$

02-5 🔖 2

해결전략 | 주어진 조건에 맞게 x의 값을 대입하여 함숫값을 구한다.

STEP1 $f\left(\dfrac{9}{4}\right)$의 값 구하기

$\dfrac{9}{4}$는 유리수이므로

$f\left(\dfrac{9}{4}\right)=\sqrt{\dfrac{9}{4}}=\dfrac{3}{2}$

STEP2 $f\left(\dfrac{1}{\sqrt{2}}\right)$의 값 구하기

$\dfrac{1}{\sqrt{2}}$은 무리수이므로

$f\left(\dfrac{1}{\sqrt{2}}\right)=\left(\dfrac{1}{\sqrt{2}}\right)^2=\dfrac{1}{2}$

STEP3 $f\left(\dfrac{9}{4}\right)+f\left(\dfrac{1}{\sqrt{2}}\right)$의 값 구하기

∴ $f\left(\dfrac{9}{4}\right)+f\left(\dfrac{1}{\sqrt{2}}\right)=\dfrac{3}{2}+\dfrac{1}{2}=2$

02-6 🔖 6

해결전략 | 정의한 함수 f를 이해한 후, 주어진 함숫값을 구한다.

STEP1 양의 약수의 개수가 홀수가 되도록 하는 조건 찾기

양의 약수의 개수가 홀수인 수는 제곱수이다.

즉, 함수 f는

$f(x)=(x$ 이하의 자연수 중 제곱수의 개수$)$

와 같이 나타낼 수 있다.

STEP2 $f(8)$의 값 구하기

8 이하의 자연수 중 제곱수는 1, 4이므로

$f(8)=2$

STEP3 $f(20)$의 값 구하기

20 이하의 자연수 중 제곱수는 1, 4, 9, 16이므로

$f(20)=4$

STEP4 $f(8)+f(20)$의 값 구하기

∴ $f(8)+f(20)=2+4=6$

▶**참고** 자연수 N을 $N=2^{x_1}\times3^{x_2}\times5^{x_3}\times\cdots$와 같이 소인수분해하면 N의 양의 약수의 개수는

$(x_1+1)(x_2+1)(x_3+1)\times\cdots$

와 같이 나타낼 수 있다.

이때 짝수가 하나라도 있으면 곱의 결과는 짝수가 되므로 N의 양의 약수의 개수가 홀수이면 곱하는 모든 수가 홀수이어야 한다.

즉, $x_1+1, x_2+1, x_3+1, \cdots$은 모두 홀수이다.

따라서 $x_1, x_2, x_3, \cdots$은 모두 0 또는 짝수이므로 양의 약수의 개수가 홀수인 수 N은 제곱수로 표현된다.

필수유형 03 121쪽

03-1 🔖 -5

해결전략 | 정의역의 각 원소에 대한 함숫값이 같음을 이용하여 미지수의 값을 구한다.

STEP1 서로 같은 함수임을 이용하여 관계식 찾기

두 함수 $f(x)$, $g(x)$가 서로 같으므로 정의역의 원소인 -1, 1에 대하여

$f(-1)=g(-1), f(1)=g(1)$

STEP2 a, b에 대한 식 세우기

$f(-1)=g(-1)$에서

$-1+a=\dfrac{b}{-1+2}$ $\therefore a-b=1$ $\cdots\cdots$ ㉠

$f(1)=g(1)$에서

$1+a=\dfrac{b}{1+2}$ $\therefore 3a-b=-3$ $\cdots\cdots$ ㉡

STEP3 $a+b$의 값 구하기

㉡$-$㉠을 하면 $2a=-4$ $\therefore a=-2$

$a=-2$를 ㉠에 대입하면 $-2-b=1$ $\therefore b=-3$

$\therefore a+b=-2+(-3)=-5$

03-2 답 0

해결전략 | 두 함수가 서로 같을 조건을 이용하여 식을 세운다.

STEP1 서로 같은 함수임을 이용하여 관계식 찾기

두 함수 f와 g가 서로 같으므로 정의역의 원소인 -2, a에 대하여

$f(-2)=g(-2)$, $f(a)=g(a)$

STEP2 a, b의 값 구하기

$f(-2)=g(-2)$에서

$-8+4b=-8-8$ $\therefore b=-2$ $\cdots\cdots$ ㉠

$f(a)=g(a)$에서 $a^3+a^2b=4a-8$ $\cdots\cdots$ ㉡

㉠을 ㉡에 대입하면

$a^3-2a^2=4a-8$, $a^3-2a^2-4a+8=0$

$(a+2)(a-2)^2=0$

$\therefore a=2$ $(\because a\neq-2)$

STEP3 $a+b$의 값 구하기

$\therefore a+b=2+(-2)=0$

03-3 답 ㄴ, ㄷ

해결전략 | 정의역의 원소 -1, 0, 1에 대하여 함숫값이 각각 $f(-1)$, $f(0)$, $f(1)$과 같은 함수를 찾는다.

STEP1 정의역의 각 원소에 대한 함숫값 구하기

함수 $f(x)=|x|$에 대하여

$f(-1)=1$, $f(0)=0$, $f(1)=1$

STEP2 함수 f와 서로 같은 함수 찾기

ㄱ. $g(-1)=-2$, $g(0)=-1$, $g(1)=0$

    이므로 $f\neq g$

ㄴ. $h(-1)=1$, $h(0)=0$, $h(1)=1$

    이므로 $f=h$

ㄷ. $k(-1)=1$, $k(0)=0$, $k(1)=1$

    이므로 $f=k$

따라서 함수 f와 서로 같은 함수는 ㄴ, ㄷ이다.

03-4 답 4

해결전략 | 두 함수가 서로 같으므로 $f(x)=g(x)$를 만족시키는 x의 값을 찾는다.

STEP1 서로 같은 함수임을 이용하여 식 세우기

$f(x)=g(x)$에서 $-x^2+8x=x^2+6$

$2x^2-8x+6=0$, $x^2-4x+3=0$

STEP2 $f(x)=g(x)$를 만족시키는 x의 값 구하기

$(x-1)(x-3)=0$

$\therefore x=1$ 또는 $x=3$

STEP3 집합 X를 구하고, 모든 원소의 합 구하기

따라서 두 실수를 원소로 하는 집합 X는 $\{1,\ 3\}$이므로 모든 원소의 합은

$1+3=4$

◉→ **다른 풀이**

집합 X의 두 원소는 이차방정식 $x^2-4x+3=0$의 두 실근과 같다.

따라서 이차방정식의 근과 계수의 관계에 의하여

(두 실근의 합)$=4$

03-5 답 ㄱ, ㄷ, ㄹ

해결전략 | 두 함수가 서로 같아야 하므로 $f(x)=g(x)$를 만족시키는 x의 값을 구한 후, 집합 X를 찾는다.

STEP1 서로 같은 함수임을 이용하여 식 세우기

$f(x)=g(x)$에서 $x^2-1=4x+20$

$x^2-4x-21=0$

STEP2 $f(x)=g(x)$를 만족시키는 x의 값 구하기

$(x+3)(x-7)=0$

$\therefore x=-3$ 또는 $x=7$

STEP3 집합 X가 될 수 있는 것 찾기

따라서 구하는 집합 X는 집합 $\{-3,\ 7\}$의 부분집합 중 공집합이 아닌 것이므로 ㄱ, ㄷ, ㄹ이다.

03-6 답 7

해결전략 | 두 함수가 서로 같아야 하므로 $f(x)=g(x)$를 만족시키는 x의 값을 찾은 후, 집합 X의 개수를 구한다.

STEP1 서로 같은 함수임을 이용하여 식 세우기

$f(x)=g(x)$에서 $x^3+4=4x^2+x$

$x^3-4x^2-x+4=0$

STEP2 $f(x)=g(x)$를 만족시키는 x의 값 구하기

$(x-1)(x+1)(x-4)=0$

$\therefore x=-1$ 또는 $x=1$ 또는 $x=4$

따라서 구하는 집합 X는 집합 $\{-1, 1, 4\}$의 부분집합 중 공집합이 아닌 것이므로 집합 X의 개수는

$2^3-1=7$

▶**참고** 집합 X가 될 수 있는 것은 $\{-1\}$, $\{1\}$, $\{4\}$, $\{-1, 1\}$, $\{-1, 4\}$, $\{1, 4\}$, $\{-1, 1, 4\}$이다.

> ◎ **풍쌤의 비법**
>
> 원소의 개수가 n인 집합의 부분집합의 개수는 2^n

필수유형 04   123쪽

04-1 달 ㄴ, ㄷ

해결전략 | 그래프에 y축에 평행한 직선을 그었을 때, 교점이 1개인 것을 찾는다.

STEP 1 그래프에 y축에 평행한 직선 그어 보기

주어진 그래프에 y축에 평행한 직선을 그어 보면 다음과 같다.

ㄱ. 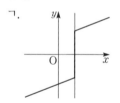 ㄴ.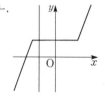

ㄷ. 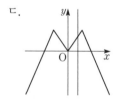 ㄹ.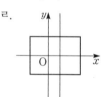

STEP2 함수의 그래프 찾기

함수의 그래프이면 y축에 평행한 직선과 그래프의 교점이 오직 하나뿐이어야 한다.

따라서 이를 만족시키는 것은 ㄴ, ㄷ이다.

04-2 달 ㄱ, ㄴ, ㄹ

해결전략 | y축에 평행한 직선을 그었을 때 교점이 2개 이상인 그래프가 아닌 것을 찾는다.

STEP 1 그래프에 y축에 평행한 직선 그어 보기

주어진 그래프에 y축에 평행한 직선을 그어 보면 다음과 같다.

ㄱ. 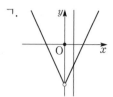 ㄴ.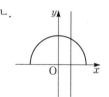

ㄷ. 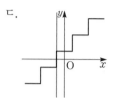 ㄹ.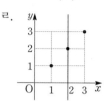

STEP2 함수의 그래프 찾기

함수의 그래프이면 y축에 평행한 직선과 그래프의 교점이 오직 하나뿐이어야 한다.

따라서 이를 만족시키는 것은 ㄱ, ㄴ, ㄹ이다.

04-3 달 ㄱ, ㄹ

해결전략 | 실수 전체의 집합에서 정의되어야 하므로 함숫값이 정의되지 않은 x의 값이 존재하는지 확인한다.

STEP 1 실수 전체의 집합에서 정의된 함수인지 확인하기

ㄱ. 모든 실수 x에 y의 값이 오직 하나씩 대응하므로 실수 전체의 집합에서 정의된 함수이다.

ㄴ. $x=0$에 대응하는 y의 값이 없으므로 실수 전체의 집합에서 정의된 함수가 아니다.

ㄷ. 0 또는 양의 실수 x에 대응하는 y의 값이 두 개인 것이 있다. 또, 음의 실수 x에 대응하는 y의 값이 없다. 즉, 실수 전체의 집합에서 정의된 함수가 아니다.

ㄹ. 모든 실수 x에 y의 값이 오직 하나씩 대응하므로 실수 전체의 집합에서 정의된 함수이다.

STEP2 구하는 함수의 그래프 찾기

따라서 실수 전체의 집합에서 정의된 함수의 그래프는 ㄱ, ㄹ이다.

04-4 달 ㄴ

해결전략 | 주어진 대응을 그림으로 나타내어 함수의 그래프인지 확인한다.

STEP 1 주어진 대응을 그림으로 나타내기

주어진 그래프를 이용하여 대응을 그림으로 나타내면 다음과 같다.

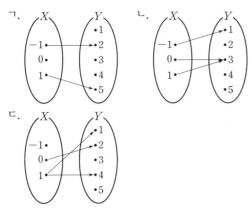

STEP2 함수의 그래프 찾기

ㄱ은 집합 X의 원소 0에 대응하는 집합 Y의 원소가 없다.

ㄷ은 집합 X의 원소 -1에 대응하는 집합 Y의 원소가 없다.

따라서 함수의 그래프가 될 수 있는 것은 ㄴ이다.

◈→ 다른 풀이

STEP1 함수의 그래프가 되기 위한 조건 확인하기

주어진 그래프가 함수의 그래프가 되기 위해서는 그래프에서 나타난 대응이 함수이어야 한다. 즉, 정의역의 각 원소에 공역의 원소가 오직 하나씩 대응해야 한다.

ㄱ. 집합 X의 원소 0에 대응하는 집합 Y의 원소가 없으므로 함수가 아니다.

ㄴ. 집합 X의 각 원소에 집합 Y의 원소가 오직 하나씩 대응하므로 함수이다.

ㄷ. 집합 X의 원소 -1에 대응하는 집합 Y의 원소가 없고, 집합 X의 원소 1에 대응하는 집합 Y의 원소가 1, 4의 두 개이므로 함수가 아니다.

STEP2 함수의 그래프 찾기

따라서 함수의 그래프가 될 수 있는 것은 ㄴ이다.

필수유형 05   125쪽

05-1 답 2

해결전략 | 일대일대응이 되는 조건을 이용하여 미지수의 값을 구한다.

STEP1 일대일대응이 되는 조건 찾기

함수 f가 일대일대응이고 $a<0$이므로 $y=f(x)$의 그래프는 오른쪽 그림과 같아야 한다. 치역과 공역이 같아야 하므로 그래프가 두 점 $(-3, 10)$, $(3, -2)$를 지나야 한다.

$\therefore f(-3)=10, f(3)=-2$

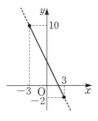

STEP2 a, b에 대한 식 세우기

$f(-3)=10$에서 $-3a+b=10$ ······ ㉠

$f(3)=-2$에서 $3a+b=-2$ ······ ㉡

STEP3 $a+b$의 값 구하기

㉠, ㉡을 연립하여 풀면 $a=-2$, $b=4$

$\therefore a+b=-2+4=2$

05-2 답 3

해결전략 | 일대일대응이 되려면 x의 값이 증가할 때 $f(x)$의 값이 증가하거나 감소해야 함을 이용한다.

STEP1 일대일대응이 되는 조건 찾기

두 직선 $y=x+3$, $y=(4-a)x+3$은 모두 점 $(0, 3)$을 지나므로 치역과 공역이 같다.

이때 함수 f가 일대일대응이 되려면 x의 값이 증가할 때 $f(x)$의 값은 증가하거나 감소해야 한다.

즉, $x \geq 0$에서 직선 $y=x+3$의 기울기가 양수이므로 $x<0$에서 직선 $y=(4-a)x+3$의 기울기가 양수이어야 한다.

STEP2 a에 대한 부등식 세우기

$4-a>0$ $\therefore a<4$

STEP3 자연수 a의 개수 구하기

따라서 자연수 a는 1, 2, 3의 3개이다.

05-3 답 ①

해결전략 | 함수 f가 일대일대응이므로 집합 Y의 원소는 집합 X의 원소에 오직 하나씩 대응함을 이용한다.

STEP1 $f(2), f(3)$의 값 찾기

함수 f는 일대일대응이므로 $f(2)-f(3)=3$을 만족시키는 $f(2), f(3)$의 값을 찾으면 $f(2)=8, f(3)=5$

STEP2 $f(3)+f(4)$의 값 구하기

이때 $f(1)=7$이고 함수 f는 일대일대응이므로 $f(4)=6$

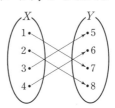

$\therefore f(3)+f(4)=5+6=11$

05-4 답 ㄷ

해결전략 | 주어진 함수의 그래프에 x축과 평행한 직선을 그어 교점의 개수를 파악하고, 치역과 공역이 같은지를 알아본다.

STEP1 일대일대응이 되기 위한 조건 알기

주어진 함수가 일대일대응이 되려면 일대일함수이어야 하고, 치역과 공역이 같아야 한다.

이때 일대일함수의 그래프는 x축에 평행한 직선을 그었을 때, 오직 한 점에서만 만난다.

STEP2 일대일대응의 그래프 찾기

ㄱ. x축에 평행한 직선을 그었을 때 오직 한 점에서 만나므로 일대일함수의 그래프이지만, 치역이 $\{y|y>0\}$ 이므로 치역과 공역이 같지 않다.

ㄴ. x축에 평행한 직선을 그었을 때 두 점 이상에서 만나는 경우가 있으므로 일대일함수의 그래프가 아니다.

ㄷ. x축에 평행한 직선을 그었을 때 오직 한 점에서 만나므로 일대일함수의 그래프이고, 치역과 공역이 같으므로 일대일대응의 그래프이다.

ㄹ. x축에 평행한 직선을 그었을 때 세 점에서 만나는 경우가 있으므로 일대일함수의 그래프가 아니다.

따라서 일대일대응의 그래프인 것은 ㄷ이다.

05-5 답 1

해결전략 | x의 값의 범위를 나누어 식을 정리하고, 일대일대응이 되는 조건을 이용하여 미지수의 값의 범위를 구한다.

STEP1 주어진 함수의 식 정리하기

(i) $x<2$일 때

$$f(x)=a(-x+2)+2x-1$$
$$=(2-a)x+2a-1$$

(ii) $x\geq2$일 때

$$f(x)=a(x-2)+2x-1$$
$$=(a+2)x-2a-1$$

STEP2 일대일대응이 되는 조건 찾기

두 직선 $y=(2-a)x+2a-1$, $y=(a+2)x-2a-1$은 모두 점 $(2, 3)$을 지나므로 치역과 공역이 같다.

이때 함수 f가 일대일대응이 되려면 x의 값이 증가할 때 $f(x)$의 값은 증가하거나 감소해야 한다.

즉, 두 직선 $y=(2-a)x+2a-1$, $y=(a+2)x-2a-1$ 의 기울기가 모두 양수이거나 음수이어야 한다.

STEP3 a에 대한 부등식 세우기

두 직선의 기울기의 부호가 같아야 하므로

$$(2-a)(a+2)>0$$

STEP4 a의 최댓값 구하기

$(a-2)(a+2)<0$ $\therefore -2<a<2$

따라서 정수 a의 최댓값은 1이다.

06-1 답 17

해결전략 | 함수 f가 항등함수이면 $f(x)=x$, 상수함수이면 $f(x)=c$ (c는 상수)임을 이용한다.

STEP1 $f(11)$의 값 구하기

$f(x)$가 항등함수이므로 $f(x)=x$

$\therefore f(11)=11$

STEP2 $g(7)$의 값 구하기

$g(x)$가 상수함수이고, $f(6)=6=g(6)$이므로

$g(x)=6$

$\therefore g(7)=6$

STEP3 $f(11)+g(7)$의 값 구하기

$\therefore f(11)+g(7)=11+6=17$

06-2 답 ②

해결전략 | 함수 f가 항등함수이므로 $f(-3)=-3$, $f(1)=1$임을 이용하여 미지수의 값을 구한다.

STEP1 $f(-3), f(1)$의 값 구하기

$f(x)$가 항등함수이므로 $f(x)=x$

즉, $f(-3)=-3$, $f(1)=1$이어야 한다.

STEP2 a, b의 값 구하기

(i) $f(-3)=-3$에서

$2\times(-3)+a=-3$, $-6+a=-3$

$\therefore a=3$

(ii) $f(1)=1$에서

$1^2-2\times1+b=1$, $-1+b=1$

$\therefore b=2$

STEP3 ab의 값 구하기

$\therefore ab=3\times2=6$

06-3 답 (1) ㄴ (2) ㄱ, ㄹ

해결전략 | 주어진 함수의 그래프를 그려 본다.

STEP1 함수의 그래프 그리기

주어진 함수의 그래프를 좌표평면 위에 나타내면 다음과 같다.

ㄱ. 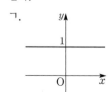   ㄴ.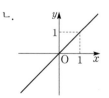

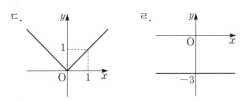

ㄷ.
ㄹ.

STEP 2 항등함수와 상수함수의 그래프 찾기
(1) 항등함수는 ㄴ이다.
(2) 상수함수는 ㄱ, ㄹ이다.

06-4 답 (1) ㄷ (2) ㄴ

해결전략 | 항등함수와 상수함수의 정의에 맞는 대응을 찾는다.
(1) ㄷ은 $f(1)=1$, $f(2)=2$, $f(3)=3$이므로 항등함수이다.
(2) ㄴ은 $f(-1)=f(0)=f(1)=1$이므로 상수함수이다.

▶**참고** ㄱ, ㄹ은 일대일함수이고, 치역과 공역이 같으므로 일대일대응이다.

06-5 답 4

해결전략 | 항등함수 f_1을 이용하여 주어진 조건을 만족시키는 함숫값을 차례로 구한다.
STEP 1 $f_1(1)$의 값 구하기
f_1이 항등함수이므로
$f_1(1)=1$, $f_1(2)=2$, $f_1(4)=4$
STEP 2 $f_2(1)$의 값 구하기
$f_1(2)=f_2(4)=f_3(2)$에서
$f_2(4)=f_3(2)=2$
$f_2(4)=f_2(2)-2f_2(1)$에서
$2=f_2(2)-2f_2(1)$
이때 f_2는 일대일대응이므로
$f_2(1)=1$, $f_2(2)=4$
STEP 3 $f_3(1)$의 값 구하기
또, f_3은 상수함수이므로
$f_3(1)=f_3(2)=2$
STEP 4 $f_1(1)+f_2(1)+f_3(1)$의 값 구하기
$\therefore f_1(1)+f_2(1)+f_3(1)=1+1+2=4$

필수유형 07   129쪽

07-1 답 (1) 125 (2) 60 (3) 1 (4) 5

해결전략 | 정의역의 원소 -1, 0, 1의 함숫값을 정하는 방법의 수를 이용하여 각 함수의 개수를 구한다.

(1) STEP 1 정의역의 각 원소의 함숫값이 될 수 있는 원소 구하기
-1의 함숫값이 될 수 있는 것은 -2, -1, 0, 1, 2의 5개
0의 함숫값이 될 수 있는 것도 -2, -1, 0, 1, 2의 5개
1의 함숫값이 될 수 있는 것도 -2, -1, 0, 1, 2의 5개
STEP 2 함수의 개수 구하기
따라서 함수의 개수는 $5\times5\times5=125$

(2) STEP 1 정의역의 각 원소의 함숫값이 될 수 있는 원소 구하기
-1의 함숫값이 될 수 있는 것은 -2, -1, 0, 1, 2의 5개
0의 함숫값이 될 수 있는 것은 -1의 함숫값을 제외한 4개
1의 함숫값이 될 수 있는 것은 -1, 0의 함숫값을 제외한 3개
STEP 2 일대일함수의 개수 구하기
따라서 일대일함수의 개수는 $5\times4\times3=60$

(3) -1, 0, 1의 함숫값은 각각 -1, 0, 1이므로 항등함수의 개수는 1이다.

(4) -1, 0, 1 모두의 함숫값이 될 수 있는 것은 -2, -1, 0, 1, 2의 5개이므로 상수함수의 개수는 5이다.

▶**참고** 일대일대응은 치역과 공역이 같아야 하므로 정의역과 공역의 원소의 개수가 같아야 한다. 즉, 집합 X에서 집합 Y로의 함수에서는 정의할 수 없다.

07-2 답 (1) 256 (2) 24 (3) 1 (4) 4

해결전략 | 정의역의 원소 a, b, c, d의 함숫값을 정하는 방법의 수를 이용하여 각 함수의 개수를 구한다.

(1) STEP 1 정의역의 각 원소의 함숫값이 될 수 있는 원소 구하기
a의 함숫값이 될 수 있는 것은 a, b, c, d의 4개
b의 함숫값이 될 수 있는 것도 a, b, c, d의 4개
c의 함숫값이 될 수 있는 것도 a, b, c, d의 4개
d의 함숫값이 될 수 있는 것도 a, b, c, d의 4개
STEP 2 함수의 개수 구하기
따라서 함수의 개수는 $4\times4\times4\times4=256$

(2) STEP 1 정의역의 각 원소의 함숫값이 될 수 있는 원소 구하기
a의 함숫값이 될 수 있는 것은 a, b, c, d의 4개

b의 함숫값이 될 수 있는 것은 a의 함숫값을 제외한 3개

c의 함숫값이 될 수 있는 것은 a, b의 함숫값을 제외한 2개

d의 함숫값이 될 수 있는 것은 a, b, c의 함숫값을 제외한 1개

STEP2 일대일대응의 개수 구하기

따라서 일대일대응의 개수는 $4 \times 3 \times 2 \times 1 = 24$

(3) a, b, c, d의 함숫값은 각각 a, b, c, d이므로 항등함수의 개수는 1이다.

(4) a, b, c, d 모두의 함숫값이 될 수 있는 것은 a, b, c, d의 4개이므로 상수함수의 개수는 4이다.

07-3 답 16

해결전략 | 정의역과 공역이 어떤 집합인지 파악하며 각 함수의 개수를 구한다.

STEP 1 집합 X에서 집합 Y로의 함수의 개수 구하기

1의 함숫값이 될 수 있는 것은 1, 2의 2개

2의 함숫값이 될 수 있는 것도 1, 2의 2개

3의 함숫값이 될 수 있는 것도 1, 2의 2개

따라서 집합 X에서 집합 Y로의 함수의 개수는

$2 \times 2 \times 2 = 8$ $\therefore a = 8$

STEP2 집합 X에서 집합 Z로의 일대일대응의 개수 구하기

1의 함숫값이 될 수 있는 것은 4, 5, 6의 3개

2의 함숫값이 될 수 있는 것은 1의 함숫값을 제외한 2개

3의 함숫값이 될 수 있는 것은 1, 2의 함숫값을 제외한 1개

따라서 집합 X에서 집합 Z로의 일대일대응의 개수는

$3 \times 2 \times 1 = 6$ $\therefore b = 6$

STEP3 집합 Z에서 집합 Y로의 상수함수의 개수 구하기

정의할 수 있는 상수함수는 집합 Y의 원소의 개수와 같으므로 2개

$\therefore c = 2$

STEP4 $a+b+c$의 값 구하기

$\therefore a + b + c = 8 + 6 + 2 = 16$

07-4 답 4

해결전략 | 주어진 조건이 나타내는 의미를 파악한다.

STEP 1 주어진 조건 이해하기

$\{f(1) - 1\}\{f(2) - 2\} \neq 0$에서 $f(1) \neq 1$, $f(2) \neq 2$

또, $\{f(1) - 1\}\{f(3) - 3\} = 0$에서

$f(3) = 3 \; (\because f(1) \neq 1)$

STEP2 $f(1)$, $f(2)$, $f(3)$의 값이 될 수 있는 원소 구하기

$f(1)$의 값이 될 수 있는 것은 2, 3의 2개

$f(2)$의 값이 될 수 있는 것은 1, 3의 2개

$f(3)$의 값이 될 수 있는 것은 3의 1개

STEP3 함수의 개수 구하기

따라서 함수 f의 개수는 $2 \times 2 \times 1 = 4$

07-5 답 18

해결전략 | $f(2)$의 값을 먼저 정하고, $f(1)$, $f(3)$, $f(4)$의 값을 정하는 방법의 수를 구한다.

STEP 1 $f(2)$의 값이 될 수 있는 원소 구하기

$f(2) \neq a$이므로 $f(2)$의 값이 될 수 있는 것은 b, c, d의 3개

STEP2 $f(1)$, $f(3)$, $f(4)$의 값이 될 수 있는 원소 구하기

$f(1)$의 값이 될 수 있는 것은 $f(2)$의 값을 제외한 3개

$f(3)$의 값이 될 수 있는 것은 $f(2)$, $f(1)$의 값을 제외한 2개

$f(4)$의 값이 될 수 있는 것은 $f(2)$, $f(1)$, $f(3)$의 값을 제외한 1개

STEP3 함수의 개수 구하기

따라서 함수 f의 개수는 $3 \times 3 \times 2 \times 1 = 18$

07-6 답 25

해결전략 | $f(-x) = -f(x)$에서 $f(-2)$, $f(-1)$의 값에 따라 $f(2)$, $f(1)$의 값이 각각 정해짐을 이용한다.

STEP 1 $f(0)$의 값 구하기

조건 ㈏에서 $x = 0$일 때,

$f(0) = -f(0)$ $\therefore f(0) = 0$

STEP2 $f(-2)$, $f(2)$의 값이 될 수 있는 원소 구하기

이때 $f(-2) = -f(2)$이므로 $f(-2)$의 값에 따라 $f(2)$의 값이 정해진다.

$f(-2) = -2$이면 $-f(2) = -2$ $\therefore f(2) = 2$

$f(-2) = -1$이면 $-f(2) = -1$ $\therefore f(2) = 1$

$f(-2) = 0$이면 $-f(2) = 0$ $\therefore f(2) = 0$

$f(-2) = 1$이면 $-f(2) = 1$ $\therefore f(2) = -1$

$f(-2) = 2$이면 $-f(2) = 2$ $\therefore f(2) = -2$

따라서 $f(-2)$와 $f(2)$의 값이 될 수 있는 경우는 5가지이다.

STEP3 $f(-1)$, $f(1)$의 값이 될 수 있는 원소 구하기

또, $f(-1) = -f(1)$에서도 마찬가지 방법으로 $f(-1)$과 $f(1)$의 값이 될 수 있는 경우는 5가지이다.

STEP4 함수의 개수 구하기

따라서 함수 f의 개수는 $1 \times 5 \times 5 = 25$

1 풀이 참조

함수 $f(x)=x^2-4x$라 하면

$f(x)=x^2-4x=(x-2)^2-4$

(i) $f(x)\geq0$인 구간의 그래프는 그
대로 둔다.

(ii) $f(x)<0$인 구간의 그래프를 x
축에 대하여 대칭이동한다.

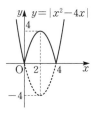

➡ $f(x)<0$인 구간에서는

$y=-x^2+4x$

$=-(x-2)^2+4$의 그래프와 같다.

2 풀이 참조

함수 $f(x)=x^2-4x$라 하면

$f(x)=x^2-4x=(x-2)^2-4$

(i) $x\geq0$인 구간의 그래프
는 그대로 둔다.

(ii) $x<0$인 구간에서는 (i)
의 그래프를 y축에 대
하여 대칭이동한다.

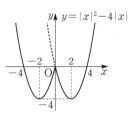

➡ $x<0$인 구간에서는

$y=x^2+4x=(x+2)^2-4$의 그래프와 같다.

3 풀이 참조

함수 $f(x)=x^2-4x$라 하면

$f(x)=x^2-4x=(x-2)^2-4$

(i) $y\geq0$인 구간의 그래프는 그대
로 둔다.

(ii) $y<0$인 구간에서는 (i)의 그래프
를 x축에 대하여 대칭이동한다.

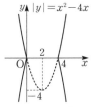

➡ $y<0$인 구간에서는 $y=-x^2+4x=-(x-2)^2+4$
의 그래프와 같다.

4 풀이 참조

함수 $f(x)=x^2-4x$라 하면

$f(x)=x^2-4x=(x-2)^2-4$

(i) $x\geq0, y\geq0$인 구간의 그래프는 그대로 둔다.

(ii) 그 외의 구간에서는
(i)의 그래프를 x축, y
축, 원점에 대하여 각
각 대칭이동한다.

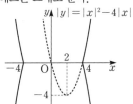

---

01 ②	**02** ④	**03** ④	**04** 8	**05** ④
06 ①	**07** ④	**08** ③	**09** 0	**10** ④
11 ①	**12** 400	**13** (1) ㄱ, ㄹ (2) ㄱ (3) ㄱ (4) ㄷ		
14 ②	**15** 126	**16** 96		

01

해결전략 | 집합 X의 원소 x의 값에 대한 $f(x)$의 값을 구하
여 대응을 그림으로 나타낸다.

STEP 1 대응을 그림으로 나타내기

주어진 대응을 그림으로 나타내면 다음과 같다.

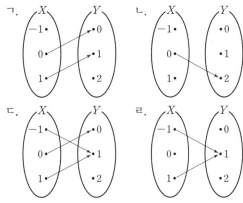

STEP 2 집합 X에서 집합 Y로의 함수 찾기

ㄷ은 집합 X의 각 원소에 집합 Y의 원소가 오직 하나씩
대응하므로 함수이다.

02

해결전략 | x의 값을 조건에 맞는 식에 대입하여 함숫값을 구
한다.

STEP 1 $f(-5)$의 값 구하기

$-5<-2$이므로

$f(-5)=|-5|+1=6$

STEP 2 $f(3)$의 값 구하기

$3>-2$이므로

$f(3)=-2\times3+4=-2$

STEP 3 $f(-5)+f(3)$의 값 구하기

∴ $f(-5)+f(3)=6+(-2)=4$

03

해결전략 | 치역과 함수식을 이용하여 정의역의 원소를 구한
다.

STEP 1 함숫값을 이용하여 x의 값 구하기

$y=-7$일 때, $4x+1=-7$이므로

$4x=-8$ $\therefore x=-2$

$y=1$일 때, $4x+1=1$이므로

$4x=0$ $\therefore x=0$

$y=5$일 때, $4x+1=5$이므로

$4x=4$ $\therefore x=1$

STEP 2 정의역 구하기

따라서 정의역은 $\{-2,\ 0,\ 1\}$이다.

04

해결전략 | 정의역의 각 원소 x에 대하여 함숫값을 구하고, 치역과 공역이 같음을 이용한다.

STEP 1 함수 f의 치역 구하기

$f(x)=x^2+1$에서

$f(-1)=(-1)^2+1=2$

$f(0)=0^2+1=1$

$f(1)=1^2+1=2$

$f(a)=a^2+1$

이므로 치역은 $\{1,\ 2,\ a^2+1\}$이다.   ⋯⋯ ❶

STEP 2 치역과 공역이 같음을 이용하여 $a,\ b$에 대한 식 구하기

이때 공역이 $Y=\{1,\ 5,\ b\}$이고, 치역과 공역이 같으므로

$b=2,\ a^2+1=5$

$\therefore a^2=4,\ b=2$ ⋯⋯ ❷

STEP 3 a^2+b^2의 값 구하기

$\therefore a^2+b^2=4+2^2=8$ ⋯⋯ ❸

채점 요소	비율
❶ 함수 f의 치역 구하기	40%
❷ a^2, b의 값 각각 구하기	40%
❸ a^2+b^2의 값 구하기	20%

05

해결전략 | 서로 같은 함수이기 위한 조건을 이용하여 식을 세운 후, 미지수의 값을 구한다.

STEP 1 서로 같은 함수임을 이용하여 관계식 찾기

두 함수 $f(x),\ g(x)$가 서로 같으므로 정의역의 원소인 $-1,\ 0,\ 1$에 대하여

$f(-1)=g(-1),\ f(0)=g(0),\ f(1)=g(1)$

STEP 2 $a,\ b,\ c$에 대한 식 세우기

$f(-1)=g(-1)$에서

$-a-1=-2+b$

$\therefore a+b=1$ ⋯⋯ ㉠

$f(0)=g(0)$에서 $b=0$ ⋯⋯ ㉡

$f(1)=g(1)$에서

$a+1=2+b$

$\therefore a-b=1$

STEP 3 $a+b$의 값 구하기

㉡을 ㉠에 대입하면 $a=1$

$\therefore a^2+b^2=1^2+0=1$

06

해결전략 | 두 함수가 서로 같아야 하므로 $f(x)=g(x)$를 만족시키는 x의 값을 찾는다.

STEP 1 서로 같은 함수임을 이용하여 식 세우기

$f(x)=g(x)$에서

$2x^2-6x+1=-x^2+x-1$

STEP 2 $f(x)=g(x)$를 만족시키는 x의 값 구하기

$3x^2-7x+2=0,\ (3x-1)(x-2)=0$

$\therefore x=\dfrac{1}{3}$ 또는 $x=2$

STEP 3 집합 X의 개수 구하기

따라서 구하는 집합 X는 $\left\{\dfrac{1}{3},\ 2\right\}$의 부분집합 중 공집합이 아닌 것이므로 집합 X의 개수는

$2^2-1=3$

▶**참고** 집합 X가 될 수 있는 것은 $\left\{\dfrac{1}{3}\right\},\ \{2\},\ \left\{\dfrac{1}{3},\ 2\right\}$이다.

07

해결전략 | 서로 같은 함수이면 함숫값이 같음을 이용한다.

STEP 1 서로 같은 함수임을 이용하여 관계식 찾기

두 함수 $f(x),\ g(x)$가 서로 같으므로 정의역의 원소인 $0,\ 1,\ 2$에 대하여

$f(0)=g(0),\ f(1)=g(1),\ f(2)=g(2)$

STEP 2 $a,\ b$에 대한 식 세우기

$f(0)=g(0)$에서

$3=a+b$ ⋯⋯ ㉠

$f(1)=g(1)$에서

$1=b$ ⋯⋯ ㉡

$f(2)=g(2)$에서

$3=a+b$

STEP 3 $2a-b$의 값 구하기

㉡을 ㉠에 대입하면 $a=2$

$\therefore 2a-b=2\times2-1=3$

08

해결전략 | 주어진 그래프에서 나타난 대응이 함수인지 확인한다.

STEP1 함수의 그래프가 되기 위한 조건 확인하기

주어진 그래프가 함수의 그래프가 되기 위해서는 그래프에서 나타난 대응이 함수이어야 한다. 즉, 정의역의 각 원소에 공역의 원소가 오직 하나씩 대응해야 한다.

STEP2 함수의 그래프 찾기

① 집합 X의 원소 1에 대응하는 집합 Y의 원소가 1, 3의 두 개이므로 함수가 아니다.

② 집합 X의 원소 3에 대응하는 집합 Y의 원소가 없으므로 함수가 아니다.

③ 집합 X의 모든 원소에 집합 Y의 원소가 오직 하나씩 대응하므로 함수이다.

④ 정의역이 $\{0, 1, 2, 3\}$이므로 집합 X에서 집합 Y로의 함수가 아니다.

⑤ 집합 X의 원소 1에 대응하는 집합 Y의 원소가 1, 3의 두 개이고, 집합 X의 원소 2에 대응하는 집합 Y의 원소가 없으므로 함수가 아니다.

따라서 함수 $f : X \longrightarrow Y$의 그래프가 될 수 있는 것은 ③이다.

09

해결전략 | 일대일함수이면 집합 X의 각 원소에 집합 Y의 서로 다른 원소가 대응함을 이용한다.

STEP1 일대일함수인 조건 확인하기

함수 $f(x)$가 집합 X에서 집합 Y로의 일대일함수이고 $f(a)=0$이므로 $f(b) \neq f(c) \neq 0$이어야 한다.

STEP2 $f(b)+f(c)$의 최솟값 구하기

이때 $f(b)+f(c)$의 값이 최소이려면
$f(b)=-1, f(c)=1$ 또는 $f(b)=1, f(c)=-1$
이어야 한다.

따라서 $f(b)+f(c)$의 최솟값은 0이다.

10

해결전략 | 일대일함수의 정의에 맞는지 파악한다.

STEP1 일대일함수인 조건 확인하기

일대일함수는 임의의 두 실수 x_1, x_2에 대하여 $x_1 \neq x_2$이면 $f(x_1) \neq f(x_2)$인 함수이다.

STEP2 일대일함수 찾기

① $-2 \neq 0$이지만 $f(-2)=f(0)=1$이므로
$f(x)=|x+1|$은 일대일함수가 아니다.

② $-1 \neq 1$이지만 $f(-1)=f(1)=-1$이므로
$f(x)=-x^2$은 일대일함수가 아니다.

③ $-1 \neq 1$이지만 $f(-1)=f(1)=0$이므로
$f(x)=x^3-x$는 일대일함수가 아니다.

④ 임의의 두 실수 x_1, x_2에 대하여 $x_1 \neq x_2$이면
$$f(x_1)-f(x_2)=x_1{}^3-x_2{}^3$$
$$=(x_1-x_2)(x_1{}^2+x_1 x_2+x_2{}^2) \neq 0$$
이므로 $f(x_1) \neq f(x_2)$이다. 즉, $f(x)=x^3$은 일대일함수이다.

⑤ $-1 \neq 1$이지만 $f(-1)=f(1)=2$이므로
$f(x)=x^4+x^2$은 일대일함수가 아니다.

따라서 집합 R에서 R로의 일대일함수인 것은 ④이다.

11

해결전략 | 일대일대응이 되는 조건을 이용하여 미지수의 값을 구한다.

STEP1 일대일대응이 되는 조건 찾기

함수 f가 일대일대응이 되려면 x의 값이 증가할 때 $f(x)$의 값은 증가하거나 감소해야 하고, 치역과 공역이 같아야 한다.

STEP2 그래프를 이용하여 a에 대한 식 구하기

(i) $x \geq 0$에서 x의 값이 증가할 때
$f(x)=-x^2+a^2$의 값은 감소하므로 $x<0$에서 $y=f(x)$의 그래프는 오른쪽 그림과 같아야 한다.

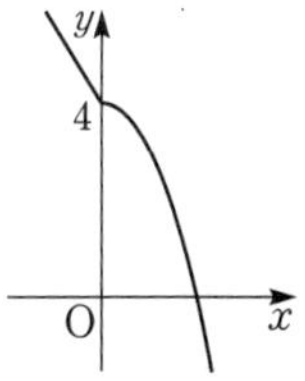

즉, $x<0$에서 직선 $y=ax+4$의 기울기가 음수이어야 하므로
$a<0$

(ii) 직선 $y=ax+4$는 점 $(0, 4)$를 지나고, 치역과 공역이 같아야 하므로 $y=-x^2+a^2$의 그래프도 점 $(0, 4)$를 지나야 한다. 즉,
$4=0^2+a^2$ ∴ $a^2=4$

STEP3 a의 값 구하기

이때 $a<0$이므로
$a=-2$

12

해결전략 | 항등함수는 자기 자신이 함숫값이 되는 함수이고, 상수함수는 함숫값이 항상 같은 함수임을 이용한다.

STEP 1 $f(50)$, $f(100)$, $f(150)$의 값 구하기

f는 항등함수이므로

$f(50)=50$, $f(100)=100$, $f(150)=150$ ······ ❶

STEP 2 $g(50)$, $g(150)$, $g(200)$의 값 구하기

또, $f(100)+g(200)=200$에서

$100+g(200)=200$

$\therefore g(200)=100$

이때 g가 상수함수이므로

$g(50)=g(150)=g(200)=100$ ······ ❷

STEP 3 $f(50)+f(150)+g(50)+g(150)$의 값 구하기

$\therefore f(50)+f(150)+g(50)+g(150)$

$=50+150+100+100=400$ ······ ❸

채점 요소	비율
❶ 함수 f가 항등함수임을 이용하여 $f(50)$, $f(100)$, $f(150)$의 값 구하기	40%
❷ 함수 g가 상수함수임을 이용하여 $g(50)$, $g(150)$의 값 구하기	40%
❸ $f(50)+f(150)+g(50)+g(150)$의 값 구하기	20%

13

해결전략 | 각 함수가 되기 위한 조건을 따져 본다.

(1) 일대일함수는 x축에 평행한 직선을 그었을 때, 오직 한 점에서만 만난다.

이를 만족시키는 것은 ㄱ, ㄹ이다.

(2) 일대일대응은 일대일함수이고 치역과 공역이 같다.

즉, (1)에서 치역과 공역이 같은 경우이다.

이를 만족시키는 것은 ㄱ이다.

(3) 주어진 그래프 중 항등함수는 ㄱ이다.

(4) 주어진 그래프 중 상수함수는 ㄷ이다.

14

해결전략 | 항등함수는 $f(x)=x$임을 이용한다.

STEP 1 항등함수가 되도록 하는 x의 값 구하기

$f(x)$가 항등함수이므로 $f(x)=x$

$x^3+2x^2+2x=x$, $x^3+2x^2+x=0$

$x(x^2+2x+1)=0$, $x(x+1)^2=0$

$\therefore x=0$ 또는 $x=-1$

STEP 2 집합 X의 개수 구하기

따라서 구하는 집합 X는 집합 $\{0, -1\}$의 부분집합 중 공집합이 아닌 것이므로 집합 X의 개수는

$2^2-1=3$

15

해결전략 | 각 함수의 성질에 따라 함숫값이 될 수 있는 원소를 구한다.

STEP 1 a의 값 구하기

1의 함숫값이 될 수 있는 것은 1, 2, 3, 4, 5의 5개

2의 함숫값이 될 수 있는 것은 1의 함숫값을 제외한 4개

3의 함숫값이 될 수 있는 것은 1, 2의 함숫값을 제외한 3개

4의 함숫값이 될 수 있는 것은 1, 2, 3의 함숫값을 제외한 2개

5의 함숫값이 될 수 있는 것은 1, 2, 3, 4의 함숫값을 제외한 1개

$\therefore a=5\times4\times3\times2\times1=120$

STEP 2 b, c의 값 구하기

항등함수는 1개이므로 $b=1$

정의할 수 있는 상수함수는 집합 X의 원소의 개수와 같으므로 $c=5$

STEP 3 $a+b+c$의 값 구하기

$\therefore a+b+c=120+1+5=126$

16

해결전략 | 각 원소에 대하여 주어진 조건을 만족시키는 함숫값을 구한다.

STEP 1 정의역의 각 원소의 함숫값이 될 수 있는 원소 구하기

$x=1$일 때 $1+f(1)\geq4$, $f(1)\geq3$

즉, $f(1)$의 값이 될 수 있는 것은 3, 4의 2개

$x=2$일 때 $2+f(2)\geq4$, $f(2)\geq2$

즉, $f(2)$의 값이 될 수 있는 것은 2, 3, 4의 3개

$x=3$일 때 $3+f(3)\geq4$, $f(3)\geq1$

즉, $f(3)$의 값이 될 수 있는 것은 1, 2, 3, 4의 4개

$x=4$일 때 $4+f(4)\geq4$, $f(4)\geq0$

즉, $f(4)$의 값이 될 수 있는 것은 1, 2, 3, 4의 4개

STEP 2 함수의 개수 구하기

따라서 함수 f의 개수는

$2\times3\times4\times4=96$

상위권 도약 문제   133~134쪽

01 3	**02** ②	**03** 7	**04** ③
05 5	**06** 5	**07** ⑤	

01

해결전략 | 주어진 조건을 이용하여 $f(51)$을 분해하여 나타낸다.

STEP 1 조건 ㈎를 이용하여 $f(51)$을 표현하기

조건 ㈎에 의하여

$$f(51)=f(5\times10+1)=f(10)+1$$
$$=f(5\times2+0)+1=f(2)+0+1$$
$$=f(5\times0+2)+1=f(0)+2+1$$
$$=f(0)+3$$

STEP 2 조건 ㈏를 이용하여 $f(51)$의 값 구하기

이때 조건 ㈏에 의하여 $f(0)=0$이므로

$$f(51)=0+3=3$$

02

해결전략 | x를 4로 나누었을 때의 나머지를 이용하여 경우를 나눈 후 x^2을 나타낸다.

STEP 1 x를 4가지 경우로 나누어 $f(x)$의 값 구하기

정수 k에 대하여

(ⅰ) $x=4k$일 때 $x^2=16k^2$

$\qquad \therefore f(x)=0$

(ⅱ) $x=4k+1$일 때

$\qquad x^2=(4k+1)^2=16k^2+8k+1$
$\qquad\quad =4(4k^2+2k)+1$
$\qquad \therefore f(x)=1$

(ⅲ) $x=4k+2$일 때

$\qquad x^2=(4k+2)^2=16k^2+16k+4$
$\qquad\quad =4(4k^2+4k+1)$
$\qquad \therefore f(x)=0$

(ⅳ) $x=4k+3$일 때

$\qquad x^2=(4k+3)^2=16k^2+24k+9$
$\qquad\quad =4(4k^2+6k+2)+1$
$\qquad \therefore f(x)=1$

STEP 2 함수 f의 치역 구하기

따라서 함수 f의 치역은 $\{0,\ 1\}$이다.

03

해결전략 | 정의역의 원소의 개수는 8, 치역의 원소의 개수는 7이므로 함숫값이 같은 정의역의 원소가 2개임을 이용한다.

STEP 1 조건 ㈎의 의미 파악하기

조건 ㈎에 의하여 정의역의 원소의 개수는 8, 치역의 원소의 개수는 7이므로 정의역의 서로 다른 두 원소 a, b만이 같은 함숫값 n을 갖는다.

STEP 2 조건 ㈏, ㈐를 이용하여 n의 값 구하기

이때 조건 ㈐에 의하여 함숫값의 최댓값과 최솟값의 차는 6이므로 다음과 같이 두 경우로 나눌 수 있다.

(ⅰ) 최댓값이 8, 최솟값이 2인 경우

$\quad f(1)+f(2)+f(3)+\cdots+f(8)$
$\quad =2+3+4+5+6+7+8+n$
$\quad =35+n=42$
$\quad \therefore n=7$

이때 $2\le n\le 8$이므로 $n=7$은 조건을 만족시킨다.

(ⅱ) 최댓값이 7, 최솟값이 1인 경우

$\quad f(1)+f(2)+f(3)+\cdots+f(8)$
$\quad =1+2+3+4+5+6+7+n$
$\quad =28+n=42$
$\quad \therefore n=14$

이때 $1\le n\le 7$이므로 $n=14$는 조건을 만족시키지 않는다.

(ⅰ), (ⅱ)에 의하여 $n=7$

04

해결전략 | 임의의 양수 x에 대하여 성립하므로 주어진 식에 x 대신 $\dfrac{1}{x}$을 대입한 식을 이용한다.

STEP 1 주어진 식의 x 대신 $\dfrac{1}{x}$을 대입한 식 구하기

$$2f(x)-f\left(\frac{1}{x}\right)=10 \qquad \cdots\cdots \ㄱ$$

함수 f는 임의의 양수 x에 대하여 모두 성립하므로 ㉠의 x 대신 $\dfrac{1}{x}$을 대입하면

$$2f\left(\frac{1}{x}\right)-f(x)=10 \qquad \cdots\cdots \ㄴ$$

STEP 2 $f(10)$의 값 구하기

$2\times$㉠$+$㉡을 하면

$3f(x)=30 \qquad \therefore f(x)=10$

즉, 함수 f는 상수함수이다.

$\therefore f(10)=10$

05

해결전략 | 함수 $y=h(x)$가 일대일대응임을 이용하여 함수 $f(x)$의 함숫값을 추론한다.

STEP 1 $h(4)$의 값 구하기

$f(4)=2$, $g(4)=3$이므로 $h(4)=g(4)=3$

STEP 2 $h(3)$의 값 구하기

또, $g(3)=3$이므로 다음과 같이 경우를 나누어 생각한다.

(i) $f(3)=g(3)$인 경우

$h(3)=f(3)=g(3)=3$

이때 $h(3)=h(4)$이므로 $h(x)$가 일대일대응이라는 조건에 모순이다.

(ii) $f(3)<g(3)$인 경우

$h(3)=g(3)=3$

이때 $h(3)=h(4)$이므로 $h(x)$가 일대일대응이라는 조건에 모순이다.

(i), (ii)에 의하여 $f(3)>g(3)$이고 $g(3)=3$이므로

$f(3)=4$

$\therefore h(3)=f(3)=4$

STEP 3 $f(2)$의 값 구하기

또, $g(1)=2$이므로 $h(1)=1$로 가정하면 모순이다.

$\therefore h(1)=2$

이때 함수 $h(x)$는 일대일대응이므로 $h(2)=1$이고 $g(2)=1$이므로 $f(2)=1$

STEP 4 $f(2)+h(3)$의 값 구하기

$\therefore f(2)+h(3)=1+4=5$

06

해결전략 | 일대일대응이려면 일대일함수이고, 치역과 공역이 같아야 함을 이용한다.

STEP 1 일대일함수가 되도록 하는 a의 값의 범위 구하기

$x^2-2x-10=(x-1)^2-11$

에서 함수 $y=f(x)$의 그래 프는 오른쪽 그림과 같다.

이때 함수 $y=f(x)$가 $x\geq a$ 에서 일대일함수이어야 하므로

$a\geq 1$ ...... ㉠

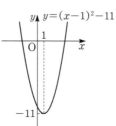

STEP 2 치역과 공역이 같도록 하는 a의 값 구하기

또, 치역과 공역이 같아야 하므로 $x=a$일 때 최솟값 a를 가져야 한다.

$f(a)=a$에서 $a^2-2a-10=a$

$a^2-3a-10=0$, $(a+2)(a-5)=0$

$\therefore a=-2$ 또는 $a=5$

이때 ㉠에서 $a\geq 1$이어야 하므로 $a=5$

07

해결전략 | $n(A)$는 일대일함수의 개수이고, $n(B)$는 특정 조건을 만족시키는 함수의 개수이다.

STEP 1 $n(A)$의 값 구하기

$f:X\longrightarrow Y$이고, 집합 X의 임의의 두 원소 x_1, x_2에 대하여 $x_1\neq x_2$이면 $f(x_1)\neq f(x_2)$인 함수 f는 일대일함수 이므로 집합 A는 일대일함수의 집합이다.

1의 함숫값이 될 수 있는 것은 10, 11, 12, 13의 4개

2의 함숫값이 될 수 있는 것은 1의 함숫값을 제외한 3개

3의 함숫값이 될 수 있는 것은 1, 2의 함숫값을 제외한 2개

따라서 일대일함수의 개수는

$4\times 3\times 2=24$

이므로 $n(A)=24$

STEP 2 $n(B)$의 값 구하기

집합 B는 $f(1)=10$을 만족시키는 함수 f의 집합이다.

1의 함숫값이 될 수 있는 것은 10의 1개

2의 함숫값이 될 수 있는 것은 10, 11, 12, 13의 4개

3의 함숫값이 될 수 있는 것도 10, 11, 12, 13의 4개

따라서 $f(1)=10$을 만족시키는 함수의 개수는

$1\times 4\times 4=16$

이므로 $n(B)=16$

STEP 3 $n(A\cap B)$의 값 구하기

집합 $A\cap B$는 $f(1)=10$인 일대일함수의 집합이다.

1의 함숫값이 될 수 있는 것은 10의 1개

2의 함숫값이 될 수 있는 것은 11, 12, 13의 3개

3의 함숫값이 될 수 있는 것은 1, 2의 함숫값을 제외한 2개

따라서 조건을 만족시키는 함수의 개수는

$1\times 3\times 2=6$

이므로 $n(A\cap B)=6$

STEP 4 $n(A\cup B)$의 값 구하기

$\therefore n(A\cup B)=n(A)+n(B)-n(A\cap B)$

$=24+16-6=34$

> 🎯 **풍쌤의 비법**
>
> 전체집합 U의 부분집합 A, B에 대하여
> $n(A\cup B)=n(A)+n(B)-n(A\cap B)$

06 합성함수와 역함수

개념확인 138~139쪽

01 답 (1) **5** (2) **−4** (3) **11** (4) **23**

02 답 (1) **−2** (2) **−5** (3) **1** (4) **1**

03 답 (1) **1** (2) **3** (3) **1** (4) **3**

$f^{-1}(1)=2$이므로 $f(2)=1$

따라서 주어진 함수는 오른쪽 그림과 같다.

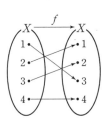

(1) $f(2)=1$

(2) $f^{-1}(2)=3$

(3) $f(1)=3$이므로

$\quad (f^{-1}\circ f)(1)=f^{-1}(3)=1$

(4) $f^{-1}(3)=1$이므로

$\quad (f\circ f^{-1})(3)=f(1)=3$

04 답 (1) **3** (2) **3** (3) **0** (4) **8**

(1) $f(3)=1$이므로 $(f^{-1}\circ f)(3)=f^{-1}(1)$

이때 $f^{-1}(1)=a$ (a는 상수)로 놓으면 $f(a)=1$이므로

$f(a)=a-2=1$에서 $a=3$

$\quad \therefore (f^{-1}\circ f)(3)=3$

(2) $f^{-1}(3)=b$ (b는 상수)로 놓으면 $f(b)=3$이므로

$f(b)=b-2=3$에서

$b=5$, 즉 $f^{-1}(3)=5$

$\quad \therefore (f\circ f^{-1})(3)=f(5)=3$

(3) $(f\circ(f\circ g)^{-1}\circ f)(3)$

$\quad =(f\circ g^{-1}\circ f^{-1}\circ f)(3)$

$\quad =(f\circ g^{-1})(3)=f(g^{-1}(3))$

$g^{-1}(3)=c$ (c는 상수)로 놓으면 $g(c)=3$이므로

$3c-3=3$에서 $c=2$

$\quad \therefore f(g^{-1}(3))=f(2)=0$

(4) $(g\circ(f\circ g)^{-1}\circ g)(3)$

$\quad =(g\circ g^{-1}\circ f^{-1}\circ g)(3)$

$\quad =(f^{-1}\circ g)(3)$

$\quad =f^{-1}(g(3))=f^{-1}(6)$

$f^{-1}(6)=d$ (d는 상수)로 놓으면 $f(d)=6$이므로

$d-2=6$에서 $d=8$

$\quad \therefore f^{-1}(6)=8$

01-1 답 **1**

해결전략 | $(f\circ g)(x)=f(g(x))$임을 이용한다.

STEP 1 $(f\circ g)(1)$의 값 구하기

$g(1)=2-1=1$이므로

$(f\circ g)(1)=f(g(1))=f(1)$

$\qquad\qquad\quad =1+1=2$

STEP 2 $(g\circ f)(-1)$의 값 구하기

$f(-1)=-1+1=0$이므로

$(g\circ f)(-1)=g(f(-1))$

$\qquad\qquad\quad =g(0)$

$\qquad\qquad\quad =2\times 0-1=-1$

STEP 3 $(f\circ g)(1)+(g\circ f)(-1)$의 값 구하기

$\therefore (f\circ g)(1)+(g\circ f)(-1)=2-1=1$

01-2 답 **8**

해결전략 | $(f\circ g\circ h)(x)=f(g(h(x)))$임을 이용한다.

STEP 1 $(g\circ h)(1)$의 값 구하기

$h(1)=3\times 1-2=1$이므로

$(g\circ h)(1)=g(h(1))$

$\qquad\qquad\quad =g(1)=1^2-5=-4$

STEP 2 $(f\circ g\circ h)(1)$의 값 구하기

$\therefore (f\circ g\circ h)(1)=f(g(h(1)))$

$\qquad\qquad\qquad\quad =f(-4)$

$\qquad\qquad\qquad\quad =-2\times(-4)=8$

01-3 답 **2**

해결전략 | $(f\circ f\circ f)(x)=f(f(f(x)))$임을 이용한다.

STEP 1 $f(-1)$, $f(2)$의 값 구하기

$f(-1)=-(-1)^2+3=2$

$f(2)=-2^2+3=-1$

STEP 2 $(f\circ f\circ f)(-1)$의 값 구하기

$\therefore (f\circ f\circ f)(-1)=f(f(f(-1)))$

$\qquad\qquad\qquad\quad =f(f(2))$

$\qquad\qquad\qquad\quad =f(-1)$

$\qquad\qquad\qquad\quad =-(-1)^2+3=2$

01-4 답 (1) **4** (2) **3**

해결전략 | 그림을 보고 함숫값을 구한다.

(1) $(g\circ f)(1)=g(f(1))=g(5)=4$

(2) $(f\circ g)(5)=f(g(5))=f(4)=3$

01-5 답 0

해결전략 | $\sqrt{3}$이 무리수임을 이용하여 $f(\sqrt{3})$의 값을 구한다.

$\sqrt{3}$은 무리수이므로 $f(\sqrt{3})=1$

1은 유리수이므로 $f(1)=0$

$\therefore (f\circ f)(\sqrt{3})=f(f(\sqrt{3}))=f(1)=0$

01-6 답 2

해결전략 | $f(2), f(f(2)), \cdots$의 값을 순서대로 구한다.

STEP 1 $f(2), f(-1)$의 값 구하기

$f(2)=1-2=-1$

$f(-1)=(-1)^2+1=2$

STEP 2 $(f\circ f\circ f\circ f)(2)$의 값 구하기

즉, $f(f(2))=f(-1)=2$이므로

$f(f(f(2)))=f(2)=-1$

$\therefore (f\circ f\circ f\circ f)(2)=f(f(f(f(2))))$
$\qquad\qquad\qquad\qquad =f(-1)=2$

필수유형 02 143쪽

02-1 답 1

해결전략 | $(f\circ g)(a)$를 구한 후, 조건을 이용하여 식을 세운다.

STEP 1 $(f\circ g)(a)$ 구하기

$(f\circ g)(a)=f(g(a))=f(a^2+a-1)$
$\qquad\qquad =3(a^2+a-1)-1$
$\qquad\qquad =3a^2+3a-4$

STEP 2 a의 값 구하기

$3a^2+3a-4=2$이므로 $a^2+a-2=0$

$(a+2)(a-1)=0$

$\therefore a=-2$ 또는 $a=1$

그런데 $a>0$이므로 $a=1$

02-2 답 $-\dfrac{1}{2}$

해결전략 | $(g\circ f)(x), (f\circ g)(x)$를 각각 구한다.

STEP 1 $(g\circ f)(x)$ 구하기

$(g\circ f)(x)=g(f(x))=g(2x+a)$
$\qquad\qquad =-(2x+a)+1$
$\qquad\qquad =-2x-a+1$

STEP 2 $(f\circ g)(x)$ 구하기

$(f\circ g)(x)=f(g(x))$
$\qquad\qquad =f(-x+1)$
$\qquad\qquad =2(-x+1)+a$
$\qquad\qquad =-2x+2+a$

STEP 3 a의 값 구하기

$g\circ f=f\circ g$이므로

$-2x-a+1=-2x+2+a$

$2a=-1$ $\quad \therefore a=-\dfrac{1}{2}$

> **◎ 풍쌤의 비법**
>
> $g\circ f=f\circ g$이므로 두 함수 $(f\circ g)(x), (g\circ f)(x)$를 구한 후 $x=0$을 대입하여 a의 값을 구해도 된다. 이러한 방법은 함수식 $(f\circ g)(x), (g\circ f)(x)$가 복잡한 경우 효율적으로 답을 구할 때 편리하다.

02-3 답 2

해결전략 | $(f\circ f)(a)$를 구한 후, 조건을 이용하여 식을 세운다.

STEP 1 $(f\circ f)(a)$ 구하기

$(f\circ f)(a)=f(f(a))$
$\qquad\qquad =f(4a-3)$
$\qquad\qquad =4(4a-3)-3$
$\qquad\qquad =16a-15$

STEP 2 a의 값 구하기

$(f\circ f)(a)=17$에서

$16a-15=17$ $\quad \therefore a=2$

02-4 답 $\dfrac{1}{2}$

해결전략 | $(f\circ g)(a)$를 구한 후, 조건을 이용하여 식을 세운다.

STEP 1 $(f\circ g)(a)$ 구하기

$(f\circ g)(a)=f(g(a))$
$\qquad\qquad =f(3a-1)$
$\qquad\qquad =2(3a-1)+5$
$\qquad\qquad =6a+3$

STEP 2 a의 값 구하기

$(f\circ g)(a)=f(a)$이므로

$6a+3=2a+5$

$4a=2$ $\quad \therefore a=\dfrac{1}{2}$

02-5 目 0

해결전략 | $(f \circ f)(x)$를 구한 후, 조건을 이용하여 식을 세운다.

STEP 1 $(f \circ f)(x)$ 구하기

$$(f \circ f)(x) = f(f(x))$$
$$= a(ax+b)+b$$
$$= a^2x+ab+b$$

STEP 2 $\dfrac{b}{a}$의 값 구하기

$(f \circ f)(x) = f(x)$이므로

$a^2x+ab+b = ax+b$

즉, $a^2 = a$, $ab+b = b$

이때 함수 $f(x)$는 일차함수이므로 $a \neq 0$

따라서 $a = 1$, $b = 0$이므로 $\dfrac{b}{a} = 0$

02-6 目 21

해결전략 | $(f \circ f)(2)$와 $(f \circ f)(4)$를 구한 후, a의 값을 구한다.

STEP 1 $(f \circ f)(2)$, $(f \circ f)(4)$ 각각 구하기

$f(2) = 2^2 - 2 \times 2 + a = a$이므로

$$(f \circ f)(2) = f(f(2))$$
$$= f(a) = a^2 - 2a + a$$
$$= a^2 - a$$

$f(4) = 4^2 - 2 \times 4 + a = a+8$이므로

$$(f \circ f)(4) = f(f(4))$$
$$= f(a+8) = (a+8)^2 - 2(a+8) + a$$
$$= a^2 + 15a + 48$$

STEP 2 a의 값 구하기

이때 $(f \circ f)(2) = (f \circ f)(4)$이므로

$a^2 - a = a^2 + 15a + 48$, $16a = -48$

$\therefore a = -3$

STEP 3 $f(6)$의 값 구하기

따라서 $f(x) = x^2 - 2x - 3$이므로

$f(6) = 6^2 - 2 \times 6 - 3 = 21$

◉→ 다른 풀이

STEP 2 함수 $y = f(x)$의 그래프의 대칭성을 이용하여 a의 값 구하기

$f(x) = x^2 - 2x + a$에서

$f(2) = 2^2 - 2 \times 2 + a = a$

$f(4) = 4^2 - 2 \times 4 + a = a+8$

$(f \circ f)(2) = (f \circ f)(4)$에서

$f(f(2)) = f(f(4))$

$f(a) = f(a+8)$

이때 함수 $f(x)$는 이차함수이고

$f(x) = x^2 - 2x + a = (x-1)^2 + a - 1$

이므로 함수 $y = f(x)$의 그래프는 직선 $x = 1$에 대하여 대칭이다.

따라서 $a \neq a+8$이므로

$\dfrac{a+(a+8)}{2} = 1$, $2a+8 = 2$

$\therefore a = -3$

> ◎ 풍쌤의 비법
>
> **이차함수의 대칭성**
>
> 이차함수 $f(x) = a(x-p)^2 + q$에 대하여
>
> ① $y = f(x)$의 그래프의 축의 방정식은 $x = p$이다.
>
> ② $y = f(x)$의 그래프는 직선 $x = p$에 대하여 대칭이다.
>
> 즉, $b \neq c$이고 $f(b) = f(c)$이면 $\dfrac{b+c}{2} = p$

필수유형 03   145쪽

03-1 目 $h(x) = \dfrac{x-5}{2}$

해결전략 | $(g \circ h)(x)$는 $g(x)$의 x에 $h(x)$를 대입하여 구한다.

STEP 1 $(g \circ h)(x)$ 구하기

$(g \circ h)(x) = g(h(x)) = 2h(x) + 4$

STEP 2 $h(x)$ 구하기

$(g \circ h)(x) = f(x)$에서

$2h(x) + 4 = x - 1$

$\therefore h(x) = \dfrac{x-5}{2}$

03-2 目 $h(x) = -2x - 4$

해결전략 | $h(f(x)) = g(x)$에서 $f(x)$를 t로 치환하여 $h(x)$를 구한다.

STEP 1 $(h \circ f)(x)$ 구하기

$(h \circ f)(x) = h(f(x)) = h(4x-3)$

STEP 2 $h(x)$ 구하기

$(h \circ f)(x) = g(x)$이므로

$h(4x-3) = -8x+2$ ...... ㉠

$4x-3 = t$로 놓으면

$4x = t+3$ $\quad \therefore x = \dfrac{t+3}{4}$

이를 ㉠에 대입하면

$h(t) = -8 \times \dfrac{t+3}{4} + 2$

$\therefore h(t) = -2t - 4$

t 대신 x를 대입하여 $h(x)$를 구하면

$h(x) = -2x - 4$

03-3 답 3

해결전략 | $(g \circ f)(x)$를 구한 후, 조건을 이용하여 $f(x)$를 구한다.

STEP 1 $(g \circ f)(x)$를 $f(x)$로 나타내기

$(g \circ f)(x) = g(f(x)) = f(x) + 8$

STEP 2 $f(x)$ 구하기

$(g \circ f)(x) = 3x + 2$이므로

$f(x) + 8 = 3x + 2$

$\therefore f(x) = 3x - 6$

STEP 3 $(f \circ f \circ f)(3)$의 값 구하기

$\begin{aligned}
\therefore (f \circ f \circ f)(3) &= f(f(f(3))) \\
&= f(f(3)) \\
&= f(3) \\
&= 3
\end{aligned}$

03-4 답 7

해결전략 | $(g \circ f)(x) = g(f(x))$이고 $g(1)$의 값을 구하므로 $f(x) = 1$인 x의 값을 먼저 구한다.

$(g \circ f)(x) = g(f(x))$이므로 $f(x) = 1$에서

$\dfrac{x}{2} - 1 = 1$, $\dfrac{x}{2} = 2$ $\therefore x = 4$

이때 $(g \circ f)(4) = 2 \times 4 - 1 = 7$이므로

$g(1) = g(f(4)) = 7$

03-5 답 -99

해결전략 | $f(g(x))$를 구한 후, 조건을 이용하여 $h(x)$를 구한다.

STEP 1 $f(g(x))$ 구하기

$f(g(x)) = 1 - \dfrac{1}{g(x)} = 1 - \dfrac{1}{1-x}$

STEP 2 x의 값 구하기

$h(x) = 1 - \dfrac{1}{1-x}$이므로

$1 - \dfrac{1}{1-x} = \dfrac{99}{100} = 1 - \dfrac{1}{100}$에서

$1 - x = 100$

$\therefore x = -99$

03-6 답 2

해결전략 | $(f \circ g)(x)$, $(g \circ f)(x)$를 구한 후, $f \circ g = g \circ f$를 이용하여 a와 b 사이의 관계식을 구한다.

STEP 1 $(f \circ g)(x)$, $(g \circ f)(x)$ 각각 구하기

$\begin{aligned}
(f \circ g)(x) &= f(g(x)) = f(bx - a) \\
&= a(bx - a) - b \\
&= abx - (b + a^2) \\
(g \circ f)(x) &= g(f(x)) = g(ax - b) \\
&= b(ax - b) - a \\
&= abx - (a + b^2)
\end{aligned}$

STEP 2 a와 b 사이의 관계식 구하기

$f \circ g = g \circ f$이므로

$abx - (b + a^2) = abx - (a + b^2)$

$b + a^2 = a + b^2$

$(a^2 - b^2) - (a - b) = 0$

$(a - b)(a + b - 1) = 0$

이때 $a \neq b$이므로

$a + b - 1 = 0$ $\therefore a + b = 1$ $\cdots\cdots$ ㉠

STEP 3 $f(3) + g(3)$의 값 구하기

$\begin{aligned}
\therefore f(3) + g(3) &= (3a - b) + (3b - a) \\
&= 2a + 2b \\
&= 2(a + b) = 2 \;(\because ㉠)
\end{aligned}$

필수유형 04 147쪽

04-1 답 -10

해결전략 | $f^2(x)$, $f^3(x)$, $f^4(x)$, $\cdots$를 직접 구하여 함수 $f^n(x)$의 규칙성을 찾는다.

STEP 1 $f^n(x)$ 구하기

$f^1(x) = x - 2$

$f^2(x) = f(f(x)) = (x-2) - 2 = x - 4 = x - 2 \times 2$

$f^3(x) = f(f^2(x)) = (x-4) - 2 = x - 6 = x - 2 \times 3$

$f^4(x) = f(f^3(x)) = (x-6) - 2 = x - 8 = x - 2 \times 4$

$\quad\vdots$

$\therefore f^n(x) = x - 2n$ (단, n은 자연수이다.)

STEP 2 $f^{55}(100)$의 값 구하기

$\therefore f^{55}(100) = 100 - 2 \times 55 = -10$

합성함수의 추정

함수 f에 대하여 $f^1=f$, $f^{n+1}=f \circ f^n$ (n은 자연수)일 때, $f^n(a)$의 값은 다음과 같은 방법으로 구한다.

[방법 1] $f^2(x), f^3(x), f^4(x), \cdots$를 직접 구하여 $f^n(x)$를 추정한 후 $x=a$를 대입한다.

[방법 2] $f^1(a), f^2(a), f^3(a), \cdots$에서 규칙을 찾아 $f^n(a)$의 값을 구한다.

04-2 답 7

해결전략 | 주어진 그림을 연속으로 나타내어 함수 $f^n(x)$의 규칙성을 찾는다.

STEP 1 $f(x), f^2(x), f^3(x)$를 그림으로 나타내기

함수 f를 연속하여 3번 합성하면 다음 그림과 같다.

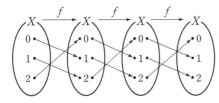

STEP 2 $f^n(x)$의 규칙성 찾기

$f^3(x)=x$이므로

$f^{3n}(x)=x$, $f^{3n+1}(x)=f(x)$, $f^{3n+2}(x)=f^2(x)$

(단, n은 자연수이다.)

STEP 3 $f^{99}(0)+2f^{100}(1)+3f^{101}(2)$의 값 구하기

따라서

$f^{99}(0)=0$,

$f^{100}(1)=f^{3 \times 33+1}(1)=f(1)=2$,

$f^{101}(2)=f^{3 \times 33+2}(2)=f^2(2)=f(0)=1$이므로

$f^{99}(0)+2f^{100}(1)+3f^{101}(2)=0+2 \times 2+3 \times 1=7$

04-3 답 -6

해결전략 | 조건을 이용하여 a, b에 대한 식을 세운다.

STEP 1 $f(-1)$을 a, b로 나타내기

$f(-1)=-a+b=-1$ ...... ㉠

STEP 2 $f^3(3)-f^3(2)$를 a로 나타내기

$f^2(x)=a(ax+b)+b=a^2x+ab+b$

$f^3(x)=a(a^2x+ab+b)+b=a^3x+a^2b+ab+b$이므로

$f^3(3)-f^3(2)$

$=(3a^3+a^2b+ab+b)-(2a^3+a^2b+ab+b)$

$=a^3$

STEP 3 a, b의 값 각각 구하기

$a^3=-1$에서 $a=-1$ ...... ㉡

㉡을 ㉠에 대입하면 $b=-2$

STEP 4 $f(4)$의 값 구하기

따라서 $f(x)=-x-2$이므로

$f(4)=-4-2=-6$

04-4 답 3

해결전략 | 함수 $f^n(1)$의 값의 규칙성을 찾는다.

STEP 1 $f^n(1)$의 값의 규칙성 찾기

$f^1(1)=2$

$f^2(1)=f(f(1))=f(2)=3$

$f^3(1)=f(f^2(1))=f(3)=4$

$f^4(1)=f(f^3(1))=f(4)=1$

$f^5(1)=f(f^4(1))=f(1)=2$

$f^6(1)=f(f^5(1))=f(2)=3$

$\qquad \vdots$

$\therefore f^{n+4}(1)=f^n(1)$ (단, n은 자연수이다.)

STEP 2 $f^{2022}(1)$의 값 구하기

$\therefore f^{2022}(1)=f^{4 \times 505+2}(1)=f^2(1)=f(2)=3$

04-5 답 e

해결전략 | 주어진 그래프에서 x좌표를 구하여 합성함수의 값을 구한다.

STEP 1 주어진 그래프에 x좌표 나타내기

$y=x$의 그래프를 이용하여 x축과 점선이 만나는 점의 x좌표를 구하여 표시하면 오른쪽 그림과 같다.

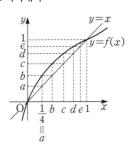

STEP 2 $f^4\left(\dfrac{1}{4}\right)$의 값 구하기

$\therefore f^4\left(\dfrac{1}{4}\right)=f^3\left(f\left(\dfrac{1}{4}\right)\right)$

$\qquad =f^3(b) \left(\because f\left(\dfrac{1}{4}\right)=b\right)$

$\qquad =f^2(f(b))$

$\qquad =f^2(c) \ (\because f(b)=c)$

$\qquad =f(f(c))$

$\qquad =f(d) \ (\because f(c)=d)$

$\qquad =e$

04-6 답 50

해결전략 | $[x]$는 x보다 크지 않은 최대의 정수임에 주의하여 $f\left(\dfrac{3}{8}\right), f^2\left(\dfrac{3}{8}\right), f^3\left(\dfrac{3}{8}\right), \cdots$의 값을 각각 구한다.

STEP1 $f(x), f^2(x), f^3(x), \cdots$에서 $x=\dfrac{3}{8}$일 때의 함숫값의 규칙성 찾기

$f(x)=5x-[5x]$이므로

$f^1\left(\dfrac{3}{8}\right)=5\times\dfrac{3}{8}-\left[5\times\dfrac{3}{8}\right]=\dfrac{15}{8}-1=\dfrac{7}{8}$,

$f^2\left(\dfrac{3}{8}\right)=f\left(f\left(\dfrac{3}{8}\right)\right)=f\left(\dfrac{7}{8}\right)=5\times\dfrac{7}{8}-\left[5\times\dfrac{7}{8}\right]$

$\qquad\qquad=\dfrac{35}{8}-4=\dfrac{3}{8}$

$f^3\left(\dfrac{3}{8}\right)=f\left(f^2\left(\dfrac{3}{8}\right)\right)=f\left(\dfrac{3}{8}\right)=\dfrac{7}{8}$

$f^4\left(\dfrac{3}{8}\right)=f\left(f^3\left(\dfrac{3}{8}\right)\right)=f\left(\dfrac{7}{8}\right)=\dfrac{3}{8}$

$\therefore f^1\left(\dfrac{3}{8}\right)=f^3\left(\dfrac{3}{8}\right)=\cdots=f^{2n-1}\left(\dfrac{3}{8}\right)=\dfrac{7}{8}$

$\qquad f^2\left(\dfrac{3}{8}\right)=f^4\left(\dfrac{3}{8}\right)=\cdots=f^{2n}\left(\dfrac{3}{8}\right)=\dfrac{3}{8}$

(단, n은 자연수이다.)

STEP2 $f\left(\dfrac{3}{8}\right)+f^2\left(\dfrac{3}{8}\right)+\cdots+f^{80}\left(\dfrac{3}{8}\right)$의 값 구하기

$f\left(\dfrac{3}{8}\right)+f^2\left(\dfrac{3}{8}\right)+\cdots+f^{80}\left(\dfrac{3}{8}\right)$에서 $\dfrac{7}{8}$과 $\dfrac{3}{8}$이 각각 40번씩 반복되므로

$f\left(\dfrac{3}{8}\right)+f^2\left(\dfrac{3}{8}\right)+\cdots+f^{80}\left(\dfrac{3}{8}\right)$

$=40\left(\dfrac{7}{8}+\dfrac{3}{8}\right)$

$=40\times\dfrac{10}{8}=50$

필수유형 05 149쪽

05-1 답 8

해결전략 | 함수 $f(x)$를 구한 후, 역함수의 정의를 이용하여 $f^{-1}(5)$의 값을 구한다.

STEP1 $f(x)$ 구하기

함수 $f(x)=\dfrac{3}{4}x-k$에 대하여 $f(2)=\dfrac{1}{2}$이므로

$f(2)=\dfrac{3}{4}\times2-k=\dfrac{1}{2}$에서 $k=1$

$\therefore f(x)=\dfrac{3}{4}x-1$

STEP2 $f^{-1}(5)$의 값 구하기

$f^{-1}(5)=a$ (a는 상수)로 놓으면

$f(a)=5$

$f(a)=\dfrac{3}{4}a-1=5$에서 $a=8$

$\therefore f^{-1}(5)=8$

05-2 답 $\dfrac{8}{3}$

해결전략 | 역함수의 성질을 이용하여 a, b의 값을 구한다.

STEP1 a, b의 값 구하기

$f^{-1}(2)=3$에서 $f(3)=2$이므로

$3a+1=2$, 즉 $a=\dfrac{1}{3}$

$f^{-1}(b)=4$에서 $f(4)=b$이므로

$4a+1=b$, 즉 $b=4\times\dfrac{1}{3}+1=\dfrac{7}{3}$

STEP2 $a+b$의 값 구하기

$\therefore a+b=\dfrac{1}{3}+\dfrac{7}{3}=\dfrac{8}{3}$

05-3 답 2

해결전략 | $f^{-1}(-3)=k$로 놓고 그림에서 $f(k)=-3$이 되는 k의 값을 구한다.

STEP1 $f(2), f^{-1}(-3)$의 값 구하기

주어진 그림으로부터 $f(2)=-1$

또, $f^{-1}(-3)=k$ (k는 상수)로 놓으면 $f(k)=-3$

이때 $k=3$일 때 함숫값이 -3이므로

$f(3)=-3$에서 $f^{-1}(-3)=3$

STEP2 $f(2)+f^{-1}(-3)$의 값 구하기

$\therefore f(2)+f^{-1}(-3)=-1+3=2$

05-4 답 1

해결전략 | $f^{-1}(4)=2$이면 $f(2)=4$임을 이용하여 a, b의 값을 구한다.

STEP1 a, b의 값 구하기

$f^{-1}(4)=2$에서 $f(2)=4$이므로

$f(2)=2\times2+a=4$, 즉 $a=0$

또, $g(1)=5$이므로

$g(1)=1+b+3=5$, 즉 $b=1$

STEP2 $a+b$의 값 구하기

$\therefore a+b=1$

05-5 답 -1

해결전략 | $y=f(2x+3)$의 역함수를 $g(x)$를 이용하여 나타낸 후, a, b의 값을 구한다.

STEP1 $y=f(2x+3)$의 역함수를 $g(x)$에 대한 식으로 나

타내기

$y=f(2x+3)$에서 x와 y를 서로 바꾸면

$x=f(2y+3)$

$f(x)$의 역함수가 $g(x)$이므로

$2y+3=g(x)$

$\therefore y=\dfrac{1}{2}g(x)-\dfrac{3}{2}$

STEP 2 $a+b$의 값 구하기

따라서 $a=\dfrac{1}{2}$, $b=-\dfrac{3}{2}$이므로

$a+b=\dfrac{1}{2}-\dfrac{3}{2}=-1$

05-6 답 1

해결전략 | 역함수의 성질을 이용하여 방정식의 실근의 합을 구한다.

STEP 1 방정식 $g(x)=2x$ 구하기

$g(x)=f^{-1}(x)=2x$에서 $x=f(2x)$이므로

$8x^3-12x^2+8x-3=x$

$\therefore 8x^3-12x^2+7x-3=0$

STEP 2 방정식 $g(x)=2x$의 실근의 합 구하기

이때

$8x^3-12x^2+7x-3=(x-1)(8x^2-4x+3)=0$

이고, 이차방정식 $8x^2-4x+3=0$은 허근을 가지므로 방정식 $g(x)=2x$의 실근은 $x=1$뿐이다.

따라서 구하는 모든 실근의 합은 1이다.

필수유형 06　　　　　　　　　　　151쪽

06-1 답 ㄷ

해결전략 | 각 함수의 그래프를 그린 후, x축에 평행한 직선을 그어 교점의 개수를 파악하여 역함수가 존재하는 함수를 찾는다.

STEP 1 역함수가 존재하기 위한 조건 알아내기

역함수가 존재하기 위해서는 일대일대응이어야 하므로 x축에 평행한 직선을 그었을 때, 함수의 그래프와의 교점이 하나이어야 한다.

STEP 2 |보기|의 각 함수의 그래프 그리기

|보기|의 각 함수의 그래프를 그리면 다음 그림과 같다.

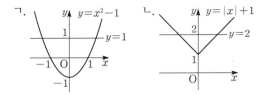

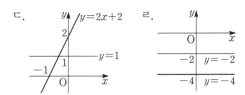

STEP 3 |보기|에서 역함수가 존재하는 것 고르기

ㄱ. 함수 $y=x^2-1$의 그래프와 직선 $y=1$은 두 점에서 만난다.

ㄴ. 함수 $y=|x|+1$의 그래프와 직선 $y=2$는 두 점에서 만난다.

ㄷ. 직선 $y=2x+2$는 x축에 평행한 모든 직선과의 교점이 하나이다.

ㄹ. 직선 $y=-4$는 직선 $y=-2$와 만나지 않는다.

따라서 역함수가 존재하는 것은 ㄷ뿐이다.

06-2 답 ㄱ

해결전략 | 범위에 맞게 각 함수의 그래프를 그린 후, 역함수가 존재하는 함수를 찾는다.

STEP 1 역함수가 존재하기 위한 조건 알아내기

역함수가 존재하기 위해서는 일대일대응이어야 하므로 x축에 평행한 직선을 그었을 때, 함수의 그래프와의 교점이 하나이어야 한다.

STEP 2 |보기|의 각 함수의 그래프 그리기

세 함수 $f(x)$, $g(x)$, $h(x)$의 그래프를 그리면 다음 그림과 같다.

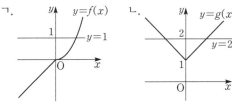

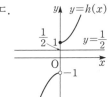

STEP 3 |보기|에서 역함수가 존재하는 것 고르기

ㄱ. 함수 $f(x)$의 그래프와 직선 $y=1$은 한 점에서 만난다. 즉, x축에 평행한 모든 직선과의 교점이 하나이다.

ㄴ. 함수 $g(x)$의 그래프와 직선 $y=2$는 두 점에서 만난다.

ㄷ. 함수 $h(x)$의 그래프와 직선 $y=\dfrac{1}{2}$은 만나지 않는다.

따라서 역함수가 존재하는 것은 ㄱ뿐이다.

06-3 🔳 1

해결전략 | 일대일대응이 되도록 하는 a의 최솟값을 구한다.

$$f(x)=2x^2-4x+4=2(x^2-2x)+4$$
$$=2(x-1)^2+2$$

함수 $f(x)$의 역함수가 존재하려면 일대일대응이어야 하므로 $a \geq 1$이어야 한다.

따라서 a의 최솟값은 1이다.

06-4 🔳 7

해결전략 | 역함수가 존재하려면 두 함수의 그래프가 x좌표가 1, 3인 두 점에서 만나야 함을 이용한다.

함수 $f(x)$의 역함수가 존재하려면 $f(x)$가 일대일대응이어야 한다.

$x=1$, $x=3$에서 두 함수 $y=x^2$,
$y=ax+b$의 그래프가 만나야
하므로
$1=a+b$, $9=3a+b$
위의 두 식을 연립하여 풀면
$a=4$, $b=-3$
$\therefore a-b=4-(-3)=7$

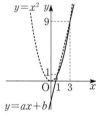

06-5 🔳 1

해결전략 | 역함수가 존재하기 위한 조건을 이용하여 a의 값을 구한다.

$$f(x)=x^2+2ax+a^2-2=(x+a)^2-2$$

함수 $f(x)$의 역함수가 존재하려면 $f(x)$가 일대일대응이어야 하므로
$-a \leq 1$에서 $a \geq -1$이고, $f(1)=2$
또, $f(1)=2$에서
$1^2+2 \times a \times 1+a^2-2=2$, $a^2+2a-3=0$
$(a+3)(a-1)=0$
$\therefore a=1 \ (\because a \geq -1)$

06-6 🔳 $\dfrac{1}{2}$

해결전략 | 역함수가 존재하기 위한 조건을 이용하여 a, b의 값을 구한다.

함수 $f(x)$의 역함수가 존재하려면 $f(x)$가 일대일대응이어야 한다.

함수 $f(x)$의 그래프의 기울기가 양수이므로
$f(1)=1$, $f(5)=3$
$f(1)=1$에서 $a+b=1$ ...... ㉠

$f(5)=3$에서 $5a+b=3$ ...... ㉡

㉠, ㉡을 연립하여 풀면
$$a=\dfrac{1}{2}, \ b=\dfrac{1}{2}$$
$$\therefore a^2+b^2=\left(\dfrac{1}{2}\right)^2+\left(\dfrac{1}{2}\right)^2=\dfrac{1}{2}$$

필수유형 **07** 153쪽

07-1 🔳 (1) $y=\dfrac{1}{2}x-\dfrac{3}{2}$ (2) $y=-\dfrac{1}{5}x-2$

해결전략 | 함수 $y=f(x)$에서 x와 y를 서로 바꾼 후, y를 x에 대한 식으로 나타내어 역함수를 구한다.

(1) 함수 $y=2x+3$은 실수 전체의 집합에서 일대일대응이므로 역함수가 존재한다.

$y=2x+3$에서 x와 y를 서로 바꾸면
$x=2y+3$
따라서 구하는 역함수는
$$y=\dfrac{1}{2}x-\dfrac{3}{2}$$

(2) 함수 $y=-5x-10$은 실수 전체의 집합에서 일대일대응이므로 역함수가 존재한다.

$y=-5x-10$에서 x와 y를 서로 바꾸면
$x=-5y-10$
따라서 구하는 역함수는
$$y=-\dfrac{1}{5}x-2$$

07-2 🔳 $f^{-1}(x)=\sqrt{x-2} \ (x \geq 2)$

해결전략 | 함수 f의 치역은 역함수 f^{-1}의 정의역이고, f의 정의역은 f^{-1}의 치역임을 이용하여 역함수를 구한다.

함수 $f(x)=x^2+2$는 $x \geq 0$인 범위에서 일대일대응이므로 역함수가 존재한다.

이때 $f(x)=x^2+2$는 $x \geq 0$일 때 $f(x) \geq 2$이다.

$y=x^2+2$로 놓고 x와 y를 서로 바꾸면
$x=y^2+2$
$y^2=x-2$이고 $y \geq 0$이므로
$y=\sqrt{x-2} \ (x \geq 2)$
$\therefore f^{-1}(x)=\sqrt{x-2} \ (x \geq 2)$

07-3 🔳 0

해결전략 | 함수 $y=f(x)$의 역함수를 구한 후, $f(x)=f^{-1}(x)$임을 이용하여 a의 값을 구한다.

STEP 1 $f^{-1}(x)$ 구하기

함수 $f(x)=x+a$는 실수 전체의 집합에서 일대일대응이므로 역함수가 존재한다.

$y=x+a$로 놓고 x와 y를 서로 바꾸면

$x=y+a$이므로 $y=x-a$

$\therefore f^{-1}(x)=x-a$

STEP2 a의 값 구하기

따라서 $f(x)=f^{-1}(x)$이므로

$x+a=x-a$

$\therefore a=0$

07-4 답 $\dfrac{1}{4}$

해결전략 | $(f^{-1})^{-1}=f$임을 이용하여 a, b의 값을 구한다.

STEP1 $f(x)$ 구하기

$f^{-1}(x)=2x-1$

$y=2x-1$로 놓고 x와 y를 서로 바꾸면

$x=2y-1$

$y=\dfrac{1}{2}x+\dfrac{1}{2}$, 즉 $(f^{-1})^{-1}(x)=\dfrac{1}{2}x+\dfrac{1}{2}$

이때 $(f^{-1})^{-1}(x)=f(x)$이므로

$f(x)=\dfrac{1}{2}x+\dfrac{1}{2}$

STEP2 ab의 값 구하기

따라서 $ax+b=\dfrac{1}{2}x+\dfrac{1}{2}$에서 $a=\dfrac{1}{2}$, $b=\dfrac{1}{2}$이므로

$ab=\dfrac{1}{2}\times\dfrac{1}{2}=\dfrac{1}{4}$

07-5 답 3

해결전략 | $2x+1=t$로 치환하여 함수 $f(x)$의 역함수 $f^{-1}(x)$를 구한다.

STEP1 $f(x)$ 구하기

$f(2x+1)=4x+7$에서 $2x+1=t$로 놓으면

$x=\dfrac{t-1}{2}$이므로

$f(t)=4\times\dfrac{t-1}{2}+7=2t+5$

$\therefore f(x)=2x+5$

STEP2 $f^{-1}(11)$의 값 구하기

$y=2x+5$로 놓고 x와 y를 서로 바꾸면

$x=2y+5$

$y=\dfrac{x-5}{2}$이므로 $f^{-1}(x)=\dfrac{x-5}{2}$

$\therefore f^{-1}(11)=\dfrac{11-5}{2}=3$

⊕→ 다른 풀이

$f(2x+1)=4x+7$이므로 역함수 f^{-1}에 대하여

$f^{-1}(4x+7)=2x+1$

$4x+7=11$에서 $x=1$이므로 위의 식에 $x=1$을 대입하면

$f^{-1}(11)=3$

07-6 답 $\dfrac{5}{6}$

해결전략 | $\dfrac{x}{2}+1=t$로 치환하여 함수 $f(x)$의 역함수 $f^{-1}(x)$를 구한다.

STEP1 $f^{-1}(x)$ 구하기

$f(x^3+x^2+x)=\dfrac{x}{2}+1$이므로

$f^{-1}\left(\dfrac{x}{2}+1\right)=x^3+x^2+x$

이때 $\dfrac{x}{2}+1=t$로 놓으면 $x=2t-2$이므로

$f^{-1}(t)=(2t-2)^3+(2t-2)^2+(2t-2)$

$\qquad\quad=8t^3-20t^2+18t-6$

$\therefore f^{-1}(x)=8x^3-20x^2+18x-6$

STEP2 $\dfrac{bd}{ac}$의 값 구하기

따라서 $a=8$, $b=-20$ $c=18$, $d=-6$이므로

$\dfrac{bd}{ac}=\dfrac{(-20)\times(-6)}{8\times18}=\dfrac{5}{6}$

필수유형 08 155쪽

08-1 답 3

해결전략 | 함수 $y=f(x)$의 그래프와 그 역함수 $y=f^{-1}(x)$의 그래프의 교점은 직선 $y=x$ 위에 있음을 이용하여 a, b의 값을 구한다.

STEP1 교점의 좌표 구하기

두 직선 $y=f(x)$와 $y=g(x)$의 교점은 직선 $y=x$ 위에 있으므로 $3x-3=x$에서 $2x=3$ $\therefore x=\dfrac{3}{2}$

즉, 두 직선의 교점의 좌표는 $\left(\dfrac{3}{2},\ \dfrac{3}{2}\right)$이다.

STEP2 $a+b$의 값 구하기

따라서 $a=\dfrac{3}{2}$, $b=\dfrac{3}{2}$이므로 $a+b=\dfrac{3}{2}+\dfrac{3}{2}=3$

08-2 답 -3

해결전략 | 함수 $y=f(x)$의 그래프와 그 역함수 $y=f^{-1}(x)$의 그래프가 지나는 점의 좌표를 이용하여 a, b의 값을 구한다.

STEP 1 a, b의 값 구하기

함수 $y=ax+b$의 그래프가 점 $(2, -1)$을 지나므로

$-1=2a+b$ ······ ㉠

역함수의 그래프가 점 $(3, 4)$를 지나면

함수 $y=ax+b$의 그래프는 점 $(4, 3)$을 지나므로

$3=4a+b$ ······ ㉡

㉠, ㉡을 연립하여 풀면

$a=2$, $b=-5$

STEP 2 $a+b$의 값 구하기

$\therefore a+b=2+(-5)=-3$

08-3 🔒 8

해결전략 | $(f \circ f)(x)=x$이면 $f(x)=f^{-1}(x)$임을 이용하여 a, b의 값을 구한다.

STEP 1 a, b의 값 구하기

$y=f(x)$의 그래프가 점 $(2, 5)$를 지나므로

$f(2)=5$, $f^{-1}(5)=2$

모든 실수 x에 대하여 $(f \circ f)(x)=x$이면

$f(x)=f^{-1}(x)$이므로

$f^{-1}(5)=2$에서 $f(5)=2$

$f(2)=2a+b=5$ ······ ㉠

$f(5)=5a+b=2$ ······ ㉡

㉠, ㉡을 연립하여 풀면

$a=-1$, $b=7$

STEP 2 $f(-1)$의 값 구하기

따라서 $f(x)=-x+7$이므로

$f(-1)=8$

08-4 🔒 -6

해결전략 | 두 직선이 수직일 조건과 역함수의 그래프가 지나는 점의 좌표를 이용하여 a, b의 값을 구한다.

STEP 1 a, b의 값 구하기

$f(x)=ax+b$의 그래프가 직선 $y=\dfrac{1}{2}x+3$에 수직이므로

$a=-2$ ······ ㉠

또, $y=f^{-1}(x)$의 그래프가 점 $(-1, 2)$를 지나므로

$f^{-1}(-1)=2$, $f(2)=-1$

$\therefore 2a+b=-1$ ······ ㉡

㉠을 ㉡에 대입하면

$-4+b=-1$에서 $b=3$

STEP 2 ab의 값 구하기

$\therefore ab=-2 \times 3=-6$

08-5 🔒 $4\sqrt{2}$

해결전략 | 함수 $y=f(x)$의 그래프와 그 역함수 $y=f^{-1}(x)$의 그래프의 교점의 좌표를 구한 후, $\overline{\text{OP}}$의 길이를 구한다.

STEP 1 교점 P의 좌표 구하기

함수 $y=f(x)$와 그 역함수 $y=f^{-1}(x)$의 그래프는 직선 $y=x$에 대하여 대칭이이므로 점 P는 $y=f(x)$의 그래프와 직선 $y=x$의 교점이다.

즉, $2x-4=x$에서 $x=4$

$\therefore \text{P}(4, 4)$

STEP 2 선분 OP의 길이 구하기

따라서 선분 OP의 길이는

$\overline{\text{OP}}=\sqrt{4^2+4^2}=4\sqrt{2}$

08-6 🔒 490

해결전략 | 함수 $y=f(x)$의 그래프와 그 역함수 $y=f^{-1}(x)$의 그래프의 교점을 구한 후, a, b의 값을 구한다.

STEP 1 함수 $y=f(x)$와 역함수 $y=f^{-1}(x)$의 교점의 좌표 구하기

함수 $f(x)=x^2-6x$ $(x \geq 3)$의 그래프와 그 역함수 $y=f^{-1}(x)$의 그래프의 교점은 함수 $y=x^2-6x$ $(x \geq 3)$의 그래프와 직선 $y=x$의 교점이다.

즉, $x^2-6x=x$에서 $x^2-7x=0$, $x(x-7)=0$

$\therefore x=0$ 또는 $x=7$

이때 $x \geq 3$이므로 $x=7$

따라서 교점은 $(7, 7)$이다.

STEP 2 $10ab$의 값 구하기

$a=b=7$이므로

$10ab=10 \times 7 \times 7=490$

필수유형 09   157쪽

09-1 🔒 2

해결전략 | $(f^{-1} \circ g)(x)=f^{-1}(g(x))$와 역함수의 성질을 이용하여 구한다.

$g(x)=x+1$에서 $g(4)=4+1=5$

$\therefore (f^{-1} \circ g)(4)=f^{-1}(g(4))=f^{-1}(5)$

$f^{-1}(5)=k$ (k는 상수)로 놓으면 $f(k)=5$

$3k-1=5$에서 $k=2$

$\therefore (f^{-1} \circ g)(4)=2$

09-2 답 2

해결전략 | $(f \circ g)^{-1} = g^{-1} \circ f^{-1}$임을 이용한다.

$g(7) = 5$이므로 $g^{-1}(5) = 7$

$(f \circ g^{-1})(5) = f(g^{-1}(5)) = f(7) = 1$

$(f \circ g)^{-1}(5) = (g^{-1} \circ f^{-1})(5) = g^{-1}(f^{-1}(5))$
$\qquad\qquad\qquad = g^{-1}(3) = 1$

$\therefore (f \circ g^{-1})(5) + (f \circ g)^{-1}(5) = 1 + 1 = 2$

09-3 답 4

해결전략 | $(f \circ g)^{-1} = g^{-1} \circ f^{-1}$와 $f^{-1} \circ f = I$ (I는 항등함수)임을 이용하여 주어진 식의 좌변을 간단히 한다.

STEP 1 주어진 식의 좌변 간단히 하기

$(f \circ g)^{-1} = g^{-1} \circ f^{-1}$이므로

$(f \circ (f \circ g)^{-1} \circ f)(k) = 4$에서

$(f \circ g^{-1} \circ f^{-1} \circ f)(k) = 4$

$f^{-1} \circ f = I$ (I는 항등함수)이므로

$(f \circ g^{-1} \circ I)(k) = 4$

$\therefore (f \circ g^{-1})(k) = f(g^{-1}(k)) = 4$ $\qquad$ ...... ㉠

STEP 2 k의 값 구하기

$g^{-1}(k) = a$ (a는 상수)로 놓으면 $g(a) = k$

$g(a) = a^2 = k$에서 $a = \pm\sqrt{k}$

$\therefore g^{-1}(k) = \pm\sqrt{k}$ $\qquad$ ...... ㉡

㉠에 ㉡을 대입하면 $f(\pm\sqrt{k}) = 4$

$\pm 2\sqrt{k} = 4$, $4k = 16$ $\qquad \therefore k = 4$

09-4 답 0

해결전략 | $(g \circ f)^{-1} = f^{-1} \circ g^{-1}$임을 이용하여 함수 $h(x)$를 구한다.

STEP 1 $(g \circ f)(x)$ 구하기

$(g \circ f)^{-1} = f^{-1} \circ g^{-1}$이므로

$h(x) = (f^{-1} \circ g^{-1})(x) = (g \circ f)^{-1}(x)$

이때 $(g \circ f)(x) = g(f(x)) = g(2x) = 2x + 2$

STEP 2 $h(2)$의 값 구하기

$h(2) = (g \circ f)^{-1}(2)$에서 $(g \circ f)^{-1}(2) = k$ (k는 상수)로 놓으면

$(g \circ f)(k) = 2 = 2k + 2$ $\qquad \therefore k = 0$

$\therefore h(2) = (g \circ f)^{-1}(2) = k = 0$

09-5 답 3

해결전략 | 주어진 조건에서 $g \circ f = I$ (I는 항등함수)임을 알아낸다.

STEP 1 $f^{-1}(x)$ 구하기

$(h \circ g \circ f)(x) = h(x)$에서 $g \circ f = I$ (I는 항등함수)이므로 $g = f^{-1}$

$y = 2x - 1$로 놓고, x와 y를 서로 바꾸면

$x = 2y - 1$

즉, $y = \dfrac{x+1}{2}$이므로 $f^{-1}(x) = \dfrac{x+1}{2}$

STEP 2 $g(5)$의 값 구하기

따라서 $g(x) = \dfrac{x+1}{2}$이므로

$g(5) = \dfrac{5+1}{2} = 3$

09-6 답 7

해결전략 | 함수 g가 일대일대응임을 이용하여 함숫값을 구한다.

STEP 1 $g(1)$, $g(3)$의 값 구하기

함수 g의 역함수가 존재하므로 함수 g는 일대일대응이다.

$g^{-1}(1) = 3$에서 $g(3) = 1$

$(g \circ f)(2) = g(f(2)) = 2$에서 $f(2) = 1$이므로

$g(1) = 2$

STEP 2 $g(4)$, $g^{-1}(4)$의 값 구하기

$g(2) = 3$이고 함수 g는 일대일대응이므로

$g(4) = 4$

$\therefore g^{-1}(4) = 4$

STEP 3 $g^{-1}(4) + (f \circ g)(2)$의 값 구하기

$\therefore g^{-1}(4) + (f \circ g)(2) = 4 + f(g(2))$
$\qquad\qquad\qquad\qquad = 4 + f(3)$
$\qquad\qquad\qquad\qquad = 4 + 3 = 7$

필수유형 ⑩ 159쪽

10-1 답 e

해결전략 | 주어진 그래프에서 y좌표를 구한 후, $f(a) = b$이면 $f^{-1}(b) = a$임을 이용한다.

STEP 1 주어진 그래프에 y좌표 나타내기

$y = x$의 그래프를 이용하여 y축과 점선이 만나는 점의 y좌표를 구하여 표시하면 오른쪽 그림과 같다.

STEP 2 $(f^{-1} \circ f^{-1})(c)$의 값 구하기

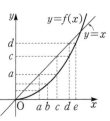

$(f^{-1} \circ f^{-1})(c) = f^{-1}(f^{-1}(c))$에서

$f^{-1}(c) = p$ (p는 상수)로 놓으면 $f(p) = c$

그래프에서 $f(d) = c$이므로 $p = d$

$f^{-1}(d) = q$ (q는 상수)로 놓으면 $f(q) = d$

그래프에서 $f(e) = d$이므로 $q = e$

$\therefore (f^{-1} \circ f^{-1})(c) = f^{-1}(f^{-1}(c))$

$\qquad\qquad\qquad = f^{-1}(d)$

$\qquad\qquad\qquad = e$

10-2 📋 b

해결전략 | 주어진 그래프에서 x좌표를 구한 후, $f(a) = b$이면 $f^{-1}(b) = a$임을 이용한다.

STEP 1 주어진 그래프에 x좌표 나타내기

$y = x$의 그래프를 이용하여 x축과 점선이 만나는 점의 x좌표를 구하여 표시하면 오른쪽 그림과 같다.

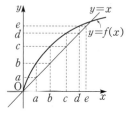

STEP 2 $(f \circ f \circ f)^{-1}(e)$의 값 구하기

$f^{-1}(e) = s$ (s는 상수)로 놓으면 $f(s) = e$에서 $s = d$

$f^{-1}(d) = t$ (t는 상수)로 놓으면 $f(t) = d$에서 $t = c$

$f^{-1}(c) = u$ (u는 상수)로 놓으면 $f(u) = c$에서 $u = b$

$\therefore (f \circ f \circ f)^{-1}(e) = (f \circ f)^{-1}(d)$

$\qquad\qquad\qquad\qquad = f^{-1}(c)$

$\qquad\qquad\qquad\qquad = b$

10-3 📋 c

해결전략 | 두 함수 $f(x)$, $g(x)$가 서로 역함수 관계가 아니므로 각 함수에 대한 함숫값을 구한다.

STEP 1 주어진 그래프에 y좌표 나타내기

$y = x$의 그래프를 이용하여 y축과 점선이 만나는 점의 y좌표를 구하여 표시하면 오른쪽 그림과 같다.

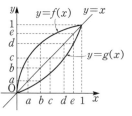

STEP 2 $(f \circ g \circ f^{-1})(d)$의 값 구하기

$(f \circ g \circ f^{-1})(d) = (f \circ g)(f^{-1}(d))$

이때 $f^{-1}(d) = k$ (k는 상수)로 놓으면 $f(k) = d$이므로 $k = b$

$\therefore (f \circ g \circ f^{-1})(d) = (f \circ g)(b)$

$\qquad\qquad\qquad\qquad = f(g(b))$

$\qquad\qquad\qquad\qquad = f(a) = c$

10-4 📋 0

해결전략 | 함수 $y = f(x)$의 그래프가 점 (a, b)를 지나면 $f^{-1}(b) = a$임을 이용하여 주어진 식의 값을 구한다.

$g^{-1}(r) = k$ (k는 상수)로 놓으면 $g(k) = r$이므로 $k = c$

또, $f(c) = q$이므로

$g^{-1}(q) = l$ (l은 상수)로 놓으면

$g(l) = q$이므로 $l = a$

$\therefore (f \circ g^{-1} \circ f \circ g^{-1})(r)$

$\quad = (f \circ g^{-1} \circ f)(c)$

$\quad = (f \circ g^{-1})(q)$

$\quad = f(a)$

$\quad = 0$

10-5 📋 6

해결전략 | $f(a) = b$이면 $f^{-1}(b) = a$임을 이용하여 $(g \circ f)^{-1}(3)$과 $g^{-1}(2)$의 값을 구한다.

STEP 1 $(g \circ f)^{-1}(3)$, $g^{-1}(2)$의 값 구하기

$(g \circ f)^{-1}(3) = (f^{-1} \circ g^{-1})(3) = f^{-1}(g^{-1}(3))$에서

$g^{-1}(3) = a$ (a는 상수)로 놓으면 $g(a) = 3$이므로 $a = 4$

$\therefore f^{-1}(g^{-1}(3)) = f^{-1}(4)$

$f^{-1}(4) = b$ (b는 상수)로 놓으면

$f(b) = 4$이므로 $b = 4$

$\therefore (g \circ f)^{-1}(3) = 4$

또, $g^{-1}(2) = c$ (c는 상수)로 놓으면 $g(c) = 2$이므로

$c = 2$

$\therefore g^{-1}(2) = 2$

STEP 2 $(g \circ f)^{-1}(3) + g^{-1}(2)$의 값 구하기

$\therefore (g \circ f)^{-1}(3) + g^{-1}(2) = 4 + 2 = 6$

10-6 📋 10

해결전략 | 두 함수의 그래프를 이용하여 $y = g(x)$를 구한다.

STEP 1 $g^{-1}(1)$, $g(2)$의 값 구하기

$f(g(1)) = 2$이고 $f(1) = 2$이므로 $g(1) = 1$

$\therefore g^{-1}(1) = 1$

또, $f(g(2)) = 1$이고 $f(5) = 1$이므로 $g(2) = 5$

STEP 2 $f^{-1}(1)$의 값 구하기

$f^{-1}(1) = k$ (k는 상수)로 놓으면 $f(k) = 1$이므로 $k = 5$

$\therefore f^{-1}(1) = 5$

STEP 3 $g(2) + (g \circ f)^{-1}(1)$의 값 구하기

$\therefore g(2) + (g \circ f)^{-1}(1) = 5 + f^{-1}(g^{-1}(1))$

$\qquad\qquad\qquad\qquad\qquad = 5 + f^{-1}(1)$

$\qquad\qquad\qquad\qquad\qquad = 5 + 5 = 10$

$f(1)=2$이고 $(f \circ g)(1)=2$이므로 $g(1)=1$

$f(2)=4$이고 $(f \circ g)(3)=4$이므로 $g(3)=2$

$f(3)=3$이고 $(f \circ g)(4)=3$이므로 $g(4)=3$

$f(4)=5$이고 $(f \circ g)(5)=5$이므로 $g(5)=4$

$f(5)=1$이고 $(f \circ g)(2)=1$이므로 $g(2)=5$

유형 특강 160~161쪽

1 📋 풀이 참조

❶ 함수 $f(x)$는 $0 \le x \le 2$일 때,

$f(x)=3$

또, $2 \le x \le 3$일 때, 두 점 $(2, 3)$, $(3, 0)$을 지나므로

$f(x)-3 = \dfrac{0-3}{3-2}(x-2)$에서

$f(x)=-3x+9$

$\therefore f(x) = \begin{cases} 3 & (0 \le x \le 2) \\ -3x+9 & (2 \le x \le 3) \end{cases}$

❷ 함수 $g(x)$는 $0 \le x \le 3$일 때, 두 점 $(0, 3)$, $(3, 0)$을 지나므로

$g(x) = \dfrac{0-3}{3-0}x + 3$에서

$g(x)=-x+3 \ (0 \le x \le 3)$

❸ $(f \circ g)(x) = f(g(x))$

$= \begin{cases} 3 & (0 \le g(x) \le 2) \\ -3g(x)+9 & (2 \le g(x) \le 3) \end{cases}$

$= \begin{cases} 3 & (0 \le -x+3 \le 2) \\ -3(-x+3)+9 & (2 \le -x+3 \le 3) \end{cases}$

$= \begin{cases} 3x & (0 \le x \le 1) \\ 3 & (1 \le x \le 3) \end{cases}$

❹ 따라서 함수 $y=(f \circ g)(x)$의 그래프는 오른쪽 그림과 같다.

▶참고 x의 값에 따라 꺾인 점에서의 $f(g(x))$의 값을 구해 그래프를 그릴 수도 있다.

x	0	1	2	3
$g(x)$	3	2	1	0
$f(g(x))$	0	3	3	3

2 📋 풀이 참조

❶ 함수 $f(x)$는 $0 \le x \le 1$일 때, 두 점 $(0, 2)$, $(1, 0)$을 지나므로

$f(x) = \dfrac{0-2}{1-0}x + 2 = -2x + 2$

또, $1 \le x \le 2$일 때, 두 점 $(1, 0)$, $(2, 2)$를 지나므로

$f(x) = \dfrac{2-0}{2-1}(x-1) = 2x - 2$

$\therefore f(x) = \begin{cases} -2x+2 & (0 \le x \le 1) \\ 2x-2 & (1 \le x \le 2) \end{cases}$

❷ $(f \circ f)(x)$

$= f(f(x))$

$= \begin{cases} -2f(x)+2 & (0 \le f(x) \le 1) \\ 2f(x)-2 & (1 \le f(x) \le 2) \end{cases}$에서

(i) $0 \le x \le \dfrac{1}{2}$일 때, $1 \le f(x) \le 2$이므로

$\quad f(f(x)) = 2f(x) - 2$

$\qquad\qquad = 2(-2x+2) - 2$

$\qquad\qquad = -4x + 2$

(ii) $\dfrac{1}{2} \le x \le 1$일 때, $0 \le f(x) \le 1$이므로

$\quad f(f(x)) = -2f(x) + 2$

$\qquad\qquad = -2(-2x+2) + 2$

$\qquad\qquad = 4x - 2$

(iii) $1 \le x \le \dfrac{3}{2}$일 때, $0 \le f(x) \le 1$이므로

$\quad f(f(x)) = -2f(x) + 2$

$\qquad\qquad = -2(2x-2) + 2$

$\qquad\qquad = -4x + 6$

(iv) $\dfrac{3}{2} \le x \le 2$일 때, $1 \le f(x) \le 2$이므로

$\quad f(f(x)) = 2f(x) - 2$

$\qquad\qquad = 2(2x-2) - 2$

$\qquad\qquad = 4x - 6$

❸ 따라서 함수 $y=(f \circ f)(x)$의 그래프는 오른쪽 그림과 같다.

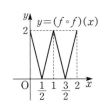

▶참고 x의 값에 따라 꺾인 점에서의 $f(f(x))$의 값을 구해 그래프를 그릴 수도 있다.

x	0	$\dfrac{1}{2}$	1	$\dfrac{3}{2}$	2
$f(x)$	2	1	0	1	2
$f(f(x))$	2	0	2	0	2

01 ③	02 ④	03 ④	04 3	05 45
06 ⑤	07 3	08 $4\sqrt{2}$	09 ⑤	10 ④
11 2	12 $\dfrac{5}{2}$	13 ①	14 ①	15 ④

01

해결전략 | $(f \circ (g \circ f))(x) = 18$을 방정식으로 나타낸 후, 근과 계수의 관계를 이용한다.

STEP 1 $(f \circ (g \circ f))(x) = 18$을 방정식으로 나타내기

$$
\begin{aligned}
(f \circ (g \circ f))(x) &= f(g(f(x))) \\
&= f(g(x-1)) \\
&= f((x-1)^2 + 4) \\
&= f(x^2 - 2x + 5) \\
&= (x^2 - 2x + 5) - 1 \\
&= x^2 - 2x + 4
\end{aligned}
$$

$(f \circ (g \circ f))(x) = 18$이므로

$x^2 - 2x + 4 = 18$에서 $x^2 - 2x - 14 = 0$

STEP 2 x의 값의 합 구하기

따라서 이차방정식의 근과 계수의 관계에 의하여 구하는 모든 실수 x의 값의 합은 2이다.

02

해결전략 | 합성함수 $(g \circ f)(x)$를 구한다.

$(g \circ f)(x) = g(f(x)) = \begin{cases} g(0) = 1 & (x \geq 1) \\ g(1) = 1 & (x < 1) \end{cases}$

따라서 $(g \circ f)(x) = 1$이므로 구하는 그래프의 개형은 ④이다.

03

해결전략 | $g(x) = ax + b$로 놓고 $g(g(x)) = x$를 만족시키는 a, b의 값을 구한다.

STEP 1 a, b의 값 구하기

$g(x) = ax + b$로 놓으면 $g(0) = b = 1$

$\therefore g(x) = ax + 1$

$g(g(x)) = a(ax+1) + 1 = a^2 x + a + 1 = x$이므로

$a^2 = 1, \ a + 1 = 0 \quad \therefore a = -1$

STEP 2 $g(-1)$의 값 구하기

따라서 $g(x) = -x + 1$이므로

$g(-1) = -(-1) + 1 = 2$

04

해결전략 | $(f \circ g)(0) + (g \circ f)(0)$을 a에 대한 식으로 나타낸 후, $a < 2$, $a \geq 2$인 경우로 나누어 $g(a)$를 구한다.

STEP 1 $(f \circ g)(0), (g \circ f)(0)$ 구하기

$(f \circ g)(0) = f(g(0)) = f(-2) = -2 + a$

$(g \circ f)(0) = g(f(0)) = g(a)$

STEP 2 a의 값 구하기

(i) $a < 2$일 때, $g(a) = a - 2$이므로

$(f \circ g)(0) + (g \circ f)(0) = -2 + a + a - 2 = 10$에서

$2a = 14 \quad \therefore a = 7$

이는 $a < 2$인 조건에 맞지 않는다.

(ii) $a \geq 2$일 때, $g(a) = a^2$이므로

$(f \circ g)(0) + (g \circ f)(0) = -2 + a + a^2 = 10$에서

$a^2 + a - 12 = 0, \ (a+4)(a-3) = 0$

$\therefore a = -4$ 또는 $a = 3$

이때 $a \geq 2$이므로 $a = 3$

(i), (ii)에 의하여 $a = 3$

05

해결전략 | $(f \circ g)(x), (g \circ f)(x)$를 구한 후, 항등식의 성질을 이용하여 a, b의 값을 구한다.

STEP 1 $(f \circ g)(x), (g \circ f)(x)$ 구하기

$$
\begin{aligned}
(f \circ g)(x) &= f(g(x)) \\
&= a(2x^2 + 3x + 1) + b \\
&= 2ax^2 + 3ax + a + b \qquad \cdots\cdots \text{㉠}
\end{aligned}
$$

$$
\begin{aligned}
(g \circ f)(x) &= g(f(x)) \\
&= 2(ax+b)^2 + 3(ax+b) + 1 \\
&= 2a^2 x^2 + (4ab + 3a)x + 2b^2 + 3b + 1 \qquad \cdots\cdots \text{㉡}
\end{aligned}
$$

$\qquad\qquad\qquad\qquad\qquad\qquad\qquad\qquad \cdots\cdots$ ❶

STEP 2 a, b의 값 구하기

모든 실수 x에 대하여 ㉠=㉡이므로

$2a = 2a^2, \ 3a = 4ab + 3a, \ a + b = 2b^2 + 3b + 1$

위의 식을 연립하여 풀면

$a = 1, \ b = 0 \ (\because a \neq 0) \qquad\qquad \cdots\cdots$ ❷

STEP 3 $f(1) + f(2) + f(3) + \cdots + f(9)$의 값 구하기

따라서 $f(x) = x$이므로

$f(1) + f(2) + f(3) + \cdots + f(9)$

$= 1 + 2 + 3 + \cdots + 9 = 45 \qquad\qquad \cdots\cdots$ ❸

채점 요소	비율
❶ $(f \circ g)(x), (g \circ f)(x)$ 구하기	50%
❷ a, b의 값 구하기	30%
❸ $f(1) + f(2) + f(3) + \cdots + f(9)$의 값 구하기	20%

06

해결전략 | $g \circ f$가 정의되려면 (f의 치역)$\subset$(g의 정의역)
이어야 함을 이용한다.

두 함수 f, g에서 (f의 치역)$\subset$(g의 정의역)이면 합성함
수 $g \circ f$를 정의할 수 있다.

$f(x)$의 치역은 $\{y | 0 \le y \le 2\}$,

$g(x)$의 정의역은 $\{x | 0 \le x \le 3\}$, 치역은 $\{y | 0 \le y \le 4\}$,

$h(x)$의 정의역은 $\{x | 0 \le x \le 4\}$, 치역은 $\{y | 0 \le y \le 64\}$

이므로 ①, ②, ③, ④의 함수는 모두 정의된다.

⑤ $g(x)$의 치역이 $\{y | 0 \le y \le 4\}$이고 $f(x)$의 정의역이
$\{x | 1 \le x \le 3\}$이므로 (g의 치역)$\not\subset$(f의 정의역)

즉, $f \circ g$가 정의되지 않으므로 $h \circ f \circ g$도 정의되지
않는다.

따라서 함수가 정의되지 않는 것은 ⑤이다.

07

해결전략 | 그림을 이용하여 $f^n(x)$의 규칙성을 찾는다.

STEP 1 $f^n(x)$ 추정하기

$f(1) = 2$, $f(2) = 3$, $f(3) = 1$이므로

$f^3(1) = f(f(f(1))) = f(f(2)) = f(3) = 1$

같은 방법으로 $f^3(2) = 2$, $f^3(3) = 3$이므로

$f^3(x) = x$

$\therefore f^{3n}(x) = x,\ f^{3n+1}(x) = f(x),\ f^{3n+2}(x) = f^2(x)$

(단, n은 자연수이다.)

STEP 2 $f^{2010}(2) + f^{2011}(3)$의 값 구하기

$f^{2010}(2) = f^{3 \times 670}(2) = 2$

$f^{2011}(3) = f^{3 \times 670 + 1}(3) = f(3) = 1$

$\therefore f^{2010}(2) + f^{2011}(3) = 2 + 1 = 3$

08

해결전략 | 함수 $y = f(x)$의 그래프와 그 역함수 $y = f^{-1}(x)$
의 그래프는 직선 $y = x$에 대하여 대칭임을 이용한다.

STEP 1 교점의 x좌표 구하기

두 함수 $y = f(x)$와
$y = f^{-1}(x)$의 그래프는
직선 $y = x$에 대칭이므로
오른쪽 그림과 같고, 그
교점은 함수 $y = f(x)$의
그래프와 직선 $y = x$의
교점과 같다.

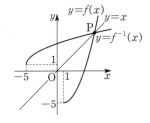

즉, $x^2 - 2x - 4 = x$에서

$x^2 - 3x - 4 = 0$, $(x+1)(x-4) = 0$

$\therefore x = 4\ (\because x \ge 1)$ ...... ❶

STEP 2 $\overline{OP}$의 길이 구하기

따라서 교점 P의 좌표는 $(4, 4)$이므로

$\overline{OP} = \sqrt{4^2 + 4^2} = 4\sqrt{2}$ ...... ❷

채점 요소	비율
❶ 교점의 x좌표 구하기	70%
❷ $\overline{OP}$의 길이 구하기	30%

09

해결전략 | $f^{-1}(x)$와 $f^{-1}(3x)$를 구한다.

STEP 1 $f^{-1}(x)$ 구하기

$y = 4x - 1$로 놓고 x와 y를 서로 바꾸면

$x = 4y - 1$, $y = \dfrac{x+1}{4}$

$\therefore f^{-1}(x) = g(x) = \dfrac{1}{4}x + \dfrac{1}{4}$

STEP 2 $f^{-1}(3x)$ 구하기

또, $f(3x) = 12x - 1$이므로 $y = 12x - 1$로 놓고

x와 y를 서로 바꾸면 $x = 12y - 1$

$y = \dfrac{x+1}{12}$

$\therefore \{f(3x)\}^{-1} = \dfrac{1}{12}x + \dfrac{1}{12}$

$= \dfrac{1}{3}\left(\dfrac{1}{4}x + \dfrac{1}{4}\right) = \dfrac{1}{3}g(x)$

⊛ 다른 풀이

$y = f(3x)$에서 x와 y를 서로 바꾸면

$x = f(3y)$에서 $f^{-1}(x) = 3y$

$\therefore y = \dfrac{1}{3}f^{-1}(x)$

따라서 $y = f(3x)$의 역함수는

$\dfrac{1}{3}f^{-1}(x) = \dfrac{1}{3}g(x)$

10

해결전략 | 합성함수 $f \circ f^{-1} = I$ (I는 항등함수)임을 이용한다.

$f(f(x)) = x$이므로

$f^{-1}(x) = f(x)$ ...... ㉠

함수 $y = f(x)$의 그래프와 그 역함수 $y = f^{-1}(x)$의 그래
프는 직선 $y = x$에 대하여 대칭이므로 ㉠에서 $y = f(x)$의
그래프는 직선 $y = x$에 대하여 대칭이다.

11

해결전략 | $f \circ f^{-1} = I$ (I는 항등함수)와 $f(3) = 5$를 이용하
여 $g(5)$의 값을 구한다.

$(g \circ f)^{-1}(x) = 2x - 1$이므로 $(g \circ f)(2x-1) = x$

$\therefore g(f(2x-1)) = x$ ...... ㉠

$f(3) = 5$이므로 $2x - 1 = 3$에서 $x = 2$

㉠에 $x = 2$를 대입하면 $g(f(3)) = 2$

$\therefore g(5) = 2$

12

해결전략 | 함수 $y = f(x)$의 그래프와 그 역함수 $y = f^{-1}(x)$의 그래프는 직선 $y = x$에 대하여 대칭임을 이용하여 두 점 C, D의 좌표를 구한다.

STEP 1 네 점 A, B, C, D의 좌표 구하기

두 함수 $y = f(x)$와 $y = f^{-1}(x)$의 그래프는 직선 $y = x$에 대하여 대칭이므로 두 점 A, B는 직선 $y = x$에 대하여 대칭이다.

즉, 점 A(1, 2)이므로 점 B(2, 1)이다.

또, 두 점 C, D도 직선 $y = x$에 대하여 대칭이므로 D(a, 1)이라 하면 C(1, a)이다.

STEP 2 삼각형 ABD의 넓이 구하기

이때 $f(1) - f^{-1}(1) = \overline{AC} = |2 - a| = 5 = \overline{BD}$

이므로 $a = -3$

따라서 삼각형 ABD의 넓이는

$\dfrac{1}{2} \times 5 \times (2-1) = \dfrac{5}{2}$

13

해결전략 | 함수 $y = f(x)$의 그래프와 그 역함수 $y = f^{-1}(x)$의 그래프의 관계를 이용하여 방정식을 세운 후, a의 값의 범위를 구한다.

STEP 1 방정식 $f(x) = g(x)$가 서로 다른 두 실근을 가질 조건 구하기

두 함수 $f(x)$와 $g(x)$는 서로 역함수이므로 두 그래프는 직선 $y = x$에 대하여 대칭이다.

따라서 두 함수 $y = f(x)$와 $y = g(x)$의 그래프의 교점은 함수 $y = f(x)$의 그래프와 직선 $y = x$의 교점과 같다.

즉, $\dfrac{x^2}{4} + a = x$가 서로 다른 두 실근을 가지면

$x^2 - 4x + 4a = 0$에서 판별식을 D라 할 때

$\dfrac{D}{4} = 4 - 4a > 0$ $\therefore a < 1$

STEP 2 a의 값의 범위 구하기

그런데 $x \geq 0$이므로 방정식 $f(x) = g(x)$가 음이 아닌 실근을 갖기 위해서는 $a \geq 0$이어야 한다.

$\therefore 0 \leq a < 1$

14

해결전략 | 두 함수 f와 g의 정의역의 원소에 대한 함숫값을 모두 구한다.

STEP 1 $g^{-1}(1)$, $f^{-1}(7)$의 값 구하기

두 함수 f, g의 정의에 의하여

$f(1) = 3, f(2) = 9, f(3) = 7, f(4) = 1$

$g(1) = 7, g(2) = 9, g(3) = 3, g(4) = 1$

$\therefore g^{-1}(1) = 4, f^{-1}(7) = 3$

STEP 2 $(f \circ g^{-1})(1) + (g \circ f^{-1})(7)$의 값 구하기

$\therefore (f \circ g^{-1})(1) + (g \circ f^{-1})(7)$

$= f(g^{-1}(1)) + g(f^{-1}(7))$

$= f(4) + g(3)$

$= 1 + 3 = 4$

15

해결전략 | 함수 $y = f(x)$의 그래프를 보고 $f^n(x)$의 규칙성을 찾는다.

STEP 1 주어진 그래프에 y좌표 나타내기

$y = x$의 그래프를 이용하여 y축과 점선이 만나는 점의 y좌표를 구하여 표시하면 오른쪽 그림과 같다.

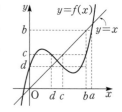

STEP 2 $f^{2008}(a)$의 값 구하기

$f(a) = b$

$f^2(a) = f(f(a)) = f(b) = c$

$f^3(a) = f(f^2(a)) = f(c) = d$

$f^4(a) = f(f^3(a)) = f(d) = c$

$f^5(a) = f(f^4(a)) = f(c) = d$

$\vdots$

따라서 $n \geq 3$인 홀수일 때 $f^n(a) = d$,

$n \geq 2$인 짝수일 때 $f^n(a) = c$이므로

$f^{2008}(a) = c$

상위권 도약 문제   165~166쪽

01 ④	02 ④	03 3	04 ③	05 ④
06 ③	07 5	08 4		

01

해결전략 | $g(x) = t$로 치환하여 $(f \circ g)(x) \geq 0$에서 t의 값의 범위를 구한다.

$(f \circ g)(x) = f(g(x)) \geq 0$에서

$g(x) = t$라 하면 $f(t) \geq 0$이므로

$t^2 - t - 6 \geq 0$, $(t+2)(t-3) \geq 0$

$\therefore t \leq -2$ 또는 $t \geq 3$

즉, $g(x) \leq -2$ 또는 $g(x) \geq 3$

(i) $g(x) \leq -2$인 경우

　　모든 실수 x에 대하여 $g(x) = x^2 - ax + 4 \leq -2$는 성립하지 않는다.

(ii) $g(x) \geq 3$인 경우

　　$g(x) = x^2 - ax + 4 \geq 3$에서 $x^2 - ax + 1 \geq 0$

　　즉, 모든 실수 x에 대하여 $x^2 - ax + 1 \geq 0$이 성립해야 하므로 이차방정식 $x^2 - ax + 1 = 0$의 판별식을 D라 하면 $D = a^2 - 4 \leq 0$

　　$\therefore -2 \leq a \leq 2$

(i), (ii)에 의하여 실수 a의 값의 범위는

$-2 \leq a \leq 2$

02

해결전략 | ㄴ은 반례를 들고, ㄷ은 $n = 10k + a$로 놓고 참, 거짓을 판별한다.

ㄱ. $f(n) = 0$, 1, 2, 3, 4이고 0, 1, 2, 3, 4를 5로 나눈 나머지는 각각 자기 자신이므로

　　$f(f(n)) = f(n)$ (참)

ㄴ. [반례] $n = 7$이면 $f(n) = 2$이므로

　　$g(f(n)) = g(2) = 2$

　　그런데 $g(n) = 7$이므로

　　$g(f(n)) \neq g(n)$ (거짓)

ㄷ. $n = 10k + a$ (k는 음이 아닌 정수, $a = 0$, 1, 2, $\cdots$, 9)로 놓으면 $g(n) = a$이므로

　　$f(g(n)) = f(a)$

　　$f(n) = f(5 \times 2k + a) = f(a)$

　　$\therefore f(g(n)) = f(n)$ (참)

이상에서 옳은 것은 ㄱ, ㄷ이다.

03

해결전략 | 일차함수 f_1, f_2는 각각의 역함수가 존재하므로 역함수의 성질과 역함수의 그래프의 성질을 이용하여 f_1, f_2를 구한다.

(i) $f_1 \circ f_2 = f_1$일 때

　　$f_1^{-1} \circ (f_1 \circ f_2) = f_1^{-1} \circ f_1$에서

$f_2 = I$ (항등함수)

이때 $f_2 \circ f_1 = I \circ f_1 = f_1$, $f_2 \circ f_2 = I = f_2$

$f_1 \circ f_1 = f_1$이면 $f_1^{-1} \circ (f_1 \circ f_1) = f_1^{-1} \circ f_1$에서 $f_1 = I$

$f_1 \circ f_1 = f_2 = I$이면 $f_1^{-1} = f_1$이므로 $y = f_1(x)$의 그래프는 직선 $y = x$에 대칭이고, 점 $(1, 1)$을 지나므로

$f_1(x) = x$ 또는 $f_1(x) = -x + 2$이다.

　　$\therefore f_1(x) = x$, $f_2(x) = x$ 또는

　　　$f_1(x) = -x + 2$, $f_2(x) = x$

(ii) $f_1 \circ f_2 = f_2$일 때

　　$(f_1 \circ f_2) \circ f_2^{-1} = f_2 \circ f_2^{-1}$에서

$f_1 = I$ (항등함수)

이때 $f_1 \circ f_1 = I = f_1$, $f_2 \circ f_1 = f_2 \circ I = f_2$

$f_2 \circ f_2 = f_2$이면 $f_2^{-1} \circ (f_2 \circ f_2) = f_2^{-1} \circ f_2$에서 $f_2 = I$

$f_2 \circ f_2 = f_1 = I$이면 $f_2^{-1} = f_2$이므로 $y = f_2(x)$의 그래프는 직선 $y = x$에 대칭이고, 점 $(1, 1)$을 지나므로

$f_2(x) = x$ 또는 $f_2(x) = -x + 2$이다.

　　$\therefore f_1(x) = x$, $f_2(x) = x$ 또는

　　　$f_1(x) = x$, $f_2(x) = -x + 2$

(i), (ii)에 의하여 순서쌍 (f_1, f_2)의 개수는 3이다.

04

해결전략 | 함수 $y = f(x)$의 그래프가 $x = 1$에서 꺾였으므로 $x = 1$을 기준으로 $0 \leq x < 1$일 때와 $1 \leq x \leq 3$일 때로 나누어 함수의 식을 각각 구한다.

STEP 1 $f(x) = t$로 치환하여 주어진 방정식 표현하기

x의 값의 범위에 따라 함수 $f(x)$를 구하면 다음과 같다.

$$f(x) = \begin{cases} -3x + 3 & (0 \leq x < 1) \\ \dfrac{1}{2}x - \dfrac{1}{2} & (1 \leq x \leq 3) \end{cases}$$

$f(x) = t$ ($0 \leq t \leq 3$)로 놓으면

$f(f(x)) = 2 - f(x)$에서 $f(t) = 2 - t$

STEP 2 t의 값 구하기

(i) $0 \leq t < 1$일 때

　　$-3t + 3 = 2 - t$, $2t = 1$

　　$\therefore t = \dfrac{1}{2}$

(ii) $1 \leq t \leq 3$일 때

　　$\dfrac{1}{2}t - \dfrac{1}{2} = 2 - t$, $\dfrac{3}{2}t = \dfrac{5}{2}$

　　$\therefore t = \dfrac{5}{3}$

(i), (ii)에 의하여

$f(x) = \dfrac{1}{2}$ 또는 $f(x) = \dfrac{5}{3}$

STEP3 방정식을 만족시키는 서로 다른 실근의 개수 구하기

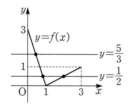

위의 그림과 같이 함수 $y=f(x)$의 그래프와 직선 $y=\dfrac{1}{2}$ 은 서로 다른 두 점에서 만나고, 함수 $y=f(x)$의 그래프 와 직선 $y=\dfrac{5}{3}$는 한 점에서 만나므로 방정식 $f(f(x))=2-f(x)$의 서로 다른 실근의 개수는 3이다.

05

해결전략 | 역함수의 성질을 이용하여 보기의 참, 거짓을 판별한다.

ㄱ. $f(a)+f(b)=f(ab)$에서
　$a=b=1$이면
　$f(1)+f(1)=f(1)$, 즉 $f(1)=0$
　$\therefore g(0)=1$ (참)

ㄴ. $f(a)=a'$, $f(b)=b'$ (a', b'은 실수)로 놓으면
　$a=g(a')$, $b=g(b')$
　$\therefore ab=g(a')g(b')$　　　……㉠
　$g(x)$는 $f(x)$의 역함수이므로
　$ab=g(f(ab))$
　　$=g(f(a)+f(b))$
　　$=g(a'+b')$　　　……㉡
　㉠, ㉡에서 $g(a')g(b')=g(a'+b')$
　$\therefore g(p+q)=g(p)g(q)$ (참)

ㄷ. [반례] $p=0$, $q=0$일 때, $g(0)+g(0)=1+1=2$
　$g(0\times0)=g(0)=1$이므로
　$g(0)+g(0)\neq g(0\times0)$
　$\therefore g(p)+g(q)\neq g(pq)$ (거짓)

이상에서 옳은 것은 ㄱ, ㄴ이다.

06

해결전략 | $f(x)$의 역함수가 존재하려면 $f(x)$의 기울기가 양수이거나 음수인 함수이어야 한다.

$f(x)=-3ax+2+|x-2|$에서

(i) $x\geq2$일 때
　$f(x)=-3ax+2+(x-2)$
　　　$=(1-3a)x$　　　……㉠

(ii) $x<2$일 때
　$f(x)=-3ax+2-(x-2)$
　　　$=(-1-3a)x+4$　　　……㉡

함수 $f(x)$가 역함수를 가지기 위해서는 두 직선 ㉠, ㉡의 기울기의 부호가 같아야 하므로
$(1-3a)(-1-3a)>0$에서
$a<-\dfrac{1}{3}$ 또는 $a>\dfrac{1}{3}$

따라서 $a=0$이면 함수 $f(x)$의 역함수가 존재하지 않는다.

07

해결전략 | 함수 $y=f(x)$의 그래프를 보고 $(f^{-1})^n(1)$의 값 의 규칙성을 찾는다.

STEP1 $(f^{-1})^n(1)$의 값의 규칙성 찾기

함수 $y=f(x)$의 그래프에서
$f^{-1}(1)=3$ $(\because f(3)=1)$
$(f^{-1})^2(1)=f^{-1}(f^{-1}(1))=f^{-1}(3)=5$ $(\because f(5)=3)$
$(f^{-1})^3(1)=f^{-1}(5)=4$ $(\because f(4)=5)$
$(f^{-1})^4(1)=f^{-1}(4)=2$ $(\because f(2)=4)$
$(f^{-1})^5(1)=f^{-1}(2)=1$ $(\because f(1)=2)$
$(f^{-1})^6(1)=f^{-1}(1)=3$ $(\because f(3)=1)$
　　　　　$\vdots$

따라서 $(f^{-1})^n(1)$의 값은 3, 5, 4, 2, 1이 이 순서대로 반복된다.

STEP2 $(f^{-1})^{2007}(1)$의 값 구하기
$\therefore (f^{-1})^{2007}(1)=(f^{-1})^{5\times401+2}(1)$
　　　　　　　$=(f^{-1})^2(1)=5$

08

해결전략 | 주어진 함수의 역함수의 그래프를 그린 후, 이들 의 그래프를 이용하여 주어진 식을 만족시키는 x의 값을 구 한다.

STEP1 주어진 함수의 역함수의 그래프 그리기

함수 $y=f^{-1}(x)$의 그래프는 함수 $y=f(x)$의 그래프와 직선 $y=x$에 대하여 대칭이므로 함수 $y=f^{-1}(x)$의 그래 프는 다음 그림과 같다.

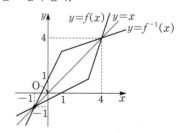

$\{f(x)\}^2=f(x)f^{-1}(x)$에서

$\{f(x)\}^2-f(x)f^{-1}(x)=0$

$f(x)\{f(x)-f^{-1}(x)\}=0$

$\therefore f(x)=0$ 또는 $f(x)=f^{-1}(x)$

$f(x)=0$에서 $x=1$

$f(x)=f^{-1}(x)$에서 $x=-1$ 또는 $x=4$

따라서 조건을 만족시키는 모든 실수 x의 값의 합은

$1+(-1)+4=4$

 유리식과 유리함수

개념확인 168~169쪽

01 답 (1) $-\dfrac{2}{(x-4)(x-6)}$　(2) $\dfrac{x-2}{x(x+1)}$

(1) $\dfrac{x-3}{x-4}-\dfrac{x-5}{x-6}=\dfrac{(x-4)+1}{x-4}-\dfrac{(x-6)+1}{x-6}$

$\qquad\qquad\qquad\quad=1+\dfrac{1}{x-4}-1-\dfrac{1}{x-6}$

$\qquad\qquad\qquad\quad=\dfrac{1}{x-4}-\dfrac{1}{x-6}$

$\qquad\qquad\qquad\quad=\dfrac{x-6-(x-4)}{(x-4)(x-6)}$

$\qquad\qquad\qquad\quad=-\dfrac{2}{(x-4)(x-6)}$

(2) $\dfrac{x-1}{x^2+3x+2}\times\dfrac{x^2-4}{x^2-x}$

$\quad=\dfrac{x-1}{(x+1)(x+2)}\times\dfrac{(x-2)(x+2)}{x(x-1)}$

$\quad=\dfrac{x-2}{x(x+1)}$

02 답 (1) $\dfrac{1}{x+1}$　(2) $\dfrac{x^2}{x+1}$

(1) $\dfrac{1}{x}-\dfrac{1}{x(x+1)}=\dfrac{1}{x}-\left(\dfrac{1}{x}-\dfrac{1}{x+1}\right)$

$\qquad\qquad\qquad=\dfrac{1}{x}-\dfrac{1}{x}+\dfrac{1}{x+1}$

$\qquad\qquad\qquad=\dfrac{1}{x+1}$

(2) $\dfrac{x}{1+\dfrac{1}{x}}=\dfrac{x}{\dfrac{x+1}{x}}=\dfrac{\dfrac{x}{1}}{\dfrac{x+1}{x}}=\dfrac{x^2}{x+1}$

03 답 풀이 참조

(1) $y=\dfrac{2}{x}$의 그래프는 오른쪽 그림과
　같다.

　$\therefore$ 정의역: $\{x\,|\,x\neq0$인 실수$\}$

　　치역: $\{y\,|\,y\neq0$인 실수$\}$

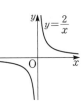

(2) $y=-\dfrac{4}{x}$의 그래프는 오른쪽 그림
　과 같다.

　$\therefore$ 정의역: $\{x\,|\,x\neq0$인 실수$\}$

　　치역: $\{y\,|\,y\neq0$인 실수$\}$

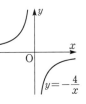

04 답 풀이 참조

(1) $y=\dfrac{1}{x-1}+2$의 그래프는

오른쪽 그림과 같다.

∴ 정의역: $\{x\,|\,x\neq 1$인 실수$\}$

치역: $\{y\,|\,y\neq 2$인 실수$\}$

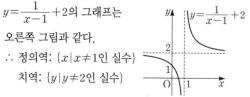

(2) $y=\dfrac{2x-3}{x+1}$

$=\dfrac{2(x+1)-5}{x+1}$

$=-\dfrac{5}{x+1}+2$

의 그래프는 오른쪽 그림과 같다.

∴ 정의역: $\{x\,|\,x\neq -1$인 실수$\}$

치역: $\{y\,|\,y\neq 2$인 실수$\}$

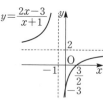

필수유형 01   171쪽

01-1 답 $a=1,\ b=1$

해결전략 | 좌변을 통분한 후, 양변의 분자를 비교하여 미지수의 값을 구한다.

STEP1 좌변 통분하기

$\dfrac{a}{x+1}+\dfrac{b}{x+2}=\dfrac{a(x+2)+b(x+1)}{(x+1)(x+2)}$

$=\dfrac{(a+b)x+2a+b}{(x+1)(x+2)}$

STEP2 $a,\ b$의 값 구하기

$\therefore \dfrac{(a+b)x+2a+b}{(x+1)(x+2)}=\dfrac{2x+3}{(x+1)(x+2)}$

위의 등식은 x에 대한 항등식이므로

$a+b=2,\ 2a+b=3$

위의 두 식을 연립하여 풀면 $a=1,\ b=1$

01-2 답 (1) $\dfrac{x-3}{x+5}$ (2) 25

해결전략 | (1) $\dfrac{B}{A}\div\dfrac{D}{C}=\dfrac{B}{A}\times\dfrac{C}{D}$임을 이용한다.

(2) $x^2-2x-1=0$의 양변을 x로 나눈 식을 이용한다.

(1) $\dfrac{x^2-4}{x^2+4x-5}\div\dfrac{x+2}{x^2-4x+3}\times\dfrac{1}{x-2}$

$=\dfrac{x^2-4}{x^2+4x-5}\times\dfrac{x^2-4x+3}{x+2}\times\dfrac{1}{x-2}$

$=\dfrac{(x+2)(x-2)}{(x+5)(x-1)}\times\dfrac{(x-1)(x-3)}{x+2}\times\dfrac{1}{x-2}$

$=\dfrac{x-3}{x+5}$

(2) $x\neq 0$이므로 $x^2-2x-1=0$의 양변을 x로 나누면

$x-2-\dfrac{1}{x}=0$이므로 $x-\dfrac{1}{x}=2$

$\therefore 4x^2+x-1-\dfrac{1}{x}+\dfrac{4}{x^2}$

$=4\left(x^2+\dfrac{1}{x^2}\right)+x-\dfrac{1}{x}-1$

$=4\left\{\left(x-\dfrac{1}{x}\right)^2+2\right\}+x-\dfrac{1}{x}-1$

$=4(4+2)+2-1=25$

◎ **풍쌤의 비법**

$x^2-2x-1=0$에 $x=0$을 대입하면 $-1=0$이므로 모순이다. 따라서 $x\neq 0$이다.

01-3 답 -2

해결전략 | $\dfrac{6x+a}{3x-1}=k\ (k\neq 0)$로 놓고 항등식의 성질을 이용한다.

STEP1 $\dfrac{6x+a}{3x-1}=k\ (k\neq 0)$로 놓고 정리하기

$\dfrac{6x+a}{3x-1}=k\ (k\neq 0)$로 놓으면

$6x+a=k(3x-1)$

x에 대하여 정리하면

$(6-3k)x+a+k=0$

STEP2 a의 값 구하기

위의 등식은 x에 대한 항등식이므로

$6-3k=0,\ a+k=0$

$\therefore k=2,\ a=-2$

◎→ **다른 풀이**

해결전략 | 분자를 분모로 나누어 분자의 차수를 낮춘 후, 일정한 값을 갖기 위한 조건을 생각해 본다.

STEP1 분자를 분모로 나누기

$\dfrac{6x+a}{3x-1}=\dfrac{2(3x-1)+2+a}{3x-1}=2+\dfrac{2+a}{3x-1}$

STEP2 a의 값 구하기

위 식의 값이 일정한 값이 되려면 분자인 $2+a$의 값이 0이 되어야 한다.

$\therefore a=-2$

01-4 답 32

해결전략 | 주어진 식을 정리하여 a와 b 사이의 관계식을 구한다.

STEP1 a와 b 사이의 관계식 구하기

$\dfrac{a-b}{b}=\dfrac{b-a}{a}$에서 $a(a-b)=b(b-a)$

$a^2-ab=b^2-ab$

$a^2-b^2=0$, $(a-b)(a+b)=0$

$\therefore a=b$ 또는 $a=-b$

STEP2 $\dfrac{b}{a}+\dfrac{a}{b}$의 값 구하기

(i) $a=b$일 때, $\dfrac{b}{a}+\dfrac{a}{b}=2$

(ii) $a=-b$일 때, $\dfrac{b}{a}+\dfrac{a}{b}=-2$

STEP3 $4(\alpha^2+\beta^2)$의 값 구하기

따라서 $\alpha=2$, $\beta=-2$ 또는 $\alpha=-2$, $\beta=2$이므로

$4(\alpha^2+\beta^2)=4(4+4)=32$

01-5 답 6

해결전략 | 분수식이 정수가 되기 위한 조건을 알아본다.

STEP1 분자를 분모로 나누기

$n^3+6n^2+15n+14$를 $n+1$로 나누면 몫이

$n^2+5n+10$, 나머지가 4이

므로

$$\begin{array}{r|rrrr} -1 & 1 & 6 & 15 & 14 \\ & & -1 & -5 & -10 \\ \hline & 1 & 5 & 10 & 4 \end{array}$$

$n^3+6n^2+15n+14=(n+1)(n^2+5n+10)+4$

$\therefore \dfrac{n^3+6n^2+15n+14}{n+1}=n^2+5n+10+\dfrac{4}{n+1}$

STEP2 n의 개수 구하기

이 값이 정수이기 위해서는 $\dfrac{4}{n+1}$의 값이 정수이면 되므로 $n+1$이 4의 약수이면 된다.

따라서 정수 n은 -5, -3, -2, 0, 1, 3의 6개이다.

01-6 답 46

해결전략 | 분자를 분모로 나누어 분자의 차수를 낮춘 후, 통분한다.

STEP1 주어진 식의 좌변에서 분자를 분모로 나누어 분자의 차수 낮추기

$\dfrac{2x+3}{x+1}-\dfrac{3x+10}{x+3}+\dfrac{3x+16}{x+5}-\dfrac{2x+15}{x+7}$

$=\dfrac{2(x+1)+1}{x+1}-\dfrac{3(x+3)+1}{x+3}+\dfrac{3(x+5)+1}{x+5}$

$\qquad\qquad\qquad\qquad -\dfrac{2(x+7)+1}{x+7}$

$=\left(2+\dfrac{1}{x+1}\right)-\left(3+\dfrac{1}{x+3}\right)+\left(3+\dfrac{1}{x+5}\right)$

$\qquad\qquad\qquad\qquad -\left(2+\dfrac{1}{x+7}\right)$

$=\dfrac{1}{x+1}-\dfrac{1}{x+3}+\dfrac{1}{x+5}-\dfrac{1}{x+7}$

STEP2 통분하기

$=\dfrac{2}{(x+1)(x+3)}+\dfrac{2}{(x+5)(x+7)}$

$=\dfrac{2(x+5)(x+7)+2(x+1)(x+3)}{(x+1)(x+3)(x+5)(x+7)}$

$=\dfrac{4x^2+32x+76}{(x+1)(x+3)(x+5)(x+7)}$

STEP3 $f(x)$ 구하기

$\therefore \dfrac{4x^2+32x+76}{(x+1)(x+3)(x+5)(x+7)}$

$\qquad =\dfrac{f(x)+x+3}{(x+1)(x+3)(x+5)(x+7)}$

위의 등식은 x에 대한 항등식이므로

$f(x)+x+3=4x^2+32x+76$

$\therefore f(x)=4x^2+31x+73$

STEP4 $f(-1)$의 값 구하기

$\therefore f(-1)=4-31+73=46$

필수유형 **02**   173쪽

02-1 답 $\dfrac{4}{x(x+4)}$

해결전략 | 부분분수로 변형하여 주어진 식을 간단히 한다.

$\dfrac{a}{x(x+a)}+\dfrac{b-a}{(x+a)(x+b)}+\dfrac{4-b}{(x+b)(x+4)}$

$=\left(\dfrac{1}{x}-\dfrac{1}{x+a}\right)+\left(\dfrac{1}{x+a}-\dfrac{1}{x+b}\right)$

$\qquad\qquad\qquad\qquad +\left(\dfrac{1}{x+b}-\dfrac{1}{x+4}\right)$

$=\dfrac{1}{x}-\dfrac{1}{x+4}=\dfrac{(x+4)-x}{x(x+4)}$

$=\dfrac{4}{x(x+4)}$

02-2 답 $2-\sqrt{3}$

해결전략 | 번분수식을 간단히 한 후, x^2 대신에 $\sqrt{3}$을 대입한다.

$\dfrac{x-\dfrac{1}{x}}{x+\dfrac{1}{x}}=\dfrac{\dfrac{x^2-1}{x}}{\dfrac{x^2+1}{x}}=\dfrac{x^2-1}{x^2+1}$

$\qquad =\dfrac{\sqrt{3}-1}{\sqrt{3}+1}=\dfrac{4-2\sqrt{3}}{2}=2-\sqrt{3}$

02-3 답 $a=-1$, $b=-1$

해결전략 | 좌변을 간단히 한 후, 항등식의 성질을 이용하여 a, b의 값을 구한다.

STEP1 좌변 간단히 하기

$$\frac{1}{\dfrac{1}{x+\dfrac{1}{x}}-1}=\frac{1}{\dfrac{1}{\dfrac{x^2+1}{x}}-1}=\frac{1}{\dfrac{x}{x^2+1}-1}$$

$$=\frac{1}{\dfrac{x-(x^2+1)}{x^2+1}}=\frac{x^2+1}{-x^2+x-1}$$

STEP2 a, b의 값 구하기

$$\therefore \frac{x^2+1}{-x^2+x-1}=-\frac{x^2+1}{x^2+ax-b}$$

위의 등식이 x에 대한 항등식이므로

$$a=-1,\ b=-1$$

02-4 $\boxed{\text{답}}\ \dfrac{102}{103}$

해결전략 | $f(x)$를 부분분수로 변형한 후, 식의 값을 구한다.

STEP1 $f(x)$를 부분분수로 변형하기

$$f(x)=\frac{2}{x(x+2)}=\frac{1}{x}-\frac{1}{x+2}$$

STEP2 식의 값 구하기

$$f(1)+f(3)+\cdots+f(101)$$

$$=\left(\frac{1}{1}-\frac{1}{3}\right)+\left(\frac{1}{3}-\frac{1}{5}\right)+\cdots+\left(\frac{1}{101}-\frac{1}{103}\right)$$

$$=1-\frac{1}{103}=\frac{102}{103}$$

02-5 $\boxed{\text{답}}\ 12$

해결전략 | 주어진 분수를 번분수식의 성질을 이용하여 몫과 나머지로 분리한다.

STEP1 분수를 번분수식으로 변형하기

$$\frac{105}{43}=2+\frac{19}{43}=2+\frac{1}{\dfrac{43}{19}}$$

$$=2+\frac{1}{2+\dfrac{5}{19}}=2+\frac{1}{2+\dfrac{1}{\dfrac{19}{5}}}$$

$$=2+\frac{1}{2+\dfrac{1}{3+\dfrac{4}{5}}}=2+\frac{1}{2+\dfrac{1}{3+\dfrac{1}{\dfrac{5}{4}}}}$$

$$=2+\frac{1}{2+\dfrac{1}{3+\dfrac{1}{1+\dfrac{1}{4}}}}$$

STEP2 $a+b+c+d+e$의 값 구하기

따라서 $a=2$, $b=2$, $c=3$, $d=1$, $e=4$이므로

$$a+b+c+d+e=2+2+3+1+4=12$$

02-6 $\boxed{\text{답}}\ 63$

해결전략 | 좌변의 각 항을 부분분수로 변형하여 주어진 식을 간단히 한다.

STEP1 좌변의 분모를 인수분해하여 부분분수로 변형하기

$$\frac{6}{x^2-1}+\frac{12}{x^2-4}+\frac{18}{x^2-9}+\cdots+\frac{120}{x^2-400}$$

$$=\frac{6}{(x-1)(x+1)}+\frac{12}{(x-2)(x+2)}$$
$$+\cdots+\frac{120}{(x-20)(x+20)}$$

$$=3\left(\frac{1}{x-1}-\frac{1}{x+1}\right)+3\left(\frac{1}{x-2}-\frac{1}{x+2}\right)$$
$$+\cdots+3\left(\frac{1}{x-20}-\frac{1}{x+20}\right)$$

STEP2 k의 값 구하기

$$=3\left\{\left(\frac{1}{x-1}-\frac{1}{x+20}\right)+\left(\frac{1}{x-2}-\frac{1}{x+19}\right)\right.$$
$$\left.+\cdots+\left(\frac{1}{x-20}-\frac{1}{x+1}\right)\right\}$$

$$=3\left\{\frac{21}{(x-1)(x+20)}+\frac{21}{(x-2)(x+19)}\right.$$
$$\left.+\cdots+\frac{21}{(x-20)(x+1)}\right\}$$

$$=63\left\{\frac{1}{(x-1)(x+20)}+\frac{1}{(x-2)(x+19)}\right.$$
$$\left.+\cdots+\frac{1}{(x-20)(x+1)}\right\}$$

$$\therefore k=63$$

필수유형 03 175쪽

03-1 $\boxed{\text{답}}\ -\dfrac{7}{13}$

해결전략 | y, z를 x로 나타낸 후, 식의 값을 구한다.

STEP1 y, z를 x로 나타내기

$$\begin{cases} x+y+z=0 & \cdots\cdots\ \text{㉠} \\ 3x+y+2z=0 & \cdots\cdots\ \text{㉡} \end{cases}$$

㉡$-$㉠을 하면 $2x+z=0$ $\therefore z=-2x$

㉡$-$㉠$\times2$를 하면 $x-y=0$ $\therefore y=x$

STEP2 식의 값 구하기

$$\therefore \frac{2x+3y-z}{x-4y+5z}=\frac{2x+3x-(-2x)}{x-4x+5\times(-2x)}$$

$$=\frac{7x}{-13x}$$

$$=-\frac{7}{13}$$

03-2 답 35

해결전략 | $\dfrac{x}{2}=\dfrac{y}{3}=\dfrac{z}{4}=k\ (k\neq0)$로 놓고, x,y,z를 k로 나타낸다.

STEP1 x, y, z를 k로 나타내기

$\dfrac{x}{2}=\dfrac{y}{3}=\dfrac{z}{4}=k\ (k\neq0)$로 놓으면

$x=2k,\ y=3k,\ z=4k$

STEP2 식의 값 구하기

$$\therefore \dfrac{x^2+2y^2+3z^2}{xy-yz+zx}=\dfrac{4k^2+18k^2+48k^2}{6k^2-12k^2+8k^2}$$
$$=\dfrac{70k^2}{2k^2}=35$$

03-3 답 6

해결전략 | 비례식을 분수식으로 나타낸 후, 비율을 k로 놓고 x, y, z를 k로 나타낸다.

STEP1 비례식을 분수식으로 나타내기

$(x+y):(y+z):(z+x)=5:3:4$이므로

$\dfrac{x+y}{5}=\dfrac{y+z}{3}=\dfrac{z+x}{4}$

STEP2 비율을 k로 놓고 x, y, z를 k로 나타내기

$\dfrac{x+y}{5}=\dfrac{y+z}{3}=\dfrac{z+x}{4}=k(k\neq0)$로 놓으면

$\begin{cases} x+y=5k & \cdots\cdots\ \text{㉠} \\ y+z=3k & \cdots\cdots\ \text{㉡} \\ z+x=4k & \cdots\cdots\ \text{㉢} \end{cases}$

㉠+㉡+㉢을 하면

$2(x+y+z)=12k$

$\therefore x+y+z=6k \qquad \cdots\cdots\ \text{㉣}$

㉣-㉡, ㉣-㉢, ㉣-㉠을 각각 하면

$x=3k,\ y=2k,\ z=k$

STEP3 식의 값 구하기

$$\therefore \dfrac{(x+y+z)^3}{x^3+y^3+z^3}=\dfrac{(3k+2k+k)^3}{(3k)^3+(2k)^3+k^3}=\dfrac{216k^3}{36k^3}=6$$

03-4 답 29

해결전략 | 합격자와 불합격자의 비율을 남자와 여자로 나누어 본 후, 수험생의 합격률을 구한다.

STEP1 주어진 조건 정리하기

주어진 조건을 다음 표와 같이 놓으면

	남자	여자
합격자(명)	$4l$	$3l$
불합격자(명)	m	$2m$

(남자 수험생의 수)$=4l+m$

(여자 수험생의 수)$=3l+2m$

전체 수험생의 남녀의 비가 $5:4$이므로

$(4l+m):(3l+2m)=5:4$

$5(3l+2m)=4(4l+m)\qquad \therefore l=6m \qquad \cdots\cdots\ \text{㉠}$

STEP2 수험생의 합격률 구하기

$\therefore$ (수험생의 합격률)$=\dfrac{(\text{합격한 수험생의 수})}{(\text{전체 수험생의 수})}$

$$=\dfrac{4l+3l}{(4l+m)+(3l+2m)}$$
$$=\dfrac{7l}{7l+3m}\ (\because \text{㉠})$$
$$=\dfrac{7\times6m}{7\times6m+3m}=\dfrac{14}{15}$$

STEP3 $p+q$의 값 구하기

따라서 수험생의 합격률은 $\dfrac{14}{15}$이므로

$p=15,\ q=14 \qquad \therefore p+q=15+14=29$

03-5 답 16

해결전략 | 주어진 식을 k로 놓고 xy, yz, zx를 각각 k로 나타낸다.

STEP1 xy, yz, zx를 k로 나타내기

$\dfrac{x(y+z)}{80}=\dfrac{y(z+x)}{98}=\dfrac{z(x+y)}{108}=k\ (k\neq0)$로 놓으면

$xy+zx=80k \qquad \cdots\cdots\ \text{㉠}$

$yz+xy=98k \qquad \cdots\cdots\ \text{㉡}$

$zx+yz=108k \qquad \cdots\cdots\ \text{㉢}$

㉠+㉡+㉢을 하면

$2(xy+yz+zx)=286k$

$\therefore xy+yz+zx=143k \qquad \cdots\cdots\ \text{㉣}$

㉣-㉢, ㉣-㉠, ㉣-㉡을 각각 하면

$xy=35k,\ yz=63k,\ zx=45k$

STEP2 $x:y:z$ 구하기

$x=\dfrac{45}{z}k,\ y=\dfrac{63}{z}k$에서

$x:y=\dfrac{45}{z}k:\dfrac{63}{z}k=5:7$

$y=\dfrac{35}{x}k,\ z=\dfrac{45}{x}k$에서

$y:z=\dfrac{35}{x}k:\dfrac{45}{x}k=7:9$

$\therefore x:y:z=5:7:9$

STEP3 $m+n$의 값 구하기

따라서 $m=7,\ n=9$이므로

$m+n=7+9=16$

03-6 답 930

해결전략 | 두 자동차 A, B의 연비를 각각 $4a$ km/L,
$5a$ km/L $(a \neq 0)$, 연료 탱크의 용량을 각각 $4k$ L, $3k$ L
$(k \neq 0)$로 놓고 관계식을 세운다.

STEP1 남아 있는 연료의 양을 문자로 나타내기

두 자동차 A, B의 연비를 각각 $4a$ km/L, $5a$ km/L
$(a \neq 0)$, 연료 탱크의 용량을 각각 $4k$ L, $3k$ L $(k \neq 0)$
로 놓으면 400 km를 달린 후 남아 있는 연료의 양은

A 자동차: $4k - \dfrac{400}{4a}$ (L)

B 자동차: $3k - \dfrac{400}{5a}$ (L)

STEP2 남아 있는 연료의 양이 2:1임을 이용하여 k를 a로 나타내기

$$\left(4k - \dfrac{400}{4a}\right) : \left(3k - \dfrac{400}{5a}\right) = 2 : 1$$

$$6k - \dfrac{800}{5a} = 4k - \dfrac{400}{4a} \qquad \therefore k = \dfrac{30}{a}$$

STEP3 x의 값 구하기

따라서 A, B 두 자동차에 연료를 가득 채우고 달릴 수
있는 거리는 각각

$$4k \times 4a = 16ak = 16a \times \dfrac{30}{a} = 480 \text{ (km)}$$

$$3k \times 5a = 15ak = 15a \times \dfrac{30}{a} = 450 \text{ (km)}$$

이므로 거리의 합은

$480 + 450 = 930$ (km)

$\therefore x = 930$

필수유형 04 177쪽

04-1 답 (1) $x = -1$, $y = 3$ (2) $\left(\dfrac{3}{2}, 1\right)$

해결전략 | 유리함수의 식을 $y = \dfrac{k}{x-p} + q \ (k \neq 0)$의 꼴로
변형하여 점근선의 방정식을 구한다.

(1) $y = \dfrac{3x+5}{x+1} = \dfrac{3(x+1)+2}{x+1} = \dfrac{2}{x+1} + 3$

이므로 그래프의 점근선의 방정식은

$x = -1$, $y = 3$

(2) $y = \dfrac{2x-4}{2x-3} = \dfrac{2x-3-1}{2x-3} = -\dfrac{1}{2x-3} + 1$

이므로 그래프의 점근선의 방정식은

$x = \dfrac{3}{2}$, $y = 1$

따라서 두 점근선의 교점의 좌표는 $\left(\dfrac{3}{2}, 1\right)$

04-2 답 0

해결전략 | $y = \dfrac{k}{x-p} + q \ (k \neq 0)$의 그래프의 점근선의 방
정식은 $x = p$, $y = q$임을 이용한다.

STEP1 점근선의 방정식 구하기

$$y = \dfrac{4x+1}{2x-a} = \dfrac{2(2x-a)+2a+1}{2x-a} = \dfrac{2a+1}{2x-a} + 2$$

이므로 점근선의 방정식은

$x = \dfrac{a}{2}$, $y = 2$

STEP2 $a-b$의 값 구하기

따라서 $\dfrac{a}{2} = 1$, $b = 2$이므로 $a = 2$, $b = 2$

$\therefore a - b = 2 - 2 = 0$

◉→ 다른 풀이

해결전략 | $y = \dfrac{ax+b}{cx+d}$의 그래프의 점근선의 방정식은
$x = -\dfrac{d}{c}$, $y = \dfrac{a}{c}$임을 이용한다.

$y = \dfrac{4x+1}{2x-a}$의 그래프의 점근선의 방정식은

$x = \dfrac{a}{2}$, $y = 2$

따라서 $\dfrac{a}{2} = 1$, $b = 2$이므로 $a = 2$, $b = 2$

$\therefore a - b = 2 - 2 = 0$

04-3 답 8

해결전략 | 주어진 두 함수의 그래프의 점근선의 방정식을 각
각 구한 후, 이들이 같음을 이용하여 a, b의 값을 구한다.

STEP1 $y = \dfrac{3x+5}{x+1}$의 그래프의 점근선의 방정식 구하기

$$y = \dfrac{3x+5}{x+1} = \dfrac{3(x+1)+2}{x+1} = \dfrac{2}{x+1} + 3$$

이므로 점근선의 방정식은

$x = -1$, $y = 3$ $\qquad\qquad$ …… ㉠

STEP2 $y = \dfrac{bx-8}{2x+a}$의 그래프의 점근선의 방정식 구하기

$$y = \dfrac{bx-8}{2x+a} = \dfrac{\dfrac{b}{2}(2x+a) - \dfrac{ab}{2} - 8}{2x+a}$$

$$= \dfrac{-\dfrac{ab}{2} - 8}{2x+a} + \dfrac{b}{2}$$

이므로 점근선의 방정식은

$x = -\dfrac{a}{2}$, $y = \dfrac{b}{2}$ $\qquad\qquad$ …… ㉡

STEP3 $a+b$의 값 구하기

이때 ㉠=㉡이므로 $-\dfrac{a}{2} = -1$, $\dfrac{b}{2} = 3$

따라서 $a=2$, $b=6$이므로

$a+b=2+6=8$

04-4 [답] 18

해결전략 | 주어진 두 함수의 그래프의 점근선의 방정식을 구한 후, 점근선을 좌표평면 위에 나타낸다.

STEP1 점근선의 방정식 구하기

$$y=\dfrac{x-1}{x+1}=\dfrac{(x+1)-2}{x+1}=-\dfrac{2}{x+1}+1$$

이므로 점근선의 방정식은

$x=-1$, $y=1$

$$y=\dfrac{ax+1}{x-b}=\dfrac{a(x-b)+ab+1}{x-b}=\dfrac{ab+1}{x-b}+a$$

이므로 점근선의 방정식은 $x=b$, $y=a$

STEP2 점근선으로 둘러싸인 부분의 넓이를 식으로 나타내기

a, b가 자연수이므로 두 함수의 그래프의 점근선은 다음 그림과 같다.

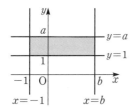

색칠한 부분의 넓이가 17이므로

$(b+1)(a-1)=17$

STEP3 $a+b$의 값 구하기

이때 a, b는 자연수이므로

$b+1=17$, $a-1=1$

따라서 $a=2$, $b=16$이므로

$a+b=2+16=18$

04-5 [답] 4

해결전략 | 그래프가 지나는 점과 점근선의 방정식을 이용하여 미지수의 값을 구한다.

STEP1 b와 c 사이의 관계식 구하기

함수 $y=\dfrac{ax+b}{x+c}$의 그래프가 점 $(0,2)$를 지나므로

$2=\dfrac{b}{c}$ $\therefore b=2c$ …… ㉠

STEP2 점근선의 방정식 구하기

$$y=\dfrac{ax+b}{x+c}=\dfrac{a(x+c)-ac+b}{x+c}=\dfrac{-ac+b}{x+c}+a$$

이므로 점근선의 방정식은

$x=-c$, $y=a$

STEP3 $a-b+c$의 값 구하기

이 함수의 그래프는 두 점근선의 교점 $(-c,a)$에 대하여 대칭이므로

$-c=3$, $a=1$ $\therefore a=1$, $c=-3$

$c=-3$을 ㉠에 대입하면 $b=-6$

$\therefore a-b+c=1+6-3=4$

⊙→ 다른 풀이

주어진 함수의 그래프가 점 $(3,1)$에 대하여 대칭이므로

$$y=\dfrac{k}{x-3}+1 \ (k\neq0)$$

로 놓을 수 있다. 이 그래프가 점 $(0,2)$를 지나므로

$2=-\dfrac{k}{3}+1$ $\therefore k=-3$

따라서 $y=\dfrac{-3}{x-3}+1=\dfrac{-3+(x-3)}{x-3}=\dfrac{x-6}{x-3}$이므로

$a=1$, $b=-6$, $c=-3$

$\therefore a-b+c=1+6-3=4$

04-6 [답] 8

해결전략 | 점근선의 방정식을 이용하여 식을 유추하고, 그래프가 지나는 점을 이용하여 미지수의 값을 구한다.

STEP1 그래프의 식 유추하기

점근선의 방정식이 $x=-2$, $y=4$이므로

$$y=\dfrac{k}{x+2}+4 \ (k\neq0) \qquad\qquad …… ㉠$$

로 놓을 수 있다.

STEP2 k의 값 구하기

㉠의 그래프가 점 $(1,2)$를 지나므로

$2=\dfrac{k}{3}+4$ $\therefore k=-6$

STEP3 $a+b+c$의 값 구하기

$k=-6$을 ㉠에 대입하면

$$y=\dfrac{-6}{x+2}+4=\dfrac{-6+4(x+2)}{x+2}=\dfrac{4x+2}{x+2}$$

따라서 $a=4$, $b=2$, $c=2$이므로

$a+b+c=4+2+2=8$

필수유형 05   179쪽

05-1 [답] 3

해결전략 | x축의 방향으로 a만큼, y축의 방향으로 b만큼 평행이동하면 x 대신 $x-a$, y 대신 $y-b$를 대입한다.

STEP1 평행이동한 그래프의 식 구하기

$$y=\dfrac{3x+1}{x+1}=\dfrac{3(x+1)-2}{x+1}=-\dfrac{2}{x+1}+3$$

이 함수의 그래프를 x축의 방향으로 a만큼, y축의 방향으로 b만큼 평행이동한 그래프의 식은

$$y=-\dfrac{2}{x+1-a}+3+b \quad\cdots\cdots\ ㉠$$

STEP2 그래프의 식 변형하기

한편, $y=\dfrac{4x-6}{x-1}=\dfrac{4(x-1)-2}{x-1}=-\dfrac{2}{x-1}+4$

$$\cdots\cdots\ ㉡$$

STEP3 $a+b$의 값 구하기

㉠과 ㉡이 일치하므로

$1-a=-1$, $3+b=4$

따라서 $a=2$, $b=1$이므로

$a+b=2+1=3$

05-2 답 ⑤

해결전략 | $y=\dfrac{4x-6}{2x-1}$과 각 보기의 함수를 $y=\dfrac{k}{x-p}+q$ $(k\neq0)$의 꼴로 변형했을 때, k의 값이 같은 것을 찾는다.

STEP1 그래프의 식 변형하기

$y=\dfrac{4x-6}{2x-1}=\dfrac{2(2x-1)-4}{2x-1}=-\dfrac{4}{2x-1}+2$

$\quad=-\dfrac{2}{x-\frac{1}{2}}+2$

이므로 그래프를 평행이동하여 $y=\dfrac{4x-6}{2x-1}$의 그래프와 겹쳐지는 유리함수는 $y=-\dfrac{2}{x-p}+q$의 꼴이어야 한다.

STEP2 겹쳐지는 그래프의 식 찾기

① $y=\dfrac{2x-1}{x-3}=\dfrac{2(x-3)+5}{x-3}=\dfrac{5}{x-3}+2$

② $y=\dfrac{2x+5}{2x-1}=\dfrac{(2x-1)+6}{2x-1}=\dfrac{6}{2x-1}+1$

$\quad=\dfrac{3}{x-\frac{1}{2}}+1$

③ $y=\dfrac{2x+8}{x+3}=\dfrac{2(x+3)+2}{x+3}=\dfrac{2}{x+3}+2$

④ $y=\dfrac{x+1}{2-x}=\dfrac{-(2-x)+3}{2-x}=-\dfrac{3}{x-2}-1$

⑤ $y=\dfrac{-x-1}{x-1}=\dfrac{-(x-1)-2}{x-1}=-\dfrac{2}{x-1}-1$

따라서 평행이동에 의하여 주어진 함수의 그래프와 겹쳐질 수 있는 것은 ⑤이다.

05-3 답 ③

해결전략 | 보기의 각 함수를 $y=\dfrac{k}{x-p}+q$ $(k\neq0)$의 꼴로 변형했을 때 k의 값이 같으면 평행이동에 의하여 그래프는 서로 겹쳐진다.

① $y=\dfrac{2x-1}{x}=-\dfrac{1}{x}+2$

② $y=\dfrac{4x-5}{x-1}=\dfrac{4(x-1)-1}{x-1}=-\dfrac{1}{x-1}+4$

③ $y=\dfrac{3x-2}{x-1}=\dfrac{3(x-1)+1}{x-1}=\dfrac{1}{x-1}+3$

④ $y=\dfrac{-3x+8}{x-3}=\dfrac{-3(x-3)-1}{x-3}=-\dfrac{1}{x-3}-3$

⑤ $y=\dfrac{2x-7}{x-3}=\dfrac{2(x-3)-1}{x-3}=-\dfrac{1}{x-3}+2$

따라서 평행이동에 의하여 서로 겹쳐질 수 없는 것은 ③이다.

05-4 답 4

해결전략 | 주어진 함수를 $y=\dfrac{k}{x-p}+q$ $(k\neq0)$의 꼴로 변형하여 k의 값을 구한다.

STEP1 그래프의 식 변형하기

$y=\dfrac{3x+1}{x-1}=\dfrac{3(x-1)+4}{x-1}=\dfrac{4}{x-1}+3$

STEP2 k의 값 구하기

따라서 $y=\dfrac{4}{x}$의 그래프를 x축의 방향으로 1만큼, y축의 방향으로 3만큼 평행이동하면 $y=\dfrac{3x+1}{x-1}$의 그래프와 겹쳐지므로

$k=4$

05-5 답 2

해결전략 | 주어진 함수를 $y=\dfrac{k}{x-p}+q$ $(k\neq0)$의 꼴로 변형하여 평행이동한 값을 구한다.

STEP1 그래프의 식 변형하기

$y=\dfrac{-2x+5}{x-1}=\dfrac{-2(x-1)+3}{x-1}=\dfrac{3}{x-1}-2$

STEP2 평행이동한 값 구하기

따라서 $y=\dfrac{-2x+5}{x-1}$의 그래프는 $y=\dfrac{3}{x}$의 그래프를 x축의 방향으로 1만큼, y축의 방향으로 -2만큼 평행이동한 것이다.

STEP3 $k+p+q$의 값 구하기

즉, $k=3$, $p=1$, $q=-2$이므로

$k+p+q=3+1-2=2$

05-6 답 7

해결전략 | 주어진 함수를 $y=\dfrac{k}{m(x-p)}+q$ $(k\neq0)$의 꼴로 변형하여 평행이동한 값을 구한다.

STEP1 그래프의 식 변형하기

$$y = \frac{5x-1}{2x-1} = \frac{\frac{5}{2}(2x-1) + \frac{3}{2}}{2x-1}$$

$$= \frac{\frac{3}{2}}{2x-1} + \frac{5}{2} = \frac{3}{4\left(x - \frac{1}{2}\right)} + \frac{5}{2}$$

STEP2 평행이동한 값 구하기

따라서 주어진 함수의 그래프는 $y = \dfrac{3}{4x}$의 그래프를 x축의 방향으로 $\dfrac{1}{2}$만큼, y축의 방향으로 $\dfrac{5}{2}$만큼 평행이동한 것이다.

STEP3 $m+a+b$의 값 구하기

즉, $m=4$, $a=\dfrac{1}{2}$, $b=\dfrac{5}{2}$이므로

$$m+a+b = 4 + \frac{1}{2} + \frac{5}{2} = 7$$

필수유형 06　　　　　　　　　　181쪽

06-1　답 20

해결전략 | 점근선의 교점에 대하여 함수의 그래프가 대칭임을 이용한다.

STEP1 점근선의 방정식 구하기

$$y = \frac{4x-5}{-x+2} = \frac{-4(-x+2)+3}{-x+2} = -\frac{3}{x-2} - 4$$

이므로 점근선의 방정식은

$$x=2, \ y=-4$$

STEP2 a^2+b^2의 값 구하기

이 함수의 그래프는 두 점근선의 교점 $(2, -4)$에 대하여 대칭이므로 $a=2$, $b=-4$

$$\therefore a^2+b^2 = 4+16 = 20$$

06-2　답 −3

해결전략 | 주어진 함수의 그래프의 점근선의 교점이 직선 $y=x$ 위에 있음을 이용한다.

STEP1 점근선의 방정식 구하기

$$f(x) = \frac{kx}{x+3} = \frac{k(x+3)-3k}{x+3} = -\frac{3k}{x+3} + k$$

이므로 점근선의 방정식은

$$x=-3, \ y=k$$

STEP2 k의 값 구하기

이때 두 점근선의 교점 $(-3, k)$가 직선 $y=x$ 위의 점이므로 $k=-3$

다른 풀이

STEP1 평행이동 알기

$$y = \frac{kx}{x+3} = \frac{k(x+3)-3k}{x+3} = -\frac{3k}{x+3} + k$$

의 그래프는 $y = -\dfrac{3k}{x}$의 그래프를 x축의 방향으로 -3만큼, y축의 방향으로 k만큼 평행이동한 것이다.

STEP2 k의 값 구하기

직선 $y=x$를 x축의 방향으로 -3만큼, y축의 방향으로 k만큼 평행이동한 직선의 방정식은

$$y-k = x+3, \ y = x+3+k$$

이 식이 $y=x$와 같으므로

$$3+k=0$$

$$\therefore k=-3$$

06-3　답 5

해결전략 | 주어진 함수의 그래프의 점근선의 교점이 직선 $y=-x+k$ 위에 있음을 이용한다.

STEP1 점근선의 방정식 구하기

$$y = \frac{3x-4}{x-2} = \frac{3(x-2)+2}{x-2} = \frac{2}{x-2} + 3$$

이므로 점근선의 방정식은

$$x=2, \ y=3$$

STEP2 k의 값 구하기

주어진 함수의 그래프는 두 점근선의 교점 $(2, 3)$에 대하여 대칭이므로 직선 $y=-x+k$는 점 $(2, 3)$을 지난다.

즉, $3=-2+k$이므로 $k=5$

06-4　답 3

해결전략 | 주어진 함수의 그래프의 점근선의 교점은 직선 $y=\pm x+n$ (n은 상수) 위의 점임을 이용한다.

STEP1 점근선의 방정식 구하기

$$y = \frac{3x-1}{x-1} = \frac{3(x-1)+2}{x-1} = \frac{2}{x-1} + 3$$

이므로 점근선의 방정식은

$$x=1, \ y=3$$

STEP2 대칭인 직선의 방정식 구하기

주어진 함수의 그래프는 기울기가 ± 1인 직선에 대하여 대칭이므로

$$y = \pm x + b$$

위의 직선이 두 점근선의 교점 $(1, 3)$을 지나므로

$$3=1+b, \ 3=-1+b$$

$$\therefore b=2 \ 또는 \ b=4$$

즉, 직선의 방정식은 $y=x+2$, $y=-x+4$이다.

STEP3 $a+b$의 값 구하기

따라서 $a=1$, $b=2$ 또는 $a=-1$, $b=4$이므로

$a+b=3$

06-5 답 -5

해결전략 | 주어진 함수의 그래프의 두 점근선의 교점이 두 직선 $y=x+2$, $y=-x-3$ 위에 있음을 이용한다.

STEP1 점근선의 교점 구하기

$$y=\frac{ax+1}{x+b}$$
$$=\frac{a(x+b)-ab+1}{x+b}$$
$$=\frac{-ab+1}{x+b}+a$$

따라서 주어진 함수의 그래프는 두 점근선 $x=-b$, $y=a$의 교점 $(-b,\ a)$를 지나고 기울기가 ±1인 직선에 대하여 대칭이다.

STEP2 $4ab$의 값 구하기

즉, 점 $(-b,\ a)$가 두 직선 $y=x+2$, $y=-x-3$ 위의 점이므로

$a=-b+2$, $a=b-3$

위의 두 식을 연립하여 풀면

$a=-\dfrac{1}{2}$, $b=\dfrac{5}{2}$

$\therefore 4ab=4\times\left(-\dfrac{1}{2}\right)\times\dfrac{5}{2}=-5$

06-6 답 4

해결전략 | 두 점근선의 교점이 직선 $y=\pm x+r$ 위의 점임을 이용한다.

STEP1 점근선의 방정식 구하기

$$y=\frac{2x+2}{x+4}=\frac{2(x+4)-6}{x+4}=-\frac{6}{x+4}+2$$

이므로 점근선의 방정식은

$x=-4$, $y=2$

STEP2 $p,\ q$의 값 구하기

주어진 함수의 그래프는 두 점근선의 교점 $(-4,\ 2)$에 대하여 대칭이므로

$p=-4$, $q=2$

STEP3 $p+q+r$의 값 구하기

직선 $y=x+r$가 점 $(-4,\ 2)$를 지나므로

$2=-4+r$ $\quad\therefore r=6$

$\therefore p+q+r=-4+2+6=4$

07-1 답 3

해결전략 | 점근선의 방정식을 이용하여 p, q의 값을 구한 후, 그래프가 지나는 점의 좌표를 대입하여 k의 값을 구한다.

STEP1 $p,\ q$의 값 구하기

$y=\dfrac{k}{x-p}+q$의 그래프의 점근선의 방정식이 $x=2$, $y=-1$이므로

$p=2$, $q=-1$

STEP2 k의 값 구하기

따라서 $y=\dfrac{k}{x-2}-1$의 그래프가 점 $(0,\ -2)$를 지나므로

$-2=\dfrac{k}{-2}-1$ $\quad\therefore k=2$

STEP3 $k+p+q$의 값 구하기

$\therefore k+p+q=2+2-1=3$

07-2 답 18

해결전략 | 점근선의 방정식을 이용하여 그래프의 식을 유추한 후, 그래프가 지나는 점의 좌표를 대입하여 그래프의 식을 구한다.

STEP1 그래프의 식 유추하기

주어진 함수의 그래프의 점근선의 방정식이 $x=3$, $y=1$이므로

$$y=\frac{k}{x-3}+1\,(k\neq0) \qquad\qquad \cdots\cdots\ \text{㉠}$$

로 놓을 수 있다.

STEP2 그래프의 식 구하기

㉠의 그래프가 점 $(0,\ 2)$를 지나므로

$2=\dfrac{k}{-3}+1$ $\quad\therefore k=-3$

$k=-3$을 ㉠에 대입하면

$$y=\frac{-3}{x-3}+1$$
$$=\frac{x-3-3}{x-3}$$
$$=\frac{x-6}{x-3}$$

STEP3 abc의 값 구하기

$\dfrac{x-6}{x-3}=\dfrac{ax+b}{x+c}$이므로

$a=1$, $b=-6$, $c=-3$

$\therefore abc=1\times(-6)\times(-3)=18$

07-3 답 -3

해결전략 | 점근선의 방정식과 그래프가 지나는 점의 좌표를 이용하여 $f(x)$를 구한다.

STEP1 그래프의 식 유추하기

주어진 그래프의 점근선의 방정식이 $x=-1$, $y=-2$이므로

$$f(x)=\frac{k}{x+1}-2 \ (k\neq 0)$$

로 놓을 수 있다.

STEP2 그래프의 식 구하기

함수 $f(x)=\dfrac{k}{x+1}-2$의 그래프가 점 $(0,\ 1)$을 지나므로 $f(0)=1$

$k-2=1$에서 $k=3$

$\therefore f(x)=\dfrac{3}{x+1}-2$

STEP3 $f(-4)$의 값 구하기

$\therefore f(-4)=\dfrac{3}{-4+1}-2=-1-2=-3$

▶**참고** $f(x)=\dfrac{3}{x+1}-2=\dfrac{-2x+1}{x+1}=\dfrac{ax+b}{x+c}$이므로 $a=-2$, $b=1$, $c=1$이다.

07-4 답 2

해결전략 | 점근선의 방정식을 이용하여 그래프의 식을 유추한 후, 그래프가 지나는 점의 좌표를 대입하여 n의 값을 구한다.

STEP1 그래프의 식 유추하기

주어진 함수의 그래프의 점근선의 방정식이 $x=-2$, $y=1$이므로

$$y=\frac{k}{x+2}+1 \ (k\neq 0) \qquad\qquad \cdots\cdots \ \text{㉠}$$

로 놓을 수 있다.

STEP2 그래프의 식 구하기

㉠의 그래프가 원점을 지나므로

$0=\dfrac{k}{2}+1 \qquad \therefore k=-2$

$k=-2$를 ㉠에 대입하면

$y=\dfrac{-2}{x+2}+1=\dfrac{x+2-2}{x+2}=\dfrac{x}{x+2}$

STEP3 n의 값 구하기

주어진 함수의 그래프가 점 $(-4,\ n)$을 지나므로

$n=\dfrac{-4}{-4+2}=2$

07-5 답 1

해결전략 | 점근선의 방정식을 이용하여 그래프의 식을 유추한 후, 그래프가 지나는 점의 좌표를 대입하여 미정계수를 구한다.

STEP1 그래프의 식 유추하기

주어진 함수의 그래프의 점근선의 방정식이 $x=2$, $y=1$이므로

$$y=\frac{k}{-2(x-2)}+1 \ (k\neq 0) \qquad\qquad \cdots\cdots \ \text{㉠}$$

로 놓을 수 있다.

STEP2 그래프의 식 구하기

㉠의 그래프가 원점을 지나므로

$0=\dfrac{k}{4}+1 \qquad \therefore k=-4$

$k=-4$를 ㉠에 대입하면

$y=\dfrac{-4}{-2(x-2)}+1=\dfrac{-2(x-2)-4}{-2x+4}$

$=\dfrac{-2x}{-2x+4}$

STEP3 a, b, c의 값 구하기

$\dfrac{-2x}{-2x+4}=\dfrac{ax-b}{-2x+c}$이므로

$a=-2$, $b=0$, $c=4$

STEP4 mn의 값 구하기

주어진 함수의 그래프가 두 점 $(a,\ m)$, $(c,\ n)$, 즉 $(-2,\ m)$, $(4,\ n)$을 지나므로

$m=\dfrac{4}{8}=\dfrac{1}{2}$, $n=\dfrac{-8}{-4}=2$

$\therefore mn=\dfrac{1}{2}\times 2=1$

07-6 답 $a>0$, $b<0$, $c<0$

해결전략 | 점근선의 방정식을 구하여 부호를 판단한다.

STEP1 점근선의 방정식 구하기

$y=\dfrac{ax+b}{x+c}=\dfrac{a(x+c)-ac+b}{x+c}=\dfrac{-ac+b}{x+c}+a$

이므로 점근선의 방정식은

$x=-c$, $y=a$

STEP2 a, b, c의 부호 판단하기

따라서 $-c>0$, $a>0$이므로 $c<0$, $a>0$

또, 주어진 그래프의 개형에서 $-ac+b<0$이므로

$b<ac$

이때 $ac<0$이므로 $b<0$

$\therefore a>0$, $b<0$, $c<0$

08-1　답 ㄱ, ㄷ

해결전략 | $y=-\dfrac{1}{x-2}+3$의 그래프와 그 성질을 파악하여 보기의 참, 거짓을 판별한다.

ㄱ. $y=-\dfrac{1}{x-2}+3$의 그래프는 두 점근선 $x=2$, $y=3$의 교점 $(2, 3)$에 대하여 대칭이다. (참)

ㄴ. 그래프가 다음 그림과 같으므로 제1, 2, 4사분면을 지난다. (거짓)

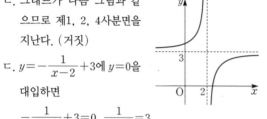

ㄷ. $y=-\dfrac{1}{x-2}+3$에 $y=0$을 대입하면

$$-\dfrac{1}{x-2}+3=0,\ \dfrac{1}{x-2}=3$$

$$x-2=\dfrac{1}{3}\quad\therefore x=\dfrac{7}{3}$$

따라서 x축과의 교점의 좌표는 $\left(\dfrac{7}{3},\ 0\right)$이다. (참)

이상에서 옳은 것은 ㄱ, ㄷ이다.

08-2　답 ③

해결전략 | 그래프의 식을 변형하여 보기의 참, 거짓을 판별한다.

STEP1 그래프의 식 변형하기

$$y=\dfrac{x-1}{2x-4}=\dfrac{\frac{1}{2}(2x-4)+1}{2x-4}$$

$$=\dfrac{1}{2(x-2)}+\dfrac{1}{2}=\dfrac{\frac{1}{2}}{x-2}+\dfrac{1}{2}$$

STEP2 보기 중 옳지 않은 것 고르기

③ 주어진 함수의 그래프는 다음 그림과 같으므로 제3사분면을 지나지 않는다.

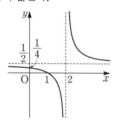

④ $y=\dfrac{1}{2x}=\dfrac{\frac{1}{2}}{x}$의 그래프를 x축의 방향으로 2만큼, y축의 방향으로 $\dfrac{1}{2}$만큼 평행이동한 것이다.

⑤ 두 점근선의 교점 $\left(2, \dfrac{1}{2}\right)$에 대하여 대칭이다.

따라서 옳지 않은 것은 ③이다.

08-3　답 ㄱ, ㄷ

해결전략 | $y=\dfrac{2x-4}{3-x}$의 그래프를 그린 후, 보기의 참, 거짓을 판별한다.

STEP1 그래프 그리기

$$y=\dfrac{2x-4}{3-x}=\dfrac{2(x-3)+2}{-(x-3)}=-\dfrac{2}{x-3}-2$$

따라서 주어진 함수의 그래프는 다음 그림과 같다.

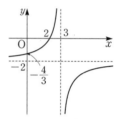

STEP2 보기의 참, 거짓 판별하기

ㄴ. 점근선의 방정식은 $x=3$, $y=-2$이다. (거짓)

ㄹ. 주어진 함수의 그래프는 위의 그림과 같이 제4사분면을 지난다. (거짓)

이상에서 옳은 것은 ㄱ, ㄷ이다.

08-4　답 ④

해결전략 | $y=\dfrac{x+1}{2x-4}$의 그래프를 그린 후, 보기의 참, 거짓을 판별한다.

STEP1 그래프 그리기

$$y=\dfrac{x+1}{2x-4}=\dfrac{(x-2)+3}{2(x-2)}=\dfrac{3}{2(x-2)}+\dfrac{1}{2}$$

따라서 주어진 함수의 그래프는 다음 그림과 같다.

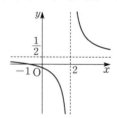

STEP2 보기 중 옳지 않은 것 고르기

④ 두 직선

$$y=(x-2)+\dfrac{1}{2}=x-\dfrac{3}{2},$$

$$y=-(x-2)+\dfrac{1}{2}=-x+\dfrac{5}{2}$$

에 대하여 대칭이다.

⑤ 함수 $y=\dfrac{x+1}{2x-4}$ 의 그래프는 함수 $y=\dfrac{3}{2x}$ 의 그래프를 x축의 방향으로 2만큼, y축의 방향으로 $\dfrac{1}{2}$만큼 평행이동한 것이다.

따라서 옳지 않은 것은 ④이다.

> **◎ 풍쌤의 비법**
>
> $y=\dfrac{k}{x}\,(k\neq0)$의 그래프를 x축의 방향으로 a만큼, y축의 방향으로 b만큼 평행이동한 그래프에 대하여 대칭인 직선은 $y=\pm x$의 그래프를 x축의 방향으로 a만큼, y축의 방향으로 b만큼 평행이동한 것과 같다.

필수유형 09   187쪽

09-1 🖹 $\dfrac{23}{4}$

해결전략 | 주어진 범위에서 유리함수의 그래프를 그린 후, $x=2$, $x=5$에서의 함숫값을 구한다.

STEP1 주어진 범위에서 그래프 그리기

$$y=\frac{x+2}{x-1}=\frac{(x-1)+3}{x-1}=\frac{3}{x-1}+1$$

따라서 주어진 함수의 그래프는 오른쪽 그림과 같이 $y=\dfrac{3}{x}$ 의 그래프를 x축의 방향으로 1만큼, y축의 방향으로 1만큼 평행이동한 것이다.

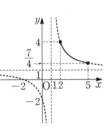

STEP2 최댓값과 최솟값의 합 구하기

$x=2$일 때 최댓값은 4, $x=5$일 때 최솟값은 $\dfrac{7}{4}$이다.

따라서 최댓값과 최솟값의 합은

$$4+\frac{7}{4}=\frac{23}{4}$$

09-2 🖹 $\left\{y\,\middle|\,y\le1 \text{ 또는 } y\ge\dfrac{7}{3}\right\}$

해결전략 | 주어진 범위에서 유리함수의 그래프를 그린 후, 치역을 구한다.

STEP1 정의역에서 그래프 그리기

$$y=\frac{2x-1}{x-1}=\frac{2(x-1)+1}{x-1}=\frac{1}{x-1}+2$$

따라서 주어진 함수의 그래프는 오른쪽 그림과 같이 $y=\dfrac{1}{x}$의 그래프를 x축의 방향으로 1만큼, y축의 방향으로 2만큼 평행이동한 것이다.

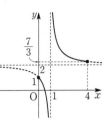

STEP2 치역 구하기

$x=0$일 때 $y=1$, $x=4$일 때 $y=\dfrac{7}{3}$이므로 $y=\dfrac{2x-1}{x-1}$의 치역은 $\left\{y\,\middle|\,y\le1 \text{ 또는 } y\ge\dfrac{7}{3}\right\}$

09-3 🖹 4

해결전략 | 주어진 범위에서 유리함수의 그래프를 그린 후, M, m의 값을 구한다.

STEP1 주어진 범위에서 그래프 그리기

$$y=\frac{4x+1}{1-x}=\frac{-4(1-x)+5}{1-x}=-\frac{5}{x-1}-4$$

따라서 주어진 함수의 그래프는 오른쪽 그림과 같이 $y=-\dfrac{5}{x}$의 그래프를 x축의 방향으로 1만큼, y축의 방향으로 -4만큼 평행이동한 것이다.

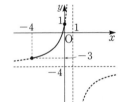

STEP2 최댓값과 최솟값 구하기

$x=0$일 때 최댓값 1, $x=-4$일 때 최솟값 -3을 갖는다.

STEP3 $M-m$의 값 구하기

따라서 $M=1$, $m=-3$이므로 $M-m=1+3=4$

09-4 🖹 1

해결전략 | 치역을 이용하여 유리함수의 그래프를 그린 후, $y=0$, $y=3$일 때의 x의 값을 구한다.

STEP1 치역을 이용하여 그래프 그리기

$$y=\frac{2x+6}{x+1}=\frac{2(x+1)+4}{x+1}=\frac{4}{x+1}+2$$

따라서 주어진 함수의 그래프는 오른쪽 그림과 같이 $y=\dfrac{4}{x}$의 그래프를 x축의 방향으로 -1만큼, y축의 방향으로 2만큼 평행이동한 것이다.

STEP2 치역의 경곗값에서의 x의 값 구하기

$y=0$일 때, $2x+6=0$ $\therefore x=-3$

$y=3$일 때, $3=\dfrac{2x+6}{x+1}$, $2x+6=3x+3$ $\therefore x=3$

STEP3 정의역에 속하는 정수의 합 구하기

함수의 정의역은

$\{x \mid -3 \le x < -1 \ \text{또는} \ -1 < x \le 3\}$

따라서 정의역에 속하는 정수 x는

$-3, \ -2, \ 0, \ 1, \ 2, \ 3$

이므로 그 합은 1이다.

09-5 답 $\dfrac{10}{3}$

해결전략 | 그래프가 지나는 점을 이용하여 $f(x)$를 구한 후, 그래프를 그려 최댓값과 최솟값을 구한다.

STEP1 $f(x)$ 구하기

$f(x) = \dfrac{k}{a(x-2)} + 1$의 그래프가 점 $(1, 2)$를 지나므로

$2 = \dfrac{k}{-a} + 1 \qquad \therefore \ k = -a$

$\therefore \ f(x) = \dfrac{-a}{a(x-2)} + 1 = -\dfrac{1}{x-2} + 1$

STEP2 주어진 범위에서 $f(x)$의 그래프 그리기

$y = f(x)$의 그래프는 오른쪽 그림과 같이 $y = -\dfrac{1}{x}$의 그래프를 x축의 방향으로 2만큼, y축의 방향으로 1만큼 평행이동한 것이다.

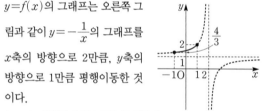

STEP3 최댓값과 최솟값의 합 구하기

$-1 \le x \le 1$에서 $y = f(x)$는 $x = 1$일 때 최댓값 2, $x = -1$일 때 최솟값 $\dfrac{4}{3}$를 갖는다.

따라서 최댓값과 최솟값의 합은

$2 + \dfrac{4}{3} = \dfrac{10}{3}$

09-6 답 16

해결전략 | 유리함수의 그래프를 그린 후, 최대, 최소일 때의 x의 값을 구한다.

STEP1 정의역에서 그래프 그리기

$y = \dfrac{3x+5}{x-1} = \dfrac{3(x-1)+8}{x-1} = \dfrac{8}{x-1} + 3$

따라서 주어진 함수의 그래프는 오른쪽 그림과 같이 $y = \dfrac{8}{x}$의 그래프를 x축의 방향으로 1만큼, y축의 방향으로 3만큼 평행이동한 것이다.

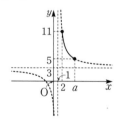

STEP2 최대, 최소인 경우 알기

$2 \le x \le a$에서 $y = \dfrac{3x+5}{x-1}$는 $x = 2$일 때 최댓값 M, $x = a$일 때 최솟값 5를 갖는다.

STEP3 $a + M$의 값 구하기

$\therefore \ M = \dfrac{8}{2-1} + 3 = 11$

$\dfrac{8}{a-1} + 3 = 5$에서 $\dfrac{8}{a-1} = 2, \ a-1 = 4$

$\therefore \ a = 5$

$\therefore \ a + M = 5 + 11 = 16$

발전유형 ⑩   189쪽

10-1 답 $\pm 2\sqrt{6}$

해결전략 | 한 점에서 만나므로 $\dfrac{3}{x} = -2x + k$의 해가 1개임을 이용한다.

STEP1 방정식 세우기

함수 $y = \dfrac{3}{x}$의 그래프와 직선 $y = -2x + k$가 한 점에서 만나므로

$\dfrac{3}{x} = -2x + k \qquad \therefore \ 2x^2 - kx + 3 = 0$

STEP2 k의 값 구하기

위의 이차방정식의 판별식을 D라 하면

$D = k^2 - 4 \times 2 \times 3 = 0$

$k^2 = 24 \qquad \therefore \ k = \pm 2\sqrt{6}$

10-2 답 $a \ge 0$

해결전략 | $A \cap B = \varnothing$을 이용하여 유리함수의 그래프와 직선의 위치 관계를 알아낸다.

STEP1 주어진 유리함수의 그래프와 직선의 성질 파악하기

함수 $y = \dfrac{2x-1}{x} = -\dfrac{1}{x} + 2$

의 그래프는 $y = -\dfrac{1}{x}$의 그래프를 y축의 방향으로 2만큼 평행이동한 것이다.

또, 직선 $y = ax + 2$는 a의 값에 관계없이 점 $(0, 2)$를 지난다.

STEP2 $A \cap B = \varnothing$의 의미 파악하기

$A \cap B = \varnothing$이려면 $y = \dfrac{2x-1}{x}$의 그래프와 직선 $y = ax + 2$는 만나지 않아야 한다.

STEP3 a의 값의 범위 구하기

따라서 구하는 a의 값의 범위는

$a \geq 0$

10-3 답 $\dfrac{4}{3}$

해결전략 | 유리함수의 그래프를 그린 후, 직선과 만나도록 직선 $y=ax+1$을 움직여 본다.

STEP1 정의역에서 유리함수의 그래프 그리기

$2 \leq x \leq 3$에서 $y=\dfrac{2}{x-1}+1$의 그래프는 다음 그림과 같다.

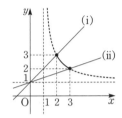

STEP2 a의 값의 범위 구하기

또, 직선 $y=ax+1$은 a의 값에 관계없이 점 $(0, 1)$을 지난다.

(i) 직선 $y=ax+1$이 점 $(2, 3)$을 지날 때

$3=2a+1$ $\therefore a=1$

(ii) 직선 $y=ax+1$이 점 $(3, 2)$를 지날 때

$2=3a+1$ $\therefore a=\dfrac{1}{3}$

(i), (ii)에 의하여 $\dfrac{1}{3} \leq a \leq 1$

STEP3 a의 최댓값과 최솟값의 합 구하기

따라서 a의 최댓값과 최솟값의 합은

$1+\dfrac{1}{3}=\dfrac{4}{3}$

10-4 답 10

해결전략 | 두 그래프가 한 점에서 만나려면 두 식을 연립하여 얻은 방정식의 해는 1개임을 이용한다.

STEP1 한 점에서 만나는 경우 알기

함수 $y=-\dfrac{4}{x-1}-4=-\dfrac{4x}{x-1}$의 그래프와 직선 $y=kx-1$이 한 점에서 만나려면 $-\dfrac{4x}{x-1}=kx-1$이 한 개의 실근을 가져야 한다.

STEP2 이차방정식 세우기

위의 식을 정리하면

$-4x=(kx-1)(x-1)$

$-4x=kx^2-kx-x+1$

$\therefore kx^2-(k-3)x+1=0$

STEP3 k의 값의 합 구하기

위의 이차방정식의 판별식을 D라 하면

$D=(k-3)^2-4 \times k \times 1=0$, $k^2-10k+9=0$

$(k-1)(k-9)=0$

$\therefore k=1$ 또는 $k=9$

따라서 모든 양수 k의 값의 합은

$1+9=10$

10-5 답 $-12 < m \leq 0$

해결전략 | 유리함수의 그래프를 그린 후, 직선과 만나지 않도록 직선 $y=mx+2$를 움직여 본다.

STEP1 유리함수의 그래프와 직선의 성질 파악하기

$y=\dfrac{2x+1}{x-1}=\dfrac{2(x-1)+3}{x-1}=\dfrac{3}{x-1}+2$

이므로 그래프는 다음 그림과 같다.

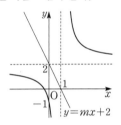

직선 $y=mx+2$는 m의 값에 관계없이 점 $(0, 2)$를 지난다.

STEP2 m의 값의 범위 구하기

(i) $m=0$일 때

직선 $y=2$는 점근선이므로 두 그래프는 만나지 않는다.

(ii) $m \neq 0$일 때

$\dfrac{2x+1}{x-1}=mx+2$에서 $2x+1=(x-1)(mx+2)$

$mx^2-mx-3=0$

위의 이차방정식의 판별식을 D라 할 때 두 그래프가 만나지 않기 위해서는

$D=(-m)^2-4m \times (-3) < 0$

$m(m+12) < 0$ $\therefore -12 < m < 0$

(i), (ii)에 의하여 구하는 실수 m의 값의 범위는

$-12 < m \leq 0$

10-6 답 $0, -\dfrac{1}{8}$

해결전략 | $n(P \cap Q)=1$을 이용하여 유리함수의 그래프와 직선의 위치 관계를 알아낸다.

STEP1 그래프 그리기

$y=\dfrac{x+2}{x}=\dfrac{2}{x}+1$의 그래프는

오른쪽 그림과 같다.

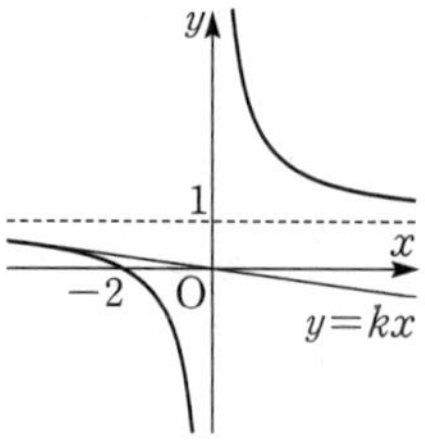

STEP2 $n(P\cap Q)=1$의 의미 파악하기

이때 $n(P\cap Q)=1$이므로 함수

$y=\dfrac{x+2}{x}$의 그래프와 직선

$y=kx$는 한 점에서 만난다.

STEP3 k의 값 구하기

(i) $k=0$일 때, 두 그래프는 한 점에서 만난다.

(ii) $k\neq0$일 때, 두 그래프가 한 점에서 만나려면

$\dfrac{x+2}{x}=kx$, 즉 $kx^2-x-2=0$이 중근을 가져야 한다.

위의 이차방정식의 판별식을 D라 하면

$$D=1+8k=0 \qquad \therefore k=-\dfrac{1}{8}$$

(i), (ii)에 의하여 $k=0$ 또는 $k=-\dfrac{1}{8}$

필수유형 ⑪ 191쪽

11-1 답 $\dfrac{12}{5}$

해결전략 | $(g\circ f)(a)=g(f(a))$는 $f(a)$를 먼저 구한 후, $g(x)$의 x 대신 $f(a)$를 대입한다.

STEP1 $f(-1)$의 값 구하기

$f(-1)=\dfrac{3}{-1}=-3$

STEP2 $(g\circ f)(-1)$의 값 구하기

$\begin{aligned}\therefore (g\circ f)(-1)&=g(f(-1))=g(-3)\\&=\dfrac{4\times(-3)}{-3-2}=\dfrac{-12}{-5}=\dfrac{12}{5}\end{aligned}$

11-2 답 $-\dfrac{3}{8}$

해결전략 | $f(f(x))$는 $f(x)$의 식에 x 대신 $\dfrac{x}{x+1}$를 대입하여 정리한 식이다.

STEP1 $f(f(x))$ 구하기

$\begin{aligned}f(f(x))&=f\Big(\dfrac{x}{x+1}\Big)=\dfrac{\dfrac{x}{x+1}}{\dfrac{x}{x+1}+1}\\&=\dfrac{\dfrac{x}{x+1}}{\dfrac{2x+1}{x+1}}=\dfrac{x}{2x+1}\end{aligned}$

STEP2 x의 값의 합 구하기

즉, $\dfrac{x}{2x+1}=4x$이므로

$8x^2+4x=x,\ x(8x+3)=0$

$\therefore x=0$ 또는 $x=-\dfrac{3}{8}$

따라서 모든 x의 값의 합은 $-\dfrac{3}{8}$이다.

11-3 답 $-\dfrac{1}{4}$

해결전략 | $h(g(x))=h\Big(\dfrac{1}{x}\Big)=f(x)$에서 $\dfrac{1}{x}=t$로 치환하여 $h(x)$를 구한다.

STEP1 $h(x)$ 구하기

$(h\circ g)(x)=f(x)$에서 $h(g(x))=f(x)$이므로

$h\Big(\dfrac{1}{x}\Big)=f(x)$, 즉 $h\Big(\dfrac{1}{x}\Big)=\dfrac{3x+1}{2x+3}$

$\dfrac{1}{x}=t$로 놓으면 $x=\dfrac{1}{t}$이므로

$h(t)=\dfrac{3\times\dfrac{1}{t}+1}{2\times\dfrac{1}{t}+3}=\dfrac{3+t}{2+3t}$

$\therefore h(x)=\dfrac{3+x}{2+3x}$

STEP2 $h(-2)$의 값 구하기

$\therefore h(-2)=\dfrac{3-2}{2-6}=-\dfrac{1}{4}$

11-4 답 3

해결전략 | 자연수 n에 대하여 $f^n(3)$의 값의 규칙을 찾는다.

STEP1 $f(3),\ f^2(3),\ f^3(3),\ f^4(3)$의 값 구하기

$f(x)=\dfrac{x-1}{x}$에 대하여 $f(3)=\dfrac{2}{3}$

$\begin{aligned}f^2(3)&=(f\circ f)(3)=f(f(3))\\&=f\Big(\dfrac{2}{3}\Big)=\dfrac{-\dfrac{1}{3}}{\dfrac{2}{3}}=-\dfrac{1}{2}\end{aligned}$

$\begin{aligned}f^3(3)&=(f\circ f^2)(3)=f(f^2(3))\\&=f\Big(-\dfrac{1}{2}\Big)=\dfrac{-\dfrac{3}{2}}{-\dfrac{1}{2}}=3\end{aligned}$

$f^4(3)=(f\circ f^3)(3)=f(f^3(3))=f(3)=\dfrac{2}{3}$

STEP2 $f^n(3)$의 값의 규칙 찾기

따라서 $f^n(3)$의 값은 $\dfrac{2}{3}$, $-\dfrac{1}{2}$, 3이 이 순서대로 반복된다.

STEP3 $f^{2022}(3)$의 값 구하기

이때 $2022=3\times674$이므로 $f^{2022}(3)=f^3(3)=3$

11-5 답 $\dfrac{3}{4}$

해결전략 | 자연수 n에 대하여 $f^n(4)$의 값의 규칙을 찾는다.

STEP1 $f(4),f^2(4),f^3(4),f^4(4)$의 값 구하기

$f(x)=\dfrac{1}{1-x}$에 대하여

$f(4)=\dfrac{1}{1-4}=-\dfrac{1}{3}$

$f^2(4)=(f\circ f)(4)=f(f(4))=f\left(-\dfrac{1}{3}\right)$

$\qquad =\dfrac{1}{1-\left(-\dfrac{1}{3}\right)}=\dfrac{3}{4}$

$f^3(4)=(f\circ f^2)(4)=f(f^2(4))=f\left(\dfrac{3}{4}\right)$

$\qquad =\dfrac{1}{1-\dfrac{3}{4}}=4$

$f^4(4)=(f\circ f^3)(4)=f(f^3(4))=f(4)$

$\qquad =-\dfrac{1}{3}$

STEP2 $f^n(4)$의 값의 규칙 찾기

따라서 $f^n(4)$의 값은 $-\dfrac{1}{3}$, $\dfrac{3}{4}$, 4가 이 순서대로 반복된다.

STEP3 $f^{1025}(4)$의 값 구하기

이때 $1025=3\times341+2$이므로

$f^{1025}(4)=f^2(4)=\dfrac{3}{4}$

11-6 답 10

해결전략 | 자연수 n에 대하여 $f^n(x)$의 규칙을 찾는다.

STEP1 $f^2(x),f^3(x)$ 구하기

$f(x)=\dfrac{x-2}{x-1}$에서

$f^2(x)=(f\circ f)(x)=f(f(x))$

$\qquad =\dfrac{\dfrac{x-2}{x-1}-2}{\dfrac{x-2}{x-1}-1}=\dfrac{\dfrac{-x}{x-1}}{\dfrac{-1}{x-1}}=x$

$f^3(x)=(f\circ f^2)(x)=f(f^2(x))=f(x)$

STEP2 $f^n(x)$의 규칙 찾기

$\therefore f^n(x)=\begin{cases} f(x) & (n\text{은 홀수}) \\ x & (n\text{은 짝수}) \end{cases}$ (단, n은 자연수이다.)

STEP3 k의 값 구하기

$\therefore f^{2000}(x)=f^{2\times1000}(x)=x$

따라서 $f^{2000}(k)=k$이므로 $k=10$

12-1 답 -3

해결전략 | 역함수를 구한 후, 주어진 조건을 만족시키는 k의 값을 구한다.

STEP1 $f^{-1}(x)$ 구하기

$y=\dfrac{3x+6}{x+k}$이라 하고 x와 y를 서로 바꾸면

$x=\dfrac{3y+6}{y+k}$

$x(y+k)=3y+6$

$(x-3)y=-kx+6$

$\therefore f^{-1}(x)=\dfrac{-kx+6}{x-3}$

STEP2 k의 값 구하기

$f(x)$와 $f^{-1}(x)$가 서로 같으므로

$\dfrac{3x+6}{x+k}=\dfrac{-kx+6}{x-3}$

$\therefore k=-3$

12-2 답 4

해결전략 | 평행이동한 그래프의 식과 역함수를 각각 구한 후, 두 식이 같음을 이용하여 a, b의 값을 구한다.

STEP1 평행이동한 그래프의 식 구하기

함수 $y=\dfrac{2ax-1}{x+a}$의 그래프를 x축의 방향으로 2만큼, y축의 방향으로 b만큼 평행이동한 그래프의 식은

$y-b=\dfrac{2a(x-2)-1}{(x-2)+a}$

$\therefore y=\dfrac{(2a+b)x+ab-4a-2b-1}{x+(a-2)}$

STEP2 역함수 구하기

또한, $y=\dfrac{2ax-1}{x+a}$에서 x와 y를 서로 바꾸면

$x=\dfrac{2ay-1}{y+a}$, $(y+a)x=2ay-1$

$(x-2a)y=-1-ax$

$\therefore y=\dfrac{-1-ax}{x-2a}$

STEP3 $3a-b$의 값 구하기

이때 $\dfrac{-1-ax}{x-2a}=\dfrac{(2a+b)x+ab-4a-2b-1}{x+(a-2)}$이므로

$-a=2a+b$, $-2a=a-2$

위의 두 식을 연립하여 풀면

$a=\dfrac{2}{3}$, $b=-2$

$\therefore 3a-b=2+2=4$

● • 다른 풀이

해결전략 | 평행이동한 그래프의 점근선의 교점과 역함수의 그래프의 점근선의 교점이 같음을 이용하여 a, b의 값을 구한다.

STEP1 평행이동한 그래프의 식 구하기

함수 $y=\dfrac{2ax-1}{x+a}$의 그래프를 x축의 방향으로 2만큼, y축의 방향으로 b만큼 평행이동한 그래프의 식은

$$y-b=\dfrac{2a(x-2)-1}{(x-2)+a}$$

$$\therefore y=\dfrac{(2a+b)x+ab-4a-2b-1}{x+(a-2)}$$

STEP2 점근선의 교점 구하기

평행이동한 함수의 그래프의 점근선과 원래 함수의 역함수의 그래프의 점근선은 일치한다.

원래 함수의 그래프의 점근선의 교점의 좌표는 $(-a,\ 2a)$이고, 이 함수의 그래프를 x축의 방향으로 2만큼, y축의 방향으로 b만큼 평행이동한 그래프의 점근선의 교점의 좌표는

$$(-a+2,\ 2a+b) \qquad \cdots\cdots\ \bigcirc$$

원래 함수의 역함수의 그래프의 점근선의 교점의 좌표는

$$(2a,\ -a) \qquad \cdots\cdots\ \bigcirc$$

STEP3 $3a-b$의 값 구하기

이때 ㉠과 ㉡이 일치하므로

$$-a+2=2a,\ 2a+b=-a$$

위의 두 식을 연립하여 풀면

$$a=\dfrac{2}{3},\ b=-2$$

$$\therefore 3a-b=2+2=4$$

12-3 답 1

해결전략 | 두 함수 $f(x)$와 $g(x)$의 그래프가 직선 $y=x$에 대하여 대칭이면 $f(x)$와 $g(x)$는 서로 역함수 관계임을 이용한다.

STEP1 두 함수 $f(x)$와 $g(x)$가 서로 역함수 관계임을 알기

두 함수 $f(x)$와 $g(x)$의 그래프가 직선 $y=x$에 대하여 대칭이므로

$$g(x)=f^{-1}(x) \ 또는\ g^{-1}(x)=f(x)$$

STEP2 $f^{-1}(x)$ 구하기

$y=\dfrac{-2x+1}{x+a}$이라 하고 x와 y를 서로 바꾸면

$$x=\dfrac{-2y+1}{y+a}$$

$$x(y+a)=-2y+1,\ (x+2)y=-ax+1$$

$$\therefore f^{-1}(x)=\dfrac{-ax+1}{x+2}$$

STEP3 $a+b+c$의 값 구하기

$f^{-1}(x)=g(x)$이므로 $\dfrac{-ax+1}{x+2}=\dfrac{bx+1}{cx+2}$

$$-a=b,\ c=1$$

$$\therefore a+b+c=1$$

12-4 답 $\dfrac{5}{2}$

해결전략 | 역함수 $f^{-1}(x)$를 먼저 구한 후, a의 값을 구한다.

STEP1 $f^{-1}(x)$ 구하기

$y=\dfrac{x+4}{3x+a}$이라 하고 x와 y를 서로 바꾸면

$$x=\dfrac{y+4}{3y+a},\ x(3y+a)=y+4$$

$$(3x-1)y=-ax+4$$

$$\therefore f^{-1}(x)=\dfrac{-ax+4}{3x-1}$$

STEP2 a의 값 구하기

$f=f^{-1}$이므로 $\dfrac{x+4}{3x+a}=\dfrac{-ax+4}{3x-1}$

$$\therefore a=-1$$

STEP3 $f(1)$의 값 구하기

$f(x)=\dfrac{x+4}{3x-1}$이므로 $f(1)=\dfrac{5}{2}$

12-5 답 6

해결전략 | $(f^{-1}\circ f)(x)=x,\ (f\circ f^{-1})(y)=y$임을 이용하여 주어진 식을 먼저 간단히 한다.

STEP1 주어진 식 간단히 하기

$(f^{-1}\circ f)(x)=x,\ (f\circ f^{-1})(y)=y$이므로

$$(f^{-1}\circ f\circ f^{-1})(2)+(f\circ f^{-1})(4)=f^{-1}(2)+4$$

STEP2 $f^{-1}(2)=k$로 놓고 k의 값 구하기

$f^{-1}(2)=k$ (k는 상수)라 하면 $f(k)=2$

$\dfrac{k+8}{2k+1}=2$에서 $k+8=4k+2$ $\quad\therefore k=2$

STEP3 주어진 식의 값 구하기

$$\therefore (주어진\ 식)=f^{-1}(2)+4=2+4=6$$

12-6 답 $\dfrac{3}{2}$

해결전략 | 점근선의 방정식과 역함수를 각각 구하여 a, b의 값을 구한다.

STEP1 a의 값 구하기

$f(x)=\dfrac{bx+2}{ax-1}$의 그래프의 점근선의 방정식은

$$x=\dfrac{1}{a},\ y=\dfrac{b}{a}$$

주어진 조건에서 한 점근선의 방정식이 $x=2$이므로

$$\frac{1}{a}=2 \qquad \therefore a=\frac{1}{2}$$

STEP2 $f^{-1}(x)$ 구하기

또, $f(f(x))=x$에서 $f(x)=f^{-1}(x)$

$y=\dfrac{bx+2}{ax-1}$ 라 하고 x와 y를 서로 바꾸면

$x=\dfrac{by+2}{ay-1}$, $x(ay-1)=by+2$

$(ax-b)y=x+2$

$\therefore f^{-1}(x)=\dfrac{x+2}{ax-b}$

STEP3 b의 값 구하기

$f(x)=f^{-1}(x)$이므로

$\dfrac{bx+2}{ax-1}=\dfrac{x+2}{ax-b}$

$\therefore b=1$

STEP4 $a+b$의 값 구하기

$\therefore a+b=\dfrac{1}{2}+1=\dfrac{3}{2}$

➕발전유형 ⓭

13-1 답 4

해결전략 | 원점 O에서 점 P까지의 거리인 $\overline{\text{OP}}$의 길이를 식으로 나타낸 후, 산술평균과 기하평균의 관계를 이용하여 최솟값을 구한다.

STEP1 $\overline{\text{OP}}$의 길이 구하기

함수 $y=\dfrac{8}{x}$의 그래프 위의 점 P의 좌표를 $\left(a,\dfrac{8}{a}\right)$이라 하면 원점 O에서 점 P까지의 거리 $\overline{\text{OP}}$는

$$\overline{\text{OP}}=\sqrt{a^2+\frac{64}{a^2}}$$

STEP2 산술평균과 기하평균의 관계 이용하기

이때 $a^2>0$, $\dfrac{64}{a^2}>0$이므로 산술평균과 기하평균의 관계에 의하여

$$a^2+\frac{64}{a^2}\geq 2\sqrt{a^2\times\frac{64}{a^2}}=16$$

$$\left(\text{단, 등호는 } a^2=\frac{64}{a^2}\text{일 때 성립한다.}\right)$$

STEP3 최솟값 구하기

$$\therefore \overline{\text{OP}}=\sqrt{a^2+\frac{64}{a^2}}\geq\sqrt{16}=4$$

따라서 구하는 거리의 최솟값은 4이다.

13-2 답 8

해결전략 | 직사각형 OQPR의 둘레의 길이를 식으로 나타낸 후, 산술평균과 기하평균의 관계를 이용하여 최솟값을 구한다.

STEP1 직사각형 OQPR의 둘레의 길이를 식으로 나타내기

점 P의 좌표를 $\left(p,\dfrac{4}{p}\right)$라 하면

$$\overline{\text{PQ}}=\frac{4}{p}, \ \overline{\text{PR}}=p$$

이므로 직사각형 OQPR의 둘레의 길이는 $2p+\dfrac{8}{p}$

STEP2 산술평균과 기하평균의 관계 이용하기

이때 $p>0$이므로 산술평균과 기하평균의 관계에 의하여

$$2p+\frac{8}{p}\geq 2\sqrt{2p\times\frac{8}{p}}=8$$

$$\left(\text{단, 등호는 } 2p=\frac{8}{p}\text{일 때 성립한다.}\right)$$

STEP3 최솟값 구하기

따라서 직사각형 OQPR의 둘레의 길이의 최솟값은 8이다.

13-3 답 $\sqrt{6}$

해결전략 | 직사각형 OQPR의 대각선의 길이를 식으로 나타낸 후, 산술평균과 기하평균의 관계를 이용하여 최솟값을 구한다.

STEP1 직사각형 OQPR의 대각선의 길이를 식으로 나타내기

점 P의 좌표를 $\left(p,\dfrac{3}{p}\right)$이라 하면 직사각형 OQPR의 대각선의 길이는 $\overline{\text{OP}}=\sqrt{p^2+\dfrac{9}{p^2}}$

STEP2 산술평균과 기하평균의 관계 이용하기

이때 $p>0$이므로 산술평균과 기하평균의 관계에 의하여

$$p^2+\frac{9}{p^2}\geq 2\sqrt{p^2\times\frac{9}{p^2}}=6$$

$$\left(\text{단, 등호는 } p^2=\frac{9}{p^2}\text{일 때 성립한다.}\right)$$

STEP3 최솟값 구하기

$$\therefore \overline{\text{OP}}=\sqrt{p^2+\frac{9}{p^2}}\geq\sqrt{6}$$

따라서 구하는 대각선의 길이의 최솟값은 $\sqrt{6}$이다.

13-4 답 4

해결전략 | $\overline{\text{PQ}}$의 길이를 식으로 나타낸 후, 산술평균과 기하평균의 관계를 이용하여 최솟값을 구한다.

STEP1 $\overline{\text{PQ}}$의 길이를 식으로 나타내기

곡선 $y=\dfrac{8}{x}+4$ 위의 점 Q의 좌표를 $\left(a,\dfrac{8}{a}+4\right)$라 하면

$$\overline{\text{PQ}}=\sqrt{(a-0)^2+\left(\frac{8}{a}+4-4\right)^2}=\sqrt{a^2+\frac{64}{a^2}}$$

STEP2 산술평균과 기하평균의 관계 이용하기

이때 $a^2 > 0$, $\dfrac{64}{a^2} > 0$이므로 산술평균과 기하평균의 관계

에 의하여

$$a^2 + \frac{64}{a^2} \geq 2\sqrt{a^2 \times \frac{64}{a^2}} = 16$$

$$\left(\text{단, 등호는 } a^2 = \frac{64}{a^2} \text{일 때 성립한다.}\right)$$

STEP3 최솟값 구하기

$$\therefore \overline{PQ} = \sqrt{a^2 + \frac{64}{a^2}} \geq \sqrt{16} = 4$$

따라서 선분 PQ의 길이의 최솟값은 4이다.

13-5 답 5

해결전략 | 산술평균과 기하평균의 관계를 이용하여 x의 값의 범위를 구한 후, $2x + \dfrac{1}{2x}$의 최솟값을 구한다.

STEP1 x의 값의 범위 구하기

$a > 0$이므로 산술평균과 기하평균의 관계에 의하여

$$x = a + \frac{1}{a} \geq 2\sqrt{a \times \frac{1}{a}} = 2$$

$$\left(\text{단, 등호는 } a = \frac{1}{a} \text{일 때 성립한다.}\right)$$

STEP2 $x + \dfrac{1}{x}$의 값의 범위 구하기

주어진 그래프에서 $y = x + \dfrac{1}{x}$은 $x \geq 1$에서 증가하므로

$x = 2$에서 최소가 된다. 즉, $x + \dfrac{1}{x} \geq 2 + \dfrac{1}{2} = \dfrac{5}{2}$

STEP3 $2x + \dfrac{1}{2x}$의 최솟값 구하기

$$\therefore 2x + \frac{1}{2x} = 2\left(x + \frac{1}{x}\right) \geq 2 \times \frac{5}{2} = 5$$

따라서 $2x + \dfrac{1}{2x}$의 최솟값은 5이다.

13-6 답 8

해결전략 | 직사각형 ROQP의 넓이를 식으로 나타낸 후, 산술평균과 기하평균의 관계를 이용하여 최솟값을 구한다.

STEP1 평행이동한 그래프의 식 구하기

$x > 0$에서 정의된 함수 $y = \dfrac{2}{x}$의 그래프를 x축의 방향으로 1만큼, y축의 방향으로 2만큼 평행이동한 그래프의 식은 $y = \dfrac{2}{x-1} + 2$

STEP2 세 점 P, Q, R의 좌표 구하기

점 P의 좌표를 $\left(t, \dfrac{2}{t-1} + 2\right)$ $(t > 1)$로 놓으면

점 Q, R의 좌표는 각각 $(t, 0)$, $\left(0, \dfrac{2}{t-1} + 2\right)$

STEP3 직사각형 ROQP의 넓이의 최솟값 구하기

직사각형 ROQP의 넓이를 S라 하면

$$S = t\left(\frac{2}{t-1} + 2\right)$$

이때 $t - 1 > 0$이므로

$$S = \{(t-1) + 1\}\left(\frac{2}{t-1} + 2\right)$$

$$= 4 + 2(t-1) + \frac{2}{t-1}$$

$$\geq 4 + 4\sqrt{(t-1) \times \frac{1}{t-1}} = 8$$

$$\left(\text{단, 등호는 } t - 1 = \frac{1}{t-1} \text{일 때 성립한다.}\right)$$

따라서 직사각형 ROQP의 넓이의 최솟값은 8이다.

실전 연습 문제　　　　196~198쪽

01 $\dfrac{x(x-2)}{2}$	**02** -6	**03** -4	**04** 20
05 $\dfrac{100}{101}$	**06** 7	**07** 6	**08** -6	**09** 6
10 ④	**11** $k > 15$	**12** ②	**13** 13	**14** $\dfrac{18}{5}$
15 ⑤	**16** $\dfrac{33}{2}$		

01

해결전략 | 좌변과 우변의 식을 정리한 후, A를 구한다.

STEP1 좌변 통분하기

주어진 식의 좌변에서

$$\frac{1}{(x-1)(x-2)} + \frac{1}{(x-2)(x+3)}$$

$$= \frac{x+3+x-1}{(x-1)(x-2)(x+3)}$$

$$= \frac{2(x+1)}{(x-1)(x-2)(x+3)}$$

STEP2 우변의 분모, 분자 인수분해하기

주어진 식의 우변에서

$$\frac{x^2 + x}{x^2 + 2x - 3} = \frac{x(x+1)}{(x+3)(x-1)}$$

STEP3 A 구하기

따라서 주어진 등식은

$$A \times \frac{2(x+1)}{(x-1)(x-2)(x+3)} = \frac{x(x+1)}{(x+3)(x-1)}$$

$$\therefore A = \frac{x(x+1)}{(x+3)(x-1)} \times \frac{(x-1)(x-2)(x+3)}{2(x+1)}$$

$$= \frac{x(x-2)}{2}$$

02

해결전략 | $x^2-x-1=0$에서 $x-\dfrac{1}{x}$의 값을 구한 후, 주어진 식의 값을 구한다.

STEP1 $x-\dfrac{1}{x}$의 값 구하기

$x\neq0$이므로 $x^2-x-1=0$의 양변을 x로 나누면

$x-1-\dfrac{1}{x}=0$ $\therefore x-\dfrac{1}{x}=1$ ····· ㉠

STEP2 $x^2+\dfrac{1}{x^2}$, $x^3-\dfrac{1}{x^3}$의 값 구하기

(i) $x^2+\dfrac{1}{x^2}$의 값을 구하면

$\quad x^2+\dfrac{1}{x^2}=\left(x-\dfrac{1}{x}\right)^2+2=1^2+2=3\ (\because ㉠)$

(ii) $x^3-\dfrac{1}{x^3}$의 값을 구하면

$\quad x^3-\dfrac{1}{x^3}=\left(x-\dfrac{1}{x}\right)^3+3\left(x-\dfrac{1}{x}\right)$

$\qquad\qquad\ =1^3+3\times1=4\ (\because ㉠)$

STEP3 식의 값 구하기

(i), (ii)에 의하여

$x^3-2x^2+x-5-\dfrac{1}{x}-\dfrac{2}{x^2}-\dfrac{1}{x^3}$

$=\left(x^3-\dfrac{1}{x^3}\right)-2\left(x^2+\dfrac{1}{x^2}\right)+\left(x-\dfrac{1}{x}\right)-5$

$=4-2\times3+1-5=-6$

03

해결전략 | $\dfrac{4x+2a}{2x-4}=k\ (k\neq0)$로 놓고, 항등식의 성질을 이용한다.

STEP1 $\dfrac{4x+2a}{2x-4}=k\ (k\neq0)$로 놓고 정리하기

$\dfrac{4x+2a}{2x-4}=k\ (k\neq0)$로 놓으면

$4x+2a=k(2x-4)$

x에 대하여 정리하면

$(4-2k)x+2a+4k=0$

STEP2 a의 값 구하기

위의 등식은 x에 대한 항등식이므로

$4-2k=0,\ 2a+4k=0$

$\therefore k=2,\ a=-4$

04

해결전략 | $\dfrac{4n+40}{n+5}=k$로 놓고 좌변의 분자를 분모로 나누어 간단히 나타낸다.

STEP1 $\dfrac{4n+40}{n+5}=k\ (k$는 자연수$)$로 놓고 좌변 변형하기

$\dfrac{4n+40}{n+5}=k\ (k$는 자연수$)$로 놓으면

$k=\dfrac{4n+40}{n+5}=\dfrac{4(n+5)+20}{n+5}=4+\dfrac{20}{n+5}$

STEP2 $n+5$가 될 수 있는 값 구하기

이때 n, k가 자연수이므로 $\dfrac{20}{n+5}$도 자연수이다.

따라서 $n+5$는 20의 약수이므로

$n+5=10$ 또는 $n+5=20\ (\because n+5>5)$

STEP3 n의 값의 합 구하기

$\therefore n=5$ 또는 $n=15$

따라서 구하는 n의 값의 합은 20이다.

05

해결전략 | $f(x)$를 부분분수로 변형한 후, 식의 값을 구한다.

STEP1 $f(x)$를 부분분수로 변형하기

$f(x)=\dfrac{1}{x(x+1)}+\dfrac{1}{(x+1)(x+2)}$

$\qquad=\left(\dfrac{1}{x}-\dfrac{1}{x+1}\right)+\left(\dfrac{1}{x+1}-\dfrac{1}{x+2}\right)$

$\qquad=\dfrac{1}{x}-\dfrac{1}{x+2}$

STEP2 식의 값 구하기

$\therefore f(1)+f(3)+f(5)+\cdots+f(99)$

$=\left(\dfrac{1}{1}-\dfrac{1}{3}\right)+\left(\dfrac{1}{3}-\dfrac{1}{5}\right)+\left(\dfrac{1}{5}-\dfrac{1}{7}\right)+\cdots$

$\qquad\qquad\qquad\qquad\qquad\quad+\left(\dfrac{1}{99}-\dfrac{1}{101}\right)$

$=1-\dfrac{1}{101}=\dfrac{100}{101}$

06

해결전략 | y, z를 x로 나타낸 후, $x:y:z$에 대입하여 m, n의 값을 구한다.

STEP1 y, z를 x로 나타내기

$x+y-z=0$ ····· ㉠

$2x-3y+z=0$ ····· ㉡

㉠+㉡을 하면

$3x-2y=0$ $\therefore y=\dfrac{3}{2}x$

$y=\dfrac{3}{2}x$를 ㉠에 대입하면

$x+\dfrac{3}{2}x-z=0$ $\therefore z=\dfrac{5}{2}x$ ····· ❶

STEP2 $x:y:z$ 구하기

$\therefore x:y:z=x:\dfrac{3}{2}x:\dfrac{5}{2}x=2:3:5$ ...... ❷

STEP3 $m+n$의 값 구하기

따라서 $m=2$, $n=5$이므로

$m+n=2+5=7$ ...... ❸

채점 요소	비율
❶ y, z를 x로 나타내기	50%
❷ $x:y:z$ 구하기	30%
❸ $m+n$의 값 구하기	20%

◎ 풍쌤의 비법

연립방정식에서 미지수의 개수와 식의 개수가 같으면 각 미지수의 값을 구할 수 있지만 미지수의 개수보다 식의 개수가 적으면 각각의 값을 구할 수는 없고, 미지수 사이의 관계를 구할 수 있다. 위 문제에서도 두 개의 등식만으로는 x, y, z의 값을 정할 수 없으므로 y, z를 x에 대한 식으로 나타내어 문제를 해결하였다.

07

해결전략 | x축의 방향으로 p만큼, y축의 방향으로 q만큼 평행이동하면 x 대신 $x-p$, y 대신 $y-q$를 대입한다.

STEP1 평행이동한 그래프의 식 구하기

함수 $y=\dfrac{2}{x-1}$의 그래프를 x축의 방향으로 a만큼, y축의 방향으로 4만큼 평행이동한 그래프의 식은

$y=\dfrac{2}{x-a-1}+4$

STEP2 $a+b$의 값 구하기

함수 $y=\dfrac{2}{x-a-1}+4$의 그래프의 점근선의 방정식은

$x=a+1$, $y=4$

즉, $a+1=3$, $b=4$이므로 $a=2$, $b=4$

$\therefore a+b=2+4=6$

08

해결전략 | 주어진 함수의 그래프의 두 점근선의 교점이 두 직선 $y=x+1$, $y=-x+5$ 위에 있음을 이용한다.

STEP1 점근선의 교점 구하기

$y=\dfrac{ax+4}{x+b}=\dfrac{a(x+b)-ab+4}{x+b}=\dfrac{-ab+4}{x+b}+a$

따라서 주어진 함수의 그래프는 두 점근선 $x=-b$, $y=a$의 교점 $(-b, a)$를 지나고 기울기가 ±1인 직선에 대하여 대칭이다.

STEP2 $a+b$의 값 구하기

즉, 점 $(-b, a)$가 두 직선 $y=x+1$, $y=-x+5$ 위의 점이므로

$a=-b+1$, $a=b+5$

위의 두 식을 연립하여 풀면

$a=3$, $b=-2$

$\therefore ab=3\times(-2)=-6$

◎→ 다른 풀이

해결전략 | 유리함수의 그래프가 두 직선의 교점에 대하여 대칭임을 이용하여 점근선의 방정식을 구한다.

STEP1 점근선의 방정식 구하기

$y=x+1$과 $y=-x+5$를 연립하여 두 직선의 교점의 좌표를 구하면 $(2, 3)$이다.

이때 유리함수 $y=\dfrac{ax+4}{x+b}$의 그래프는 점 $(2, 3)$에 대하여 대칭이고 점근선의 방정식은 $x=2$, $y=3$이다.

STEP2 점근선의 방정식을 이용하여 식 유추하기

$y=\dfrac{ax+4}{x+b}=\dfrac{k}{x-2}+3=\dfrac{3x-6+k}{x-2}$ $(k\neq0)$

STEP3 $a+b$의 값 구하기

따라서 $a=3$, $b=-2$, $k=10$이므로

$a+b=3-2=1$

09

해결전략 | 점근선의 방정식을 이용하여 그래프의 식을 유추하고, 그래프가 지나는 점을 이용하여 그래프의 식을 구한다.

STEP1 그래프의 식 유추하기

주어진 함수의 그래프의 점근선의 방정식이 $x=1$, $y=3$이므로

$y=\dfrac{k}{x-1}+3$ $(k\neq0)$ ...... ㉠

으로 놓을 수 있다.

STEP2 그래프의 식 구하기

㉠의 그래프가 점 $(0, 2)$를 지나므로

$2=\dfrac{k}{0-1}+3$ $\therefore k=1$

$k=1$을 ㉠에 대입하면

$y=\dfrac{1}{x-1}+3=\dfrac{3(x-1)+1}{x-1}=\dfrac{3x-2}{x-1}$

STEP3 abc의 값 구하기

$\dfrac{3x-2}{x-1}=\dfrac{ax+b}{x+c}$이므로

$a=3$, $b=-2$, $c=-1$

$\therefore abc=3\times(-2)\times(-1)=6$

10

해결전략 | 기울기가 m이고 점 (a, b)를 지나는 직선의 방정식은 $y=m(x-a)+b$임을 이용하여 $f(x)$를 구한다.

$f(x)=m(x-1)$ $(m>0)$

이라 하면

$$y=\frac{1}{f(x)}=\frac{1}{m(x-1)}=\frac{\frac{1}{m}}{x-1}$$

따라서 $y=\frac{1}{f(x)}$의 그래프의 개형은 ④와 같이 $x=1$, $y=0$을 점근선으로 하는 쌍곡선이다.

11

해결전략 | k의 부호에 따라 함수 $y=\frac{k}{x+5}-3$의 그래프를 그려 보고 주어진 조건을 만족시키는 k의 값을 구한다.

STEP1 $y=\dfrac{k}{x+5}-3$의 그래프 그리기

$y=\dfrac{k}{x+5}-3$의 그래프는 $y=\dfrac{k}{x}$의 그래프를 x축의 방향으로 -5만큼, y축의 방향으로 -3만큼 평행이동한 것이므로 k의 부호에 따라 다음 그림과 같이 두 가지로 그려진다.

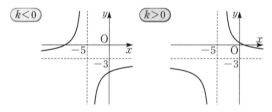

STEP2 모든 사분면을 지나는 경우 찾기

(i) $k<0$일 때

$y=\dfrac{k}{x+5}-3$의 그래프는 항상 제1사분면을 지나지 않으므로 조건을 만족시킬 수 없다.

(ii) $k>0$일 때

$y=\dfrac{k}{x+5}-3$의 그래프가 모든 사분면을 지나려면 $x=0$일 때, $y>0$이어야 한다.

STEP3 k의 값의 범위 구하기

(ii)에서 $\dfrac{k}{0+5}-3>0$이어야 하므로

$\dfrac{k}{5}>3$ $\therefore k>15$

12

해결전략 | $y=f(x)$의 그래프를 k의 부호에 따라 두 가지로 유추하여 그리고, 보기의 참, 거짓을 판별한다.

STEP1 $y=f(x)$의 그래프 그리기

$f(x)=\dfrac{kx}{x-2}=\dfrac{k(x-2)+2k}{x-2}=\dfrac{2k}{x-2}+k$이므로

$y=f(x)$의 그래프는 다음 그림과 같이 두 가지로 그려진다.

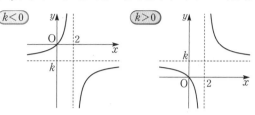

STEP2 보기의 참, 거짓 판별하기

ㄱ. 위의 그림에서 함수 $f(x)$의 그래프의 점근선의 방정식은 $x=2$, $y=k$ (참)

ㄴ. 위의 그림에서 $k<0$일 때만 $2<x_1<x_2$이면 $f(x_1)<f(x_2)$가 성립한다. (거짓)

ㄷ. 점 $(2, k)$에 대하여 대칭이므로 직선 $y=x-2+k$에 대하여 대칭이다. (거짓)

ㄹ. 위의 그림에서 정의역은 $R-\{2\}$, 치역은 $R-\{k\}$이다. (단, R는 실수 전체의 집합이다.) (참)

이상에서 옳은 것은 ㄱ, ㄹ이다.

13

해결전략 | 점 A의 좌표를 $\left(p, \dfrac{1}{p}\right)$로 놓고, 두 점 B, C의 좌표를 p로 나타낸 후, $\triangle$ABC의 넓이를 p와 k로 나타낸다.

STEP1 $A\left(p, \dfrac{1}{p}\right)$로 놓고 두 점 B, C의 좌표를 p, k로 나타내기

점 A의 좌표를 $\left(p, \dfrac{1}{p}\right)$이라 하면

점 B의 좌표는 $\left(pk, \dfrac{1}{p}\right)$, 점 C의 좌표는 $\left(p, \dfrac{k}{p}\right)$이다.

STEP2 $\triangle$ABC의 넓이를 구하는 식 세우기

이때 $\triangle$ABC의 넓이가 72이므로

$\dfrac{1}{2}\times\overline{AB}\times\overline{AC}=\dfrac{1}{2}\left(pk-p\right)\left(\dfrac{k}{p}-\dfrac{1}{p}\right)=72$

STEP3 k의 값 구하기

$\dfrac{1}{2}p(k-1)\dfrac{1}{p}(k-1)=72$, $\dfrac{1}{2}(k-1)^2=72$

$(k-1)^2=144$, $k-1=\pm12$

$\therefore k=13$ $(\because k>1)$

14

해결전략 | 주어진 부등식을 만족시키는 x의 값의 범위에서의 그래프를 확인하여 최댓값과 최솟값을 구한다.

STEP1 부등식의 해 구하기

부등식 $x^2-2x-3\le0$에서

$(x-3)(x+1)\le0$ $\therefore -1\le x\le3$ ······ ❶

STEP 2 그래프 그리기

$$y=\frac{3x+4}{x+2}=\frac{3(x+2)-2}{x+2}=-\frac{2}{x+2}+3$$

따라서 $-1\le x\le 3$에서 $y=-\dfrac{2}{x+2}+3$의 그래프는 다음 그림과 같다.

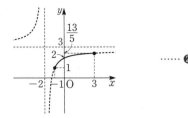
　　　　　　　　　　　　　　　　　　　…… ❷

STEP 3 최댓값과 최솟값 구하기

$x=3$일 때 최댓값은 $\dfrac{13}{5}$, $x=-1$일 때 최솟값은 1이다.

STEP 4 $M+m$의 값 구하기

따라서 $M=\dfrac{13}{5}$, $m=1$이므로

$$M+m=\frac{13}{5}+1=\frac{18}{5}　　　……❸$$

채점 요소	비율
❶ 부등식의 해 구하기	20%
❷ 그래프 그리기	40%
❸ $M+m$의 값 구하기	40%

15

해결전략 | $y=\dfrac{-x+5}{x+1}$의 그래프의 성질을 파악하여 보기의 참, 거짓을 판별한다.

STEP 1 그래프의 식 변형하기

$$y=\frac{-x+5}{x+1}=\frac{-(x+1)+6}{x+1}=\frac{6}{x+1}-1$$

STEP 2 보기 중 옳지 않은 것 고르기

① 정의역은 $\{x\,|\,x\ne -1$인 실수$\}$이다.

② 치역은 $\{y\,|\,y\ne -1$인 실수$\}$이다.

③ 점근선의 방정식은 $x=-1$, $y=-1$이다.

④ $y=\dfrac{6}{x}$의 그래프를 x축의 방향으로 -1만큼, y축의 방향으로 -1만큼 평행이동한 곡선이다.

⑤ $y=\dfrac{-x+5}{x+1}$에서 x와 y를 서로 바꾸면

$$x=\frac{-y+5}{y+1},\ x(y+1)=-y+5$$

$$\therefore (x+1)y=-x+5$$

즉, 역함수는 $y=\dfrac{-x+5}{x+1}$이다.

따라서 옳지 않은 것은 ⑤이다.

16

해결전략 | 점 P와 직선 AB 사이의 거리를 구한 후, 산술평균과 기하평균의 관계를 이용하여 $\triangle$PAB의 넓이의 최솟값을 구한다.

STEP 1 $\overline{AB}$의 길이 구하기

$$\overline{AB}=\sqrt{(4+5)^2+(-5-7)^2}=15　　……❶$$

STEP 2 점 P와 직선 AB 사이의 거리 구하기

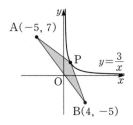

두 점 A, B를 지나는 직선의 방정식은

$$y-7=\frac{-5-7}{4+5}(x+5),\ 즉\ 4x+3y-1=0$$

이때 점 P의 좌표를 $\left(l,\ \dfrac{3}{t}\right)$ $(t>0)$이라 하면 점 P와 직선 $4x+3y-1=0$ 사이의 거리 d는

$$d=\frac{\left|4t+\dfrac{9}{t}-1\right|}{\sqrt{4^2+3^2}}=\frac{\left|4t+\dfrac{9}{t}-1\right|}{5}　……❷$$

STEP 3 점 P와 직선 AB 사이의 거리의 최솟값 구하기

$\triangle$PAB의 밑변을 선분 AB로 하면 $\triangle$PAB의 넓이는

$$\frac{1}{2}\times\overline{AB}\times d=\frac{1}{2}\times 15\times d=\frac{15}{2}d$$

$\triangle$PAB의 넓이는 높이 d가 최소일 때 최솟값을 갖는다.

$t>0$이므로 산술평균과 기하평균의 관계에 의하여

$$4t+\frac{9}{t}\ge 2\sqrt{4t\times\frac{9}{t}}=12$$

$$\left(단,\ 등호는\ 4t=\frac{9}{t}일\ 때\ 성립한다.\right)$$

$$\therefore d=\frac{\left|4t+\dfrac{9}{t}-1\right|}{5}\ge\frac{|12-1|}{5}=\frac{11}{5}$$

즉, d의 최솟값은 $\dfrac{11}{5}$이다.　　……❸

STEP 4 $\triangle$PAB의 넓이의 최솟값 구하기

따라서 $\triangle$PAB의 넓이의 최솟값은

$$\frac{15}{2}\times\frac{11}{5}=\frac{33}{2}　　　……❹$$

채점 요소	비율
❶ $\overline{AB}$의 길이 구하기	10%
❷ 점 P와 직선 AB 사이의 거리 구하기	30%
❸ 점 P와 직선 AB 사이의 거리의 최솟값 구하기	40%
❹ $\triangle$PAB의 넓이의 최솟값 구하기	20%

01

해결전략 | 주어진 식을 간단히 한 후, 분수식이 정수가 되기 위한 조건을 알아본다.

STEP1 주어진 식 간단히 하기

$$\dfrac{\dfrac{1}{n}-\dfrac{1}{n+2}}{\dfrac{1}{n+2}-\dfrac{1}{n+3}}=\dfrac{\dfrac{2}{n(n+2)}}{\dfrac{1}{(n+2)(n+3)}}$$

$$=\dfrac{2n+6}{n}=2+\dfrac{6}{n}$$

STEP2 정수가 되는 조건 알기

이 값이 정수가 되려면 $\dfrac{6}{n}$의 값이 정수이어야 하므로 n은 6의 약수이어야 한다.

STEP3 n의 값의 합 구하기

즉, n의 값은 ±1, ±2, ±3, ±6이다.

그런데 주어진 식에서 (분모)$\neq0$이어야 하므로

$n\neq0$, $n\neq-2$, $n\neq-3$

따라서 정수 n의 값은 ±1, 2, 3, ±6이므로 구하는 합은 5이다.

02

해결전략 | 점근선의 방정식을 구한 후, 그래프와 비교하여 보기의 참, 거짓을 판별한다.

STEP1 점근선의 방정식 구하기

$$y=\dfrac{ax+b}{cx+d}=\dfrac{\dfrac{a}{c}(cx+d)+\dfrac{bc-ad}{c}}{cx+d}$$

$$=\dfrac{\dfrac{bc-ad}{c}}{cx+d}+\dfrac{a}{c}=\dfrac{bc-ad}{c^2x+cd}+\dfrac{a}{c}$$

이므로 점근선의 방정식은

$x=-\dfrac{d}{c}$, $y=\dfrac{a}{c}$

STEP2 보기의 참, 거짓 판별하기

ㄱ. $\dfrac{a}{c}>0$이므로 $ac>0$ (참)

ㄴ. $-\dfrac{d}{c}>0$이므로 $cd<0$ (참)

ㄷ. 그래프의 방향에 의하여 $bc-ad<0$ (거짓)

ㄹ. 그래프의 y절편이 양수이므로

$x=0$을 대입하면 $\dfrac{b}{d}>0$

즉, $b>0$이면 $d>0$ (거짓)

이상에서 옳은 것은 ㄱ, ㄴ이다.

03

해결전략 | 두 함수의 그래프를 그려 모든 사분면을 지나는 경우를 생각한다.

STEP1 $y=\dfrac{k}{x-4}+8$의 그래프를 그려 모든 사분면을 지나는 경우 찾기

$y=\dfrac{k}{x-4}+8$의 그래프는 $y=\dfrac{k}{x}$의 그래프를 x축의 방향으로 4만큼, y축의 방향으로 8만큼 평행이동한 것이므로 k의 부호에 따라 다음 그림과 같이 두 가지로 그려진다.

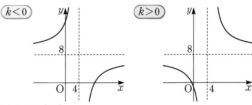

(i) $k<0$일 때

$y=\dfrac{k}{x-4}+8$의 그래프는 제3사분면을 지나지 않으므로 조건을 만족시킬 수 없다.

(ii) $k>0$일 때

$y=\dfrac{k}{x-4}+8$의 그래프가 모든 사분면을 지나려면 $x=0$일 때, $y<0$이어야 하므로

$\dfrac{k}{0-4}+8<0$, $-\dfrac{k}{4}+8<0$

$\therefore k>32$ ...... ㉠

STEP2 $y=\dfrac{k}{x+5}-2$의 그래프를 그려 모든 사분면을 지나는 경우 찾기

$y=\dfrac{k}{x+5}-2$의 그래프는 $y=\dfrac{k}{x}$의 그래프를 x축의 방향으로 -5만큼, y축의 방향으로 -2만큼 평행이동한 것이므로 k의 부호에 따라 다음 그림과 같이 두 가지로 그려진다.

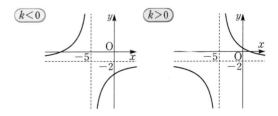

(iii) $k<0$일 때

$y=\dfrac{k}{x+5}-2$의 그래프는 항상 제1사분면을 지나지

않으므로 조건을 만족시킬 수 없다.

(iv) $k>0$일 때

$y=\dfrac{k}{x+5}-2$의 그래프가 모든 사분면을 지나려면

$x=0$일 때, $y>0$이어야 하므로

$\dfrac{k}{0+5}-2>0,\ \dfrac{k}{5}>2$

$\therefore k>10$ ...... ㉡

STEP3 정수 k의 최솟값 구하기

㉠, ㉡에 의하여 $k>32$

따라서 정수 k의 최솟값은 33이다.

04

해결전략 | 주어진 함수의 그래프를 보고 보기의 참, 거짓을 판별한다.

STEP1 2, a, b의 크기 비교하기

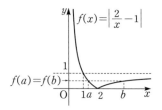

$0<a<b$인 두 실수 a, b에 대하여 $f(a)=f(b)$가 성립하므로 $a<2<b$

STEP2 보기의 참, 거짓 판별하기

ㄱ. 직선 $y=1$이 점근선이므로 $0<f(b)<1$ (참)

ㄴ. $\left|\dfrac{2}{x}-1\right|=1$에서 $x=1$이므로 $1<a<2$이다. (거짓)

ㄷ. $\dfrac{2}{a}>1$이므로 $f(a)=\left|\dfrac{2}{a}-1\right|=\dfrac{2}{a}-1=\dfrac{2-a}{a}$

$\dfrac{2}{b}<1$이므로 $f(b)=\left|\dfrac{2}{b}-1\right|=1-\dfrac{2}{b}=\dfrac{b-2}{b}$

$\therefore abf(a)f(b)=(2-a)(b-2)$

$\qquad\qquad\qquad =(a-2)(2-b)$ (참)

이상에서 옳은 것은 ㄱ, ㄷ이다.

05

해결전략 | 함수식을 변형하여 y가 정수가 될 조건을 생각해 본다.

STEP1 함수식 변형하기

$y=\dfrac{-8x+16}{4x+1}=\dfrac{-2(4x+1)+18}{4x+1}=\dfrac{18}{4x+1}-2$

STEP2 y가 정수일 조건 알기

y가 정수이려면 $4x+1$의 값이 18의 약수이어야 한다.

$\therefore 4x+1=\pm1,\ \pm2,\ \pm3,\ \pm6,\ \pm9,\ \pm18$

STEP3 x의 값 구하기

그런데 $4x+1$은 홀수이므로

$4x+1=\pm1,\ \pm3,\ \pm9$

이때 x가 정수가 되는 경우는 $4x+1=1,\ -3,\ 9$이므로

$x=0,\ -1,\ 2$이다.

STEP4 x좌표, y좌표가 모두 정수인 점의 개수 구하기

따라서 x좌표, y좌표가 모두 정수인 점의 좌표는

$(0,\ 16),\ (-1,\ -8),\ (2,\ 0)$으로 3개이다.

06

해결전략 | 함수 $y=f(x)$의 그래프와 직선 $y=\dfrac{1}{m}x+\dfrac{1}{2m}$

을 그려 교점의 개수를 구한다.

STEP1 함수 $f(x)$의 성질 파악하기

$f(x)=\dfrac{-x+1}{x+1}=\dfrac{-(x+1)+2}{x+1}$

$\qquad =\dfrac{2}{x+1}-1$

$0\le x\le 1$에서 함수 $y=f(x)$의 그래프는 두 점 $(0,\ 1)$, $(1,\ 0)$을 지나는 곡선이고 조건 ㈎에서 $f(x)$는 우함수이고, 조건 ㈏에서 $f(x)$는 주기가 2인 함수이다.

STEP2 직선 $y=\dfrac{1}{m}x+\dfrac{1}{2m}$이 지나는 점 구하기

한편, $y=\dfrac{1}{m}x+\dfrac{1}{2m}=\dfrac{1}{m}\left(x+\dfrac{1}{2}\right)$이므로

직선 $y=\dfrac{1}{m}x+\dfrac{1}{2m}\ (m\ne 0)$은 항상 점 $\left(-\dfrac{1}{2},\ 0\right)$을 지난다.

STEP3 그래프를 그려 교점의 개수 구하기

따라서 $m=12$일 때, 함수 $y=f(x)$의 그래프와 직선 $y=\dfrac{1}{12}\left(x+\dfrac{1}{2}\right)$을 좌표평면 위에 나타내면 다음 그림과 같다.

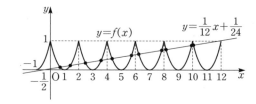

위의 그림에서 교점은 모두 11개이므로

$g(12)=11$

07

해결전략 | 점근선의 방정식과 역함수를 각각 구하여 a, b의 값을 구한다.

STEP1 a의 값 구하기

$y=\dfrac{bx+3}{ax-1}$ 으로 놓으면

$y=\dfrac{bx+3}{ax-1}=\dfrac{b\left(x-\dfrac{1}{a}\right)+\dfrac{b}{a}+3}{a\left(x-\dfrac{1}{a}\right)}$

$=\dfrac{\dfrac{b}{a}+3}{a\left(x-\dfrac{1}{a}\right)}+\dfrac{b}{a}=\dfrac{\dfrac{b}{a^2}+\dfrac{3}{a}}{x-\dfrac{1}{a}}+\dfrac{b}{a}$

따라서 점근선의 방정식은

$x=\dfrac{1}{a},\ y=\dfrac{b}{a}$

주어진 조건에서 한 점근선의 방정식이 $x=3$이므로

$\dfrac{1}{a}=3$ $\therefore a=\dfrac{1}{3}$

STEP2 $f^{-1}(x)$ 구하기

또, $f(f(x))=x$에서 $f(x)=f^{-1}(x)$

$y=\dfrac{bx+3}{ax-1}$에서 x와 y를 서로 바꾸면

$x=\dfrac{by+3}{ay-1},\ (ay-1)x=by+3$

$(ax-b)y=x+3$

$\therefore f^{-1}(x)=\dfrac{x+3}{ax-b}$

STEP3 b의 값 구하기

$f(x)=f^{-1}(x)$이므로

$\dfrac{bx+3}{ax-1}=\dfrac{x+3}{ax-b}$

$\therefore b=1$

STEP4 $a+b$의 값 구하기

$\therefore a+b=\dfrac{1}{3}+1=\dfrac{4}{3}$

08

해결전략 | A, B, P, Q의 좌표를 이용하여 삼각형의 넓이 S_1, S_2를 식으로 나타낸 후, 산술평균과 기하평균의 관계를 이용하여 최솟값을 구한다.

STEP1 직선 AB의 방정식 구하기

두 점 A$(-1,\ -1)$, B$\left(a,\ \dfrac{1}{a}\right)$ $(a>1)$을 지나는 직선의 기울기가

$\dfrac{\dfrac{1}{a}-(-1)}{a-(-1)}=\dfrac{\dfrac{1}{a}+1}{a+1}=\dfrac{\dfrac{a+1}{a}}{a+1}=\dfrac{1}{a}$

이므로 직선의 방정식은

$y=\dfrac{1}{a}(x+1)-1$ $\therefore y=\dfrac{1}{a}x+\dfrac{1}{a}-1$

STEP2 $\overline{OP}$, $\overline{OQ}$, $\overline{PB'}$, $\overline{BB'}$을 a로 나타내기

P$(a-1,\ 0)$, Q$\left(0,\ \dfrac{1}{a}-1\right)$

이므로 $\overline{OP}=a-1$, $\overline{OQ}=1-\dfrac{1}{a}$,

이때 B$'(a,\ 0)$이므로

$\overline{PB'}=a-(a-1)=1$, $\overline{BB'}=\dfrac{1}{a}$

STEP3 삼각형의 넓이 S_1, S_2를 식으로 나타내기

삼각형의 넓이 S_1, S_2는

$S_1=\dfrac{1}{2}\times\overline{OP}\times\overline{OQ}$

$=\dfrac{1}{2}\times(a-1)\times\left(1-\dfrac{1}{a}\right)$

$=\dfrac{a^2-2a+1}{2a}=\dfrac{a}{2}-1+\dfrac{1}{2a}$

$S_2=\dfrac{1}{2}\times\overline{PB'}\times\overline{BB'}$

$=\dfrac{1}{2}\times1\times\dfrac{1}{a}=\dfrac{1}{2a}$

STEP4 S_1+S_2의 최솟값 구하기

$\therefore S_1+S_2=\dfrac{a}{2}-1+\dfrac{1}{2a}+\dfrac{1}{2a}$

$=\dfrac{a}{2}+\dfrac{1}{a}-1$

$\geq2\sqrt{\dfrac{a}{2}\times\dfrac{1}{a}}-1$

$=\sqrt{2}-1$ (단, 등호는 $a=\sqrt{2}$일 때 성립한다.)

따라서 S_1+S_2의 최솟값은 $\sqrt{2}-1$이다.

08 무리식과 무리함수

개념확인

202~205쪽

01 답 (1) $2x$ (2) $-5x$

02 답 (1) $-5\sqrt{6}$ (2) $\dfrac{9}{20}$

03 답 (1) $x \leq 4$ (2) $x > 3$

04 답 (1) $\sqrt{5}-2$ (2) $\sqrt{35}-\sqrt{30}$ (3) $3+2\sqrt{2}$

05 답 (1) $\dfrac{\sqrt{x}+1}{x-1}$ (2) $-\dfrac{\sqrt{x-2}+\sqrt{x+1}}{3}$

(3) $\dfrac{\sqrt{2x+1}+\sqrt{2x-1}}{2}$

(1) $\dfrac{1}{\sqrt{x}-1} = \dfrac{\sqrt{x}+1}{(\sqrt{x}-1)(\sqrt{x}+1)}$

$= \dfrac{\sqrt{x}+1}{x-1}$

(2) $\dfrac{1}{\sqrt{x-2}-\sqrt{x+1}}$

$= \dfrac{\sqrt{x-2}+\sqrt{x+1}}{(\sqrt{x-2}-\sqrt{x+1})(\sqrt{x-2}+\sqrt{x+1})}$

$= \dfrac{\sqrt{x-2}+\sqrt{x+1}}{(x-2)-(x+1)}$

$= -\dfrac{\sqrt{x-2}+\sqrt{x+1}}{3}$

(3) $\dfrac{1}{\sqrt{2x+1}-\sqrt{2x-1}}$

$= \dfrac{\sqrt{2x+1}+\sqrt{2x-1}}{(\sqrt{2x+1}-\sqrt{2x-1})(\sqrt{2x+1}+\sqrt{2x-1})}$

$= \dfrac{\sqrt{2x+1}+\sqrt{2x-1}}{(2x+1)-(2x-1)}$

$= \dfrac{\sqrt{2x+1}+\sqrt{2x-1}}{2}$

06 답 (1) $x=2, y=-1$ (2) $x=-3, y=1$
(3) $x=-1, y=-2$

07 답 (1) $\{x \,|\, x \geq -3\}$ (2) $\{x \,|\, x \leq 2\}$
(3) $\left\{x \,\middle|\, x \geq -\dfrac{1}{2}\right\}$ (4) $\{x \,|\, x \leq -2 \text{ 또는 } x \geq 2\}$

08 답 풀이 참조

(1) $y=\sqrt{2x}$의 그래프는 오른쪽 그림과 같다.
∴ 정의역: $\{x \,|\, x \geq 0\}$,
치역: $\{y \,|\, y \geq 0\}$

(2) $y=\sqrt{-2x}$의 그래프는 오른쪽 그림과 같다.
∴ 정의역: $\{x \,|\, x \leq 0\}$,
치역: $\{y \,|\, y \geq 0\}$

(3) $y=-\sqrt{2x}$의 그래프는 오른쪽 그림과 같다.
∴ 정의역: $\{x \,|\, x \geq 0\}$,
치역: $\{y \,|\, y \leq 0\}$

(4) $y=-\sqrt{-2x}$의 그래프는 오른쪽 그림과 같다.
∴ 정의역: $\{x \,|\, x \leq 0\}$,
치역: $\{y \,|\, y \leq 0\}$

09 답 풀이 참조

(1) $y=\sqrt{x-2}+3$의 그래프는 $y=\sqrt{x}$의 그래프를 x축의 방향으로 2만큼, y축의 방향으로 3만큼 평행이동한 것이므로 오른쪽 그림과 같다.
∴ 정의역: $\{x \,|\, x \geq 2\}$, 치역: $\{y \,|\, y \geq 3\}$

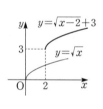

(2) $y=-\sqrt{2(x+3)}+1$의 그래프는 $y=-\sqrt{2x}$의 그래프를 x축의 방향으로 -3만큼, y축의 방향으로 1만큼 평행이동한 것이므로 오른쪽 그림과 같다.
∴ 정의역: $\{x \,|\, x \geq -3\}$, 치역: $\{y \,|\, y \leq 1\}$

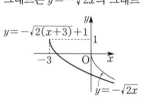

(3) $y=\sqrt{-(x-4)}+2$의 그래프는 $y=\sqrt{-x}$의 그래프를 x축의 방향으로 4만큼, y축의 방향으로 2만큼 평행이동한 것이므로 오른쪽 그림과 같다.
∴ 정의역: $\{x \,|\, x \leq 4\}$, 치역: $\{y \,|\, y \geq 2\}$

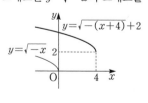

(4) $y=-\sqrt{-3(x-2)}-1$의
그래프는 $y=-\sqrt{-3x}$의
그래프를 x축의 방향으
로 2만큼, y축의 방향으로
-1만큼 평행이동한 것이
므로 오른쪽 그림과 같다.

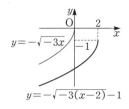

$\therefore$ 정의역: $\{x|x\leq2\}$, 치역: $\{y|y\leq-1\}$

(5) $y=\sqrt{2x-4}-1=\sqrt{2(x-2)}-1$이므로
$y=\sqrt{2x-4}-1$의 그래프는 $y=\sqrt{2x}$의 그래프를 x축
의 방향으로 2만큼, y축의 방향
으로 -1만큼 평행이동한 것이
다.

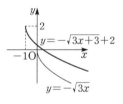

따라서 주어진 함수의 그래프는
오른쪽 그림과 같으므로
정의역: $\{x|x\geq2\}$, 치역: $\{y|y\geq-1\}$

(6) $y=-\sqrt{3x+3}+2=-\sqrt{3(x+1)}+2$
이므로 $y=-\sqrt{3x+3}+2$의 그래프는 $y=-\sqrt{3x}$의
그래프를 x축의 방향으로
-1만큼, y축의 방향으로
2만큼 평행이동한 것이다.
따라서 주어진 함수의 그
래프는 오른쪽 그림과 같
으므로
정의역: $\{x|x\geq-1\}$, 치역: $\{y|y\leq2\}$

10 目 (1) $y=x^2+4x+4\ (x\geq-2)$
　　(2) $y=x^2-2x+4\ (x\leq1)$

(1) $y=\sqrt{x}-2$에서 $y+2=\sqrt{x}$이므로
$x\geq0$, $y+2\geq0$　　$\therefore x\geq0$, $y\geq-2$
$\therefore y+2=\sqrt{x}\ (x\geq0,\ y\geq-2)$
x와 y를 서로 바꾸면
$x+2=\sqrt{y}\ (y\geq0,\ x\geq-2)$
양변을 제곱하면
$y=x^2+4x+4\ (x\geq-2)$

(2) $y=-\sqrt{x-3}+1$에서 $y-1=-\sqrt{x-3}$이므로
$x-3\geq0$, $y-1\leq0$　　$\therefore x\geq3$, $y\leq1$
$\therefore y-1=-\sqrt{x-3}\ (x\geq3,\ y\leq1)$
x와 y를 서로 바꾸면
$x-1=-\sqrt{y-3}\ (y\geq3,\ x\leq1)$
양변을 제곱하면
$x^2-2x+1=y-3\ (x\leq1)$
$\therefore y=x^2-2x+4\ (x\leq1)$

01-1 目 $2a-3$

해결전략 | $a+2$, $a-5$의 부호를 구한 후, 근호를 없애고 식
을 간단히 한다.

STEP 1 $a+2$, $a-5$의 부호 구하기

$-2\leq a\leq5$이므로 $a+2\geq0$, $a-5\leq0$

STEP 2 근호를 없애고 식 간단히 하기

$\therefore \sqrt{(a+2)^2}-\sqrt{(a-5)^2}=|a+2|-|a-5|$
$=a+2+(a-5)$
$=2a-3$

◎ 풍쌤의 비법

$$\sqrt{(a-k)^2}=|a-k|=\begin{cases}a-k & (a\geq k)\\-(a-k) & (a<k)\end{cases}$$

01-2 目 a

해결전략 | 근호 안의 식을 완전제곱식으로 나타낸 후, 근호
를 없애고 식을 간단히 한다.

STEP 1 근호 안의 식을 완전제곱식으로 나타내기

$\sqrt{a^2-2a+1}-\sqrt{4a^2-4a+1}$
$=\sqrt{(a-1)^2}-\sqrt{(2a-1)^2}$

STEP 2 $a-1$, $2a-1$의 부호 구하기

$-1<a<0$이므로 $a-1<0$
$-2<2a<0$이므로 $2a-1<0$

STEP 3 근호를 없애고 식 간단히 하기

$\therefore \sqrt{(a-1)^2}-\sqrt{(2a-1)^2}=|a-1|-|2a-1|$
$=-(a-1)+(2a-1)$
$=-a+1+2a-1=a$

01-3 目 2

해결전략 | $\sqrt{a}\sqrt{b}=-\sqrt{a}\sqrt{b}$이면 $a\leq0$, $b\leq0$임을 이용하여
x의 값의 범위를 구한다.

STEP 1 x의 값의 범위 구하기

$\sqrt{x-4}\sqrt{2-x}=-\sqrt{(x-4)(2-x)}$이므로
$x-4\leq0$, $2-x\leq0$　　$\therefore 2\leq x\leq4$

STEP 2 $x-4$, $x-2$의 부호 구하기

$2\leq x\leq4$이므로
$x-4\leq0$, $x-2\geq0$

STEP 3 근호를 없애고 식 간단히 하기

$\therefore \sqrt{(x-4)^2}+\sqrt{(x-2)^2}=|x-4|+|x-2|$
$=-(x-4)+(x-2)$
$=-x+4+x-2=2$

01-4 답 $2a^2-5$

해결전략 | a^2-1, a^2-4의 부호를 구한 후, 근호를 없애고 식을 간단히 한다.

STEP 1 **a^2-1, a^2-4의 부호구하기**

$1<a<2$이므로 $1<a^2<4$

∴ $a^2-1>0$, $a^2-4<0$

STEP 2 **근호를 없애고 식 간단히 하기**

$$\sqrt{(a^2-1)^2}-\sqrt{(a^2-4)^2}=|a^2-1|-|a^2-4|$$
$$=a^2-1+(a^2-4)$$
$$=2a^2-5$$

01-5 답 $2x-2$

해결전략 | $\dfrac{\sqrt{a}}{\sqrt{b}}=-\sqrt{\dfrac{a}{b}}$ 이면 $a\geq0$, $b<0$임을 이용하여 x의 값의 범위를 구한 후, 주어진 식의 근호 안을 완전제곱식으로 나타낸다.

STEP 1 **x의 값의 범위 구하기**

$\dfrac{\sqrt{x+2}}{\sqrt{x-3}}=-\sqrt{\dfrac{x+2}{x-3}}$ 이므로

$x+2\geq0$, $x-3<0$ ∴ $-2\leq x<3$

STEP 2 **근호 안의 식을 완전제곱식으로 나타내기**

$$\sqrt{x^2+4x+4}-\sqrt{x^2-8x+16}$$
$$=\sqrt{(x+2)^2}-\sqrt{(x-4)^2}$$

STEP 3 **$x+2$, $x-4$의 부호 구하기**

$-2\leq x<3$이므로 $x+2\geq0$, $x-4<0$

STEP 4 **근호를 없애고 식 간단히 하기**

$$\therefore \sqrt{(x+2)^2}-\sqrt{(x-4)^2}=|x+2|-|x-4|$$
$$=x+2+(x-4)$$
$$=2x-2$$

01-6 답 $-\dfrac{2}{a}$

해결전략 | x^2-4, x를 a에 대한 식으로 나타낸다.

STEP 1 **x^2을 a에 대한 식으로 나타내기**

$x=a+\dfrac{1}{a}$의 양변을 제곱하면

$x^2=a^2+2+\dfrac{1}{a^2}$

STEP 2 **x^2-4를 a에 대한 완전제곱식으로 나타내기**

$$\therefore x^2-4=a^2+\dfrac{1}{a^2}-2=\left(a-\dfrac{1}{a}\right)^2$$

STEP 3 **$a-\dfrac{1}{a}$의 부호 구하기**

$a>1$이므로 $0<\dfrac{1}{a}<1$

∴ $a-\dfrac{1}{a}>0$

STEP 4 **근호를 없애고 식 간단히 하기**

$$\therefore \sqrt{x^2-4}-x=\sqrt{\left(a-\dfrac{1}{a}\right)^2}-\left(a+\dfrac{1}{a}\right)$$
$$=\left|a-\dfrac{1}{a}\right|-\left(a+\dfrac{1}{a}\right)$$
$$=a-\dfrac{1}{a}-a-\dfrac{1}{a}=-\dfrac{2}{a}$$

필수유형 02 209쪽

02-1 답 $x\leq-\dfrac{1}{3}$ 또는 $x\geq\dfrac{3}{2}$

해결전략 | $\sqrt{A}$의 값이 실수가 되려면 $A\geq0$임을 이용하여 x의 값의 범위를 구한다.

무리식 $\sqrt{6x^2-7x-3}$의 값이 실수가 되려면

$6x^2-7x-3\geq0$이어야 하므로

$(3x+1)(2x-3)\geq0$

∴ $x\leq-\dfrac{1}{3}$ 또는 $x\geq\dfrac{3}{2}$

02-2 답 $-5\leq x\leq3$

해결전략 | $\sqrt{A}+\sqrt{B}$의 값이 실수가 되려면 $A\geq0$, $B\geq0$임을 이용하여 x의 값의 범위를 구한다.

STEP 1 **$\sqrt{5+x}$, $\sqrt{3-x}$의 값이 각각 실수가 되는 x의 값의 범위 구하기**

무리식 $\sqrt{5+x}$의 값이 실수가 되려면 $5+x\geq0$에서

$x\geq-5$

무리식 $\sqrt{3-x}$의 값이 실수가 되려면 $3-x\geq0$에서

$x\leq3$

STEP 2 **x의 값의 범위 구하기**

무리식 $\sqrt{5+x}-\sqrt{3-x}$의 값이 실수가 되려면 $\sqrt{5+x}$와 $\sqrt{3-x}$의 값이 모두 실수이어야 하므로 x의 값의 범위는

$-5\leq x\leq3$

02-3 답 $-2<x\leq3$

해결전략 | $\dfrac{\sqrt{B}}{\sqrt{A}}$의 값이 실수가 되려면 $A>0$, $B\geq0$임을 이용하여 x의 값의 범위를 구한다.

STEP 1 **$\sqrt{9-x^2}$, $\dfrac{1}{\sqrt{x+2}}$의 값이 각각 실수가 되는 x의 값의 범위 구하기**

무리식 $\sqrt{9-x^2}$의 값이 실수가 되려면 $9-x^2\geq0$

$(x+3)(x-3)\leq0$에서 $-3\leq x\leq3$

무리식 $\dfrac{1}{\sqrt{x+2}}$의 값이 실수가 되려면 $x+2>0$에서
$x>-2$

STEP2 x의 값의 범위 구하기

무리식 $\dfrac{\sqrt{9-x^2}}{\sqrt{x+2}}$의 값이 실수가 되려면 $\sqrt{9-x^2}$과

$\dfrac{1}{\sqrt{x+2}}$의 값이 모두 실수이어야 하므로 구하는 x의 값

의 범위는
$-2<x\le 3$

02-4 답 0

해결전략 | $\dfrac{1}{\sqrt{A}}$의 값이 실수가 되려면 $A>0$임을 이용하여
x의 값의 범위를 구한다.

STEP1 $\sqrt{1-x}$, $\dfrac{1}{\sqrt{x+2}}$의 값이 각각 실수가 되는 x의 값의

범위 구하기

무리식 $\sqrt{1-x}$의 값이 실수가 되려면 $1-x\ge 0$에서
$x\le 1$

무리식 $\dfrac{1}{\sqrt{x+2}}$의 값이 실수가 되려면 $x+2>0$에서
$x>-2$

STEP2 정수 x의 값의 범위 구하기

무리식 $\sqrt{1-x}+\dfrac{1}{\sqrt{x+2}}$의 값이 실수가 되려면

$\sqrt{1-x}$와 $\dfrac{1}{\sqrt{x+2}}$의 값이 모두 실수이어야 하므로 x의

값의 범위는
$-2<x\le 1$

STEP3 정수 x의 값의 합 구하기

따라서 구하는 모든 정수 x의 값의 합은
$-1+0+1=0$

02-5 답 $-x+3$

해결전략 | $\sqrt{x+2}$, $\sqrt{2-x}$의 값이 실수가 되도록 하는 x의
값의 범위를 이용하여 $\sqrt{x^2-6x+9}$를 간단히 한다.

STEP1 $\sqrt{x+2}$, $\sqrt{2-x}$의 값이 각각 실수가 되는 x의 값의

범위 구하기

무리식 $\sqrt{x+2}$의 값이 실수가 되려면 $x+2\ge 0$에서
$x\ge -2$

무리식 $\sqrt{2-x}$의 값이 실수가 되려면 $2-x\ge 0$에서
$x\le 2$

STEP2 x의 값의 범위 구하기

무리식 $\sqrt{x+2}-\sqrt{2-x}$의 값이 실수가 되려면 $\sqrt{x+2}$와
$\sqrt{2-x}$의 값이 모두 실수이어야 하므로 x의 값의 범위는
$-2\le x\le 2$

STEP3 $\sqrt{x^2-6x+9}$ 간단히 하기

따라서 $x-3<0$이므로
$\sqrt{x^2-6x+9}=\sqrt{(x-3)^2}=|x-3|=-x+3$

02-6 답 27

해결전략 | $\sqrt{n+x}$, $\sqrt{n-x}$의 값이 실수가 되도록 하는 x의
값의 범위를 이용하여 $f(n)$을 구한다.

STEP1 $\sqrt{n+x}$, $\sqrt{n-x}$의 값이 각각 실수가 되는 x의 값의

범위 구하기

무리식 $\sqrt{n+x}$의 값이 실수가 되려면 $n+x\ge 0$에서
$x\ge -n$

무리식 $\sqrt{n-x}$의 값이 실수가 되려면 $n-x\ge 0$에서
$x\le n$

STEP2 x의 값의 범위 구하기

무리식 $\sqrt{n+x}+\sqrt{n-x}$의 값이 실수가 되려면 $\sqrt{n+x}$와
$\sqrt{n-x}$의 값이 모두 실수이어야 하므로 x의 값의 범위는
$-n\le x\le n$

STEP3 $f(3)+f(4)+f(5)$의 값 구하기

$f(3)$의 값은 $-3\le x\le 3$인 정수 x의 개수이므로
$f(3)=7$

마찬가지 방법으로 $f(4)=9$, $f(5)=11$
$\therefore f(3)+f(4)+f(5)=7+9+11=27$

필수유형 03 211쪽

03-1 답 (1) $-\dfrac{x+\sqrt{x^2-4}}{2}$ (2) $-2\sqrt{3}$ (3) x

해결전략 | 분모를 유리화하여 주어진 식을 간단히 한다.

(1) $\dfrac{\sqrt{x+2}+\sqrt{x-2}}{\sqrt{x-2}-\sqrt{x+2}}$

$=\dfrac{(\sqrt{x+2}+\sqrt{x-2})^2}{(\sqrt{x-2}-\sqrt{x+2})(\sqrt{x-2}+\sqrt{x+2})}$

$=\dfrac{x+2+2\sqrt{x^2-4}+x-2}{(x-2)-(x+2)}$

$=\dfrac{2x+2\sqrt{x^2-4}}{-4}$

$=-\dfrac{x+\sqrt{x^2-4}}{2}$

(2) $\dfrac{2x}{\sqrt{2x+3}+\sqrt{3}} - \dfrac{2x}{\sqrt{2x+3}-\sqrt{3}}$

$= \dfrac{2x(\sqrt{2x+3}-\sqrt{3}) - 2x(\sqrt{2x+3}+\sqrt{3})}{(\sqrt{2x+3}+\sqrt{3})(\sqrt{2x+3}-\sqrt{3})}$

$= \dfrac{2x\sqrt{2x+3} - 2\sqrt{3x} - 2x\sqrt{2x+3} - 2\sqrt{3}x}{(2x+3)-3}$

$= \dfrac{-4\sqrt{3}x}{2x}$

$= -2\sqrt{3}$

(3) $\dfrac{\sqrt{x}}{\sqrt{x+2}-\sqrt{x}} - \dfrac{\sqrt{x}}{\sqrt{x+2}+\sqrt{x}}$

$= \dfrac{\sqrt{x}(\sqrt{x+2}+\sqrt{x}) - \sqrt{x}(\sqrt{x+2}-\sqrt{x})}{(\sqrt{x+2}-\sqrt{x})(\sqrt{x+2}+\sqrt{x})}$

$= \dfrac{\sqrt{x^2+2x}+x - \sqrt{x^2+2x}+x}{(x+2)-x}$

$= \dfrac{2x}{2} = x$

03-2 달 $\dfrac{\sqrt{ab}}{ab}$

해결전략 | 분모에 근호가 포함되지 않도록 변형하여 식을 간단히 한다.

$\dfrac{1}{a+\sqrt{ab}} + \dfrac{1}{b+\sqrt{ab}}$

$= \dfrac{a-\sqrt{ab}}{(a+\sqrt{ab})(a-\sqrt{ab})} + \dfrac{b-\sqrt{ab}}{(b+\sqrt{ab})(b-\sqrt{ab})}$

$= \dfrac{a-\sqrt{ab}}{a^2-ab} + \dfrac{b-\sqrt{ab}}{b^2-ab}$

$= \dfrac{a-\sqrt{ab}}{a(a-b)} - \dfrac{b-\sqrt{ab}}{b(a-b)}$

$= \dfrac{ab-b\sqrt{ab}-ab+a\sqrt{ab}}{ab(a-b)}$

$= \dfrac{\sqrt{ab}(a-b)}{ab(a-b)}$

$= \dfrac{\sqrt{ab}}{ab}$

◉→ 다른 풀이

$\dfrac{1}{a+\sqrt{ab}} + \dfrac{1}{b+\sqrt{ab}}$

$= \dfrac{1}{\sqrt{a}(\sqrt{a}+\sqrt{b})} + \dfrac{1}{\sqrt{b}(\sqrt{b}+\sqrt{a})}$

$= \dfrac{\sqrt{a}+\sqrt{b}}{\sqrt{a}\sqrt{b}(\sqrt{a}+\sqrt{b})}$

$= \dfrac{1}{\sqrt{a}\sqrt{b}}$

$= \dfrac{\sqrt{a}\sqrt{b}}{ab}$

$= \dfrac{\sqrt{ab}}{ab}$

03-3 달 $\dfrac{2x}{y}$

해결전략 | $(A+B)(A-B)=A^2-B^2$을 이용하여 분모를 유리화한다.

$\dfrac{\sqrt{x+y}-\sqrt{x-y}}{\sqrt{x+y}+\sqrt{x-y}} + \dfrac{\sqrt{x+y}+\sqrt{x-y}}{\sqrt{x+y}-\sqrt{x-y}}$

$= \dfrac{(\sqrt{x+y}-\sqrt{x-y})^2 + (\sqrt{x+y}+\sqrt{x-y})^2}{(\sqrt{x+y}+\sqrt{x-y})(\sqrt{x+y}-\sqrt{x-y})}$

$= \dfrac{2x-2\sqrt{x^2-y^2}+2x+2\sqrt{x^2-y^2}}{(x+y)-(x-y)} = \dfrac{2x}{y}$

03-4 달 $4\sqrt{2}+2$

해결전략 | 주어진 식의 분모를 유리화하여 간단히 정리한 후, 주어진 수를 식에 대입하여 식의 값을 구한다.

STEP 1 주어진 식 간단히 하기

$\dfrac{\sqrt{x+1}-\sqrt{x}}{\sqrt{x+1}+\sqrt{x}} + \dfrac{\sqrt{x+1}+\sqrt{x}}{\sqrt{x+1}-\sqrt{x}}$

$= \dfrac{(\sqrt{x+1}-\sqrt{x})^2 + (\sqrt{x+1}+\sqrt{x})^2}{(\sqrt{x+1}+\sqrt{x})(\sqrt{x+1}-\sqrt{x})}$

$= \dfrac{2x+1-2\sqrt{x^2+x}+2x+1+2\sqrt{x^2+x}}{(x+1)-x}$

$= 4x+2$

STEP 2 주어진 식의 값 구하기

위의 식에 $x=\sqrt{2}$를 대입하면

$4x+2 = 4\sqrt{2}+2$

> ⊙ 풍쌤의 비법
>
> 식의 값은 주어진 수를 식에 직접 대입하는 것보다 식을 간단히 정리한 후 대입하여 구하는 것이 훨씬 편리하다.

03-5 달 $\sqrt{2}$

해결전략 | 주어진 수 x, y와 주어진 식의 분모를 유리화한다.

$x = \dfrac{1}{\sqrt{2}-1} = \dfrac{\sqrt{2}+1}{2-1} = \sqrt{2}+1$

$y = \dfrac{1}{\sqrt{2}+1} = \dfrac{\sqrt{2}-1}{2-1} = \sqrt{2}-1$

이므로 $x+y = 2\sqrt{2}$, $x-y = 2$

$\therefore \dfrac{\sqrt{y}}{\sqrt{x}-\sqrt{y}} + \dfrac{\sqrt{x}}{\sqrt{x}+\sqrt{y}}$

$= \dfrac{\sqrt{y}(\sqrt{x}+\sqrt{y}) + \sqrt{x}(\sqrt{x}-\sqrt{y})}{(\sqrt{x}-\sqrt{y})(\sqrt{x}+\sqrt{y})}$

$= \dfrac{\sqrt{xy}+y+x-\sqrt{xy}}{x-y}$

$= \dfrac{x+y}{x-y} = \dfrac{2\sqrt{2}}{2}$

$= \sqrt{2}$

03-6 답 3

해결전략 | 분모의 유리화를 이용하여 $\dfrac{1}{f(x)}$을 구한다.

STEP 1 $\dfrac{1}{f(x)}$ 구하기

$$\dfrac{1}{f(x)}=\dfrac{1}{\sqrt{x}+\sqrt{x+1}}$$
$$=\dfrac{\sqrt{x}-\sqrt{x+1}}{(\sqrt{x}+\sqrt{x+1})(\sqrt{x}-\sqrt{x+1})}$$
$$=\dfrac{\sqrt{x}-\sqrt{x+1}}{x-(x+1)}$$
$$=-(\sqrt{x}-\sqrt{x+1})=\sqrt{x+1}-\sqrt{x}$$

STEP 2 주어진 식의 값 구하기

$$\therefore \dfrac{1}{f(1)}+\dfrac{1}{f(2)}+\dfrac{1}{f(3)}+\cdots+\dfrac{1}{f(15)}$$
$$=(\sqrt{2}-\sqrt{1})+(\sqrt{3}-\sqrt{2})+(\sqrt{4}-\sqrt{3})$$
$$\qquad\qquad\qquad\qquad +\cdots+(\sqrt{16}-\sqrt{15})$$
$$=\sqrt{16}-\sqrt{1}=3$$

필수유형 04   213쪽

04-1 답 $a=-3,\ b=-2$

해결전략 | x축의 방향으로 p만큼, y축의 방향으로 q만큼 평행이동하면 x 대신 $x-p$를, y 대신 $y-q$를 대입한다.

STEP 1 함수 $y=\sqrt{3x}$의 그래프를 평행이동한 그래프의 식 구하기

함수 $y=\sqrt{3x}$의 그래프를 x축의 방향으로 1만큼, y축의 방향으로 -2만큼 평행이동한 그래프의 식은

$$y=\sqrt{3(x-1)}-2=\sqrt{3x-3}-2$$

STEP 2 $a,\ b$의 값 구하기

위의 함수의 그래프가 $y=\sqrt{3x+a}+b$의 그래프와 일치하므로

$$a=-3,\ b=-2$$

04-2 답 $a=-1,\ b=-1$

해결전략 | $y=\sqrt{ax+b}+c$의 그래프를 x축의 방향으로 p만큼, y축의 방향으로 q만큼 평행이동한 그래프의 식은 $y=\sqrt{a(x-p)+b}+c+q$이다.

STEP 1 함수 $y=\sqrt{2x+1}-2$의 그래프를 평행이동한 그래프의 식 구하기

함수 $y=\sqrt{2x+1}-2$의 그래프를 x축의 방향으로 a만큼, y축의 방향으로 b만큼 평행이동한 그래프의 식은

$$y=\sqrt{2(x-a)+1}-2+b$$
$$\therefore y=\sqrt{2x+(-2a+1)}-2+b$$

STEP 2 $a,\ b$의 값 구하기

위의 함수의 그래프가 $y=\sqrt{2x+3}-3$의 그래프와 일치하므로

$$-2a+1=3,\ -2+b=-3$$
$$\therefore a=-1,\ b=-1$$

04-3 답 $a=-1,\ b=-3,\ c=3$

해결전략 | x축, y축의 방향으로 각각 평행이동한 그래프의 식을 구한 후, y축에 대하여 대칭이동한 그래프의 식을 구한다.

STEP 1 함수 $y=\sqrt{x-4}$의 그래프를 평행이동한 그래프의 식 구하기

함수 $y=\sqrt{x-4}$의 그래프를 x축의 방향으로 -1만큼, y축의 방향으로 3만큼 평행이동한 그래프의 식은

$$y=\sqrt{(x+1)-4}+3=\sqrt{x-3}+3$$

STEP 2 대칭이동한 그래프의 식 구하기

위의 함수의 그래프를 y축에 대하여 대칭이동하면

$$y=\sqrt{-x-3}+3$$

STEP 3 $a,\ b,\ c$의 값 구하기

위의 함수의 그래프가 $y=\sqrt{ax+b}+c$의 그래프와 일치하므로

$$a=-1,\ b=-3,\ c=3$$

04-4 답 4

해결전략 | 함수 $y=\sqrt{2x}$의 그래프를 평행이동한 식을 구한 후, 함수 $y=\sqrt{ax-2}+1$과 비교한다.

STEP 1 함수 $y=\sqrt{2x}$의 그래프를 평행이동한 그래프의 식 구하기

함수 $y=\sqrt{2x}$의 그래프를 x축의 방향으로 b만큼, y축의 방향으로 c만큼 평행이동한 그래프의 식은

$$y=\sqrt{2(x-b)}+c=\sqrt{2x-2b}+c$$

STEP 2 $a,\ b,\ c$의 값 구하기

위의 함수의 그래프가 $y=\sqrt{ax-2}+1$의 그래프와 일치하므로

$$2=a,\ -2b=-2,\ c=1$$
$$\therefore a=2,\ b=1,\ c=1$$

STEP 3 $a+b+c$의 값 구하기

$$\therefore a+b+c=2+1+1=4$$

04-5 답 3

해결전략 | 함수 $y=2\sqrt{x}$의 그래프를 평행이동한 식에 $x=1,\ y=5$를 대입하여 k의 값을 구한다.

STEP 1 함수 $y=2\sqrt{x}$의 그래프를 평행이동한 그래프의 식 구하기

함수 $y=2\sqrt{x}$의 그래프를 y축의 방향으로 k만큼 평행이동한 그래프의 식은

$y=2\sqrt{x}+k$

STEP 2 k의 값 구하기

함수 $y=2\sqrt{x}+k$의 그래프가 점 $(1, 5)$를 지나므로

$5=2+k$ $\therefore k=3$

04-6 답 2

해결전략 | 무리함수 $y=\sqrt{ax+b}+c\ (a\neq 0)$의 꼴은

$y=\sqrt{a\left(x+\dfrac{b}{a}\right)}+c$의 꼴로 변형하여 비교한다.

STEP 1 함수 $y=a\sqrt{x}+2$의 그래프를 평행이동한 그래프의 식 구하기

함수 $y=a\sqrt{x}+2$의 그래프를 x축의 방향으로 m만큼, y축의 방향으로 n만큼 평행이동한 그래프의 식은

$y=a\sqrt{x-m}+2+n$

STEP 2 a, m, n의 값 구하기

위의 함수의 그래프가 $y=\sqrt{4x-8}=2\sqrt{x-2}$의 그래프와 일치하므로

$a=2, m=2, 2+n=0$

$\therefore a=2, m=2, n=-2$

STEP 3 $a+m+n$의 값 구하기

$\therefore a+m+n=2+2-2=2$

필수유형 ⑤   215쪽

05-1 답 $a=-9, b=36, c=-1$

해결전략 | 무리함수의 그래프가 시작되는 점의 좌표가 (p, q)이면 무리함수의 식을 $y=\pm\sqrt{a(x-p)}+q\ (a\neq 0)$로 놓고 그래프가 지나는 다른 한 점의 좌표를 대입하여 미지수의 값을 구한다.

STEP 1 주어진 무리함수를 $y=\pm\sqrt{a(x-p)}+q$의 꼴로 나타내기

주어진 함수의 그래프는 $y=\sqrt{ax}\ (a<0)$의 그래프를 x축의 방향으로 4만큼, y축의 방향으로 -1만큼 평행이동한 것이므로

$y=\sqrt{a(x-4)}-1$

STEP 2 a의 값 구하기

함수 $y=\sqrt{a(x-4)}-1$의 그래프가 점 $(3, 2)$를 지나므로

$2=\sqrt{-a}-1, \sqrt{-a}=3, -a=9$

$\therefore a=-9$

STEP 3 b, c의 값 구하기

따라서 $y=\sqrt{-9(x-4)}-1=\sqrt{-9x+36}-1$이므로

$b=36, c=-1$

> **🎯 풍쌤의 비법**
>
> 무리함수 $y=☆\sqrt{△x}$의 그래프의 방향
>
> ➡ ☆의 부호 $\begin{cases} ⊕: x축 \ 보다 \ 위쪽 \\ ⊖: x축 \ 보다 \ 아래쪽 \end{cases}$
>
> ➡ △의 부호 $\begin{cases} ⊕: y축의 \ 오른쪽 \\ ⊖: y축의 \ 왼쪽 \end{cases}$

05-2 답 $a=-\dfrac{1}{4}, b=\dfrac{5}{4}, c=-2$

해결전략 | 주어진 그래프의 시작점 $(-5, -2)$와 그래프가 지나는 다른 한 점 $(-1, -3)$을 이용한다.

STEP 1 주어진 무리함수를 $y=\pm\sqrt{a(x-p)}+q$의 꼴로 나타내기

주어진 함수의 그래프는 $y=-\sqrt{-ax}\ (a<0)$의 그래프를 x축의 방향으로 -5만큼, y축의 방향으로 -2만큼 평행이동한 것이므로

$y=-\sqrt{-a(x+5)}-2$

STEP 2 a의 값 구하기

함수 $y=-\sqrt{-a(x+5)}-2$의 그래프가 점 $(-1, -3)$을 지나므로

$-3=-\sqrt{-4a}-2, \sqrt{-4a}=1, -4a=1$

$\therefore a=-\dfrac{1}{4}$

STEP 3 b, c의 값 구하기

따라서

$y=-\sqrt{\dfrac{1}{4}(x+5)}-2=-\sqrt{\dfrac{1}{4}x+\dfrac{5}{4}}-2$

이므로 $b=\dfrac{5}{4}, c=-2$

05-3 답 $a=-2, b=6, c=2$

해결전략 | 주어진 그래프의 시작점 $(3, 2)$와 그래프가 지나는 다른 한 점 $(-5, -2)$를 이용한다.

STEP 1 주어진 무리함수를 $y=\pm\sqrt{a(x-p)}+q$의 꼴로 나타내기

주어진 함수의 그래프는 $y=-\sqrt{ax}\ (a<0)$의 그래프를 x축의 방향으로 3만큼, y축의 방향으로 2만큼 평행이동한 것이므로

$y=-\sqrt{a(x-3)}+2$

STEP2 a의 값 구하기

함수 $y=-\sqrt{a(x-3)}+2$의 그래프가 점 $(-5,\ -2)$를 지나므로

$-2=-\sqrt{-8a}+2$, $\sqrt{-8a}=4$, $-8a=16$

$\therefore a=-2$

STEP3 $b,\ c$의 값 구하기

따라서 $y=-\sqrt{-2(x-3)}+2=-\sqrt{-2x+6}+2$이므로

$b=6,\ c=2$

05-4 🄐 5

해결전략 | $f(x)=\pm\sqrt{a(x-p)}+q$의 꼴로 나타낸 후, $f(0)=-3$을 이용한다.

STEP1 주어진 무리함수를 $y=\pm\sqrt{a(x-p)}+q$의 꼴로 나타내기

주어진 함수의 그래프는 $y=-\sqrt{ax}\ (a>0)$의 그래프를 x축의 방향으로 -2만큼, y축의 방향으로 -1만큼 평행이동한 것이므로

$f(x)=-\sqrt{a(x+2)}-1$

STEP2 a의 값 구하기

$f(0)=-3$이므로

$-3=-\sqrt{2a}-1$, $\sqrt{2a}=2$, $2a=4$　$\therefore a=2$

STEP3 $b,\ c$의 값 구하기

따라서 $f(x)=-\sqrt{2(x+2)}-1=-\sqrt{2x+4}-1$이므로

$b=4,\ c=-1$

STEP4 $a+b+c$의 값 구하기

$\therefore a+b+c=2+4-1=5$

05-5 🄐 3

해결전략 | 주어진 무리함수의 그래프 위의 두 점 $(0,3)$, $(b,1)$을 이용하여 $a,\ b$의 값을 구한다.

STEP1 a의 값 구하기

무리함수 $y=\sqrt{-2x+4}+a$의 그래프가 점 $(0,3)$을 지나므로 $x=0$, $y=3$을 대입하면

$3=\sqrt{4}+a$　$\therefore a=1$

STEP2 b의 값 구하기

무리함수 $y=\sqrt{-2x+4}+1$의 그래프가 점 $(b,1)$을 지나므로 $x=b$, $y=1$을 대입하면

$1=\sqrt{-2b+4}+1$, $\sqrt{-2b+4}=0$

$-2b+4=0$　$\therefore b=2$

STEP3 $a+b$의 값 구하기

$\therefore a+b=1+2=3$

05-6 🄐 5

해결전략 | 주어진 그래프를 보고 $f(x)$를 구한 후, $f(7)$의 값을 구한다.

STEP1 $b,\ c$의 값 구하기

함수 $f(x)=a\sqrt{x+b}+c$의 그래프는 함수 $f(x)=a\sqrt{x}$의 그래프를 x축의 방향으로 -2만큼, y축의 방향으로 -1만큼 평행이동한 것이므로

$f(x)=a\sqrt{x+2}-1$

$\therefore b=2,\ c=-1$

STEP2 a의 값 구하기

한편, 함수 $f(x)$의 그래프가 점 $(2,3)$을 지나므로

$3=a\sqrt{4}-1$, $3=2a-1$　$\therefore a=2$

STEP3 $f(7)$의 값 구하기

따라서 $f(x)=2\sqrt{x+2}-1$이므로

$f(7)=2\sqrt{7+2}-1=6-1=5$

필수유형 06　　　　217쪽

06-1 🄐 $a=\dfrac{1}{2}$, $b=1$

해결전략 | $1-2x\geq0$을 이용하여 a의 값을 구하고, $\sqrt{1-2x}\geq0$을 이용하여 b의 값을 구한다.

STEP1 a의 값 구하기

$1-2x\geq0$에서 $x\leq\dfrac{1}{2}$이므로 주어진 함수의 정의역은

$\left\{x\ \middle|\ x\leq\dfrac{1}{2}\right\}$　$\therefore a=\dfrac{1}{2}$

STEP2 b의 값 구하기

$\sqrt{1-2x}\geq0$이므로 주어진 함수의 치역은

$\{y\ |\ y\geq2+b\}$

즉, $2+b=3$이므로

$b=1$

06-2 🄐 $a=1$, $b=2$

해결전략 | $ax-1\geq0$을 이용하여 a의 값을 구하고, $\sqrt{ax-1}\geq0$을 이용하여 b의 값을 구한다.

STEP1 a의 값 구하기

$ax-1\geq0$에서 $ax\geq1$

이때 정의역이 $\{x\ |\ x\geq1\}$이려면 $a>0$이어야 하므로 양변을 a로 나누면 $x\geq\dfrac{1}{a}$

즉, $\dfrac{1}{a}=1$이므로 $a=1$

STEP2 b의 값 구하기

$\sqrt{ax-1}\geq0$이므로 주어진 함수의 치역은

$\{y|y\geq b\}$ $\therefore b=2$

06-3 답 $\{y|y\leq7\}$

해결전략 | $4x-a\geq0$을 이용하여 a의 값을 구하고, 주어진 함수의 그래프가 점 $(3,5)$를 지남을 이용하여 b의 값을 구한다.

STEP1 a의 값 구하기

$4x-a\geq0$에서 $4x\geq a$ $\therefore x\geq\dfrac{a}{4}$

따라서 주어진 함수의 정의역은 $\left\{x\left|x\geq\dfrac{a}{4}\right.\right\}$

즉, $\dfrac{a}{4}=2$이므로 $a=8$

STEP2 b의 값 구하기

함수 $y=-\sqrt{4x-8}+b$의 그래프가 점 $(3,5)$를 지나므로

$5=-\sqrt{12-8}+b$, $5=-2+b$

$\therefore b=7$

STEP3 주어진 함수의 치역 구하기

함수 $y=-\sqrt{4x-8}+7$에서 $-\sqrt{4x-8}\leq0$이므로

$-\sqrt{4x-8}+7\leq7$

따라서 구하는 치역은 $\{y|y\leq7\}$

06-4 답 ㄷ, ㄹ

해결전략 | $2x-4\geq0$을 이용하여 정의역을, $\sqrt{2x-4}\geq0$을 이용하여 치역을 각각 구한다. 또, 주어진 함수를 $f(x)=\pm\sqrt{a(x-p)}+q$의 꼴로 변형하여 평행이동을 알아본다.

ㄱ. $x=2$일 때, $y=3$이므로 점 $(2,3)$을 지난다. (거짓)

ㄴ. $2x-4\geq0$에서 $x\geq2$이므로 정의역은 $\{x|x\geq2\}$이다. (거짓)

ㄷ. $\sqrt{2x-4}\geq0$이므로 $\sqrt{2x-4}+3\geq3$이다.
    따라서 치역은 $\{y|y\geq3\}$이다. (참)

ㄹ. $y=\sqrt{2x-4}+3=\sqrt{2(x-2)}+3$이므로 $y=\sqrt{2x}$의 그래프를 x축의 방향으로 2만큼, y축의 방향으로 3만큼 평행이동한 것이다. (참)

이상에서 옳은 것은 ㄷ, ㄹ이다.

06-5 답 ④

해결전략 | $-x+3\geq0$을 이용하여 정의역을, $-\sqrt{-x+3}\leq0$을 이용하여 치역을 각각 구한다. 또, 주어진 함수를 $f(x)=\pm\sqrt{a(x-p)}+q$의 꼴로 변형하여 그래프를 그려 본다.

① $-x+3\geq0$에서 $x\leq3$이므로 정의역은 $\{x|x\leq3\}$이다.

② $-\sqrt{-x+3}\leq0$이므로 $-\sqrt{-x+3}+2\leq2$이다.
   따라서 치역은 $\{y|y\leq2\}$이다.

③ $y=-\sqrt{-x+3}+2=-\sqrt{-(x-3)}+2$이므로
   $y=-\sqrt{-x}$의 그래프를 x축의 방향으로 3만큼, y축의 방향으로 2만큼 평행이동한 것이다.

④ $x=-1$일 때, $y=-\sqrt{1+3}+2=0$이므로
   점 $(-1,0)$을 지난다.

⑤ 그래프는 오른쪽 그림과 같으므로 제4사분면을 지나지 않는다.

따라서 옳지 않은 것은 ④이다.

06-6 답 ㄴ, ㄷ

해결전략 | 그래프가 지나는 사분면을 파악할 때에는 그래프를 그려서 확인한다.

ㄱ. $y=a\sqrt{x+b}+c$의 그래프는 $y=a\sqrt{x}$의 그래프를 x축의 방향으로 $-b$만큼, y축의 방향으로 c만큼 평행이동한 것이다. (거짓)

ㄴ. $a<0$, $b<0$, $c>0$이면 $y=a\sqrt{x+b}+c$의 그래프는 오른쪽 그림과 같으므로 제1사분면과 제4사분면을 지난다. (참)

ㄷ. $x+b\geq0$에서 $x\geq-b$이므로 정의역은 $\{x|x\geq-b\}$이다. 이때 $a>0$이면 $a\sqrt{x+b}\geq0$이므로 치역은 $\{y|y\geq c\}$이다. (참)

이상에서 옳은 것은 ㄴ, ㄷ이다.

필수유형 07   219쪽

07-1 답 최댓값: 1, 최솟값: -1

해결전략 | 정의역이 주어진 무리함수의 최대·최소는 주어진 정의역에서 그래프를 그려서 구한다.

STEP1 $-2\leq x\leq2$에서 주어진 무리함수의 그래프 그리기

$y=\sqrt{x+2}-1$의 그래프는 $y=\sqrt{x}$의 그래프를 x축의 방향으로 -2만큼, y축의 방향으로 -1만큼 평행이동한 것이므로 $-2\leq x\leq2$에서 $y=\sqrt{x+2}-1$의 그래프를 그리면 오른쪽 그림과 같다.

STEP2 최댓값과 최솟값 구하기
따라서
$x=-2$일 때, 최솟값은 -1
$x=2$일 때, 최댓값은 1

07-2 답 최댓값: 1, 최솟값: -1

해결전략 | $-1 \leq x \leq 1$에서 주어진 함수의 그래프를 그려서 최대, 최소를 구한다.

STEP1 $-1 \leq x \leq 1$에서 주어진 무리함수의 그래프 그리기

$y=\sqrt{5-4x}-2=\sqrt{-4\left(x-\dfrac{5}{4}\right)}-2$의 그래프는

$y=\sqrt{-4x}$의 그래프를 x축의 방향으로 $\dfrac{5}{4}$만큼, y축의 방

향으로 -2만큼 평행이동한 것이므로 $-1 \leq x \leq 1$에서

$y=\sqrt{5-4x}-2$의 그래프를 그리
면 오른쪽 그림과 같다.

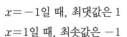

STEP2 최댓값과 최솟값 구하기
따라서
$x=-1$일 때, 최댓값은 1
$x=1$일 때, 최솟값은 -1

07-3 답 -11

해결전략 | 주어진 함수를 $y=-\sqrt{a(x-p)}+q$의 꼴로 변형하여 평행이동을 파악한 후 그래프를 그린다.

STEP1 $-7 \leq x \leq 0$에서 주어진 무리함수의 그래프 그리기

$y=-\sqrt{-3x+4}-2=-\sqrt{-3\left(x-\dfrac{4}{3}\right)}-2$의 그래프는

$y=-\sqrt{-3x}$의 그래프를 x축의 방향으로 $\dfrac{4}{3}$만큼, y축의

방향으로 -2만큼 평행이동한 것이므로 $-7 \leq x \leq 0$에서

$y=-\sqrt{-3x+4}-2$의 그래프를
그리면 오른쪽 그림과 같다.

STEP2 M, m의 값 구하기
따라서
$x=0$일 때, 최댓값 $M=-4$
$x=-7$일 때, 최솟값 $m=-7$
STEP3 $M+m$의 값 구하기
$\therefore M+m=-4-7=-11$

07-4 답 -2

해결전략 | 그래프를 그려서 최대가 될 때의 x의 값을 구한 후, a의 값을 구한다.

STEP1 $-2 \leq x \leq 2$에서 주어진 무리함수의 그래프 그리기

$y=\sqrt{2x+5}-a=\sqrt{2\left(x+\dfrac{5}{2}\right)}-a$의 그래프는 $y=\sqrt{2x}$의

그래프를 x축의 방향으로 $-\dfrac{5}{2}$만큼, y축의 방향으로 $-a$

만큼 평행이동한 것이므로
$-2 \leq x \leq 2$에서
$y=\sqrt{2x+5}-a$의 그래프를 그리
면 오른쪽 그림과 같다.

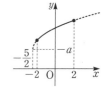

STEP2 a의 값 구하기
따라서 $x=2$일 때 최댓값 5를 가지므로
$\sqrt{4+5}-a=5$, $3-a=5$
$\therefore a=-2$

> 🎯 풍쌤의 비법
>
> 무리함수의 그래프는 x의 값이 증가할 때 y의 값도 증가하거나 x의 값이 증가할 때 y의 값은 감소하므로, 무리함수는 주어진 x의 값의 양 끝 값에서 최댓값과 최솟값을 갖는다.

07-5 답 0

해결전략 | 그래프를 그려서 최대가 될 때의 x의 값을 구한 후, a의 값을 구한다.

STEP1 $4 \leq x \leq 7$에서 주어진 무리함수의 그래프 그리기

$y=-\sqrt{x-a}+2$의 그래프는 $y=-\sqrt{x}$의 그래프를 x축
의 방향으로 a만큼, y축의 방향
으로 2만큼 평행이동한 것이므
로 $4 \leq x \leq 7$에서
$y=-\sqrt{x-a}+2$의 그래프를 그
리면 오른쪽 그림과 같다.

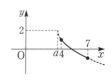

STEP2 a의 값 구하기
따라서 $x=4$일 때 최댓값, $x=7$일 때 최솟값을 갖는다.
주어진 조건에서 최댓값이 1이므로
$-\sqrt{4-a}+2=1$, $-\sqrt{4-a}=-1$
$4-a=1$ $\therefore a=3$
STEP3 최솟값 구하기
따라서 $y=-\sqrt{x-3}+2$이므로 구하는 최솟값은
$-\sqrt{7-3}+2=-2+2=0$

07-6 답 -4

해결전략 | 그래프를 그려서 최대, 최소가 될 때의 x의 값을 각각 구한 후, a, b의 값을 구한다.

STEP1 $a \leq x \leq 0$에서 주어진 무리함수의 그래프 그리기

$y=-\sqrt{b-3x}+1=-\sqrt{-3\left(x-\dfrac{b}{3}\right)}+1$의 그래프는

$y=-\sqrt{-3x}$의 그래프를 x축의 방향으로 $\dfrac{b}{3}$만큼, y축의

방향으로 1만큼 평행이동한 것이

므로 $a\le x\le0$에서

$y=-\sqrt{b-3x}+1$의 그래프를 그

리면 오른쪽 그림과 같다.

STEP2 a, b의 값 구하기

따라서 $x=0$일 때 최댓값 0, $x=a$일 때 최솟값을 -3을

가지므로

$-\sqrt{b}+1=0$에서 $b=1$

$-\sqrt{1-3a}+1=-3$에서 $\sqrt{1-3a}=4$

$1-3a=16$　$\therefore a=-5$

STEP3 $a+b$의 값 구하기

$\therefore a+b=-5+1=-4$

필수유형 08 **필수유형 08**　　　　　　　　　　221쪽

08-1 답 $a=6$, $b=8$, $c=-3$

해결전략 | x와 y를 서로 바꾼 후, y를 x에 대한 식으로 나타

내어 역함수를 구한다.

STEP1 주어진 무리함수의 치역 구하기

$\sqrt{x+1}\ge0$이므로 치역은 $\{y\,|\,y\ge-3\}$

STEP2 역함수 구하기

x와 y를 서로 바꾸면

$x=\sqrt{y+1}-3$, $x+3=\sqrt{y+1}$

양변을 제곱하면 $x^2+6x+9=y+1$

$\therefore y=x^2+6x+8\ (x\ge-3)$

STEP3 a, b, c의 값 구하기

따라서 $a=6$, $b=8$, $c=-3$

08-2 답 $a=1$, $b=3$, $c=2$, $d=-3$

해결전략 | $y=\sqrt{ax+b}+c\ (a\ne0)$의 치역이 $\{y\,|\,y\ge c\}$이므

로 역함수의 정의역은 $\{x\,|\,x\ge c\}$임을 이용한다.

STEP1 주어진 무리함수의 치역 구하기

$y=x^2-4x+1=(x-2)^2-3\ (x\ge2)$이므로 치역은

$\{y\,|\,y\ge-3\}$

STEP2 역함수 구하기

$y=(x-2)^2-3$에서 $(x-2)^2=y+3$

x와 y를 서로 바꾸면 $(y-2)^2=x+3$

$\therefore y-2=\sqrt{x+3}\ (\because y\ge2)$

$\therefore y=\sqrt{x+3}+2\ (x\ge-3)$

STEP3 a, b, c, d의 값 구하기

따라서 $a=1$, $b=3$, $c=2$, $d=-3$

08-3 답 4

해결전략 | 역함수의 성질 $f(p)=q \iff p=f^{-1}(q)$를 이용

한다.

STEP1 역함수의 성질을 이용하여 $f(3)$의 값 구하기

$f^{-1}(10)=3$이므로 $f(3)=10$

STEP2 a의 값 구하기

$f(3)=a\sqrt{3+1}+2=10$이므로 $2a+2=10$

$\therefore a=4$

08-4 답 -7

해결전략 | $f^{-1}(-2)=a$ (a는 상수)로 놓고 역함수의 성질

을 이용하여 a의 값을 구한다.

$f^{-1}(-2)=a$ (a는 상수)라 하면 $f(a)=-2$

$f(a)=-\sqrt{2-a}+1=-2$이므로 $\sqrt{2-a}=3$

$2-a=9$　$\therefore a=-7$

$\therefore f^{-1}(-2)=-7$

08-5 답 8

해결전략 | 역함수의 성질을 이용하여 a의 값을 구한 후,

$f^{-1}(3)$의 값을 구한다.

STEP1 $f^{-1}(0)=1$을 이용하여 a의 값 구하기

$f^{-1}(0)=1$이므로 $f(1)=0$

$f(1)=\sqrt{a+1}-2=0$이므로 $\sqrt{a+1}=2$

$a+1=4$　$\therefore a=3$

STEP2 $f^{-1}(3)$의 값 구하기

$f^{-1}(3)=b$ (b는 상수)라 하면 $f(b)=3$

$f(x)=\sqrt{3x+1}-2$이므로

$f(b)=\sqrt{3b+1}-2=3$, $\sqrt{3b+1}=5$

$3b+1=25$　$\therefore b=8$

$\therefore f^{-1}(3)=8$

08-6 답 4

해결전략 | 함수의 그래프와 그 역함수의 그래프는 직선

$y=x$에 대하여 대칭임을 이용하여 교점의 좌표를 구한다.

STEP1 $y=f(x)$와 $y=f^{-1}(x)$의 그래프 사이의 관계 알아

내기

함수의 그래프와 그 역함수의 그래프는 직선 $y=x$에 대하여 대칭이므로 두 함수 $y=f(x)$, $y=f^{-1}(x)$의 그래프의 교점은 오른쪽 그림과 같이 $y=f(x)$의 그래프와 직선 $y=x$의 교점과 같다.

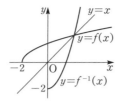

STEP2 교점의 좌표 구하기

따라서 $\sqrt{x+2}=x$의 양변을 제곱하면 $x+2=x^2$

$x^2-x-2=0$, $(x+1)(x-2)=0$

$\therefore x=2$ $(\because x \geq 0)$

따라서 교점의 좌표는 $(2, 2)$이다.

STEP3 $a+b$의 값 구하기

즉, $a=2$, $b=2$이므로 $a+b=4$

> **◎ 풍쌤의 비법**
>
> 함수 $y=f(x)$의 그래프와 그 역함수 $y=f^{-1}(x)$의 그래프는 직선 $y=x$에 대하여 대칭이다. 따라서 두 함수 $y=f(x)$, $y=f^{-1}(x)$의 그래프의 교점은 $y=f^{-1}(x)$를 구하지 않고 $y=f(x)$의 그래프와 직선 $y=x$의 교점을 이용하여 구한다.

🔥 발전유형 09   223쪽

09-1   🗒 $-3 \leq k < -\dfrac{11}{4}$

해결전략 | $y=\sqrt{x-3}$의 그래프를 그린 후, 직선 $y=x+k$를 y절편인 k의 값에 따라 y축의 방향으로 평행이동하여 교점이 2개일 때를 알아본다.

STEP1 무리함수의 그래프와 직선 그리기

함수 $y=\sqrt{x-3}$의 그래프는 $y=\sqrt{x}$의 그래프를 x축의 방향으로 3만큼 평행이동한 것이고 직선 $y=x+k$는 기울기가 1이고 y절편이 k이다.

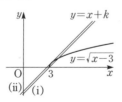

STEP2 직선 $y=x+k$가 점 $(3, 0)$을 지날 때, k의 값 구하기

(ⅰ) 직선 $y=x+k$가 점 $(3, 0)$을 지날 때

$0=3+k$ $\therefore k=-3$

STEP3 무리함수의 그래프와 직선이 접할 때, k의 값 구하기

(ⅱ) 직선 $y=x+k$가 함수 $y=\sqrt{x-3}$의 그래프에 접할 때

$\sqrt{x-3}=x+k$의 양변을 제곱하면

$x-3=x^2+2kx+k^2$

$x^2+(2k-1)x+k^2+3=0$

이 이차방정식의 판별식을 D라 하면

$D=(2k-1)^2-4(k^2+3)=0$

$-4k-11=0$ $\therefore k=-\dfrac{11}{4}$

STEP4 k의 값의 범위 구하기

따라서 서로 다른 두 점에서 만나려면 직선이 (ⅰ)이거나 (ⅰ)과 (ⅱ) 사이이어야 하므로 $-3 \leq k < -\dfrac{11}{4}$

> **◎ 풍쌤의 비법**
>
> 무리함수의 그래프와 직선의 위치 관계는 그래프를 그리지 않고 이차방정식의 판별식만으로 풀면 오답을 얻게 된다. 위의 이차방정식의 판별식 D에 대하여 이차방정식이 서로 다른 두 실근을 가질 조건은
>
> $-4k-11>0$ $\therefore k<-\dfrac{11}{4}$
>
> 그러나 위의 풀이에서 무리함수의 그래프와 직선이 서로 다른 두 점에서 만나려면 $-3 \leq k < -\dfrac{11}{4}$
>
> 따라서 무리함수의 그래프와 직선의 위치 관계는 꼭 그래프를 그려서 확인한다.

09-2   🗒 $k=1$ 또는 $k<\dfrac{1}{2}$

해결전략 | $y=\sqrt{1-2x}$의 그래프를 그린 후, 직선 $y=-x+k$를 y절편인 k의 값에 따라 y축의 방향으로 평행이동하여 교점이 1개일 때를 알아본다.

STEP1 무리함수의 그래프와 직선 그리기

함수

$y=\sqrt{1-2x}$

$=\sqrt{-2\left(x-\dfrac{1}{2}\right)}$

의 그래프는 $y=\sqrt{-2x}$의 그래프를 x축의 방향으로

$\dfrac{1}{2}$만큼 평행이동한 것이고 직선 $y=-x+k$는 기울기가 -1이고 y절편이 k이다.

STEP2 직선 $y=-x+k$가 점 $\left(\dfrac{1}{2}, 0\right)$을 지날 때, k의 값 구하기

(ⅰ) 직선 $y=-x+k$가 점 $\left(\dfrac{1}{2}, 0\right)$을 지날 때

$0=-\dfrac{1}{2}+k$ $\therefore k=\dfrac{1}{2}$

STEP3 무리함수의 그래프와 직선이 접할 때, k의 값 구하기

(ⅱ) 직선 $y=-x+k$가 함수 $y=\sqrt{1-2x}$의 그래프에 접할 때

$\sqrt{1-2x}=-x+k$의 양변을 제곱하면

$1-2x=x^2-2kx+k^2$

$x^2-2(k-1)x+k^2-1=0$

이 이차방정식의 판별식을 D라 하면

$\dfrac{D}{4}=(k-1)^2-(k^2-1)=0$

$-2k+2=0$

$\therefore k=1$

STEP 4 k의 값의 범위 구하기

따라서 한 점에서 만나려면 직선이 (ii)이거나 (i)보다 아래쪽에 있어야 하므로

$k=1$ 또는 $k<\dfrac{1}{2}$

09-3 🖺 9

해결전략 | $y=\sqrt{x+2}$의 그래프를 그린 후, 직선 $y=x+k$를 y절편인 k의 값에 따라 y축의 방향으로 평행이동하여 교점이 2개일 때의 k의 값의 범위를 구한다.

STEP 1 무리함수의 그래프와 직선 그리기

함수 $y=\sqrt{x+2}$의 그래프는 $y=\sqrt{x}$의 그래프를 x축의 방향으로 -2만큼 평행이동한 것이고 직선 $y=x+k$는 기울기가 1이고 y절편이 k이다.

STEP 2 직선 $y=x+k$가 점 $(-2, 0)$을 지날 때, k의 값 구하기

(i) 직선 $y=x+k$가 점 $(-2, 0)$을 지날 때

$0=-2+k$ $\therefore k=2$

STEP 3 무리함수의 그래프와 직선이 접할 때, k의 값 구하기

(ii) 직선 $y=x+k$가 함수 $y=\sqrt{x+2}$의 그래프에 접할 때

$\sqrt{x+2}=x+k$의 양변을 제곱하면

$x+2=x^2+2kx+k^2$

$x^2+(2k-1)x+k^2-2=0$

이 이차방정식의 판별식을 D라 하면

$D=(2k-1)^2-4(k^2-2)=0$

$-4k+9=0$ $\therefore k=\dfrac{9}{4}$

STEP 4 k의 값의 범위 구하기

따라서 서로 다른 두 점에서 만나려면 직선이 (i)이거나 (i)과 (ii) 사이이어야 하므로

$2\leq k<\dfrac{9}{4}$

STEP 5 $2ab$의 값 구하기

즉, $a=2$, $b=\dfrac{9}{4}$이므로

$2ab=2\times2\times\dfrac{9}{4}=9$

09-4 🖺 $2\leq k<\dfrac{9}{4}$

해결전략 | $n(A\cap B)=2$를 이용하여 무리함수의 그래프와 직선의 위치 관계를 알아낸다.

STEP 1 무리함수의 그래프와 직선의 위치 관계 알아내기

$n(A\cap B)=2$이므로 함수 $y=\sqrt{2-x}$의 그래프와 직선 $y=-x+k$는 서로 다른 두 점에서 만나야 한다.

STEP 2 무리함수의 그래프와 직선 그리기

함수 $y=\sqrt{2-x}$ $=\sqrt{-(x-2)}$ 의 그래프는 $y=\sqrt{-x}$의 그래프를 x축의 방향으로 2만큼 평행이동한 것이고 직선 $y=-x+k$는 기울기가 -1이고 y절편이 k이다.

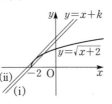

STEP 3 직선 $y=-x+k$가 점 $(2, 0)$을 지날 때, k의 값 구하기

(i) 직선 $y=-x+k$가 점 $(2, 0)$을 지날 때

$0=-2+k$ $\therefore k=2$

STEP 4 무리함수의 그래프와 직선이 접할 때, k의 값 구하기

(ii) 직선 $y=-x+k$가 함수 $y=\sqrt{2-x}$의 그래프에 접할 때

$\sqrt{2-x}=-x+k$의 양변을 제곱하면

$2-x=x^2-2kx+k^2$

$x^2+(-2k+1)x+k^2-2=0$

이 이차방정식의 판별식을 D라 하면

$D=(-2k+1)^2-4(k^2-2)=0$

$-4k+9=0$ $\therefore k=\dfrac{9}{4}$

STEP 5 k의 값의 범위 구하기

따라서 서로 다른 두 점에서 만나려면 직선이 (i)이거나 (i)과 (ii) 사이이어야 하므로

$2\leq k<\dfrac{9}{4}$

09-5 🖺 $k\leq-\dfrac{1}{4}$

해결전략 | $A\cap B\neq\varnothing$을 이용하여 무리함수의 그래프와 직선의 위치 관계를 알아낸다.

STEP 1 무리함수의 그래프와 직선의 위치 관계 알아내기

$A \cap B \neq \varnothing$이므로 함수 $y=\sqrt{3x-3}$의 그래프와 직선

$y=x+k$는 서로 만나야 한다.

STEP2 무리함수의 그래프와 직선 그리기

$y=\sqrt{3x-3}=\sqrt{3(x-1)}$의

그래프는 $y=\sqrt{x}$의 그래프를

x축의 방향으로 1만큼 평행

이동한 것이고 직선 $y=x+k$

는 기울기가 1이고 y절편이 k

이다.

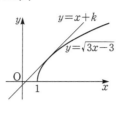

STEP3 무리함수의 그래프와 직선이 접할 때, k의 값 구하기

직선 $y=x+k$가 함수 $y=\sqrt{3x-3}$의 그래프에 접할 때

$\sqrt{3x-3}=x+k$의 양변을 제곱하면

$3x-3=x^2+2kx+k^2$

$x^2+(2k-3)x+k^2+3=0$

이 이차방정식의 판별식을 D라 하면

$D=(2k-3)^2-4(k^2+3)=0$

$-12k-3=0 \qquad \therefore k=-\dfrac{1}{4}$

STEP4 k의 값의 범위 구하기

무리함수의 그래프와 직선이 만나려면 접하거나 접하는

직선보다 아래쪽에 있어야 하므로 $k \leq -\dfrac{1}{4}$

09-6 답 15

해결전략 | $y=5-2\sqrt{1-x}$의 그래프를 그린 후,

$y=5-2\sqrt{1-x}$의 그래프와 직선 $y=-x+k$가 제1사분면

에서 만나도록 직선 $y=-x+k$를 움직여 본다.

STEP1 주어진 조건을 그림으로 나타내기

$y=5-2\sqrt{1-x}$

$\quad =-2\sqrt{-(x-1)}+5$

의 그래프는 $y=-2\sqrt{-x}$

의 그래프를 x축의 방향

으로 1만큼, y축의 방향으

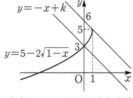

로 5만큼 평행이동한 것이고, 직선 $y=-x+k$는 기울기가

-1이고 y절편이 k이다.

이때 함수 $y=5-2\sqrt{1-x}$의 그래프와 직선 $y=-x+k$

가 제1사분면에서 만나는 경우는 위의 그림과 같다.

STEP2 직선 $y=-x+k$가 두 점 $(1, 5)$, $(0, 3)$을 지날 때,

k의 값 구하기

직선 $y=-x+k$가 점 $(1, 5)$를 지날 때의 k의 값은

$5=-1+k$에서 $k=6$

또, 직선 $y=-x+k$가 점 $(0, 3)$을 지날 때의 k의 값은

$3=0+k$에서 $k=3$

STEP3 모든 정수 k의 값의 합 구하기

따라서 함수 $y=5-2\sqrt{1-x}$의 그래프와 직선

$y=-x+k$가 제1사분면에서 만나도록 하는 k의 값의

범위는 $3<k \leq 6$

따라서 모든 정수 k의 값의 합은

$4+5+6=15$

실전 연습 문제 224~226쪽

01 ④	02 4	03 $2\sqrt{3}$	04 ④	05 3
06 ③	07 -3	08 ②	09 ④	10 -4
11 ③	12 19	13 ⑤	14 ①	15 ③
16 1	17 -2	18 $-\dfrac{1}{6}$		

01

해결전략 | $x-3$, $y-1$의 부호를 구한 후, 근호를 없애고 식

을 간단히 한다.

STEP1 $x-3$, $y-1$의 부호 구하기

$x>3$, $y<1$이므로 $x-3>0$, $y-1<0$

STEP2 근호를 없애고 식 간단히 하기

$\therefore \sqrt{(x-3)^2}-\sqrt{(y-1)^2}=|x-3|-|y-1|$

$\qquad\qquad\qquad\qquad\qquad =x-3+(y-1)$

$\qquad\qquad\qquad\qquad\qquad =x+y-4$

02

해결전략 | $x+y$, $x-y$를 구한 후, 주어진 식에 대입하여 근

호를 없애고 간단히 한다.

STEP1 $x+y$, $x-y$ 구하기

$x+y=a^2+4+4a=(a+2)^2$

$x-y=a^2+4-4a=(a-2)^2 \qquad\qquad \cdots\cdots\;❶$

STEP2 $a+2$, $a-2$의 부호 구하기

$0<a<2$이므로 $a+2>0$, $a-2<0 \qquad\qquad \cdots\cdots\;❷$

STEP3 근호를 없애고 식 간단히 하기

$\therefore \sqrt{x+y}+\sqrt{x-y}=\sqrt{(a+2)^2}+\sqrt{(a-2)^2}$

$\qquad\qquad\qquad\quad =|a+2|+|a-2|$

$\qquad\qquad\qquad\quad =(a+2)-(a-2)$

$\qquad\qquad\qquad\quad =4 \qquad\qquad\qquad\quad \cdots\cdots\;❸$

채점 요소	비율
❶ $x+y$, $x-y$ 구하기	30%
❷ $a+2$, $a-2$의 부호 구하기	20%
❸ 주어진 식 간단히 하기	50%

03

해결전략 | 분모의 유리화를 이용하여 주어진 식을 간단히 정리한 후, 주어진 수를 주어진 식에 대입하여 식의 값을 구한다.

STEP 1 주어진 식 간단히 하기

$$\frac{\sqrt{2x+1}-\sqrt{2x-1}}{\sqrt{2x+1}+\sqrt{2x-1}}+\frac{\sqrt{2x+1}+\sqrt{2x-1}}{\sqrt{2x+1}-\sqrt{2x-1}}$$

$$=\frac{(\sqrt{2x+1}-\sqrt{2x-1})^2+(\sqrt{2x+1}+\sqrt{2x-1})^2}{(\sqrt{2x+1}+\sqrt{2x-1})(\sqrt{2x+1}-\sqrt{2x-1})}$$

$$=\frac{4x-2\sqrt{4x^2-1}+4x+2\sqrt{4x^2-1}}{(2x+1)-(2x-1)}$$

$$=\frac{8x}{2}=4x$$

STEP 2 주어진 식의 값 구하기

위의 식에 $x=\dfrac{\sqrt{3}}{2}$ 을 대입하면

$$4x=4\times\frac{\sqrt{3}}{2}=2\sqrt{3}$$

04

해결전략 | x축의 방향으로 p만큼, y축의 방향으로 q만큼 평행이동하면 x 대신 $x-p$를, y 대신 $y-q$를 대입하여 평행이동한 그래프의 식을 구한다.

STEP 1 함수 $y=\sqrt{3x}$의 그래프를 평행이동한 그래프의 식 구하기

함수 $y=\sqrt{3x}$의 그래프를 x축의 방향으로 1만큼, y축의 방향으로 2만큼 평행이동하면

$$y-2=\sqrt{3(x-1)}$$

$$\therefore y=\sqrt{3x-3}+2$$

STEP 2 $a+b$의 값 구하기

위의 함수의 그래프가 $y=\sqrt{3x+a}+b$의 그래프와 일치하므로

$a=-3,\ b=2$

$$\therefore a+b=-3+2=-1$$

05

해결전략 | $y=\sqrt{ax}\ (a\neq0)$의 그래프를 x축의 방향으로 p만큼, y축의 방향으로 q만큼 평행이동한 그래프의 식은 $y=\sqrt{a(x-p)}+q$임을 이용한다.

STEP 1 함수 $y=\sqrt{-2x}$의 그래프를 평행이동한 그래프의 식 구하기

함수 $y=\sqrt{-2x}$의 그래프를 x축의 방향으로 c만큼, y축의 방향으로 d만큼 평행이동하면

$$y=\sqrt{-2(x-c)}+d=\sqrt{-2x+2c}+d$$

STEP 2 $a,\ c$의 값 구하기

위의 함수의 그래프가 $y=\sqrt{ax+2}+b$의 그래프와 일치하므로

$a=-2,\ 2c=2,\ d=b$

$$\therefore a=-2,\ c=1$$

STEP 3 $b,\ d$의 값 구하기

$$\therefore y=\sqrt{-2x+2}+b$$

이 함수의 그래프가 점 $(-1,\ 4)$를 지나므로

$4=\sqrt{2+2}+b,\ 2+b=4$ $\therefore b=d=2$

STEP 4 $a+b+c+d$의 값 구하기

$$\therefore a+b+c+d=-2+2+1+2=3$$

06

해결전략 | 주어진 그래프를 보고 $f(x)$를 $f(x)=\pm\sqrt{a(x-p)}+q$의 꼴로 나타낸 후, $f(6)=-1$을 이용한다.

STEP 1 주어진 무리함수를 $y=\pm\sqrt{a(x-p)}+q$의 꼴로 나타내기

주어진 함수의 그래프는 $f(x)=-\sqrt{ax}\ (a>0)$의 그래프를 x축의 방향으로 -3만큼, y축의 방향으로 2만큼 평행이동한 것이므로

$$f(x)=-\sqrt{a(x+3)}+2$$

STEP 2 a의 값 구하기

$f(6)=-1$이므로

$-1=-\sqrt{9a}+2,\ 9a=9$ $\therefore a=1$

STEP 3 $b,\ c$의 값 구하기

따라서 $f(x)=-\sqrt{x+3}+2$이므로

$b=3,\ c=2$

STEP 4 abc의 값 구하기

$$\therefore abc=1\times3\times2=6$$

07

해결전략 | 주어진 그래프를 보고 $f(x)$를 구한 후, $f(-6)$의 값을 구한다.

STEP 1 주어진 무리함수를 $f(x)=\pm\sqrt{a(x-p)}+q$의 꼴로 나타내기

함수 $f(x)=-\sqrt{ax+b}+c$의 그래프는 함수 $f(x)=-\sqrt{ax}\ (a<0)$의 그래프를 x축의 방향으로 2만큼, y축의 방향으로 1만큼 평행이동한 것이므로

$$f(x)=-\sqrt{a(x-2)}+1$$

STEP 2 a의 값 구하기

$f(x)=-\sqrt{a(x-2)}+1$의 그래프가 점 $(0,\ -1)$을 지나므로

$-1=-\sqrt{-2a}+1,\ \sqrt{-2a}=2$

$-2a=4$　　$\therefore a=-2$

STEP3 $f(-6)$의 값 구하기

따라서 $f(x)=-\sqrt{-2(x-2)}+1$이므로

$f(-6)=-\sqrt{16}+1=-4+1=-3$

08

해결전략 | 점 B의 좌표와 삼각형 AOB의 넓이를 이용하여
점 A의 좌표를 구한다.

STEP1 점 A의 좌표 구하기

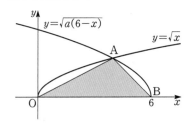

점 A의 좌표를 $(p,\ q)(p>0,\ q>0)$로 놓으면 $\overline{OB}=6$
이고 삼각형 AOB의 넓이가 6이므로

$\dfrac{1}{2}\times 6\times q=6$

$\therefore q=2$

이때 점 A$(p,2)$는 함수 $y=\sqrt{x}$의 그래프 위의 점이므로

$2=\sqrt{p}$　　$\therefore p=4$

$\therefore$ A$(4,\ 2)$

STEP2 상수 a의 값 구하기

점 A$(4,2)$는 함수 $y=\sqrt{a(6-x)}$의 그래프 위의 점이므로

$2=\sqrt{a(6-4)},\ 2=\sqrt{2a}$

$2a=4$　　$\therefore a=2$

⊛→ 다른 풀이

STEP1 점 A의 좌표를 a로 나타내기

두 그래프의 교점 A의 x좌표는 $\sqrt{a(6-x)}=\sqrt{x}$에서

$a(6-x)=x,\ 6a-ax=x,\ (a+1)x=6a$

$\therefore x=\dfrac{6a}{a+1}$

이것을 $y=\sqrt{x}$에 대입하면

$y=\sqrt{\dfrac{6a}{a+1}}$

이므로 점 A의 좌표는 $\left(\dfrac{6a}{a+1},\ \sqrt{\dfrac{6a}{a+1}}\right)$

STEP2 상수 a의 값 구하기

삼각형 AOB의 밑변은 $\overline{OB}=6$, 높이는 $\sqrt{\dfrac{6a}{a+1}}$이므로

$\dfrac{1}{2}\times 6\times\sqrt{\dfrac{6a}{a+1}}=6$

$\sqrt{\dfrac{6a}{a+1}}=2,\ \dfrac{6a}{a+1}=4$

$6a=4a+4,\ 2a=4$

$\therefore a=2$

09

해결전략 | $2x-2\geq 0$을 이용하여 정의역을 구하고,
$-\sqrt{2x-2}\leq 0$을 이용하여 치역을 구한다. 또, 주어진 함수를
$y=\pm\sqrt{a(x-p)}+q$의 꼴로 변형하여 평행이동을 알아본다.

① $2x-2\geq 0$에서 $x\geq 1$이므로 정의역은 $\{x|x\geq 1\}$이다.

② $-\sqrt{2x-2}\leq 0$이므로 치역은 $\{y|y\leq -3\}$이다.

③ $x=3$일 때, $y=-\sqrt{6-2}-3=-5$이므로
　　점 $(3,\ -5)$를 지난다.

④ $y=-\sqrt{2x-2}-3=-\sqrt{2(x-1)}-3$이므로
　　$y=-\sqrt{2x}$의 그래프를 x축의 방향으로 1만큼, y축의
　　방향으로 -3만큼 평행이동한 것이다.

⑤ 주어진 함수의 그래프는 오른쪽
　　그림과 같으므로 제4사분면을
　　지난다.

따라서 옳지 않은 것은 ④이다.

10

해결전략 | 그래프를 그려서 최소가 될 때의 x의 값을 구한
후, a의 값을 구한다.

STEP1 $4\leq x\leq 10$에서 주어진 무리함수의 그래프 그리기

$y=-\sqrt{2x-4}+a=-\sqrt{2(x-2)}+a$의 그래프는

$y=-\sqrt{2x}$의 그래프를 x축의 방향으로 2만큼, y축의 방
향으로 a만큼 평행이동한 것이므로

$4\leq x\leq 10$에서

$y=-\sqrt{2x-4}+a$의 그래프를
그리면 오른쪽 그림과 같다.

STEP2 상수 a의 값 구하기

따라서 $x=4$일 때 최댓값, $x=10$일 때 최솟값을 갖는다.

주어진 조건에서 최솟값이 -6이므로

$-\sqrt{20-4}+a=-6,\ -4+a=-6$　　$\therefore a=-2$

STEP3 최댓값 구하기

따라서 $y=-\sqrt{2x-4}-2$이므로 구하는 최댓값은

$-\sqrt{8-4}-2=-4$

11

해결전략 | 그래프를 그려서 최대가 될 때의 x의 값을 구한
후, a의 값을 구한다.

STEP 1 $-3 \le x \le 2$에서 주어진 무리함수의 그래프 그리기

$y = \sqrt{a-x} - 2 = \sqrt{-(x-a)} - 2$의 그래프는 $y = \sqrt{-x}$의 그래프를 x축의 방향으로 a만큼, y축의 방향으로 -2만큼 평행이동한 것이므로 $-3 \le x \le 2$에서 $y = \sqrt{a-x} - 2$의 그래프를 그리면 오른쪽 그림과 같다.

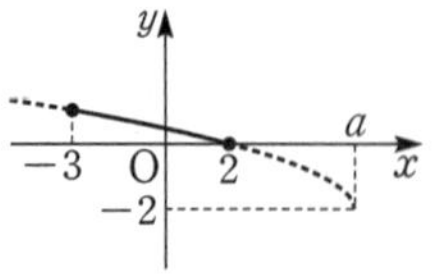

STEP 2 상수 a의 값 구하기

따라서 $x = -3$일 때 최댓값, $x = 2$일 때 최솟값을 갖는다. 주어진 조건에서 최댓값이 1이므로

$\sqrt{a+3} - 2 = 1$, $\sqrt{a+3} = 3$

$\therefore a = 6$

STEP 3 m의 값 구하기

따라서 $y = \sqrt{6-x} - 2$이므로 최솟값은

$m = \sqrt{6-2} - 2 = 2 - 2 = 0$

STEP 4 $a + m$의 값 구하기

$\therefore a + m = 6 + 0 = 6$

12

해결전략 | $5 \le x \le a$에서 $y = \sqrt{3x-6} + 2$의 그래프를 그려 최대, 최소가 될 때의 x의 값을 알아낸다.

STEP 1 $5 \le x \le a$에서 주어진 무리함수의 그래프 그리기

$y = \sqrt{3x-6} + 2 = \sqrt{3(x-2)} + 2$의 그래프는 $y = \sqrt{3x}$의 그래프를 x축의 방향으로 2만큼, y축의 방향으로 2만큼 평행이동한 것이므로 $5 \le x \le a$에서 $y = \sqrt{3x-6} + 2$의 그래프를 그리면 오른쪽 그림과 같다. ...... ❶

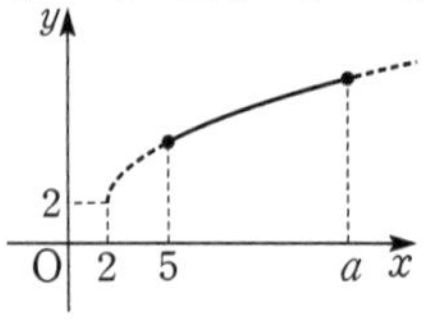

STEP 2 a, b의 값 구하기

$x = a$일 때 최댓값 8을 가지므로

$\sqrt{3a-6} + 2 = 8$에서 $\sqrt{3a-6} = 6$

$3a - 6 = 36$

$\therefore a = 14$ ...... ❷

$x = 5$일 때 최솟값 b를 가지므로

$\sqrt{15-6} + 2 = b$에서 $b = 5$ ...... ❸

STEP 3 $a + b$의 값 구하기

$\therefore a + b = 14 + 5 = 19$ ...... ❹

채점 요소	비율
❶ $5 \le x \le a$에서 $y = \sqrt{3x-6} + 2$의 그래프 그리기	30%
❷ a의 값 구하기	30%
❸ b의 값 구하기	30%
❹ $a + b$의 값 구하기	10%

13

해결전략 | 역함수의 성질 $f(p) = q \iff p = f^{-1}(q)$를 이용한다.

$f^{-1}(-2) = k$ (k는 상수)라 하면 $f(k) = -2$

$-\sqrt{4-2k} + 2 = -2$이므로 $\sqrt{4-2k} = 4$

$4 - 2k = 16$ $\therefore k = -6$

$\therefore f^{-1}(-2) = -6$

14

해결전략 | $f(2) = 3$, $g(5) = 10$을 이용하여 a, b 사이의 관계식을 세운다.

STEP 1 $f(2) = 3$을 이용하여 a, b 사이의 관계식 구하기

$f(2) = 3$이므로 $\sqrt{2a+b} = 3$

$\therefore 2a + b = 9$ ...... ㉠

STEP 2 $g(5) = 10$을 이용하여 a, b 사이의 관계식 구하기

함수 $g(x)$가 $f(x)$의 역함수이므로

$g(5) = 10$에서 $f(10) = 5$

즉, $\sqrt{10a+b} = 5$이므로 $10a + b = 25$ ...... ㉡

STEP 3 $a + b$의 값 구하기

㉠, ㉡을 연립하여 풀면 $a = 2$, $b = 5$

$\therefore a + b = 7$

15

해결전략 | 주어진 그래프를 보고 함수 $f(x)$를 구한 후, 원래 함수의 그래프와 역함수의 그래프 사이의 관계를 이용하여 교점의 좌표를 구한다.

STEP 1 함수 $f(x)$ 구하기

$f(x) = \sqrt{x+a} + b$의 그래프는 함수 $y = \sqrt{x}$의 그래프를 x축의 방향으로 -4만큼, y축의 방향으로 1만큼 평행이동한 것과 같다.

$\therefore f(x) = \sqrt{x+4} + 1$

STEP 2 함수 $y = f(x)$의 그래프와 그 역함수 $y = f^{-1}(x)$의 그래프의 교점의 x좌표 구하기

함수 $y = f(x)$의 그래프와 그 역함수 $y = f^{-1}(x)$의 그래프의 교점은 함수 $y = f(x)$의 그래프와 직선 $y = x$의 교점과 같으므로

$\sqrt{x+4} + 1 = x$에서 $\sqrt{x+4} = x - 1$

양변을 제곱하면

$x + 4 = x^2 - 2x + 1$, $x^2 - 3x - 3 = 0$

$\therefore x = \dfrac{-(-3) \pm \sqrt{(-3)^2 - 4 \times 1 \times (-3)}}{2}$

$= \dfrac{3 \pm \sqrt{21}}{2}$

이때 $f(x)=\sqrt{x+4}+1\geq 1$이므로 역함수 $y=f^{-1}(x)$의 정의역은 $\{x\,|\,x\geq 1\}$이다.

$$\therefore x=\frac{3+\sqrt{21}}{2}$$

STEP3 $p+q$의 값 구하기

따라서 구하는 교점의 좌표는

$$\left(\frac{3+\sqrt{21}}{2},\ \frac{3+\sqrt{21}}{2}\right)$$

즉, $p=q=\dfrac{3+\sqrt{21}}{2}$이므로

$$p+q=3+\sqrt{21}$$

16

해결전략 | 두 교점의 좌표를 각각 (α,α), (β,β)로 놓고 두 점 사이의 거리를 구한다.

STEP1 $y=f(x)$와 $y=g(x)$의 그래프의 교점의 좌표를 각각 (α,α), (β,β)라 할 때, $(\alpha-\beta)^2$의 값 구하기

오른쪽 그림과 같이 $y=f(x)$와 $y=g(x)$의 그래프의 교점은 $y=f(x)$의 그래프와 직선 $y=x$의 교점과 같다.

두 교점의 좌표를 각각 (α,α), (β,β)라 하면 두 교점 사이의 거리가 $\sqrt{2}$이므로

$$\sqrt{(\alpha-\beta)^2+(\alpha-\beta)^2}=\sqrt{2}$$

$$\therefore (\alpha-\beta)^2=1$$

STEP2 $\alpha+\beta$, $\alpha\beta$의 값 구하기

한편, $f(x)=\sqrt{x-a}+1$의 그래프와 직선 $y=x$의 교점의 x좌표는 $\sqrt{x-a}+1=x$에서

$$\sqrt{x-a}=x-1$$

양변을 제곱하면

$$x-a=x^2-2x+1,\ x^2-3x+1+a=0$$

이 이차방정식의 두 근이 α, β이므로 근과 계수의 관계에 의하여

$$\alpha+\beta=3,\ \alpha\beta=1+a$$

STEP3 a의 값 구하기

$(\alpha-\beta)^2=(\alpha+\beta)^2-4\alpha\beta$이므로

$$1=3^2-4(1+a),\ 4a=4$$

$$\therefore a=1$$

17

해결전략 | $n(A\cap B)=2$를 이용하여 무리함수의 그래프와 직선의 위치 관계를 알아낸다.

STEP1 무리함수의 그래프와 직선의 위치 관계 알아내기

$n(A\cap B)=2$이므로 함수 $y=\sqrt{x-2}$의 그래프와 직선 $y=x+k$는 서로 다른 두 점에서 만나야 한다. ······ ❶

STEP2 무리함수의 그래프와 직선 그리기

함수 $y=\sqrt{x-2}$의 그래프는 $y=\sqrt{x}$의 그래프를 x축의 방향으로 2만큼 평행이동한 것이고 직선 $y=x+k$는 기울기가 1이고 y절편이 k이다.

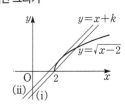

······ ❷

STEP3 직선 $y=x+k$가 점 $(2,0)$을 지날 때, k의 값 구하기

(i) 직선 $y=x+k$가 점 $(2,0)$을 지날 때

$$0=2+k$$

$$\therefore k=-2$$ ······ ❸

STEP4 무리함수의 그래프와 직선이 접할 때, k의 값 구하기

(ii) 직선 $y=x+k$가 함수 $y=\sqrt{x-2}$의 그래프에 접할 때

$\sqrt{x-2}=x+k$의 양변을 제곱하면

$$x-2=x^2+2kx+k^2$$

$$x^2+(2k-1)x+k^2+2=0$$

이 이차방정식의 판별식을 D라 하면

$$D=(2k-1)^2-4(k^2+2)=0$$

$$-4k-7=0\qquad \therefore k=-\frac{7}{4}$$ ······ ❹

STEP5 실수 k의 최솟값 구하기

서로 다른 두 점에서 만나려면 직선이 (i)이거나 (i)과 (ii) 사이이어야 하므로

$$-2\leq k<-\frac{7}{4}$$

따라서 실수 k의 최솟값은 -2이다. ······ ❺

채점 요소	비율
❶ 주어진 무리함수의 그래프와 직선의 위치 관계 알아내기	10%
❷ 주어진 무리함수의 그래프와 직선 그리기	20%
❸ 직선이 점 $(2,0)$을 지날 때, k의 값 구하기	20%
❹ 무리함수의 그래프와 직선이 접할 때, k의 값 구하기	20%
❺ 실수 k의 최솟값 구하기	30%

18

해결전략 | 직선 $y=mx+1$의 특징과 $A\cap B\neq\varnothing$을 이용하여 무리함수의 그래프와 직선의 위치 관계를 알아낸다.

STEP1 무리함수의 그래프와 직선의 위치 관계 알아내기

$A\cap B\neq\varnothing$이므로 함수 $y=\sqrt{x-3}$의 그래프와 직선 $y=mx+1$은 서로 만나야 한다.

STEP2 무리함수의 그래프와 직선 그리기

무리함수 $y=\sqrt{x-3}$의 그래
프는 $y=\sqrt{x}$의 그래프를 x축
의 방향으로 3만큼 평행이동
한 것이고, $y=mx+1$의 그래
프는 m의 값에 관계없이 항상
점 $(0,\,1)$을 지나는 직선이다.

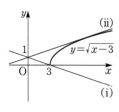

STEP3 직선 $y=mx+1$이 점 $(3,\,0)$을 지날 때, m의 값 구하기

(ⅰ) 직선 $y=mx+1$이 점 $(3,\,0)$을 지날 때

$$0=3m+1 \qquad \therefore m=-\frac{1}{3}$$

STEP4 무리함수의 그래프와 직선이 접할 때, m의 값 구하기

(ⅱ) 직선 $y=mx+1$이 함수 $y=\sqrt{x-3}$의 그래프에 접할 때

$\sqrt{x-3}=mx+1$의 양변을 제곱하면

$$x-3=m^2x^2+2mx+1$$

$$m^2x^2+(2m-1)x+4=0$$

이 이차방정식의 판별식을 D라 하면

$$D=(2m-1)^2-16m^2=0$$

$$12m^2+4m-1=0$$

$$(2m+1)(6m-1)=0$$

$$\therefore m=\frac{1}{6}\ \left(\because m\geq-\frac{1}{3}\right)$$

STEP5 $a+b$의 값 구하기

따라서 함수 $y=\sqrt{x-3}$의 그래프와 직선 $y=mx+1$이
서로 만나기 위한 m의 값의 범위는

$$-\frac{1}{3}\leq m\leq\frac{1}{6}$$

즉, $a=-\dfrac{1}{3}$, $b=\dfrac{1}{6}$이므로

$$a+b=-\frac{1}{3}+\frac{1}{6}=-\frac{1}{6}$$

상위권 도약 문제 227~228쪽

01 $2x-1$	02 ①	03 ②	04 $\dfrac{5}{2}$
05 ①	06 ③	07 ②	08 ①

01

해결전략 ┃ $\sqrt{a}\sqrt{b}=-\sqrt{ab}$이면 $a\leq0$, $b\leq0$임을 이용하여
x의 값의 범위를 구한 후, 근호를 없애고 식을 간단히 한다.

STEP1 x의 값의 범위 구하기

$$\sqrt{x-3}\sqrt{1-x}=-\sqrt{-x^2+4x-3}$$
$$=-\sqrt{-(x^2-4x+3)}$$
$$=-\sqrt{-(x-1)(x-3)}$$
$$=-\sqrt{(x-3)(1-x)}$$

따라서 $x-3\leq0$, $1-x\leq0$이므로

$$1\leq x\leq3$$

STEP2 $x+3$, $x-4$의 부호 구하기

$1\leq x\leq3$이므로 $x+3>0$, $x-4<0$

STEP3 근호를 없애고 식 간단히 하기

$$\therefore \sqrt{(x+3)^2}-\sqrt{(x-4)^2}=|x+3|-|x-4|$$
$$=x+3+(x-4)$$
$$=2x-1$$

02

해결전략 ┃ x축의 방향으로 p만큼, y축의 방향으로 q만큼 평
행이동하면 x 대신 $x-p$를, y 대신 $y-q$를 대입하여 평행이
동한 그래프의 식을 구한다.

STEP1 평행이동한 함수의 그래프의 식 구하기

함수 $y=a\sqrt{x}+4$의 그래프를 x축의 방향으로 m만큼, y
축의 방향으로 n만큼 평행이동한 그래프의 식은

$$y-n=a\sqrt{x-m}+4$$

$$\therefore y=a\sqrt{x-m}+n+4$$

STEP2 $a+m+n$의 값 구하기

위의 함수의 그래프와 함수 $y=\sqrt{9x-18}=3\sqrt{x-2}$의 그
래프가 일치하므로

$$a=3,\ m=2,\ n+4=0$$

$$\therefore a=3,\ m=2,\ n=-4$$

$$\therefore a+m+n=3+2+(-4)=1$$

03

해결전략 ┃ $y=f(x)$의 그래프를 평행이동하거나 대칭이동한
그래프는 $y=f(x)$의 그래프와 완전히 겹쳐짐을 이용한다.

STEP1 $y=f(x)$와 $y=g(x)$의 그래프 알기

$f(x)=\sqrt{x+2}-1$의 그래프는 $f(x)=\sqrt{x}$의 그래프를 x
축의 방향으로 -2만큼, y축의 방향으로 -1만큼 평행이
동한 것이다.

$g(x)=\sqrt{-x+2}+1$의 그래프는 $g(x)=\sqrt{x}$의 그래프를
y축에 대하여 대칭이동한 후, x축의 방향으로 2만큼, y
축의 방향으로 1만큼 평행이동한 것이다.

STEP2 조건을 만족시키는 도형의 넓이 구하기

$y=f(x)$와 $y=g(x)$의 그래프와 직선 $x=-2$로 둘러싸인 부분은 오른쪽 그림의 색칠한 부분과 같다.

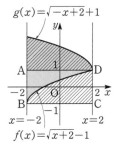

이때 빗금친 부분의 넓이는 서로 같으므로 구하는 넓이는 직사각형 ABCD의 넓이와 같다.

따라서 구하는 넓이는

$4 \times 2 = 8$

04

해결전략 | 점 $P(a, b)$가 함수 $y=\sqrt{4-2x}$의 그래프 위의 점임을 이용하여 a를 b에 대한 식으로 나타낸 후, $\overline{PQ}+\overline{PR}$를 b에 대한 식으로 나타낸다.

STEP 1 a, b의 값의 범위 구하기

무리함수 $y=\sqrt{4-2x}=\sqrt{-2(x-2)}$의 정의역은 $-2(x-2)\geq0$에서 $x-2\leq0$, $x\leq2$이므로 $\{x\,|\,x\leq2\}$이고 치역은 $\{y\,|\,y\geq0\}$이다.

점 $P(a, b)$는 제1사분면 위의 점이므로

$0<a<2,\ 0<b<2$

STEP 2 a를 b에 대한 식으로 나타내기

이때 점 $P(a, b)$가 함수 $y=\sqrt{4-2x}$의 그래프 위의 점이므로

$b=\sqrt{4-2a}$

양변을 제곱하면

$b^2=4-2a \qquad \therefore a=\dfrac{4-b^2}{2}$

STEP 3 $\overline{PQ}+\overline{PR}$를 b에 대한 식으로 나타내기

$\therefore \overline{PQ}+\overline{PR}=b+a$

$=b+\dfrac{4-b^2}{2}$

$=-\dfrac{1}{2}b^2+b+2$

$=-\dfrac{1}{2}(b-1)^2+\dfrac{5}{2}$

STEP 4 $\overline{PQ}+\overline{PR}$의 최댓값 구하기

따라서 $\overline{PQ}+\overline{PR}$의 최댓값은 $b=1$일 때 $\dfrac{5}{2}$이다.

05

해결전략 | 점 A의 x좌표를 a로 놓고 $\overline{AB}=\overline{AC}$임을 이용하여 a의 값을 구한다.

STEP 1 점 A의 x좌표 구하기

점 A의 좌표를 $(a, 2\sqrt{a})\,(a>0)$로 놓으면

$B(4a, 2\sqrt{a})$, $C(a, \sqrt{a})$

$\overline{AB}=4a-a=3a$, $\overline{AC}=2\sqrt{a}-\sqrt{a}=\sqrt{a}$

$\overline{AB}=\overline{AC}$이므로

$3a=\sqrt{a}$, $9a^2=a$

이때 $a\neq0$이므로

$a=\dfrac{1}{9}$

STEP 2 삼각형 ACB의 넓이 구하기

따라서 삼각형 ACB의 넓이는

$\dfrac{1}{2}\times(3a)^2=\dfrac{1}{2}\times\left(\dfrac{1}{3}\right)^2=\dfrac{1}{18}$

06

해결전략 | 역함수의 성질 $(f\circ f)^{-1}(a)=(f^{-1}\circ f^{-1})(a)$임을 이용한다.

$(f^{-1}\circ f^{-1})(a)=(f\circ f)^{-1}(a)=5$이므로

$(f\circ f)(5)=a$

$f(5)=-\sqrt{5-1}+1=-1$

$f(-1)=\sqrt{3+1}=2$

이므로

$(f\circ f)(5)=f(f(5))=f(-1)=2$

$\therefore a=2$

> **🎯 풍쌤의 비법**
>
> 두 함수 f, g의 역함수 f^{-1}, g^{-1}가 각각 존재할 때
> (1) $f\circ f^{-1}=f^{-1}\circ f=I$ (단, I는 항등함수)
> (2) $(f^{-1})^{-1}=f$
> (3) $(f\circ g)^{-1}=g^{-1}\circ f^{-1}$

07

해결전략 | 두 함수 $y=f(x)$와 $y=g(x)$ 사이의 관계를 알아낸다.

STEP 1 두 함수 $f(x)$, $g(x)$ 사이의 관계 파악하기

$f(x)=\dfrac{1}{5}x^2+\dfrac{1}{5}k\,(x\geq0)$는 $g(x)=\sqrt{5x-k}$의 역함수이므로 두 함수 $y=f(x)$와 $y=g(x)$의 그래프는 직선 $y=x$에 대하여 대칭이다.

STEP 2 정수 k의 개수 구하기

두 함수 $y=f(x)$와 $y=g(x)$의 그래프의 교점은 함수 $y=f(x)$의 그래프와 직선 $y=x$의 교점과 같으므로

$\dfrac{1}{5}x^2+\dfrac{1}{5}k=x$에서 $x^2-5x+k=0$

즉, 이차방정식 $x^2-5x+k=0$은 음이 아닌 서로 다른 두 실근을 가져야 하므로 이 이차방정식의 판별식을 D라 하면

$k \geq 0$, $D=(-5)^2-4k>0$

$\therefore 0 \leq k < \dfrac{25}{4}$

따라서 정수 k는 0, 1, 2, 3, 4, 5, 6의 7개이다.

08

해결전략 | $y=\sqrt{|x-1|}$의 그래프를 그린 후, $y=\sqrt{|x-1|}$의 그래프와 직선 $y=x+k$가 서로 다른 세 점에서 만나도록 직선 $y=x+k$를 움직여 본다.

STEP 1 무리함수의 그래프와 직선 그리기

$y=\sqrt{|x-1|}=\begin{cases} \sqrt{x-1} & (x \geq 1) \\ \sqrt{1-x} & (x < 1) \end{cases}$

이므로 $y=\sqrt{|x-1|}$의 그래프는 오른쪽 그림과 같고, $y=x+k$의 그래프는 기울기가 1이고 y절편이 k인 직선이다.

STEP 2 직선 $y=x+k$가 점 $(1,0)$을 지날 때, k의 값 구하기

(i) 직선 $y=x+k$가 점 $(1,0)$을 지날 때

$0=1+k$ $\quad \therefore k=-1$

STEP 3 무리함수의 그래프와 직선이 접할 때, k의 값 구하기

(ii) 함수 $y=\sqrt{x-1}$의 그래프와 직선 $y=x+k$가 접할 때

$\sqrt{x-1}=x+k$의 양변을 제곱하면

$x-1=x^2+2kx+k^2$

$x^2+(2k-1)x+k^2+1=0$

이 이차방정식의 판별식을 D라 하면

$D=(2k-1)^2-4(k^2+1)=0$, $-4k-3=0$

$\therefore k=-\dfrac{3}{4}$

STEP 4 실수 k의 값의 범위 구하기

따라서 서로 다른 세 점에서 만나려면 직선이 (i)과 (ii) 사이이어야 하므로

$-1 < k < -\dfrac{3}{4}$

순열

01 답 (1) 5 (2) 12

02 답 (1) 60 (2) 7 (3) 24 (4) 6

03 답 (1) 12 (2) 12 (3) 20 (4) 8

(1) 6과 7을 한 묶음으로 생각하여 3개의 숫자를 일렬로 나열하는 방법의 수는

$3!=3 \times 2 \times 1=6$

그 각각에 대하여 6과 7이 자리를 바꾸는 방법의 수는

$2!=2 \times 1=2$

따라서 구하는 방법의 수는

$6 \times 2=12$

(2) 5와 8을 일렬로 나열하는 방법의 수는

$2!=2 \times 1=2$

5와 8 사이와 양 끝의 3개의 자리에 6과 7의 2개의 숫자를 나열하는 방법의 수는

${}_3P_2=3 \times 2=6$

따라서 구하는 방법의 수는

$2 \times 6=12$

(3) 4개의 숫자를 일렬로 나열하는 경우의 수는

$4!=4 \times 3 \times 2 \times 1=24$

홀수인 5, 7이 양 끝에 모두 오는 경우의 수는

$2! \times 2!=2 \times 1 \times 2 \times 1=4$

따라서 구하는 경우의 수는

$24-4=20$

(4) 홀 짝 홀 짝 인 경우의 수는

$2! \times 2!=2 \times 1 \times 2 \times 1=4$

짝 홀 짝 홀 인 경우의 수는

$2! \times 2!=2 \times 1 \times 2 \times 1=4$

따라서 구하는 경우의 수는

$4+4=8$

01-1 답 (1) 4 (2) 9

해결전략 | 미지수의 조건을 파악하여 범위를 먼저 확인한다.

(1) STEP 1 x, y, z의 값의 범위 각각 구하기

x, y, z가 양의 정수이므로 $x \geq 1$, $y \geq 1$, $z \geq 1$

STEP2 순서쌍 (x, y, z)의 개수 구하기

$4x+y+2z=12$에서

(i) $x=1$일 때, $y+2z=8$이므로 순서쌍 (y, z)는

(6, 1), (4, 2), (2, 3)의 3개

(ii) $x=2$일 때, $y+2z=4$이므로 순서쌍 (y, z)는

(2, 1)의 1개

(i), (ii)에 의하여 구하는 순서쌍 (x, y, z)의 개수는

$3+1=4$

(2) STEP1 x, y의 값의 범위 각각 구하기

x, y가 자연수이므로 $x\geq1$, $y\geq1$

STEP2 순서쌍 (x, y)의 개수 구하기

$3x+4y\leq18$에서

(i) $y=1$일 때, $x\leq\dfrac{14}{3}$이므로 x는 1, 2, 3, 4의 4개

(ii) $y=2$일 때, $x\leq\dfrac{10}{3}$이므로 x는 1, 2, 3의 3개

(iii) $y=3$일 때, $x\leq2$이므로 x는 1, 2의 2개

(i)~(iii)에 의하여 구하는 순서쌍 (x, y)의 개수는

$4+3+2=9$

> **풍쌤의 비법**
>
> 방정식 $ax+by+cz=d$의 해를 구할 때에는 먼저 $x, y,$ z 중 계수의 절댓값이 가장 큰 항의 미지수에 방정식을 만족시키는 수를 차례로 대입하여 문자가 2개인 방정식으로 변형한다.
>
> $ax+by+cz=d$ 꼴인 방정식의 해의 개수를 구하는 문제는 미지수 x, y, z의 조건이 양의 정수인지 음이 아닌 정수인지 꼭 확인해야 한다. 이때 음이 아닌 정수에는 양의 정수뿐만 아니라 0이 포함됨에 주의한다.

01-2 답 35

해결전략 | 미지수가 음이 아닌 정수이므로 0이 포함됨을 기억한다.

STEP1 x, y의 값의 범위 각각 구하기

x, y가 음이 아닌 정수이므로 $x\geq0$, $y\geq0$

STEP2 순서쌍 (x, y)의 개수 구하기

$x+3y\leq12$에서

(i) $y=0$일 때, $x\leq12$이므로 x는

0, 1, 2, 3, $\cdots$, 12의 13개

(ii) $y=1$일 때, $x\leq9$이므로 x는

0, 1, 2, 3, $\cdots$, 9의 10개

(iii) $y=2$일 때, $x\leq6$이므로 x는

0, 1, 2, 3, $\cdots$, 6의 7개

(iv) $y=3$일 때, $x\leq3$이므로 x는

0, 1, 2, 3의 4개

(v) $y=4$일 때, $x\leq0$이므로 x는

0의 1개

(i)~(v)에 의하여 구하는 순서쌍 (x, y)의 개수는

$13+10+7+4+1=35$

01-3 답 6

해결전략 | 계수의 절댓값이 가장 큰 문자에 대한 범위를 구한 다음 순서쌍의 개수를 구한다.

STEP1 b의 값의 범위 구하기

$a\geq-2$, $b\leq1$, $c\geq6$에서 $b\leq1$, $a+c\geq-2+6=4$이므로

$a+c-2b=5$, 즉 $2b+5=a+c$

$2b+5\geq4$, $b\geq-\dfrac{1}{2}$

$\therefore -\dfrac{1}{2}\leq b\leq1$

STEP2 b의 값에 따른 순서쌍 (a, c)의 개수 구하기

(i) $b=1$일 때, $a+c=7$이므로 순서쌍 (a, c)는

(-2, 9), (-1, 8), (0, 7), (1, 6)의 4개

(ii) $b=0$일 때, $a+c=5$이므로 순서쌍 (a, c)는

(-2, 7), (-1, 6)의 2개

STEP3 순서쌍 (a, b, c)의 개수 구하기

(i), (ii)에 의하여 구하는 순서쌍 (a, b, c)의 개수는

$4+2=6$

01-4 답 9

해결전략 | 3종류의 스티커의 개수를 각각 미지수로 놓고, 방정식을 세운다.

STEP1 주어진 조건을 이용하여 식 세우기

100원짜리, 500원짜리, 1000원짜리 스티커를 각각 x장, y장, z장 산다고 할 때, 그 합은 4000원이므로

$100x+500y+1000z=4000$

$\therefore x+5y+10z=40$

STEP2 x, y, z의 값의 범위 각각 구하기

이때 x, y, z가 자연수이므로 $x\geq1$, $y\geq1$, $z\geq1$

STEP3 순서쌍 (x, y, z)의 개수 구하기

$x+5y+10z=40$에서

(i) $z=1$일 때, $x+5y=30$이므로 순서쌍 (x, y)는

(25, 1), (20, 2), (15, 3), (10, 4), (5, 5)의 5개

(ii) $z=2$일 때, $x+5y=20$이므로 순서쌍 (x, y)는

(15, 1), (10, 2), (5, 3)의 3개

(iii) $z=3$일 때, $x+5y=10$이므로 순서쌍 (x, y)는

(5, 1)의 1개

(i)~(iii)에 의하여 순서쌍 (x, y, z)의 개수는

$5+3+1=9$

STEP4 방법의 수 구하기

따라서 주어진 조건을 만족시키는 방법의 수는 9이다.

01-5 답 12

해결전략 | 두 종류의 연필의 개수를 각각 미지수로 놓고, 부등식을 세운다.

STEP1 주어진 조건을 이용하여 식 세우기

700원짜리, 1400원짜리 연필을 각각 x자루, y자루 산다고 할 때, 그 합이 5600원 이하가 되어야 하므로

$700x+1400y\leq5600$

$\therefore x+2y\leq8$

STEP2 x, y의 값의 범위 각각 구하기

이때 x, y가 자연수이므로 $x\geq1$, $y\geq1$

STEP3 순서쌍 (x, y)의 개수 구하기

$x+2y\leq8$에서

(i) $y=1$일 때, $x\leq6$이므로 x는

1, 2, 3, 4, 5, 6의 6개

(ii) $y=2$일 때, $x\leq4$이므로 x는

1, 2, 3, 4의 4개

(iii) $y=3$일 때, $x\leq2$이므로 x는

1, 2의 2개

(i)~(iii)에 의하여 순서쌍 (x, y)의 개수는

$6+4+2=12$

STEP4 방법의 수 구하기

따라서 주어진 조건을 만족시키는 방법의 수는 12이다.

01-6 답 9

해결전략 | 두 다항식의 곱의 값의 약수를 구한 다음 각 다항식의 값을 정한다.

STEP1 등식을 이루는 두 식의 부호 정하기

x, y, z가 음이 아닌 정수이므로 $(x+z)(x+y+z)=12$에서 $x+z$, $x+y+z$는 모두 양의 정수이어야 한다.

STEP2 순서쌍 (x, y, z)의 개수 구하기

이때 $x+z\leq x+y+z$이므로

$x+z=1$, $x+y+z=12$ 또는 $x+z=2$, $x+y+z=6$ 또는 $x+z=3$, $x+y+z=4$

(i) $x+z=1$, $x+y+z=12$일 때,

$1+y=12$에서 $y=11$

$x+z=1$에서 순서쌍 (x, z)는

(0, 1), (1, 0)의 2개

(ii) $x+z=2$, $x+y+z=6$일 때,

$2+y=6$에서 $y=4$

$x+z=2$에서 순서쌍 (x, z)는

(0, 2), (1, 1), (2, 0)의 3개

(iii) $x+z=3$, $x+y+z=4$일 때,

$3+y=4$에서 $y=1$

$x+z=3$에서 순서쌍 (x, z)는

(0, 3), (1, 2), (2, 1), (3, 0)의 4개

(i)~(iii)에 의하여 구하는 순서쌍 (x, y, z)의 개수는

$2+3+4=9$

▶참고 $AB=12$를 만족시키는 두 양의 정수 A, B의 값은 12의 양의 약수 1, 2, 3, 4, 6, 12를 이용하여 구한다.

필수유형 02 235쪽

02-1 답 (1) 24 (2) 20

해결전략 | 소인수분해를 이용하여 양의 약수의 개수를 구한다.

(1) **STEP1 360을 소인수분해하기**

$360=2^3\times3^2\times5$이므로 360의 양의 약수는

(2³의 양의 약수)$\times$(3²의 양의 약수)$\times$(5의 양의 약수)

STEP2 360의 양의 약수의 개수 구하기

이때 2^3, 3^2, 5의 각각의 양의 약수 중 하나를 택하는 방법의 수는 각각 4, 3, 2이므로 360의 양의 약수의 개수는 곱의 법칙에 의하여

$4\times3\times2=24$

(2) **STEP1 432를 소인수분해하기**

$432=2^4\times3^3$이므로 432의 양의 약수는

(2⁴의 양의 약수)$\times$(3³의 양의 약수)

STEP2 432의 양의 약수의 개수 구하기

이때 2^4의 양의 약수 중 하나를 택하는 방법의 수는 5이고, 그 각각에 대하여 3^3의 양의 약수 중 하나를 택하는 방법의 수는 4이므로 432의 양의 약수의 개수는 곱의 법칙에 의하여

$5\times4=20$

02-2 답 12

해결전략 | 두 수의 공약수는 최대공약수의 약수임을 이용한다.

STEP1 960과 1120의 최대공약수 구하기

960과 1120의 양의 공약수의 개수는 960과 1120의 최대공약수의 약수의 개수와 같다.

960과 1120의 최대공약수는 160이고, 160을 소인수분해하면 $2^5 \times 5$이므로 160의 양의 약수는

(2^5의 양의 약수)×(5의 양의 약수)

STEP2 960과 1120의 양의 공약수의 개수 구하기

따라서 구하는 양의 공약수의 개수는

$(5+1) \times (1+1) = 12$

02-3 답 ③

해결전략 | 10의 거듭제곱을 식으로 나타낸 다음 양의 약수의 개수를 구한다.

STEP1 10^n을 소인수분해하기

$10=2 \times 5$이므로 $10^n = (2 \times 5)^n = 2^n \times 5^n$ (n은 자연수)

STEP2 n의 값 구하기

10^n의 양의 약수의 개수가 16이므로

$(n+1) \times (n+1) = 16$, $(n+1)^2 = 4^2$

이때 n은 자연수이므로 $n=3$

STEP3 조건을 만족시키는 수 구하기

따라서 구하는 수는 10^3이다.

02-4 답 183

해결전략 | 소인수분해를 이용하여 약수의 개수와 약수의 총합을 구한다.

STEP1 a의 값 구하기

$72 = 2^3 \times 3^2$이므로 양의 약수의 개수는

$(3+1) \times (2+1) = 12$ ∴ $a=12$

STEP2 b의 값 구하기

양의 약수의 총합은

$(1+2^1+2^2+2^3) \times (1+3^1+3^2) = 15 \times 13 = 195$

∴ $b=195$

STEP3 $b-a$의 값 구하기

∴ $b-a = 195-12 = 183$

02-5 답 910

해결전략 | 약수의 개수를 이용하여 미지수의 값을 구한다.

STEP1 k의 값 구하기

$2^3 \times 5 \times 9^k = 2^3 \times 5 \times 3^{2k}$의 양의 약수의 개수가 24이므로

$(3+1) \times (1+1) \times (2k+1) = 24$, $2k+1=3$

∴ $k=1$

STEP2 조건을 만족시키는 10의 배수의 합 구하기

10의 배수이면 소인수 중 2와 5를 적어도 하나씩 포함하므로 $2^3 \times 5 \times 3^2$의 약수 중 10의 배수의 합은

$(2^1+2^2+2^3) \times 5 \times (1+3^1+3^2) = 14 \times 5 \times 13 = 910$

02-6 답 8

해결전략 | 소수 a가 2인 경우와 2가 아닌 경우로 나누어 가장 작은 수를 구한다.

STEP1 a의 값에 따른 자연수 구하기

(i) $a=2$일 때,

$16a^k$의 양의 약수의 개수가 25이므로

$16a^k = 2^{24}$

(ii) $a \neq 2$일 때,

$16a^k = 2^4 \times a^k$의 양의 약수의 개수가 25이므로

$5(k+1) = 25$에서 $k+1=5$ ∴ $k=4$

$2^4 \times a^4$ 꼴의 자연수가 가장 작은 자연수가 되려면 a의 값이 3이어야 한다. 즉

$2^4 \times 3^4 = 1296$

STEP2 백의 자리와 일의 자리의 숫자의 합 구하기

(i), (ii)에 의하여 구하는 가장 작은 수는 1296이므로 백의 자리의 숫자와 일의 자리의 숫자의 합은

$2+6=8$

필수유형 **03**   237쪽

03-1 답 (1) 30 (2) 48

해결전략 | 한 번 지나간 지점은 다시 지나지 않도록 이동하는 각 경우를 생각하고 경우의 수를 구한다.

(1) **STEP1** A지점에서 D지점으로 가는 각 경우의 수 구하기

A지점에서 D지점으로 가는 경우는

A → B → D, A → C → D, A → B → C → D,

A → C → B → D의 4가지이다.

(i) A → B → D로 가는 경우의 수는

곱의 법칙에 의하여 $3 \times 2 = 6$

(ii) A → C → D로 가는 경우의 수는

곱의 법칙에 의하여 $2 \times 2 = 4$

(iii) A → B → C → D로 가는 경우의 수는

곱의 법칙에 의하여 $3 \times 2 \times 2 = 12$

(iv) A → C → B → D로 가는 경우의 수는

곱의 법칙에 의하여 $2 \times 2 \times 2 = 8$

STEP2 A지점에서 D지점으로 가는 경우의 수 구하기

(i)~(iv)는 동시에 일어날 수 없으므로 구하는 경우의 수는 합의 법칙에 의하여

$6+4+12+8 = 30$

(2) **STEP1** A지점에서 D지점으로 가는 각 경우의 수 구하기

(i) 희서가 A → B → D로 가는 경우의 수는 6이고,

민종이가 A → C → D로 가는 경우의 수는 4이므
로 곱의 법칙에 의하여

$6 \times 4 = 24$

(ii) 희서가 A → C → D로 가는 경우의 수는 4이고,
민종이가 A → B → D로 가는 경우의 수는 6이므
로 곱의 법칙에 의하여

$4 \times 6 = 24$

STEP2 A지점에서 D지점으로 가는 경우의 수 구하기

(i), (ii)는 동시에 일어날 수 없으므로 구하는 경우의
수는 합의 법칙에 의하여

$24 + 24 = 48$

03-2 🖹 12

해결전략 l 한 번씩만 지나는 지점에 유의하여 이동하는 각
경우를 생각한다.

STEP1 A지점에서 A지점으로 돌아오는 각 경우의 수 구하기

A지점에서 출발하여 C지점으로 이동한 후 다시 A지점
으로 돌아올 때, B지점을 한 번 지나는 경우는

A → B → C → A, A → C → B → A의 2가지이다.

(i) A → B → C → A로 가는 경우의 수는
곱의 법칙에 의하여 $2 \times 3 \times 1 = 6$

(ii) A → C → B → A로 가는 경우의 수는
곱의 법칙에 의하여 $1 \times 3 \times 2 = 6$

STEP2 조건을 만족시키는 경우의 수 구하기

(i), (ii)는 동시에 일어날 수 없으므로 구하는 경우의 수
는 합의 법칙에 의하여

$6 + 6 = 12$

03-3 🖹 30

해결전략 l 두 번 이상 거치지 않는다는 것은 한 번만 지나게
된다는 것임을 이해한다.

STEP1 A지역에서 D지역으로 가는 각 경우의 수 구하기

같은 지점을 두 번 이상 거치지 않고 A지역에서 D지역
으로 가는 경우는 A → B → C → D, A → C → D,
A → D의 3가지이다.

(i) A → B → C → D로 가는 경우의 수는
곱의 법칙에 의하여 $2 \times 3 \times 4 = 24$

(ii) A → C → D로 가는 경우의 수는
곱의 법칙에 의하여 $1 \times 4 = 4$

(iii) A → D로 가는 경우의 수는

2

STEP2 조건을 만족시키는 경우의 수 구하기

(i)~(iii)은 동시에 일어날 수 없으므로 구하는 경우의 수
는 합의 법칙에 의하여

$24 + 4 + 2 = 30$

03-4 🖹 4

해결전략 l 추가해야 하는 길의 개수를 미지수로 놓고 식을
세운다.

STEP1 집에서 학교로 가는 각 경우의 수

가게와 도서관을 연결하는 길을 x개 추가한다고 하면

(i) 집 → 가게 → 학교로 가는 경우의 수는
곱의 법칙에 의하여 $3 \times 2 = 6$

(ii) 집 → 도서관 → 학교로 가는 경우의 수는
곱의 법칙에 의하여 $1 \times 4 = 4$

(iii) 집 → 가게 → 도서관 → 학교로 가는 경우의 수는
곱의 법칙에 의하여 $3 \times x \times 4 = 12x$

(iv) 집 → 도서관 → 가게 → 학교로 가는 경우의 수는
곱의 법칙에 의하여 $1 \times x \times 2 = 2x$

STEP2 추가해야 하는 길의 개수 구하기

(i)~(iv)는 동시에 일어날 수 없으므로 집에서 학교로 가
는 경우의 수는 합의 법칙에 의하여

$6 + 4 + 12x + 2x = 66$, $14x = 56$

$\therefore x = 4$

따라서 추가해야 하는 길의 개수는 4이다.

03-5 🖹 15

해결전략 l 두 나라 또는 한 나라를 경유하며 이동하는 각 경
우를 생각한다.

STEP1 m의 값 구하기

독일에서 두 나라를 경유하여 프랑스로 가는 경우는

독일 → 벨기에 → 스위스 → 프랑스, 독일 → 스위스 →
벨기에 → 프랑스의 2가지이다.

(i) 독일 → 벨기에 → 스위스 → 프랑스로 가는 경우의
수는 곱의 법칙에 의하여 $2 \times 1 \times 1 = 2$

(ii) 독일 → 스위스 → 벨기에 → 프랑스로 가는 경우의
수는 곱의 법칙에 의하여 $2 \times 1 \times 3 = 6$

(i), (ii)는 동시에 일어날 수 없으므로 구하는 경우의 수
는 합의 법칙에 의하여

$m = 2 + 6 = 8$

STEP2 n의 값 구하기

스위스에서 한 나라를 경유하여 벨기에로 가는 경우는

스위스 → 독일 → 벨기에, 스위스 → 프랑스 → 벨기에
의 2가지이다.

(iii) 스위스 → 독일 → 벨기에로 가는 경우의 수는 곱의
　법칙에 의하여 $2 \times 2 = 4$

(iv) 스위스 → 프랑스 → 벨기에로 가는 경우의 수는 곱의
　법칙에 의하여 $1 \times 3 = 3$

(iii), (iv)는 동시에 일어날 수 없으므로 구하는 경우의 수
는 합의 법칙에 의하여

$n = 4 + 3 = 7$

STEP3　$m + n$의 값 구하기

∴ $m + n = 8 + 7 = 15$

03-6　目 240

해결전략 | 같은 등산로로는 내려오지 않음에 유의하여 경우
의 수를 구한다.

STEP1　산을 올라가는 경우와 내려오는 경우의 수 각각 구하기
매표소에서 정상까지 올라가는 경우의 수는 곱의 법칙에
의하여 $5 \times 4 = 20$

정상에서 매표소까지 등산로가 중복되지 않게 내려오는
경우의 수는 곱의 법칙에 의하여 $3 \times 4 = 12$

STEP2　조건을 만족시키는 경우의 수 구하기
따라서 구하는 경우의 수는 곱의 법칙에 의하여
$20 \times 12 = 240$

필수유형 04　　　　　　　　　　239쪽

04-1　目 (1) 127　(2) 127

해결전략 | 곱의 법칙을 이용하여 지불할 수 있는 방법과 금
액의 수를 구한다.

(1) **STEP1　각 동전과 지폐로 지불할 수 있는 방법 구하기**
　10원짜리 동전으로 지불할 수 있는 방법은 0개, 1개,
　2개, …, 7개의 8가지
　100원짜리 동전으로 지불할 수 있는 방법은 0개, 1
　개, 2개, 3개의 4가지
　1000원짜리 지폐로 지불할 수 있는 방법은 0장, 1장,
　2장, 3장의 4가지

　STEP2　지불할 수 있는 방법의 수 구하기
　이때 0원을 지불하는 것은 제외해야 하므로 구하는
　방법의 수는
　$8 \times 4 \times 4 - 1 = 127$

(2) **STEP1　각 동전과 지폐로 지불할 수 있는 방법 구하기**
　10원짜리 동전으로 지불할 수 있는 금액은
　0원, 10원, 20원, …, 60원, 70원의 8가지
　100원짜리 동전으로 지불할 수 있는 금액은

0원, 100원, 200원, 300원의 4가지
1000원짜리 지폐로 지불할 수 있는 금액은
0원, 1000원, 2000원, 3000원의 4가지

STEP2　지불할 수 있는 금액의 수 구하기
이때 0원을 지불하는 것은 제외해야 하므로 구하는
금액의 수는 $8 \times 4 \times 4 - 1 = 127$

04-2　目 (1) 39　(2) 29

해결전략 | 금액이 중복되는 경우를 확인하고 각 방법의 수를
구한다.

(1) **STEP1　각 지폐로 지불할 수 있는 방법 구하기**
　1000원짜리 지폐로 지불할 수 있는 방법은 0장, 1장,
　2장, 3장, 4장의 5가지
　5000원짜리 지폐로 지불할 수 있는 방법은 0장, 1장,
　2장, 3장의 4가지
　10000원짜리 지폐로 지불할 수 있는 방법은 0장, 1장
　의 2가지

　STEP2　지불할 수 있는 방법의 수 구하기
　이때 0원을 지불하는 것은 제외해야 하므로 구하는
　방법의 수는 $5 \times 4 \times 2 - 1 = 39$

(2) **STEP1　각 지폐로 지불할 수 있는 방법 구하기**
　10000원짜리 지폐 1장으로 지불할 수 있는 금액과
　5000원짜리 지폐 2장으로 지불할 수 있는 금액이 같
　으므로 지불할 수 있는 금액의 수는 5000원짜리 지폐
　5장, 1000원짜리 지폐 4장으로 지불할 수 있는 금액
　의 수와 같다.
　5000원짜리 지폐로 지불할 수 있는 금액은 0원, 5000
　원, 10000원, …, 25000원의 6가지
　1000원짜리 지폐로 지불할 수 있는 금액은 0원, 1000
　원, 2000원, 3000원, 4000원의 5가지

　STEP2　지불할 수 있는 금액의 수 구하기
　이때 0원을 지불하는 것은 제외해야 하므로 구하는
　금액의 수는 $6 \times 5 - 1 = 29$

　◉→ 다른 풀이
　5000원짜리 지폐 1장으로 지불할 수 있는 금액과
　1000원짜리 지폐 5장으로 지불할 수 있는 금액이 같
　고, 10000원짜리 지폐 1장으로 지불할 수 있는 금액
　과 1000원짜리 지폐 10장으로 지불할 수 있는 금액이
　같다.
　따라서 10000원짜리 지폐 1장을 1000원짜리 지폐 10
　장, 5000원짜리 지폐 3장을 1000원짜리 지폐 15장으
　로 바꾸면 구하는 금액의 수는 $10 + 15 + 4 = 29$

04-3 目 118

해결전략 | 각 동전을 가지고 지불할 수 있는 금액이 같게 되는 경우를 파악한다.

STEP1 A의 값 구하기

100원짜리 동전으로 지불할 수 있는 방법은 0개, 1개, 2개의 3가지

50원짜리 동전으로 지불할 수 있는 방법은 0개, 1개, 2개, 3개, 4개의 5가지

10원짜리 동전으로 지불할 수 있는 방법은 0개, 1개, 2개, 3개, 4개의 5가지

이때 0원을 지불하는 것은 제외해야 하므로 구하는 방법의 수는 $A=3\times5\times5-1=74$

STEP2 B의 값 구하기

50원짜리 동전 2개로 지불할 수 있는 금액과 100원짜리 동전 1개로 지불할 수 있는 금액이 같으므로 100원짜리 동전 2개를 50원짜리 동전 4개로 바꾸면 지불할 수 있는 금액의 수는 50원짜리 동전 8개, 10원짜리 동전 4개로 지불할 수 있는 금액의 수와 같다.

50원짜리 동전으로 지불할 수 있는 금액은 0원, 50원, 100원, …, 400원의 9가지

10원짜리 동전으로 지불할 수 있는 금액은 0원, 10원, 20원, 30원, 40원의 5가지

이때 0원을 지불하는 것은 제외해야 하므로 구하는 금액의 수는 $B=9\times5-1=44$

STEP3 $A+B$의 값 구하기

$\therefore A+B=74+44=118$

⊛→ 다른 풀이

100원짜리 동전 1개로 지불할 수 있는 금액과 10원짜리 동전 10개로 지불할 수 있는 금액이 같고, 50원짜리 동전 1개로 지불할 수 있는 금액과 10원짜리 동전 5개로 지불할 수 있는 금액이 같다.

따라서 100원짜리 동전 2개는 10원짜리 동전 20개, 50원짜리 동전 4개는 10원짜리 동전 20개로 바꾸면 구하는 금액의 수는

$B=20+20+4=44$

04-4 目 64

해결전략 | 지불할 수 있는 금액의 수는 중복되는 경우가 있으므로 큰 단위의 화폐를 작은 단위의 화폐로 바꿔서 계산한다.

STEP1 a의 값 구하기

1000원짜리 지폐로 지불할 수 있는 방법은 0장, 1장, 2장, 3장의 4가지

5000원짜리 지폐로 지불할 수 있는 방법은 0장, 1장, 2장, 3장, 4장, 5장의 6가지

10000원짜리 지폐로 지불할 수 있는 방법은 0장, 1장, 2장, 3장, 4장의 5가지

이때 0원을 지불하는 것은 제외하므로 구하는 방법의 수는

$a=4\times6\times5-1=119$

STEP2 b의 값 구하기

5000원짜리 2장으로 지불할 수 있는 금액과 10000원짜리 1장으로 지불할 수 있는 금액이 같으므로 10000원짜리 지폐를 모두 5000원짜리 지폐로 바꾸면 지불할 수 있는 금액의 수는 1000원짜리 3장과 5000원짜리 13장으로 지불할 수 있는 금액의 수와 같다.

1000원짜리 지폐로 지불할 수 있는 금액은 0원, 1000원, 2000원, 3000원의 4가지

5000원짜리 지폐로 지불할 수 있는 금액은 0원, 5000원, 10000원, …, 60000원, 65000원의 14가지

이때 0원을 지불하는 것은 제외하므로 구하는 금액의 수는

$b=4\times14-1=55$

STEP3 $|a-b|$의 값 구하기

$\therefore |a-b|=|119-55|=64$

04-5 目 27

해결전략 | 동전의 개수를 미지수로 놓고 식을 세운다.

STEP1 각 동전의 개수를 이용한 식 세우기

500원짜리 음료수 4개의 가격은 2000원이므로 50원, 100원, 500원짜리 동전의 개수를 각각 x, y, z라 하면

$50x+100y+500z=2000$

$\therefore x+2y+10z=40$　　　　　…… ㉠

STEP2 ㉠을 만족시키는 순서쌍 (x, y, z) 구하기

그런데 세 종류의 동전을 모두 사용해야 하므로

$x\geq1$, $y\geq1$, $z\geq1$

(i) $z=1$일 때,

㉠에서 $x+2y=30$이므로 순서쌍 (x, y)는

$(28, 1), (26, 2), (24, 3), \cdots, (2, 14)$의 14개

(ii) $z=2$일 때,

　⊙에서 $x+2y=20$이므로 순서쌍 (x, y)는

　$(18, 1)$, $(16, 2)$, $(14, 3)$, $\cdots$, $(2, 9)$의 9개

(iii) $z=3$일 때,

　⊙에서 $x+2y=10$이므로 순서쌍 (x, y)는

　$(8, 1)$, $(6, 2)$, $(4, 3)$, $(2, 4)$의 4개

STEP3 조건을 만족시키는 방법의 수 구하기

(i)~(iii)에 의하여 구하는 방법의 수는

$14+9+4=27$

04-6 🔲 37

해결전략 | 지불할 수 있는 방법의 수를 이용하여 식을 세워 미지수의 값을 구한다.

STEP1 n의 값 구하기

주어진 동전으로 지불할 수 있는 방법의 수가 95이므로

$4 \times (n+1) \times 3 - 1 = 95$

$12(n+1)=96$, $n+1=8$

$\therefore n=7$

STEP2 지불할 수 있는 금액의 수 구하기

500원짜리 동전 1개로 지불할 수 있는 금액과 50원짜리 동전 10개로 지불할 수 있는 금액이 같고, 100원짜리 동전 1개로 지불할 수 있는 금액과 50원짜리 동전 2개로 지불할 수 있는 금액이 같다.

따라서 500원짜리 동전 2개는 50원짜리 동전 20개, 100원짜리 동전 7개는 50원짜리 동전 14개로 바꾸면 구하는 금액의 수는 $20+14+3=37$

필수유형 05 ────────────── 241쪽

05-1 🔲 (1) 24　(2) 48

해결전략 | 모두 다른 색을 사용하는지 같은 색을 중복해도 되는지를 파악한다.

(1) **STEP1 각 영역에 칠할 수 있는 경우의 수 구하기**

　A에 칠할 수 있는 색은 4가지,

　B에 칠할 수 있는 색은 A에 칠한 색을 제외한 3가지,

　C에 칠할 수 있는 색은 A, B에 칠한 색을 제외한 2가지,

　D에 칠할 수 있는 색은 A, B, C에 칠한 색을 제외한 1가지

STEP2 조건을 만족시키는 방법의 수 구하기

　따라서 구하는 방법의 수는 곱의 법칙에 의하여

　$4 \times 3 \times 2 \times 1 = 24$

(2) **STEP1 각 영역에 칠할 수 있는 경우의 수 구하기**

　A에 칠할 수 있는 색은 4가지,

　B에 칠할 수 있는 색은 A에 칠한 색을 제외한 3가지,

　C에 칠할 수 있는 색은 A, B에 칠한 색을 제외한 2가지,

　D에 칠할 수 있는 색은 A, C에 칠한 색을 제외한 2가지

STEP2 조건을 만족시키는 방법의 수 구하기

　따라서 구하는 방법의 수는 곱의 법칙에 의하여

　$4 \times 3 \times 2 \times 2 = 48$

05-2 🔲 2880

해결전략 | 각 영역을 차례대로 칠할 수 있는 색의 수를 구한다.

STEP1 각 영역에 칠할 수 있는 경우의 수 구하기

A에 칠할 수 있는 색은 5가지,

B에 칠할 수 있는 색은 A에 칠한 색을 제외한 4가지,

C에 칠할 수 있는 색은 B에 칠한 색을 제외한 4가지,

D에 칠할 수 있는 색은 B, C에 칠한 색을 제외한 3가지,

E에 칠할 수 있는 색은 B, D에 칠한 색을 제외한 3가지,

F에 칠할 수 있는 색은 D에 칠한 색을 제외한 4가지

STEP2 조건을 만족시키는 방법의 수 구하기

따라서 구하는 방법의 수는 곱의 법칙에 의하여

$5 \times 4 \times 4 \times 3 \times 3 \times 4 = 2880$

05-3 🔲 480

해결전략 | 칠하려고 하는 부분을 단순화하여 나타낸 다음 색을 칠하는 방법의 수를 구한다.

STEP1 주어진 지도를 단순화하여 나타내기

색을 칠하려고 하는 5도를 단순화하여 나타내면 다음 그림과 같다.

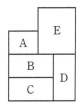

STEP2 각 구역에 칠할 수 있는 경우의 수 구하기

A에 칠할 수 있는 색은 5가지,

B에 칠할 수 있는 색은 A에 칠한 색을 제외한 4가지,

C에 칠할 수 있는 색은 B에 칠한 색을 제외한 4가지,
D에 칠할 수 있는 색은 B, C에 칠한 색을 제외한 3가지,
E에 칠할 수 있는 색은 A, B, D에 칠한 색을 제외한 2가지

STEP3 조건을 만족시키는 방법의 수 구하기
따라서 구하는 방법의 수는 곱의 법칙에 의하여
$5 \times 4 \times 4 \times 3 \times 2 = 480$

05-4 🔒 63

해결전략 | 먼저 칠할 영역을 정한 다음 그 영역과 인접한 영역을 칠할 방법의 수를 구한다.

STEP1 각 영역에 칠할 수 있는 경우의 수 구하기
가장 많은 영역과 인접하고 있는 D에 칠할 수 있는 색은 7가지,
E에 칠할 수 있는 색은 D에 칠한 색을 제외한 6가지,
A에 칠할 수 있는 색은 D에 칠한 색을 제외한 6가지,
B에 칠할 수 있는 색은 A, D에 칠한 색을 제외한 5가지,
C에 칠할 수 있는 색은 B, E에 칠한 색을 제외한 5가지,
G에 칠할 수 있는 색은 C, E에 칠한 색을 제외한 5가지,
F에 칠할 수 있는 색은 D, E, G에 칠한 색을 제외한 4가지

STEP2 n의 값 구하기
따라서 구하는 방법의 수 n은
$n = 7 \times 6 \times 6 \times 5 \times 5 \times 5 \times 4$

STEP3 조건을 만족시키는 값 구하기
$\therefore \dfrac{n}{2^4 \times 5^3} = \dfrac{7 \times 6 \times 6 \times 5 \times 5 \times 5 \times 4}{2^4 \times 5^3} = 63$

05-5 🔒 12

해결전략 | 가장 많이 연결되어 있는 섬부터 깃발의 색을 정한다.

STEP1 서로 다른 색의 깃발을 세우는 방법 구하기
다음 그림과 같이 6개의 섬을 ①, ②, ③, ④, ⑤, ⑥이라 할 때, ②번 섬은 다른 4개의 섬과 다리로 연결되어 있으므로 ②번 섬에 세우는 깃발의 색부터 먼저 생각한다.

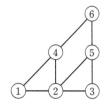

②번 섬에 깃발을 세우는 경우의 수는 3
②번 섬에 세우는 깃발과 같은 색의 다른 깃발은 항상 ⑥번 섬에 세워야 한다.
남은 두 색의 깃발 중 한 가지 색을 선택하여 ①번 섬에 세우는 경우의 수는 2
①번 섬에 세우는 깃발과 같은 색의 다른 깃발은 ③번 또는 ⑤번 섬에 세워야 한다.
그러므로 두 섬 중 한 섬을 선택하는 경우의 수는 2
나머지 두 섬에는 남은 깃발을 세운다.

STEP2 조건을 만족시키는 경우의 수 구하기
따라서 섬에 깃발을 세우는 경우의 수는
$3 \times 2 \times 2 = 12$

필수유형 06　　　　　　　　243쪽

06-1 🔒 (1) 6 (2) 4 (3) 16 (4) 4

해결전략 | 순열의 수를 이용하여 주어진 등식을 만족시키는 미지수의 값을 구한다.

(1) **STEP1 순열을 이용하여 식 세우기**
$_{n}P_3 = 20n$에서 $n(n-1)(n-2) = 20n$

STEP2 n의 값 구하기
이때 $n \geq 3$이므로 양변을 n으로 나누면
$(n-1)(n-2) = 20$, $n^2 - 3n - 18 = 0$
$(n+3)(n-6) = 0$　　$\therefore n = 6 \ (\because n \geq 3)$

(2) $_{7}P_r \times 2! = 1680$에서 $_{7}P_r \times 2 = 1680$
$_{7}P_r = 840 = 7 \times 6 \times 5 \times 4$　　$\therefore r = 4$

(3) **STEP1 순열을 이용하여 식 세우기**
$4 \times {_{n-1}P_3} = 5 \times {_{n-2}P_3}$에서
$4(n-1)(n-2)(n-3) = 5(n-2)(n-3)(n-4)$

STEP2 n의 값 구하기
이때 $n \geq 5$이므로 양변을 $(n-2)(n-3)$으로 나누면
$4(n-1) = 5(n-4)$　　$\therefore n = 16$

(4) **STEP1 순열을 이용하여 식 세우기**
$5 \times {_{n-1}P_3} + {_{n}P_3} = 9 \times {_{n-1}P_2}$에서
$5(n-1)(n-2)(n-3) + n(n-1)(n-2)$
$= 9(n-1)(n-2)$

STEP2 n의 값 구하기
이때 $n \geq 4$이므로 양변을 $(n-1)(n-2)$로 나누면
$5(n-3) + n = 9$
$6n = 24$　　$\therefore n = 4$

06-2 답 11

해결전략 | 순열을 이용하여 식을 세운다.

STEP1 순열을 이용하여 식 세우기

$_n\text{P}_2 = 110$에서 $n(n-1) = 110$

$n^2 - n - 110 = 0$

$(n-11)(n+10) = 0$

STEP2 n의 값 구하기

이때 $n \geq 2$이므로 $n = 11$

06-3 답 14

해결전략 | n에 대한 식을 세워 문제를 해결한다.

STEP1 순열을 이용하여 식 세우기

$_n\text{P}_4 + 48 \times {}_{n-1}\text{P}_2 - 11 \times {}_n\text{P}_3 = 0$에서

$n(n-1)(n-2)(n-3) + 48(n-1)(n-2)$
$$\qquad\qquad - 11n(n-1)(n-2) = 0$$

STEP2 n의 값 구하기

이때 $n \geq 4$이므로 양변을 $(n-1)(n-2)$로 나누면

$n(n-3) + 48 - 11n = 0$

$n^2 - 14n + 48 = 0$

$(n-6)(n-8) = 0$

$\therefore n = 6$ 또는 $n = 8$

STEP3 모든 자연수 n의 값의 합 구하기

따라서 구하는 모든 자연수 n의 값의 합은

$6 + 8 = 14$

06-4 답 ②

해결전략 | 순열의 수를 이용하여 증명하는 과정을 완성한다.

STEP1 우변의 식을 간단히 나타내기

$_n\text{P}_{r+1} + (r+1) \times {}_n\text{P}_r$

$$= \frac{n!}{(n-r-1)!} + (r+1) \times \frac{n!}{(n-r)!}$$

$$= \frac{(n-r)n!}{(n-r)!} + \frac{(r+1)n!}{(n-r)!}$$

$$= \frac{\{(\boxed{n-r}) + (r+1)\}n!}{(n-r)!}$$

$$= \frac{(\boxed{n+1})n!}{(n-r)!}$$

$$= \frac{(n+1)!}{(n-r)!} = {}_{n+1}\text{P}_{r+1}$$

STEP2 빈칸에 알맞은 식 구하기

따라서 ㈎에 알맞은 식은 $n-r$, ㈏에 알맞은 식은 $n+1$이다.

06-5 답 풀이 참조

해결전략 | 순열의 수를 이용하여 주어진 등식을 증명한다.

$(n-1) \times {}_{n-2}\text{P}_{r-2}$

$$= (n-1) \times \frac{(n-2)!}{\{(n-2)-(r-2)\}!}$$

$$= (n-1) \times \frac{(n-2)!}{(n-r)!}$$

$$= \frac{(n-1)!}{(n-r)!}$$

$$= {}_{n-1}\text{P}_{r-1}$$

필수유형 07   245쪽

07-1 답 (1) 720 (2) 24

해결전략 | 출전 순서를 정하거나 서로 다른 음식을 주문하는 방법은 일렬로 나열하는 방법임을 이용한다.

(1) 선수 6명의 출전 순서를 정하는 방법의 수는 6명의 선수를 일렬로 세우는 방법의 수와 같으므로

$\quad _6\text{P}_6 = 6 \times 5 \times 4 \times 3 \times 2 \times 1 = 720$

(2) 세 명의 학생 A, B, C가 음식을 주문하는 방법의 수는 네 가지 메뉴 중 3개를 뽑아 일렬로 나열하는 방법의 수와 같으므로

$\quad _4\text{P}_3 = 4 \times 3 \times 2 = 24$

07-2 답 870종류

해결전략 | 편도 승차권은 출발지와 도착지가 다르므로 순열을 이용한다.

STEP1 편도 승차권의 조건 확인하기

모든 기차역은 30곳이고, 편도 승차권의 출발지와 도착지는 서로 다르므로 만들 수 있는 승차권의 종류 수는 30곳의 기차역 중 2곳을 뽑아 일렬로 나열하는 방법의 수와 같다. 즉,

STEP2 편도 승차권의 종류 수 구하기

$_{30}\text{P}_2 = 30 \times 29 = 870$

이므로 기차 편도 승차권은 870종류를 만들어야 한다.

07-3 답 12

해결전략 | 순열의 수를 이용하여 식을 세운 후, 미지수의 값을 구한다.

STEP1 n에 대한 식 세우기

n명에서 3명을 택하는 순열의 수가 1320이므로

$_nP_3=1320$에서

$n(n-1)(n-2)=1320$

STEP2 n의 값 구하기

$1320=12\times11\times10$이므로

$n(n-1)(n-2)=12\times11\times10$

$\therefore n=12$

07-4 답 120

해결전략 | 서로 다른 관광지를 순서대로 관람하므로 순열을 이용한다.

STEP1 첫째 날, 둘째 날의 관광 순서를 정하는 경우의 수 각각 구하기

첫째 날 관광할 2곳의 관광 순서를 정하는 경우의 수는

$_5P_2=5\times4=20$

둘째 날 관광할 3곳의 관광 순서를 정하는 경우의 수는

$_3P_3=3\times2\times1=6$

STEP2 관광 순서를 정하는 경우의 수 구하기

따라서 구하는 경우의 수는 $20\times6=120$

07-5 답 180

해결전략 | 학생 수가 가장 적은 반에 순서대로 전입생을 배정하므로 순열을 이용한다.

STEP1 4월 13일, 20일, 27일에 전입생이 반을 배정받는 경우의 수 구하기

(ⅰ) 4월 13일에 전입생 1명을 배정받는 반은 학생 수가 27명인 3반 또는 4반 또는 6반이므로 경우의 수는

　$_3P_1=3$

(ⅱ) 4월 20일에 전입생 2명을 배정받는 반은 3반 또는 4반 또는 6반 중 4월 13일에 전입생 1명을 배정받지 않은 학생 수가 27명인 반이므로 경우의 수는

　$_2P_2=2\times1=2$

(ⅲ) 4월 27일에 전입생 2명을 배정받는 반은 학생 수가 28명인 1반, 3반, 4반, 6반, 7반, 8반 중 두 반이므로 경우의 수는

　$_6P_2=6\times5=30$

STEP2 전입생이 반을 배정받는 경우의 수 구하기

(ⅰ)~(ⅲ)에 의하여 전입생 5명이 반을 배정받는 경우의 수는

$3\times2\times30=180$

07-6 답 54

해결전략 | A를 가, 나, 다, 라 지사에 각각 발령하는 경우로 나누어 생각한다.

STEP1 조건에 맞는 경우 생각하기

A보다 B가 본사로부터 거리가 먼 지사에 발령이 나야 하므로 다음과 같은 경우로 나누어 생각한다.

(ⅰ) A를 가 지사에 발령하는 경우

B는 다, 라, 마 중 한 지사에, C, D, E는 나머지 세 지사에 발령하면 되므로 경우의 수는

$3\times3!=3\times3\times2\times1=18$

(ⅱ) A를 나 지사에 발령하는 경우

B는 다, 라, 마 중 한 지사에, C, D, E는 나머지 세 지사에 발령하면 되므로 경우의 수는

$3\times3!=3\times3\times2\times1=18$

(ⅲ) A를 다 지사에 발령하는 경우

B는 라, 마 중 한 지사에, C, D, E는 나머지 세 지사에 발령하면 되므로 경우의 수는

$2\times3!=2\times3\times2\times1=12$

(ⅳ) A를 라 지사에 발령하는 경우

B는 마지사에, C, D, E는 나머지 세 지사에 발령하면 되므로 경우의 수는

$1\times3!=1\times3\times2\times1=6$

STEP2 5명을 발령하는 경우의 수 구하기

(ⅰ)~(ⅳ)에 의하여 구하는 경우의 수는

$18+18+12+6=54$

필수유형 08　　　　　　　　247쪽

08-1 답 ⑴ 300 ⑵ 156

해결전략 | 숫자 0이 나올 수 없는 자리를 파악한다.

⑴ STEP1 천의 자리에 올 수 있는 숫자의 경우 구하기

천의 자리에는 0이 올 수 없으므로 천의 자리에 올 수 있는 숫자는 1, 2, 3, 4, 5의 5가지이다.

STEP2 백, 십, 일의 자리에 올 수 있는 숫자의 경우 구하기

그 각각에 대하여 백의 자리, 십의 자리, 일의 자리에는 천의 자리에 온 숫자를 제외한 5개의 숫자 중에서 3개를 택하여 나열하면 되므로

$_5P_3=5\times4\times3=60$

STEP3 네 자리 자연수의 개수 구하기

따라서 구하는 네 자리 자연수의 개수는

$5 \times 60 = 300$

(2) STEP1 짝수가 될 조건 구하기

짝수이려면 일의 자리의 숫자가 0 또는 짝수이어야 한다.

(i) 일의 자리의 숫자가 0인 경우

천의 자리, 백의 자리, 십의 자리에는 1, 2, 3, 4, 5의 5개의 숫자 중에서 3개를 택하여 나열하면 되므로

$_5P_3 = 5 \times 4 \times 3 = 60$

(ii) 일의 자리의 숫자가 2 또는 4인 경우

천의 자리에 올 수 있는 숫자는 0과 일의 자리에 온 숫자를 제외한 4가지이고, 각각에 대하여 백의 자리와 십의 자리에는 천의 자리와 일의 자리에 온 숫자를 제외한 4개의 숫자 중에서 2개를 택하여 나열하면 되므로

$2 \times 4 \times {}_4P_2 = 2 \times 4 \times 4 \times 3 = 96$

STEP2 짝수의 개수 구하기

(i), (ii)에 의하여 구하는 짝수의 개수는

$60 + 96 = 156$

> **◎ 풍쌤의 비법**
>
> 자연수를 만들 때 최고 자리에는 0이 올 수 없음에 유의한다.

08-2 📘 320

해결전략 | 천의 자리의 숫자가 5인 경우와 6, 7인 경우로 나누어 생각한다.

STEP1 5300보다 큰 수가 되는 경우 구하기

(i) 53□□, 54□□, 56□□, 57□□인 경우

$4 \times {}_5P_2 = 4 \times 5 \times 4 = 80$

(ii) 6□□□, 7□□□인 경우

$2 \times {}_6P_3 = 2 \times 6 \times 5 \times 4 = 240$

STEP2 5300보다 큰 수의 개수 구하기

(i), (ii)에 의하여 5300보다 큰 수의 개수는

$80 + 240 = 320$

08-3 📘 300

해결전략 | 홀수가 되기 위한 조건과 천의 자리에 0이 올 수 없음을 이용한다.

STEP1 홀수가 되기 위한 조건 구하기

홀수가 되기 위해서는 일의 자리에 1, 3, 5 중 하나가 와야 한다.

STEP2 홀수의 개수 구하기

천의 자리에 올 수 있는 숫자는 0과 일의 자리에 온 숫자를 제외한 5가지이고, 그 각각에 대하여 나머지 수가 백의 자리와 십의 자리에 올 수 있으므로 그 개수는

$5 \times {}_5P_2 = 5 \times 5 \times 4 = 100$

따라서 구하는 홀수의 개수는

$3 \times 100 = 300$

08-4 📘 96

해결전략 | 두 자리의 숫자의 합이 8 이상인 경우를 파악한다.

STEP1 네 자리 자연수의 개수 구하기

1, 2, 3, 4, 5의 다섯 개의 숫자를 가지고 만들 수 있는 네 자리 자연수의 개수는

$_5P_4 = 5 \times 4 \times 3 \times 2 = 120$

STEP2 두 자리의 숫자의 합이 8 이상인 경우 구하기

백의 자리의 숫자와 일의 자리의 숫자의 합이 8 이상인 경우를 (백의 자리의 숫자, 일의 자리의 숫자)로 나타내면 (4, 5), (5, 4), (3, 5), (5, 3)이고, 각각의 경우에 나머지 두 자리에는 남은 3개의 숫자 중에 2개를 택하여 나열하면 되므로

$4 \times {}_3P_2 = 4 \times 3 \times 2 = 24$

STEP3 조건을 만족시키는 자연수의 개수 구하기

따라서 구하는 자연수의 개수는

$120 - 24 = 96$

08-5 📘 1232

해결전략 | 천의 자리의 숫자와 짝수가 되기 위한 일의 자리의 숫자를 확인한다.

STEP1 천의 자리와 일의 자리의 숫자 확인하기

$\boxed{a}\,\boxed{b}\,\boxed{c}\,\boxed{d}$에서

a는 2, 3, 4, 5, 6 중에서 택할 수 있고,

d는 0, 2, 4, 6, 8 중에서 택할 수 있다.

이때 a, d의 값의 공통적으로 들어가는 숫자는 2, 4, 6이다.

STEP2 천의 자리의 숫자에 따른 나머지 자리의 숫자 정하는 경우의 수 구하기

(i) a의 값이 2, 4, 6 중 하나의 값을 가지는 경우

2, 4, 6 중 하나의 값을 a라 하면 이를 제외한 나머지 숫자 중에서 d의 값을 정하는 경우는 4가지이고, b, c의 값을 정하는 경우의 수는 $_{10-2}P_2 = {}_8P_2$이다.

$\therefore 3\times4\times{}_8P_2=3\times4\times8\times7=672$

(ii) a의 값이 3, 5 중 하나의 값을 가지는 경우

3, 5 중 하나의 값을 a라 하면 이를 제외한 나머지 숫자 중에서 d의 값을 정하는 경우는 5가지이고, b, c의 값을 정하는 경우의 수는 ${}_8P_2$이다.

$\therefore 2\times5\times{}_8P_2=2\times5\times8\times7=560$

STEP3 주어진 조건을 만족시키는 수의 개수 구하기

(i), (ii)에 의하여 구하는 수의 개수는

$672+560=1232$

08-6 답 72

해결전략 | 두 수의 합이 짝수가 되는 경우를 나누어 생각한다.

STEP1 짝수를 배치하는 경우 구하기

첫 번째 카드와 네 번째 카드에 적혀 있는 숫자의 합이 짝수이면서 네 번째 카드에 적혀 있는 숫자가 4 이상인 경우는

(i) 짝□□4, 짝□□6 꼴

맨 앞에 짝수가 오는 2가지 경우에 대하여 가운데 두 자리에 오는 경우의 수는 나머지 4개의 수 중에 2개를 뽑아 나열하는 순열의 수와 같으므로

$2\times2\times{}_4P_2=2\times2\times4\times3=48$

STEP2 홀수를 배치하는 경우 구하기

(ii) 홀□□5 꼴

맨 앞에 홀수, 맨 뒤에 홀수 5가 오는 2가지 경우에 대하여 가운데 두 자리에는 나머지 4개의 수 중에 2개를 뽑아 나열하는 순열의 수와 같으므로

$2\times{}_4P_2=2\times4\times3=24$

STEP3 조건을 만족시키는 방법의 수 구하기

(i), (ii)에 의하여 구하는 방법의 수는

$48+24=72$

필수유형 09
249쪽

09-1 답 (1) 576 (2) 4320

해결전략 | 이웃하거나 연속하는 것을 한 묶음으로 생각한다.

(1) **STEP1 4명을 일렬로 세우는 방법의 수 구하기**

남학생 4명을 한 묶음으로 생각하여 4명을 일렬로 세우는 방법의 수는

$4!=4\times3\times2\times1=24$

STEP2 남학생이 자리를 바꾸는 방법의 수 구하기

그 각각에 대하여 남학생 4명이 자리를 바꾸는 방법의 수는

$4!=4\times3\times2\times1=24$

STEP3 주어진 조건을 만족시키는 방법의 수 구하기

따라서 구하는 방법의 수는

$24\times24=576$

(2) **STEP1 6명을 일렬로 세우는 방법의 수 구하기**

중학생 3명을 한 묶음으로 생각하여 6명을 일렬로 세우는 방법의 수는

$6!=6\times5\times4\times3\times2\times1=720$

STEP2 중학생이 자리를 바꾸는 방법의 수 구하기

그 각각에 대하여 중학생 3명이 자리를 바꾸는 방법의 수는

$3!=3\times2\times1=6$

STEP3 주어진 조건을 만족시키는 방법의 수 구하기

따라서 구하는 방법의 수는

$720\times6=4320$

09-2 답 240

해결전략 | 이웃하게 나열하는 모음을 한 문자로 생각한다.

STEP1 5개의 문자를 일렬로 세우는 방법의 수 구하기

pencil에서 모음은 e, i이므로 이를 한 묶음으로 생각하여 5개의 문자를 일렬로 세우는 방법의 수는

$5!=5\times4\times3\times2\times1=120$

STEP2 모음의 자리를 바꾸는 방법의 수 구하기

그 각각에 대하여 모음 2개의 자리를 바꾸는 방법의 수는

$2!=2\times1=2$

STEP3 주어진 조건을 만족시키는 방법의 수 구하기

따라서 구하는 방법의 수는

$120\times2=240$

09-3 답 3

해결전략 | 주어진 조건을 만족시키는 식을 세운 후, 미지수의 값을 구한다.

STEP1 $(n+1)$명을 일렬로 세우는 방법의 수 구하기

여학생 6명을 한 묶음으로 생각하여 $(n+1)$명을 일렬로 세우는 방법의 수는

$(n+1)!$

STEP2 여학생이 자리를 바꾸는 방법의 수 구하기

그 각각에 대하여 여학생 6명이 자리를 바꾸는 방법의 수는

$6!=6\times5\times4\times3\times2\times1=720$

STEP3 n의 값 구하기

따라서 여학생끼리 서로 이웃하여 서는 경우의 수는

$720 \times (n+1)!$

이고, 이 경우의 수가 17280이므로

$720 \times (n+1)! = 17280$, $(n+1)! = 24 = 4!$

$n+1 = 4$ $\qquad \therefore n = 3$

09-4 $\quad$ 🖪 8640

해결전략 | 남학생이 앞줄, 뒷줄에 앉는 경우로 나누어 생각한다.

STEP1 남학생이 앞줄에 앉는 방법의 수 구하기

(i) 남학생 4명이 앞줄에서 옆으로 나란히 서로 이웃하여 앉는 방법의 수는

$4! \times 5! = 24 \times 120 = 2880$

STEP2 남학생이 뒷줄에 앉는 방법의 수 구하기

(ii) 남학생 4명이 뒷줄에서 옆으로 나란히 서로 이웃하여 앉는 방법의 수는

$_5P_4 \times (2 \times 4!) = 120 \times 2 \times 24 = 5760$

STEP3 조건을 만족시키는 방법의 수 구하기

(i), (ii)에 의하여 구하는 방법의 수는

$2880 + 5760 = 8640$

09-5 $\quad$ 🖪 192

해결전략 | 각 좌석에 앉는 경우에 대한 방법의 수를 구한다.

STEP1 A열과 B열의 좌석에 번호 붙이기

A열과 B열의 각 열의 좌석을 왼쪽부터 순서대로 각각 1번, 2번, 3번, 4번, 5번이라 하자.

A열	1번	2번	3번	4번	5번
B열	1번	2번	3번	4번	5번

STEP2 각 좌석에 앉는 경우의 수 구하기

(i) 아이가 B열 1번에 앉는 경우

아버지 또는 어머니가 아이와 이웃하여 앉는 경우의 수는

$_4P_2 - {_3P_2} = 4 \times 3 - 3 \times 2 = 6$

할아버지와 할머니가 A열 2번, 3번, 4번, 5번에 이웃하여 앉는 경우의 수는

$3 \times 2 = 6$

따라서 구하는 경우의 수는

$6 \times 6 = 36$

(ii) 아이가 B열 2번에 앉는 경우

아버지 또는 어머니가 아이와 이웃하여 앉는 경우의 수는

$_4P_2 - 2! = 4 \times 3 - 2 \times 1 = 10$

할아버지와 할머니가 A열 3번, 4번, 5번에 이웃하여 앉는 경우의 수는

$2 \times 2 = 4$

따라서 구하는 경우의 수는

$10 \times 4 = 40$

(iii) 아이가 B열 3번에 앉는 경우

아버지 또는 어머니가 아이와 이웃하여 앉는 수는

$_4P_2 - 2! = 4 \times 3 - 2 \times 1 = 10$

할아버지와 할머니가 A열 1, 2, 4, 5번에 이웃하여 앉는 경우의 수는

$2 \times 2 = 4$

따라서 구하는 경우의 수는

$10 \times 4 = 40$

(iv) 아이가 B열 4번에 앉는 경우의 수는 B열 2번에 앉는 경우의 수와 같으므로 구하는 경우의 수는 40

(v) 아이가 B열 5번에 앉는 경우의 수는 B열 1번에 앉는 경우의 수와 같으므로 구하는 경우의 수는 36

STEP3 조건을 만족시키는 경우의 수 구하기

(i)~(v)에 의하여 구하는 경우의 수는

$36 + 40 + 40 + 40 + 36 = 192$

필수유형 ⑩ $\qquad$ 251쪽

10-1 $\quad$ 🖪 (1) 72 (2) 12

해결전략 | 이웃하지 않거나 교대로 서는 방법은 우선 나열해야 하는 것이 무엇인지 파악한다.

(1) STEP1 고등학생을 일렬로 세우는 방법의 수 구하기

고등학생 3명을 일렬로 세우는 방법의 수는

$3! = 3 \times 2 \times 1 = 6$

STEP2 중학생을 일렬로 세우는 방법의 수 구하기

고등학생 사이사이와 양 끝의 4개의 자리 중에서 2개의 자리에 중학생 3명을 세우는 방법의 수는

$_4P_2 = 4 \times 3 = 12$

STEP3 조건을 만족시키는 방법의 수 구하기

따라서 구하는 방법의 수는

$6 \times 12 = 72$

(2) STEP1 중학생을 일렬로 세우는 방법의 수 구하기

중학생 2명을 일렬로 세우는 방법의 수는

$2! = 2 \times 1 = 2$

STEP2 고등학생을 일렬로 세우는 방법의 수 구하기

중학생 사이와 양 끝의 3개의 자리에 고등학생 3명을
세우는 방법의 수는

$3! = 3 \times 2 \times 1 = 6$

STEP3 조건을 만족시키는 방법의 수 구하기

따라서 구하는 방법의 수는

$2 \times 6 = 12$

10-2 답 480

해결전략 | 이웃해도 되는 문자를 먼저 일렬로 나열한다.

STEP1 이웃해도 되는 문자를 일렬로 나열하는 방법의 수 구하기

네 개의 문자 c, d, e, f를 일렬로 배열하는 방법의 수는

$4! = 4 \times 3 \times 2 \times 1 = 24$

STEP2 a, b를 일렬로 나열하는 방법의 수 구하기

네 개의 문자 사이사이와 양 끝의 5개의 자리에 두 개의
문자 a, b를 배열하는 방법의 수는

$_5P_2 = 5 \times 4 = 20$

STEP3 조건을 만족시키는 방법의 수 구하기

따라서 구하는 방법의 수는

$24 \times 20 = 480$

⊙→ 다른 풀이

6개의 문자를 일렬로 나열하는 방법의 수에서 a, b가 이
웃하도록 나열하는 방법의 수를 빼면 되므로 구하는 방
법의 수는

$6! - 5! \times 2! = 720 - 240 = 480$

10-3 답 31392

해결전략 | 특정한 사람을 뺀 나머지 사람을 먼저 세운 다음
특정한 사람을 세운다.

STEP1 a의 값 구하기

(i) 특정한 여자 2명을 제외한 6명을 일렬로 세우는 방법
의 수는

$6! = 6 \times 5 \times 4 \times 3 \times 2 \times 1 = 720$

이고, 이들 양 끝과 사이사이의 7개의 자리 중 2개의
자리에 특정한 여자 2명을 일렬로 세우는 방법의 수는

$_7P_2 = 7 \times 6 = 42$

$\therefore a = 720 \times 42 = 30240$

STEP2 b의 값 구하기

(ii) 남자와 여자가 교대로 서는 경우는

(남, 여, 남, 여, 남, 여, 남, 여),

(여, 남, 여, 남, 여, 남, 여, 남)의 2가지이므로

$b = 2 \times (4! \times 4!) = 2 \times 24 \times 24 = 1152$

STEP3 $a+b$의 값 구하기

$\therefore a+b = 30240 + 1152 = 31392$

10-4 답 480

해결전략 | 의자가 6개이므로 여학생 2명, 남학생 3명, 빈 의
자 1개를 여학생이 이웃하지 않게 일렬로 세우는 것과 같다.

STEP1 남학생과 빈 의자를 일렬로 세우는 방법의 수 구하기

의자가 6개이고 여학생 2명, 남학생 3명이므로 빈 의자
는 1개이다. 남학생 3명과 빈 의자 1개를 일렬로 세우는
방법의 수는

$4! = 24$

STEP2 여학생을 일렬로 세우는 방법의 수 구하기

그 양 끝과 사이사이의 5개의 자리 중 2개의 자리에 여학
생 2명을 세우는 방법의 수는

$_5P_2 = 5 \times 4 = 20$

STEP3 조건을 만족시키는 경우의 수 구하기

따라서 구하는 경우의 수는

$24 \times 20 = 480$

10-5 답 30

해결전략 | 세 글자의 위치에 따른 경우의 수를 각각 구한다.

STEP1 처음 세 글자가 모두 다른 경우의 수 구하기

(i) 처음 세 글자가 모두 다른 경우, 즉

'연예인□□□' 꼴

네 번째에 세 번째 글자를 제외한 두 글자가 올 수 있
는 2가지 경우에 대하여 각각 다섯 번째에 2가지, 여
섯 번째에는 1가지 경우가 있으므로

$2 \times 2 \times 1 = 4$

이때 처음 세 글자 '연예인'을 나열하는 방법의 수는

$3! = 3 \times 2 \times 1 = 6$

$\therefore 4 \times 6 = 24$

STEP2 처음 세 글자 중 두 글자가 같은 경우의 수 구하기

(ii) 처음 세 글자 중 두 글자가 같은 경우, 즉

'연□연□□□' 꼴

'연예연인예인', '연인연예인예'의 2가지 경우가 있고,
처음 글자가 '예'와 '인'의 경우도 마찬가지이므로

$2 \times 3 = 6$

STEP3 조건을 만족시키는 경우의 수 구하기

(i), (ii)에 의하여 구하는 경우의 수는

$24 + 6 = 30$

10-6 📘 432

해결전략 | 이웃하는 칸과 이웃하지 않는 칸을 확인한 후 각 방법의 수를 구한다.

STEP1 신발을 ①에 넣은 방법의 수 구하기

신발을 ①에 넣은 경우, 모자는 ③, ⑤, ⑥ 중 하나에 넣을 수 있고, 남은 4개의 칸에 인형, 공, 가방, 책을 넣으면 되므로 그 방법의 수는

$3 \times 4! = 3 \times 24 = 72$

STEP2 신발을 나머지 칸에 넣은 방법의 수 구하기

마찬가지 방법으로 신발을 ②, ③, ④, ⑤, ⑥에 넣는 방법의 수를 각각 구해 보면 다음과 같다.

②: 모자는 ④, ⑥ 중 하나에 넣으면 되므로

$2 \times 4! = 2 \times 24 = 48$

③: 모자는 ①, ④, ⑤, ⑥ 중 하나에 넣으면 되므로

$4 \times 4! = 4 \times 24 = 96$

④: 모자는 ②, ③ 중 하나에 넣으면 되므로

$2 \times 4! = 2 \times 24 = 48$

⑤: 모자는 ①, ③, ⑥ 중 하나에 넣으면 되므로

$3 \times 4! = 3 \times 24 = 72$

⑥: 모자는 ①, ②, ③, ⑤ 중 하나에 넣으면 되므로

$4 \times 4! = 4 \times 24 = 96$

STEP3 조건을 만족시키는 방법의 수 구하기

따라서 구하는 방법의 수는

$72 + 48 + 96 + 48 + 72 + 96 = 432$

필수유형 ⑪ 253쪽

11-1 📘 (1) 120 (2) 960

해결전략 | 특정한 자리에 대한 조건에 맞는 경우의 수를 구한다.

(1) STEP1 조건을 만족시키는 방법 구하기

t를 맨 처음에, h를 맨 마지막에 고정시키고, 나머지 k, i, c, e, n의 5개의 문자를 나열하는 경우의 수와 같다.

STEP2 조건을 만족시키는 경우의 수 구하기

따라서 구하는 경우의 수는

$5! = 5 \times 4 \times 3 \times 2 \times 1 = 120$

(2) STEP1 특정한 문자로 묶음을 만드는 경우의 수 구하기

t와 h 사이에 2개의 문자를 택하여 나열하는 경우의 수는

$_5P_2 = 5 \times 4 = 20$

STEP2 특정한 문자를 묶음으로 한 다음 일렬로 나열하는 경우의 수 구하기

t○○h를 한 묶음으로 생각하여 4개의 문자를 일렬로 나열하는 경우의 수는

$4! = 4 \times 3 \times 2 \times 1 = 24$

STEP3 특정한 문자의 순서를 정하는 경우의 수 구하기

t와 h의 자리를 바꾸는 경우의 수는

$2! = 2$

STEP4 조건을 만족시키는 경우의 수 구하기

따라서 구하는 경우의 수는

$20 \times 24 \times 2 = 960$

11-2 📘 48

해결전략 | 양 끝에 오는 문자끼리 서로 자리를 바꾸는 경우도 잊지 않도록 한다.

STEP1 특정한 문자를 양 끝에 나열하는 경우의 수 구하기

family에서 모음은 a, i이고, a와 i를 양 끝에 나열하는 경우의 수는

$2! = 2$

STEP2 특정한 문자를 제외한 문자를 배열하는 경우의 수 구하기

a, i를 제외한 4개의 문자를 일렬로 나열하는 경우의 수는

$4! = 4 \times 3 \times 2 \times 1 = 24$

STEP3 조건을 만족시키는 경우의 수 구하기

따라서 구하는 경우의 수는

$2 \times 24 = 48$

11-3 📘 36

해결전략 | 조건이 주어진 사람이 먼저 앉고 나머지 사람들이 앉는다.

STEP1 아버지, 어머니가 의자에 앉는 경우의 수 구하기

홀수 번호가 적힌 3개의 의자 중에서 2개의 의자를 택하여 아버지, 어머니가 앉는 경우의 수는

$_3P_2 = 3 \times 2 = 6$

STEP2 나머지 사람들이 의자에 앉는 경우의 수 구하기

나머지 3개의 의자에 할머니, 아들, 딸이 앉는 경우의 수는

$3! = 3 \times 2 \times 1 = 6$

STEP3 조건을 만족시키는 경우의 수 구하기

따라서 구하는 경우의 수는

$6 \times 6 = 36$

11-4 답 60

해결전략 | 특정한 선수가 아닌 선수를 먼저 배열하는 경우의 수를 구한다.

STEP1 특정한 선수를 제외한 나머지 선수를 배열하는 경우의 수 구하기

A, B를 제외한 3명의 선수 C, D, E를 다섯 자리에 배열하는 경우의 수는

$_5P_3 = 5 \times 4 \times 3 = 60$

STEP2 특정한 선수를 배열하는 경우의 수 구하기

나머지 2개의 빈자리에 A가 B보다 항상 앞쪽에 오도록 배열하는 경우의 수는 1

STEP3 조건을 만족시키는 경우의 수 구하기

따라서 구하는 경우의 수는

$60 \times 1 = 60$

11-5 답 120

해결전략 | 특정하지 않은 문자를 먼저 배열한 다음 특정한 문자를 배열하는 경우의 수를 구한다.

STEP1 특정한 문자를 제외한 문자를 먼저 배열하는 경우의 수를 구하기

A, B, C를 제외한 3개의 문자 D, E, F를 6개의 자리에 배열하는 경우의 수는

$_6P_3 = 6 \times 5 \times 4 = 120$

STEP2 특정한 문자를 배열하는 경우의 수 구하기

나머지 3개의 빈자리 중에서 왼쪽에는 A를, 중간에는 B를, 오른쪽에는 C를 배열하는 경우의 수는 1

STEP3 조건을 만족시키는 경우의 수 구하기

따라서 구하는 경우의 수는 $120 \times 1 = 120$

11-6 답 30960

해결전략 | 자동차를 바꾸어 타지 않은 사람을 기준으로 경우를 나누어 구한다.

STEP1 자동차 A에 있던 사람을 기준으로 경우 나누기

처음부터 자동차 A에 탄 사람 중 운전자를 제외한 두 사람을 a, b라 하자.

(ⅰ) a가 b가 앉았던 자리에 앉는 경우:

운전자의 자리와 a가 앉을 자리를 제외하고 b가 앉을 자리를 택할 수 있는 경우의 수는 7

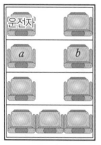

자동차 A

자동차 B에서 온 5명이 앉을 자리를 택할 수 있는 경우의 수는 $_6P_5$

$\therefore 7 \times _6P_5 = 7 \times 6 \times 5 \times 4 \times 3 \times 2 = 5040$

(ⅱ) a가 b가 앉지 않았던 자리에 앉는 경우:

운전자의 자리와 a, b가 앉았던 자리를 제외하고 a가 앉을 자리를 택할 수 있는 경우의 수는 6

이때 운전자의 자리와 b가 앉았던 자리, a가 앉을 자리를 제외하고 b가 앉을 자리를 택할 수 있는 경우의 수 6

자동차 B에서 온 5명이 앉을 자리를 택할 수 있는 경우의 수는 $_6P_5$

$\therefore 6 \times 6 \times _6P_5 = 6 \times 6 \times 6 \times 5 \times 4 \times 3 \times 2 = 25920$

STEP2 조건을 만족시키는 경우의 수 구하기

(ⅰ), (ⅱ)에 의하여 구하는 경우의 수는

$5040 + 25920 = 30960$

필수유형 12 255쪽

12-1 답 (1) 4800 (2) 108

해결전략 | '적어도'라는 조건이 있을 때는 여사건을 이용하여 구한다.

(1) **STEP1 7개의 문자를 일렬로 나열하는 경우의 수 구하기**

7개의 문자를 일렬로 나열하는 경우의 수는

$7! = 7 \times 6 \times 5 \times 4 \times 3 \times 2 \times 1 = 5040$

STEP2 양 끝에 모음이 오는 경우의 수 구하기

양 끝에 모음인 i, e의 2개의 문자를 나열하는 경우의 수는 $2! = 2$

가운데에 나머지 5개의 문자를 일렬로 나열하는 경우의 수는

$5! = 5 \times 4 \times 3 \times 2 \times 1 = 120$

이므로 양 끝에 모음이 오는 경우의 수는

$2 \times 120 = 240$

STEP3 조건을 만족시키는 경우의 수 구하기

따라서 구하는 경우의 수는

$5040 - 240 = 4800$

(2) **STEP1 5개의 문자를 일렬로 나열하는 경우의 수**

5개의 문자를 일렬로 나열하는 경우의 수는

$5! = 5 \times 4 \times 3 \times 2 \times 1 = 120$

STEP2 o, i, e 중 어느 것도 이웃하지 않는 경우의 수 구하기

o, i, e 중 어느 것도 이웃하지 않는 경우의 수는 m, v를 일렬로 나열한 다음 양 끝과 사이의 3개의 자리에 o, i, e를 나열하는 경우의 수와 같으므로

$2! \times 3! = 2 \times 6 = 12$

STEP3 조건을 만족시키는 경우의 수 구하기

따라서 구하는 경우의 수는

$120 - 12 = 108$

12-2 답 84

해결전략 | 적어도 한쪽 끝에 여학생이 오는 경우의 수는 전체 경우의 수에서 양 끝에 남학생이 오는 경우의 수를 뺀 것과 같다.

STEP1 5명의 학생을 일렬로 세우는 방법의 수 구하기

5명의 학생을 일렬로 세우는 방법의 수는

$5! = 5 \times 4 \times 3 \times 2 \times 1 = 120$

STEP2 양 끝에 남학생이 오는 방법의 수 구하기

양 끝에 남학생 3명 중에서 2명을 택하여 세우는 방법의 수는

$_3P_2 = 3 \times 2 = 6$

가운데에 나머지 3명을 일렬로 세우는 방법의 수는

$3! = 3 \times 2 \times 1 = 6$

이므로 양 끝에 남학생이 오는 방법의 수는

$6 \times 6 = 36$

STEP3 조건을 만족시키는 방법의 수 구하기

따라서 구하는 방법의 수는

$120 - 36 = 84$

12-3 답 2

해결전략 | 전체 경우의 수에서 양 끝에 자음이 오는 경우의 수를 빼면 되므로 자음의 개수를 미지수로 놓고 식을 세운다.

STEP1 알파벳을 조건에 맞게 나열하는 경우의 수 구하기

6개의 알파벳을 일렬로 나열하는 경우의 수는

$6! = 6 \times 5 \times 4 \times 3 \times 2 \times 1 = 720$

자음의 개수를 n이라 하면 양 끝에 모두 자음이 오도록 나열하는 방법의 수는

$_nP_2 \times 4!$

이때 적어도 한쪽 끝에 모음이 오도록 나열하는 경우의 수가 432이므로

$720 - {_nP_2} \times 4! = 432$

$_nP_2 \times 4! = 288$, $_nP_2 \times 24 = 288$, $_nP_2 = 12$

즉, $n(n-1) = 4 \times 3$이므로 $n = 4$

STEP2 조건을 만족시키는 모음의 개수 구하기

따라서 자음의 개수가 4이므로 구하는 모음의 개수는

$6 - 4 = 2$

12-4 답 264

해결전략 | 적어도 한쪽 끝에 오는 숫자가 짝수인 정수의 개수는 전체 정수의 개수에서 양 끝에 오는 숫자가 홀수인 정수의 개수를 뺀 것과 같다.

STEP1 세 자리 정수를 만드는 경우의 수 구하기

8개의 숫자 1, 2, 3, 4, 5, 6, 7, 8이 적혀 있는 카드를 가지고 세 자리 정수를 만드는 경우의 수는

$_8P_3 = 8 \times 7 \times 6 = 336$

STEP2 양 끝에 홀수가 오는 경우의 수 구하기

홀수 1, 3, 5, 7 중에서 양 끝에 홀수를 나열하는 방법의 수는

$_4P_2 = 4 \times 3 = 12$

가운데에 남은 6개의 수 중에서 1개를 택하여 나열하는 방법의 수는

$_6P_1 = 6$

이므로 양 끝에 홀수가 오는 경우의 수는

$12 \times 6 = 72$

STEP3 조건을 만족시키는 정수의 개수 구하기

따라서 구하는 정수의 개수는

$336 - 72 = 264$

12-5 답 288

해결전략 | e, f 사이에 적어도 2개의 문자가 들어가는 경우의 수는 전체 경우의 수에서 e, f가 이웃하는 경우 e와 f 사이에 1개의 문자가 들어가는 경우의 수를 뺀 것과 같다.

STEP1 6개의 문자를 나열하는 방법의 수 구하기

6개의 문자를 일렬로 나열하는 방법의 수는

$6! = 6 \times 5 \times 4 \times 3 \times 2 \times 1 = 720$

STEP2 e, f가 이웃하는 경우의 수 구하기

e, f를 한 묶음으로 생각하여 5개의 문자를 일렬로 나열하는 방법의 수는

$5! = 5 \times 4 \times 3 \times 2 \times 1 = 120$

그 각각에 대하여 e, f가 자리를 바꾸는 방법의 수는

$2! = 2$

이므로 e, f가 서로 이웃하도록 나열하는 방법의 수는

$120 \times 2 = 240$

STEP3 e와 f 사이에 1개의 문자가 들어가는 경우의 수 구하기

e와 f 사이에 들어갈 1개의 문자를 선택하는 방법의 수는
$_4P_1=4$

e와 f 사이에 1개의 문자가 들어간 것을 한 묶음으로 생각하여 4개의 문자를 일렬로 나열하는 방법의 수는
$4!=4\times3\times2\times1=24$

그 각각에 대하여 e, f가 자리를 바꾸는 방법의 수는
$2!=2$

이므로 e와 f 사이에 1개의 문자가 들어가도록 나열하는 방법의 수는
$4\times24\times2=192$

STEP4 조건을 만족시키는 경우의 수 구하기

따라서 구하는 경우의 수는
$720-(240+192)=288$

12-6 답 2880

해결전략 | 조부모 사이에 손주가 서는 경우를 나누어 생각한다.

STEP1 구하는 경우의 수에 대해 파악하기

조부모 사이에 손주 세 명 중 적어도 두 명이 서게 되는 경우의 수는 전체 경우의 수에서 조부모 사이에 손주가 서지 않거나 한 명만 서는 경우의 수를 빼면 된다.

STEP2 가족을 일렬로 세우는 경우의 수 구하기

7명의 가족을 일렬로 세우는 경우의 수는
$7!=7\times6\times5\times4\times3\times2\times1=5040$

(ⅰ) 조부모 사이에 손주가 서지 않는 경우:

조부모 사이에 손주가 서지 않는 경우는 조부모가 이웃하여 서는 경우와 같으므로 조부모를 한 명으로 생각하면
$6!\times2!=6\times5\times4\times3\times2\times1\times2\times1=1440$

(ⅱ) 조부모 사이에 손주가 한 명만 서는 경우:

조부모 사이에 한 명의 손주를 택하여 세우는 경우의 수는 $_3P_1=3$

'조부 손주 조모'를 1명으로 생각하였을 때, 5명을 일렬로 세우는 경우의 수는
$5!=5\times4\times3\times2\times1=120$

조부모가 서로 자리를 바꾸는 경우의 수는
$2!=2$

∴ $3\times120\times2=720$

STEP3 조건을 만족시키는 경우의 수 구하기

따라서 구하는 경우의 수는
$5040-(1440+720)=2880$

13-1 답 (1) 61번째 (2) 35124

해결전략 | 수의 경우 '1 → 2 → 3 → …'의 순서로 나옴을 이용한다.

(1) **STEP1 각 자리별로 수의 개수 구하기**

1□□□□ 꼴인 수의 개수는
$4!=4\times3\times2\times1=24$

2□□□□ 꼴인 수의 개수는
$4!=4\times3\times2\times1=24$

31□□□ 꼴인 수의 개수는
$3!=3\times2\times1=6$

32□□□ 꼴인 수의 개수는
$3!=3\times2\times1=6$

STEP2 34125의 순서 정하기

이때 34125는 34□□□ 꼴에서 첫 번째에 오는 수이므로 $24+24+6+6+1=61$(번째)에 오는 수이다.

(2) **STEP1 각 자리별로 수의 개수 구하기**

1□□□□ 꼴인 수의 개수는
$4!=4\times3\times2\times1=24$

2□□□□ 꼴인 수의 개수는
$4!=4\times3\times2\times1=24$

31□□□ 꼴인 수의 개수는
$3!=3\times2\times1=6$

32□□□ 꼴인 수의 개수는
$3!=3\times2\times1=6$

34□□□ 꼴인 수의 개수는
$3!=3\times2\times1=6$

STEP2 67번째에 오는 수 구하기

이때 $24+24+6+6+6=66$이므로 67번째에 오는 수는 35124이다.

13-2 답 35104

해결전략 | 작은 수부터 순서대로 각 경우의 수를 구하여 구하려고 하는 순서의 수를 찾는다.

STEP1 각 자리별로 수의 개수 구하기

1□□□□, 2□□□□ 꼴인 수의 개수는
$2\times_5P_4=2\times5\times4\times3\times2=240$

30□□□, 31□□□, 32□□□, 34□□□ 꼴인 수의 개수는
$4\times_4P_3=4\times4\times3\times2=96$

350□□ 꼴인 수의 개수는
$_3P_2=3\times2=6$

이때 240＋96＋6=342이므로 344번째 수는 351□□
꼴인 수의 두 번째 수이다. 즉
35102, 35104, …

STEP2 344번째 수 구하기
따라서 344번째 수는 35104이다.

13-3 답 255번째

해결전략 | ㄱ → ㄴ → ㄷ → …의 순서로 각 자리에 자음을
넣어서 경우의 수를 구한다.

STEP1 각 자리별로 문자열의 개수 구하기
ㄱ□□□□□, ㄴ□□□□□ 꼴인 문자열의 개수는
$2 \times 5! = 2 \times 5 \times 4 \times 3 \times 2 \times 1 = 240$
ㄷㄱㄴ□□□, ㄷㄱㄹ□□□ 꼴인 문자열의 개수는
$2 \times 3! = 2 \times 3 \times 2 \times 1 = 12$
ㄷㄱㅁㄹㄴ□□ 꼴인 문자열의 개수는
$2! = 2$

STEP2 ㄷㄱㅁㄹㄴㅂ의 순서 정하기
이때 ㄷㄱㅁㄹㄴㅂ은 ㄷㄱㅁㄹ□□ 꼴에서 첫 번째에 오
는 문자열이므로 240＋12＋2＋1=255(번째)에 오는
문자열이다.

13-4 답 H

해결전략 | A → G → H → L → U의 순서로 각 문자열의
경우의 수를 구하여 구하려고 하는 순서의 문자열을 찾는다.

STEP1 각 자리별로 문자열의 개수 구하기
A□□□□ 꼴인 문자열의 개수는
$4! = 4 \times 3 \times 2 \times 1 = 24$
G□□□□ 꼴인 문자열의 개수는
$4! = 4 \times 3 \times 2 \times 1 = 24$
H□□□□ 꼴인 문자열의 개수는
$4! = 4 \times 3 \times 2 \times 1 = 24$
이때 24＋24＋24=72이므로 74번째 단어는 L□□□
□ 꼴인 문자열의 두 번째 단어이다. 즉,
LAGHU, LAGUH, …

STEP2 74번째 단어의 마지막 문자 구하기
따라서 74번째 단어는 LAGUH이므로 구하는 문자는
H이다.

13-5 답 216

해결전략 | 어떤 수보다 작은 수의 개수는 앞부분의 가장 작
은 수부터 각 경우의 수를 구하여 더한다.

STEP1 각 자리별로 수의 개수 구하기
여섯 자리 자연수 중 250000보다 작은 수는
1□□□□□ 꼴인 수의 개수는
$5! = 5 \times 4 \times 3 \times 2 \times 1 = 120$
20□□□□, 21□□□□, 23□□□□, 24□□□□
꼴인 수의 개수는
$4 \times 4! = 4 \times 4 \times 3 \times 2 \times 1 = 96$

STEP2 250000보다 작은 수의 개수 구하기
따라서 250000보다 작은 수의 개수는
$120 + 96 = 216$

13-6 답 432

해결전략 | 조건을 하나씩 만족시키는 문자열의 개수를 구하
고, 중복되는 문자열의 개수는 제외한다.

STEP1 각 조건에 맞는 문자열의 개수 구하기
(ⅰ) 여섯 개의 문자를 배열하는 경우의 수는
$6! = 6 \times 5 \times 4 \times 3 \times 2 \times 1 = 720$
(ⅱ) A와 B가 이웃하는 경우의 수는 AB를 하나의 문자
로 생각하면 다섯 개의 문자를 배열하는 경우의 수와
같으므로
$5! = 5 \times 4 \times 3 \times 2 \times 1 = 120$
마찬가지 방법으로 B와 C가 이웃하는 경우의 수는
$5! = 120$
C와 A가 이웃하는 경우의 수는
$5! = 120$
∴ $120 + 120 + 120 = 360$
(ⅲ) A, B, C가 이웃하는 경우의 수는 ABC를 하나의 문
자로 생각하면 네 개의 문자를 배열하는 경우의 수와
같으므로
$4! = 4 \times 3 \times 2 \times 1 = 24$
마찬가지 방법으로
BCA를 하나의 문자로 생각한 경우의 수는
$4! = 24$
CAB를 하나의 문자로 생각한 경우의 수는
$4! = 24$
∴ $24 + 24 + 24 = 72$

STEP2 조건을 만족시키는 문자열의 개수 구하기
(ⅰ)~(ⅲ)에 의하여 구하는 경우의 수는
$720 - (360 - 72) = 432$

01 16	02 ①	03 12	04 62	05 49
06 360	07 6936	08 6	09 60	
10 60480	11 720	12 ④	13 240	14 ⑤
15 210	16 ②	17 22		

01

해결전략 | 가격이 가장 비싼 스티커의 개수를 기준으로 구입할 수 있는 방법의 수를 구한다.

STEP1 각 스티커의 개수를 미지수로 놓고 식 세우기

A, B, C 스티커의 개수를 각각 x, y, z라 하면

$500x + 1000y + 2000z = 10000$

$\therefore x + 2y + 4z = 20$

STEP2 각 경우의 스티커의 개수 구하기

현재 있는 스티커의 개수는 한정되어 있고, 가격별로 스티커를 1개 이상 구입해야 하므로

$1 \leq x \leq 15$, $1 \leq y \leq 10$, $1 \leq z \leq 5$

(ⅰ) $z = 1$일 때, $x + 2y = 16$이므로 순서쌍 (x, y)는

$(14, 1)$, $(12, 2)$, $(10, 3)$, $(8, 4)$, $(6, 5)$, $(4, 6)$,

$(2, 7)$의 7개

(ⅱ) $z = 2$일 때, $x + 2y = 12$이므로 순서쌍 (x, y)는

$(10, 1)$, $(8, 2)$, $(6, 3)$, $(4, 4)$, $(2, 5)$의 5개

(ⅲ) $z = 3$일 때, $x + 2y = 8$이므로 순서쌍 (x, y)는

$(6, 1)$, $(4, 2)$, $(2, 3)$의 3개

(ⅳ) $z = 4$일 때, $x + 2y = 4$이므로 순서쌍 (x, y)는

$(2, 1)$의 1개

(ⅰ)~(ⅳ)에 의하여 순서쌍 (x, y, z)의 개수는

$7 + 5 + 3 + 1 = 16$

STEP3 조건을 만족시키는 방법의 수 구하기

따라서 만 원을 모두 사용하여 스티커를 구입할 수 있는 방법의 수는 16이다.

02

해결전략 | 짝수는 2를 소인수로 가져야 하고, 3의 배수는 3을 소인수로 가져야 한다.

STEP1 150을 소인수분해하기

150을 소인수분해하면

$150 = 2 \times 3 \times 5^2$

STEP2 p, q의 값 각각 구하기

짝수는 2를 소인수로 가지므로 150의 양의 약수 중 짝수의 개수는 3×5^2의 양의 약수의 개수와 같다. 즉

$p = 2 \times 3 = 6$

3의 배수는 3을 소인수로 가지므로 150의 양의 약수 중 3의 배수의 개수는 2×5^2의 양의 약수의 개수와 같다. 즉

$q = 2 \times 3 = 6$

STEP3 $p + q$의 값 구하기

$\therefore p + q = 6 + 6 = 12$

03

해결전략 | 수형도를 이용하여 모든 방법을 빠짐없이, 중복되지 않게 구한다.

조건에 맞는 길을 차례로 나타내면 다음 그림과 같다.

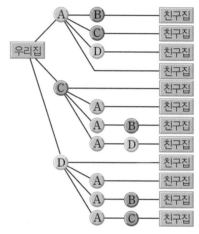

따라서 구하는 방법의 수는 12이다.

04

해결전략 | 정해진 조건을 이용하여 갔던 길을 다시 가지 않도록 한다.

STEP1 세 전시관을 돌아볼 수 있는 각 경우에 대한 방법의 수 구하기

A 전시관을 출발하여 다시 A 전시관으로 되돌아오는 경우는 A → B → A, A → C → A, A → B → C → A, A → C → B → A의 4가지이다.

(ⅰ) A → B → A인 경우

$2 \times 1 = 2$

(ⅱ) A → C → A인 경우

$4 \times 3 = 12$

(ⅲ) A → B → C → A인 경우

$2 \times 3 \times 4 = 24$

(ⅳ) A → C → B → A인 경우

$4 \times 3 \times 2 = 24$

STEP2 조건을 만족시키는 방법의 수 구하기

(ⅰ)~(ⅳ)에 의하여 구하는 방법의 수는

$2 + 12 + 24 + 24 = 62$

05

해결전략 | 동시에 일어나는 경우이므로 곱의 법칙을 이용한다.

STEP1 지불하는 방법 구하기

1000원짜리 지폐 1장으로 지불할 수 있는 금액과 500원짜리 동전 2개로 지불할 수 있는 금액이 같으므로 1000원짜리 지폐 3장을 500원짜리 동전 6개로 바꾸면 지불할 수 있는 금액의 수는 500원짜리 동전 9개, 100원짜리 동전 4개로 지불할 수 있는 금액의 수와 같다.

500원짜리 동전으로 지불할 수 있는 금액은 0원, 500원, 1000원, ⋯, 4500원의 10가지

100원짜리 동전으로 지불할 수 있는 금액은 0원, 100원, 200원, 300원, 400원의 5가지

STEP2 지불할 수 있는 금액의 수 구하기

이때 0원을 지불하는 것은 제외해야 하므로 구하는 금액의 수는

$10 \times 5 - 1 = 49$

06

해결전략 | 인접한 영역이 가장 많은 영역부터 칠할 수 있는 색의 수를 구한다.

STEP1 각 영역을 칠할 수 있는 방법의 수 구하기

C에 칠할 수 있는 색은 5가지,

A에 칠할 수 있는 색은 C에 칠한 색을 제외한 4가지,

B에 칠할 수 있는 색은 A, C에 칠한 색을 제외한 3가지,

D에 칠할 수 있는 색은 A, C에 칠한 색을 제외한 3가지,

E에 칠할 수 있는 색은 B, C, D에 칠한 색을 제외한 2가지 ⋯⋯ ❶

STEP2 조건을 만족시키는 방법의 수 구하기

따라서 구하는 방법의 수는

$5 \times 4 \times 3 \times 3 \times 2 = 360$ ⋯⋯ ❷

채점 요소	비율
❶ 각 영역을 칠할 수 있는 색의 수 구하기	70%
❷ 지도를 색칠하는 방법의 수 구하기	30%

07

해결전략 | 가장 많은 영역과 인접한 영역부터 색을 칠할 수 있는 방법의 수를 구한다.

STEP1 각 영역 구분하기

6개 영역을 다음과 같이 구분한다.

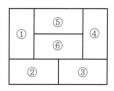

STEP2 각 영역에 칠할 수 있는 경우의 수 구하기

⑥에 칠할 수 있는 색은 n가지

⑤에 칠할 수 있는 색은 ⑥에 칠한 색을 제외한 $(n-1)$가지

①에 칠할 수 있는 색은 ⑤, ⑥에 칠한 색을 제외한 $(n-2)$가지

②에 칠할 수 있는 색은 ①, ⑥에 칠한 색을 제외한 $(n-2)$가지

③에 칠할 수 있는 색은 ②, ⑥에 칠한 색을 제외한 $(n-2)$가지

④에 칠할 수 있는 색은 ③, ⑤, ⑥에 칠한 색을 제외한 $(n-3)$가지

STEP3 $f(4)+f(5)+f(6)$의 값 구하기

따라서 색을 칠하는 방법의 수는

$f(n) = n \times (n-1) \times (n-2) \times (n-2) \times (n-2)$
$\qquad\qquad\qquad\qquad\qquad \times (n-3)$

이므로 구하는 값은

$f(4) + f(5) + f(6)$
$= 4 \times 3 \times 2 \times 2 \times 2 \times 1 + 5 \times 4 \times 3 \times 3 \times 3 \times 2$
$\qquad\qquad\qquad\qquad + 6 \times 5 \times 4 \times 4 \times 4 \times 3$
$= 96 + 1080 + 5760 = 6936$

08

해결전략 | 순열의 수를 이용하여 n의 값을 구한다.

${}_{n+1}P_3 = {}_nP_3 + 90$에서

$(n+1)n(n-1) = n(n-1)(n-2) + 90$

$n^3 - n = n^3 - 3n^2 + 2n + 90$, $n^2 - n - 30 = 0$

$(n+5)(n-6) = 0$

이때 $n \geq 3$이므로

$n = 6$

09

해결전략 | 짝수가 되기 위해서는 일의 자리의 숫자가 0 또는 짝수이어야 한다.

STEP1 짝수이기 위한 조건 구하기

짝수이려면 일의 자리의 숫자가 0 또는 짝수이어야 한다.

STEP2 일의 자리의 숫자에 따른 경우의 수 구하기

(i) 일의 자리의 숫자가 0인 경우

만들 수 있는 네 자리 자연수의 개수는 0을 제외한 4개의 숫자 중에서 3개를 택하여 일렬로 나열하는 방법의 수와 같으므로

$_4P_3 = 4 \times 3 \times 2 = 24$

(ii) 일의 자리의 숫자가 2 또는 4인 경우

천의 자리에 올 수 있는 숫자는 0과 일의 자리에 온 숫자를 제외한 3개이고, 백의 자리, 십의 자리에 올 수 있는 숫자는 천의 자리와 일의 자리에 온 숫자를 제외한 3개 중에 2개를 택하여 나열하면 되므로 그 방법의 수는

$2 \times 3 \times _3P_2 = 2 \times 3 \times 3 \times 2 = 36$

STEP3 짝수의 개수 구하기

(i), (ii)에 의하여 구하는 짝수의 개수는

$24 + 36 = 60$

10

해결전략 | 연이어 뛰는 선수들을 한 명으로 생각한 다음 일렬로 세우는 방법의 수를 이용한다.

STEP1 연이어 뛰는 선수들을 한 명으로 생각하여 뛰는 순서를 정하는 방법의 수 구하기

3학년 2명을 한 묶음으로 생각하고, 4학년 3명도 한 묶음으로 생각하여 7명이 뛰는 순서를 정하는 방법의 수는

$7! = 7 \times 6 \times 5 \times 4 \times 3 \times 2 \times 1 = 5040$ ······ ❶

STEP2 연이어 뛰는 선수끼리의 순서를 정하는 방법의 수 구하기

그 각각에 대하여 3학년 2명이 서로 자리를 바꾸는 방법의 수는

$2! = 2$

그 각각에 대하여 4학년 3명이 서로 자리를 바꾸는 방법의 수는

$3! = 3 \times 2 \times 1 = 6$ ······ ❷

STEP3 조건을 만족시키는 방법의 수 구하기

따라서 구하는 방법의 수는

$5040 \times 2 \times 6 = 60480$ ······ ❸

채점 요소	비율
❶ 연이어 뛰는 선수들을 한 명으로 생각하여 뛰는 순서를 정하는 방법의 수 구하기	40%
❷ ❶에 대하여 3학년과 4학년의 학생이 자리를 바꾸는 방법의 수 구하기	40%
❸ 조건을 만족시키는 방법의 수 구하기	20%

11

해결전략 | 이웃하게 앉아야 하는 사람의 좌석을 먼저 정한다.

STEP1 남아 있는 좌석에 번호 붙이기

앉을 수 있는 좌석을 1부터 8까지의 숫자로 정하면 다음 그림과 같다.

E열	✕	1	2	3
F열	✕	✕	✕	✕
G열	4	5		6
H열	7	✕	8	✕

STEP2 A, B가 자리를 정하는 방법의 수 구하기

A, B가 이웃하게 앉으려면 E열의 1, 2 또는 2, 3에 앉거나, G열의 4, 5에 앉아야 하고 각각의 경우에서 A, B가 서로 자리를 바꿀 수 있으므로 A, B가 자리를 정하는 방법의 수는

$3 \times 2 = 6$

STEP3 나머지 3명이 자리를 정하는 방법의 수 구하기

나머지 6개의 자리에 3명이 자리를 정하는 방법의 수는

$_6P_3 = 6 \times 5 \times 4 = 120$

STEP4 조건을 만족시키는 방법의 수 구하기

따라서 구하는 방법의 수는

$6 \times 120 = 720$

12

해결전략 | 이웃하는 남학생의 수가 짝수 중 가장 작은 수인 2명을 한 묶음으로 생각한 다음 여학생을 배열하는 방법의 수를 구한다.

STEP1 남학생을 일렬로 세우는 경우의 수 구하기

남학생 12명을 일렬로 세우는 경우의 수는

$12!$

STEP2 이웃하는 남학생의 수가 짝수인 경우의 수 구하기

∧ ⃝⃝ ∧ ⃝⃝ ∧ ⃝⃝ ∧ ⃝⃝ ∧ ⃝⃝ ∧ ⃝⃝ ∧

이때 남학생을 2명씩 묶어서 그 양 끝과 사이사이에 여학생 2명을 세우는 경우의 수는

$_7P_2 = 7 \times 6 = 42$

STEP3 N의 값 구하기

따라서 구하는 경우의 수는 $42 \times 12!$이므로

$N = 42$

13

해결전략 | 이웃하는 부부를 먼저 배열하고 남녀가 교대로 앉는 방법을 생각한다.

STEP1 이웃하는 부부를 한 명으로 생각하며 일렬로 세우는 방법의 수 구하기

5쌍의 부부를 각각 한 묶음으로 생각하고, 5명을 일렬로 세우는 방법의 수는

$5! = 5 \times 4 \times 3 \times 2 \times 1 = 120$

STEP2 남녀가 교대로 앉는 방법의 수 구하기

이때 남녀가 교대로 앉는 방법은 다음과 같이 2가지이다.

STEP3 조건을 만족시키는 방법의 수 구하기

따라서 구하는 방법의 수는

$120 \times 2 = 240$

14

해결전략 | A, B를 기준으로 생각하여 방법의 수를 구한다.

STEP1 A, B를 한 묶음으로 생각하여 각 학생이 앉는 경우의 수 구하기

A, B가 앉는 줄을 선택하는 경우의 수는 2

한 줄에 놓인 3개의 좌석 중에서 2개의 좌석을 택하여 앉는 경우의 수는 $_3P_2 = 3 \times 2 = 6$

이므로 A, B가 같은 줄의 좌석에 앉는 경우의 수는

$2 \times 6 = 12$

이때 나머지 세 명이 맞은편 줄의 3개의 좌석에 앉는 경우의 수는

$3! = 6$

STEP2 조건을 만족시키는 경우의 수 구하기

따라서 구하는 경우의 수는

$12 \times 6 = 72$

15

해결전략 | 2는 짝수이면서 소수이므로 세 번째 번호가 2인 경우와 2가 아닌 경우로 나누어 생각한다.

STEP1 세 번째 번호가 2인 경우의 수 구하기

(i) 세 번째 번호가 2인 경우, 즉 □□2□ 꼴

첫 번째와 네 번째에 소수를 배열하는 방법의 수는 3개의 소수 3, 5, 7 중 2개를 택하는 순열의 수이므로 $_3P_2 = 3 \times 2 = 6$

두 번째에 숫자를 배열하는 방법의 수는 남은 5개의 숫자 중에 1개를 택하는 순열의 수이므로 $_5P_1 = 5$

따라서 구하는 경우의 수는

$6 \times 5 = 30$ ····· ❶

STEP2 세 번째 번호가 2가 아닌 경우의 수 구하기

(ii) 세 번째 번호가 2가 아닌 경우

세 번째에 짝수가 오는 경우의 수는 3

첫 번째와 네 번째에 소수를 배열하는 방법의 수는 4개의 소수 2, 3, 5, 7 중 2개를 택하는 순열의 수이므로 $_4P_2 = 4 \times 3 = 12$

두 번째에 숫자를 배열하는 방법의 수는 남은 5개의 숫자 중에 1개를 택하는 순열의 수이므로 $_5P_1 = 5$

따라서 구하는 경우의 수는

$3 \times 12 \times 5 = 180$ ····· ❷

STEP3 n의 값 구하기

(i), (ii)에 의하여 구하는 경우의 수는

$30 + 180 = 210$

따라서 자물쇠를 열기 위해 최대 210번 누르면 된다.

····· ❸

채점 요소	비율
❶ 세 번째 번호가 2인 경우의 수 구하기	40%
❷ 세 번째 번호가 2가 아닌 경우의 수 구하기	40%
❸ n의 값 구하기	20%

16

해결전략 | 이차방정식의 해를 구한 다음 x의 값이 정수가 되도록 하는 n의 값을 찾는다.

STEP1 이차방정식의 해 구하기

$108x^2 - 21nx + n^2 = 0$에서

$(9x - n)(12x - n) = 0$이므로 $x = \dfrac{n}{9}$ 또는 $x = \dfrac{n}{12}$

STEP2 n의 조건 구하기

이때 이차방정식이 적어도 하나의 정수해를 갖기 위해서는 n이 9의 배수이거나 12의 배수가 되어야 한다.

500 이하의 자연수 중에서 9의 배수의 개수는 55이고 12의 배수의 개수는 41이다.

또한 9와 12의 최소공배수인 36의 배수의 개수는 13이다.

STEP3 자연수 n의 개수 구하기

따라서 구하는 자연수 n의 개수는

$55 + 41 - 13 = 83$

17

해결전략 | 번호판은 숫자 3개, 한글 문자 1개, 숫자 4개로 이루어져 있음을 이용하여 그 개수를 구한다.

STEP1 한글 문자를 만드는 경우의 수 구하기

한글 자음은 'ㄱ, ㄴ, ㄷ, ㄹ, ㅁ, ㅂ, ㅅ, ㅇ, ㅈ, ㅊ, ㅋ, ㅌ, ㅍ, ㅎ'의 14가지

모음은 'ㅏ, ㅑ, ㅓ, ㅕ, ㅗ, ㅛ, ㅜ, ㅠ, ㅡ, ㅣ'의 10가지

따라서 한글 문자 1개를 만드는 경우의 수는

$14 \times 10 = 140$

STEP2 숫자를 만드는 경우의 수 구하기

숫자는 0부터 9까지 10개의 숫자를 사용하므로 10가지이다.

한글 문자를 기준으로 앞부분에 들어가는 세 자리 수를 만드는 경우의 수는

$10 \times 10 \times 10 = 10^3$

뒷부분에 들어가는 네 자리 수를 만드는 경우의 수는

$10 \times 10 \times 10 \times 10 = 10^4$

STEP3 $a+b$의 값 구하기

서로 다른 번호판을 만드는 경우의 수는 숫자와 한글 문자가 동시에 일어나므로

$140 \times 10^3 \times 10^4 = 14 \times 10^8$

따라서 $a=14$, $b=8$이므로

$a+b=22$

01

해결전략 | 그래프와 x축이 만나지 않는 조건을 이용한다.

STEP1 이차함수의 그래프와 x축이 만나지 않기 위한 조건 구하기

이차함수 $y=x^2-(a+b)x+ab+4$의 그래프와 x축이 만나지 않으려면 이차방정식 $x^2-(a+b)x+ab+4=0$의 판별식을 D라 할 때, $D<0$이어야 하므로

$D=(a+b)^2-4(ab+4)<0$

STEP2 순서쌍 (a, b)의 개수 구하기

$(a-b)^2-16<0$, $(a-b+4)(a-b-4)<0$

$\therefore -4<a-b<4$

a, b는 주사위의 눈의 수이므로 $a-b$의 값은 정수이다.

(i) $a-b=-3$일 때, 순서쌍 (a, b)는

$(1, 4)$, $(2, 5)$, $(3, 6)$의 3개

(ii) $a-b=-2$일 때, 순서쌍 (a, b)는

$(1, 3)$, $(2, 4)$, $(3, 5)$, $(4, 6)$의 4개

(iii) $a-b=-1$일 때, 순서쌍 (a, b)는

$(1, 2)$, $(2, 3)$, $(3, 4)$, $(4, 5)$, $(5, 6)$의 5개

(iv) $a-b=0$일 때, 순서쌍 (a, b)는

$(1, 1)$, $(2, 2)$, $(3, 3)$, $(4, 4)$, $(5, 5)$, $(6, 6)$의 6개

(v) $a-b=1$일 때, 순서쌍 (a, b)는

$(2, 1)$, $(3, 2)$, $(4, 3)$, $(5, 4)$, $(6, 5)$의 5개

(vi) $a-b=2$일 때, 순서쌍 (a, b)는

$(3, 1)$, $(4, 2)$, $(5, 3)$, $(6, 4)$의 4개

(vii) $a-b=3$일 때, 순서쌍 (a, b)는

$(4, 1)$, $(5, 2)$, $(6, 3)$의 3개

STEP3 조건을 만족시키는 순서쌍 (a, b)의 개수 구하기

(i)~(vii)에 의하여 구하는 순서쌍 (a, b)의 개수는

$3+4+5+6+5+4+3=30$

02

해결전략 | 주어진 세 조건을 모두 만족시키는 방법을 생각한다.

STEP1 A에서 C를 거쳐 A로 되돌아오는 방법 구하기

편의점을 P라 하면 건물 A에서 건물 C를 거쳐 다시 건물 A로 되돌아오는 방법은 다음과 같다.

(i) A → C → P → B → A로 가는 경우

$3 \times 1 \times 1 \times 3 = 9$

(ii) A → B → C → P → B → A로 가는 경우

$3 \times 3 \times 1 \times 1 \times 3 = 27$

STEP2 조건을 만족시키는 방법의 수 구하기

(i), (ii)에 의하여 구하는 방법의 수는

$9+27=36$

03

해결전략 | 각 경우의 수를 구하여 참, 거짓을 판별한다.

STEP1 ㄱ의 참, 거짓 판별하기

ㄱ. 100원짜리 동전 1개, 500원짜리 동전 1개, 1000원짜리 지폐 1장을 사용하면 지불할 수 있는 방법의 수는

$A(1, 1, 1)=2 \times 2 \times 2-1=7$

또, 지불할 수 있는 금액의 수는

$B(1, 1, 1)=2 \times 2 \times 2-1=7$

$\therefore A(1, 1, 1)=B(1, 1, 1)$ (참)

STEP2 ㄴ의 참, 거짓 판별하기

ㄴ. 100원짜리 동전 3개, 500원짜리 동전 3개, 1000원짜리 지폐 1장을 사용하여 지불할 수 있는 방법의 수는

$A(3, 3, 1)=4 \times 4 \times 2-1=31$

그러나 지불할 수 있는 금액의 경우, 1000원짜리 지폐 1장과 500원짜리 동전 2개로 지불하는 금액이 같으므로 금액이 중복되는 경우가 생긴다. 이때 1000원짜리 지폐 1장을 500원짜리 동전 2개로 바꾸어 생

각하면 지불할 수 있는 금액의 수는 100원짜리 동전 3개, 500원짜리 동전 5개로 지불할 수 있는 금액의 수와 같으므로

$B(3, 3, 1)=4\times6-1=23$

$\therefore A(3, 3, 1)>B(3, 3, 1)$ (거짓)

STEP3 ㄷ의 참, 거짓 판별하기

ㄷ. $p>5$이면 100원짜리 동전이 6개 이상이므로 100원짜리 동전 5개와 500원짜리 동전 1개로 지불하는 금액이 중복된다.

마찬가지로 $q>2$이면 500원짜리 동전이 3개 이상이므로 500원짜리 동전 2개와 1000원짜리 지폐 1장으로 지불하는 금액이 중복된다.

중복되는 금액이 생기는 경우 지불할 수 있는 금액의 수는 지불하는 방법의 수에서 중복되는 금액의 수를 제외해야 하므로

$A(p, q, r)>B(p, q, r)$ (참)

따라서 옳은 것은 ㄱ, ㄷ이다.

04

해결전략 | 어느 정사각형부터 색을 칠하면 되는지 조건을 이용하여 파악한다.

STEP1 조건을 이용하여 색을 칠하는 순서 파악하기

1이 적혀 있는 정사각형과 6이 적혀 있는 정사각형에 같은 색을 칠해야 하고, 변을 공유하는 두 정사각형에는 서로 다른 색을 칠하므로 1, 6, 2, 3, 5, 4가 적혀 있는 정사각형의 순서로 색을 칠한다고 생각하자.

STEP2 각 정사각형에 칠할 수 있는 색의 수 구하기

1이 적혀 있는 정사각형에 칠할 수 있는 색은 4가지

6이 적혀 있는 정사각형에는 1이 적혀 있는 정사각형에 칠한 색과 같은 색을 칠해야 하므로 칠할 수 있는 색은 1가지

2가 적혀 있는 정사각형에 칠할 수 있는 색은 1이 적혀 있는 정사각형에 칠한 색을 제외한 3가지

3이 적혀 있는 정사각형에 칠할 수 있는 색은 2, 6이 적혀 있는 정사각형에 칠한 색을 제외한 2가지

5가 적혀 있는 정사각형에 칠할 수 있는 색은 2, 6이 적혀 있는 정사각형에 칠한 색을 제외한 2가지

4가 적혀 있는 정사각형에 칠할 수 있는 색은 1, 5가 적혀 있는 정사각형에 칠한 색을 제외한 2가지

STEP3 조건을 만족시키는 경우의 수 구하기

따라서 조건을 만족시키도록 색을 칠하는 경우의 수는

$4\times1\times3\times2\times2\times2=96$

05

해결전략 | 순열의 수를 이용한다.

STEP1 순열의 수를 이용하여 순서쌍의 개수 구하기

40 이하의 서로 다른 두 자연수 a, b의 최대공약수가 3이므로 서로소인 두 자연수 m, n에 대하여 $a=3m$, $b=3n$이라 하면 m과 n은 13 이하의 자연수이다.

순서쌍 (a, b)를 선택하는 경우는

「(ⅰ) 서로 다른 두 자연수 m, n을 선택하는 경우」에서 「(ⅱ) 서로 다른 두 자연수 m과 n이 서로소가 아닌 경우」를 제외하면 된다.

(ⅰ)의 경우:

13개의 자연수에서 서로 다른 두 자연수 m, n을 선택하는 경우의 수는 $_{13}P_2=13\times12=\boxed{156}$이다.

(ⅱ)의 경우:

m과 n이 2의 배수인 경우의 수는 $_6P_2$이고, m과 n이 3의 배수인 경우의 수는 $_4P_2$이고, m과 n이 5의 배수인 경우의 수는 $_2P_2$이다.

이때 m과 n이 2와 3의 공배수인 $\boxed{6}$의 배수로 이루어진 순서쌍 $(6, 12)$, $(12, 6)$은 중복되므로 서로 다른 두 자연수 m과 n이 서로소가 아닌 경우의 수는

$_6P_2+_4P_2+_2P_2-2=30+12+2-2=\boxed{42}$이다.

따라서 40 이하의 서로 다른 두 자연수 a, b의 최대공약수가 3인 a, b의 모든 순서쌍 (a, b)의 개수는

$\boxed{156}-\boxed{42}$이다.

STEP2 $p+q+r$의 값 구하기

따라서 $p=156$, $q=6$, $r=42$이므로

$p+q+r=204$

06

해결전략 | 이웃하여 앉는 경우부터 경우의 수를 구한다.

STEP1 A와 B가 앉는 경우의 수 구하기

조건 ㈎에서 A와 B가 같이 앉을 수 있는 2인용 의자는 마부가 앉아 있는 의자를 제외한 3개이고, 두 사람은 자리를 서로 바꿔 앉을 수 있으므로 A와 B가 이웃하여 앉는 경우의 수는

$3\times2!=3\times2\times1=6$

STEP2 C와 D가 앉는 경우의 수 구하기

남은 5개의 좌석에 C와 D가 앉는 전체 경우의 수는

$_5P_2=5\times4=20$

C와 D가 이웃하여 앉을 수 있는 2인용 의자는 A와 B가 앉아 있는 2인용 의자와 마부가 앉아 있는 2인용 의자를 제외한 나머지 2개이고, 두 사람은 서로 자리를 바꿔 앉

을 수 있으므로 C와 D가 이웃하여 앉는 경우의 수는

$2 \times 2! = 2 \times 2 \times 1 = 4$

즉 조건 (나)에서 C와 D가 이웃하지 않도록 앉는 경우의 수는

$20 - 4 = 16$

STEP3 E, F, G가 앉는 경우의 수 구하기

남은 3개의 좌석에 E, F, G가 앉는 경우의 수는

$3! = 3 \times 2 \times 1 = 6$

STEP4 주어진 조건을 만족시키는 경우의 수 구하기

따라서 구하는 경우의 수는

$6 \times 16 \times 6 = 576$

조합

개념확인 264~265쪽

01 답 (1) **10** (2) **210** (3) **1** (4) **1**

(1) $_5C_3 = \dfrac{_5P_3}{3!} = \dfrac{5 \times 4 \times 3}{3 \times 2 \times 1} = 10$

(2) $_{10}C_4 = \dfrac{_{10}P_4}{4!} = \dfrac{10 \times 9 \times 8 \times 7}{4 \times 3 \times 2 \times 1} = 210$

(3) $_4C_0 = 1$

(4) $_7C_7 = 1$

02 답 (1) **10** (2) **4**

(1) $_nC_7 = {}_nC_3$에서 $_nC_{n-7} = {}_nC_3$

$n - 7 = 3$ ∴ $n = 10$

(2) $_{n-1}C_{r-1} + {}_{n-1}C_r = {}_nC_r$이므로

$_7C_3 + {}_7C_4 = {}_8C_4$ ∴ $r = 4$

03 답 (1) **15** (2) **20** (3) **10**

(1) $_6C_2 = \dfrac{6 \times 5}{2 \times 1} = 15$

(2) $_6C_3 = \dfrac{6 \times 5 \times 4}{3 \times 2 \times 1} = 20$

(3) $_5C_2 = \dfrac{5 \times 4}{2 \times 1} = 10$

04 답 (1) **1260** (2) **378** (3) **280**

(1) $_9C_2 \times {}_7C_3 \times {}_4C_4 = \dfrac{9 \times 8}{2 \times 1} \times \dfrac{7 \times 6 \times 5}{3 \times 2 \times 1} \times 1 = 1260$

(2) $_9C_2 \times {}_7C_2 \times {}_5C_5 \times \dfrac{1}{2!} = \dfrac{9 \times 8}{2 \times 1} \times \dfrac{7 \times 6}{2 \times 1} \times 1 \times \dfrac{1}{2} = 378$

(3) $_9C_3 \times {}_6C_3 \times {}_3C_3 \times \dfrac{1}{3!}$

$= \dfrac{9 \times 8 \times 7}{3 \times 2 \times 1} \times \dfrac{6 \times 5 \times 4}{3 \times 2 \times 1} \times 1 \times \dfrac{1}{6} = 280$

필수유형 01 267쪽

01-1 답 (1) **6** (2) **4** (3) **4**

해결전략 | 조합의 수를 이용하여 주어진 등식을 만족시키는 미지수의 값을 구한다.

(1) **STEP1** n에 대한 식으로 나타내기

$_nC_2 = {}_nC_1 + 9$에서 $\dfrac{n(n-1)}{2 \times 1} = n + 9$

STEP2 n의 값 구하기

$n(n-1)=2n+18$, $n^2-3n-18=0$

$(n-6)(n+3)=0$

$n \geq 2$이므로 $n=6$

(2) **STEP1** n에 대한 식으로 나타내기

$_nP_3+5 \times {}_nC_3=44$에서

$n(n-1)(n-2)+5 \times \dfrac{n(n-1)(n-2)}{3 \times 2 \times 1}=44$

STEP2 n의 값 구하기

$\dfrac{11}{6}n(n-1)(n-2)=44$

$n(n-1)(n-2)=24=4 \times 3 \times 2$

$\therefore n=4$

(3) **STEP1** 2가지 경우로 나누어 생각하기

$_{12}C_{r-3}={}_{12}C_{3r-1}$에서

$r-3=3r-1$ 또는 $12-(r-3)=3r-1$

(i) $r-3=3r-1$일 때,

$-2r=2$

$\therefore r=-1$

이때 $r \geq 3$이므로 조건을 만족시키는 r의 값은 존재하지 않는다.

(ii) $12-(r-3)=3r-1$일 때,

$15-r=3r-1$

$-4r=-16$

$\therefore r=4$

STEP2 r의 값 구하기

(i), (ii)에 의하여 $r=4$

01-2 🖺 6

해결전략 | 순열의 수를 이용하여 주어진 등식을 만족시키는 미지수의 값을 구한다.

STEP1 등식을 순열의 수로 나타내기

$_{10}P_3=n \times {}_{10}C_3$에서

$_{10}C_3=\dfrac{_{10}P_3}{3!}=\dfrac{_{10}P_3}{6}$이므로

$_{10}P_3=n \times \dfrac{_{10}P_3}{6}$

STEP2 n의 값 구하기

$\dfrac{n}{6}=1$ $\therefore n=6$

01-3 🖺 ④

해결전략 | 조합의 수를 이용하여 증명 과정을 완성한다.

STEP1 증명 과정 완성하기

$n \times {}_{n-1}C_{r-1}$

$=n \times \dfrac{(n-1)!}{(r-1)!\{(n-1)-(r-1)\}!}$

$=n \times \dfrac{(n-1)!}{(r-1)!(\boxed{n-r})!}$

$=r \times \dfrac{\boxed{n}!}{r!(\boxed{n-r})!}=r \times {}_nC_r$

$\therefore r \times {}_nC_r=n \times {}_{n-1}C_{r-1}$

STEP2 ㈎, ㈏에 알맞은 것 찾기

따라서 ㈎에 알맞은 것은 $n-r$, ㈏에 알맞은 것은 n이다.

01-4 🖺 ④

해결전략 | 조합의 수를 이용하여 참, 거짓을 판별한다.

① $_nC_0={}_nC_n=1$

② $_nC_1=\dfrac{_nP_1}{1}=n$

③ $_nC_r=\dfrac{_nP_r}{r!}$에서 $_nP_r={}_nC_r \times r!$

④ $_{n+1}C_r={}_{n+1}C_{(n+1)-r}={}_{n+1}C_{n-r+1}$

⑤ $_nC_r=\dfrac{_nP_r}{r!}=\dfrac{n!}{r!(n-r)!}$

따라서 옳지 않은 것은 ④이다.

01-5 🖺 1736

해결전략 | 주어진 조건을 n에 대한 식으로 나타낸 다음 식의 값을 구한다.

STEP1 순열의 수와 조합의 수를 식으로 각각 나타내기

$_nP_3=336$에서

$n(n-1)(n-2)=336$ ······ ㉠

$_nC_4=70$에서

$\dfrac{n(n-1)(n-2)(n-3)}{4 \times 3 \times 2 \times 1}=70$ ······ ㉡

STEP2 n의 값 구하기

㉠을 ㉡에 대입하면 $336(n-3)=1680$

$n-3=5$ $\therefore n=8$

STEP3 식의 값 구하기

$\therefore {}_nC_3+{}_nP_4={}_8C_3+{}_8P_4$

$=\dfrac{8 \times 7 \times 6}{3 \times 2 \times 1}+8 \times 7 \times 6 \times 5$

$=56+1680=1736$

◉→ 다른 풀이

$_nC_3=\dfrac{_nP_3}{3!}=\dfrac{336}{6}=56$, $_nC_4=\dfrac{_nP_4}{4!}$에서

$_nP_4={}_nC_4 \times 4!=70 \times 24=1680$

$\therefore {}_nC_3+{}_nP_4=56+1680=1736$

01-6 답 $\dfrac{5}{2}$

해결전략 | 이차방정식의 근과 계수의 관계를 이용하여 주어진 조건을 만족시키는 미지수의 값을 구한다.

STEP1 근과 계수의 관계를 이용하여 미지수의 값 구하기

이차방정식의 근과 계수의 관계에 의하여

$\alpha\beta=\dfrac{{}_n\mathrm{C}_3}{{}_n\mathrm{C}_1}=\dfrac{10}{3}$이므로

$\dfrac{\frac{n(n-1)(n-2)}{3\times2\times1}}{n}=\dfrac{10}{3},\ \dfrac{(n-1)(n-2)}{6}=\dfrac{10}{3}$

$(n-1)(n-2)=20,\ n^2-3n-18=0$

$(n-6)(n+3)=0$

이때 $n\geq3$이므로 $n=6$

STEP2 $\alpha+\beta$의 값 구하기

$\therefore \alpha+\beta=\dfrac{{}_6\mathrm{C}_2}{{}_6\mathrm{C}_1}=\dfrac{\frac{6\times5}{2\times1}}{6}=\dfrac{5}{2}$

필수유형 02
269쪽

02-1 답 (1) 84 (2) 60 (3) 1260

해결전략 | 서로 다른 n개에서 r개를 뽑는 방법의 수이므로 조합을 이용한다.

(1) STEP1 주어진 문장을 식으로 나타내기

서로 다른 9개에서 3개를 뽑는 방법의 수는 ${}_9\mathrm{C}_3$

STEP2 조건을 만족시키는 방법의 수 구하기

$\therefore {}_9\mathrm{C}_3=\dfrac{9\times8\times7}{3\times2\times1}=84$

(2) STEP1 주어진 문장을 식으로 나타내기

경찰관 8명 중에서 3명을 뽑는 방법의 수는 ${}_8\mathrm{C}_3$

소방관 4명 중에서 3명을 뽑는 방법의 수는 ${}_4\mathrm{C}_3={}_4\mathrm{C}_1$

STEP2 조건을 만족시키는 경우의 수 구하기

따라서 구하는 경우의 수는

${}_8\mathrm{C}_3+{}_4\mathrm{C}_1=\dfrac{8\times7\times6}{3\times2\times1}+4=56+4=60$

(3) STEP1 주어진 문장을 식으로 나타내기

학생 10명 중에서 2명을 뽑는 방법의 수는 ${}_{10}\mathrm{C}_2$

먼저 뽑힌 2명을 제외한 8명 중에서 2명을 뽑는 방법의 수는 ${}_8\mathrm{C}_2$

STEP2 조건을 만족시키는 방법의 수 구하기

따라서 구하는 방법의 수는

${}_{10}\mathrm{C}_2\times{}_8\mathrm{C}_2=\dfrac{10\times9}{2\times1}\times\dfrac{8\times7}{2\times1}=1260$

02-2 답 20

해결전략 | 선택하는 순서를 생각하지 않으므로 조합을 이용한다.

STEP1 구하고자 하는 것의 의미 파악하기

서로 다른 6개의 과목 중에서 서로 다른 3개를 선택하는 경우의 수는 서로 다른 6개 중에서 3개를 선택하는 조합의 수 ${}_6\mathrm{C}_3$과 같다.

STEP2 조건을 만족시키는 경우의 수 구하기

따라서 구하는 경우의 수는

${}_6\mathrm{C}_3=\dfrac{6\times5\times4}{3\times2\times1}=20$

02-3 답 20명

해결전략 | 주어진 문제를 식으로 나타낸 다음 그 식을 만족시키는 미지수의 값을 구한다.

STEP1 구하고자 하는 것의 의미 파악하기

학급의 학생 수를 n명이라 하면 악수를 한 횟수는 n명에서 2명을 뽑는 방법의 수와 같다.

STEP2 학생 수 구하기

즉, ${}_n\mathrm{C}_2=\dfrac{n(n-1)}{2\times1}=190$에서

$n(n-1)=380=20\times19$ $\therefore n=20$

따라서 학급의 학생 수는 20명이다.

02-4 답 20

해결전략 | 두 수의 합이 짝수가 되는 각 경우를 생각한다.

STEP1 두 수의 합이 짝수가 되는 경우 구하기

두 수의 합이 짝수가 되는 경우는

(홀수)+(홀수) 또는 (짝수)+(짝수)

(i) (홀수)+(홀수)인 경우

1, 3, 5, 7, 9의 5개의 홀수 중 2개를 뽑는 경우의 수는

${}_5\mathrm{C}_2=\dfrac{5\times4}{2\times1}=10$

(ii) (짝수)+(짝수)인 경우

2, 4, 6, 8, 10의 5개의 짝수 중 2개를 뽑는 경우의 수는

${}_5\mathrm{C}_2=\dfrac{5\times4}{2\times1}=10$

STEP2 조건을 만족시키는 경우의 수 구하기

(i), (ii)에 의하여 구하는 경우의 수는

$10+10=20$

02-5 답 100

해결전략 | 두 홀수의 합이 3의 배수가 되는 각 경우를 생각한다.

STEP1 3으로 나누었을 때의 나머지별로 수 구하기

1부터 50까지의 홀수 중에서 3으로 나누었을 때 나머지가 0, 1, 2인 수의 집합을 각각 A, B, C라 하면

$A=\{3,\ 9,\ 15,\ 21,\ 27,\ 33,\ 39,\ 45\}$

$B=\{1,\ 7,\ 13,\ 19,\ 25,\ 31,\ 37,\ 43,\ 49\}$

$C=\{5,\ 11,\ 17,\ 23,\ 29,\ 35,\ 41,\ 47\}$

STEP2 두 홀수의 합이 3의 배수가 되는 경우 구하기

두 홀수의 합이 3의 배수가 되는 경우는

(집합 A의 원소)+(집합 A의 원소) 또는

(집합 B의 원소)+(집합 C의 원소)

(i) 집합 A에서 2개의 원소를 택하는 경우의 수는

$$_{8}C_{2}=\frac{8\times7}{2\times1}=28$$

(ii) 두 집합 B, C에서 각각 1개의 원소를 택하는 경우의 수는

$$_{9}C_{1}\times_{8}C_{1}=9\times8=72$$

STEP3 조건을 만족시키는 경우의 수 구하기

(i), (ii)에 의하여 구하는 경우의 수는

$28+72=100$

02-6 답 530

해결전략 | 두 과일의 조건을 만족시키는 방법의 수를 각각 구한 다음, 곱의 법칙을 이용한다.

STEP1 사과를 넣는 방법의 수 구하기

조건 ㈎에서 각 바구니에 사과는 0개 또는 1개 넣을 수 있으므로 서로 다른 5개의 바구니 중에서 사과 4개를 넣을 바구니 4개를 고르는 방법의 수는

$$_{5}C_{4}=_{5}C_{1}=5$$

STEP2 배를 넣는 방법의 수 구하기

또한 각 바구니에 과일을 1개 이상 넣어야 하므로 사과를 넣지 않은 1개의 빈 바구니에 배를 1개 넣은 후 남은 5개의 배를 서로 다른 5개의 바구니에 넣는 방법의 수는 다음과 같다.

(i) 1개의 바구니에 배를 5개 넣는 경우

1개의 바구니를 택하는 방법의 수는 $_{5}C_{1}=5$

(ii) 2개의 바구니에 배를 4개, 1개 넣는 경우

배 4개와 배 1개를 넣을 바구니 2개를 택하는 방법의 수는

$$_{5}C_{2}=\frac{5\times4}{2\times1}=10$$

(iii) 2개의 바구니에 배를 3개, 2개 넣는 경우

2개의 바구니를 택하는 방법의 수는

$$_{5}C_{2}=\frac{5\times4}{2\times1}=10$$

(iv) 3개의 바구니에 배를 2개, 2개, 1개 넣는 경우

배 1개를 넣을 바구니 1개를 택한 후, 남은 4개의 바구니 중에서 배 2개를 넣을 바구니 2개를 택하는 방법의 수는

$$_{5}C_{1}\times_{4}C_{2}=5\times\frac{4\times3}{2\times1}=30$$

(v) 3개의 바구니에 배를 3개, 1개, 1개 넣는 경우

배 3개를 넣을 바구니 1개를 택한 후, 남은 4개의 바구니 중에서 배 1개를 넣을 바구니 2개를 택하는 방법의 수는

$$_{5}C_{1}\times_{4}C_{2}=5\times\frac{4\times3}{2\times1}=30$$

(vi) 4개의 바구니에 배를 2개, 1개, 1개, 1개 넣는 경우

배 2개를 넣을 바구니 1개를 택한 후, 남은 4개의 바구니 중에서 배 1개를 넣을 바구니 3개를 택하는 방법의 수는

$$_{5}C_{1}\times_{4}C_{3}=_{5}C_{1}\times_{4}C_{1}=5\times4=20$$

(vii) 5개의 바구니에 배를 1개, 1개, 1개, 1개, 1개 넣는 경우

5개의 바구니를 택하는 방법의 수 $_{5}C_{5}=1$

(i)~(vii)에 의하여 남은 5개의 배를 넣는 방법의 수는

$5+10+10+30+30+20+1=106$

STEP3 조건을 만족시키는 방법의 수 구하기

따라서 구하는 방법의 수는

$5\times106=530$

필수유형 **03** 271쪽

03-1 답 (1) 30 (2) 34 (3) 70

해결전략 | 곱의 법칙과 여사건을 이용하여 방법의 수를 구한다.

(1) **STEP1 각 경우의 수 구하기**

사탕 4봉지 중에서 2봉지를 꺼내는 방법의 수는

$$_{4}C_{2}=\frac{4\times3}{2\times1}=6$$

젤리 5봉지 중에서 1봉지를 꺼내는 방법의 수는

$$_{5}C_{1}=5$$

STEP2 조건을 만족시키는 방법의 수 구하기

따라서 구하는 방법의 수는 $6\times5=30$

(2) **STEP1 각 경우의 수 구하기**

(i) 사탕 4봉지 중에서 2봉지를 꺼내는 방법의 수는

$$_4C_2 = \frac{4 \times 3}{2 \times 1} = 6$$

젤리 5봉지 중에서 1봉지를 꺼내는 방법의 수는

$$_5C_1 = 5$$

이므로 방법의 수는 $6 \times 5 = 30$

(ii) 사탕 4봉지 중에서 3봉지를 꺼내는 방법의 수는

$$_4C_3 = {_4C_1} = 4$$

STEP2 조건을 만족시키는 방법의 수 구하기

(i), (ii)에 의하여 구하는 방법의 수는

$$30 + 4 = 34$$

(3) **STEP1 각 경우의 수 구하기**

전체 9봉지 중에서 3봉지를 꺼내는 방법의 수는

$$_9C_3 = \frac{9 \times 8 \times 7}{3 \times 2 \times 1} = 84$$

사탕만 3봉지를 꺼내는 방법의 수는

$$_4C_3 = {_4C_1} = 4$$

젤리만 3봉지를 꺼내는 방법의 수는

$$_5C_3 = {_5C_2} = \frac{5 \times 4}{2 \times 1} = 10$$

STEP2 조건을 만족시키는 방법의 수 구하기

따라서 구하는 방법의 수는

$$84 - (4 + 10) = 70$$

03-2 탑 96

해결전략 | 적어도 남학생 1명, 여학생 1명을 꼭 포함해야 하므로 여사건을 이용한다.

STEP1 각 경우의 수 구하기

전체 10명의 학생 중에서 3명의 선도부를 뽑는 방법의 수는

$$_{10}C_3 = \frac{10 \times 9 \times 8}{3 \times 2 \times 1} = 120$$

6명의 남학생 중에서 3명의 선도부를 뽑는 방법의 수는

$$_6C_3 = \frac{6 \times 5 \times 4}{3 \times 2 \times 1} = 20$$

4명의 여학생 중에서 3명의 선도부를 뽑는 방법의 수는

$$_4C_3 = {_4C_1} = 4$$

STEP2 조건을 만족시키는 방법의 수 구하기

따라서 구하는 방법의 수는

$$120 - (20 + 4) = 96$$

03-3 탑 ③

해결전략 | 각 경우의 조합의 수를 구한 다음, 조합의 성질을

이용하여 간단히 나타낸다.

STEP1 a의 값 구하기

철수를 포함하여 4명을 뽑는 경우의 수는

$$a = {_9C_3}$$

STEP2 b의 값 구하기

철수를 포함하지 않고 4명을 뽑는 경우의 수는

$$b = {_9C_4}$$

STEP3 $a+b$의 값 구하기

$$\therefore a + b = {_9C_3} + {_9C_4} = {_{10}C_4}$$

03-4 탑 20

해결전략 | 꼭 포함된 색을 제외한 나머지에서 하나의 색을 뺀 색을 뽑는 방법의 수를 구한다.

STEP1 구하고자 하는 방법 이해하기

7가지 색 중에서 노란색을 포함하여 4가지 색을 뽑는 방법의 수는 노란색을 선택하고 남은 6가지 색 중에서 3가지 색을 더 뽑는 방법의 수와 같다.

STEP2 조건을 만족시키는 방법의 수 구하기

따라서 구하는 방법의 수는

$$_6C_3 = \frac{6 \times 5 \times 4}{3 \times 2 \times 1} = 20$$

03-5 탑 126

해결전략 | 선발하지 않는 사람을 제외한 나머지에서 뽑는 경우임을 이용한다.

STEP1 구하고자 하는 방법 이해하기

12명 중에서 C는 제외하고 A, B는 꼭 포함하여 6명을 선택하는 방법의 수는 C를 제외한 11명 중에서 A, B 두 명을 선택한 다음 남은 9명 중에서 4명을 더 뽑는 방법의 수와 같다.

STEP2 조건을 만족시키는 방법의 수 구하기

따라서 구하는 방법의 수는

$$_9C_4 = \frac{9 \times 8 \times 7 \times 6}{4 \times 3 \times 2 \times 1} = 126$$

03-6 탑 ②

해결전략 | 각 조건을 만족시키는 경우의 수를 구한다.

STEP1 A의 값 구하기

남학생 9명 중에서 2명을 뽑는 방법의 수는

$$_9C_2 = \frac{9 \times 8}{2 \times 1} = 36$$

여학생 5명 중에서 2명을 뽑는 방법의 수는

$$_5C_2 = \frac{5 \times 4}{2 \times 1} = 10$$

$$\therefore A = 36 \times 10 = 360$$

STEP2 B의 값 구하기

전체 14명 중에서 4명을 뽑는 방법의 수는

$$_{14}C_4 = \frac{14 \times 13 \times 12 \times 11}{4 \times 3 \times 2 \times 1} = 1001$$

남자 9명 중에서 4명을 뽑는 방법의 수는

$$_9C_4 = \frac{9 \times 8 \times 7 \times 6}{4 \times 3 \times 2 \times 1} = 126$$

$$\therefore B = 1001 - 126 = 875$$

STEP3 C의 값 구하기

전체 14명 중에서 4명을 뽑는 방법의 수는

$$_{14}C_4 = \frac{14 \times 13 \times 12 \times 11}{4 \times 3 \times 2 \times 1} = 1001$$

남자 9명 중에서 4명을 뽑는 방법의 수는

$$_9C_4 = \frac{9 \times 8 \times 7 \times 6}{4 \times 3 \times 2 \times 1} = 126$$

여학생 5명 중에서 4명을 뽑는 방법의 수는

$$_5C_4 = {}_5C_1 = 5$$

$$\therefore C = 1001 - (126 + 5) = 870$$

STEP4 A, B, C의 대소 관계 구하기

(ⅰ), (ⅱ), (ⅲ)에 의하여

$$A < C < B$$

필수유형 04   273쪽

04-1 🖺 (1) **42000** (2) **12600**

해결전략 | 뽑는 방법의 수와 나열하는 방법의 수를 각각 구한 후, 곱의 법칙을 이용한다.

(1) **STEP1** 뽑고 나열하는 방법의 수 각각 구하기

어른 7명 중에서 3명, 청소년 5명 중에서 2명을 뽑는 방법의 수는

$$_7C_3 \times {}_5C_2 = \frac{7 \times 6 \times 5}{3 \times 2 \times 1} \times \frac{5 \times 4}{2 \times 1} = 35 \times 10 = 350$$

뽑힌 5명을 일렬로 세우는 방법의 수는

$$5! = 120$$

STEP2 조건을 만족시키는 방법의 수 구하기

따라서 구하는 방법의 수는

$$350 \times 120 = 42000$$

(2) **STEP1** 뽑고 나열하는 방법의 수 각각 구하기

어른 7명 중에서 3명, 청소년 5명 중에서 2명을 뽑는 방법의 수는

$$_7C_3 \times {}_5C_2 = \frac{7 \times 6 \times 5}{3 \times 2 \times 1} \times \frac{5 \times 4}{2 \times 1} = 35 \times 10 = 350$$

뽑은 5명에서 어른 3명을 한 사람으로 생각하여 3명을 일렬로 세우는 방법의 수는 3!이고, 그 각각의 경우에 대하여 어른 3명이 자리를 바꾸는 방법의 수는 3!이므로

$$3! \times 3! = 6 \times 6 = 36$$

STEP2 조건을 만족시키는 방법의 수 구하기

따라서 구하는 방법의 수는

$$350 \times 36 = 12600$$

04-2 🖺 **840**

해결전략 | 5를 포함한 4개의 숫자를 뽑고 일렬로 나열한다.

STEP1 뽑고 나열하는 방법의 수 각각 구하기

5를 제외한 7개의 숫자 중에서 3개를 뽑는 방법의 수는

$$_7C_3 = \frac{7 \times 6 \times 5}{3 \times 2 \times 1} = 35$$

5를 포함한 숫자 4개를 일렬로 나열하는 방법의 수는

$$4! = 24$$

STEP2 조건을 만족시키는 자연수의 개수 구하기

따라서 구하는 자연수의 개수는

$$35 \times 24 = 840$$

◉→ 다른 풀이

5가 올 수 있는 자리는 천의 자리, 백의 자리, 십의 자리, 일의 자리의 4가지이고, 1, 2, 3, 4, 6, 7, 8의 7개의 숫자 중에서 3개를 뽑아 나머지 자리에 나열하면 되므로 구하는 자연수의 개수는

$$4 \times {}_7P_3 = 4 \times 7 \times 6 \times 5 = 840$$

04-3 🖺 **132**

해결전략 | 세 수의 곱이 10의 배수가 되려면 곱하는 수 중 적어도 하나의 짝수와 5가 반드시 포함되어야 한다.

STEP1 곱이 10의 배수가 되도록 세 수를 뽑는 경우의 수 구하기

5는 반드시 포함되어야 하므로 5를 뽑는 경우의 수는 1

5를 제외한 8개의 자연수 중에서 나머지 두 수를 뽑는 경우의 수는

$$_8C_2 = \frac{8 \times 7}{2 \times 1} = 28$$

이때 두 수를 홀수 1, 3, 7, 9 중에서 모두 뽑는 경우의 수는

$$_4C_2 = \frac{4 \times 3}{2 \times 1} = 6$$

이므로 나머지 두 수 중 적어도 하나의 짝수를 뽑는 경우

의 수는 $28-6=22$

즉 곱이 10의 배수가 되도록 세 수를 뽑는 경우의 수는

$1 \times 22 = 22$

STEP2 뽑은 자연수를 일렬로 나열하는 경우의 수 구하기

뽑힌 3개의 자연수를 일렬로 나열하는 경우의 수는

$3! = 6$

STEP3 조건을 만족시키는 자연수의 개수 구하기

따라서 구하는 자연수의 개수는

$22 \times 6 = 132$

04-4 🔑 720

해결전략 | B와 C를 제외한 나머지 5개의 문자 중에서 3개를 뽑는 조합의 수를 구한 후 B와 C를 포함한 5개의 문자를 B, C가 이웃하지 않게 나열하는 방법의 수를 구한다.

STEP1 뽑고 나열하는 방법의 수 각각 구하기

7개의 문자 중에서 B, C를 포함하여 5개의 문자를 뽑는 방법의 수는 B와 C를 제외한 나머지 5개의 문자 중에서 3개를 뽑는 방법의 수와 같으므로

$_5C_3 = {_5}C_2 = \dfrac{5 \times 4}{2 \times 1} = 10$

B, C를 포함하여 뽑은 5개의 문자 중에서 B, C를 제외한 3개의 문자를 일렬로 나열하는 방법의 수는 $3!$이고, 그 사이사이와 양 끝의 4개의 자리 중에서 2개의 자리에 B, C를 나열하는 방법의 수는 $_4P_2$이므로 B, C가 이웃하지 않게 나열하는 방법의 수는

$3! \times {_4}P_2 = 6 \times 12 = 72$

STEP2 조건을 만족시키는 방법의 수 구하기

따라서 구하는 방법의 수는

$10 \times 72 = 720$

⊛• **다른 풀이**

B와 C가 이웃하지 않게 나열하는 방법의 수는 뽑은 5개의 문자를 일렬로 나열하는 방법의 수에서 B와 C를 서로 이웃하게 나열하는 방법의 수를 뺀 것과 같다.

뽑힌 5개의 문자를 일렬로 나열하는 방법의 수는

$5! = 120$

B, C를 한 묶음으로 생각하여 4개를 일렬로 나열하는 방법의 수는 $4!$이고, 그 각각의 경우에 대하여 B, C가 자리를 바꾸는 방법의 수가 $2!$이므로 B와 C를 서로 이웃하게 나열하는 방법의 수는

$4! \times 2! = 24 \times 2 = 48$

따라서 B, C가 이웃하지 않게 나열하는 방법의 수는

$120 - 48 = 72$

04-5 🔑 10

해결전략 | 좌우대칭이 될 수 있도록 한 가운데에 놓일 바둑돌을 정한다.

STEP1 좌우대칭이 되도록 하는 배열 생각하기

흰 바둑돌 6개와 검은 바둑돌 5개를 일렬로 나열할 때, 가운데 놓인 바둑돌을 중심으로 대칭인 형태로 바둑돌이 놓이려면 다음 그림과 같이 가운데에는 반드시 검은 바둑돌이 놓여야 한다.

STEP2 주어진 조건을 만족시키는 방법의 수 구하기

따라서 구하는 방법의 수는 가운데 놓인 검은 바둑돌을 기준으로 왼쪽의 5곳 중 검은 바둑돌을 놓을 2곳을 정하는 방법의 수이므로

$_5C_2 = \dfrac{5 \times 4}{2 \times 1} = 10$

04-6 🔑 7

해결전략 | 비밀번호를 만드는 방법의 수로 식을 만든 후, 식을 만족시키는 n의 값을 구한다.

STEP1 비밀번호를 만드는 방법의 수 구하기

1부터 n까지의 자연수 중에서 2개를 뽑는 방법의 수는

$_nC_2 = \dfrac{n(n-1)}{2 \times 1} = \dfrac{n(n-1)}{2}$

6개의 문자 a, b, c, d, e, f 중에서 3개를 뽑는 방법의 수는

$_6C_3 = \dfrac{6 \times 5 \times 4}{3 \times 2 \times 1} = 20$

이 5개를 일렬로 나열하는 방법의 수는

$5! = 120$

STEP2 조건을 만족시키는 미지수의 값 구하기

비밀번호를 만드는 방법의 수가 50400이므로

$\dfrac{n(n-1)}{2} \times 20 \times 120 = 50400$

$n(n-1) = 42 = 7 \times 6$ ∴ $n = 7$

필수유형 05 275쪽

05-1 🔑 (1) 64 (2) 24 (3) 4

해결전략 | 각 함수의 의미를 파악하여 조건을 만족시키는 함수의 개수를 구한다.

(1) X의 각 원소에 대응할 수 있는 Y의 원소는 각각 4개이고, X의 원소의 개수는 3이다.

따라서 구하는 함수 f의 개수는

$4 \times 4 \times 4 = 64$

(2) **STEP1 일대일함수의 의미 파악하기**

일대일함수가 되려면 X의 서로 다른 원소에 Y의 서로 다른 원소가 대응해야 한다.

STEP2 일대일함수의 개수 구하기

따라서 구하는 일대일함수 f의 개수는

$_4P_3 = 4 \times 3 \times 2 = 24$

(3) **STEP1 조건이 주어진 함수의 의미 파악하기**

X의 각 원소에 대응하는 Y의 원소의 순서가 정해져 있으므로 Y의 원소 4개 중에서 서로 다른 3개를 뽑아 크기 순서대로 대응시키면 된다.

STEP2 조건을 만족시키는 함수의 개수 구하기

따라서 구하는 함수 f의 개수는

$_4C_3 = {_4}C_1 = 4$

05-2 답 150

해결전략 ㅣ A에서 B로의 함수 중 치역과 공역이 같지 않은 함수를 제외한다.

STEP1 A에서 B로의 함수의 개수 구하기

A에서 B로의 함수의 개수는

$3 \times 3 \times 3 \times 3 \times 3 = 243$

STEP2 치역과 공역이 같지 않은 경우 구하기

치역과 공역이 같지 않은 경우는 치역의 원소가 1개 또는 2개인 경우이다.

(ⅰ) 치역의 원소가 1개인 경우

치역을 $\{a\}$라 하면 a가 될 수 있는 수는 1, 2, 3의 3가지이고 치역을 선택하는 A의 개수는 1이므로 함수의 개수는

$3 \times 1 = 3$

(ⅱ) 치역의 원소가 2개인 경우

치역을 $\{a, b\}$라 하면 a, b가 될 수 있는 수는 $_3C_2 = 3$가지이고 치역을 선택하는 A의 개수는

$2 \times 2 \times 2 \times 2 \times 2 - 2 = 30$이므로 함수의 개수는

$3 \times 30 = 90$

STEP3 조건을 만족시키는 함수의 개수 구하기

따라서 구하는 함수의 개수는

$243 - (3 + 90) = 150$

05-3 답 24

해결전략 ㅣ 함수가 되는 조건을 이용한다.

STEP1 치역에 속하지 않는 원소 구하기

$x_1 \neq x_2$이면 $f(x_1) \neq f(x_2)$이므로 치역의 원소의 개수는

3개이다. 이때 최솟값이 3이므로 1, 2는 치역에 속하지 않고 최댓값이 8이므로 9, 10도 치역에 속하지 않는다.

STEP2 치역에 속하는 원소 구하기

즉, 치역에는 3과 8이 반드시 포함되고 4, 5, 6, 7 중에서 1개가 포함되므로 4, 5, 6, 7 중에서 1개를 뽑는 방법의 수는

$_4C_1 = 4$

STEP3 조건을 만족시키는 함수의 개수 구하기

정의역의 원소에 치역의 원소를 각각 하나씩 대응시키는 방법의 수는 $3! = 3 \times 2 \times 1 = 6$이므로 구하는 함수 f의 개수는

$4 \times 6 = 24$

05-4 답 8

해결전략 ㅣ $f(2) = 3$을 기준으로 각 함숫값이 될 수 있는 경우의 수를 구한다.

STEP1 $f(1)$의 값의 경우의 수 구하기

$f(2) = 3$이고 $f(1) < f(2)$이므로 $f(1)$의 값이 될 수 있는 집합 B의 원소는 1 또는 2의 2가지이다.

STEP2 $f(3)$, $f(4)$, $f(5)$의 값의 경우의 수 구하기

$f(2) = 3$이고 $f(2) < f(3) < f(4) < f(5)$이므로 집합 B의 원소 4, 5, 6, 7 중에서 3개를 뽑아 작은 수부터 차례로 $f(3)$, $f(4)$, $f(5)$에 대응시키면 된다.

즉, 경우의 수는 $_4C_3 = {_4}C_1 = 4$

STEP3 함수 f의 개수 구하기

따라서 구하는 함수 f의 개수는

$2 \times 4 = 8$

05-5 답 7

해결전략 ㅣ $f(3)$의 값을 기준으로 경우를 나눈다.

STEP1 각 경우의 수 구하기

조건 ㈎에서 $f(3)$의 값은 2 또는 4 또는 6이고 조건 ㈏에서 $f(3) < f(2) < f(1)$이다.

(ⅰ) $f(3) = 2$일 때

집합 B의 원소 3, 4, 5, 6 중 2개를 뽑아 큰 수부터 차례로 $f(1)$, $f(2)$에 대응시키면 되므로 그 경우의 수는 $_4C_2 = \dfrac{4 \times 3}{2 \times 1} = 6$

(ⅱ) $f(3) = 4$일 때

$f(1) = 6$, $f(2) = 5$이므로 그 경우의 수는 1

(ⅲ) $f(3) = 6$일 때

$f(1)$, $f(2)$의 값이 없다.

STEP2 주어진 조건을 만족시키는 함수의 개수 구하기

(i)~(iii)에 의하여 구하는 함수 f의 개수는

$6+1=7$

05-6 답 60

해결전략 | 각 조건을 만족시키는 경우의 수를 구한다.

STEP1 조건 ㈏를 만족시키는 경우의 수 구하기

조건 ㈏를 만족시키는 a가 될 수 있는 X의 세 원소를 a_1, a_2, a_3이라 하고, 나머지 두 원소를 b_1, b_2라 하자.

X의 세 원소 a_1, a_2, a_3을 택하는 경우의 수는

$${}_5C_3={}_5C_2=\frac{5\times4}{2\times1}=10$$

STEP2 조건 ㈎를 만족시키는 경우의 수 구하기

b_1, b_2 중에서 한 개를 택하여 조건 ㈎를 만족시키도록 대응시키는 경우는 $f(b_1)=b_2$ 또는 $f(b_2)=b_1$의 2가지

남은 1개의 원소를 a_1, a_2, a_3 중에서 1개에 대응시키는 경우의 수는

$${}_3C_1=3$$

STEP3 조건을 만족시키는 함수의 개수 구하기

따라서 구하는 함수 f의 개수는

$10\times2\times3=60$

필수유형 06   277쪽

06-1 답 (1) 22 (2) 70

해결전략 | 일직선 위의 점으로는 한 개의 직선이 만들어지고, 삼각형은 만들 수 없음을 이용한다.

(1) STEP1 각 경우의 수 구하기

9개의 점 중에서 2개의 점을 택하는 방법의 수는

$${}_9C_2=\frac{9\times8}{2\times1}=36$$

직선 l_1 위에 있는 4개의 점 중에서 2개를 택하는 방법의 수는

$${}_4C_2=\frac{4\times3}{2\times1}=6$$

직선 l_2 위에 있는 5개의 점 중에서 2개를 택하는 방법의 수는

$${}_5C_2=\frac{5\times4}{2\times1}=10$$

STEP2 조건을 만족시키는 직선의 개수 구하기

이때 일직선 위에 있는 점으로 만들 수 있는 직선은 1개이므로 구하는 직선의 개수는

$36-6+1-10+1=22$

(2) STEP1 각 경우의 수 구하기

9개의 점 중에서 3개의 점을 택하는 방법의 수는

$${}_9C_3=\frac{9\times8\times7}{3\times2\times1}=84$$

직선 l_1 위에 있는 4개의 점 중에서 3개를 택하는 방법의 수는

$${}_4C_3={}_4C_1=4$$

직선 l_2 위에 있는 5개의 점 중에서 3개를 택하는 방법의 수는

$${}_5C_3={}_5C_2=\frac{5\times4}{2\times1}=10$$

STEP2 조건을 만족시키는 삼각형의 개수 구하기

이때 일직선 위에 있는 세 점으로는 삼각형을 만들 수 없으므로 구하는 삼각형의 개수는

$84-4-10=70$

06-2 답 20

해결전략 | 다각형의 대각선은 2개의 꼭짓점을 연결하여 만든 선분 중 변이 아닌 것임을 이용한다.

STEP1 구하는 방법 설명하기

정팔각형의 대각선의 개수는 8개의 꼭짓점 중에서 2개를 택하는 경우의 수에서 변의 개수인 8을 뺀 것과 같다.

STEP2 조건을 만족시키는 대각선의 개수 구하기

따라서 구하는 대각선의 개수는

$${}_8C_2-8=\frac{8\times7}{2\times1}-8=28-8=20$$

06-3 답 60

해결전략 | 삼각형은 세 변으로 이루어져 있음을 이용한다.

STEP1 삼각형을 만들 수 있는 방법 설명하기

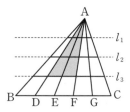

위의 그림에서 두 직선 AD, AF와 직선 l_3을 선택하면 색칠한 부분과 같은 삼각형이 만들어진다.

이와 같이 6개의 직선 AB, AD, AE, AF, AG, AC 중 서로 다른 2개의 직선을 택하고, 4개의 직선 l_1, l_2, l_3, BC 중 1개의 직선을 택하면 삼각형이 1개 만들어진다.

STEP2 조건을 만족시키는 삼각형의 개수 구하기

따라서 이 도형의 선들로 만들 수 있는 삼각형의 개수는

$$_6C_2 \times _4C_1 = \frac{6 \times 5}{2 \times 1} \times 4 = 60$$

06-4 답 62

해결전략 | 일직선 위의 점으로는 한 개의 직선이 만들어지므로 중복되는 경우를 제외한다.

STEP1 각 경우의 수 구하기

16개의 점에서 2개의 점을 택하는 방법의 수는

$$_{16}C_2 = \frac{16 \times 15}{2 \times 1} = 120$$

이때 일직선 위에 있는 4개의 점에서 2개를 택하는 방법의 수는

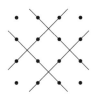

$$_4C_2 = \frac{4 \times 3}{2 \times 1} = 6$$

이고, 일직선 위에 4개의 점이 있는 직선은 10개이다.

또, 일직선 위에 있는 3개의 점에서 2개를 택하는 방법의 수는

$$_3C_2 = _3C_1 = 3$$

이고, 일직선 위에 3개의 점이 있는 직선은 4개이다.

STEP2 조건을 만족시키는 직선의 개수 구하기

따라서 구하는 직선의 개수는

$$120 - 6 \times 10 - 3 \times 4 + 10 + 4 = 120 - 60 - 12 + 10 + 4$$
$$= 62$$

06-5 답 32

해결전략 | 원에서 지름에 대한 원주각의 크기는 90°임을 이용하여 직각삼각형의 개수를 구한다.

STEP1 각 경우의 수 구하기

8개의 점으로 만들 수 있는 삼각형의 개수는

$$_8C_3 = \frac{8 \times 7 \times 6}{3 \times 2 \times 1} = 56$$

주어진 점들을 연결하여 만들 수 있는 원의 지름은 4개이고, 다음 그림과 같이 원의 지름 한 개에 대하여 6개의 직각삼각형을 만들 수 있으므로 만들 수 있는 직각삼각형의 개수는 $4 \times 6 = 24$

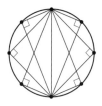

STEP2 조건을 만족시키는 삼각형의 개수 구하기

따라서 직각삼각형이 아닌 삼각형의 개수는

$$56 - 24 = 32$$

06-6 답 2148

해결전략 | 부등식을 만족시키는 그래프를 좌표평면 위에 나타내어 생각한다.

STEP1 부등식을 만족시키는 그래프 그리기

$|x| + |y| = 3$의 그래프와 그 내부에 있는 점 (x, y)를 좌표평면 위에 나타내면 다음 그림의 색칠한 부분과 같다. (단, 경계선은 포함한다.)

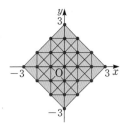

이때 그래프에서 x, y가 정수인 점의 개수는 25이다.

STEP2 25개 점 중에서 3개의 점을 택하는 방법의 수 구하기

25개의 점 중에서 3개의 점을 택하는 방법의 수는

$$_{25}C_3 = \frac{25 \times 24 \times 23}{3 \times 2 \times 1} = 2300$$

STEP3 일직선 위에 3개 이상의 점이 있는 직선에서 3개의 점을 택하는 방법의 수 구하기

(ⅰ) 일직선 위에 7개의 점이 있는 직선은 2개이고, 7개의 점 중에서 3개의 점을 택하는 방법의 수는

$$_7C_3 = \frac{7 \times 6 \times 5}{3 \times 2 \times 1} = 35$$이므로 $2 \times 35 = 70$

(ⅱ) 일직선 위에 5개의 점이 있는 직선은 4개이고, 5개의 점 중에서 3개의 점을 택하는 방법의 수는

$$_5C_3 = _5C_2 = \frac{5 \times 4}{2 \times 1} = 10$$이므로 $4 \times 10 = 40$

(ⅲ) 일직선 위에 4개의 점이 있는 직선은 8개이고, 4개의 점 중에서 3개의 점을 택하는 방법의 수는

$$_4C_3 = _4C_1 = 4$$이므로 $8 \times 4 = 32$

(ⅳ) 일직선 위에 3개의 점이 있는 직선은 10개이고, 3개의 점 중에서 3개의 점을 택하는 방법의 수는

$$_3C_3 = 1$$이므로 $10 \times 1 = 10$

(ⅰ)~(ⅳ)에 의하여 삼각형을 만들 수 없는 방법의 수는

$$70 + 40 + 32 + 10 = 152$$

STEP4 조건을 만족시키는 삼각형의 개수 구하기

따라서 구하는 삼각형의 개수는

$$2300 - 152 = 2148$$

07-1 目 (1) **90** (2) **64**

해결전략 | 정사각형은 네 변의 길이가 같은 사각형임을 이용한다.

(1) STEP1 **직사각형이 결정되는 조건 구하기**

가로선 6개 중에서 2개, 세로선 4개 중에서 2개를 택하면 하나의 직사각형이 결정된다.

STEP2 **직사각형의 개수 구하기**

따라서 구하는 직사각형의 개수는

$$_6C_2 \times _4C_2 = \frac{6 \times 5}{2 \times 1} \times \frac{4 \times 3}{2 \times 1} = 15 \times 6 = 90$$

(2) STEP1 **정사각형의 개수 구하기**

가장 작은 정사각형 1개, 4개, 9개로 이루어진 정사각형의 개수는 각각

$$3 \times 5 = 15, \ 2 \times 4 = 8, \ 1 \times 3 = 3$$

이므로 주어진 사각형에서 정사각형의 개수는

$$15 + 8 + 3 = 26$$

STEP2 **조건을 만족시키는 직사각형의 개수 구하기**

따라서 정사각형이 아닌 직사각형의 개수는

$$90 - 26 = 64$$

07-2 目 **144**

해결전략 | 나눌 수 있는 직사각형 중 가장 큰 직사각형으로 나누어 생각한다.

STEP1 **주어진 도형을 직사각형 모양으로 나누어 생각하기**

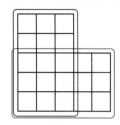

STEP2 **나누어진 각각의 도형에서 만들 수 있는 직사각형의 개수 구하기**

위의 그림과 같이 빨간색 선으로 표시된 도형에서 직선을 택할 때, 가로선 6개 중에서 2개, 세로선 4개 중에서 2개를 택하면 하나의 직사각형이 결정되므로 직사각형의 개수는

$$_6C_2 \times _4C_2 = \frac{6 \times 5}{2 \times 1} \times \frac{4 \times 3}{2 \times 1} = 15 \times 6 = 90$$

또, 파란색 선으로 표시된 도형에서 직선을 택할 때, 가로선 4개 중에서 2개, 세로선 6개 중에서 2개를 택하면 하나의 직사각형이 결정되므로 직사각형의 개수는

$$_4C_2 \times _6C_2 = \frac{4 \times 3}{2 \times 1} \times \frac{6 \times 5}{2 \times 1} = 6 \times 15 = 90$$

STEP3 **공통으로 들어가는 직사각형의 개수 구하기**

이때 빨간색과 파란색이 같이 표시된, 즉 공통으로 표시된 도형에서 직선을 택할 때, 가로선 4개 중에서 2개, 세로선 4개 중에서 2개를 택하면 하나의 직사각형이 결정되므로 직사각형의 개수는

$$_4C_2 \times _4C_2 = \frac{4 \times 3}{2 \times 1} \times \frac{4 \times 3}{2 \times 1} = 6 \times 6 = 36$$

STEP4 **주어진 조건을 만족시키는 직사각형의 개수 구하기**

따라서 구하는 직사각형의 개수는

$$90 + 90 - 36 = 144$$

07-3 目 **60**

해결전략 | 평행사변형은 두 쌍의 대변이 각각 평행한 사각형임을 이용한다.

STEP1 **평행사변형이 결정되는 조건 구하기**

가로 방향의 평행선 2개와 세로 방향의 평행선 2개를 택하면 한 개의 평행사변형이 결정된다.

STEP2 **평행사변형의 개수 구하기**

가로 방향의 평행선 4개 중에서 2개를 택하는 방법의 수는 $_4C_2 = \frac{4 \times 3}{2 \times 1} = 6$

세로 방향의 평행선 5개 중에서 2개를 택하는 방법의 수는 $_5C_2 = \frac{5 \times 4}{2 \times 1} = 10$

따라서 구하는 평행사변형의 개수는 $6 \times 10 = 60$

07-4 目 **15**

해결전략 | 평형사변형이 되기 위한 조건을 이용한다.

STEP1 **각 경우의 수 구하기**

(i) 빨간색 직선과 파란색 직선에서 선택하는 경우

빨간색 직선 3개 중에서 2개, 파란색 직선 2개 중에서 2개를 각각 선택하여 만들 수 있는 평행사변형의 개수는

$$_3C_2 \times _2C_2 = _3C_1 \times _2C_2 = 3 \times 1 = 3$$

(ii) 빨간색 직선과 녹색 직선에서 선택하는 경우

빨간색 직선 3개 중에서 2개, 녹색 직선 3개 중에서 2개를 각각 선택하여 만들 수 있는 평행사변형의 개수는

$$_3C_2 \times _3C_2 = _3C_1 \times _3C_1 = 3 \times 3 = 9$$

(iii) 파란색 직선과 녹색 직선에서 선택하는 경우

파란색 직선 2개 중에서 2개, 녹색 직선 3개 중에서 2개를 각각 선택하여 만들 수 있는 평행사변형의 개수는

$$_2C_2 \times _3C_2 = _2C_2 \times _3C_1 = 1 \times 3 = 3$$

STEP2 평행사변형의 개수 구하기

(i)~(iii)에 의하여 구하는 평행사변형의 개수는

$$3+9+3=15$$

07-5 답 15

해결전략 | 직사각형은 네 내각의 크기가 90°이고, 원에서 지름에 대한 원주각의 크기는 90°임을 이용하여 직사각형을 만들 수 있는 방법을 생각한다.

STEP1 직사각형을 만들 수 있는 방법 알기

지름에 대한 원주각의 크기는 90°이므로 위의 그림과 같이 원의 서로 다른 지름 2개가 직사각형의 대각선이 되도록 하는 원 위의 4개의 점을 연결하면 직사각형을 만들 수 있다.

STEP2 직사각형의 개수 구하기

따라서 원의 지름 6개 중에서 2개를 택하면 이들을 대각선으로 하는 직사각형이 결정되므로 구하는 직사각형의 개수는

$$_6C_2 = \frac{6 \times 5}{2 \times 1} = 15$$

07-6 답 721

해결전략 | 서로 다른 4개의 점을 택할 때, 사각형을 만들 수 없는 경우를 제외한다.

STEP1 각 경우의 수 구하기

14개의 점 중에서 4개를 택하는 경우의 수는

$$_{14}C_4 = \frac{14 \times 13 \times 12 \times 11}{4 \times 3 \times 2 \times 1} = 1001$$

(i) 지름 위의 7개의 점 중에서 4개를 택하는 경우의 수는

$$_7C_4 = _7C_3 = \frac{7 \times 6 \times 5}{3 \times 2 \times 1} = 35$$

(ii) 지름 위의 7개의 점 중에서 3개를 택하고, 반원의 호 위의 7개의 점 중에서 1개를 택하는 경우의 수는

$$_7C_3 \times _7C_1 = \frac{7 \times 6 \times 5}{3 \times 2 \times 1} \times 7 = 245$$

STEP2 사각형의 개수 구하기

따라서 구하는 사각형의 개수는

$$1001 - (35 + 245) = 721$$

08-1 답 (1) **10** (2) **60** (3) **90**

해결전략 | 같은 개수로 묶은 것이 m개이면 $m!$로 나누어야 한다.

(1) 6개의 과일을 3개, 3개씩 두 묶음으로 나누는 방법의 수는

$$_6C_3 \times _3C_3 \times \frac{1}{2!} = \frac{6 \times 5 \times 4}{3 \times 2 \times 1} \times 1 \times \frac{1}{2} = 10$$

(2) 6개의 과일을 1개, 2개, 3개씩 세 묶음으로 나누는 방법의 수는

$$_6C_1 \times _5C_2 \times _3C_3 = 6 \times \frac{5 \times 4}{2 \times 1} \times 1 = 60$$

(3) **STEP1 6개의 과일을 세 묶음으로 나누는 방법의 수 구하기**

6개의 과일을 2개, 2개, 2개씩 세 묶음으로 나누는 방법의 수는

$$_6C_2 \times _4C_2 \times _2C_2 \times \frac{1}{3!} = \frac{6 \times 5}{2 \times 1} \times \frac{4 \times 3}{2 \times 1} \times 1 \times \frac{1}{6} = 15$$

STEP2 세 묶음으로 나눈 과일을 세 명에게 나누어 주는 방법의 수 구하기

이때 세 묶음으로 나누어진 과일을 세 명에게 나누어 주는 방법의 수는 $3! = 6$

따라서 구하는 방법의 수는

$$15 \times 6 = 90$$

08-2 답 1680

해결전략 | 공책을 3권, 3권, 2권의 세 묶음으로 나눈 후, 세 사람에게 분배하는 경우의 수이다.

STEP1 공책을 나누는 방법의 수 구하기

공책 8권을 3권, 3권, 2권씩 나누는 방법의 수는

$$_8C_3 \times _5C_3 \times _2C_2 \times \frac{1}{2!}$$

$$= \frac{8 \times 7 \times 6}{3 \times 2 \times 1} \times \frac{5 \times 4 \times 3}{3 \times 2 \times 1} \times 1 \times \frac{1}{2} = 280$$

STEP2 세 묶음의 공책을 세 명에게 나누어 주는 방법의 수 구하기

이때 A, B, C 세 사람에게 나누어 주는 방법의 수는

$$3! = 6$$

따라서 구하는 방법의 수는

$$280 \times 6 = 1680$$

08-3 답 150

해결전략 | 적어도 1개 이상 넣어야 하는 것은 꼭 1개 이상 들어가야 한다는 뜻임을 이용한다.

STEP1 인형을 나누어 넣는 각 경우의 수 구하기

서로 다른 종류의 인형 5개를 3개의 가방 A, B, C에 적어도 1개 이상 넣는 방법은 다음과 같다.

(i) 3개, 1개, 1개로 나누어 넣는 경우

$$\left({}_5C_3 \times {}_2C_1 \times {}_1C_1 \times \frac{1}{2!}\right) \times 3!$$

$$= \frac{5 \times 4 \times 3}{3 \times 2 \times 1} \times 2 \times 1 \times \frac{1}{2} \times 6 = 60$$

(ii) 2개, 2개, 1개로 나누어 넣는 경우

$$\left({}_5C_2 \times {}_3C_2 \times {}_1C_1 \times \frac{1}{2!}\right) \times 3!$$

$$= \frac{5 \times 4}{2 \times 1} \times \frac{3 \times 2}{2 \times 1} \times 1 \times \frac{1}{2} \times 6 = 90$$

STEP2 조건을 만족시키는 경우의 수 구하기

(i), (ii)에 의하여 구하는 경우의 수는

$60 + 90 = 150$

08-4 답 1540

해결전략 | 임원을 2명 또는 3명으로만 나눌 수 있음을 주의하여 경우를 나눈다.

STEP1 9명을 2명, 3명으로 나누는 방법의 수 구하기

9명의 학생회 임원을 나누는 방법은 다음과 같다.

(i) 3명, 3명, 3명으로 나누는 경우

$$_9C_3 \times {}_6C_3 \times {}_3C_3 \times \frac{1}{3!}$$

$$= \frac{9 \times 8 \times 7}{3 \times 2 \times 1} \times \frac{6 \times 5 \times 4}{3 \times 2 \times 1} \times 1 \times \frac{1}{6}$$

$$= 280$$

(ii) 2명, 2명, 2명, 3명으로 나누는 경우

$$_9C_2 \times {}_7C_2 \times {}_5C_2 \times {}_3C_3 \times \frac{1}{3!}$$

$$= \frac{9 \times 8}{2 \times 1} \times \frac{7 \times 6}{2 \times 1} \times \frac{5 \times 4}{2 \times 1} \times 1 \times \frac{1}{6}$$

$$= 1260$$

STEP2 조건을 만족시키는 방법의 수 구하기

(i), (ii)에 의하여 구하는 방법의 수는

$280 + 1260 = 1540$

08-5 답 2522520

해결전략 | 각 층에 내리는 방법은 동시에 일어나므로 곱의 법칙을 이용한다.

STEP1 각 층에 내릴 방법의 수 구하기

4층을 제외한 2, 3, 5, 6층, 즉 4개의 층에서 사람들이 내리게 될 3개의 층을 뽑는 방법의 수는

$_4C_3 = {}_4C_1 = 4$

STEP2 14명을 6명, 4명, 4명으로 나누는 방법의 수 구하기

14명을 6명, 4명, 4명으로 나누어 3개의 층에 분배하는 방법의 수는

$$\left({}_{14}C_6 \times {}_8C_4 \times {}_4C_4 \times \frac{1}{2!}\right) \times 3!$$

$$= \frac{14 \times 13 \times 12 \times 11 \times 10 \times 9}{6 \times 5 \times 4 \times 3 \times 2 \times 1} \times \frac{8 \times 7 \times 6 \times 5}{4 \times 3 \times 2 \times 1}$$

$$\times 1 \times \frac{1}{2} \times 6$$

$$= 3003 \times 70 \times 3 = 630630$$

STEP3 조건을 만족시키는 방법의 수 구하기

따라서 구하는 방법의 수는

$4 \times 630630 = 2522520$

08-6 답 180

해결전략 | 운전면허 소지자와 어린이를 먼저 나누어 태운 다음 경우를 나누어 생각한다.

STEP1 운전자를 정하는 방법의 수 구하기

운전면허를 소지하고 있는 어른이 3명이므로 2대의 자동차에 운전자를 정하는 방법의 수는

$_3P_2 = 3 \times 2 = 6$

STEP2 어린이를 정하는 방법의 수 구하기

어린이 2명이 탈 차를 정하는 방법의 수는

$_2P_2 = 2 \times 1 = 2$

STEP3 나머지 어른 5명을 차에 태우는 방법의 수 구하기

운전자 2명과 어린이 2명을 제외한 나머지 어른 5명을 차에 태우는 방법은 다음과 같다.

(i) 4인승, 6인승에 각각 2명, 3명 나누어 타는 경우

$_5C_2 \times {}_3C_3 = \frac{5 \times 4}{2 \times 1} \times 1 = 10$

(ii) 4인승, 6인승에 각각 1명, 4명 나누어 타는 경우

$_5C_1 \times {}_4C_4 = 5 \times 1 = 5$

STEP4 조건을 만족시키는 방법의 수 구하기

따라서 구하는 방법의 수는

$6 \times 2 \times (10 + 5) = 180$

필수유형 09 283쪽

09-1 답 (1) 3 (2) 45

해결전략 | 분할하는 방법의 수를 이용한다.

(1) 4팀을 2팀씩 2개의 조로 나누는 방법의 수이므로

$_4C_2 \times {}_2C_2 \times \frac{1}{2!} = \frac{4 \times 3}{2 \times 1} \times 1 \times \frac{1}{2} = 3$

(2) **STEP1 2개 조로 나누기**

6팀을 4팀, 2팀의 2개의 조로 나누는 방법의 수는

$$_6C_4 \times _2C_2 = _6C_2 \times _2C_2 = \frac{6 \times 5}{2 \times 1} \times 1 = 15$$

STEP2 4팀을 2개 조로 나누기

4팀으로 나누어진 조를 다시 2팀씩 2개의 조로 나누는 방법의 수는

$$_4C_2 \times _2C_2 \times \frac{1}{2!} = \frac{4 \times 3}{2 \times 1} \times 1 \times \frac{1}{2} = 3$$

STEP3 대진표를 작성하는 방법의 수 구하기

따라서 구하는 방법의 수는

$$15 \times 3 = 45$$

09-2 📘 315

해결전략 | 크게 2개 조로 분할한 다음, 각각을 또다시 분할하는 방법의 수를 구한다.

STEP1 2개 조로 나누기

7명의 선수를 4명, 3명의 2개의 조로 나누는 방법의 수는

$$_7C_4 \times _3C_3 = _7C_3 \times _3C_3 = \frac{7 \times 6 \times 5}{3 \times 2 \times 1} \times 1 = 35$$

STEP2 4명을 2명씩 2개 조로 나누기

4명으로 나누어진 조를 다시 2명씩 2개의 조로 나누는 방법의 수는

$$_4C_2 \times _2C_2 \times \frac{1}{2!} = \frac{4 \times 3}{2 \times 1} \times 1 \times \frac{1}{2} = 3$$

STEP3 3명으로 나누어진 조에서 부전승으로 올라가는 선수 정하기

3명으로 나누어진 조에서 부전승으로 올라가는 선수를 택하는 방법의 수는

$$_3C_1 = 3$$

STEP4 조건을 만족시키는 방법의 수 구하기

따라서 구하는 방법의 수는

$$35 \times 3 \times 3 = 315$$

09-3 📘 210

해결전략 | 부전승으로 올라가는 팀을 제외하고 생각한다.

STEP1 특정한 한 팀을 제외하고, 2개 조 나누기

특정한 한 팀을 대진표의 맨 왼쪽 부전승 자리에 배치한 다음, 남은 8개 팀을 4팀, 4팀으로 분할하는 방법의 수는

$$_8C_4 \times _4C_4 \times \frac{1}{2!} = \frac{8 \times 7 \times 6 \times 5}{4 \times 3 \times 2 \times 1} \times 1 \times \frac{1}{2} = 35$$

STEP2 4팀을 2팀, 2팀으로 나누기

4팀으로 나눈 2개의 조를 다시 2팀, 2팀으로 분할하는 방법의 수는

$$2 \times _4C_2 \times _2C_2 \times \frac{1}{2!} = 2 \times \frac{4 \times 3}{2 \times 1} \times 1 \times \frac{1}{2} = 6$$

STEP3 조건을 만족시키는 방법의 수 구하기

따라서 구하는 방법의 수는

$$35 \times 6 = 210$$

09-4 📘 180

해결전략 | 결승전에서 만나기 위해서는 다른 조에 각각 포함되어 있어야 함을 이용한다.

STEP1 2개 조로 나누기

8명을 4명씩 2개의 조로 나눌 때, 준희와 도윤이가 각각 다른 조에 있게 나누는 방법의 수는 준희와 도윤이를 제외한 6명을 3명씩 2개의 조로 나누는 방법의 수와 같으므로

$$_6C_3 \times _3C_3 \times \frac{1}{2!} = \frac{6 \times 5 \times 4}{3 \times 2 \times 1} \times 1 \times \frac{1}{2} = 10$$

STEP2 각 경우의 수 구하기

2개의 조에 준희와 도윤이를 각각 포함시키는 방법의 수는

$$2! = 2$$

이때 준희를 포함한 4명을 2명씩 2개의 조로 나누는 방법의 수는

$$_4C_2 \times _2C_2 \times \frac{1}{2!} = \frac{4 \times 3}{2 \times 1} \times 1 \times \frac{1}{2} = 3$$

또, 도윤이를 포함한 4명을 2명씩 2개의 조로 나누는 방법의 수는

$$_4C_2 \times _2C_2 \times \frac{1}{2!} = \frac{4 \times 3}{2 \times 1} \times 1 \times \frac{1}{2} = 3$$

STEP3 조건을 만족시키는 방법의 수 구하기

따라서 구하는 방법의 수는

$$10 \times 2 \times 3 \times 3 = 180$$

09-5 📘 36

해결전략 | 같은 팀의 선수가 결승전에서 만나기 위한 조건을 이용한다.

STEP1 세 팀을 구별하여 나타내기

세 팀에서 2명씩 출전하므로 세 팀의 사람을 (A, a), (B, b), (C, c)라 하자.

STEP2 같은 팀 사람 분할하기

같은 팀의 선수는 결승전에서만 만나야 하므로 3팀씩 2개의 조로 나눌 때 서로 다른 조에 속해야 한다. 즉

$$(A, \bigcirc, \bigcirc) \ (a, \bigcirc, \bigcirc)$$

와 같이 나누어야 하므로 그 방법의 수는

$$(_2C_1 \times _2C_1 \times _2C_1) \times (_1C_1 \times _1C_1 \times _1C_1) \times \frac{1}{2!}$$
$$=2 \times 2 \times 2 \times 1 \times \frac{1}{2}=4$$

STEP3 부전승으로 올라가는 1명씩 정하기

각 조에서 부전승으로 올라가는 선수 1명씩 결정하는 방법의 수는
$$_3C_1 \times _3C_1 = 3 \times 3 = 9$$

STEP4 대진표를 작성하는 방법의 수 구하기

따라서 구하는 방법의 수는
$$4 \times 9 = 36$$

09-6 📖 9

해결전략 | 1회전에서 만나게 되는 경우를 생각하여 시합의 수를 구한다.

STEP1 1팀과 2팀이 1회전에서 맞붙는 방법 나타내기

1팀과 2팀이 1회전에서 맞붙는 방법은 다음과 같이 2가지 방법이 있다.

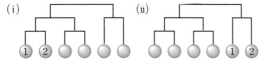

STEP2 1팀과 2팀이 1회전에서 만나는 각 경우의 수 구하기

(i) 나머지 4팀 중 1팀, 2팀과 한 조가 될 두 팀과 다른 조에 속할 두 팀으로 나누면 되므로 구하는 방법의 수는
$$_4C_2 \times _2C_2 = \frac{4 \times 3}{2 \times 1} \times 1 = 6$$

(ii) 나머지 4팀을 두 팀씩 2개 조로 나누면 되므로 구하는 방법의 수는
$$_4C_2 \times _2C_2 \times \frac{1}{2!} = \frac{4 \times 3}{2 \times 1} \times 1 \times \frac{1}{2} = 3$$

STEP3 조건을 만족시키는 방법의 수 구하기

(i), (ii)에 의하여 구하는 방법의 수는
$$6 + 3 = 9$$

실전 연습 문제　　　　284~286쪽

01 ④	**02** 9	**03** 2970	**04** 960	**05** 30
06 108	**07** 6880	**08** ⑤	**09** ①	**10** 96
11 ④	**12** 35	**13** 360	**14** 40	
15 346500	**16** ④	**17** 12	**18** 36	

01

해결전략 | n에 대한 식으로 나타낸 다음 n의 값을 구한다.

STEP1 n에 대한 식으로 나타내기

$_nC_2 + _{n+1}C_3 = 2 \times _nP_2$에서
$$\frac{n(n-1)}{2} + \frac{(n+1)n(n-1)}{6} = 2n(n-1)$$

STEP2 n의 값 구하기

$n \geq 2$이므로 $n(n-1) \neq 0$

양변에 $\dfrac{6}{n(n-1)}$을 곱하면
$$3 + (n+1) = 12 \qquad \therefore n = 8$$

02

해결전략 | 근과 계수의 관계를 이용하여 미지수의 값을 구한다.

STEP1 r의 값 구하기

근과 계수의 관계에 의하여 두 근의 합이 $-6 + 8 = 2$이므로
$$\frac{4 \times _nC_r}{10} = 2 \qquad \therefore _nC_r = 5$$

두 근의 곱이 $(-6) \times 8 = -48$이므로
$$\frac{-4 \times _nP_r}{10} = -48 \qquad \therefore _nP_r = 120$$

$_nC_r = \dfrac{_nP_r}{r!}$에서 $5 = \dfrac{120}{r!}$
$$r! = 24 = 4 \times 3 \times 2 \times 1 \qquad \therefore r = 4$$

STEP2 n의 값 구하기

$_nP_r = 120$, 즉 $_nP_4 = 120$에서

$120 = 5 \times 4 \times 3 \times 2$이므로 $n = 5$

STEP3 $n+r$의 값 구하기
$$\therefore n + r = 5 + 4 = 9$$

03

해결전략 | 반장과 부반장을 뽑는 방법은 연달아 일어나는 사건이므로 곱의 법칙을 이용한다.

STEP1 반장을 뽑는 방법의 수 구하기

12명의 학생 중에서 반장 2명을 뽑는 방법의 수는
$$_{12}C_2 = \frac{12 \times 11}{2 \times 1} = 66 \qquad \cdots\cdots ❶$$

STEP2 부반장을 뽑는 방법의 수 구하기

반장을 뽑고 난 나머지 10명의 학생 중에서 부반장 2명을 뽑는 방법의 수는
$$_{10}C_2 = \frac{10 \times 9}{2 \times 1} = 45 \qquad \cdots\cdots ❷$$

STEP3 조건을 만족시키는 방법의 수 구하기

따라서 구하는 방법의 수는

$66 \times 45 = 2970$ ...... ❸

채점 요소	비율
❶ 반장을 뽑는 방법의 수 구하기	40%
❷ 부반장을 뽑는 방법의 수 구하기	40%
❸ 반장, 부반장을 뽑는 방법의 수 구하기	20%

04

해결전략 | 남김없이 나누어 주는 경우를 나누어 생각한다.

STEP1 학생에게 꽃과 초콜릿을 나누어 주는 각 경우의 수 구하기

꽃 4송이와 초콜릿 2개를 5명의 학생에게 나누어 주는 경우는 다음과 같다.

(i) 1명의 학생이 초콜릿 2개를 받는 경우

초콜릿 2개를 받는 학생을 정하는 경우의 수는 5이고, 나머지 4명의 학생에게 꽃을 각각 한 송이씩 나누어 주는 경우의 수는 $4! = 24$이므로 1명의 학생이 초콜릿 2개를 받는 경우의 수는

$5 \times 24 = 120$

(ii) 1명의 학생이 꽃 2송이를 받는 경우

4송이의 꽃 중에서 2송이의 꽃을 고르는 경우의 수는 $_4C_2 = \dfrac{4 \times 3}{2 \times 1} = 6$이고, 이 2송이의 꽃을 받는 학생을 정하는 경우의 수는 5, 남은 두 송이의 꽃을 줄 학생을 정하는 경우의 수는 $_4P_2 = 4 \times 3 = 12$, 꽃을 받지 못한 2명의 학생에게 초콜릿을 각각 1개씩 주는 경우의 수가 1이므로 1명의 학생이 꽃 2송이를 받는 경우의 수는

$6 \times 5 \times 12 \times 1 = 360$

(iii) 1명의 학생이 꽃 1송이와 초콜릿 1개를 받는 경우

4송이의 꽃을 4명의 학생에게 각각 1송이씩 나누어 주는 경우의 수는 $_5P_4 = 5 \times 4 \times 3 \times 2 = 120$, 꽃을 받지 못한 학생에게 초콜릿 1개를 주고 꽃을 받은 학생 중 1명을 택하여 남은 초콜릿 1개를 주는 경우의 수는 $_4C_1 = 4$이므로 1명의 학생이 꽃 1송이와 초콜릿 1개를 받는 경우의 수는

$120 \times 4 = 480$

STEP2 조건을 만족시키는 경우의 수 구하기

(i)~(iii)에 의하여 구하는 경우의 수는

$120 + 360 + 480 = 960$

05

해결전략 | 공통으로 가입한 동아리가 1개 이하인 경우를 나누어 생각한다.

STEP1 공통으로 가입하는 동아리의 개수에 따른 경우의 수 구하기

(i) A, B가 공통으로 가입한 동아리가 1개인 경우

공통으로 가입하는 동아리 1개를 선택하고 이를 제외한 3개의 동아리 중에서 A, B가 각각 하나씩 택하면 되므로 구하는 경우의 수는

$_4C_1 \times 3 \times 2 = 4 \times 3 \times 2 = 24$

(ii) A, B가 공통으로 가입한 동아리가 없는 경우

A가 2개의 동아리를 선택하면 나머지 2개의 동아리는 자동적으로 B가 선택하게 되므로 구하는 경우의 수는

$_4C_2 = \dfrac{4 \times 3}{2 \times 1} = 6$

STEP2 조건을 만족시키는 경우의 수 구하기

(i), (ii)에 의하여 구하는 경우의 수는

$24 + 6 = 30$

06

해결전략 | 숫자 1, 2, 3이 적힌 카드가 적어도 한 장씩 포함되는 경우를 나누어 생각한다.

STEP1 조건에 맞게 경우 나누기

5장의 카드 중 숫자 1, 2, 3이 적힌 카드가 적어도 한 장씩 포함되는 경우는 다음과 같다.

(i) 11123, 22213, 33312인 경우

$3 \times {}_3C_3 \times {}_3C_1 \times {}_3C_1 = 3 \times 1 \times 3 \times 3 = 27$

(ii) 11223, 11332, 22331인 경우

$3 \times {}_3C_2 \times {}_3C_2 \times {}_3C_1 = 3 \times {}_3C_1 \times {}_3C_1 \times {}_3C_1$
$\qquad = 3 \times 3 \times 3 \times 3 = 81$

STEP2 조건을 만족시키는 경우의 수 구하기

(i), (ii)에 의하여 구하는 경우의 수는

$27 + 81 = 108$

07

해결전략 | 점수가 가장 높은 문항 수를 먼저 구한다.

STEP1 조건을 식으로 나타내기

3점, 6점, 10점짜리의 맞은 문항 수를 각각 a, b, c라 하면 $1 \le a \le 10$, $1 \le b \le 5$, $1 \le c \le 4$이고

진현이가 받은 점수가 72점이므로

$3a + 6b + 10c = 72$

$3(a + 2b) = 72 - 10c$ ...... ㉠

STEP2 문항 수에 따른 나열하는 경우의 수 구하기

㉠에서 $72 - 10c$는 3의 배수이므로 $1 \le c \le 4$에서

$c=3$

이 값을 ㉠에 대입하면 $3(a+2b)=42$

$\therefore a+2b=14$

(i) $b=2$일 때, $a=10$, $c=3$이므로

$$_{10}C_{10} \times {}_5C_2 \times {}_4C_3 = {}_{10}C_{10} \times {}_5C_2 \times {}_4C_1$$
$$= 1 \times \frac{5 \times 4}{2 \times 1} \times 4 = 40$$

(ii) $b=3$일 때, $a=8$, $c=3$이므로

$$_8C_8 \times {}_5C_3 \times {}_4C_3 = {}_{10}C_2 \times {}_5C_2 \times {}_4C_1$$
$$= \frac{10 \times 9}{2 \times 1} \times \frac{5 \times 4}{2 \times 1} \times 4 = 1800$$

(iii) $b=4$일 때, $a=6$, $c=3$이므로

$$_{10}C_6 \times {}_5C_4 \times {}_4C_3 = {}_{10}C_4 \times {}_5C_1 \times {}_4C_1$$
$$= \frac{10 \times 9 \times 8 \times 7}{4 \times 3 \times 2 \times 1} \times 5 \times 4 = 4200$$

(iv) $b=5$일 때, $a=4$, $c=3$이므로

$$_{10}C_4 \times {}_5C_5 \times {}_4C_3 = {}_{10}C_4 \times {}_5C_5 \times {}_4C_1$$
$$= \frac{10 \times 9 \times 8 \times 7}{4 \times 3 \times 2 \times 1} \times 1 \times 4 = 840$$

STEP3 조건을 만족시키는 경우의 수 구하기

(i)~(iv)에 의하여 구하는 경우의 수는

$40+1800+4200+840=6880$

08

해결전략 | 변화가 4번인 경우는 'a → b → a → b → a' 또는 'b → a → b → a → b'임을 이용한다.

STEP1 문자 a로 시작하여 a로 끝나는 경우의 수 구하기

(i) a로 시작하여 a로 끝나는 경우

　　a∨a∨a

위의 그림과 같이 aaaa를 먼저 나열한 후 그 사이사이 중 2곳을 택하여 6개의 문자 b를 나누어 넣으면 된다.

b가 들어갈 3곳 중에서 2곳을 택하는 경우의 수는

$$_3C_2 = {}_3C_1 = 3$$

선택한 2곳에 6개의 문자 b를 2묶음으로 나누어 넣는 경우의 수는 1개와 5개, 2개와 4개, 3개와 3개, 4개와 2개, 5개와 1개의 5

따라서 조건을 만족시키는 방법의 수는

$3 \times 5 = 15$

STEP2 문자 b로 시작하여 b로 끝나는 경우의 수 구하기

(ii) b로 시작하여 b로 끝나는 경우

　　b∨b∨b∨b∨b

위의 그림과 같이 bbbbb를 먼저 나열한 후 그 사이사이 중 2곳을 택하여 4개의 문자 a를 나누어 넣으면

된다.

a가 들어갈 5곳 중에서 2곳을 택하는 경우의 수는

$$_5C_2 = \frac{5 \times 4}{2 \times 1} = 10$$

선택한 2곳에 4개의 문자 a를 2묶음으로 나누어 넣는 경우의 수는 1개와 3개, 2개와 2개, 3개와 1개의 3

따라서 조건을 만족시키는 방법의 수는

$10 \times 3 = 30$

STEP3 조건을 만족시키는 방법의 수 구하기

(i), (ii)에 의하여 구하는 방법의 수는

$f(4) = 15 + 30 = 45$

09

해결전략 | 역함수가 존재하는 함수는 일대일대응임을 이용한다.

STEP1 집합 C의 개수 구하기

집합 C의 임의의 원소 b에 대하여 $b \in B$이고 $n(C)=3$인 서로 다른 집합 C의 개수는

$$_6C_3 = \frac{6 \times 5 \times 4}{3 \times 2 \times 1} = 20$$

STEP2 조건을 만족시키는 함수의 개수 구하기

그런데 집합 A에서 집합 C로의 함수 g 중에서 역함수가 존재하는 함수는 일대일대응이어야 한다.

이를 만족시키는 함수는 집합 A의 원소 a, b, c에 대하여 집합 C의 원소 3개가 서로 다르게 대응해야 하므로 구하는 함수의 개수는

$20 \times {}_3P_3 = 20 \times 3 \times 2 \times 1 = 120$

10

해결전략 | 일직선 위에 있지 않은 서로 다른 n개의 점으로 만들 수 있는 직선의 개수는 $_nC_2$, 삼각형의 개수는 $_nC_3$이다.

STEP1 a의 값 구하기

(i) 9개의 점 중에서 2개를 택하는 방법의 수는

$$_9C_2 = \frac{9 \times 8}{2 \times 1} = 36$$

이때 일직선 위에 있는 3개의 점 중에서 2개를 택하는 방법의 수는

$$_3C_2 = {}_3C_1 = 3$$

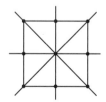

이때 위의 그림과 같이 일직선 위에 3개의 점이 있는
경우는 8가지이므로 서로 다른 직선의 개수는

$$36-8\times3+8=20$$

$$\therefore a=20 \qquad\qquad \cdots\cdots\text{❶}$$

STEP2 b의 값 구하기

(ii) 9개의 점 중에서 3개를 택하는 방법의 수는

$$_9C_3=\frac{9\times8\times7}{3\times2\times1}=84$$

이때 일직선 위에 있는 3개의 점 중에서 3개를 택하는
방법의 수는

$$_3C_3=1$$

이때 위의 그림과 같이 일직선 위에 3개의 점이 있는
경우는 8가지이므로 만들 수 있는 삼각형의 개수는

$$84-8\times1=76$$

$$\therefore b=76 \qquad\qquad \cdots\cdots\text{❷}$$

STEP3 $a+b$의 값 구하기

(i), (ii)에 의하여 구하는 값은

$$a+b=20+76=96 \qquad\qquad \cdots\cdots\text{❸}$$

채점 요소	비율
❶ a의 값 구하기	45%
❷ b의 값 구하기	45%
❸ $a+b$의 값 구하기	10%

11

해결전략 ㅣ 다각형의 대각선은 2개의 꼭짓점을 연결하여 만
든 선분 중 변을 제외한 것임을 이용한다.

STEP1 식으로 나타내기

구하고자 하는 다각형을 x각형이라 하면 x각형의 대각
선의 개수는 x개의 꼭짓점 중에서 2개를 택하는 경우의
수에서 변의 개수 x를 뺀 것과 같으므로

$$_xC_2-x=27$$

STEP2 변의 개수 구하기

$$\frac{x(x-1)}{2}-x=27,\ x^2-3x-54=0$$

$$(x+6)(x-9)=0$$

이때 $x\geq3$이므로 $x=9$

따라서 구하는 변의 개수는 9이다.

12

해결전략 ㅣ 일직선 위의 점으로는 한 개의 직선이 만들어지므
로 중복되는 경우를 제외한다.

STEP1 12개의 점으로 만들 수 있는 직선의 개수 구하기

12개의 점으로 만들 수 있는 직선의 개수는

$$_{12}C_2=\frac{12\times11}{2\times1}=66$$

STEP2 직선 위의 점의 개수가 3개 이상인 경우의 수 구하기

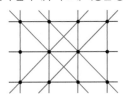

(i) 한 직선 위에 3개의 점이 있는 경우

3개의 점 중에서 2개를 택하는 경우의 수는

$$_3C_2=_3C_1=3$$

이고, 3개의 점이 있는 직선은 8개이다.

(ii) 한 직선 위에 4개의 점이 있는 경우

4개의 점 중에서 2개를 택하는 경우의 수는

$$_4C_2=\frac{4\times3}{2\times1}=6$$

이고, 4개의 점이 있는 직선은 3개이다.

STEP3 조건을 만족시키는 직선의 개수 구하기

한 직선 위에 있는 점으로 만들 수 있는 직선은 1개뿐이
므로 구하는 직선의 개수는

$$66-3\times8-6\times3+8+3=35$$

13

해결전략 ㅣ 사각형을 만들 수 없는 경우의 수를 빼 준다.

STEP1 12개의 점에서 4개의 점을 선택하는 경우의 수 구하기

12개의 점 중에서 4개를 선택하는 경우의 수는

$$_{12}C_4=\frac{12\times11\times10\times9}{4\times3\times2\times1}=495$$

STEP2 4개의 점을 선택하는 각 경우의 수 구하기

(i) 지름 위의 6개의 점 중에서 4개를 선택하는 경우의 수는

$$_6C_4=_6C_2=\frac{6\times5}{2\times1}=15$$

(ii) 지름 위의 6개의 점 중에서 3개를 선택하고, 반원의
호 위의 6개의 점 중에서 1개를 선택하는 경우의 수는

$$_6C_3\times_6C_1=\frac{6\times5\times4}{3\times2\times1}\times6=120$$

STEP3 조건을 만족시키는 사각형의 개수 구하기

따라서 구하는 사각형의 개수는

$$495-(15+120)=360$$

14

해결전략 ㅣ 정사각형이 되는 조건을 이용한다.

STEP1 a의 값 구하기

한 변의 길이가 1, 2, 3인 정사각형의 개수는 각각

$4 \times 3 = 12$, $3 \times 2 = 6$, $2 \times 1 = 2$

이므로 정사각형의 개수 a는

$a = 12 + 6 + 2 = 20$

STEP2 b의 값 구하기

가로 방향의 일직선 4개 중에서 2개, 세로 방향의 일직선 5개 중에서 2개를 택하면 하나의 직사각형이 결정되므로 직사각형의 개수는

$_4C_2 \times _5C_2 = \dfrac{4 \times 3}{2 \times 1} \times \dfrac{5 \times 4}{2 \times 1} = 60$

따라서 정사각형이 아닌 직사각형의 개수 b는

$b = 60 - 20 = 40$

STEP3 $4a - b$의 값 구하기

$\therefore 4a - b = 4 \times 20 - 40 = 40$

15

해결전략 | 사람 수를 먼저 나눈 다음, 그 묶음을 3개의 부로 보내는 방법의 수를 구한다.

STEP1 각 경우의 수 구하기

11명을 4명, 4명, 3명으로 나누는 방법의 수는

$_{11}C_4 \times _7C_4 \times _3C_3 \times \dfrac{1}{2!}$

$= _{11}C_4 \times _7C_3 \times _3C_3 \times \dfrac{1}{2}$

$= \dfrac{11 \times 10 \times 9 \times 8}{4 \times 3 \times 2 \times 1} \times \dfrac{7 \times 6 \times 5}{3 \times 2 \times 1} \times 1 \times \dfrac{1}{2}$

$= 5775$

이고, 이들을 3개의 부로 보내는 방법의 수는

$_5P_3 = 5 \times 4 \times 3 = 60$

STEP2 조건을 만족시키는 경우의 수 구하기

따라서 구하는 경우의 수는

$5775 \times 60 = 346500$

16

해결전략 | 남학생을 세 모둠으로 먼저 나누고, 여학생을 각 모둠에 한 명씩 넣는다.

STEP1 남학생을 세 모둠으로 나누는 경우의 수 구하기

남학생 4명을 세 개의 모둠으로 나누는 경우의 수는

$_4C_2 \times _2C_1 \times _1C_1 \times \dfrac{1}{2!} = \dfrac{4 \times 3}{2 \times 1} \times 2 \times 1 \times \dfrac{1}{2} = 6$

STEP2 여학생을 세 모둠에 넣는 경우의 수 구하기

여학생 3명을 세 모둠에 한 명씩 넣는 경우의 수는

$3! = 6$

STEP3 조건을 만족시키는 경우의 수 구하기

따라서 구하는 경우의 수는

$6 \times 6 = 36$

17

해결전략 | 1팀과 2팀이 1회전에서 만나게 되는 경우를 생각하여 방법의 수를 구한다.

STEP1 1팀과 2팀이 1회전에서 맞붙는 방법 나타내기

1팀과 2팀이 1회전에서 맞붙는 방법은 다음 그림과 같이 1가지 방법 밖에 없다.

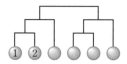

STEP2 나머지 4팀을 나누는 방법의 수 구하기

나머지 4팀 중 1팀, 2팀과 한 조가 될 한 팀과 다른 조에 속할 세 팀으로 나누는 방법의 수는

$_4C_1 \times _3C_3 = 4 \times 1 = 4$

STEP3 부전승으로 올라가는 1팀 정하기

세 팀 중 부전승으로 올라가는 한 팀을 뽑는 방법의 수는

$_3C_1 = 3$

STEP4 조건을 만족시키는 방법의 수 구하기

따라서 구하는 방법의 수는

$4 \times 3 = 12$

18

해결전략 | 4위인 선수가 결승까지 올라가기 위해서는 1, 2, 3인 선수와는 다른 조이어야 함을 이용한다.

STEP1 주어진 조건을 만족시키기 위한 방법 설명하기

대진표를 중앙을 중심으로 두 조로 크게 나누고 실력이 4위인 선수가 있는 조에 5, 6, 7, 8위인 4명의 선수 중 3명의 선수가 놓이면 4위인 선수가 결승전에 나갈 수 있게 된다. ⋯⋯ ❶

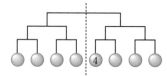

STEP2 4위 선수와 같은 조에 선수를 배열하는 방법의 수 구하기

1회전에서 4위인 선수와 시합하는 선수를 배열하는 방법의 수는 5, 6, 7, 8위인 4명의 선수 중 1명을 선택하는 방법의 수와 같으므로

$_4C_1 = 4$

나머지 3명의 선수 중 2명의 선수를 택하는 방법의 수는

$_3C_2 = {}_3C_1 = 3$ ...... ❷

STEP3 다른 조에 4명의 선수를 배열하는 방법의 수 구하기

다른 조에 아직 배열하지 못한 나머지 4명의 선수를 2명, 2명으로 분할하는 방법의 수는

$$_4C_2 \times {}_2C_2 \times \frac{1}{2!} = \frac{4 \times 3}{2 \times 1} \times 1 \times \frac{1}{2} = 3 \quad \cdots\cdots ❸$$

STEP4 조건을 만족시키는 방법의 수 구하기

따라서 구하는 방법의 수는

$4 \times 3 \times 3 = 36$ ...... ❹

채점 요소	비율
❶ 4위인 선수가 결승전에 나갈 수 있는 방법 설명하기	30%
❷ 4위인 선수와 같은 조에 배열하는 방법의 수 구하기	30%
❸ 다른 한 조에 배열하는 방법의 수 구하기	30%
❹ 조건을 만족시키는 방법의 수 구하기	10%

상위권 도약 문제　　287~288쪽

01 60　　**02** 445　　**03** ①　　**04** 536
05 ②　　**06** 14　　**07** 660

01

해결전략 | A가 앉을 의자를 기준으로 생각한다.

STEP1 주어진 규칙이 의미하는 바를 파악하기

다음 그림과 같이 의자의 위치와 좌석 번호를 나타내고 각 가로줄을 1열, 2열이라고 하자.

1열→	11	12	13	14	15	16	17
2열→			23	24	25		

규칙 ㈎에 의하여 A는 좌석 번호가 24 또는 25인 의자에 앉을 수 있고, B는 좌석 번호가 11 또는 12 또는 13 또는 14인 의자에 앉을 수 있다.

규칙 ㈏, ㈐에 의하여 어느 두 학생도 양 옆 또는 앞뒤로 이웃하여 앉지 않는다.

5명의 학생이 앉을 수 있는 5개의 의자를 선택한 후 규칙 ㈎에 의하여 A, B가 앉고 남은 3개의 의자에 나머지 3명의 학생이 앉는 것으로 경우의 수를 구할 수 있다.

STEP2 학생 A가 24번 의자에 앉는 경우의 수 구하기

(ⅰ) A가 좌석 번호가 24인 의자에 앉는 경우

11	12	13	14	15	16	17
		23	A	25		

A가 좌석 번호가 24인 의자에 앉으면 나머지 4명의 학생은 규칙 ㈏, ㈐에 의하여 좌석 번호가 11, 13, 15, 17인 의자에 각각 한 명씩 앉아야 한다.

이때 B는 규칙 ㈎에 의하여 좌석 번호가 11, 13인 2개의 의자 중 1개의 의자에 앉아야 하므로 B가 의자를 선택하여 앉는 경우의 수는

$_2C_1 = 2$

위의 각 경우에 대하여 A, B를 제외한 3명의 학생이 나머지 3개의 의자에 앉는 경우의 수는

$3! = 6$

$\therefore 2 \times 6 = 12$

STEP3 학생 A가 25번 의자에 앉는 경우의 수 구하기

(ⅱ) A가 좌석 번호가 25인 의자에 앉는 경우

11	12	13	14	15	16	17
		23	24	A		

A가 좌석 번호가 25인 의자에 앉으면 나머지 4명의 학생은 규칙 ㈏, ㈐에 의하여 좌석 번호가 11 또는 12인 의자 중 하나, 좌석 번호가 16 또는 17인 의자 중 하나, 좌석 번호가 14인 의자, 좌석 번호가 23인 의자에 각각 한 명씩 앉아야 한다.

좌석 번호가 11 또는 12인 의자 중 하나를 선택하고 (㉠) 좌석 번호가 16 또는 17인 의자 중 하나를 선택하는 경우의 수는

$_2C_1 \times {}_2C_1 = 4$

위의 각 경우에 대하여 B는 규칙 ㈎에 의하여 ㉠에서 선택된 의자와 좌석 번호가 14인 의자 중 1개의 의자에 앉아야 하므로 B가 의자를 선택하여 앉는 경우의 수는

$_2C_1 = 2$

위의 각 경우에 대하여 A, B를 제외한 3명의 학생이 나머지 3개의 의자에 앉는 경우의 수는

$3! = 6$

$\therefore 4 \times 2 \times 6 = 48$

STEP4 조건을 만족시키는 경우의 수 구하기

(ⅰ), (ⅱ)에 의하여 구하는 경우의 수는

$12 + 48 = 60$

02

해결전략 | '적어도'라는 조건이 있으므로 여사건을 이용하여 해결한다.

STEP1 특정한 음식을 제외한 음식을 주문하는 방법 구하기

중식의 특정한 음식 3종류를 포함하므로 한식 5종류, 중

식 1종류, 일식 6종류 중에서 모두 4종류의 음식을 주문하면 된다. 즉

$$_{12}C_4 = \frac{12 \times 11 \times 10 \times 9}{4 \times 3 \times 2 \times 1} = 495$$

STEP2 '적어도'의 사건의 여사건에 대한 경우의 수 구하기

그런데 이 4가지 종류의 음식을 주문할 때, 한식과 일식이 각각 적어도 한 종류는 포함되는 경우의 여사건은 한식만 주문하거나 일식만 주문하거나 중식과 한식만 주문하거나 중식과 일식만 주문하는 경우이다.

(i) 4종류의 음식이 모두 한식일 때,

$$_5C_4 = {}_5C_1 = 5$$

(ii) 4종류의 음식이 모두 일식일 때,

$$_6C_4 = {}_6C_2 = \frac{6 \times 5}{2 \times 1} = 15$$

(iii) 4종류의 음식이 중식과 한식일 때,

$$_1C_1 \times {}_5C_3 = {}_1C_1 \times {}_5C_2 = 1 \times \frac{5 \times 4}{2 \times 1} = 10$$

(iv) 4종류의 음식이 중식과 일식일 때,

$$_1C_1 \times {}_6C_3 = 1 \times \frac{6 \times 5 \times 4}{3 \times 2 \times 1} = 20$$

STEP3 조건을 만족시키는 방법의 수 구하기

(i)~(iv)에 의하여 구하는 방법의 수는

$$495 - (5 + 15 + 10 + 20) = 445$$

03

해결전략 | 조합의 수를 이용하여 함수의 개수를 구하는 과정을 완성한다.

STEP1 p, q, r의 값 각각 구하기

(i)에서 조건을 만족시키는 경우의 수는 집합 X의 6개의 원소 중에서 서로 다른 5개를 택하는 경우의 수와 같으므로

$$p = {}_6C_5 = 6$$

(ii)에서 $f(k)$의 값으로 선택할 수 있는 경우의 수는 집합 A의 원소의 개수와 같으므로

$$q = 5$$

(iii)에서 원소의 개수가 5인 집합 A에서 집합 A로의 일대일대응의 개수는 $5!$이므로

$$r = 5! = 120$$

STEP2 $p+q+r$의 값 구하기

$$\therefore p + q + r = 6 + 5 + 120 = 131$$

04

해결전략 | 일직선 위에 있는 점으로는 삼각형을 만들 수 없음에 주의한다.

STEP1 3개의 점을 택하는 경우의 수 구하기

16개의 점 중에서 3개의 점을 택하는 경우의 수는

$$_{16}C_3 = \frac{16 \times 15 \times 14}{3 \times 2 \times 1} = 560$$

STEP2 직선 위의 점의 개수가 3개 이상인 경우의 수 구하기

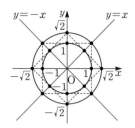

3개의 점이 일직선 위에 있는 점 중에서 3개의 점을 택하는 경우의 수는

$$_3C_3 = 1$$

이고, 3개의 점이 있는 직선은 8개이다.

또, 4개의 점이 일직선 위에 있는 점 중에서 3개의 점을 택하는 경우의 수는

$$_4C_3 = {}_4C_1 = 4$$

이고, 4개의 점이 있는 직선은 4개이다.

STEP3 조건을 만족시키는 삼각형의 개수 구하기

따라서 구하는 삼각형의 개수는

$$560 - (1 \times 8 + 4 \times 4) = 536$$

05

해결전략 | 사각형의 결정 조건을 이용한다.

STEP1 주어진 삼각형을 포함하는 사각형을 만들기 위한 조건 설명하기

주어진 삼각형을 포함하는 사각형을 만들려면 점 $O(0, 0)$을 반드시 꼭짓점으로 해야 한다.

점 O와 연결된 변의 꼭짓점은 $(4, 0)$, $(8, 0)$ 중에서 한 개, $(0, 4)$, $(0, 8)$ 중에서 한 개 선택하며, 점 O와 변으로 연결되지 않은 한 꼭짓점은 $(4, 4)$, $(4, 8)$, $(8, 4)$, $(8, 8)$ 중에서 한 개를 선택해야 한다.

STEP2 꼭짓점을 선택하는 방법의 수 구하기

사각형의 꼭짓점을 선택하는 방법의 수는

$$_2C_1 \times {}_2C_1 \times {}_4C_1 = 2 \times 2 \times 4 = 16$$

이 중에서 $(0, 0)$, $(8, 0)$, $(4, 4)$, $(0, 8)$을 꼭짓점으로 선택하면 사각형을 만들 수 없다.

STEP3 조건을 만족시키는 사각형의 개수 구하기

따라서 구하는 사각형의 개수는

$$16 - 1 = 15$$

06

해결전략 | 정해진 가로 방향으로 이동한 길이를 제외한 나머지 길이를 세로 방향으로 이동하게 되는 경우를 나누어 생각한다.

STEP1 세로 방향으로 이동한 길이 구하기

A 지점에서 출발하여 B 지점에 도착할 때, 가로 방향으로 이동한 길이의 합이 4이고 전체 이동한 길이가 12가 되려면 세로 방향으로 이동한 길이의 합이 8이어야 한다.

STEP2 세로 방향의 길을 4개 지나는 경우의 수 구하기

(i) 길이가 2인 세로 방향의 도로 4개를 지나가는 경우

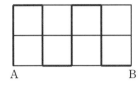

길이가 2인 세로 방향의 도로 4개를 지나가는 경우의 수는 위의 그림의 예와 같이 길이가 2인 세로 방향의 도로 5개 중 4개를 선택하는 경우의 수와 같으므로

$_5C_4 = _5C_1 = 5$

STEP3 세로 방향의 길을 5개 지나는 경우의 수 구하기

(ii) 길이가 2인 세로 방향의 도로 3개를 지나가는 경우

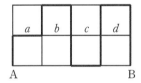

길이가 2인 세로 방향의 도로 3개를 지나가는 경우의 수는 위의 그림의 예와 같이 가로 방향의 도로 a, b, c, d 중 1개를 선택하는 경우의 수와 같으므로

$_4C_1 = 4$

STEP4 합의 법칙을 이용하여 경우의 수 구하기

(i), (ii)에 의하여 구하는 경우의 수는

$5 + 4 = 9$

07

해결전략 | 각 경기에 규칙에 따라 선수를 배정하는 경우를 생각한다.

STEP1 탁구에 선수를 배정하는 경우의 수 구하기

탁구에 나갈 선수는 6명 중 2명이므로 배정하는 경우의 수는

$_6C_2 = \dfrac{6 \times 5}{2 \times 1} = 15$

STEP2 농구에 선수를 배정하는 경우의 수 구하기

탁구에 나간 2명을 제외해야 하므로 배정하는 경우의 수는

$_4C_3 = _4C_1 = 4$

STEP3 배드민턴과 마라톤에 선수를 배정하는 경우의 수 구하기

(i) 탁구와 농구에 배정되지 않는 선수 1명이 배드민턴에 배정되는 경우

배드민턴에 나갈 다른 한 선수는 탁구에 나간 2명 중 1명이므로 배정하는 경우의 수는 $_2C_1 = 2$

이때 마라톤에 나갈 선수는 배드민턴에 나간 2명을 제외해야 하므로 배정하는 경우의 수는

$_4C_3 = _4C_1 = 4$

∴ $2 \times 4 = 8$

(ii) 탁구와 농구에 배정되지 않는 선수 1명이 마라톤에 배정되는 경우

배드민턴에 나갈 선수는 탁구에 나간 2명 중 2명이므로 배정하는 경우의 수는 $_2C_2 = 1$

이때 마라톤에 나갈 다른 두 선수는 배드민턴에 나간 2명을 제외해야 하므로 배정하는 경우의 수는

$_3C_2 = _3C_1 = 3$

∴ $1 \times 3 = 3$

STEP4 조건을 만족시키는 경우의 수 구하기

따라서 구하는 경우의 수는

$15 \times 4 \times (8 + 3) = 660$

당신이 만약 참으로 '열심'이라면 "나중에"라고 말하지 말고
지금 당장 이 순간에 해야 할 일을 시작해야 한다.

- 괴테 -